W9-CSM-639

νέα σελήνη

STEPHENIE MEYER

μετάφραση Βασιλική Λατσίνου

PLATYPUS

Τίτλος πρωτοτύπου
NEW MOON
Συγγραφέας
STEPHENIE MEYER

Jacket Design by Gail Doobinin
Jacket photo © John Grant/Getty Images
Jacket © Hachette Book Group

ΠΛΑΤΥΠΟΥΣ ΕΚΔΟΤΙΚΗ
Αρτέμιδος 1β', 15342 Αγ. Παρασκευή, Αθήνα
Τηλ. 210 6002605, Fax 210 6081164
info@platypus.gr, http://www.platypus.gr

Μετάφραση: Βασιλική Λατσίνου
Επιμέλεια: Ελένη Γεωργιάδου

Εκτύπωση: Starprint A.E.

ISBN 978-960-6665-27-1

Για τον μπαμπά μου, Στίβεν Μόργκαν –
Σε κανέναν ποτέ δεν έχει δοθεί περισσότερη άνευ όρων και
γεμάτη αγάπη υποστήριξη, από αυτή που μου έδωσες εσύ.
Κι εγώ σ' αγαπώ.

ꕥ

ΕΥΧΑΡΙΣΤΙΕΣ

Πολλή αγάπη και πολλά ευχαριστώ στο σύζυγο και τους γιους μου για τη συνεχή τους κατανόηση και την αυτοθυσία που έδειξαν για να με στηρίξουν στη συγγραφή του έργου. Τουλάχιστον, δεν είμαι εγώ η μόνη που επωφελήθηκε –είμαι σίγουρη ότι πολλά τοπικά εστιατόρια νιώθουν ευγνωμοσύνη που δε μαγειρεύω πια.

Σ' ευχαριστώ, Μαμά, που είσαι η καλύτερή μου φίλη και με αφήνεις να σου παίρνω τα αυτιά σε κάθε δύσκολη στιγμή. Σ' ευχαριστώ, επίσης, που είσαι τόσο τρελά δημιουργική και έξυπνη, και μου κληροδότησες ένα μικρό μέρος και των δύο αυτών ικανοτήτων σου στο γενετικό μου υλικό.

Ένα ευχαριστώ σε όλα μου τα αδέρφια, την Έμιλι, τη Χάιντι, τον Πολ, τον Σεθ και τον Τζέικομπ, που με αφήσατε να δανειστώ τα ονόματά σας. Ελπίζω να μην έκανα τίποτα με αυτά που να σας κάνει να εύχεστε να μη μου τα είχατε δανείσει.

Ένα ιδιαίτερο ευχαριστώ στον αδερφό μου, τον Πολ, για το μάθημα οδήγησης μηχανής –έχεις πραγματικό χάρισμα στη διδασκαλία.

Δεν μπορώ να ευχαριστήσω αρκετά τον αδερφό μου, τον Σεθ, για όλη τη σκληρή δουλειά και το μυαλό που έβαλε στην δημιουργία του www.stepheniemeyer.com. Είμαι τόσο ευγνώμων για την προσπάθεια που συνεχίζει να καταβάλλει σαν Webmaster της ιστοσελίδας μου. Η επιταγή είναι στο ταχυδρομείο, μικρέ. Αυτή τη φορά, το εννοώ.

Ευχαριστώ ξανά τον αδερφό μου, τον Τζέικομπ, για τις συνεχείς εξειδικευμένες συμβουλές του σχετικά με όλες τις επιλογές των οχημάτων που έχω κάνει.

Ένα μεγάλο ευχαριστώ στη μάνατζέρ μου, την Τζόντι Ρίμερ, για την αδιάκοπη καθοδήγηση και την υποστήριξή της στην καριέρα μου. Κι επίσης, επειδή άντεξε την τρέλα μου με ένα χαμόγελο, ενώ ξέρω ότι θα ήθελε να χρησιμοποιήσει επάνω μου μερικές από τις κινήσεις νίντζα που γνωρίζει.

Αγάπη, φιλιά, και ευγνωμοσύνη στην υπεύθυνη δημοσίων σχέσεών μου, την πανέμορφη Ελίζαμπεθ Ούλμπεργκ, επειδή έκανε την εμπειρία της περιοδείας να μοιάζει λιγότερο με δουλειά και περισσότερο σαν πιτζάμα-πάρτι, επειδή με βοήθησε και με παρότρυνε στο αργό μου ψάξιμο στο ίντερνετ, επειδή έπεισε εκείνη την αποκλειστική σνομπαρία του προσωπικού της κλαμπ να μου επιτρέψουν την είσοδο, και, α ναι, που με έβαλε στη λίστα των μπέστ-σελερ των Τάιμς της Νέας Υόρκης.

Αμέτρητες ευχαριστίες στον εκδοτικό οίκο Little, Brown and Company, για την υποστήριξή τους και την πίστη τους στις δυνατότητες των ιστοριών μου.

Και, τελικά, ένα ευχαριστώ στους ταλαντούχους μουσικούς που με ενέπνευσαν, ειδικά το συγκρότημα Muse – υπάρχουν συναισθήματα, σκηνές και νήματα της αφήγησης σ' αυτό το μυθιστόρημα που γεννήθηκαν από τα τραγούδια των Muse και δε θα υπήρχαν χωρίς την ιδιοφυία τους. Επίσης οι Linkin Park, οι Travis, οι Elbow, οι Coldplay, οι Marjorie Fair, οι My Chemical Romance, οι Brand New, οι The Strokes, οι Armor for Sleep, οι The Arcade Fire και οι The Fray βοήθησαν όλοι τους να μη στερέψει η φαντασία του συγγραφέα.

ΠΕΡΙΕΧΟΜΕΝΑ

Αυτές οι βίαιες απολαύσεις έχουν και βίαιο τέλος
Και την ώρα του θριάμβου τους πεθαίνουν, σαν τη φωτιά και το μπαρούτι
Που ξοδεύονται, καθώς φιλιούνται

Ρωμαίος και Ιουλιέτα, *Πράξη ΙΙ, Σκηνή IV*

ΠΡΟΛΟΓΟΣ

Ένιωθα σαν να ήμουν παγιδευμένη σε έναν από κείνους τους τρομακτικούς εφιάλτες, που πρέπει να τρέξεις, να τρέξεις μέχρι που τα πνευμόνια σου να σκάσουν, αλλά δεν μπορείς να κάνεις το σώμα σου να κινηθεί αρκετά γρήγορα. Τα πόδια μου έμοιαζαν να πηγαίνουν όλο και πιο αργά, καθώς πάλευα να περάσω μέσα από το άσπλαχνο πλήθος, αλλά οι δείκτες του τεράστιου ρολογιού δεν πήγαιναν πιο αργά. Με αδυσώπητη, ανελέητη δύναμη γύριζαν αμείλικτα προς το τέλος –το τέλος των πάντων.

Αλλά αυτό δεν ήταν όνειρο, και σε αντίθεση με τον εφιάλτη, δεν έτρεχα για τη *δική* μου ζωή˙ έτρεχα για να σώσω κάτι απείρως πιο πολύτιμο. Η ίδια μου η ζωή είχε πολύ μικρή σημασία σήμερα.

Η Άλις είχε πει ότι υπήρχε μεγάλη πιθανότητα να πεθαίναμε κι οι δυο μας εδώ. Ίσως τα πράγματα να ήταν διαφορετικά, αν δεν ήταν παγιδευμένη από το λαμπερό φως του ήλιου˙ μόνο εγώ ήμουν ελεύθερη να διασχίσω τρέχοντας αυτήν τη φωτεινή, γεμάτη κόσμο πλατεία.

Και δεν μπορούσα να τρέξω αρκετά γρήγορα.

Έτσι δεν είχε σημασία που ήμασταν περικυκλωμένοι από τους εξαιρετικά επικίνδυνους εχθρούς μας. Την ώρα που το ρολόι άρχισε να χτυπά πένθιμα, σημαίνοντας το τέλος του χρόνου, προκαλώντας δόνηση στις νωθρές μου πατούσες, ήξερα ότι ήταν πολύ αργά πια –και χαιρόμουν που κάτι αιμοδιψές με περίμενε υπομονετικά. Γιατί μετά την αποτυχία μου αυτή, είχα χάσει κάθε επιθυμία να ζήσω.

Το ρολόι χτύπησε ξανά, κι ο ήλιος άπλωσε τις ακτίνες του ακριβώς από το κέντρο του ουρανού.

1. ΠΑΡΤΙ

Ήμουν ενενήντα εννέα κόμμα εννέα τοις εκατό σίγουρη πως ονειρευόμουν.

Οι λόγοι για τους οποίους ήμουν τόσο σίγουρη ήταν ότι, πρώτον, στεκόμουν μέσα σε μια λαμπερή δέσμη φωτός –από έναν εκτυφλωτικό, καθαρό ήλιο που δεν έλαμπε ποτέ στο καινούριο μου βροχερό σπίτι, το Φορκς, στην πολιτεία της Ουάσινγκτον– και δεύτερον, κοίταζα τη γιαγιά μου τη Μαρί. Η γιαγιά είχε πεθάνει εδώ και έξι χρόνια, άρα αυτό ήταν τρανή απόδειξη της θεωρίας του ονείρου.

Η γιαγιά δεν είχε αλλάξει πολύ˙ το πρόσωπό της έδειχνε το ίδιο ακριβώς όπως το θυμόμουν. Το δέρμα της ήταν απαλό και μαραμένο, με χιλιάδες μικροσκοπικές πτυχές χαλαρά στερεωμένες. Σαν αποξηραμένο βερίκοκο, αλλά με ένα στεφάνι από πλούσια άσπρα μαλλιά να το περιβάλλουν σαν σύννεφο.

Τα στόματά μας –το δικό της μια ρυτιδιασμένη ζάρα– είχαν το ίδιο μισοέκπληκτο χαμόγελο την ίδια ακριβώς στιγμή. Προφανώς, ούτε κι εκείνη περίμενε να με δει.

Ήμουν έτοιμη να της κάνω μια ερώτηση˙ είχα τόσες πολλές –Τι δουλειά είχε στο όνειρό μου; Τι έκανε τα τελευταία έξι χρόνια; Ήταν καλά ο παππούς και είχαν συναντηθεί, όπου κι αν βρίσκονταν;– αλλά εκείνη άνοιξε το στόμα της όταν το άνοιξα κι εγώ, έτσι σταμάτησα για να την αφήσω να μιλήσει πρώτη. Σταμάτησε κι εκείνη, και μετά χαμογελάσαμε και οι δύο για το μικρό αμήχανο συμβάν.

«Μπέλλα;»

Δεν ήταν η γιαγιά που με φώναξε, και γυρίσαμε και οι δύο για να δούμε το επιπλέον πρόσωπο στη μικρή μας συντροφιά. Εγώ δε χρειαζόταν να κοιτάξω για να δω ποιος ήταν˙ αυτή τη φωνή θα την αναγνώριζα παντού –θα την αναγνώριζα και θα απαντούσα, είτε ήμουν ξύπνια είτε κοιμόμουν… ή ακόμα κι αν ήμουν νεκρή, θα έβαζα στοίχημα. Η φωνή για την οποία θα έμπαινα και στη φωτιά –ή, λιγότερο δραματικά, θα τσαλαβουτούσα κάθε μέρα στην κρύα και ασταμάτητη βροχή.

Ο Έντουαρντ.

Αν και πάντα ένιωθα ενθουσιασμό, όταν τον έβλεπα –είτε έχοντας τις αισθήσεις μου είτε όχι– και αν και ήμουν *σχεδόν* σίγουρη ότι ονειρευόμουν, πανικοβλήθηκα, καθώς ο Έντουαρντ ερχόταν προς εμάς μέσα στο εκθαμβωτικό φως του ήλιου.

Πανικοβλήθηκα επειδή η γιαγιά δεν ήξερε ότι ήμουν ερωτευμένη με ένα βρικόλακα –κανείς δεν το ήξερε αυτό– άρα πώς θα εξηγούσα το γεγονός ότι οι λαμπερές ακτίνες, αντανακλώντας στο δέρμα του, έσπαζαν σε χιλιάδες θραύσματα του ουράνιου τόξου, λες και ήταν φτιαγμένος από κρύσταλλο ή διαμάντι;

Λοιπόν, γιαγιά, μπορεί να το πρόσεξες ότι το αγόρι μου αστράφτει. Είναι απλώς κάτι που κάνει στον ήλιο. Μην ανησυχείς…

Μα τι έκανε; Ο μοναδικός λόγος για τον οποίο ζούσε στο Φορκς, το πιο βροχερό μέρος στον κόσμο, ήταν για να μπορεί να βγαίνει έξω κατά τη διάρκεια της ημέρας, χωρίς να κινδυνεύει να αποκαλύψει το μυστικό της οικογένειάς του. Κι όμως ήταν εδώ, ερχόταν προς εμένα με χάρη –με το πιο όμορφο χαμόγελο στο αγγελικό πρόσωπό του– λες και ήταν μόνος του εδώ.

Εκείνο το δευτερόλεπτο, ευχήθηκα να μην ήμουν εγώ η μόνη εξαίρεση στο μυστηριώδες του ταλέντο˙ συνήθως ένιωθα ευγνωμοσύνη που ήμουν το μοναδικό άτομο, του οποίου τις σκέψεις δεν μπορούσε να ακούσει τόσο καθαρά λες και λέγονταν δυνατά. Αλλά τώρα ευχόμουν να μπορούσε να με ακούσει κι εμένα, έτσι ώστε να άκουγε την προειδοποίηση που ούρλιαζα μέσα στο κεφάλι μου.

Έριξα μια πανικόβλητη ματιά στη γιαγιά και είδα ότι ήταν ήδη αργά. Εκείνη ακριβώς τη στιγμή αυτή γύριζε προς εμένα με μάτια εξίσου αναστατωμένα με τα δικά μου.

Ο Έντουαρντ –ακόμα χαμογελώντας τόσο όμορφα, που η καρδιά μου ένιωθε λες και θα φούσκωνε τόσο πολύ που θα έσκαγε μέσα στο στήθος μου –έβαλε το μπράτσο του γύρω από τον ώμο μου και γύρισε για να κοιτάξει τη γιαγιά μου.

Η έκφραση της γιαγιάς με ξάφνιασε. Αντί το πρόσωπό της να είναι γεμάτο φρίκη, εκείνη με κοίταζε συνεσταλμένα λες και περίμενε να τη μαλώσω. Και στεκόταν σε μια τόσο περίεργη στάση –με το ένα της χέρι αδέξια σε απόσταση από το σώμα της, τεντωμένο και μετά τυλιγμένο γύρω από τον αέρα. Λες και είχε αγκαλιά κάποιον που δεν μπορούσα να δω, κάποιον αόρατο…

Μόνο τότε, όταν πρόσεξα καλύτερα, παρατήρησα την τεράστια επίχρυση κορνίζα που περιέβαλλε τη μορφή της γιαγιάς μου. Χωρίς να μπορώ να καταλάβω, σήκωσα το χέρι μου που δεν ήταν τυλιγμένο γύρω από τη μέση του Έντουαρντ και το άπλωσα για να την αγγίξω. Εκείνη μιμήθηκε ακριβώς την κίνησή μου, λες και ήταν αντικατοπτρισμός της. Αλλά εκεί που τα δάχτυλά μας θα έπρεπε να είχαν ενωθεί, δεν υπήρχε τίποτα πέρα από ψυχρό γυαλί…

Με ένα απότομο τίναγμα που μου προκάλεσε ζάλη, το όνειρό μου έγινε εφιάλτης.

Δεν υπήρχε πια γιαγιά.

Αυτή ήμουν *εγώ*. Εγώ στον καθρέφτη. Εγώ –αρχαία, ζαρωμένη και μαραμένη.

Ο Έντουαρντ στεκόταν δίπλα μου, χωρίς να καθρεφτίζεται η μορφή του, βασανιστικά όμορφη και για πάντα δεκαεφτά ετών.

Ακούμπησε τα παγωμένα, άψογα χείλη του στο ρυτιδιασμένο μου μάγουλο.

«Χρόνια πολλά», ψιθύρισε.

Ξύπνησα έντρομη –τα βλέφαρά μου άνοιξαν διάπλατα απότομα– και η ανάσα μου είχε κοπεί. Μουντό γκρίζο φως, το γνωστό φως ενός συννεφιασμένου πρωινού, πήρε τη θέση του εκτυφλωτικού ήλιου στο όνειρό μου.

Απλώς ένα όνειρο, είπα στον εαυτό μου. *Ήταν μόνο ένα όνειρο*. Πήρα μια βαθιά ανάσα και μετά πετάχτηκα πάλι, όταν χτύπησε το ξυπνητήρι μου. Το μικρό ημερολόγιο στη γωνία της οθόνης του ρολογιού με ενημέρωνε ότι σήμερα ήταν δεκατρείς Σεπτεμβρίου.

Απλώς ένα όνειρο, αλλά αρκετά προφητικό κατά κάποιο τρόπο, τουλάχιστον. Σήμερα ήταν τα γενέθλιά μου. Ήμουν επισήμως δεκαοχτώ χρονών.

Φοβόμουν τον ερχομό της μέρας αυτής εδώ και μήνες.

Σε όλη τη διάρκεια του τέλειου καλοκαιριού –το πιο ευτυχισμένο καλοκαίρι που είχα περάσει ποτέ μου, το πιο ευτυχισμένο καλοκαίρι που *οποιοσδήποτε* άνθρωπος σε *οποιοδήποτε* μέρος είχε περάσει ποτέ του, και το πιο βροχερό καλοκαίρι στην ιστορία της Ολυμπιακής Χερσονήσου– αυτή η άθλια ημερομηνία παραμόνευε, περιμένοντας να μου ορμήσει.

Και τώρα που είχε χτυπήσει, ήταν ακόμα χειρότερα απ' ό,τι φοβόμουν. Το ένιωθα –ήμουν μεγαλύτερη. Κάθε μέρα μεγάλωνα, αλλά αυτή εδώ ήταν διαφορετική, χειρότερη, συγκεκριμένη. Ήμουν δεκαοχτώ.

Και ο Έντουαρντ δε θα γινόταν ποτέ.

Όταν πήγα να βουρτσίσω τα δόντια μου, ένιωσα σχεδόν έκπληξη που το πρόσωπο στον καθρέφτη δεν είχε αλλάξει. Κοίταξα τον εαυτό μου, ψάχνοντας για κάποιο σημάδι επερχόμενων ρυτίδων στο υπόλευκο δέρμα μου. Οι μοναδικές ζάρες ήταν αυτές στο μέτωπό μου, όμως, που ήξερα ότι αν κατάφερνα να χαλαρώσω, θα έφευγαν. Δεν μπορούσα. Τα φρύδια μου έμεναν κολλημένα σε μια γραμμή ανησυχίας πάνω από τα γεμάτα άγχος καστανά μου μάτια.

Ήταν απλώς ένα όνειρο, υπενθύμισα στον εαυτό μου πάλι. Απλώς ένα όνειρο... αλλά ταυτόχρονα και ο χειρότερος εφιάλτης μου.

Δεν έφαγα πρωινό, καθώς βιαζόμουν να φύγω από το σπίτι όσο το δυνατόν πιο γρήγορα. Δεν μπόρεσα να αποφύγω εντελώς τον μπαμπά μου κι έτσι αναγκάστηκα να περάσω μερικά λεπτά προσποιούμενη πως ήμουν κεφάτη. Ειλικρινά προσπάθησα να δείξω ενθουσιασμένη για τα δώρα που του είχα ζητήσει να μη μου πάρει, αλλά κάθε φορά που έπρεπε να χαμογελάω, ένιωθα λες και θα με έπιαναν τα κλάματα.

Πάσχισα να συγκρατήσω την ψυχραιμία μου, καθώς πήγαινα με το αμάξι στο σχολείο. Το όραμα της γιαγιάς –δε δεχόμουν πως αυτή ήμουν εγώ– ήταν αρκετά δύσκολο να φύγει απ' το μυαλό μου. Δεν ένιωθα τίποτα πέρα από απελπισία, μέχρι που πάρκαρα στο γνωστό πάρκινγκ πίσω από το λύκειο του Φορκς κι εντόπισα τον Έντουαρντ ακουμπισμένο, απολύτως ακίνητο, στο γυαλισμένο του ασημένιο Βόλβο, σαν μαρμάρινο άγαλμα αφιερωμένο σε κάποιον ξεχασμένο παγανιστικό θεό της ομορφιάς. Το όνειρο τον είχε αδικήσει. Και περίμενε *εμένα*, όπως έκανε κάθε μέρα.

Η απελπισία εξαφανίστηκε για λίγο· ο θαυμασμός πήρε τη θέση της. Ακόμα και μετά από μισό χρόνο μαζί του, δεν μπορούσα να το πιστέψω ότι άξιζα μια τόσο καλή τύχη.

Η αδερφή του, η Άλις στεκόταν δίπλα του, περιμένοντάς με κι αυτή.

Φυσικά ο Έντουαρντ και η Άλις δεν είχαν πραγματική συγγένεια (στο Φορκς αυτό που ήξεραν οι κάτοικοι ήταν πως όλα τα αδέρφια Κάλεν ήταν υιοθετημένα από το δόκτορα Κάρλαϊλ και τη σύζυγό του, την Έσμι, αφού και οι δυο τους ήταν προφανέστατα υπερβολικά νέοι για να έχουν παιδιά στην ηλικία της εφηβείας), αλλά το δέρμα τους ήταν ακριβώς η ίδια ωχρή απόχρωση, τα μάτια τους είχαν τον ίδιο παράξενο χρυσαφί τόνο, με τις ίδιες βαθιές σκιές σαν μώλωπες γύρω τους. Το πρόσωπό της, όπως και το δικό του, ήταν επίσης εκπληκτικά όμορφο. Για κάποιον που γνώριζε –κάποιον σαν κι εμένα– αυτές οι ομοιότητες προσδιόριζαν το είδος τους.

Το θέαμα της Άλις που περίμενε εκεί –τα ανοιχτά καστανά μάτια της που έλαμπαν από ενθουσιασμό κι ένα μικρό τετράγωνο τυλιγμένο με ασημί χαρτί στα χέρια της –με έκαναν να κατσουφιάσω. Είχα πει στην Άλις πως δεν ήθελα τίποτα, *τίποτα*, ούτε δώρα, ούτε καν προσοχή για τα γενέθλιά μου. Προφανώς, κανείς δεν είχε δώσει σημασία στις επιθυμίες μου.

Έκλεισα την πόρτα της μικρής μου Σέβι του '53 χτυπώντας τη με δύναμη –ένας καταιγισμός από κομμάτια σκουριάς έπεσαν κάτω στην υγρή άσφαλτο– και πήγα αργά προς τα 'κει που με περίμεναν. Η Άλις πετάχτηκε μπροστά για να βρεθεί κοντά μου, με το νεραϊδόμορφο πρόσωπό της να λάμπει κάτω από τα ατίθασα μαύρα της μαλλιά.

«Χρόνια πολλά, Μπέλλα!»

«Σσσσς!» είπα μέσα από τα δόντια μου, ρίχνοντας μια γρήγορη ματιά γύρω, για να βεβαιωθώ ότι κανείς δεν την είχε ακούσει. Το τελευταίο πράγμα που ήθελα ήταν κάποιου είδους γιορτή για τη μαύρη επέτειο.

«Όχι δώρα», διαμαρτυρήθηκα μουρμουρίζοντας ακατανόητα.

Τελικά φάνηκε να επεξεργάζεται τη διάθεσή μου. «Εντάξει... αργότερα, τότε. Σου άρεσε το λεύκωμα που σου έστειλε η μαμά σου; Και η φωτογραφική μηχανή από τον Τσάρλι;»

Αναστέναξα. Φυσικά και θα ήξερε ποια ήταν τα δώρα που είχα πάρει για τα γενέθλιά μου. Ο Έντουαρντ δεν ήταν το μοναδικό μέλος της οικογένειάς του με ασυνήθιστες ικανότητες. Η Άλις θα είχε "δει" τι δώρα σκόπευαν να μου πάρουν οι γονείς μου, από τη στιγμή που θα το είχαν αποφασίσει.

«Ναι. Είναι πολύ ωραία».

«Νομίζω πως είναι καλή ιδέα. Μία φορά μόνο είσαι τελειόφοιτη. Μπορείς να κρατήσεις πειστήρια για την εμπειρία».

«Εσύ πόσες φορές έχεις υπάρξει τελειόφοιτη;»

«Άλλο αυτό».

Τότε φτάσαμε στον Έντουαρντ, κι εκείνος άπλωσε το χέρι του για να πιάσει το δικό μου. Το έπιασα πρόθυμα ξεχνώντας για μια στιγμή τη μελαγχολική μου διάθεση. Το δέρμα του ήταν, ως συνήθως, απαλό, σφιχτό και πολύ ψυχρό. Έσφιξε μαλακά τα δάχτυλά μου. Κοίταξα μέσα στα υγρά καστανοκίτρινα σαν τοπάζι μάτια του, και η καρδιά μου σφίχτηκε όχι και τόσο μαλακά από μόνη της. Ακούγοντας τον άρρυθμο αυτό ήχο της καρδιάς μου, χαμογέλασε πάλι.

Σήκωσε το ελεύθερο χέρι του κι ακολούθησε με τη δροσερή άκρη του δαχτύλου του το σχήμα του εξωτερικού των χειλιών μου, καθώς μιλούσε. «Λοιπόν, όπως συζητήθηκε, δεν επιτρέπεται να σου ευχηθώ χρόνια πολλά, σωστά;»

«Ναι. Σωστά». Δε θα μπορούσα ποτέ να μιμηθώ ακριβώς τη ροή της αψεγάδιαστης, επίσημης άρθρωσής του. Ήταν κάτι που μπορούσε κανείς να το μάθει μόνο σε κάποιον περασμένο αιώνα.

«Απλώς ήθελα να το επιβεβαιώσω». Πέρασε το χέρι του μέσα από τα ανακατωμένα μαλλιά του στο χρώμα του χαλκού. «Μπορεί να είχες αλλάξει γνώμη. Οι περισσότεροι άνθρωποι χαίρονται με πράγματα όπως τα γενέθλια και τα δώρα».

Η Άλις γέλασε, κι ο ήχος ήταν τόσο μεταλλικός σαν καμπανάκια ανέμου. «Φυσικά και θα το χαρείς. Όλοι πρέπει να είναι καλοί μαζί σου σήμερα και να σου κάνουν τα χατίρια, Μπέλλα. Ποιο είναι το χειρότερο που θα μπορούσε να συμβεί;» Αυτό το έθεσε σαν ρητορική ερώτηση.

«Το ότι θα μεγαλώσω», απάντησα πάντως εγώ, και η φωνή μου δεν ήταν τόσο σταθερή όσο θα ήθελα να ήταν.

Δίπλα μου, το χαμόγελο του Έντουαρντ έγινε μια άκαμπτη γραμμή.

«Στα δεκαοχτώ δεν είσαι και πολύ μεγάλη», είπε η Άλις. «Δεν περιμένουν συνήθως οι γυναίκες μέχρι να γίνουν είκοσι ένα τουλάχιστον, για να αρχίσουν να εκνευρίζονται με τα γενέθλια;»

«Είμαι πιο μεγάλη από τον Έντουαρντ», μουρμούρισα.

Εκείνος αναστέναξε.

«Από τεχνική άποψη», είπε διατηρώντας τον ανάλαφρο τόνο της. «Αν και μόλις κατά ένα χρόνο».

Και φανταζόμουν ότι... αν μπορούσα να είμαι *σίγουρη* για το μέλλον που ήθελα, σίγουρη ότι θα μπορούσα να περάσω την αιωνιότητα μαζί με τον Έντουαρντ και την Άλις και τους υπόλοιπους Κάλεν (κατά προτίμηση όχι σαν μια σταφιδιασμένη γριά)... τότε ένας χρόνος πάνω ένας χρόνος κάτω δε θα έπαιζε και τόσο μεγάλο ρόλο. Αλλά ο Έντουαρντ ήταν εντελώς αποφασισμένος εναντίον ενός μέλλοντος που θα με άλλαζε. Οποιουδήποτε μέλλοντος που θα με έκανε σαν αυτόν –και που θα με έκανε αθάνατη, επίσης.

Αδιέξοδο, έτσι το αποκαλούσε.

Δεν μπορούσα να καταλάβω την άποψη του Έντουαρντ, για να είμαι ειλικρινής. Τι ήταν αυτό το τόσο υπέροχο στο να είναι κανείς θνητός; Το να είσαι βρικόλακας δεν έδειχνε να είναι και τόσο τρομερό –όχι όπως το έκαναν οι Κάλεν, τουλάχιστον.

«Τι ώρα θα έρθεις σπίτι;» συνέχισε η Άλις αλλάζοντας θέμα. Από την έκφρασή της κατάλαβα ότι είχε ετοιμάσει αυτό ακριβώς που ήλπιζα να αποφύγω.

«Δεν ήξερα ότι είχα κανονίσει να έρθω».

«Έλα, μην είσαι άδικη, Μπέλλα!» παραπονέθηκε εκείνη. «Δε θα μας χαλάσεις όλο το κέφι, έτσι δεν είναι;»

«Νόμιζα ότι στα γενέθλιά μου θα μπορούσα να κάνω αυτό που θέλω εγώ».

«Θα την πάρω απ' τον Τσάρλι αμέσως μετά το σχολείο», της είπε ο Έντουαρντ χωρίς να μου δίνει σημασία.

«Έχω διάβασμα», διαμαρτυρήθηκα.

«Όχι, δεν έχεις, εδώ που τα λέμε», μου είπε η Άλις ευχαριστημένη με τον εαυτό της. «Έχω ήδη μιλήσει στην κυρία Νιούτον γι' αυτό. Κάνει αλλαγή στις ώρες των μαθημάτων σου. Είπε να σου πω Χρόνια Πολλά».

«Δεν –δεν μπορώ και πάλι να έρθω», τραύλισα, παλεύοντας να βρω μια δικαιολογία. «Θέλω να πω, δεν έχω δει το *Ρωμαίος και Ιουλιέτα* ακόμα για το μάθημα των Αγγλικών».

Η Άλις ξεφύσηξε. «Έχεις μάθει το *Ρωμαίος και Ιουλιέτα* απ' έξω κι ανακατωτά».

«Αλλά ο κύριος Μπέρτι είπε ότι πρέπει να το δούμε να παίζεται για να το εκτιμήσουμε δεόντως –έτσι ήθελε ο Σαίξπηρ να το δει να παρουσιάζεται».

Ο Έντουαρντ με κοίταξε κοροϊδευτικά.

«Μα έχεις ήδη δει την ταινία», με κατηγόρησε η Άλις.

«Όχι όμως και την εκδοχή του 1960. Ο κύριος Μπέρτι είπε ότι αυτή είναι η καλύτερη».

Τελικά έσβησε το χαμόγελο στο πρόσωπο της Άλις, και με κοίταξε άγρια. «Μπορεί να γίνει με τον εύκολο τρόπο ή με το δύσκολο τρόπο, Μπέλλα, αλλά είτε έτσι είτε αλλιώς–»

Ο Έντουαρντ διέκοψε την απειλή της. «Ηρέμησε, Άλις. Αν η Μπέλλα θέλει να δει ταινία, τότε ας την αφήσουμε. Είναι τα γενέθλιά της».

«Ορίστε λοιπόν», πρόσθεσα.

«Θα τη φέρω γύρω στις επτά», συνέχισε. «Έτσι θα έχετε περισσότερο χρόνο να τα τακτοποιήσετε όλα».

Το γέλιο της Άλις κορυφώθηκε και πάλι. «Καλό ακούγεται έτσι. Θα τα πούμε απόψε, Μπέλλα! Θα περάσουμε καλά, θα δεις». Χαμογέλασε –το πλατύ της χαμόγελο αποκάλυψε όλα τα τέλεια αστραφτερά της δόντια– μετά με τσίμπησε στο μάγουλο κι έφυγε με χορευτικές κινήσεις για να πάει στο πρώτο της μάθημα, πριν καν προλάβω να απαντήσω.

«Έντουαρντ, σε παρακαλώ–» άρχισα να τον εκλιπαρώ, αλλά εκείνος ακούμπησε ένα δροσερό δάχτυλο στα χείλη μου.

«Ας το συζητήσουμε πιο μετά. Θα αργήσουμε στο μάθημα».

Κανείς δεν μπήκε στον κόπο να μας κοιτάξει, καθώς καθίσαμε στις συνηθισμένες μας θέσεις στο πίσω μέρος της τάξης (κάναμε σχεδόν όλα τα μαθήματα μαζί τώρα –ήταν εκπληκτικό πόσες χάρες κατάφερνε ο Έντουαρντ να του κάνουν οι γυναίκες υπεύθυνοι των μαθημάτων). Ο Έντουαρντ κι εγώ ήμασταν μαζί τόσο καιρό τώρα πια που είχαμε σταματήσει πλέον να αποτελούμε αντικείμενο κουτσομπολιών. Ακόμα κι ο Μάικ Νιούτον δεν έμπαινε στον κόπο να με κοιτάξει με εκείνο το σκυθρωπό βλέμμα, που παλιά με έκανε να νιώθω λιγάκι ένοχη. Αντί γι' αυτό χαμογελούσε τώρα, κι εγώ χαιρόμουν που έδειχνε να έχει αποδεχτεί το γεγονός ότι θα ήμασταν μόνο φίλοι. Ο Μάικ είχε αλλάξει μέσα στο καλοκαίρι –το πρόσωπό του είχε χάσει λιγάκι από το στρογγυλό του σχήμα, έτσι τα ζυγωματικά του προεξείχαν περισσότερο, και έφτιαχνε τα ανοιχτά ξανθά μαλλιά του με άλλον τρόπο˙ αντί για καρφάκια, τώρα ήταν πιο μακριά και τα έφτιαχνε με ζελέ, ώστε να δείχνουν επιμελώς ατημέλητα. Ήταν εύκολο να καταλάβει κανείς από πού είχε εμπνευστεί –αλλά το λουκ του Έντουαρντ δεν ήταν κάτι που μπορεί να το πετύχει κανείς αντιγράφοντάς το.

Καθώς η μέρα προχωρούσε, σκεφτόμουν τρόπους για να αποφύγω οτιδήποτε κι αν ήταν αυτό που ετοίμαζαν οι Κάλεν στο σπίτι τους απόψε. Δε μου έφτανε ότι έπρεπε να γιορτάσω, ενώ είχα τη διάθεση να θρηνήσω. Αλλά, το χειρότερο απ' όλα, ήταν ότι το όλο σκηνικό σίγουρα θα είχε να κάνει με πολλή προσοχή προς το άτομό μου και δώρα.

Το να έχεις στραμμένη την προσοχή πάνω σου δεν είναι ποτέ καλό πράγμα, όπως θα συμφωνούσε κάθε αδέξιος άνθρωπος. Κανείς δε θέλει ένα προβολέα στραμμένο πάνω του, όταν είναι πιθανόν να πέσει με τα μούτρα.

Και το είχα πει συγκεκριμένα –δηλαδή, είχα διατάξει, στην πραγματικότητα– να μη μου δώσει κανείς κανένα δώρο. Φαινόταν ότι ο Τσάρλι κι η Ρενέ δεν ήταν ο μόνοι που αποφάσισαν να το παραβλέψουν αυτό.

Δεν είχα ποτέ πολλά χρήματα και ποτέ δε με είχε απασχολήσει αυτό. Η Ρενέ με είχε μεγαλώσει με το μισθό της νηπιαγωγού. Ούτε κι ο Τσάρλι πλούτιζε από τη δουλειά του –ήταν ο διοικητής του αστυνομικού τμήματος στη μικρή πόλη Φορκς. Το μοναδικό μου προσωπικό έσοδο προερχόταν από τις τρεις μέρες την εβδομάδα που δούλευα στο τοπικό κατάστημα αθλητικών ειδών. Σε μια πόλη τόσο μικρή, ήμουν τυχερή που είχα δουλειά. Κάθε δεκάρα που κέρδιζα πήγαινε κατευθείαν στο μικρό απόθεμα που είχα για το πανεπιστήμιο. (Το πανεπιστήμιο ήταν το σχέδιο Β. Εγώ έτρεφα ακόμα ελπίδες για το σχέδιο Α, αλλά ο Έντουαρντ ήταν τόσο πεισματικά αποφασισμένος να με αφήσει να ζήσω σαν άνθρωπος...)

Ο Έντουαρντ είχε *πολλά* χρήματα –δεν ήθελα καν να σκεφτώ πόσο πολλά. Τα χρήματα δεν είχαν καμία σημασία για τον Έντουαρντ ή τους υπόλοιπους Κάλεν. Ήταν απλώς κάτι που συγκεντρωνόταν, όταν είχες απεριόριστο χρόνο στη διάθεσή σου και μια αδερφή που είχε την ανεξήγητη ικανότητα να προβλέπει τις τάσεις στο χρηματιστήριο. Ο Έντουαρντ δε φαινόταν να καταλαβαίνει γιατί δεν ήθελα να ξοδεύει χρήματα για μένα –γιατί με έκανε να νιώθω άβολα, όταν με πήγαινε σε ένα ακριβό εστιατόριο στο Σιάτλ, γιατί δεν του επέτρεπα να μου αγοράσει ένα αυτοκίνητο που να μπορεί να πιάσει πάνω από ογδόντα χιλιόμετρα την ώρα ή γιατί δεν τον άφηνα να πληρώσει τα δίδακτρά μου για το πανεπιστήμιο (έδειχνε ένα γελοίο ενθουσιασμό για το σχέδιο Β). Ο Έντουαρντ νόμιζε ότι ήμουν ιδιότροπη χωρίς λόγο.

Μα πώς θα μπορούσα να τον αφήσω να μου δίνει πράγματα, όταν εγώ δε γινόταν να του το ανταποδώσω; Εκείνος, για κάποιον ανεξιχνίαστο λόγο, ήθελε να είναι μαζί μου. Οτιδήποτε μου έδινε επιπλέον απλώς ανέτρεπε εντελώς την ισορροπία μεταξύ μας.

Στη διάρκεια της μέρας ούτε ο Έντουαρντ ούτε η Άλις ανέφεραν ξανά τα γενέθλιά μου, κι είχα αρχίσει να χαλαρώνω κάπως.

Καθίσαμε στο συνηθισμένο μας τραπέζι για φαγητό το μεσημέρι.

Ένα παράξενο είδος ανακωχής επικρατούσε στο τραπέζι αυτό. Οι τρεις μας –ο Έντουαρντ, η Άλις κι εγώ– καθόμασταν στο νότιο άκρο του τραπεζιού. Τώρα που τα "μεγαλύτερα" και κάπως τρομακτικότερα (σίγουρα, όσον αφορούσε την περίπτωση του Έμετ) αδέρφια της οικογένειας Κάλεν είχαν αποφοιτήσει, η Άλις και ο Έντουαρντ δεν προκαλούσαν τόσο φόβο πια, κι έτσι δεν καθόμασταν μόνοι μας. Οι άλλοι μου φίλοι, ο Μάικ και η Τζέσικα (οι οποίοι βρίσκονταν στην αμήχανη φάση της φιλίας μετά το χωρισμό), η Άντζελα και ο Μπεν (η σχέση των οποίων είχε επιβιώσει μέσα στο καλοκαίρι), ο Έρικ, ο Κόνερ, ο Τάιλερ και η Λόρεν (αν και αυτή η τελευταία δε μετρούσε στην κατηγορία των φίλων στην πραγματικότητα) όλοι κάθονταν στο ίδιο τραπέζι, από την άλλη μεριά μιας αόρατης γραμμής. Αυτή η γραμμή εξαφανιζόταν τις ηλιόλουστες μέρες, όταν ο Έντουαρντ και η Άλις πάντα έλειπαν από το σχολείο, και τότε η συζήτηση απλωνόταν εύκολα για να συμπεριλάβει κι εμένα.

Ο Έντουαρντ και η Άλις δεν έβρισκαν αυτόν το μικρό εξοστρακισμό παράξενο ή προσβλητικό, όπως θα τον έβρισκα εγώ. Μετά βίας που τον πρόσεχαν. Οι άνθρωποι πάντοτε ένιωθαν άβολα με τους Κάλεν, σχεδόν φοβόντουσαν για κάποιο λόγο που δεν μπορούσαν να εξηγήσουν στον εαυτό τους. Εγώ ήμουν μια σπάνια εξαίρεση στον κανόνα αυτό. Μερικές φορές ο Έντουαρντ ενοχλείτο από το πόσο άνετα ένιωθα κοντά του. Πίστευε ότι ήταν επικίνδυνος για την υγεία μου –μια άποψη που απέρριπτα παθιασμένα όταν την εξέφραζε.

Το απόγευμα πέρασε γρήγορα. Το σχολείο τελείωσε, και ο Έντουαρντ με πήγε ως το φορτηγάκι μου, όπως έκανε συνήθως. Αλλά αυτή τη φορά μου άνοιξε την πόρτα του συνοδηγού. Η Άλις πρέπει να είχε πάρει το δικό του αυτοκίνητο για να το πάει σπίτι, ώστε να με εμποδίσει να του ξεφύγω.

Σταύρωσα τα χέρια μου και δεν έκανα καμία κίνηση να φύγω από τη βροχή. «Είναι τα γενέθλιά μου, δε θα οδηγήσω εγώ;»

«Προσποιούμαι ότι δεν είναι τα γενέθλιά σου, όπως είπες».

«Αν δεν είναι τα γενέθλιά μου, τότε δεν είναι ανάγκη να έρθω σπίτι σου απόψε...»

«Εντάξει». Έκλεισε την πόρτα του επιβάτη και με προσπέρασε για να ανοίξει την πόρτα του οδηγού. «Χρόνια Πολλά».

«Σςςς», του έκανα να σωπάσει με μισή καρδιά. Μπήκα στο αυτοκίνητο, ενώ ευχόμουν να είχε δεχτεί την άλλη εναλλακτική.

Ο Έντουαρντ έπαιζε με το ραδιόφωνο, ενώ εγώ οδηγούσα, κουνώντας το κεφάλι του αποδοκιμαστικά.

«Το ραδιόφωνό σου δεν πιάνει καθόλου».

Κατσούφιασα. Δε μου άρεσε όταν σχολίαζε το φορτηγάκι μου. Το φορτηγάκι ήταν μια χαρά –είχε προσωπικότητα.

«Θέλεις ωραίο στερεοφωνικό; Οδήγα το δικό σου αμάξι». Είχα τόσο άγχος για τα σχέδια της Άλις, πέρα από την κατάθλιψη που ήδη ένιωθα, που οι λέξεις ακούστηκαν πιο ειρωνικές απ' ό,τι σκόπευα. Σχεδόν ποτέ δεν θύμωνα με τον Έντουαρντ, κι ο τόνος μου τον έκανε να σφίξει τα χείλη του για να μη χαμογελάσει.

Όταν πάρκαρα μπροστά από το σπίτι του Τσάρλι, ο Έντουαρντ άπλωσε τα χέρια του για να πάρει το πρόσωπό μου. Με άγγιξε πολύ προσεχτικά, ακουμπώντας τις άκρες των δαχτύλων του απαλά στους κροτάφους μου, τα ζυγωματικά μου, το πιγούνι μου. Σαν να ήμουν εξαιρετικά εύθραυστη. Πράγμα που ήταν και γεγονός –σε σύγκριση με αυτόν, τουλάχιστον.

«Θα έπρεπε να έχεις καλή διάθεση, τουλάχιστον σήμερα», ψιθύρισε. Η γλυκιά του ανάσα δρόσισε το πρόσωπό μου.

«Κι αν δε θέλω να έχω καλή διάθεση;» ρώτησα με άρρυθμη αναπνοή.

Τα χρυσαφί του μάτια σιγόκαιγαν. «Κρίμα».

Το κεφάλι μου γύριζε ήδη γύρω-γύρω ως τη στιγμή που έσκυψε πιο κοντά και ακούμπησε τα παγωμένα του χείλη στα δικά μου. Όπως το είχε σχεδιάσει, χωρίς αμφιβολία, ξέχασα όλες τις ανησυχίες μου και συγκεντρώθηκα στο να θυμηθώ πώς εισπνέουν και εκπνέουν.

Το στόμα του παρέμεινε στο δικό μου, κρύο και απαλό και μαλακό, μέχρι που τύλιξα τα χέρια μου γύρω από το λαιμό του και έδωσα όλο μου τον εαυτό στο φιλί, με λιγάκι περισσότερο ενθουσιασμό απ' ό,τι έπρεπε. Ένιωσα τα χείλη του να κυρτώνουν προς τα πάνω, την ώρα που άφησε τα χείλη μου και σήκωσε τα χέρια του για να απελευθερωθεί από τη σφιχτή μου αγκαλιά.

Ο Έντουαρντ είχε θέσει κάποια προσεχτικά όρια στη σωματική μας επαφή με στόχο να με κρατήσει ζωντανή. Αν και σεβόμουν την ανάγκη να διατηρήσει μια ασφαλή απόσταση ανάμεσα στο δέρμα μου και τα αιχμηρά σαν λεπίδες και καλυμμένα με δηλητήριο δόντια του, εγώ είχα την τάση να ξεχνάω τέτοια επουσιώδη πράγματα όταν με φιλούσε.

«Σε παρακαλώ, να είσαι καλό κορίτσι», ψιθύρισε στο μάγουλό μου. Ακούμπησε τα χείλη του απαλά στα δικά μου άλλη μια φορά και μετά τραβήχτηκε, αφού δίπλωσε τα χέρια μου στο στομάχι μου.

Ο σφυγμός μου χτυπούσε υπόκωφα στα αυτιά μου. Το αίμα παλλόταν κάτω από την παλάμη μου σε ένα ξέσπασμα υπερδραστηριότητας.

«Πιστεύεις ότι θα βελτιωθώ ποτέ;» αναρωτήθηκα κυρίως απευθυνόμενη στον εαυτό μου. «Θα σταματήσει κάποια μέρα η καρδιά μου να προσπαθεί να πηδήξει έξω απ' το στήθος μου, κάθε φορά που με αγγίζεις;»

«Ελπίζω πως όχι», είπε.

Στριφογύρισα τα μάτια μου. «Δεν πάμε να δούμε τους Καπουλέτους και τους Μοντέγους να σκοτώνονται;»

«Η επιθυμία σας διαταγή μου».

Ο Έντουαρντ χύθηκε στον καναπέ, ενώ εγώ έβαλα την ταινία να παίξει, περνώντας γρήγορα τους αρχικούς τίτλους. Όταν κούρνιασα στην άκρη του καναπέ μπροστά του, εκείνος τύλιξε τα χέρια του γύρω από τη μέση μου και με τράβηξε στο στήθος του. Δεν ήταν ακριβώς τόσο άνετα όπως ένα μαξιλάρι καναπέ, καθώς το στήθος του ήταν σκληρό και ψυχρό –και τέλειο– όπως ένα γλυπτό από πάγο, αλλά σίγουρα το προτιμούσα. Έβγαλε το παλιό μάλλινο κουβερλί από τον καναπέ και με τύλιξε μ' αυτό για να μην παγώσω δίπλα στο σώμα του.

«Ξέρεις, ποτέ δεν είχα ιδιαίτερη συμπάθεια στον Ρωμαίο», σχολίασε, καθώς η ταινία άρχιζε.

«Τι πρόβλημα έχεις με τον Ρωμαίο;» ρώτησα, κάπως προσβεβλημένη. Ο Ρωμαίος ήταν ένας από τους αγαπημένους μου λογοτεχνικούς ήρωες. Μέχρι που γνώρισα τον Έντουαρντ, κατά κάποιο τρόπο ήμουν τσιμπημένη μαζί του.

«Να, πρώτα απ' όλα, είναι ερωτευμένος μ' αυτήν τη Ρόζαλιν –δε νομίζεις ότι αυτό τον κάνει κάπως άστατο; Και μετά, λίγα λεπτά μετά το γάμο τους, σκοτώνει τον ξάδερφο της Ιουλιέτας. Αυτό δεν είναι και πολύ έξυπνο. Το ένα λάθος μετά το άλλο. Νομίζω ότι, και να το ήθελε, δε θα μπορούσε να είχε καταστρέψει πιο ολοκληρωτικά την ίδια του την ευτυχία».

Αναστέναξα. «Θέλεις να τη δω μόνη μου την ταινία;»

«Όχι, εξάλλου εγώ θα κοιτάζω πιο πολύ εσένα». Τα δάχτυλά του χάιδεψαν το δέρμα στο μπράτσο μου, προκαλώντας μου ανατριχίλα. «Θα κλάψεις;»

«Πιθανότατα» παραδέχτηκα «αν συγκεντρωθώ».

«Τότε δε θα σου αποσπάσω την προσοχή». Αλλά ένιωσα τα χείλη του στα μαλλιά μου, και αυτό δε με άφηνε καθόλου να συγκεντρωθώ.

Η ταινία τελικά αιχμαλώτισε το ενδιαφέρον μου σε μεγάλο βαθμό χάρη στον Έντουαρντ, που ψιθύριζε τις ατάκες του Ρωμαίου στο αυτί μου –η ακαταμάχητη, βελούδινη φωνή του έκανε τη φωνή του ηθοποιού να ακούγεται αδύναμη και τραχιά σε σύγκριση με τη δική του. Και πράγματι έκλαψα, πράγμα που το βρήκε διασκεδαστικό, όταν η Ιουλιέτα ξύπνησε και βρήκε τον καινούριο της σύζυγο νεκρό.

«Παραδέχομαι ότι σ' αυτό το σημείο τον ζηλεύω λιγάκι», είπε ο Έντουαρντ σκουπίζοντας τα δάκρυά μου με μια μπούκλα από τα μαλλιά μου.

«Είναι πολύ όμορφη».

Έκανε έναν ήχο που φανέρωνε αηδία. «Δεν τον ζηλεύω για το *κορίτσι* –απλώς για την ευκολία με την οποία αυτοκτόνησε», διευκρίνισε με πειραχτικό ύφος. «Για σας τους ανθρώπους είναι τόσο εύκολο! Το μόνο που χρειάζεται να κάνετε είναι να καταπιείτε ένα μικρό μπουκαλάκι με αποστάγματα φυτών...»

«Τι πράγμα;» είπα με κομμένη ανάσα.

«Είναι κάτι που χρειάστηκε να σκεφτώ κάποια στιγμή και ήξερα από την εμπειρία του Κάρλαϊλ πως δε θα ήταν απλό. Δεν είμαι καν σίγουρος με πόσους τρόπους προσπάθησε ο Κάρλαϊλ να σκοτώσει τον εαυτό του στην αρχή... αφού συνειδητοποίησε τι είχε γίνει...» Η φωνή του, που είχε γίνει σοβαρή, έγινε και πάλι ανάλαφρη. «Και προφανέστατα χαίρει ακόμα άκρας υγείας».

Γύρισα για να μπορώ να διαβάσω το πρόσωπό του. «Μα τι είναι αυτά που λες;» ρώτησα με απαιτητικό τόνο. «Τι εννοείς είναι κάτι που χρειάστηκε να σκεφτείς κάποια στιγμή;»

«Την περασμένη άνοιξη, όταν εσύ παραλίγο να... πεθάνεις...» Σταμάτησε για να πάρει μια βαθιά ανάσα, πασχίζοντας να ανακτήσει το πειραχτικό του ύφος. «Φυσικά προσπαθούσα να συγκεντρωθώ στο να σε βρω ζωντανή, αλλά ένα μέρος του μυαλού μου σχεδίαζε για ώρα ανάγκης. Όπως είπα, δεν είναι τόσο εύκολο για μένα όπως για έναν άνθρωπο».

Για ένα δευτερόλεπτο, η ανάμνηση του τελευταίου μου ταξιδιού στο Φοίνιξ πέρασε από το νου μου και με έκανε να νιώσω ναυτία. Τα θυμόμουν όλα τόσο καθαρά –τον εκτυφλωτικό ήλιο, τα κύματα ζέστης που έβγαιναν από το μπετόν, καθώς έτρεχα με απελπισμένη βιασύνη για να συναντήσω το σαδιστή βρικόλακα, που ήθελε να με βασανίσει μέχρι θανάτου. Τον Τζέιμς, που με περίμενε στο δωμάτιο με τους καθρέφτες μαζί με τη μητέρα μου σαν όμηρό του –ή τουλάχιστον έτσι πίστευα. Δεν ήξερα ότι ήταν μπλόφα. Ακριβώς όπως και ο Τζέιμς δεν ήξερε ότι ο Έντουαρντ ερχόταν για να με σώσει˙ ο Έντουαρντ είχε φτάσει εγκαίρως, αλλά τη γλίτωσα παρά τρίχα. Χωρίς να το συνειδητοποιώ, τα δάχτυλά μου ακούμπησαν το ημικυκλικό σημάδι στο χέρι μου, που ήταν πάντα μερικούς βαθμούς πιο δροσερό απ' ό,τι το υπόλοιπο δέρμα μου.

Κούνησα το κεφάλι μου –λες και θα μπορούσα να διώξω όλες τις κακές αναμνήσεις τινάζοντάς τις– και προσπάθησα να κατανοήσω τι εννοούσε ο Έντουαρντ. Το στομάχι μου σφίχτηκε νιώθοντας άσχημα. «Σχεδίαζες για ώρα ανάγκης;» επανέλαβα.

«Εννοείται πως δε σκόπευα να ζήσω χωρίς εσένα». Στριφογύρισε τα μάτια του λες και το γεγονός ήταν παιδαριωδώς προφανές. «Αλλά δεν ήμουν βέβαιος πώς να το κάνω –ήξερα ότι ο Έμετ κι ο Τζάσπερ δε θα με βοηθούσαν ποτέ... έτσι σκεφτόμουν να πάω ίσως στην Ιταλία και να κάνω κάτι για να προκαλέσω τους Βολτούρι».

Δεν μπορούσα να πιστέψω ότι μιλούσε σοβαρά, αλλά τα χρυσαφί μάτια του ήταν σκεφτικά και μελαγχολικά, επικεντρωμένα σε κάτι πέρα μακριά, καθώς αναλογιζόταν τρόπους για να δώσει τέλος στην ίδια του τη ζωή. Απότομα, έγινα έξαλλη.

«Τι είναι το *Βολτούρι;*» απαίτησα να μάθω.

«Οι Βολτούρι είναι μια οικογένεια», εξήγησε, με μάτια ακόμα απόμακρα. «Μια πολύ παλιά, πανίσχυρη οικογένεια του είδους μας. Είναι το πιο κοντινό πράγμα στο δικό μας κόσμο σ' αυτό που αποκαλείτε εσείς βασιλική οικογένεια, υποθέτω. Ο Κάρλαϊλ έζησε μαζί τους για κάποιο διάστημα στα νιάτα του, στην Ιταλία, πριν εγκατασταθεί στην Αμερική –θυμάσαι την ιστορία;»

«Φυσικά και θυμάμαι».

Δε θα ξεχνούσα ποτέ την πρώτη φορά που πήγα σπίτι του, την τεράστια λευκή έπαυλη χωμένη βαθιά στο δάσος δίπλα από το ποτάμι ή το δωμάτιο όπου ο Κάρλαϊλ –ο πατέρας του Έντουαρντ, κατά πολλούς αληθινούς τρόπους– είχε έναν τοίχο γεμάτο πίνακες που διηγούνταν την προσωπική του ιστορία. Ο πιο ζωντανός, αυτός με τα πιο έντονα χρώματα, ο πιο μεγάλος ήταν από την εποχή του Κάρλαϊλ στην Ιταλία. Φυσικά θυμόμουν την τετράδα των αντρών, κάθε ένας τους με το εξαίσιο πρόσωπο ενός σεραφείμ, ζωγραφισμένοι όλοι τους στο ψηλότερο μπαλκόνι που είχε θέα πάνω από το περιδινούμενο κομφούζιο των χρωμάτων. Αν και ο πίνακας ήταν ζωγραφισμένος πριν αιώνες, ο Κάρλαϊλ –ο ξανθός άγγελος– παρέμενε απαράλλαχτος. Και θυμόμουν και τους άλλους τρεις, από τους πρώτους βρικόλακες που γνώρισε ο Κάρλαϊλ στα νιάτα του. Ο Έντουαρντ δεν είχε χρησιμοποιήσει ξανά το όνομα *Βολτούρι* για το πανέμορφο τρίο, τους δύο μελαχρινούς και τον τρίτο με τα λευκά σαν χιόνι μαλλιά. Τους είχε αποκαλέσει Άρο, Κάιο και Μάρκο, νυχτερινούς προστάτες των τεχνών…

«Εν πάση περιπτώσει, δεν πρέπει να κάνεις κάτι που να θυμώσει τους Βολτούρι», συνέχισε ο Έντουαρντ, διακόπτοντας την ονειροπόλησή μου. «Εκτός κι αν θέλεις να πεθάνεις ή ότι κι αν είναι αυτό που παθαίνουμε τελοσπάντων». Η φωνή του ήταν τόσο ψύχραιμη, τον έκανε να ακούγεται σαν να έβρισκε την προοπτική αυτή σχεδόν βαρετή.

Ο θυμός μου έγινε φρίκη. Πήρα στα χέρια μου το μαρμάρινο πρόσωπό του και το κράτησα πολύ σφιχτά.

«Δεν πρέπει ποτέ, ποτέ, ποτέ να σκεφτείς κάτι τέτοιο ξανά!» είπα. «Ό,τι κι αν συμβεί σ' εμένα, *δε σου επιτρέπω* να κάνεις κακό στον εαυτό σου!»

«Δε θα σε ξαναβάλω ποτέ σε κίνδυνο, άρα δεν έχει νόημα να το συζητήσουμε».

«Να με *βάλεις* σε κίνδυνο! Μα δεν είχαμε συμφωνήσει πως η κακή μου τύχη είναι δικό μου φταίξιμο;» Τώρα είχα αρχίσει να θυμώνω πιο πολύ. «Πώς τολμάς ακόμα και να σκέφτεσαι με αυτό τον τρόπο;» Η ιδέα ότι ο Έντουαρντ θα έπαυε να υπάρχει, ακόμα κι αν εγώ ήμουν νεκρή, ήταν απίστευτα οδυνηρή.

«Εσύ τι θα έκανες αν είχαν αντιστραφεί οι όροι;» ρώτησε.

«Δεν είναι το ίδιο πράγμα».

Δε φαινόταν να καταλαβαίνει τη διαφορά. Γέλασε πνιχτά.

«Κι αν κάτι συνέβαινε σ' εσένα;» ρώτησα κι έγινα κάτωχρη και μόνο στη σκέψη. «Θα ήθελες να κάνω κακό στον εαυτό μου;»

Ένα ίχνος πόνου άγγιξε τα άψογα χαρακτηριστικά του.

«Μάλλον καταλαβαίνω τι θες να πεις… κάπως», παραδέχτηκε. «Μα τι θα έκανα χωρίς εσένα;»

«Αυτό που έκανες και πριν έρθω και περιπλέξω τη ζωή σου».

Αναστέναξε. «Το κάνεις να ακούγεται τόσο εύκολο».

«Θα έπρεπε να είναι. Δεν είμαι και τόσο ενδιαφέρουσα».

Ήταν έτοιμος να διαφωνήσει, αλλά μετά το άφησε. «Δεν έχει νόημα να το συζητήσουμε», μου υπενθύμισε. Απότομα, σηκώθηκε για να καθίσει σε μια πιο επίσημη στάση, βάζοντάς με στο πλάι, έτσι ώστε να μην ακουμπάμε ο ένας τον άλλο.

«Ο Τσάρλι;» μάντεψα.

Ο Έντουαρντ χαμογέλασε. Μετά από ένα λεπτό, άκουσα τον ήχο του περιπολικού που έμπαινε στο δρόμο του πάρκινγκ. Άπλωσα το χέρι μου και έπιασα το δικό του σφιχτά. Τουλάχιστον αυτό μπορούσε να το αντέξει ο πατέρας μου.

Ο Τσάρλι μπήκε μέσα με ένα κουτί πίτσα στα χέρια του.

«Γεια σας, παιδιά». Μου χαμογέλασε πλατιά. «Σκέφτηκα ότι θα ήθελες να μη μαγειρέψεις και να πλύνεις πιάτα σήμερα, μιας και έχεις γενέθλια. Πεινάτε;»

«Βέβαια. Ευχαριστώ, μπαμπά».

Ο Τσάρλι δε σχολίασε τη φανερή έλλειψη όρεξης του Έντουαρντ. Είχε συνηθίσει να τον βλέπει να μην τρώει βραδινό.

«Σε πειράζει να δανειστώ την Μπέλλα για απόψε;» ρώτησε ο Έντουαρντ όταν τελείωσε ο Τσάρλι.

Κοίταξα τον Τσάρλι με ελπίδες. Ίσως είχε στο νου του μια εικόνα των γενεθλίων, όπου έμενε κανείς σπίτι μαζί με την οικογένεια –αυτά ήταν τα πρώτα γενέθλια που έκανα μαζί του, τα πρώτα γενέθλια από τότε που η μαμά, η Ρενέ είχε ξαναπαντρευτεί και είχε πάει στη Φλόριντα, έτσι δεν ήξερα τι περίμενε αυτός.

«Δεν πειράζει –απόψε παίζουν οι Μαρίνερς με τους Σοκς», εξήγησε ο Τσάρλι, και οι ελπίδες μου εξανεμίστηκαν. «Δε θα είμαι, λοιπόν, και πολύ καλή παρέα... Ορίστε». Πήρε στη χούφτα του τη φωτογραφική μηχανή που μου είχε πάρει μετά από συμβουλή της Ρενέ (επειδή θα χρειαζόμουν φωτογραφίες για να γεμίσω το λεύκωμά μου), και μου την πέταξε.

Θα έπρεπε να το είχε σκεφτεί καλύτερα –δεν είχα ποτέ καλό συγχρονισμό. Η μηχανή γλίστρησε από την άκρη του δαχτύλου μου και κύλησε προς το πάτωμα. Τη σταμάτησε το χέρι του Έντουαρντ, πριν προλάβει να συντριβεί στο πλαστικό δάπεδο.

«Καλό πιάσιμο», επισήμανε ο Τσάρλι. «Αν γίνει τίποτα διασκεδαστικό στο σπίτι των Κάλεν απόψε, Μπέλλα, να βγάλεις φωτογραφίες. Ξέρεις τι παθαίνει η μητέρα σου –θα θέλει να δει τις φωτογραφίες πριν καν τις βγάλεις».

«Καλή ιδέα, Τσάρλι», είπε ο Έντουαρντ, δίνοντάς μου τη φωτογραφική μηχανή.

Έστρεψα τη μηχανή προς τον Έντουαρντ και τράβηξα την πρώτη φωτογραφία. «Δουλεύει».

«Ωραία. Ε, δώσε χαιρετίσματα στην Άλις. Έχει καιρό να έρθει». Το στόμα του Τσάρλι στράβωσε ελαφρώς προς τα κάτω από τη μια μεριά.

«Ήρθε πριν τρεις μέρες, μπαμπά», του θύμισα. Ο Τσάρλι λάτρευε την Άλις. Είχε συνδεθεί μαζί της από την περασμένη άνοιξη, όταν ερχόταν να με βοηθήσει κατά τη διάρκεια της αμήχανης ανάρρωσής μου˙ ο Τσάρλι θα της ήταν αιώνια ευγνώμων που τον έσωσε από τη φρίκη μιας σχεδόν ενήλικης κόρης, που είχε ανάγκη από βοήθεια για να κάνει μπάνιο. «Θα της δώσω».

«Εντάξει. Καλά να περάσετε απόψε, παιδιά». Αυτό ήταν προφανώς άδεια να φύγουμε. Ο Τσάρλι πήγαινε ήδη προς το σαλόνι και την τηλεόραση.

Ο Έντουαρντ χαμογέλασε θριαμβευτικά και πήρε το χέρι μου για να με τραβήξει από την κουζίνα.

Όταν πήγαμε στο φορτηγάκι, μου άνοιξε την πόρτα του συνοδηγού πάλι, κι αυτή τη φορά δεν είπα τίποτα. Δυσκολευόμουν ακόμα να βρω τη στροφή για το σπίτι του, που δε φαινόταν εύκολα στο σκοτάδι.

Ο Έντουαρντ οδηγούσε προς τα βόρεια του Φορκς, φανερά εκνευρισμένος με το όριο ταχύτητας που επέβαλλε η προϊστορική μου Σέβι. Η μηχανή μούγκριζε ακόμα πιο δυνατά απ' ό,τι συνήθως, καθώς πατούσε το γκάζι να ξεπεράσει τα ογδόντα.

«Με το μαλακό», τον προειδοποίησα.

«Ξέρεις τι θα σου άρεσε πολύ; Ένα μικρό Άουντι κουπέ. Αθόρυβο, πολύ δυνατό...»

«Το φορτηγάκι μου είναι μια χαρά. Και μιλώντας για ακριβά άχρηστα πράγματα, αν θέλεις το καλό σου, δεν ξόδεψες χρήματα σε δώρα γενεθλίων».

«Ούτε δεκάρα», είπε ενάρετα.

«Ωραία».

«Μπορείς να μου κάνεις μια χάρη;»

«Εξαρτάται από το τι χάρη είναι».

Αναστέναξε, με το υπέροχο πρόσωπό του σοβαρό. «Μπέλλα, τα τελευταία πραγματικά γενέθλια που γιορτάσαμε ήταν τα γενέθλια του Έμετ το 1935. Κάνε μας, λοιπόν, τη χάρη και μην είσαι τόσο ιδιότροπη απόψε. Είναι όλοι τους πολύ ενθουσιασμένοι».

Πάντα με ξάφνιαζε κάπως όταν μιλούσε για τέτοια πράγματα. «Εντάξει, θα είμαι καλό κορίτσι».

«Μάλλον πρέπει να σε προειδοποιήσω...»

«Σε παρακαλώ να το κάνεις».

«Όταν λέω ότι είναι όλοι ενθουσιασμένοι... εννοώ *όλοι* τους».

«Όλοι;» είπα πνιχτά. «Νόμιζα ότι ο Έμετ κι η Ρόζαλι ήταν στην Αφρική». Το υπόλοιπο Φορκς είχε την εντύπωση ότι τα μεγαλύτερα αδέρφια των Κάλεν είχαν πάει στο πανεπιστήμιο φέτος, στο Ντάρτμουθ, αλλά εγώ γνώριζα την αλήθεια.

«Ο Έμετ ήθελε να είναι εδώ».

«Μα... η Ρόζαλι;»

«Το ξέρω, Μπέλλα. Μην ανησυχείς, θα φροντίσει να δείξει τον καλύτερό της εαυτό».

Δεν απάντησα. Λες και θα μπορούσα απλώς να *μην* ανησυχώ, έτσι εύκολα. Αντίθετα με την Άλις, η άλλη "θετή" αδερφή του Έντουαρντ, η εξαίσια Ρόζαλι με τα χρυσά μαλλιά δε με συμπαθούσε και πολύ. Στην πραγματικότητα, το συναίσθημα ήταν κάπως πιο δυνατό από απλή αντιπάθεια. Όσον αφορούσε τη Ρόζαλι, ήμουν ένας ανεπιθύμητος εισβολέας στη μυστική ζωή της οικογένειάς της.

Ένιωθα φριχτά ένοχη για την παρούσα κατάσταση, μαντεύοντας ότι η παρατεταμένη απουσία της Ρόζαλι και του Έμετ ήταν δικό μου φταίξιμο, ακόμα κι αν κρυφά το χαιρόμουν που δεν ήταν ανάγκη να τη βλέπω. Ο Έμετ, όμως, ο παιχνιδιάρης αδερφός του Έντουαρντ που έμοιαζε με αρκούδα, μου έλειπε. Ήταν κατά πολλές έννοιες ο μεγάλος αδερφός που πάντα ήθελα να έχω... σε πάρα πολύ πιο τρομακτικό.

Ο Έντουαρντ αποφάσισε να αλλάξει θέμα. «Λοιπόν, αφού δε με αφήνεις να σου πάρω ένα Άουντι, δεν υπάρχει κάτι άλλο που να θες για τα γενέθλιά σου;»

Ξεστόμισα τις λέξεις ψιθυριστά. «Ξέρεις τι θέλω».

Ένα βαθύ συνοφρύωμα χάραξε ζάρες στο μαρμάρινο μέτωπό του. Προφανώς ευχόταν να είχε μείνει στο θέμα της Ρόζαλι.

Ένιωθα ότι είχαμε τσακωθεί αρκετά για το θέμα αυτό σήμερα.

«Όχι απόψε, Μπέλλα. Σε παρακαλώ».

«Τότε μπορεί η Άλις να μου δώσει αυτό που θέλω».

Ο Έντουαρντ γρύλισε –ένας βαθύς, απειλητικός ήχος. «Δε θα είναι αυτά τα τελευταία σου γενέθλια, Μπέλλα», ορκίστηκε.

«Αυτό δεν είναι δίκαιο!»

Μου φάνηκε ότι άκουσα τα δόντια του να τρίζουν.

Τώρα παρκάραμε μπροστά στο σπίτι. Ένα αστραφτερό φως έλαμπε μέσα από το παράθυρο στους δύο πρώτους ορόφους. Μια μακριά σειρά από γιαπωνέζικα φανάρια κρέμονταν στα γείσα της βεράντας, αντανακλώντας απαλά στους τεράστιους κέδρους που περιέβαλλαν το σπίτι. Μεγάλα μπολ με λουλούδια –ροζ τριαντάφυλλα– στόλιζαν την πλατιά σκάλα ως την είσοδο.

Μούγκρισα.

Ο Έντουαρντ πήρε μερικές βαθιές ανάσες για να ηρεμήσει. «Έχουμε πάρτι», μου υπενθύμισε. «Προσπάθησε να είσαι καλό κορίτσι».

«Εντάξει», μουρμούρισα.

Έκανε το γύρο για να μου ανοίξει την πόρτα και μου πρόσφερε το χέρι του.

«Έχω μια ερώτηση».

Περίμενε διστακτικά.

«Αν εμφανίσω αυτό το φιλμ» είπα, παίζοντας με τη φωτογραφική μηχανή στα χέρια μου, «θα φανείς στη φωτογραφία;»

Ο Έντουαρντ άρχισε να γελάει. Με βοήθησε να βγω από το αυτοκίνητο, με τράβηξε για να ανεβούμε τις σκάλες και γελούσε ακόμα, καθώς μου άνοιγε την πόρτα.

Περίμεναν όλοι στο τεράστιο λευκό σαλόνι˙ όταν μπήκα μέσα, με υποδέχτηκαν με μια δυνατή χορωδία από «Χρόνια Πολλά, Μπέλλα!» ενώ εγώ κοκκίνισα και χαμήλωσα τα μάτια. Η Άλις, υπέθετα, είχε σκεπάσει κάθε επίπεδη επιφάνεια με ροζ κεριά και δεκάδες κρυστάλλινα μπολ γεμάτα με εκατοντάδες τριαντάφυλλα. Υπήρχε ένα τραπέζι καλυμμένο με ένα λευκό τραπεζομάντιλο δίπλα στο επιβλητικό πιάνο του Έντουαρντ, με μια ροζ τούρτα γενεθλίων επάνω, κι άλλα τριαντάφυλλα, μια στοίβα γυάλινα πιάτα κι ένα μικρό σωρό δώρα τυλιγμένα με ασημένιο χαρτί.

Ήταν εκατό φορές χειρότερα απ' ό,τι είχα φανταστεί.

Ο Έντουαρντ, νιώθοντας τη δυσάρεστη κατάσταση στην οποία βρισκόμουν, τύλιξε ενθαρρυντικά το χέρι του γύρω από τη μέση μου και φίλησε το πάνω μέρος του κεφαλιού μου.

Οι γονείς του Έντουαρντ, ο Κάρλαϊλ και η Έσμι –απίστευτα νεαροί και υπέροχοι όπως πάντα– ήταν πιο κοντά απ' όλους στην πόρτα. Η Έσμι με αγκάλιασε προσεχτικά, ενώ τα απαλά μαλλιά της στο χρώμα της καραμέλας ακούμπησαν το μάγουλό μου, καθώς μου φιλούσε το μέτωπο, και μετά ο Κάρλαϊλ έβαλε τα μπράτσα του γύρω από τους ώμους μου.

«Λυπάμαι γι' αυτό, Μπέλλα», μου είπε δήθεν ψιθυριστά. «Δεν μπορούσαμε να συγκρατήσουμε την Άλις».

Η Ρόζαλι κι ο Έμετ στέκονταν πίσω τους. Η Ρόζαλι δε χαμογελούσε, τουλάχιστον όμως δε με αγριοκοίταζε. Το πρόσωπο του Έμετ είχε ένα τεράστιο χαμόγελο. Είχα μήνες να τους δω˙ είχα ξεχάσει πόσο εκτυφλωτικά όμορφη ήταν η Ρόζαλι –σχεδόν με πλήγωνε να την κοιτάζω. Κι ο Έμετ ήταν πάντα τόσο... *μεγάλος*;

«Δεν έχεις αλλάξει καθόλου», είπε ο Έμετ δήθεν με απογοήτευση. «Περίμενα μια αισθητή διαφορά, αλλά είσαι πάλι ίδια, με κατακόκκινο πρόσωπο, όπως πάντα».

«Ευχαριστώ πολύ, Έμετ», είπα κοκκινίζοντας ακόμα περισσότερο.

Εκείνος γέλασε και είπε: «Πρέπει να βγω έξω για λίγο» –σταμάτησε για να κλείσει το μάτι επιδεικτικά στην Άλις– «Μην κάνεις τίποτα αστείο όσο λείπω».

«Θα προσπαθήσω».

Η Άλις άφησε το χέρι του Τζάσπερ και πετάχτηκε μπροστά και όλα της τα δόντια άστραφταν στο λαμπερό φως. Ο Τζάσπερ χαμογέλασε κι αυτός, αλλά έμεινε πιο πίσω. Ακουμπούσε, ψηλός και ξανθός, στην κολόνα στη βάση της σκάλας. Τις ημέρες που έπρεπε να περάσουμε μαζί κλεισμένοι στο Φοίνιξ, νόμιζα ότι είχε ξεπεράσει την αποστροφή του για μένα. Αλλά είχε ξαναγυρίσει ακριβώς στον τρόπο με τον οποίο μου συμπεριφερόταν παλιότερα –να με αποφεύγει όσο γινόταν– αμέσως μόλις ελευθερώθηκε από την προσωρινή υποχρέωσή του να με προστατεύει. Ήξερα ότι δεν είχε τίποτα προσωπικό μαζί μου, ήταν απλώς μια προφύλαξη, και προσπαθούσα να μην είμαι υπερβολικά ευαίσθητη με το θέμα αυτό. Ο Τζάσπερ το έβρισκε πιο δύσκολο να ακολουθήσει τη δίαιτα των Κάλεν απ' ό,τι οι υπόλοιποι˙ του ήταν πιο δύσκολο να αντιστέκεται στη μυρωδιά του ανθρώπινου αίματος απ' ό,τι στους άλλους –δεν είχε τόση εμπειρία.

«Ώρα ν' ανοίξουμε τα δώρα», δήλωσε η Άλις. Έβαλε το δροσερό της χέρι κάτω από τον αγκώνα μου και με τράβηξε στο τραπέζι με την τούρτα και τις αστραφτερές συσκευασίες.

Πήρα την καλύτερη μαρτυρική έκφραση που είχα. «Άλις, είμαι σίγουρη πως σου είπα ότι δεν ήθελα τίποτα –»

«Αλλά εγώ δε σε άκουσα», διέκοψε πολύ ευχαριστημένη με τον εαυτό της. «Άνοιξέ το». Πήρε τη φωτογραφική μηχανή από τα χέρια μου και την αντικατέστησε με ένα μεγάλο, τετράγωνο, ασημένιο κουτί.

Το κουτί ήταν τόσο ελαφρύ που έμοιαζε άδειο. Η κάρτα επάνω έλεγε ότι ήταν από τον Έμετ, τη Ρόζαλι και τον Τζάσπερ. Ντροπαλά, έσκισα το χαρτί και μετά κοίταξα το κουτί που έκρυβε από κάτω.

Ήταν κάτι ηλεκτρικό με ένα όνομα με πολλά νούμερα. Άνοιξα το κουτί ελπίζοντας να διαφωτιστώ περισσότερο. Αλλά το κουτί ήταν *όντως* άδειο.

«Εε... ευχαριστώ».

Η Ρόζαλι έσκασε ένα χαμόγελο. Ο Τζάσπερ γέλασε. «Είναι στερεοφωνικό για το αυτοκίνητο», εξήγησε. «Ο Έμετ το εγκαθιστά τώρα, ώστε να μην μπορείς να το επιστρέψεις».

Η Άλις ήταν πάντα ένα βήμα πιο μπροστά από μένα.

«Ευχαριστώ, Τζάσπερ, Ρόζαλι», τους είπα, χαμογελώντας καθώς θυμήθηκα τα παράπονα του Έντουαρντ για το ραδιόφωνό μου το απόγευμα –ήταν όλα στημένα, προφανώς. «Ευχαριστώ, Έμετ!» φώναξα πιο δυνατά.

Άκουσα το βροντερό του γέλιο από το φορτηγάκι μου και δεν μπόρεσα παρά να γελάσω κι εγώ.

«Άνοιξε το δικό μου και του Έντουαρντ τώρα», είπε η Άλις τόσο ενθουσιασμένη που η φωνή της ήταν σαν τιτίβισμα σοπράνο. Κρατούσε ένα μικρό, επίπεδο τετράγωνο στο χέρι της.

Γύρισα για να ρίξω ένα θανατηφόρο βλέμμα στον Έντουαρντ. «Υποσχέθηκες».

Πριν προλάβει να απαντήσει, ο Έμετ όρμησε μέσα. «Πάνω στην ώρα», είπε και πλησίασε. Σπρώχτηκε πίσω από τον Τζάσπερ, ο οποίος είχε έρθει κι αυτός πιο κοντά απ' ό,τι συνήθως για να δει τι ήταν.

«Δεν ξόδεψα ούτε δεκάρα», με διαβεβαίωσε ο Έντουαρντ. Έδιωξε μια τούφα μαλλιά μακριά από το πρόσωπό μου, αφήνοντάς ένα μυρμήγκιασμα στο δέρμα μου από το άγγιγμά του.

Πήρα μια βαθιά ανάσα και γύρισα προς την Άλις. «Δώσ' το μου», ψιθύρισα.

Ο Έμετ γέλασε πνιχτά με χαρά.

Πήρα το μικρό πακετάκι στέλνοντας ένα θυμωμένο βλέμμα προς τον Έντουαρντ, ενώ έχωσα το δάχτυλό μου κάτω από την άκρη του χαρτιού και τράβηξα απότομα την κολλητική ταινία.

«Να πάρει!» μουρμούρισα όταν το χαρτί έσκισε το δάχτυλό μου˙ το τράβηξα για να δω τη ζημιά. Μια μόνο σταγόνα αίματος κύλησε από το μικροσκοπικό κόψιμο.

Τότε όλα έγιναν πολύ γρήγορα.

«Όχι!» βρυχήθηκε ο Έντουαρντ.

Όρμησε πάνω μου, ρίχνοντάς με πίσω προς το τραπέζι. Αυτό έπεσε, όπως κι εγώ, σκορπίζοντας γύρω-γύρω την τούρτα και τα δώρα, τα λουλούδια και τα πιάτα. Εγώ προσγειώθηκα μέσα στα σπασμένα κρύσταλλα.

Ο Τζάσπερ έπεσε με δύναμη πάνω στον Έντουαρντ, κι ο ήχος ήταν σαν να συγκρούστηκαν δύο ογκόλιθοι σε μια κατολίσθηση βράχων.

Ακούστηκε κι άλλος ένας θόρυβος, ένα απαίσιο γρύλισμα που έμοιαζε να έρχεται μέσα από το στήθος του Τζάσπερ. Ο Τζάσπερ προσπάθησε να σπρώξει πέρα τον Έντουαρντ, κλείνοντας με δύναμη τα δόντια του μόλις μερικά εκατοστά μακριά από το πρόσωπο του.

Ο Έμετ άρπαξε τον Τζάσπερ από πίσω το επόμενο δευτερόλεπτο, παγιδεύοντάς τον στην τεράστια ατσαλένια του αγκαλιά, αλλά ο Τζάσπερ συνέχιζε να παλεύει, με τα άγρια, άδεια μάτια του συγκεντρωμένα μόνο επάνω σε μένα.

Πέρα από την έκπληξη, υπήρχε και πόνος. Είχα κυλιστεί κάτω στο πάτωμα, δίπλα στο πιάνο, με τα χέρια μου τεντωμένα ενστικτωδώς, ώστε να συγκρατήσουν το βάρος μου την ώρα που έπεφτα, μέσα στα αιχμηρά θραύσματα του γυαλιού. Μόνο τώρα ένιωθα τον οξύ, τσουχτερό πόνο που διαπερνούσε το χέρι μου από τον καρπό μου ως την πτύχωση μέσα στον αγκώνα μου.

Ζαλισμένη και αποπροσανατολισμένη, σήκωσα τα μάτια μου από το έντονο κόκκινο αίμα που έτρεχε παλλόμενο από το χέρι μου –για να δω τα πυρετώδη μάτια έξι, ξαφνικά λυσσασμένων από πείνα, βρικολάκων.

2. ΡΑΜΜΑΤΑ

Ο Κάρλαϊλ ήταν ο μόνος που διατήρησε την ψυχραιμία του. Οι αιώνες της εμπειρίας του στις αίθουσες με τα επείγοντα περιστατικά φαίνονταν ξεκάθαρα στην ήρεμη, επιτακτική φωνή του.

«Έμετ, Ρόουζ, βγάλτε έξω τον Τζάσπερ».

Αγέλαστος αυτή τη φορά, ο Έμετ κούνησε το κεφάλι του. «Έλα, Τζάσπερ, πάμε».

Ο Τζάσπερ πάλευε να ξεφύγει από το σφιχτό κράτημα του Έμετ, στρίβοντας πέρα-δώθε και προσπαθώντας να φτάσει τον αδερφό του με τα γυμνά του δόντια, με μάτια που δεν είχαν ακόμη ίχνος λογικής.

Το πρόσωπο του Έντουαρντ ήταν άσπρο σαν το πανί, καθώς με πλησίασε για να σταθεί από πάνω μου, παίρνοντας μια καθαρά αμυντική θέση. Ένα χαμηλό προειδοποιητικό γρύλισμα ξέφυγε μέσα από τα σφιγμένα του δόντια. Μπορούσα να καταλάβω ότι δεν ανέπνεε.

Η Ρόζαλι, με το θεϊκό της πρόσωπο παραδόξως αυτάρεσκο, μπήκε μπροστά από τον Τζάσπερ –κρατώντας μια προσεχτική απόσταση από τα δόντια του– και βοήθησε τον Έμετ να τον βγάλουν με τη βία έξω από τη γυάλινη πόρτα που η Έσμι κρατούσε ανοιχτή με το ένα χέρι, ενώ με το άλλο έκλεινε το στόμα και τη μύτη της.

Το πρόσωπο της Έσμι που είχε σχήμα καρδιάς ήταν γεμάτο ντροπή. «Λυπάμαι πολύ, Μπέλλα», φώναξε καθώς ακολουθούσε τους άλλους στην αυλή.

«Άσε με να περάσω, Έντουαρντ», μουρμούρισε ο Κάρλαϊλ.

Πέρασε ένα δευτερόλεπτο, και μετά ο Έντουαρντ κούνησε αργά το κεφάλι του και χαλάρωσε.

Ο Κάρλαϊλ γονάτισε δίπλα μου σκύβοντας πιο κοντά για να εξετάσει το χέρι μου. Ένιωθα τη σοκαρισμένη έκφραση στο πρόσωπό μου να έχει παγώσει, και προσπάθησα να κυριαρχήσω στον εαυτό μου.

«Ορίστε, Κάρλαϊλ», είπε η Άλις δίνοντάς του μια πετσέτα.

Εκείνος κούνησε το κεφάλι του. «Υπάρχουν πάρα πολλά γυαλιά στο τραύμα». Άπλωσε το χέρι του και έσκισε ένα μακρύ, λεπτό κομμάτι ύφασμα από το λευκό τραπεζομάντιλο. Το τύλιξε γύρω από το μπράτσο μου πάνω από τον αγκώνα για να φτιάξει έναν επίδεσμο. Η μυρωδιά του αίματος με ζάλιζε. Τα αυτιά μου βούιζαν.

«Μπέλλα», είπε ο Κάρλαϊλ απαλά. «Θέλεις να σε πάω στο νοσοκομείο ή θέλεις να σε φροντίσω εδώ;»

«Εδώ, σε παρακαλώ», ψιθύρισα. Αν με πήγαινε στο νοσοκομείο, θα ήταν αδύνατο να μην το μάθει ο Τσάρλι.

«Θα σου φέρω την τσάντα σου», είπε η Άλις.

«Ας πάμε στο τραπέζι της κουζίνας», είπε ο Κάρλαϊλ στον Έντουαρντ.

Ο Έντουαρντ με σήκωσε χωρίς κόπο, ενώ ο Κάρλαϊλ συνέχισε να ασκεί πίεση σταθερά στο μπράτσο μου.

«Πώς τα πας, Μπέλλα;» ρώτησε ο Κάρλαϊλ.

«Καλά είμαι». Η φωνή μου ήταν αρκετά σταθερή, πράγμα που με ικανοποίησε.

Το πρόσωπο του Έντουαρντ ήταν σαν πέτρα.

Η Άλις ήταν εκεί. Η μαύρη τσάντα του Κάρλαϊλ ήταν ήδη στο τραπέζι, ένα μικρό αλλά πολύ φωτεινό πορτατίφ ήταν καρφωμένο στον τοίχο. Ο Έντουαρντ με έβαλε μαλακά να κάτσω σε μια καρέκλα, και ο Κάρλαϊλ τράβηξε μια άλλη. Έπιασε δουλειά αμέσως.

Ο Έντουαρντ στεκόταν από πάνω μου, ακόμα προστατευτικός, ακόμα χωρίς να αναπνέει.

«Φύγε, Έντουαρντ», ψιθύρισα.

«Αντέχω», επέμεινε εκείνος. Αλλά το σαγόνι του ήταν άκαμπτο· τα μάτια του έκαιγαν από την ένταση της δίψας που αντιμαχόταν, τόσο χειρότερη γι' αυτόν απ' ό,τι για όλους τους άλλους.

«Δεν είναι ανάγκη να κάνεις τον ήρωα», είπα. «Ο Κάρλαϊλ θα με φροντίσει χωρίς τη βοήθειά σου. Πήγαινε να πάρεις λίγο καθαρό αέρα».

Το πρόσωπό μου συσπάστηκε, καθώς ο Κάρλαϊλ έκανε κάτι στο μπράτσο μου που με έτσουξε.

«Θα μείνω», είπε εκείνος.

«Γιατί είσαι τόσο μαζοχιστής;» ψέλλισα.

Ο Κάρλαϊλ αποφάσισε να παρέμβει. «Έντουαρντ, θα μπορούσες να πας να βρεις τον Τζάσπερ πριν απομακρυνθεί πολύ. Είμαι σίγουρος ότι είναι θυμωμένος με τον εαυτό του και αμφιβάλλω αν θα ακούσει κανέναν άλλο εκτός από σένα αυτή τη στιγμή».

«Ναι», συμφώνησα με μεγάλη προθυμία. «Πήγαινε να βρεις τον Τζάσπερ».

«Καλύτερα να κάνεις κάτι χρήσιμο», πρόσθεσε η Άλις.

Τα μάτια του Έντουαρντ ζάρωσαν, καθώς είχαμε συνωμοτήσει εναντίον του, αλλά τελικά, κούνησε το κεφάλι του άλλη μια φορά και βγήκε έξω τρέχοντας ήρεμα από την πίσω πόρτα της κουζίνας. Ήμουν σίγουρη ότι δεν είχε πάρει μία ανάσα από τη στιγμή που είχα κόψει το δάχτυλό μου.

Ένα μουδιασμένο αίσθημα παραλυσίας απλωνόταν σε όλο μου το χέρι. Αν και έσβηνε το τσούξιμο, μου θύμιζε την πληγή που ανάβλυζε, και επικεντρώθηκα με προσοχή στο πρόσωπο του Κάρλαϊλ για να με αποσπάσει από αυτό που έκαναν τα χέρια του. Τα μαλλιά του είχαν μια χρυσαφένια λάμψη στο δυνατό φως, καθώς έσκυβε πάνω από το μπράτσο μου. Ένιωθα τις ελαφρές κινήσεις της δυσφορίας μέσα στο στομάχι μου, αλλά ήμουν αποφασισμένη να μην αφήσω τη συνηθισμένη μου ευαισθησία να με πάρει από κάτω. Δεν ένιωθα πια καθόλου πόνο τώρα, απλώς μια αμυδρή αίσθηση ότι κάτι με τραβούσε, την οποία προσπαθούσα να αγνοήσω. Δεν υπήρχε κανένας λόγος να ξεράσω σαν μωρό.

Αν δεν βρισκόταν στο οπτικό μου πεδίο, δε θα είχα προσέξει την Άλις να τα παρατάει και να βγαίνει κρυφά έξω από το δωμάτιο. Με ένα μικρό, απολογητικό χαμόγελο στα χείλη εξαφανίστηκε περνώντας την πόρτα της κουζίνας.

«Πάει κι ο τελευταίος», είπα αναστενάζοντας. «Τουλάχιστον έχω την ικανότητα να αδειάσω ένα ολόκληρο δωμάτιο».

«Δε φταις εσύ», με παρηγόρησε ο Κάρλαϊλ με ένα πνιχτό γέλιο. «Θα μπορούσε να συμβεί στον καθένα».

«*Θα μπορούσε*», επανέλαβα. «Αλλά συνήθως συμβαίνει σ' εμένα».

Γέλασε ξανά.

Η ψύχραιμη, ήρεμη στάση του ήταν ακόμα πιο εκπληκτική σε αντιπαράθεση με την αντίδραση όλων των υπόλοιπων. Δεν μπορούσα να εντοπίσω ούτε ένα ίχνος αγωνίας στο πρόσωπό του. Δούλευε με γρήγορες, σίγουρες κινήσεις. Ο μοναδικός ήχος πέρα από το χαμηλό ήχο της ανάσας μας ήταν το απαλό *πλινκ, πλινκ*, καθώς τα μικροσκοπικά θραύσματα του γυαλιού έπεφταν ένα-ένα στο τραπέζι.

«Μα πώς τα καταφέρνεις;» απαίτησα να μάθω. «Ακόμα και η Άλις με την Έσμι…» η φωνή μου αργόσβησε, ενώ κουνούσα το κεφάλι μου με θαυμασμό. Αν και οι υπόλοιποι είχαν εγκαταλείψει εντελώς την παραδοσιακή δίαιτα των βρικολάκων, όπως και ο Κάρλαϊλ, εκείνος ήταν ο μόνος που άντεχε τη μυρωδιά του αίματός μου, χωρίς να βασανίζεται από το δυνατό πειρασμό. Προφανώς, αυτό ήταν κάτι πολύ πιο δύσκολο απ' ό,τι το έκανε να φαίνεται.

«Χρόνια και χρόνια εξάσκησης», μου είπε. «Τώρα πια ούτε που προσέχω τη μυρωδιά».

«Πιστεύεις ότι θα ήταν πιο δύσκολο αν έπαιρνες άδεια και δεν πήγαινες στο νοσοκομείο για πολύ καιρό; Και δε βρισκόσουν καθόλου κοντά σε αίμα;»

«Ίσως». Σήκωσε τους ώμους του, αλλά τα χέρια του παρέμειναν σταθερά. «Δεν έχω νιώσει ποτέ την ανάγκη για μακροχρόνιες διακοπές». Μου έριξε ένα αστραφτερό χαμόγελο. «Μου αρέσει η δουλειά μου υπερβολικά».

Πλινκ, πλινκ, πλινκ. Έμεινα έκπληκτη από το πόσα κομμάτια γυαλιού φαίνονταν να υπάρχουν στο μπράτσο μου. Ένιωσα τον πειρασμό να κοιτάξω το σωρό που όλο και μεγάλωνε, απλώς για να ελέγξω το μέγεθός του, αλλά ήξερα ότι αυτή η ιδέα δε θα βοηθούσε και πολύ όσον αφορούσε τη στρατηγική μη-εμετού.

«Τι είναι αυτό που σου αρέσει;» αναρωτήθηκα. Δεν έβγαζε νόημα –όλα αυτά τα χρόνια του αγώνα και της άρνησης τού ίδιου του εαυτού του που πρέπει να πέρασε για να φτάσει στο σημείο να μπορεί να αντέχει κάτι τέτοιο τόσο εύκολα. Εξάλλου, ήθελα να τον κάνω να συνεχίσει να μιλάει· η συζήτηση μου αποσπούσε την προσοχή από το αίσθημα της ναυτίας.

Τα σκούρα του μάτια ήταν ήρεμα και σκεφτικά, καθώς απάντησε. «Χμμ. Αυτό που μου αρέσει πιο πολύ είναι όταν οι… ενισχυμένες μου ικανότητες μου επιτρέπουν να σώζω κάποιον που διαφορετικά θα ήταν χαμένος. Είναι ευχάριστο το να γνωρίζω ότι, χάρη σε αυτά που μπορώ να κάνω, οι ζωές ορισμένων ανθρώπων είναι καλύτερες, επειδή υπάρχω εγώ. Ακόμα και η αίσθηση της όσφρησης μερικές φορές είναι ένα χρήσιμο διαγνωστικό εργαλείο». Η μια πλευρά του στόματός του σηκώθηκε προς τα πάνω μισοχαμογελώντας.

Το καλοσκέφτηκα, ενώ εκείνος σκάλιζε το χέρι μου για να βεβαιωθεί ότι είχαν φύγει όλα τα γυάλινα θραύσματα. Μετά έψαξε μέσα στην τσάντα του για καινούρια εργαλεία, κι εγώ προσπάθησα να μη φέρω στο νου μου την εικόνα της βελόνας και της κλωστής.

«Προσπαθείς πολύ σκληρά για να επανορθώσεις για κάτι για το οποίο δεν έφταιξες ποτέ», είπα, ενώ ένιωσα ένα νέο είδος τραβήγματος στην άκρη του δέρματός μου. «Θέλω να πω, δεν είναι ότι το επιδίωξες. Δε διάλεξες αυτό το είδος ζωής, κι όμως, πρέπει να πασχίζεις τόσο *σκληρά* για να είσαι καλός».

«Δε νιώθω ότι επανορθώνω για τίποτα», διαφώνησε ελαφρά. «Όπως γίνεται με όλα τα πράγματα στη ζωή, απλώς έπρεπε να αποφασίσω τι να κάνω με αυτά που μου είχαν δοθεί».

«Αυτό που λες το κάνει να ακούγεται πολύ εύκολο».

Εξέτασε το χέρι μου ξανά. «Ορίστε», είπε κόβοντας μια κλωστή. «Έτοιμη». Σάρωσε με προσοχή το σημείο της επέμβασης με μια υπερμεγέθη μπατονέτα που έσταζε κάποιο υγρό με χρώμα σαν σιρόπι. Η μυρωδιά ήταν περίεργη· έκανε το κεφάλι μου να γυρίζει. Το σιρόπι λέκιασε το δέρμα μου.

«Στην αρχή, όμως», συνέχισα να τον πιέζω, ενώ εκείνος έβαλε άλλο ένα μακρύ κομμάτι γάζας στο χέρι μου για να καλύψει ερμητικά το δέρμα μου. «Πώς σου ήρθε η ιδέα να δοκιμάσεις ένα διαφορετικό τρόπο από τον προφανή;»

Τα χείλη του γύρισαν προς τα πάνω σχηματίζοντας ένα χαμόγελο που προοριζόταν μόνο για τον εαυτό του. «Δε σου είπε ο Έντουαρντ την ιστορία;»

«Ναι. Αλλά προσπαθώ να καταλάβω τι σκεφτόσουν

εσύ...»

Το πρόσωπό του ξαφνικά σοβάρεψε ξανά, κι αναρωτήθηκα αν οι σκέψεις του είχαν πάει εκεί που πήγε και το δικό μου μυαλό. Καθώς αναρωτιόμουν τι θα σκεφτόμουν όταν –αρνιόμουν να σκεφτώ το *αν*– θα ήμουν εγώ στη θέση του.

«Ξέρεις ότι ο πατέρας μου ήταν κληρικός», είπε συλλογιζόμενος, καθώς καθάριζε το τραπέζι προσεχτικά, τρίβοντάς το με υγρή γάζα, και μετά κάνοντας πάλι το ίδιο. Η μυρωδιά του οινοπνεύματος έκαψε τη μύτη μου. «Είχε μια κάπως αυστηρή κοσμοθεώρηση, που ήδη είχα αρχίσει να αμφισβητώ πριν να έρθει η ώρα της μεταμόρφωσής μου». Ο Κάρλαϊλ έβαλε όλες τις βρόμικες γάζες και τα θραύσματα του γυαλιού σε ένα άδειο κρυστάλλινο μπολ. Δεν καταλάβαινα τι έκανε, ακόμα κι όταν άναψε το σπίρτο. Μετά το πέταξε μέσα στις μουσκεμένες στο οινόπνευμα ίνες, και η ξαφνική φλόγα με έκανε να πεταχτώ.

«Με συγχωρείς», είπε απολογούμενος. «Λογικά αυτό αρκεί... Δε συμφωνούσα, λοιπόν, με το είδος της πίστης του πατέρα μου. Αλλά ποτέ μέσα στα τετρακόσια σχεδόν χρόνια από τότε που γεννήθηκα δεν έχω δει τίποτε που να με κάνει να αμφισβητήσω το γεγονός ότι ο Θεός υπάρχει, είτε με τη μια μορφή είτε με την άλλη. Ούτε καν το είδωλο στον καθρέφτη».

Προσποιήθηκα ότι κοίταζα τον επίδεσμο στο μπράτσο μου για να κρύψω την έκπληξή μου με την πορεία που είχε πάρει η κουβέντα μας. Η θρησκεία ήταν το τελευταίο πράγμα που περίμενα, εν τέλει. Στη δική μου ζωή δεν υπήρχε πίστη. Ο Τσάρλι θεωρούσε τον εαυτό του λουθηρανό, γιατί ήταν και οι γονείς του, αλλά τις Κυριακές τις περνούσε δίπλα στο ποτάμι με ένα καλάμι ψαρέματος στο χέρι. Η Ρενέ ακολουθούσε κάποιο δόγμα μια στο τόσο, αλλά, όπως και στα σύντομα ειδύλλιά της με το τένις, την κεραμική, τη γιόγκα και τα μαθήματα γαλλικών, μέχρι να προλάβω να αντιληφθώ το τελευταίο της καπρίτσιο, είχε προχωρήσει στο επόμενο.

«Είμαι σίγουρος ότι όλο αυτό ακούγεται λιγάκι παράξενο, ειδικά όταν προέρχεται από ένα βρικόλακα». Χαμογέλασε πλατιά, ξέροντας πως η άνετη χρήση της λέξης από αυτούς δεν έπαυε να με σοκάρει. «Αλλά ελπίζω ότι η ζωή αυτή έχει ακόμα νόημα, ακόμα και για μας. Είναι μόνο μια εικασία, το παραδέχομαι», συνέχισε με τόνο χαλαρό. «Όπως και να το δεις, βέβαια, είμαστε καταραμένοι, έτσι κι αλλιώς. Αλλά ελπίζω, ίσως ανόητα, ότι θα μας αναγνωριστεί τουλάχιστον ότι προσπαθήσαμε».

«Δεν το θεωρώ ανόητο», ψέλλισα. Δεν μπορούσα να φανταστώ κανέναν, συμπεριλαμβανομένου και του Θεού, που να μην εντυπωσιαζόταν από τον Κάρλαϊλ. Εξάλλου, το μοναδικό είδος παραδείσου που θα μπορούσα να εκτιμήσω *εγώ* θα έπρεπε αναγκαστικά να περιέχει και τον Έντουαρντ. «Και ούτε νομίζω ότι κανείς άλλος θα το θεωρούσε».

«Στην πραγματικότητα, είσαι το πρώτο άτομο που συμφωνεί μαζί μου».

«Οι υπόλοιποι δε συμμερίζονται την άποψή σου;» ρώτησα έκπληκτη, έχοντας στο νου μου μόνο ένα συγκεκριμένο άτομο.

Ο Κάρλαϊλ μάντεψε και πάλι την κατεύθυνση που είχαν πάρει οι σκέψεις μου. «Ο Έντουαρντ συμφωνεί μαζί μου μέχρις ενός σημείου. Ο Θεός και ο παράδεισος υπάρχουν... το ίδιο και η κόλαση. Αλλά δεν πιστεύει ότι υπάρχει μεταθανάτια ζωή για το είδος μας». Η φωνή του Κάρλαϊλ ήταν πολύ απαλή· κοίταξε έξω από το μεγάλο παράθυρο πάνω από το νεροχύτη, μέσα στο σκοτάδι. «Βλέπεις, αυτός πιστεύει ότι έχουμε χάσει την ψυχή μας».

Αμέσως μου ήρθαν στο νου τα λόγια του Έντουαρντ σήμερα το απόγευμα: *εκτός κι αν θέλεις να πεθάνεις – ή ότι κι αν είναι αυτό που παθαίνουμε τελοσπάντων*. Το φως της έμπνευσης άναψε πάνω από το κεφάλι μου.

«Αυτό είναι το πραγματικό πρόβλημα, έτσι δεν είναι;» μάντεψα. «Γι' αυτό είναι τόσο δύσκολος όσον αφορά εμένα».

Ο Κάρλαϊλ μίλησε αργά. «Κοιτάζω τον... *γιο* μου. Τη δύναμή του, την καλοσύνη του, τη λάμψη που εκπέμπει -κι όλα αυτά απλώς τροφοδοτούν εκείνη την ελπίδα, εκείνη την πίστη περισσότερο από ποτέ. Πώς είναι δυνατόν να μην υπάρχει κάτι περισσότερο για κάποιον σαν τον Έντουαρντ;»

Κούνησα το κεφάλι μου συμφωνώντας ένθερμα.

«Αλλά αν πίστευα όπως πιστεύει αυτός...» Με κοίταξε με ένα ανεξιχνίαστο βλέμμα. «Αν εσύ πίστευες αυτό που πιστεύει αυτός. Θα μπορούσες να αφαιρέσεις τη *δική του* ψυχή;»

Ο τρόπος που διατύπωσε την ερώτηση ανέτρεψε την απάντησή μου. Αν με είχε ρωτήσει αν θα διακινδύνευα την ψυχή μου για τον Έντουαρντ, η απάντηση θα ήταν προφανής. Αλλά θα διακινδύνευα την ψυχή του Έντουαρντ; Σούφρωσα δυστυχισμένη τα χείλη μου. Αυτό δεν ήταν δίκαιη ανταλλαγή.

«Βλέπεις ποιο είναι το πρόβλημα».

Κούνησα το κεφάλι μου, καταλαβαίνοντας ότι το πιγούνι μου πρόδιδε το πείσμα μου. Ο Κάρλαϊλ αναστέναξε.

«Είναι δική μου επιλογή», επέμεινα.

«Και δική του, επίσης». Σήκωσε το χέρι του ψηλά, όταν είδε ότι ήμουν έτοιμη να αντιπαραβάλλω κάποιο επιχείρημα. «Αν θα αναλάβει την ευθύνη να σου το κάνει αυτό».

«Δεν είναι ο μόνος που μπορεί να το κάνει». Έριξα ένα βλέμμα γεμάτο περιέργεια στον Κάρλαϊλ.

Γέλασε ελαφρύνοντας απότομα την ατμόσφαιρα. «Α, όχι! Αυτό θα πρέπει να το λύσεις με *εκείνον*». Αλλά μετά αναστέναξε. «Αυτό είναι το κομμάτι για το οποίο δεν μπορώ ποτέ να είμαι σίγουρος. Νομίζω ότι κατά τα άλλα έκανα ό,τι καλύτερο μπορούσα με όσα μου δόθηκαν. Αλλά ήταν σωστό να καταδικάσω και τους άλλους σ' αυτή τη ζωή; Δεν μπορώ να αποφασίσω».

Δεν απάντησα. Φαντάστηκα πώς θα ήταν η ζωή μου αν ο Κάρλαϊλ είχε αντισταθεί στον πειρασμό να αλλάξει τη μοναχική του ύπαρξη... και με διαπέρασε ένα ρίγος.

«Η μητέρα του Έντουαρντ ήταν αυτή που με ανάγκασε να πάρω την απόφαση αυτή». Η φωνή του Κάρλαϊλ ήταν σχεδόν ψίθυρος. Είχε το βλέμμα του καρφωμένο έξω από τα μαύρα παράθυρα, χωρίς να βλέπει τίποτα.

«Η μητέρα του;» Ό,τι κι αν είχα ρωτήσει τον Έντουαρντ για τους γονείς του, έλεγε απλώς ότι είχαν πεθάνει πριν πολύ καιρό, και οι αναμνήσεις του ήταν αμυδρές. Συνειδητοποίησα ότι οι αναμνήσεις που είχε ο Κάρλαϊλ από αυτούς, παρά τη συντομία της επαφής τους, θα ήταν απολύτως καθαρές.

«Ναι. Την έλεγαν Ελίζαμπεθ. Ελίζαμπεθ Μέισεν. Ο πατέρας του, ο μεγάλος Έντουαρντ, δεν ανέκτησε ποτέ τις αισθήσεις του στο νοσοκομείο. Πέθανε στο πρώτο κύμα της γρίπης. Αλλά η Ελίζαμπεθ ήταν άγρυπνη σχεδόν μέχρι και τις τελευταίες της στιγμές. Ο Έντουαρντ της μοιάζει πάρα πολύ –είχε την ίδια χάλκινη απόχρωση στα μαλλιά της, και τα μάτια της είχαν το ίδιο ακριβώς πράσινο χρώμα».

«Τα μάτια του ήταν πράσινα;» μουρμούρισα προσπαθώντας να φέρω στο μυαλό μου την εικόνα.

«Ναι...» Τα μάτια του Κάρλαϊλ στο χρώμα της ώχρας κοίταζαν τώρα εκατό χρόνια πίσω. «Η Ελίζαμπεθ ανησυχούσε σε σημείο εμμονής για το γιο της. Κατέστρεψε τις δικές της πιθανότητες επιβίωσης προσπαθώντας να τον φροντίσει ενώ ήταν η ίδια πολύ άρρωστη. Περίμενα ότι αυτός θα έφευγε πρώτος, ήταν σε πολύ χειρότερη κατάσταση από εκείνη. Όταν ήρθε το τέλος για 'κείνη, ήταν πολύ γρήγορο. Συνέβη αμέσως μετά το ηλιοβασίλεμα, κι εγώ είχα έρθει για να ξαλαφρώσω τους γιατρούς που δούλευαν όλη την ημέρα. Ήταν δύσκολοι καιροί για να προσποιούμαι –υπήρχε τόση πολλή δουλειά, κι εγώ δεν είχα ανάγκη ξεκούρασης. Πόσο μισούσα το ότι έπρεπε να γυρίσω σπίτι μου, να κρυφτώ στο σκοτάδι και να κάνω πως κοιμάμαι, ενώ τόσοι πολλοί πέθαιναν.

»Πήγα να ελέγξω την Ελίζαμπεθ και το γιο της πρώτα.

Με τον καιρό δέθηκα μαζί τους –πράγμα πάντα επικίνδυνο δεδομένης της εύθραυστης φύσης των ανθρώπων. Αμέσως κατάλαβα ότι η υγεία της είχε πάρει άσχημη τροπή. Ο πυρετός μαινόταν ανεξέλεγκτος, και το σώμα της ήταν υπερβολικά αδύναμο ώστε να μπορέσει να παλέψει άλλο.

»Δεν έδειχνε αδύναμη παρ' όλα αυτά, όταν γύρισε και με κοίταξε άγρια από το κρεβάτι της.

»"Σώσε τον !" με πρόσταξε με τη βραχνή φωνή που ήταν η μοναδική που μπορούσε να βγει από το λαιμό της.

»"Θα κάνω ότι είναι μέσα στις δυνάμεις μου!", της υποσχέθηκα, παίρνοντας το χέρι της. Ο πυρετός ήταν τόσο ψηλός, που πιθανότατα δεν μπορούσε καν να καταλάβει πόσο αφύσικα ψυχρό ήταν το δικό μου. Όλα έμοιαζαν ψυχρά σε επαφή με το δέρμα της.

»"Πρέπει", επέμεινε αρπάζοντας το χέρι μου με αρκετή δύναμη, τόση ώστε αναρωτήθηκα μήπως και τελικά ξεπερνούσε την κρίση. Τα μάτια της ήταν σκληρά σαν πέτρες, σαν σμαράγδια. "Πρέπει να κάνεις ότι είναι μέσα στις *δικές σου* δυνάμεις. Αυτό που οι άλλοι δεν μπορούν να κάνουν, αυτό πρέπει να κάνεις για τον Έντουαρντ".

»Με τρόμαξε. Με κοίταζε με εκείνα τα διαπεραστικά μάτια και, για μια στιγμή, ήμουν σίγουρος ότι ήξερε το μυστικό μου. Μετά ο πυρετός την κατέβαλε και δεν ανέκτησε ποτέ ξανά τις αισθήσεις της. Πέθανε μέσα σε μια ώρα από τη στιγμή που διατύπωσε την απαίτησή της.

»Είχα περάσει δεκαετίες αναλογιζόμενος την ιδέα να δημιουργήσω έναν σύντροφο για μένα. Ένα μόνο ακόμα πλάσμα που θα ήξερε ποιος ήμουν πραγματικά, αντί γι' αυτό που υποκρινόμουν πως ήμουν. Αλλά δεν μπορούσα ποτέ να το δικαιολογήσω στον εαυτό μου –να κάνω αυτό που μου είχαν κάνει εμένα.

»Εκεί, όμως, κειτόταν ο Έντουαρντ, ετοιμοθάνατος. Ήταν φανερό ότι του έμεναν μόνο κάποιες ώρες. Δίπλα του η μητέρα του, το πρόσωπό της κατά κάποιο τρόπο ακόμα όχι γαλήνιο, ακόμα και μετά το θάνατο».

Ο Κάρλαϊλ τα έβλεπε όλα ξανά, η μνήμη του δεν είχε θολώσει ούτε καν κι εξαιτίας του αιώνα που μεσολάβησε. Τα έβλεπα όλα κι εγώ τώρα πια καθαρά, όση ώρα μιλούσε –την απόγνωση του νοσοκομείου, την ατμόσφαιρα του θανάτου που κατέκλυζε τα πάντα. Τον Έντουαρντ που ψηνόταν στον πυρετό, ενώ η ζωή του χανόταν σιγά-σιγά με κάθε χτύπο του ρολογιού... Με διαπέρασε ξανά ένα ρίγος, και προσπάθησα να διώξω την εικόνα από το μυαλό μου.

«Τα λόγια της Ελίζαμπεθ αντηχούσαν μέσα στο κεφάλι μου. Πώς μπόρεσε να μαντέψει τις ικανότητές μου; Ήταν δυνατόν να το ήθελε αυτό κάποια μητέρα για το γιο της;

»Κοίταξα τον Έντουαρντ. Αν και ήταν άρρωστος, ήταν ακόμα πανέμορφος. Υπήρχε κάτι αγνό και καλοσυνάτο στο πρόσωπό του. Ένα τέτοιο πρόσωπο θα ήθελα να είχε ο γιος μου.

»Μετά από όλα αυτά τα χρόνια που ήμουν αναποφάσιστος, απλά έδρασα με μια παρόρμηση. Τσούλησα τη μητέρα πρώτα στο νεκροτομείο και μετά ξαναγύρισα για εκείνον. Κανείς δεν είχε προσέξει ότι ανέπνεε ακόμα. Δεν υπήρχαν αρκετά χέρια, αρκετά μάτια για να παρακολουθούν τις ανάγκες ούτε καν των μισών ασθενών. Το νεκροτομείο ήταν άδειο –από ζωντανούς, τουλάχιστον. Τον έβγαλα κρυφά από την πίσω πόρτα και τον κουβάλησα πάνω από τις στέγες στο σπίτι μου.

»Δεν ήμουν σίγουρος τι έπρεπε να γίνει. Αποφάσισα τελικά να κάνω τα ίδια τραύματα που μου είχαν κάνει κι εμένα πριν τόσους αιώνες στο Λονδίνο. Ένιωθα άσχημα γι' αυτό το τελευταίο. Ήταν πιο οδυνηρό και κράτησε περισσότερο απ' όσο χρειαζόταν.

»Παρ' όλα αυτά, δε μετάνιωσα. Δε μετάνιωσα ποτέ που έσωσα τον Έντουαρντ». Κούνησε το κεφάλι του, επιστρέφοντας στο παρόν. Μου χαμογέλασε. «Υποθέτω ότι καλό θα ήταν να σε πάω σπίτι τώρα».

«Θα την πάω εγώ», είπε ο Έντουαρντ. Μπήκε μέσα από τη σκοτεινή τραπεζαρία περπατώντας πολύ αργά για τα δεδομένα του. Το πρόσωπό του ήταν ήρεμο, γεμάτο μυστήριο, αλλά κάτι στραβό υπήρχε στα μάτια του –κάτι που προσπαθούσε πολύ σκληρά να κρύψει. Ένιωσα ένα σπασμό δυσφορίας στο στομάχι μου.

«Μπορεί να με πάει ο Κάρλαϊλ», είπα. Κοίταξα κάτω στη μπλούζα μου· το γαλάζιο βαμβακερό ύφασμα ήταν ποτισμένο με το αίμα μου. Ο δεξιός μου ώμος ήταν καλυμμένος από μια παχιά ροζ κρούστα.

«Είμαι μια χαρά». Η φωνή του Έντουαρντ δεν είχε κανένα συναίσθημα. «Ούτως ή άλλως θα χρειαστεί να αλλάξεις. Ο Τσάρλι θα πάθαινε καρδιακή προσβολή έτσι όπως είσαι. Θα πω στην Άλις να σου φέρει κάτι να φορέσεις». Βγήκε έξω από την πόρτα της κουζίνας ξανά με μεγάλες δρασκελιές.

Κοίταξα τον Κάρλαϊλ με αγωνία. «Είναι πολύ αναστατωμένος».

«Ναι», συμφώνησε ο Κάρλαϊλ. «Απόψε συνέβη ακριβώς αυτό που φοβάται περισσότερο. Το γεγονός ότι εσύ διέτρεξες κίνδυνο εξαιτίας αυτού που είμαστε».

«Δε φταίει αυτός».

«Ούτε κι εσύ».

Γύρισα το βλέμμα μου αλλού, μακριά από τα σοφά, όμορφα μάτια του. Δε γινόταν να συμφωνήσω μ' αυτό.

Ο Κάρλαϊλ μου έτεινε το χέρι του και με βοήθησε να σηκωθώ. Τον ακολούθησα στο σαλόνι. Η Έσμι είχε επιστρέψει· σφουγγάριζε το πάτωμα εκεί όπου είχα πέσει –με αδιάλυτη χλωρίνη απ' όσο φαινόταν από τη μυρωδιά.

«Έσμι, άσε με να το κάνω εγώ αυτό». Ένιωθα το πρόσωπό μου να έχει κατακοκκινίσει ξανά.

«Έχω ήδη τελειώσει». Μου χαμογέλασε.

«Πώς αισθάνεσαι;»

«Είμαι μια χαρά», τη διαβεβαίωσα.

«Ο Κάρλαϊλ ράβει πιο γρήγορα από οποιονδήποτε άλλο γιατρό που είχα ποτέ».

Και οι δυο τους γέλασαν πνιχτά.

Η Άλις κι ο Έντουαρντ μπήκαν μέσα από τις πίσω πόρτες. Η Άλις ήρθε βιαστικά δίπλα μου, αλλά ο Έντουαρντ στάθηκε πιο πέρα, με ένα πρόσωπο αδύνατο να το ερμηνεύσεις.

«Έλα», είπε η Άλις. «Θα σου φέρω κάτι λιγότερο μακάβριο να φορέσεις».

Μου βρήκε μια μπλούζα της Έσμι που ήταν σχεδόν το ίδιο χρώμα με τη δική μου. Ο Τσάρλι δε θα το πρόσεχε, ήμουν βέβαιη. Ο μακρύς λευκός επίδεσμος στο μπράτσο μου δεν έδειχνε ούτε κατά διάνοια τόσο σοβαρός, όταν δεν θα ήμουν πια γεμάτη πιτσιλιές πηγμένου αίματος. Δεν προκαλούσε ποτέ έκπληξη στον Τσάρλι το να με δει με κάποιον επίδεσμο.

«Άλις», ψιθύρισα, καθώς εκείνη κατευθύνθηκε πίσω προς την πόρτα.

«Ναι;» Μιλούσε κι εκείνη χαμηλόφωνα και με κοίταξε με περιέργεια, με το κεφάλι της γερμένο στο πλάι.

«Πόσο άσχημα είναι τα πράγματα;» Δεν μπορούσα να είμαι σίγουρη αν το ψιθύρισμά μου ήταν χαμένος κόπος. Αν και βρισκόμασταν στον επάνω όροφο, με την πόρτα κλειστή, ίσως να μπορούσε να με ακούσει.

Το πρόσωπό της τσιτώθηκε. «Δεν είμαι σίγουρη ακόμα».

«Πώς είναι ο Τζάσπερ;»

Αναστέναξε. «Είναι πολύ απογοητευμένος από τον εαυτό του. Είναι πολύ μεγαλύτερη πρόκληση για εκείνον, και δεν του αρέσει καθόλου να νιώθει αδύναμος».

«Δε φταίει αυτός. Θα του πεις ότι δεν του έχω θυμώσει καθόλου, έτσι δεν είναι;»

«Φυσικά».

Ο Έντουαρντ με περίμενε δίπλα στην πόρτα. Μόλις έφτασα στο τέρμα της σκάλας, την άνοιξε χωρίς να πει κουβέντα.

«Πάρε τα πράγματά σου!» φώναξε η Άλις, καθώς περπατούσα καχύποπτα προς τον Έντουαρντ. Μάζεψε τα δυο πακέτα στις χούφτες της, το ένα μισοανοιγμένο, και τη φωτογραφική μου μηχανή κάτω από το πιάνο, και τα έβαλε με δύναμη στο καλό μου χέρι. «Μπορείς να με ευχαριστήσεις αργότερα, όταν θα τα έχεις ανοίξει».

Η Έσμι κι ο Κάρλαϊλ είπαν και οι δυο τους καληνύχτα χαμηλόφωνα. Τους είδα να ρίχνουν κρυφές, γρήγορες ματιές στον απαθή γιο τους, όπως κι εγώ.

Ένιωσα ανακούφιση όταν βρέθηκα έξω· πέρασα βιαστικά δίπλα από τα φαναράκια και τα τριαντάφυλλα, τώρα πια κάθε άλλο παρά ευπρόσδεκτα ενθύμια. Ο Έντουαρντ συμβάδισε με το ρυθμό μου σιωπηλά. Άνοιξε την πόρτα του συνοδηγού για μένα, κι εγώ σκαρφάλωσα μέσα χωρίς γκρίνια.

Πάνω στο ταμπλό υπήρχε μια μεγάλη κόκκινη κορδέλα, κολλημένη στο καινούριο στερεοφωνικό. Την τράβηξα πετώντας τη στο πάτωμα. Καθώς ο Έντουαρντ έμπαινε από την άλλη μεριά, κλότσησα την κορδέλα κάτω από το κάθισμά μου.

Δεν κοίταξε ούτε εμένα ούτε το στερεοφωνικό. Κανείς από τους δυο μας δεν το άναψε, και η σιωπή κατά κάποιο τρόπο εντάθηκε από τον ξαφνικό εκκωφαντικό θόρυβο της μηχανής. Κατέβηκε οδηγώντας πολύ γρήγορα το σκοτεινό φιδίσιο δρόμο.

Η σιωπή με τρέλαινε.

«Πες κάτι», τον ικέτεψα τελικά, καθώς έστριψε στον αυτοκινητόδρομο.

«Τι θέλεις να πω;» ρώτησε με αδιάφορη φωνή.

Ζάρωσα στη θέση μου από την ψυχρότητά του. «Πες μου ότι με συγχωρείς».

Αυτό έφερε μια σπίθα ζωής στο πρόσωπό του –μια σπίθα θυμού. «Ότι συγχωρώ *εσένα*; Για ποιο πράγμα;»

«Αν ήμουν πιο προσεχτική, δε θα είχε συμβεί τίποτα».

«Μπέλλα, απλώς κόπηκες με το χαρτί –αυτό δε νομίζω ότι

επισύρει την ποινή του θανάτου».

«Και πάλι εγώ φταίω».

Τα λόγια μου άνοιξαν τους κρουνούς του κατακλυσμού.

«Εσύ φταις; Αν είχες κοπεί στο σπίτι του Μάικ Νιούτον, μαζί με την Τζέσικα και την Άντζελα και τους άλλους φυσιολογικούς σου φίλους, ποιο θα ήταν το χειρότερο που θα μπορούσε να συμβεί; Ίσως ότι δε θα μπορούσαν να σου βρουν επίδεσμο; Αν είχες σκοντάψει κι είχες πέσει πάνω σε ένα σωρό γυάλινα πιάτα από μόνη σου –χωρίς να σε ρίξει κάποιος άλλος– ακόμα και τότε, ποιο θα ήταν το χειρότερο; Θα είχες μήπως λερώσει τα καθίσματα του αυτοκινήτου με αίμα, όταν θα σε πήγαιναν στα επείγοντα; Ο Μάικ Νιούτον θα μπορούσε να σου κρατάει το χέρι την ώρα που θα σου έκαναν ράμματα –και δε θα πάλευε να καταπολεμήσει την επιθυμία να σε σκοτώσει όση ώρα βρισκόταν εκεί. Μην προσπαθείς να πάρεις εσύ την ευθύνη για τίποτα απ' όλα αυτά, Μπέλλα. Θα καταφέρεις μόνο να με κάνεις να νιώσω περισσότερη αηδία για τον εαυτό μου».

«Πώς στο διάολο βρέθηκε ο Μάικ Νιούτον σ' αυτή την κουβέντα;» απαίτησα να μάθω.

«Ο Μάικ Νιούτον βρέθηκε σ' αυτή την κουβέντα, επειδή ο Μάικ Νιούτον θα ήταν μια πολύ πιο ωφέλιμη επιλογή για την υγεία σου», είπε με ένα μουγκρητό.

«Καλύτερα να πεθάνω παρά να είμαι με τον Μάικ Νιούτον», διαμαρτυρήθηκα. «Καλύτερα να πεθάνω παρά να είμαι με οποιονδήποτε άλλον εκτός από σένα».

«Σε παρακαλώ, μη γίνεσαι μελοδραματική».

«Τότε κι εσύ μη γίνεσαι γελοίος».

Δεν απάντησε. Κοίταξε βλοσυρά έξω από το παρμπρίζ με μια ζοφερή έκφραση.

Έσπαγα το μυαλό μου να βρω κάποιο τρόπο να σώσω ότι απέμεινε από τη βραδιά. Όταν σταματήσαμε μπροστά από το σπίτι μου, δεν είχα σκεφτεί κάτι ακόμα.

Έσβησε τη μηχανή, αλλά τα χέρια του ήταν ακόμα σφιγμένα γύρω από το τιμόνι.

«Θα μείνεις μαζί μου απόψε;» ρώτησα.

«Καλύτερα να πάω σπίτι».

Το τελευταίο πράγμα που ήθελα ήταν να φύγει γεμάτος τύψεις.

«Για τα γενέθλιά μου», τον πίεσα.

«Δεν μπορείς να τα έχεις όλα δικά σου –ή θέλεις οι άλλοι να αγνοήσουν τα γενέθλιά σου ή όχι. Ή το ένα ή το άλλο». Η φωνή του ήταν τραχιά, αλλά όχι τόσο σοβαρή όσο πριν. Αναστέναξα σιωπηλά από ανακούφιση.

«Εντάξει. Αποφάσισα ότι δε θέλω να αγνοήσεις τα γενέθλιά μου. Θα τα πούμε επάνω».

Πήδηξα έξω τεντώνοντας το χέρι μου πίσω για να πάρω τα πακέτα μου. Εκείνος συνοφρυώθηκε.

«Δεν είναι ανάγκη να τα πάρεις αυτά».

«Τα θέλω», απάντησα αυτόματα και μετά αναρωτήθηκα αν χρησιμοποιούσε τη μέθοδο της αντίστροφης ψυχολογίας.

«Όχι, δεν τα θες. Ο Κάρλαϊλ και η Έσμι ξόδεψαν χρήματα για σένα».

«Θα ζήσω». Έχωσα τα δώρα αδέξια κάτω από το καλό μου χέρι κι έκλεισα την πόρτα χτυπώντας τη με δύναμη πίσω μου. Εκείνος ήταν έξω από το φορτηγάκι και δίπλα μου σε λιγότερο από ένα δευτερόλεπτο.

«Τουλάχιστον άσε με εμένα να τα κουβαλήσω», είπε, καθώς μου τα πήρε. «Θα είμαι στο δωμάτιό σου».

Χαμογέλασα. «Ευχαριστώ».

«Χρόνια πολλά», ψιθύρισε κι έσκυψε κάτω για να αγγίξει τα χείλη μου με τα δικά του.

Σηκώθηκα ψηλά στις μύτες των ποδιών μου για να παρατείνω το φιλί, όταν εκείνος τραβήχτηκε. Χαμογέλασε με εκείνο το αγαπημένο μου στραβό του χαμόγελο και μετά χάθηκε μέσα στο σκοτάδι.

Το παιχνίδι παιζόταν ακόμα· μόλις μπήκα μέσα, άκουσα τον εκφωνητή να παραμιλά προσπαθώντας να ακουστεί δυνατότερα από την οχλοβοή.

«Μπελ;» φώναξε ο Τσάρλι.

«Γεια σου, μπαμπά», είπα ενώ έστριβα στη γωνία. Είχα το μπράτσο μου κοντά στο πλευρό μου. Η ελαφριά πίεση με έκαιγε, και σούφρωσα τη μύτη μου. Η δράση του αναισθητικού είχε προφανώς αρχίσει να χάνεται.

«Πώς πήγε;» Ο Τσάρλι είχε χαλαρώσει ξαπλωμένος πάνω στον καναπέ με τα γυμνά του πόδια να στηρίζονται πάνω στο μπράτσο. Ό,τι είχε απομείνει από τα κατσαρά καστανά μαλλιά του είχε πατηθεί εντελώς προς τη μια μεριά.

«Η Άλις υπερέβαλε εαυτόν. Λουλούδια, τούρτα, κεριά, δώρα –όλο το πακέτο».

«Τι σου πήραν;»

«Ένα στερεοφωνικό για το φορτηγάκι μου». Και διάφορα άλλα που δεν ήξερα.

«Ουάου!»

«Ναι», συμφώνησα. «Λοιπόν, εγώ πάω για ύπνο».

«Θα τα πούμε το πρωί».

Κούνησα το χέρι μου. «Τα λέμε».

«Τι έπαθε το χέρι σου;»

Αναψοκοκκίνισα και έβρισα από μέσα μου. «Σκόνταψα. Δεν είναι τίποτα».

«Μπέλλα», αναστέναξε εκείνος, κουνώντας το κεφάλι του.

«Καληνύχτα, μπαμπά».

Πήγα βιαστικά στο μπάνιο, όπου είχα τις πιτζάμες μου για τέτοιες νύχτες όπως η αποψινή. Φόρεσα το πάνω κομμάτι της πιτζάμας που ήταν ασορτί με το βαμβακερό σορτσάκι, τα οποία είχα αγοράσει για να αντικαταστήσω τη γεμάτη τρύπες φόρμα που φορούσα παλιά για ύπνο, κάνοντας ένα μορφασμό, καθώς με την κίνηση αυτή ένιωσα ένα τράβηγμα από τα ράμματά μου. Έπλυνα το πρόσωπό μου με το ένα χέρι, βούρτσισα τα δόντια μου και μετά πήγα χοροπηδώντας στο δωμάτιό μου.

Εκείνος καθόταν στο κέντρο του κρεβατιού μου, παίζοντας τεμπέλικα με ένα από τα ασημένια κουτιά.

«Γεια», είπε. Η φωνή του ήταν θλιμμένη. Ήταν καταπτοημένος.

Πήγα στο κρεβάτι, έσπρωξα τα δώρα πέρα και σκαρφάλωσα μέσα στην αγκαλιά του.

«Γεια». Κούρνιασα στο πέτρινο στήθος του. «Μπορώ να ανοίξω τώρα τα δώρα μου;»

«Από πού προέρχεται αυτός ο ενθουσιασμός;»

«Μου κίνησες την περιέργεια».

Πήρα στα χέρια μου το μακρύ επίπεδο ορθογώνιο κουτί που πρέπει να ήταν από τον Κάρλαϊλ και την Έσμι.

«Επίτρεψέ μου», μου πρότεινε. Πήρε το δώρο από το χέρι μου κι έσκισε το ασημένιο περιτύλιγμα με μια ρευστή κίνηση. Μου έδωσε πάλι πίσω το ορθογώνιο κουτί.

«Είσαι σίγουρος ότι μπορώ να τα καταφέρω να σηκώσω το καπάκι;» μουρμούρισα, αλλά εκείνος δε μου έδωσε σημασία.

Μέσα στο κουτί υπήρχε ένα μακρύ χοντρό χαρτί με ένα υπερβολικά μεγάλο αριθμό μικρών τυπογραφικών στοιχείων. Μου πήρε ένα λεπτό για να καταλάβω το γενικό νόημα των πληροφοριών αυτών.

«Θα πάμε στο Τζάκσονσβιλ;» Κι ένιωσα ενθουσιασμό χωρίς να το θέλω. Ήταν ένα κουπόνι για αεροπορικά εισιτήρια και για μένα και για τον Έντουαρντ.

«Αυτή είναι η κεντρική ιδέα».

«Δεν το πιστεύω. Η Ρενέ θα τρελαθεί! Δε σε πειράζει, όμως, έτσι δεν είναι; Έχει ήλιο εκεί, θα πρέπει να μένεις μέσα όλη την ημέρα».

«Νομίζω ότι μπορώ να τα καταφέρω», είπε και μετά κατσούφιασε. «Αν είχα την παραμικρή ιδέα ότι θα είχες τόσο καλή αντίδραση απέναντι σε ένα δώρο, θα σε είχα βάλει να το ανοίξεις μπροστά στον Κάρλαϊλ και την Έσμι. Νόμιζα ότι θα διαμαρτυρόσουν».

«Κοίτα, είναι βέβαια υπερβολικό. Αλλά θα σε πάρω μαζί μου!»

Γέλασε πνιχτά. «Τώρα σκέφτομαι ότι μακάρι να είχα ξοδέψει κι εγώ περισσότερα χρήματα για το δώρο σου. Δεν είχα συνειδητοποιήσει ότι θα ήσουν ικανή να φερθείς λογικά».

Ακούμπησα τα εισιτήρια στην άκρη και τέντωσα το χέρι μου για να πάρω το δικό του δώρο, καθώς μου είχε εξάψει πάλι την περιέργεια. Μου το πήρε και το ξετύλιξε όπως και το πρώτο.

Μου έδωσε πίσω μια διάφανη διακοσμητική θήκη για CD, με ένα ασημένιο CD χωρίς καμία ένδειξη μέσα.

«Τι είναι;» ρώτησα απορημένη.

Δεν είπε τίποτα· πήρε το CD και άπλωσε το χέρι του γύρω μου για να το βάλει στο CD player που ήταν πάνω στο κομοδίνο. Πάτησε το Play και περίμενε σιωπηλός. Τότε άρχισε η μουσική.

Εγώ άκουγα, άφωνη και με μάτια ορθάνοιχτα. Ήξερα ότι περίμενε την αντίδρασή μου, αλλά δεν μπορούσα να μιλήσω. Δάκρυα άρχισαν να αναβλύζουν, κι εγώ άπλωσα το χέρι μου για να τα σκουπίσω πριν αρχίσουν να χύνονται γύρω-γύρω.

«Σε πονάει το χέρι σου;» ρώτησε εκείνος ανήσυχος.

«Όχι, δεν είναι το χέρι μου. Είναι πανέμορφο, Έντουαρντ. Δε θα μπορούσες να μου είχες δώσει τίποτα που να μου αρέσει περισσότερο. Δεν μπορώ να το πιστέψω». Το βούλωσα για να ακούσω.

Ήταν η δική του μουσική, οι δικές του συνθέσεις. Το πρώτο κομμάτι στο CD ήταν το νανούρισμά μου.

«Σκέφτηκα ότι δε θα με άφηνες να σου πάρω ένα πιάνο για να σου παίζω εδώ», εξήγησε.

«Έχεις δίκιο».

«Πώς είναι το χέρι σου;»

«Μια χαρά». Στην πραγματικότητα, είχε αρχίσει να με καίει κάτω από τον επίδεσμο. Ήθελα πάγο. Θα μου αρκούσε το χέρι του, αλλά αυτό θα με πρόδιδε.

«Θα σου φέρω ένα παυσίπονο».

«Δε χρειάζομαι τίποτα», διαμαρτυρήθηκα, αλλά εκείνος με άφησε να γλιστρήσω από την αγκαλιά του και κατευθύνθηκε προς την πόρτα.

«Ο Τσάρλι», είπα μέσα από τα δόντια μου. Ο Τσάρλι δεν ήταν ακριβώς ενήμερος για το γεγονός ότι ο Έντουαρντ έμενε συχνά το βράδυ σπίτι. Για να είμαι ακριβής, θα του ερχόταν εγκεφαλικό αν το μάθαινε. Αλλά δεν είχα και πολλές ενοχές που τον κορόιδευα. Έτσι κι αλλιώς δεν ήταν ότι κάναμε τίποτα που δε θα ήθελε εκείνος να κάνω. Ο Έντουαρντ και οι κανόνες του...

«Δε θα με προλάβει», υποσχέθηκε ο Έντουαρντ, καθώς εξαφανίστηκε σιωπηλά βγαίνοντας απ' το δωμάτιο... και γύρισε, πιάνοντας την πόρτα πριν κλείσει και ακουμπήσει πάλι στην κάσα της. Είχε το ποτήρι από το μπάνιο και το μπουκαλάκι με τα χάπια στο ένα χέρι.

Πήρα τα χάπια που μου έδωσε χωρίς να φέρω αντίρρηση –ήξερα ότι θα έχανα στον καβγά. Και το χέρι μου είχε στ' αλήθεια αρχίσει να μ' ενοχλεί.

Το νανούρισμά μου συνέχιζε να παίζει, απαλό και υπέροχο.

«Είναι αργά», επισήμανε ο Έντουαρντ. Με σήκωσε από το κρεβάτι με το ένα του χέρι και τράβηξε το σκέπασμα με το άλλο. Με άφησε κάτω με το κεφάλι μου ν' ακουμπά στο μαξιλάρι και με τύλιξε με το πάπλωμα. Ξάπλωσε δίπλα μου –πάνω από την κουβέρτα για να μην κρυώνω– και με αγκάλιασε με το χέρι του.

Έγειρα το κεφάλι μου στον ώμο του και αναστέναξα ευτυχισμένα.

«Σ' ευχαριστώ και πάλι», ψιθύρισα.

«Παρακαλώ».

Ακολούθησε σιωπή για μια παρατεταμένη στιγμή καθώς άκουγα το νανούρισμά μου να φτάνει στο τέλος του. Άρχισε ένα άλλο τραγούδι. Αναγνώρισα το αγαπημένο της Έσμι.

«Τι σκέφτεσαι;» αναρωτήθηκα ψιθυριστά.

Εκείνος δίστασε για ένα δευτερόλεπτο πριν μου πει. «Σκεφτόμουν τι είναι σωστό και τι λάθος, για να είμαι ειλικρινής».

Ένιωσα ένα ψυχρό μυρμήγκιασμα στη σπονδυλική μου στήλη.

«Θυμάσαι που αποφάσισα ότι τελικά *δεν* ήθελα να αγνοήσεις τα γενέθλιά μου;» ρώτησα γρήγορα, ελπίζοντας ότι δεν ήταν υπερβολικά προφανές ότι προσπαθούσα να του αποσπάσω την προσοχή.

«Ναι», συμφώνησε, επιφυλακτικός.

«Λοιπόν, σκεφτόμουν ότι εφόσον είναι ακόμα τα γενέθλιά μου, θα ήθελα να με φιλήσεις ξανά».

«Είσαι άπληστη απόψε».

«Ναι, είμαι –αλλά, σε παρακαλώ, μην κάνεις κάτι που δε θέλεις», πρόσθεσα πικαρισμένη.

Εκείνος γέλασε και μετά αναστέναξε. «Θεός φυλάξει αν κάνω κάτι που δε θέλω να κάνω», είπε με έναν παραδόξως απελπισμένο τόνο, καθώς έβαζε το χέρι του κάτω από το πιγούνι μου και τράβηξε το πρόσωπό μου κοντά στο δικό του.

Το φιλί ξεκίνησε όπως συνήθως - ο Έντουαρντ ήταν εξίσου προσεχτικός με όλες τις φορές, και η καρδιά μου άρχισε να αντιδρά υπερβολικά όπως έκανε πάντα. Και μετά κάτι φάνηκε να αλλάζει. Ξαφνικά τα χείλη του έγιναν πολύ πιο πιεστικά, το ελεύθερο χέρι του μπλέχτηκε μέσα στα μαλλιά μου και έσφιξε το πρόσωπό μου να εφαρμόσει στο δικό του. Και, παρόλο που και τα δικά μου χέρια μπλέχτηκαν μέσα στα μαλλιά του, και αν και ήταν φανερό ότι είχα αρχίσει να περνάω τα προσεχτικά του όρια, για πρώτη φορά δε με σταμάτησε. Το σώμα του ήταν ψυχρό μέσα από το λεπτό πάπλωμα, αλλά κόλλησα πάνω του με ενθουσιασμό.

Όταν σταμάτησε, ήταν απότομο· με έσπρωξε μακριά με απαλά, σταθερά χέρια.

Έπεσα πάνω στο μαξιλάρι μου, ξέπνοη, με το κεφάλι μου να γυρίζει. Μια φευγαλέα σπίθα έλαμψε στο μυαλό μου, δυσδιάκριτη.

«Συγνώμη», είπε και ήταν κι εκείνος ξέπνοος. «Παραφέρθηκα».

«Δε με πειράζει», είπα λαχανιασμένη.

Συνοφρυώθηκε μέσα στο σκοτάδι. «Προσπάθησε να κοιμηθείς, Μπέλλα».

«Όχι, θέλω να με ξαναφιλήσεις».

«Υπερεκτιμάς τον αυτοέλεγχό μου».

«Ποιο απ' τα δύο σε δελεάζει περισσότερο, το κορμί μου ή το αίμα μου;» τον προκάλεσα.

«Ισοπαλία». Χαμογέλασε πλατιά για λίγο χωρίς να το θέλει και μετά σοβάρεψε πάλι. «Καλύτερα να σταματήσεις να προκαλείς την τύχη σου και να πας για ύπνο».

«Εντάξει», συμφώνησα κουρνιάζοντας πιο κοντά του. Ένιωθα στ' αλήθεια εξουθενωμένη. Ήταν μια μεγάλη μέρα κατά πολλές έννοιες, κι όμως δεν ένιωθα καμία αίσθηση ανακούφισης στο τέλος της. Σχεδόν λες και κάτι χειρότερο θα ερχόταν αύριο. Ήταν ένα ανόητο προαίσθημα –τι θα μπορούσε να είναι χειρότερο απ' ό,τι σήμερα; Απλώς ένιωθα τώρα τις συνέπειες του σημερινού σοκ, χωρίς αμφιβολία.

Κρυφά, πίεσα το τραυματισμένο μου χέρι στον ώμο του, ώστε το δροσερό του δέρμα να ανακουφίσει το κάψιμο. Ένιωσα καλύτερα αμέσως.

Ήμουν μισοκοιμισμένη, ίσως και σχεδόν εντελώς κοιμισμένη, όταν συνειδητοποίησα τι μου θύμισε το φιλί του: την περασμένη άνοιξη, όταν έπρεπε να φύγει για να ξεγελάσει τον Τζέιμς και να χάσει τα ίχνη μου, ο Έντουαρντ με είχε αποχαιρετήσει μ' ένα φιλί, χωρίς να ξέρει πότε –ή εάν– θα συναντιόμασταν ξανά. Το φιλί αυτό είχε την ίδια σχεδόν οδυνηρή απόχρωση για κάποιο λόγο που δεν μπορούσα να φανταστώ. Ένα ρίγος με διαπέρασε την ώρα που έχανα τις αισθήσεις μου, λες και έβλεπα ήδη εφιάλτη.

3. ΤΕΛΟΣ

Ένιωθα εντελώς χάλια το πρωί. Δεν είχα κοιμηθεί καλά· το χέρι μου έκαιγε και το κεφάλι μου πονούσε. Το γεγονός ότι το πρόσωπο του Έντουαρντ ήταν ήρεμο και απόμακρο, καθώς φίλησε γρήγορα το μέτωπό μου κι έσκυψε για να βγει από το παράθυρό μου, δε βοήθησε καθόλου το πως έβλεπα τα πράγματα. Φοβόμουν την ώρα που κοιμόμουν, φοβόμουν ότι μπορεί εκείνος να σκεφτόταν πάλι τι είναι σωστό και τι λάθος, ενώ με παρατηρούσε ξύπνιος. Η αγωνία έμοιαζε να αυξάνει την ένταση του πόνου που σφυροκοπούσε το κεφάλι μου.

Ο Έντουαρντ με περίμενε στο σχολείο, όπως συνήθως, αλλά κάτι στραβό υπήρχε ακόμα στο πρόσωπό του. Κάτι ήταν θαμμένο μέσα στα μάτια του για το οποίο δεν μπορούσα να είμαι βέβαιη –και με τρόμαζε. Δεν ήθελα να αναφέρω τη χθεσινή νύχτα, αλλά δεν ήμουν σίγουρη αν το να αποφύγω το θέμα δεν ήταν χειρότερο.

Μου άνοιξε την πόρτα.

«Πώς είσαι;»

«Τέλεια», είπα ψέματα, ζαρώνοντας, καθώς ο ήχος της

πόρτας που έκλεισε με δύναμη αντήχησε στο κεφάλι μου.

Περπατήσαμε σιωπηλά, ενώ εκείνος έκανε τα βήματά του πιο μικρά για να συμβαδίζει μαζί μου. Υπήρχαν τόσες πολλές ερωτήσεις που ήθελα να κάνω, αλλά οι περισσότερες από αυτές τις ερωτήσεις έπρεπε να περιμένουν, επειδή ήταν για την Άλις: Πώς ήταν ο Τζάσπερ σήμερα το πρωί; Τι είπαν όταν έφυγα εγώ; Τι είχε πει η Ρόζαλι; Και κυρίως, τι μπορούσε να δει ότι θα συνέβαινε τώρα στα παράξενα, ατελή της οράματα για το μέλλον; Μπορούσε να μαντέψει τι σκεφτόταν ο Έντουαρντ, γιατί ήταν τόσο καταθλιπτικός; Οι αμυδροί, ενστικτώδεις φόβοι μου, από τους οποίους δε φαινόταν να μπορώ να απαλλαγώ, είχαν κάποια βάση;

Το πρωινό πέρασε αργά. Ανυπομονούσα να δω την Άλις, αν και δε θα μπορούσα να της μιλήσω κανονικά, αφού ήταν κι ο Έντουαρντ εκεί. Ο Έντουαρντ συνέχισε να είναι απόμακρος. Πού και πού με ρωτούσε για το χέρι μου, κι εγώ έλεγα ψέματα.

Η Άλις συνήθως πήγαινε πριν από μας για μεσημεριανό· δεν ήταν ανάγκη να ακολουθεί τους ρυθμούς ενός νωθρού ατόμου σαν κι εμένα. Αλλά δεν ήταν στο τραπέζι να περιμένει με ένα δίσκο με φαγητό που δε θα έτρωγε.

Ο Έντουαρντ δεν είπε τίποτα για την απουσία της. Εγώ αναρωτήθηκα από μέσα μου μήπως δεν είχε βγει ακόμα το τμήμα της –μέχρι που είδα τον Κόνερ και τον Μπεν, που ήταν μαζί της την τέταρτη ώρα των γαλλικών.

«Πού είναι η Άλις;» ρώτησα τον Έντουαρντ ανήσυχα.

Εκείνος κοίταζε ένα μπαρ δημητριακών που έκανε σκόνη αργά ανάμεσα στα δάχτυλά του, και απάντησε: «Είναι με τον Τζάσπερ».

«Ο Τζάσπερ είναι καλά;»

«Έφυγε για λίγο».

«Τι πράγμα; Και πού πήγε;»

Ο Έντουαρντ σήκωσε τους ώμους. «Πουθενά συγκεκριμένα».

«Και η Άλις, επίσης», είπα με σιωπηρή απογοήτευση. Φυσικά, αν ο Τζάσπερ τη χρειαζόταν, θα πήγαινε μαζί του.

«Ναι. Θα λείψει για λίγο. Προσπαθούσε να τον πείσει να πάνε στο Ντενάλι».

Το Ντενάλι ήταν το μέρος όπου ζούσε η μοναδική άλλη ομάδα βρικολάκων –καλών, όπως και οι Κάλεν. Η Τάνια και η οικογένειά της. Είχα ακούσει να μιλάνε γι' αυτούς πού και πού. Ο Έντουαρντ είχε τρέξει σ' αυτούς τον περασμένο χειμώνα, όταν η άφιξή μου είχε κάνει το Φορκς ανυπόφορο γι' αυτόν. Ο Λόρεντ, το πιο πολιτισμένο μέλος της μικρής αγέλης του Τζέιμς, είχε πάει κι αυτός εκεί αντί να πάρει το μέρος του Τζέιμς ενάντια στους Κάλεν. Ήταν λογικό η Άλις να ενθαρρύνει τον Τζάσπερ να πάει εκεί.

Κατάπια, προσπαθώντας να διώξω τον ξαφνικό κόμπο στο λαιμό μου. Η ενοχή έκανε το κεφάλι μου να γείρει προς τα κάτω και τους ώμους μου να καμπουριάσουν. Τους είχα διώξει από το σπίτι τους, όπως ακριβώς και τη Ρόζαλι με τον Έμετ. Ήμουν μια μάστιγα.

«Σε ενοχλεί το χέρι σου;» με ρώτησε με ενδιαφέρον.

«Ποιος νοιάζεται για το ηλίθιο χέρι μου;» μουρμούρισα με αηδία.

Εκείνος δεν απάντησε, κι εγώ ακούμπησα το κεφάλι μου στο τραπέζι.

Μέχρι το τέλος της μέρας, η σιωπή είχε αρχίσει να γίνεται γελοία. Δεν ήθελα να είμαι εγώ αυτή που θα την έσπαγε, αλλά προφανώς αυτή ήταν η μόνη μου επιλογή, αν ήθελα να μου μιλήσει ξανά.

«Θα έρθεις στο σπίτι αργότερα απόψε;» ρώτησα, καθώς με πήγαινε –σιωπηλά– στο φορτηγάκι μου. Πάντα ερχόταν στο σπίτι.

«Αργότερα;»

Με χαροποίησε που έμοιαζε έκπληκτος. «Πρέπει να πάω

στη δουλειά. Αναγκάστηκα να κάνω αλλαγή με την κυρία Νιούτον για να πάρω άδεια χθες».

«Α», μουρμούρισε.

«Θα περάσεις, λοιπόν, όταν γυρίσω σπίτι, έτσι δεν είναι;» Δε μου άρεσε που ξαφνικά ένιωθα αβέβαιη γι' αυτό.

«Αν θέλεις».

«Πάντα σε θέλω», του υπενθύμισα με λίγη περισσότερη ίσως ένταση απ' ό,τι απαιτούσε η κουβέντα.

Περίμενα να γελάσει ή να χαμογελάσει ή να αντιδράσει κάπως στα λόγια μου.

«Εντάξει, τότε», είπε αδιάφορα.

Φίλησε ξανά το μέτωπό μου πριν μου κλείσει την πόρτα. Μετά γύρισε την πλάτη του και έτρεξε με μεγάλες δρασκελιές προς το αυτοκίνητό του.

Κατάφερα να βγω από το πάρκινγκ πριν με χτυπήσει ο πανικός, αλλά με είχε ήδη πιάσει ταχυκαρδία μέχρι να φτάσω στο μαγαζί των Νιούτον.

Απλώς χρειαζόταν χρόνο, είπα στον εαυτό μου. Θα το ξεπερνούσε. Ίσως να ήταν λυπημένος επειδή η οικογένειά του είχε αρχίσει να διαλύεται. Αλλά η Άλις κι ο Τζάσπερ θα επέστρεφαν σύντομα, το ίδιο και η Ρόζαλι με τον Έμετ. Αν αυτό βοηθούσε, θα έμενα μακριά από το μεγάλο λευκό σπίτι στο ποτάμι –δε θα ξαναπατούσα το πόδι μου εκεί. Δε με πείραζε. Θα έβλεπα την Άλις στο σχολείο. Θα έπρεπε να επιστρέψει για το σχολείο, έτσι δεν είναι; Κι ερχόταν στο σπίτι μου συνέχεια ούτως ή άλλως. Δε θα ήθελε να πληγώσει τα αισθήματα του Τσάρλι με το να σταματήσει να έρχεται.

Χωρίς αμφιβολία θα συναντούσα τυχαία τον Κάρλαϊλ τακτικά –στα επείγοντα περιστατικά.

Εξάλλου, αυτό που συνέβη την περασμένη νύχτα δεν ήταν τίποτα. Τίποτα *δεν είχε* γίνει. Και λοιπόν, έπεσα –αυτό μου συνέβαινε συνέχεια. Σε σύγκριση με την περασμένη άνοιξη, φαινόταν εντελώς ασήμαντο. Ο Τζέιμς με είχε αφήσει διαλυμένη και σχεδόν νεκρή από το αίμα που έχασα –κι όμως ο Έντουαρντ είχε αντέξει τις ατέρμονες εβδομάδες στο νοσοκομείο *πολύ* καλύτερα απ' ό,τι αυτό τώρα. Μήπως ήταν επειδή αυτή τη φορά δεν ήταν κάποιος εχθρός από τον οποίο έπρεπε να με προστατέψει; Επειδή ήταν ο αδερφός του;

Ίσως θα ήταν καλύτερα να έπαιρνε εμένα μακριά, αντί να διασκορπιστεί εδώ κι εκεί η οικογένειά του. Ένιωσα κάπως λιγότερο θλιμμένη, καθώς αναλογίστηκα όλο το χρόνο που θα περνούσαμε μόνοι μας χωρίς διακοπή. Αν μπορούσε μόνο να αντέξει ένα χρόνο ακόμα, να τελειώσουμε το σχολείο, ο Τσάρλι δε θα μπορούσε να φέρει αντίρρηση. Θα μπορούσαμε να πάμε στο πανεπιστήμιο ή να κάνουμε πως πηγαίνουμε, όπως η Ρόζαλι με τον Έμετ φέτος. Σίγουρα ο Έντουαρντ μπορούσε να περιμένει ένα χρόνο ακόμα. Τι ήταν ένας χρόνος για έναν αθάνατο; Εδώ δε φαινόταν τίποτα σπουδαίο ούτε καν σ' εμένα.

Μπόρεσα να πείσω τον εαυτό μου να διατηρήσει την ψυχραιμία του για να καταφέρω να βγω από το φορτηγάκι και να πάω στο μαγαζί. Ο Μάικ Νιούτον είχε έρθει νωρίτερα από μένα σήμερα και χαμογελούσε χαιρετώντας με από μακριά, καθώς έμπαινα μέσα. Άρπαξα το γιλέκο μου, γνέφοντας αόριστα προς την κατεύθυνσή του. Ακόμα φανταζόμουν ευχάριστα σενάρια που περιείχαν τη φυγή μου μαζί με τον Έντουαρντ σε διάφορα εξωτικά μέρη.

Ο Μάικ διέκοψε τη φαντασίωσή μου. «Πώς ήταν τα γενέθλιά σου;»

«Μπλιάχ!» μουρμούρισα. «Χαίρομαι που πέρασαν».

Ο Μάικ με κοίταξε με την άκρη των ματιών του λες και ήμουν τρελή.

Η δουλειά ήταν βαρετή. Ήθελα να δω τον Έντουαρντ ξανά, ελπίζοντας ότι θα είχε περάσει το χειρότερο, ό,τι κι αν ήταν αυτό ακριβώς. Δεν είναι τίποτα, έλεγα στον εαυτό μου ξανά και ξανά. Όλα θα γίνουν όπως πριν.

Η ανακούφιση που ένιωσα όταν έστριψα στο δρόμο μου και είδα το ασημί αμάξι του Έντουαρντ παρκαρισμένο μπροστά από το σπίτι μου ήταν απίστευτη, ξέφρενη. Και με ενοχλούσε βαθιά που συνέβαινε αυτό.

Πέρασα το κατώφλι της πόρτας βιαστικά φωνάζοντας πριν μπω μέσα καλά-καλά.

«Μπαμπά; Έντουαρντ;»

Καθώς μιλούσα, άκουσα τη χαρακτηριστική μουσική του αθλητικού καναλιού που ερχόταν από το σαλόνι.

«Εδώ είμαστε», φώναξε ο Τσάρλι.

Κρέμασα το αδιάβροχό μου στην κρεμάστρα και έστριψα στη γωνία του δωματίου βιαστικά.

Ο Έντουαρντ ήταν στην πολυθρόνα, ο πατέρας μου στον καναπέ. Και οι δυο τους είχαν τα μάτια τους γυρισμένα στην τηλεόραση. Το σημείο εστίασης ήταν φυσιολογικό για τον πατέρα μου. Όχι και τόσο για τον Έντουαρντ.

«Γεια», είπα αδύναμα.

«Γεια σου, Μπέλλα», απάντησε ο πατέρας μου χωρίς να μετακινήσει τα μάτια του. «Μόλις φάγαμε μια κρύα πίτσα. Νομίζω ότι είναι ακόμα στο τραπέζι».

«Εντάξει».

Περίμενα στην πόρτα. Τελικά, ο Έντουαρντ κοίταξε προς το μέρος μου με ένα ευγενικό χαμόγελο. «Θα έρθω αμέσως», υποσχέθηκε. Τα μάτια του γύρισαν πίσω στην τηλεόραση.

Εγώ έμεινα εκεί καρφωμένη για ένα ακόμα λεπτό, σοκαρισμένη. Κανένας από τους δυο δε φάνηκε να το προσέχει. Ένιωθα κάτι, ίσως τον πανικό, να φουσκώνει μέσα στο στήθος μου. Δραπέτευσα στην κουζίνα.

Η πίτσα δεν είχε κανένα ενδιαφέρον για μένα. Κάθισα στην καρέκλα μου, τράβηξα τα γόνατά μου πάνω και τύλιξα τα χέρια μου γύρω τους. Κάτι δεν πήγαινε καθόλου καλά, ίσως περισσότερο απ' ό,τι είχα συνειδητοποιήσει. Οι ήχοι της ανταλλαγής αστείων ανάμεσα στους δύο άντρες συνέχιζαν να έρχονται από την τηλεόραση.

Προσπάθησα να διατηρήσω την έλεγχο, να σκεφτώ λογικά. *Ποιο είναι το χειρότερο που μπορεί να συμβεί;* Ζάρωσα από το φόβο. Αυτή ήταν οπωσδήποτε λάθος ερώτηση. Δυσκολευόμουν να αναπνεύσω σωστά.

Εντάξει, σκέφτηκα πάλι, *ποιο είναι το χειρότερο που μπορώ να αντέξω;* Ούτε κι αυτή η ερώτηση μου άρεσε πολύ. Αλλά σκέφτηκα τις πιθανότητες που είχα αναλογιστεί σήμερα.

Το να μείνω μακριά από την οικογένεια του Έντουαρντ. Φυσικά, δε θα περίμενε να συμπεριληφθεί και η Άλις σ' αυτό. Αλλά αν δεν μπορούσα να πλησιάσω τον Τζάσπερ, τότε αυτό θα μείωνε το χρόνο που θα περνούσα μαζί της. Κούνησα το κεφάλι μου –θα μπορούσα να το αντέξω αυτό.

Ή το να φύγουμε. Μπορεί εκείνος να μην ήθελε να περιμένουμε μέχρι το τέλος της σχολικής χρονιάς, μπορεί να έπρεπε να γίνει τώρα.

Μπροστά μου, στο τραπέζι, τα δώρα μου από τον Τσάρλι και τη Ρενέ ήταν εκεί που τα είχα αφήσει, η φωτογραφική μηχανή που δεν είχα την ευκαιρία να χρησιμοποιήσω στο σπίτι των Κάλεν ήταν εκεί δίπλα στο άλμπουμ. Άγγιξα το όμορφο εξώφυλλο του λευκώματος που μου είχε κάνει δώρο η μητέρα μου και αναστέναξα, σκεπτόμενη τη Ρενέ. Με κάποιο τρόπο, το γεγονός ότι είχα ζήσει μακριά της τόσο καιρό δεν έκανε την ιδέα ενός πιο μόνιμου χωρισμού πιο εύκολη. Κι ο Τσάρλι θα έμενε εδώ πέρα ολομόναχος, εγκαταλελειμμένος. Και οι δυο τους μπορεί να πληγώνονταν τόσο πολύ...

Αλλά θα επιστρέφαμε, έτσι δεν είναι; Θα τους επισκεπτόμασταν, σωστά;

Δεν μπορούσα να είμαι σίγουρη για την απάντηση σ' αυτή την ερώτηση.

Ακούμπησα το μάγουλό μου στο γόνατό μου με το βλέμμα καρφωμένο στα απτά δείγματα της αγάπης των γονιών μου. Ήξερα ότι αυτό το μονοπάτι που είχα διαλέξει θα ήταν δύσκολο. Κι άλλωστε, σκεφτόμουν το χειρότερο σενάριο –το απολύτως χειρότερο που θα μπορούσα να αντέξω.

Άγγιξα πάλι το λεύκωμα, σπρώχνοντας πέρα το εξώφυλλο για να το ανοίξω. Υπήρχαν ήδη μικρές μεταλλικές γωνίες για να κρατήσουν την πρώτη φωτογραφία. Δεν ήταν και τόσο κακή ιδέα να φτιάξω κάποιο αρχείο που να μαρτυρεί τη ζωή μου εδώ. Ένιωσα μια παράξενη επιθυμία να ξεκινήσω αμέσως. Ίσως να μη μου έμενε και τόσος πολύς καιρός ακόμα στο Φορκς.

Έπαιξα με το λουρί της φωτογραφικής μηχανής για τον καρπό, καθώς αναρωτιόμουν για την πρώτη φωτογραφία που τράβηξα. Ήταν δυνατόν να προκύψει μια φωτογραφία που να πλησιάζει στο πρωτότυπο; Αμφέβαλλα. Αλλά εκείνος δε φάνηκε να ανησυχεί ότι θα ήταν κενή. Γέλασα μόνη μου πνιχτά, καθώς μου ήρθε στο νου το ξένοιαστο γέλιο του χθες το βράδυ. Το γέλιο έσβησε. Τόσα είχαν αλλάξει και τόσο απότομα. Ένιωθα λιγάκι ναυτία, λες και στεκόμουν στην άκρη ενός γκρεμού πάρα πολύ ψηλού.

Δεν ήθελα να το σκεφτώ άλλο αυτό. Άρπαξα τη φωτογραφική μηχανή κι ανέβηκα επάνω.

Το δωμάτιό μου δεν είχε αλλάξει και τόσο πολύ μέσα στα δεκαεπτά χρόνια που είχαν περάσει από τότε που η μητέρα μου ήταν εδώ για τελευταία φορά. Οι τοίχοι ήταν ακόμα γαλάζιοι, οι ίδιες κίτρινες δαντελωτές κουρτίνες κρεμόντουσαν μπροστά στο παράθυρο. Υπήρχε ένα κρεβάτι, αντί για κούνια, αλλά θα αναγνώριζε το πάπλωμα που κάλυπτε το στρώμα άτακτα –ήταν δώρο από τη γιαγιά.

Ανεξάρτητα από αυτό, τράβηξα μια φωτογραφία το δωμάτιό μου. Δεν υπήρχαν και πολλά που θα μπορούσα να κάνω απόψε –ήταν πολύ σκοτεινά έξω– και το συναίσθημα γινόταν όλο και πιο δυνατό. Ήταν μια ακατανίκητη παρόρμηση τώρα πια. Θα κατέγραφα τα πάντα σχετικά με το Φορκς, πριν να χρειαστεί να το εγκαταλείψω.

Κάποια αλλαγή θα ερχόταν. Το ένιωθα. Δεν ήταν μια ευχάριστη προοπτική, όχι όταν η ζωή ήταν τέλεια έτσι όπως ήταν.

Κατέβηκα τα σκαλιά με το πάσο μου, με τη φωτογραφική στο χέρι, προσπαθώντας να αγνοήσω το σφίξιμο στο στομάχι μου, καθώς σκεφτόμουν την παράξενη απόσταση που δεν ήθελα να δω μέσα στα μάτια του Έντουαρντ. Θα το ξεπερνούσε. Ίσως να ανησυχούσε ότι θα αναστατωνόμουν όταν μου ζητούσε να φύγουμε. Θα τον άφηνα να τα βρει με τον εαυτό του χωρίς να μπλεχτώ. Και θα ήμουν προετοιμασμένη όταν μου το ζητούσε.

Είχα τη φωτογραφική έτοιμη καθώς ακούμπησα στη γωνία μισοκρυμμένη. Ήμουν σίγουρη ότι δεν υπήρχε περίπτωση να είχα αιφνιδιάσει τον Έντουαρντ, αλλά εκείνος δε σήκωσε τα μάτια του. Ένιωσα ένα ρίγος για λίγο, καθώς κάτι παγωμένο συσπάστηκε μέσα στο στομάχι μου· το αγνόησα και έβγαλα τη φωτογραφία.

Τότε με κοίταξαν και οι δυο τους. Ο Τσάρλι κατσούφιασε. Το πρόσωπο του Έντουαρντ ήταν κενό, ανέκφραστο.

«Τι κάνεις, Μπέλλα;» διαμαρτυρήθηκε ο Τσάρλι.

«Ω, έλα τώρα». Έκανα πως χαμογελούσα, καθώς πήγα να κάτσω στο πάτωμα μπροστά από τον καναπέ εκεί όπου ήταν ξαπλωμένος χαλαρά ο Τσάρλι. «Ξέρεις ότι η μαμά θα πάρει τηλέφωνο όπου να' ναι για να ρωτήσει αν χρησιμοποιώ τα δώρα μου. Πρέπει να πιάσω δουλειά πριν πληγωθεί».

«Ναι, αλλά γιατί με βγάζεις εμένα όμως;» γκρίνιαξε.

«Επειδή είσαι ωραίος», απάντησα διατηρώντας μια ανάλαφρη διάθεση. «Κι επειδή, εφόσον μου αγόρασες τη φωτογραφική μηχανή, είσαι υποχρεωμένος να γίνεις ένα από τα θέματά μου».

Μουρμούρισε μέσα από τα δόντια του κάτι ακατανόητο.

«Ε, Έντουαρντ», είπα με αξιοθαύμαστη αδιαφορία. «Βγάλε με μια μαζί με τον πατέρα μου».

Του πέταξα τη μηχανή, αποφεύγοντας προσεχτικά το βλέμμα του, και γονάτισα δίπλα στο μπράτσο του καναπέ, όπου βρισκόταν το πρόσωπο του Τσάρλι. Ο Τσάρλι αναστέναξε.

«Πρέπει να χαμογελάς, Μπέλλα», μουρμούρισε ο Έντουαρντ.

Έβαλα τα δυνατά μου, και η φωτογραφική μηχανή άστραψε.

«Ελάτε να σας βγάλω μία φωτογραφία εσάς, παιδιά», πρότεινε ο Τσάρλι. Ήξερα ότι απλώς προσπαθούσε να απομακρύνει το φακό από τον εαυτό του.

Ο Έντουαρντ σηκώθηκε όρθιος και του πέταξε ελαφρά τη μηχανή.

Πήγα να σταθώ δίπλα στον Έντουαρντ, κι έτσι όπως στηθήκαμε μου φάνηκε επίσημο και παράξενο. Εκείνος έβαλε το ένα του χέρι απαλά πάνω στον ώμο μου, κι εγώ τύλιξα το μπράτσο μου πιο σφιχτά γύρω από τη μέση του. Ήθελα να κοιτάξω το πρόσωπό του, αλλά φοβόμουν.

«Χαμογέλα, Μπέλλα», μου υπενθύμισε άλλη μια φορά ο Τσάρλι.

Πήρα μια βαθιά ανάσα και χαμογέλασα. Το φλας με τύφλωσε ξανά.

«Φτάνουν οι φωτογραφίες για απόψε», είπε τότε ο Τσάρλι, σπρώχνοντας τη μηχανή σε μια σχισμή ανάμεσα στα μαξιλάρια του καναπέ, και κυλίστηκε από πάνω της. «Δε χρειάζεται να τελειώσεις τώρα όλο το φιλμ».

Ο Έντουαρντ άφησε το χέρι του να πέσει από τον ώμο μου και απομακρύνθηκε από την αγκαλιά μου αδιάφορα. Κάθισε πάλι στην πολυθρόνα.

Εγώ δίστασα και μετά πήγα να ακουμπήσω πάλι στον καναπέ. Ξαφνικά ένιωσα τόσο φοβισμένη που τα χέρια μου έτρεμαν. Τα πίεσα στο στομάχι μου για να τα κρύψω, ακούμπησα το πιγούνι μου στα γόνατά μου και κάρφωσα το βλέμμα μου στην οθόνη της τηλεόρασης μπροστά μου, χωρίς να βλέπω τίποτα.

Όταν τελείωσε η εκπομπή εγώ δεν είχα κουνηθεί ούτε σπιθαμή. Με την άκρη των ματιών μου είδα τον Έντουαρντ να σηκώνεται όρθιος.

«Καλύτερα να πάω σπίτι», είπε.

Ο Τσάρλι δε σήκωσε το βλέμμα του από τις διαφημίσεις. «Θα τα πούμε».

Εγώ σηκώθηκα αδέξια όρθια – είχα μουδιάσει επειδή καθόμουν τόσο ακίνητη– και ακολούθησα τον Έντουαρντ έξω. Πήγε κατευθείαν στο αμάξι του.

«Θα μείνεις;» ρώτησα χωρίς ελπίδα στη φωνή μου.

Περίμενα την απάντησή του, έτσι δεν πληγώθηκα τόσο πολύ.

«Όχι απόψε».

Δε ζήτησα να μου πει το λόγο.

Μπήκε στο αυτοκίνητο κι έφυγε ενώ εγώ στεκόμουν εκεί, εντελώς ακίνητη. Μετά βίας παρατήρησα ότι έβρεχε. Περίμενα, χωρίς να ξέρω τι ήταν αυτό που περίμενα, μέχρι που η πόρτα άνοιξε πίσω μου.

«Μπέλλα, τι κάνεις;» ρώτησε ο Τσάρλι, έκπληκτος που με είδε να στέκομαι εκεί μόνη μου και να στάζω.

«Τίποτα». Γύρισα και σύρθηκα με κόπο μέσα στο σπίτι.

Ήταν μια μακριά νύχτα στη διάρκεια της οποίας ελάχιστα ξεκουράστηκα.

Σηκώθηκα αμέσως μόλις είδα ένα αχνό φως έξω από το παράθυρό μου. Ντύθηκα για το σχολείο μηχανικά, περιμένοντας τα σύννεφα να γίνουν πιο φωτεινά. Αφού έφαγα ένα μπολ δημητριακά, αποφάσισα ότι τώρα είχε αρκετό φως για να βγάλω φωτογραφίες. Έβγαλα μία το φορτηγάκι μου και μετά την πρόσοψη του σπιτιού. Γύρισα και τράβηξα ένα κομμάτι του δάσους δίπλα στο σπίτι του Τσάρλι. Περίεργο που δεν έμοιαζε πια τόσο απειλητικό όπως παλιά. Συνειδητοποίησα ότι θα μου έλειπαν αυτά –το πράσινο, η αίσθηση της διαχρονικότητας, το μυστήριο του δάσους. Όλα αυτά.

Έβαλα τη φωτογραφική μηχανή στη σχολική μου τσάντα πριν φύγω. Προσπάθησα να επικεντρωθώ στην καινούρια μου εργασία παρά το γεγονός ότι ο Έντουαρντ προφανώς δεν είχε ξεπεράσει όσα έγιναν κατά τη διάρκεια της νύχτας.

Παράλληλα με το φόβο, άρχιζα να νιώθω ανυπομονησία. Πόσο καιρό θα κρατούσε αυτό;

Κράτησε όλο το πρωί. Εκείνος περπατούσε σιωπηλός δίπλα μου, χωρίς να φαίνεται να με κοιτάζει ποτέ. Προσπάθησα να συγκεντρωθώ στα μαθήματά μου, αλλά ούτε καν τα φιλολογικά δε μου απέσπασαν την προσοχή. Ο κύριος Μπέρτι αναγκάστηκε να επαναλάβει την ερώτηση για τη Λαίδη Καπουλέτου δυο φορές πριν συνειδητοποιήσω ότι απευθυνόταν σ' εμένα. Ο Έντουαρντ ψιθύρισε τη σωστή απάντηση μέσα από τα δόντια του κι ύστερα συνέχισε να με αγνοεί.

Στο μεσημεριανό η σιωπή συνεχίστηκε. Ένιωθα έτοιμη να αρχίσω να τσιρίζω από στιγμή σε στιγμή, έτσι, για να ξεχαστώ, έσκυψα πάνω από την αόρατη γραμμή του τραπεζιού και μίλησα στην Τζέσικα.

«Ε, Τζες».

«Τι είναι, Μπέλλα;»

«Μπορείς να μου κάνεις μια χάρη;» ρώτησα, ψάχνοντας μέσα στην τσάντα μου. «Η μαμά μου θέλει να βγάλω μερικές φωτογραφίες τους φίλους μου για να τις βάλω σε ένα λεύκωμα. Βγάλε τους όλους καμιά φωτογραφία, εντάξει;»

Της έδωσα τη μηχανή.

«Βέβαια», είπε εκείνη, χαμογελώντας πλατιά, και γύρισε για να τραβήξει τον Μάικ σε μια φυσική πόζα την ώρα που το στόμα του ήταν γεμάτο.

Ακολούθησε ένας αναμενόμενος φωτογραφικός πόλεμος. Τους έβλεπα που πήγαιναν τη μηχανή γύρω-γύρω στο τραπέζι, χαζογελώντας και φλερτάροντας και κάνοντας παράπονα επειδή τους τραβούσαν. Έμοιαζε παράδοξα παιδιάστικο. Ίσως δεν είχα και πολλή διάθεση για φυσιολογική ανθρώπινη συμπεριφορά σήμερα.

«Ωχ!» είπε η Τζέσικα με έναν απολογητικό τόνο την ώρα που μου ξανάδινε τη μηχανή. «Νομίζω ότι τελειώσαμε όλο το φιλμ».

«Δεν πειράζει. Νομίζω πως έχω βγάλει ήδη όλα όσα χρειαζόμουν».

Μετά το σχολείο ο Έντουαρντ με πήγε στο πάρκινγκ σιωπηλά. Έπρεπε να πάω πάλι στη δουλειά, και, για πρώτη φορά, χαιρόμουν. Το να περνά χρόνο μαζί μου προφανώς δε βοηθούσε την κατάσταση. Ίσως θα ήταν καλύτερα αν περνούσε λίγο χρόνο μόνος του.

Άφησα το φιλμ για εμφάνιση στο Θρίφτγουεϊ στο δρόμο για το μαγαζί των Νιούτον και μετά πήρα τις φωτογραφίες που είχαν εμφανιστεί μετά τη δουλειά. Στο σπίτι χαιρέτησα πολύ γρήγορα τον Τσάρλι, άρπαξα ένα μπαρ δημητριακών από την κουζίνα και ανέβηκα βιαστικά στο δωμάτιό μου με το φάκελο με τις φωτογραφίες χωμένο κάτω από το μπράτσο μου.

Κάθισα στη μέση του κρεβατιού μου κι άνοιξα το φάκελο με περιέργεια και καχυποψία. Κατά ένα γελοίο τρόπο, ακόμα σχεδόν περίμενα την πρώτη φωτογραφία να είναι κενή.

Όταν την τράβηξα έξω, πήρα μια βαθιά ανάσα δυνατά. Ο Έντουαρντ έδειχνε εξίσου όμορφος με την πραγματικότητα, κοιτώντας με από τη φωτογραφία με τα ζεστά μάτια που μου είχαν λείψει τις τελευταίες μέρες. Ήταν σχεδόν ανεξήγητο ότι κάποιος θα μπορούσε να δείχνει τόσο... τόσο... απερίγραπτος. Ούτε χίλιες λέξεις δεν μπορούσαν να περιγράψουν αυτή την εικόνα.

Έριξα μια ματιά γρήγορα και στις υπόλοιπες μια φορά και μετά ακούμπησα τρεις πάνω στο κρεβάτι, τη μια δίπλα στην άλλη.

Η πρώτη φωτογραφία ήταν αυτή του Έντουαρντ στην κουζίνα, με τα ζεστά του μάτια να δείχνουν ότι διασκέδαζε υπομονετικά. Η δεύτερη ήταν του Έντουαρντ και του Τσάρλι την ώρα που έβλεπαν τα αθλητικά. Η διαφορά στην έκφραση του Έντουαρντ ήταν δραματική. Τα μάτια του ήταν επιφυλακτικά εδώ, συγκρατημένα. Ακόμα τόσο όμορφος που σου έκοβε την ανάσα, αλλά το πρόσωπό του ήταν πιο ψυχρό, περισσότερο σαν να ανήκε σε άγαλμα, λιγότερο ζωντανό.

Η τελευταία ήταν η φωτογραφία του Έντουαρντ μαζί μ' εμένα να στέκομαι δίπλα του αμήχανα. Το πρόσωπό του Έντουαρντ ήταν το ίδιο όπως και στην προηγούμενη, ψυχρό και σαν να ανήκε σε άγαλμα. Αλλά δεν ήταν αυτό το πιο ενοχλητικό πράγμα σε αυτή τη φωτογραφία. Η αντίθεση ανάμεσα στους δυο μας ήταν επώδυνη. Εκείνος έδειχνε σαν θεός. Εγώ έδειχνα πολύ μέτρια, ακόμα και για άνθρωπο, σχεδόν ντροπιαστικά άχαρη. Γύρισα ανάποδα τη φωτογραφία με ένα αίσθημα αηδίας.

Αντί να διαβάσω για το σχολείο, έμεινα ξύπνια μέχρι αργά για να βάλω τις φωτογραφίες μου μέσα στο άλμπουμ. Με ένα στυλό διαρκείας έγραψα με τα ορνιθοσκαλίσματά μου λεζάντες κάτω από όλες τις φωτογραφίες, τα ονόματα και τις ημερομηνίες. Έφτασα στη φωτογραφία του Έντουαρντ μ' εμένα και χωρίς να την κοιτάξω πολλή ώρα, τη δίπλωσα στη μέση και την έχωσα κάτω από το μεταλλικό έλασμα, μόνο με τον Έντουαρντ να φαίνεται.

Όταν τελείωσα, έβαλα το δεύτερο φιλμ με τις φωτογραφίες σ' έναν καθαρό φάκελο και έγραψα ένα μακρύ ευχαριστήριο γράμμα στη Ρενέ.

Ο Έντουαρντ δεν είχε έρθει ακόμα. Δεν ήθελα να παραδεχτώ ότι αυτός ήταν ο λόγος που είχα μείνει ξύπνια τόσο αργά, αλλά φυσικά και ήταν. Προσπάθησα να θυμηθώ ποια ήταν η τελευταία φορά που δεν είχε έρθει έτσι, χωρίς καμία δικαιολογία, χωρίς κανένα τηλεφώνημα... Δεν το είχε κάνει ποτέ.

Και πάλι, δεν κοιμήθηκα καλά.

Το σχολείο ακολούθησε το ίδιο σιωπηλό, απογοητευτικό,

τρομακτικό μοτίβο των τελευταίων δύο ημερών. Ένιωσα ανακούφιση όταν είδα τον Έντουαρντ να με περιμένει στο πάρκινγκ, αλλά γρήγορα έσβησε. Δεν είχε αλλάξει καθόλου, εκτός ίσως από το γεγονός ότι είχε γίνει πιο απόμακρος.

Ήταν δύσκολο έστω και να θυμηθώ το λόγο για όλο αυτό το χάλι. Τα γενέθλιά μου ήδη έμοιαζαν σαν μακρινό παρελθόν. Μακάρι να γύριζε η Άλις. Γρήγορα. Πριν η κατάσταση ξεφύγει ακόμα περισσότερο από τον έλεγχο.

Αλλά δεν μπορούσα να βασιστώ σ' αυτό. Αποφάσισα ότι, αν δεν μπορούσα να του μιλήσω σήμερα, να του μιλήσω στ' αλήθεια, τότε θα πήγαινα να δω τον Κάρλαϊλ αύριο. Έπρεπε κάτι να κάνω.

Μετά το σχολείο ο Έντουαρντ κι εγώ θα το συζητούσαμε, υποσχέθηκα στον εαυτό μου. Δε θα δεχόμουν καμία δικαιολογία.

Με πήγε ως το φορτηγάκι μου, κι εγώ οπλίστηκα με ατσάλινη αποφασιστικότητα για να θέσω τις απαιτήσεις μου.

«Σε πειράζει να έρθω σπίτι σου σήμερα;» ρώτησε πριν φτάσουμε στο φορτηγάκι, προλαβαίνοντάς με.

«Φυσικά και όχι».

«Τώρα;» ρώτησε ξανά, ανοίγοντάς μου την πόρτα.

«Βέβαια», είπα ενώ προσπαθούσα να μη δείξω ταραχή στη φωνή μου, αν και δε μου άρεσε ο πιεστικός του τόνος. «Απλώς θέλω να ρίξω ένα γράμμα για τη Ρενέ στο γραμματοκιβώτιο στο δρόμο. Θα τα πούμε εκεί».

Κοίταξε το χοντρό φάκελο στη θέση του συνοδηγού. Ξαφνικά, άπλωσε το χέρι του από πάνω μου και τον άρπαξε.

«Θα το ρίξω εγώ», είπε ήρεμα. «Και θα φτάσω πάλι πρώτος». Χαμογέλασε με εκείνο το αγαπημένο μου στραβό χαμόγελο, αλλά κάτι δεν πήγαινε καλά. Το χαμόγελο δεν άγγιξε τα μάτια του.

«Εντάξει», συμφώνησα ανίκανη να του χαμογελάσω κι εγώ. Έκλεισε την πόρτα και κατευθύνθηκε προς το αυτοκίνητό του.

Όντως έφτασε πρώτος στο σπίτι. Ήταν παρκαρισμένος στη θέση του Τσάρλι όταν εγώ σταμάτησα μπροστά από το σπίτι. Αυτό ήταν κακό σημάδι. Δε σκόπευε να μείνει, λοιπόν. Κούνησα το κεφάλι μου και πήρα μια βαθιά ανάσα, προσπαθώντας να βρω λίγο θάρρος.

Βγήκε από το αμάξι του όταν εγώ βγήκα από το φορτηγάκι μου, και ήρθε να με συναντήσει. Άπλωσε το χέρι του για να μου πάρει την τσάντα με τα βιβλία μου. Αυτό ήταν φυσιολογικό. Αλλά την ξανάσπρωξε στο κάθισμα. Αυτό δεν ήταν φυσιολογικό.

«Πάμε μια βόλτα», πρότεινε με μια φωνή χωρίς συναίσθημα, παίρνοντάς με από το χέρι.

Δεν απάντησα. Δεν μπορούσα να σκεφτώ κάποιο τρόπο για να διαμαρτυρηθώ, αλλά αμέσως ήξερα τι ήθελα να κάνω. Δε μου άρεσε αυτό. *Αυτό δεν είναι καλό, δεν είναι καθόλου καλό*, η φωνή μου μέσα στο κεφάλι μου έλεγε ξανά και ξανά.

Αλλά εκείνος δεν περίμενε την απάντησή μου. Με τράβηξε μαζί του προς την ανατολική πλευρά της αυλής, εκεί όπου το δάσος έμπαινε μέσα στην αυλή καταπατώντας τα όριά της. Ακολούθησα απρόθυμα προσπαθώντας να σκεφτώ χωρίς να με επηρεάσει ο πανικός. Αυτό ήταν που ήθελα, υπενθύμισα στον εαυτό μου. Την ευκαιρία να τα συζητήσουμε όλα. Γιατί, λοιπόν, με έπνιγε ο πανικός;

Είχαμε κάνει λίγα μόνο βήματα μέσα στα δέντρα όταν σταμάτησε. Μόλις που είχαμε βγει από το μονοπάτι –ακόμα μπορούσα να δω το σπίτι.

Σπουδαία βόλτα.

Ο Έντουαρντ ακούμπησε πάνω σε ένα δέντρο και κάρφωσε το βλέμμα του πάνω μου, με μια έκφραση που δεν μπορούσα να διαβάσω.

«Εντάξει, ας μιλήσουμε», είπα. Ακούστηκε πιο γενναίο απ᾽ ό,τι ένιωθα.

Πήρε μια βαθιά ανάσα.

«Μπέλλα, φεύγουμε».

Πήρα κι εγώ μια βαθιά ανάσα. Αυτή ήταν μια αποδεκτή εναλλακτική λύση. Πίστευα ότι ήμουν προετοιμασμένη. Αλλά και πάλι έπρεπε να ρωτήσω.

«Γιατί τώρα; Άλλη μια χρονιά –»

«Μπέλλα, ήρθε η ώρα. Πόσο καιρό ακόμα θα μπορούσαμε να μείνουμε στο Φορκς, εξάλλου; Ο Κάρλαϊλ μετά βίας φαίνεται τριάντα και λέει πως είναι τριάντα τρία τώρα. Όπως και να 'χει το θέμα, θα έπρεπε να κάνουμε μια καινούρια αρχή σύντομα».

Η απάντησή του με μπέρδεψε. Νόμιζα ότι το όλο θέμα ήταν να αφήσουμε την οικογένειά του στην ησυχία της. Γιατί έπρεπε να φύγουμε αν έφευγαν και αυτοί; Τον κοίταξα επίμονα προσπαθώντας να καταλάβω τι εννοούσε.

Με κοίταξε ψυχρά.

Με ένα ξαφνικό κύμα ναυτίας, συνειδητοποίησα ότι είχα παρεξηγήσει.

«Όταν λες ότι *φεύγουμε*–» ψιθύρισα.

«Εννοώ η οικογένειά μου κι εγώ». Κάθε λέξη ξεχωριστά και ξεκάθαρα.

Κούνησα το κεφάλι μου μπρος-πίσω μηχανικά, προσπαθώντας να διώξω τη σύγχυση. Εκείνος περίμενε χωρίς κανένα σημάδι ανυπομονησίας. Μου πήρε μερικά λεπτά για να μπορέσω να μιλήσω.

«Εντάξει», είπα. «Θα έρθω κι εγώ μαζί σας».

«Δεν μπορείς, Μπέλλα. Εκεί που πάμε... Δεν είναι κατάλληλο μέρος για σένα».

«Το κατάλληλο μέρος για μένα είναι εκεί όπου είσαι εσύ».

«Δεν είμαι ο κατάλληλος για σένα, Μπέλλα».

«Μη γίνεσαι γελοίος». Ήθελα να ακουστώ θυμωμένη, αλλά ακούστηκα απλώς σαν να ικέτευα. «Είσαι το καλύτερο κομμάτι της ζωής μου».

«Ο κόσμος μου δεν είναι για σένα», είπε βλοσυρά.

«Αυτό που έγινε με τον Τζάσπερ –δεν ήταν τίποτα, Έντουαρντ! Τίποτα!»

«Έχεις δίκιο», συμφώνησε. «Ήταν αναμενόμενο».

«Υποσχέθηκες! Στο Φοίνιξ μου υποσχέθηκες ότι θα έμενες–»

«Όσο καιρό η παρουσία μου σου έκανε καλό», με διέκοψε για να με διορθώσει.

«Όχι! Είναι για την ψυχή μου, έτσι δεν είναι;» φώναξα εξαγριωμένη, καθώς οι λέξεις βγήκαν από μέσα μου σαν μια έκρηξη –με κάποιο τρόπο, όμως, ακούστηκε πάλι σαν ικεσία. «Ο Κάρλαϊλ μου τα είπε όλα, και δε με νοιάζει, Έντουαρντ! Δε με νοιάζει! Πάρε την ψυχή μου. Δεν τη θέλω χωρίς εσένα –είναι δικιά σου ήδη!»

Εκείνος πήρε μια βαθιά ανάσα και κάρφωσε το βλέμμα του, χωρίς να βλέπει τίποτα, στο έδαφος για μια στιγμή που έμοιαζε να διαρκεί πολλή ώρα. Το στόμα του συσπάστηκε ελάχιστα. Όταν τελικά σήκωσε το βλέμμα, τα μάτια του ήταν αδιάφορα, πιο σκληρά –όπως το υγρό χρυσάφι που έχει παγώσει και στερεοποιηθεί.

«Μπέλλα, δε θέλω να έρθεις μαζί μου». Είπε τις λέξεις αργά και με ακρίβεια, το ψυχρό του βλέμμα καρφωμένο στο πρόσωπό μου, παρακολουθώντας με την ώρα που αφομοίωνα αυτό που ήθελε να πει.

Ακολούθησε μια παύση, καθώς εγώ επαναλάμβανα μέσα στο μυαλό μου τις λέξεις, πηγαίνοντας από τη μια στην άλλη για να ανακαλύψω την πραγματική τους πρόθεση.

«Δεν... θέλεις... εμένα;» δοκίμασα να πω τις λέξεις δυνατά, μπερδεμένη από τον τρόπο που ακούγονταν, βαλμένες σε αυτή τη σειρά.

«Όχι».

Κάρφωσα το βλέμμα μου μέσα στα μάτια του χωρίς να καταλαβαίνω. Εκείνος κάρφωσε το δικό του μέσα στα δικά μου μάτια χωρίς καμία απολογητική έκφραση. Τα μάτια του ήταν σαν τοπάζι –σκληρά και διάφανα και πολύ βαθιά. Ένιωθα σαν να μπορούσα να δω μέσα τους χιλιόμετρα ολόκληρα, παρ' όλα αυτά πουθενά μέσα στα απύθμενα βάθη τους δεν μπορούσα να δω κάποια αντίφαση στη λέξη που είχε προφέρει.

«Αυτό αλλάζει τα πράγματα». Έμεινα έκπληκτη από το πόσο ήρεμη και λογική ακούστηκε η φωνή μου. Μάλλον επειδή ήμουν τόσο μουδιασμένη. Δεν μπορούσα να συνειδητοποιήσω αυτό που μου έλεγε. Ακόμα δεν έβγαζε νόημα.

Γύρισε το βλέμμα του από την άλλη, μέσα στα δέντρα, όταν μίλησε ξανά. «Φυσικά θα σε αγαπάω για πάντα... κατά κάποιο τρόπο. Αλλά αυτό που συνέβη τις προάλλες με έκανε να καταλάβω ότι ήρθε η ώρα για μια αλλαγή. Επειδή έχω... βαρεθεί να προσποιούμαι ότι είμαι κάτι που δεν είμαι στ' αλήθεια, Μπέλλα. Δεν είμαι άνθρωπος». Γύρισε πάλι προς εμένα, και οι παγερές πεδιάδες του τέλειου προσώπου του πράγματι δεν ήταν ανθρώπινες. «Άφησα αυτή την κατάσταση να τραβήξει πάρα πολύ καιρό, και λυπάμαι γι' αυτό».

«Μη». Η φωνή μου ήταν ένας ψίθυρος τώρα· η συνειδητοποίηση της αλήθειας είχε αρχίσει να σταλάζει μέσα μου, κυλώντας σαν οξύ μέσα από τις φλέβες μου. «Μην το κάνεις αυτό».

Εκείνος απλώς με κοιτούσε επίμονα, κι έβλεπα στα μάτια του ότι ήταν πάρα πολύ αργά πια για αυτά τα λόγια. Το είχε ήδη κάνει.

«Δεν είσαι η κατάλληλη για μένα, Μπέλλα». Αντέστρεψε τα προηγούμενά του λόγια, κι έτσι δεν είχα κανένα επιχείρημα εναντίον τους. Πόσο καλά το ήξερα ότι δεν ήμουν αρκετά καλή γι' αυτόν.

Άνοιξα το στόμα μου για να πω κάτι και μετά το έκλεισα πάλι. Εκείνος περίμενε υπομονετικά, στο πρόσωπό του είχε σβήσει κάθε συναίσθημα. Προσπάθησα ξανά.

«Αν... αυτό είναι που θέλεις».

Έγνεψε καταφατικά μία φορά.

Όλο μου το κορμί είχε παραλύσει. Δεν ένιωθα τίποτα από το λαιμό και κάτω.

«Θα ήθελα, όμως, να σου ζητήσω μια χάρη, αν δεν είναι μεγάλος κόπος», είπε.

Αναρωτιέμαι τι είδε στο πρόσωπό μου, επειδή κάτι έλαμψε στιγμιαία στο δικό του ως αντίδραση. Αλλά, πριν προλάβω να το αναγνωρίσω, τα χαρακτηριστικά του είχαν ήδη μετατραπεί ξανά στην ίδια γαλήνια μάσκα.

«Ό,τι θες», υποσχέθηκα, με φωνή ελαφρώς πιο δυνατή.

Καθώς τον παρατηρούσα, τα παγωμένα του μάτια έλιωσαν. Το χρυσάφι έγινε υγρό και πάλι, ρευστό, καίγοντας τα δικά μου μάτια με μια ένταση που με έπνιγε.

«Μην κάνεις τίποτα ριψοκίνδυνο ή ανόητο», πρόσταξε, χωρίς να είναι πια απόμακρος. «Καταλαβαίνεις τι εννοώ;»

Έγνεψα απελπισμένα.

Τα μάτια του ψυχράνθηκαν, η απόσταση επέστρεψε. «Σκέφτομαι τον Τσάρλι, φυσικά. Σε έχει ανάγκη. Να προσέχεις τον εαυτό σου –για χάρη του».

Έγνεψα ξανά. «Θα προσέχω», ψιθύρισα.

Εκείνος φάνηκε να χαλαρώνει κάπως.

«Και θα σου υποσχεθώ κι εγώ κάτι σε αντάλλαγμα», είπε. «Σου υπόσχομαι ότι αυτή είναι η τελευταία φορά που με βλέπεις. Δε θα γυρίσω πίσω. Δε θα σε αναγκάσω να υποστείς τίποτα τέτοιο ξανά. Μπορείς να συνεχίσεις τη ζωή σου χωρίς να ξαναμπλεχτώ εγώ. Θα είναι σαν να μην υπήρξα ποτέ».

Τα γόνατά μου είχαν αρχίσει να τρέμουν, επειδή τα δέντρα ξαφνικά κλυδωνίζονταν. Άκουγα το αίμα μου να πάλλεται πιο γρήγορα από το συνηθισμένο πίσω από τ' αυτιά μου. Η φωνή του ακουγόταν πιο μακρινή.

Χαμογέλασε ήρεμα. «Μην ανησυχείς. Είσαι άνθρωπος –η μνήμη σου δεν είναι τίποτα περισσότερο από ένα κόσκινο. Ο χρόνος κλείνει όλες τις πληγές για το είδος σου».

«Και οι δικές σου αναμνήσεις;» ρώτησα. Ακούστηκα λες και είχε κολλήσει κάτι στο λαιμό μου, λες και πνιγόμουν.

«Κοίτα» –δίστασε στιγμιαία– «εγώ δε θα ξεχάσω. Αλλά το *δικό μου* είδος... η προσοχή μας αποσπάται πολύ εύκολα». Χαμογέλασε· το χαμόγελο ήταν γαλήνιο και δεν άγγιξε τα μάτια του.

Έκανε ένα βήμα μακριά μου. «Νομίζω πως τελείωσε, λοιπόν. Δε θα σε ξαναενοχλήσουμε».

Ο πληθυντικός μου τράβηξε την προσοχή. Αυτό με εξέπληξε· πίστευα ότι δεν ήμουν σε θέση να παρατηρήσω τίποτα.

«Η Άλις δε θα γυρίσει», είπα συνειδητοποιώντας. Δεν ξέρω πώς με άκουσε –οι λέξεις δεν έκαναν κανέναν ήχο– αλλά φάνηκε να καταλαβαίνει.

Κούνησε το κεφάλι του αργά, πάντα παρατηρώντας το πρόσωπό μου.

«Όχι. Έφυγαν όλοι. Εγώ έμεινα πίσω για να σε αποχαιρετήσω».

«Η Άλις έφυγε;» Η φωνή μου ήταν άδεια από τη δυσπιστία.

«Ήθελε να σου πει αντίο, αλλά την έπεισα ότι θα ήταν καλύτερα για σένα αν έφευγε μια κι έξω, χωρίς αποχαιρετισμούς».

Ένιωθα ζαλάδα· ήταν δύσκολο να συγκεντρωθώ. Τα λόγια του στροβιλίζονταν μέσα στο κεφάλι μου, και άκουσα το γιατρό στο νοσοκομείο στο Φοίνιξ, την περασμένη άνοιξη, καθώς μου έδειχνε τις ακτινογραφίες. *Βλέπεις ότι έχει σπάσει μια κι έξω*, ενώ το δάχτυλό του έδειχνε στην ακτινογραφία κατά μήκος του σπασμένου μου κόκαλου. *Αυτό είναι καλό. Θα θρέψει πιο εύκολα, πιο γρήγορα.*

Προσπάθησα να αναπνεύσω φυσιολογικά. Έπρεπε να συγκεντρωθώ, να βρω έναν τρόπο να βγω από αυτό τον εφιάλτη.

«Αντίο, Μπέλλα», είπε εκείνος με την ίδια ήρεμη, γαλήνια

φωνή.

«Περίμενε!» είπα τη λέξη λες και πνιγόμουν, απλώνοντας το χέρι μου για να τον φτάσω, θέλοντας να κάνω τα νεκρωμένα πόδια μου να με πάνε προς τα μπρος.

Νόμιζα ότι προσπαθούσε κι αυτός να με φτάσει. Αλλά τα κρύα του χέρια έσφιξαν τους καρπούς μου και τους κόλλησαν στα πλευρά μου. Έσκυψε προς τα κάτω και πίεσε τα χείλη του πολύ ελαφρά στο μέτωπό μου για μια στιγμή μόνο. Τα μάτια μου έκλεισαν.

«Να προσέχεις τον εαυτό σου», ψιθύρισε, δροσερός καθώς άγγιζε το δέρμα μου.

Φύσηξε ένα ελαφρύ, αφύσικο αεράκι. Τα μάτια μου άνοιξαν ξαφνικά. Τα φύλλα ενός μικρού αναρριχητικού σφενταμιού ανασάλεψαν την ώρα που πέρασε σηκώνοντας έναν απαλό αέρα.

Είχε φύγει.

Με τρεμάμενα πόδια, αγνοώντας το γεγονός ότι η πράξη μου ήταν άχρηστη, τον ακολούθησα μέσα στο δάσος. Τα ίχνη της πορείας του είχαν εξαφανιστεί στη στιγμή. Δεν υπήρχαν καθόλου πατημασιές, τα φύλλα ήταν και πάλι ακίνητα, αλλά εγώ άρχισα να περπατάω προς τα μπρος χωρίς να σκέφτομαι. Δεν μπορούσα να κάνω τίποτα άλλο. Έπρεπε να συνεχίσω. Αν σταματούσα να τον ψάχνω, όλα θα είχαν τελειώσει.

Η αγάπη, η ζωή, το νόημα... θα είχαν τελειώσει.

Περπατούσα συνέχεια. Ο χρόνος δεν έπαιζε κανένα ρόλο, καθώς προχωρούσα αργά σπρώχνοντας στην άκρη τα πυκνά χαμόκλαδα. Είχαν περάσει ώρες, αλλά και μόνο δευτερόλεπτα. Ίσως ένιωθα λες κι ο χρόνος είχε παγώσει, επειδή το δάσος έδειχνε ίδιο όσο μακριά κι αν πήγαινα. Άρχισα να ανησυχώ ότι έκανα κύκλο, έναν πολύ μικρό κύκλο μάλιστα, αλλά συνέχισα να περπατάω. Παραπατούσα συχνά και, καθώς άρχισε να σκοτεινιάζει, έπεφτα κάτω συχνά.

Τελικά, σκόνταψα πάνω σε κάτι –είχε πίσσα σκοτάδι τώρα,

δεν είχα την παραμικρή ιδέα τι ήταν αυτό που μου έπιασε το πόδι– κι έμεινα κάτω στο έδαφος. Γύρισα στο πλάι, για να μπορέσω να πάρω ανάσα και μαζεύτηκα κουβάρι πάνω στην υγρή φτέρη.

Έτσι όπως βρισκόμουν εκεί, είχα μια αίσθηση ότι περνούσε περισσότερος χρόνος απ' ό,τι συνειδητοποιούσα. Δεν μπορούσα να θυμηθώ πόση ώρα είχε περάσει από τη στιγμή που έπεσε η νύχτα. Ήταν πάντα τόσο σκοτεινά εδώ πέρα τη νύχτα; Σίγουρα ήταν κανόνας ότι λιγάκι από το φως του φεγγαριού θα περνούσε μέσα από τα σύννεφα, μέσα από τις χαραμάδες στο θόλο του δάσους και θα έφτανε στο έδαφος.

Όχι απόψε. Απόψε ο ουρανός ήταν εντελώς μαύρος. Ίσως δεν είχε καθόλου φεγγάρι απόψε –μια έκλειψη σελήνης, μια νέα σελήνη.

Μια νέα σελήνη. Αναρίγησα αν και δεν ένιωθα να κρυώνω.

Ήταν σκοτεινά για πολλή ώρα πριν να τους ακούσω να φωνάζουν.

Κάποιος φώναζε τ' όνομά μου. Ήταν μια πνιχτή κραυγή που ακουγόταν μόλις και μετά βίας εξαιτίας την υγρής βλάστησης που με περιέβαλλε, αλλά ήταν σίγουρα τ' όνομά μου. Δεν αναγνώρισα τη φωνή. Σκέφτηκα να απαντήσω, αλλά ήμουν ζαλισμένη, και μου πήρε πολλή ώρα για να βγάλω το συμπέρασμα ότι *έπρεπε* να απαντήσω. Μέχρι τότε η φωνή είχε σταματήσει.

Λίγο αργότερα, με ξύπνησε η βροχή. Δε νομίζω ότι είχα αποκοιμηθεί στ' αλήθεια· ήμουν απλώς χαμένη σ' έναν ασυνείδητο λήθαργο προσπαθώντας με όλη μου τη δύναμη να διατηρήσω το μούδιασμα που δε με άφηνε να συνειδητοποιήσω αυτό που δεν ήθελα να ξέρω.

Η βροχή με ενοχλούσε λιγάκι. Έκανε κρύο. Ξετύλιξα τα χέρια μου γύρω από τα πόδια μου για να σκεπάσω το πρόσωπό μου.

Τότε ήταν που άκουσα πάλι τη φωνή. Ήταν πιο μακριά

αυτή τη φορά, και μερικές φορές ακουγόταν λες και διάφορες φωνές με φώναζαν ταυτοχρόνως. Προσπάθησα να αναπνεύσω βαθιά. Θυμήθηκα ότι έπρεπε να απαντήσω, αλλά δεν πίστευα ότι θα μπορούσαν να με ακούσουν. Θα τα κατάφερνα να φωνάξω αρκετά δυνατά;

Ξαφνικά, ακούστηκε άλλος ένας ήχος, αιφνιδιαστικά κοντά. Ένα είδος ρουθουνίσματος, ένας ήχος από κάποιο ζώο. Πρέπει να ήταν μεγάλο. Αναρωτήθηκα αν έπρεπε να νιώσω φόβο. Δεν ένιωθα –ήμουν απλώς μουδιασμένη. Δεν είχε σημασία. Το ρουθούνισμα απομακρύνθηκε.

Η βροχή συνέχιζε, κι εγώ ένιωθα το νερό να μαζεύεται σε μια μικρή λιμνούλα πάνω στο μάγουλό μου. Προσπαθούσα να μαζέψω δύναμη για να γυρίσω το κεφάλι μου όταν είδα το φως.

Στην αρχή ήταν απλώς μια αμυδρή λάμψη που αντανακλούσε στους θάμνους πέρα μακριά. Γινόταν όλο και πιο δυνατή, φωτίζοντας ένα μεγάλο χώρο σε αντίθεση με την εστιασμένη δέσμη φωτός ενός φακού. Το φως βγήκε μέσα από τον πιο κοντινό θάμνο και είδα ότι ήταν ένα φανάρι προπανίου, αλλά αυτό ήταν το μόνο που μπορούσα να δω –η δυνατή λάμψη με τύφλωσε για μια στιγμή.

«Μπέλλα».

Η φωνή ήταν βαθιά και άγνωστη, αλλά γεμάτη αναγνώριση. Δεν φώναζε το όνομά μου για να με βρει, αλλά αναγνώριζε το γεγονός ότι είχα βρεθεί.

Εγώ σήκωσα τα μάτια μου ψηλά –τόσο ψηλά που έμοιαζε σχεδόν αδύνατον– στο σκοτεινό πρόσωπο που έβλεπα από πάνω μου. Είχα μια αμυδρή συναίσθηση του γεγονότος ότι ο ξένος πιθανόν να έδειχνε τόσο ψηλός επειδή το κεφάλι μου ήταν ακόμα στο έδαφος.

«Σου έκανε τίποτα κανείς;»

Ήξερα ότι οι λέξεις σήμαιναν κάτι, αλλά μπορούσα μόνο να κοιτάζω απορημένη. Πώς θα μπορούσε το νόημα να έχει σημασία σ' αυτό το σημείο;

«Μπέλλα, με λένε Σαμ Γιούλεϊ».

Το όνομα αυτό δε μου ήταν καθόλου οικείο.

«Ο Τσάρλι με έστειλε για να σε ψάξω».

Ο Τσάρλι; Αυτό το όνομα κάτι μου θύμιζε και προσπάθησα να προσέξω περισσότερο αυτά που έλεγε. Ο Τσάρλι είχε σημασία τουλάχιστον, έστω αν όλα τα υπόλοιπα δεν είχαν.

Ο ψηλός άντρας μου έτεινε το χέρι. Το κοίταξα επίμονα χωρίς να είμαι σίγουρη τι έπρεπε να κάνω.

Τα μαύρα του μάτια με ζύγισαν για ένα δευτερόλεπτο, και μετά σήκωσε τους ώμους του. Με μια γρήγορη και λυγερή κίνηση με σήκωσε από το έδαφος και με έβαλε στην αγκαλιά του.

Εγώ έμεινα εκεί κρεμασμένη, σαν παράλυτη, καθώς εκείνος βγήκε με γρήγορες δρασκελιές από το υγρό δάσος. Ένα κομμάτι μου ήξερε ότι αυτό θα έπρεπε να με είχε ενοχλήσει –το να με κουβαλά ένας ξένος. Αλλά δεν υπήρχε τίποτα μέσα μου για να νιώσει ενόχληση.

Δε φάνηκε να πέρασε πολύς χρόνος ως την ώρα που με περιέβαλαν φώτα και η βαθιά οχλοβοή αντρικών φωνών. Ο Σαμ Γιούλεϊ άρχισε να πηγαίνει πιο σιγά καθώς πλησίαζε στη φασαρία.

«Εδώ είναι!» φώναξε με βροντερή φωνή.

Η οχλοβοή σταμάτησε και μετά ξανάρχισε με μεγαλύτερη ένταση. Ένας στρόβιλος προσώπων ήρθε από πάνω μου προκαλώντας μου σύγχυση. Η φωνή του Σαμ ήταν η μόνη που έβγαζε νόημα μέσα σ' αυτό το χάος, ίσως επειδή το αυτί μου ακουμπούσε στο στήθος του.

«Όχι, δε νομίζω ότι έχει χτυπήσει», είπε σε κάποιον. «Λέει απλώς συνέχεια *Έφυγε*».

Το έλεγα δυνατά; Δάγκωσα τα χείλη μου.

«Μπέλλα, γλυκιά μου, είσαι καλά;»

Αυτή ήταν μια φωνή που θα αναγνώριζα παντού –ακόμα

και παραμορφωμένη, όπως ήταν τώρα, από την ανησυχία.

«Τσάρλι;» Η φωνή μου ακούστηκε παράξενη και αδύναμη.

«Εδώ είμαι, μωρό μου!»

Κάτι μετακινήθηκε από κάτω μου, και ακολούθησε η μυρωδιά του δέρματος του μπουφάν του σερίφη που ανήκε στο μπαμπά μου. Ο Τσάρλι τρέκλισε κάτω από το βάρος μου.

«Μήπως να την κρατήσω εγώ;» πρότεινε ο Σαμ Γιούλεϊ.

«Την κρατάω», είπε ο Τσάρλι, λιγάκι ξέπνοος.

Περπατούσε αργά, με κόπο. Ήθελα να του πω να με αφήσει κάτω να περπατήσω αλλά δεν μπορούσα να βρω τη φωνή μου.

Υπήρχαν φώτα παντού που τα κρατούσε το πλήθος που περπατούσε μαζί του. Έμοιαζε με παρέλαση. Ή κηδεία. Έκλεισα τα μάτια μου.

«Σχεδόν φτάσαμε, γλυκιά μου», μουρμούριζε ο Τσάρλι πού και πού.

Άνοιξα ξανά τα μάτια μου όταν άκουσα την πόρτα να ξεκλειδώνει. Ήμασταν στη βεράντα του σπιτιού μας κι ο ψηλός μελαχρινός άντρας που τον έλεγαν Σαμ κρατούσε την πόρτα για να περάσει ο Τσάρλι, με το ένα χέρι απλωμένο προς εμάς, λες και ήταν έτοιμος να με πιάσει όταν τα χέρια του Τσάρλι δε θα άντεχαν άλλο.

Αλλά ο Τσάρλι κατάφερε να με βάλει μέσα και να με αφήσει στον καναπέ μέσα στο σαλόνι.

«Μπαμπά, είμαι βρεγμένη», είπα αδύναμα.

«Δεν πειράζει». Η φωνή του ήταν βραχνή. Και μετά μιλούσε με κάποιον άλλο. «Υπάρχουν κουβέρτες στο ντουλάπι στην κορυφή της σκάλας».

«Μπέλλα;» ρώτησε μια καινούρια φωνή. Κοίταξα τον γκριζομάλλη άντρα από πάνω μου και τον αναγνώρισα μετά από λίγα δευτερόλεπτα.

«Δόκτωρ Τζέραντι;» ψέλλισα.

«Ακριβώς, γλυκιά μου», είπε. «Έπαθες τίποτα, Μπέλλα;»

Μου πήρε ένα λεπτό για να το σκεφτώ. Ήμουν μπερδεμένη από την ανάμνηση μιας παρόμοιας ερώτησης του Σαμ Γιούλεϊ μέσα στο δάσος. Μόνο που ο Σαμ είχε ρωτήσει κάτι άλλο: «Σου έκανε κανείς τίποτα;» είχε πει. Η διαφορά φαινόταν σημαντική τώρα.

Ο δόκτωρ Τζέραντι περίμενε. Ένα ψαρό φρύδι σηκώθηκε, και οι ρυτίδες στο μέτωπό του έγιναν πιο βαθιές.

«Δεν έπαθα τίποτα», είπα ψέματα. Οι λέξεις ανταποκρίνονταν αρκετά στην αλήθεια σε σχέση με αυτό που είχε ρωτήσει.

Το ζεστό του χέρι άγγιξε το μέτωπό μου, και τα δάχτυλά του πίεσαν την εσωτερική πλευρά του καρπού μου. Παρατήρησα τα χείλη του καθώς μετρούσε από μέσα του, με τα μάτια του καρφωμένα στο ρολόι του.

«Τι σου συνέβη;» ρώτησε ανάλαφρα.

Πάγωσα κάτω από το χέρι του, παίρνοντας άλλη μια γεύση του πανικού στο πίσω μέρος του λαιμού μου.

«Χάθηκες στο δάσος;» με πίεσε να μιλήσω. Είχα συναίσθηση ότι με άκουγαν και αρκετά άλλα άτομα. Τρεις ψηλοί άντρες με σκοτεινά πρόσωπα –από το Λα Πους, τον καταυλισμό των Ινδιάνων Κουιλαγιούτ στην ακτή, υπέθετα– ανάμεσά τους και ο Σαμ Γιούλεϊ, στέκονταν πολύ κοντά ο ένας στον άλλο και με κοίταζαν επίμονα. Ο κύριος Νιούτον ήταν εκεί με τον Μάικ και τον κύριο Ουέμπερ, τον πατέρα της Άντζελα· όλοι με παρατηρούσαν πιο κρυφά από τους ξένους. Άλλες βαθιές φωνές έκαναν θόρυβο από την κουζίνα κι έξω από την πόρτα του σπιτιού. Η μισή πόλη πρέπει να με έψαχνε.

Ο Τσάρλι ήταν πιο κοντά από όλους. Έσκυψε πιο κοντά για να ακούσει την απάντησή μου.

«Ναι», ψιθύρισα. «Χάθηκα».

Ο γιατρός κούνησε το κεφάλι του, σκεπτικός, ενώ τα δάχτυλά του ψηλαφούσαν απαλά τους αδένες κάτω από το πιγούνι μου. Το πρόσωπο του Τσάρλι έγινε πιο σκληρό.

«Νιώθεις κουρασμένη;» ρώτησε ο δόκτωρ Τζέραντι.

Έγνεψα καταφατικά και έκλεισα τα μάτια μου υπάκουα.

«Δε νομίζω ότι έχει κάτι σοβαρό», άκουσα το γιατρό να μουρμουρίζει στον Τσάρλι μετά από μια στιγμή. «Απλώς είναι εξαντλημένη. Αφήστε τη να κοιμηθεί, και θα έρθω να της ρίξω μια ματιά αύριο», είπε και έκανε μια παύση. Πρέπει να κοίταξε το ρολόι του, επειδή πρόσθεσε: «Δηλαδή, αργότερα σήμερα, εδώ που τα λέμε».

Ακούστηκε ένα τρίξιμο, καθώς σηκώθηκαν και οι δύο από τον καναπέ για να σταθούν όρθιοι.

«Είναι αλήθεια;» ψιθύρισε ο Τσάρλι. Οι φωνές τους ήταν πιο απομακρυσμένες τώρα. Τέντωσα τα αυτιά μου για να ακούσω. «Έφυγαν;»

«Ο δόκτωρ Κάλεν μας ζήτησε να μην πούμε τίποτα», απάντησε ο δόκτωρ Τζέραντι. «Η προσφορά ήταν πολύ ξαφνική· έπρεπε να αποφασίσουν αμέσως. Ο Κάρλαϊλ δεν ήθελε να δώσει μεγάλη διάσταση στο γεγονός ότι θα έφευγε».

«Μια μικρή προειδοποίηση θα ήταν πιο ευγενικό», γκρίνιαξε ο Τσάρλι.

Ο δόκτωρ Τζέραντι ακούστηκε σαν να ένιωθε κάπως άβολα όταν απάντησε. «Ναι, βέβαια, στην προκειμένη περίπτωση κάποια προειδοποίηση θα ήταν ίσως απαραίτητη».

Δεν ήθελα να ακούσω περισσότερο. Έψαξα γύρω για την άκρη του παπλώματος, με το οποίο κάποιος με είχε σκεπάσει, και το τράβηξα πάνω από τα αυτιά μου.

Παρασύρθηκα από την εγρήγορση στη χαύνωση. Άκουσα τον Τσάρλι να ψιθυρίζει ένα ευχαριστώ στους εθελοντές την ώρα που έφευγαν ένας-ένας. Ένιωσα τα δάχτυλά του στο μέτωπό μου και μετά το βάρος άλλης μιας κουβέρτας. Το τηλέφωνο χτύπησε αρκετές φορές, κι εκείνος έτρεχε βιαστικά να το πιάσει πριν με ξυπνήσει. Μουρμούριζε καθησυχαστικά λόγια με χαμηλή φωνή σε όσους έπαιρναν.

«Ναι, τη βρήκαμε. Είναι καλά. Είναι μια χαρά τώρα», έλεγε ξανά και ξανά.

Άκουσα τα ελατήρια στην πολυθρόνα να στενάζουν όταν βολεύτηκε εκεί για να περάσει τη νύχτα.

Λίγα λεπτά αργότερα, το τηλέφωνο χτύπησε ξανά.

Ο Τσάρλι στέναξε, καθώς σηκώθηκε με κόπο όρθιος και μετά όρμησε σκουντουφλώντας στην κουζίνα. Έχωσα το κεφάλι μου πιο βαθιά μέσα στις κουβέρτες, καθώς δεν ήθελα να ακούσω πάλι την ίδια συζήτηση.

«Ναι», είπε ο Τσάρλι και χασμουρήθηκε.

Η φωνή του άλλαξε, ήταν πολύ πιο άγρυπνη όταν μίλησε ξανά. «Πού;» Ακολούθησε μια παύση. «Είστε σίγουρη ότι είναι έξω από τον καταυλισμό;» Άλλη μια σύντομη παύση. «Μα τι μπορεί να καίγεται *εκεί;*» Ακούστηκε ανήσυχος και απορημένος ταυτοχρόνως. «Κοιτάξτε, θα πάω εκεί κάτω και θα ρίξω μια ματιά».

Άκουγα με περισσότερο ενδιαφέρον την ώρα που εκείνος πληκτρολογούσε με νεύρο έναν αριθμό. «Γεια σου, Μπίλι, ο Τσάρλι είμαι –συγνώμη που παίρνω τόσο νωρίς... όχι, είναι μια χαρά. Κοιμάται... Ευχαριστώ, αλλά δε σε πήρα γι' αυτό. Μόλις με πήρε τηλέφωνο η κυρία Στάνλεϊ και λέει ότι από το παράθυρό της στο δεύτερο όροφο βλέπει φωτιές πέρα στους βράχους στη θάλασσα, αλλά δεν... Α!» Ξαφνικά ο τόνος της φωνής του έγινε καυστικός –υπήρχε ενόχληση... ή θυμός. «Και γιατί το κάνουν αυτό; Α χα! Αλήθεια;» Το είπε αυτό σαρκαστικά. «Κοίτα, μη ζητάς συγνώμη από *μένα*. Ναι, ναι. Απλώς να προσέξεις να μην εξαπλωθούν οι φλόγες... Το ξέρω, το ξέρω, εκπλήσσομαι που μπόρεσαν και τις άναψαν με αυτό τον καιρό».

Ο Τσάρλι δίστασε και μετά πρόσθεσε απρόθυμα. «Σ' ευχαριστώ που έστειλες τον Σαμ και τα άλλα παιδιά. Είχες δίκιο –πράγματι ξέρουν το δάσος καλύτερα από εμάς. Ο Σαμ ήταν αυτός που τη βρήκε, άρα σου χρωστάω χάρη... Ναι, θα τα πούμε αργότερα», συμφώνησε, πριν κλείσει.

Ο Τσάρλι μουρμούρισε κάτι ακατάληπτο, καθώς έσερνε τα πόδια του προς το σαλόνι.

«Τι συμβαίνει;» ρώτησα.

Έτρεξε πλάι μου.

«Συγνώμη που σε ξύπνησα, γλυκιά μου».

«Καίγεται τίποτα;»

«Δεν είναι τίποτα», με διαβεβαίωσε. «Απλώς μερικές γιορταστικές φωτιές στους βράχους».

«Γιορταστικές φωτιές;» ρώτησα. Η φωνή μου δεν ακούστηκε περίεργη. Ακούστηκε νεκρή.

Ο Τσάρλι κατσούφιασε. «Μερικά παιδιά από τον καταυλισμό κάνουν σαματά», εξήγησε.

«Γιατί;» αναρωτήθηκα άτονα.

Καταλάβαινα ότι δεν ήθελε να απαντήσει. Κοίταξε το πάτωμα κάτω από τα γόνατά του. «Γιορτάζουν τα νέα». Ο τόνος του ήταν πικρός.

Ένα μόνο νέο μπορούσα να σκεφτώ, όσο κι αν προσπαθούσα να μην το κάνω. Και μετά τα κομμάτια κόλλησαν. «Επειδή έφυγαν οι Κάλεν», ψέλλισα. «Δεν τους συμπαθούν τους Κάλεν στο Λα Πους –το είχα ξεχάσει αυτό».

Οι Κουιλαγιούτ είχαν τις δεισιδαιμονίες τους για τους *Παγωμένους*, αυτούς που έπιναν αίμα και ήταν εχθροί της φυλής τους, όπως ακριβώς είχαν και τους δικούς τους θρύλους για το μεγάλο κατακλυσμό και τους προγόνους τους, τους λυκανθρώπους. Τίποτα περισσότερο από παραμύθια, λαϊκές δοξασίες για τους περισσότερους. Υπήρχαν, όμως, και μερικοί που τις πίστευαν. Ο καλός φίλος του Τσάρλι, ο Μπίλι τις πίστευε, παρόλο που ακόμα και ο Τζέικομπ, ο ίδιος του ο γιος, πίστευε ότι ο πατέρας του ήταν γεμάτος δεισιδαιμονίες. Ο Μπίλι με είχε προειδοποιήσει να μείνω μακριά από τους Κάλεν...

Το όνομα προκάλεσε μια ταραχή μέσα μου, κάτι άρχισε να

γαντζώνεται με τα νύχια του για να ανέβει στην επιφάνεια, κάτι που ήξερα ότι δεν ήθελα να αντιμετωπίσω.

«Είναι γελοίο», είπε ο Τσάρλι γρήγορα.

Καθίσαμε σιωπηλοί για μια στιγμή. Ο ουρανός δεν ήταν πια μαύρος έξω από το παράθυρο. Κάπου πίσω από τη βροχή ο ήλιος άρχιζε να ανατέλλει.

«Μπέλλα;» ρώτησε ο Τσάρλι.

Τον κοίταξα νιώθοντας άβολα.

«Σε άφησε μόνη σου στο δάσος;» μάντεψε ο Τσάρλι.

Προσπάθησα να αποφύγω την ερώτησή του. «Πώς ήξερες πού να με βρεις;» Το μυαλό μου προσπαθούσε να αποφύγει την αναπόφευκτη συνειδητοποίηση αυτού που ερχόταν, ερχόταν γρήγορα τώρα.

«Το σημείωμά σου», απάντησε ο Τσάρλι έκπληκτος. Έβαλε το χέρι του στην πίσω τσέπη του τζιν του και τράβηξε ένα πολύ φθαρμένο κομμάτι χαρτί. Ήταν βρόμικο και βρεγμένο, με πολλές ζάρες επειδή το είχε ανοίξει και το είχε ξαναδιπλώσει πολλές φορές. Το ξεδίπλωσε πάλι και το κράτησε ψηλά ως απόδειξη. Ο άτσαλος γραφικός χαρακτήρας έμοιαζε στο δικό μου εξαιρετικά.

Πάω βόλτα με τον Έντουαρντ στο μονοπάτι, έλεγε. *Θα γυρίσω γρήγορα, Μ.*

«Όταν δε γύρισες, πήρα τηλέφωνο στους Κάλεν, και κανείς δεν απάντησε», είπε ο Τσάρλι χαμηλόφωνα. «Τότε πήρα στο νοσοκομείο, κι ο δόκτωρ Τζέραντι μου είπε ότι ο Κάρλαϊλ είχε φύγει».

«Πότε έφυγαν;» ψέλλισα.

Με κοίταξε επίμονα. «Δε σου είπε ο Έντουαρντ;»

Κούνησα το κεφάλι μου, ζαρώνοντας προς τα πίσω. Ο ήχος του ονόματός του ελευθέρωσε αυτό το πράγμα που με γρατζουνούσε από μέσα –έναν πόνο που μου έκοψε την ανάσα, με αιφνιδίασε με την έντασή του.

Ο Τσάρλι μου έριξε μια ματιά γεμάτη αμφιβολία, καθώς

απαντούσε. «Ο Κάρλαϊλ δέχτηκε μια θέση σε ένα μεγάλο νοσοκομείο στο Λος Άντζελες. Φαντάζομαι ότι του πρόσφεραν πάρα πολλά χρήματα».

Το ηλιόλουστο Λος Άντζελες. Το τελευταίο μέρος όπου θα πήγαιναν πραγματικά. Θυμήθηκα τον εφιάλτη μου με τον καθρέφτη… το λαμπερό τρεμοφέγγισμα της επιδερμίδας του–

Οδύνη με έσκισε, καθώς μου ήρθε η ανάμνηση του προσώπου του.

«Θέλω να ξέρω αν ο Έντουαρντ σε άφησε μόνη σου εκεί έξω μέσα στη μέση του δάσους», επέμεινε ο Τσάρλι.

Στο άκουσμα του ονόματός του άλλο ένα κύμα μαρτυρίου με κατέκλυσε. Κούνησα το κεφάλι μου έξαλλη, στην απόγνωσή μου να ξεφύγω από τον πόνο. «Εγώ έφταιγα. Εκείνος με άφησε εδώ έξω στο μονοπάτι, σε σημείο που φαινόταν το σπίτι… αλλά εγώ προσπάθησα να τον ακολουθήσω».

Ο Τσάρλι πήγε να πει κάτι· με έναν παιδαριώδη τρόπο εγώ έκλεισα τα αυτιά μου. «Δεν μπορώ να το συζητήσω άλλο, μπαμπά. Θέλω να πάω στο δωμάτιό μου».

Πριν προλάβει να απαντήσει, εγώ σηκώθηκα με κόπο από τον καναπέ και ανέβηκα τρεκλίζοντας επάνω.

Κάποιος είχε μπει στο σπίτι για να αφήσει ένα σημείωμα για τον Τσάρλι, ένα σημείωμα που θα τον οδηγούσε να με βρει. Από τη στιγμή που το συνειδητοποίησα αυτό, μια απαίσια υποψία γεννήθηκε στο κεφάλι μου. Πήγα στο δωμάτιό μου βιαστικά, κλείνοντας και κλειδώνοντας την πόρτα πριν τρέξω στο CD player δίπλα στο κρεβάτι μου.

Όλα έδειχναν ακριβώς τα ίδια όπως τα είχα αφήσει. Πίεσα το πάνω μέρος του CD player. Το καπάκι απελευθερώθηκε κι άνοιξε αργά.

Ήταν άδειο.

Το άλμπουμ που μου είχε δώσει η Ρενέ κειτόταν στο πάτωμα δίπλα στο κρεβάτι εκεί ακριβώς όπου το είχα αφήσει. Άνοιξα το εξώφυλλο με τρεμάμενο χέρι.

Δε χρειάστηκε να γυρίσω κι άλλες σελίδες. Στην πρώτη σελίδα οι μικρές μεταλλικές γωνίες δεν είχαν πια καμία φωτογραφία μέσα. Η σελίδα ήταν κενή εκτός από τα δικά μου ορνιθοσκαλίσματα στο κάτω μέρος: *Έντουαρντ Κάλεν, κουζίνα του Τσάρλι, 13 Σεπτεμβρίου.*

Σταμάτησα εκεί. Ήμουν σίγουρη ότι θα ήταν πολύ σχολαστικός.

Θα είναι σαν να μην υπήρξα ποτέ, μου είχε υποσχεθεί.

Ένιωσα το λείο ξύλινο πάτωμα κάτω από τα γόνατά μου, και μετά στις παλάμες των χεριών μου, και μετά να πιέζει το δέρμα στο μάγουλό μου. Ήλπιζα να λιποθυμήσω, αλλά προς μεγάλη μου απογοήτευση, δεν έχασα τις αισθήσεις μου. Τα κύματα του πόνου που ίσα-ίσα με είχαν αγγίξει πρωτύτερα τώρα σηκώθηκαν ψηλά και μου κάλυψαν το κεφάλι, τραβώντας με προς τα κάτω.

Δεν ανέβηκα ξανά στην επιφάνεια.

ΟΚΤΩΒΡΙΟΣ

ΝΟΕΜΒΡΙΟΣ

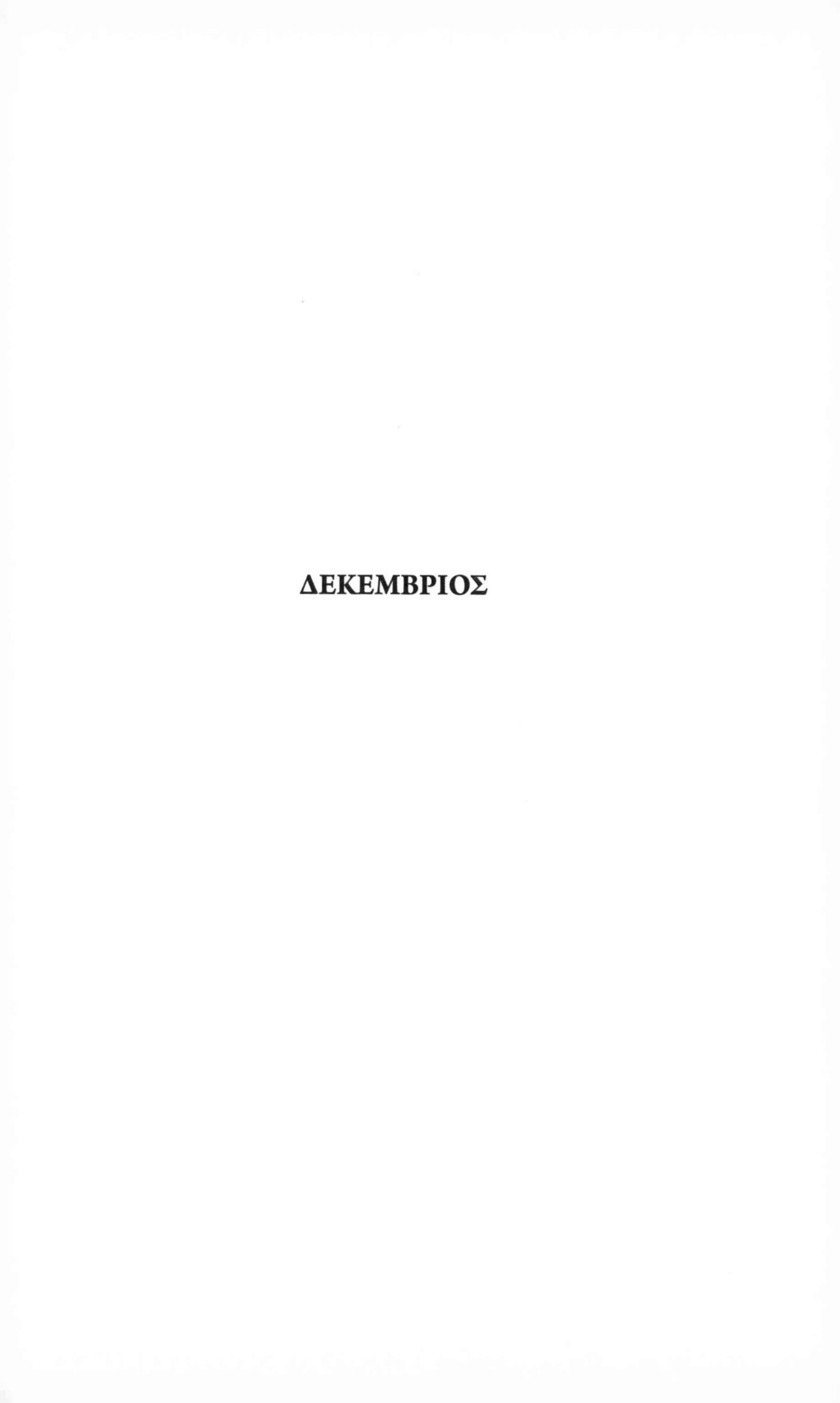

ΔΕΚΕΜΒΡΙΟΣ

ΙΑΝΟΥΑΡΙΟΣ

4. ΞΥΠΝΩΝΤΑΣ

Ο χρόνος περνάει. Ακόμα κι όταν μοιάζει αδύνατο. Ακόμα κι όταν κάθε χτύπημα του λεπτοδείκτη πονάει όπως το αίμα που πάλλεται πίσω από ένα μώλωπα. Περνάει ακανόνιστα, με παράξενους κλυδωνισμούς και διαστήματα γαλήνης που τραβάνε σε μάκρος, αλλά περνάει όπως και να 'χει. Ακόμα και για μένα.

Η γροθιά του Τσάρλι χτύπησε πάνω στο τραπέζι. «Αυτό ήταν, Μπέλλα! Θα σε στείλω σπίτι».

Σήκωσα το βλέμμα μου από τα δημητριακά, τα οποία περισσότερο μελετούσα, παρά έτρωγα, και κοίταξα τον Τσάρλι σοκαρισμένη. Δεν παρακολουθούσα τη συζήτηση –στην πραγματικότητα, δεν είχα συνειδητοποιήσει ότι συζητούσαμε– και δεν ήμουν σίγουρη τι εννοούσε.

«Μα *είμαι* σπίτι», ψέλλισα μπερδεμένη.

«Θα σε στείλω στη Ρενέ, στο Τζάκσονβιλ», εξήγησε.

Ο Τσάρλι με παρακολουθούσε εξαγριωμένος, καθώς έπιανα το νόημα των λέξεών του.

«Τι έκανα;» ρώτησα και ένιωσα το πρόσωπό μου να τσαλακώνεται. Ήταν τόσο άδικο. Η συμπεριφορά μου ήταν άμεμπτη τους τελευταίους τέσσερις μήνες. Μετά από εκείνη την πρώτη εβδομάδα, που κανένας από τους δυο μας δεν ανέφερε, δεν είχα χάσει ούτε μέρα στο σχολείο ή τη δουλειά. Οι βαθμοί μου ήταν άριστοι. Ποτέ δε γύριζα σπίτι αργότερα απ' το επιτρεπτό όριο –δεν πήγαινα και πουθενά ώστε να γυρίσω αργά, εδώ που τα λέμε. Και σπάνια σέρβιρα απομεινάρια της προηγούμενης μέρας για φαγητό.

Ο Τσάρλι είχε κατσουφιάσει.

«*Δεν έκανες* τίποτα. Αυτό είναι το πρόβλημα. Ποτέ δεν κάνεις τίποτα».

«Θέλεις να αρχίσω να μπλέκω σε μπελάδες;» αναρωτήθηκα, ενώ τα φρύδια μου έσμιξαν με απορία. Έκανα μια προσπάθεια να συγκεντρωθώ. Δεν ήταν εύκολο. Είχα συνηθίσει τόσο πολύ να μη δίνω σημασία σ' αυτά που άκουγα, ώστε τα αυτιά μου έμοιαζαν λες και είχαν μπλοκάρει.

«Θα ήταν καλύτερα να έμπλεκες σε μπελάδες από αυτό το... που σέρνεσαι εδώ κι εκεί κλαψουρίζοντας όλη την ώρα».

Αυτό με πείραξε λιγάκι. Είχα προσπαθήσει να αποφύγω όλες τις μορφές κατήφειας, συμπεριλαμβανομένου και του κλαψουρίσματος.

«Δε σέρνομαι εδώ κι εκεί κλαψουρίζοντας όλη την ώρα».

«Λάθος λέξη», παραδέχτηκε απρόθυμα. «Το κλαψούρισμα θα ήταν καλύτερο –αυτό θα σήμαινε ότι έκανες *κάτι*. Εσύ είσαι απλώς... σαν νεκρή, Μπέλλα. Νομίζω ότι αυτή είναι η λέξη που ψάχνω».

Αυτή η κατηγορία ξύπνησε κάτι μέσα μου. Αναστέναξα και προσπάθησα να βάλω λίγο ζωντάνια στην απάντησή μου.

«Συγνώμη, μπαμπά». Η συγνώμη μου ακούστηκε κάπως υποτονική, ακόμα και σ' εμένα την ίδια. Κι εγώ θα σκεφτόμουν ότι τον κοροϊδεύω. Το να μην υποφέρει ο Τσάρλι ήταν το θέμα όλης αυτής της προσπάθειας. Πόσο απογοητευτική η σκέψη ότι η προσπάθεια είχε πάει χαμένη.

«Δε θέλω να ζητήσεις συγνώμη».

Αναστέναξα. «Τότε πες μου τι θέλεις να κάνω».

«Μπέλλα», είπε διστακτικά, παρατηρώντας προσεχτικά την αντίδρασή μου στις επόμενες λέξεις του. «Γλυκιά μου, δεν είσαι η πρώτη που το περνάς αυτό, ξέρεις».

«Το ξέρω». Ο συνοδευτικός μορφασμός μου ήταν υποτονικός και άχρωμος.

«Άκου, καλή μου. Νομίζω πως –πως ίσως χρειάζεσαι βοήθεια».

«Βοήθεια;»

Έκανε μια παύση ψάχνοντας τις σωστές λέξεις ξανά. «Όταν έφυγε η μητέρα σου» άρχισε συνοφρυωμένος «και σε πήρε μαζί της». Πήρε μια βαθιά ανάσα. «Να, αυτή ήταν μια πολύ άσχημη περίοδος για μένα».

«Το ξέρω, μπαμπά», μουρμούρισα.

«Αλλά τα κατάφερα», μου επισήμανε. «Γλυκιά μου, εσύ δεν κάνεις τίποτα για να τα καταφέρεις. Περίμενα, ήλπιζα ότι θα το ξεπερνούσες». Με κοίταξε επίμονα, κι εγώ κοίταξα κάτω γρήγορα. «Νομίζω πως ξέρουμε κι οι δύο ότι δεν το ξεπερνάς».

«Είμαι μια χαρά».

Με αγνόησε. «Ίσως, να, ίσως, αν μπορούσες να μιλήσεις σε κάποιον. Έναν ειδικό».

«Θέλεις να πάω σε ψυχίατρο;» Η φωνή μου ήταν ελάχιστα πιο απότομη όταν κατάλαβα πού το πήγαινε.

«Ίσως να βοηθούσε».

«Ίσως και να μη βοηθούσε ούτε στο ελάχιστο».

Δεν ήξερα και πολλά για την ψυχανάλυση, αλλά ήμουν αρκετά βέβαιη ότι δε βοηθούσε, εκτός εάν ο ασθενής ήταν σχετικά ειλικρινής. Βέβαια, θα μπορούσα να πω την αλήθεια –αν ήθελα να περάσω το υπόλοιπο της ζωής μου σε ένα κελί φρενοκομείου.

Περιεργάστηκε την πεισματάρική μου έκφραση και άλλαξε σχέδιο επίθεσης.

«Είναι κάτι πέρα από τα δυνάμεις μου, Μπέλλα. Ίσως η μητέρα σου–»

«Κοίτα», είπα με άτονη φωνή. «Θα βγω έξω απόψε, αν θέλεις. Θα πάρω την Τζες ή την Άντζελα».

«Δεν είναι αυτό που θέλω», διαφώνησε εκείνος απογοητευμένος. «Δε νομίζω ότι μπορώ να το αντέξω να σε βλέπω να προσπαθείς *πιο* σκληρά. Δεν έχω δει κανένα να προσπαθεί τόσο σκληρά. Με πληγώνει και μόνο που το βλέπω».

Προσποιήθηκα ότι δεν καταλάβαινα κοιτάζοντας κάτω στο τραπέζι. «Δεν καταλαβαίνω, μπαμπά. Πρώτα θυμώνεις, επειδή δεν κάνω τίποτα, και μετά λες ότι δε θέλεις να βγω έξω».

«Θέλω να είσαι χαρούμενη –όχι, ούτε καν αυτό. Απλώς δε θέλω να είσαι δυστυχισμένη. Νομίζω ότι θα σου είναι πιο εύκολο αν φύγεις από το Φορκς».

Στα μάτια μου έλαμψε η πρώτη μικρή σπίθα κάποιου συναισθήματος που είχα να νιώσω εδώ και τόσο πολύ καιρό, ώστε δεν μπορούσα καν να αναλογιστώ.

«Δε φεύγω», είπα.

«Γιατί όχι;» απαίτησε να μάθει.

«Επειδή είναι το τελευταίο εξάμηνο στο σχολείο –θα πήγαιναν όλα τζάμπα».

«Είσαι καλή μαθήτρια –θα τα καταφέρεις».

«Δε θέλω να φορτωθώ στη μαμά και στον Φιλ».

«Η μητέρα σου πεθαίνει για να σε ξαναπάρει μαζί της».

«Η Φλόριντα είναι υπερβολικά ζεστή».

Η γροθιά του χτύπησε ξανά στο τραπέζι. «Και οι δυο ξέρουμε τι συμβαίνει στ' αλήθεια εδώ πέρα, Μπέλλα, και δεν είναι καλό για σένα». Πήρε μια βαθιά ανάσα. «Έχουν περάσει μήνες από τότε. Ούτε ένα τηλεφώνημα, ούτε ένα γράμμα, καμία επικοινωνία. Δεν μπορείς να τον περιμένεις συνέχεια».

Τον κοίταξα άγρια. Το φούντωμα παραλίγο ν' ανέβει στο πρόσωπό μου, όμως δεν έγινε. Είχε περάσει πολύς καιρός από τότε που κοκκίνισα τελευταία φορά από κάποιο συναίσθημα.

Το όλο θέμα ήταν τελείως απαγορευμένο, όπως γνώριζε καλά.

«Δεν περιμένω τίποτα. Δεν προσδοκώ τίποτα», είπα χαμηλόφωνα, χωρίς να αλλάζει ο τόνος της φωνής μου.

«Μπέλλα –», πήγε να πει ο Τσάρλι με φωνή βραχνή.

«Πρέπει να πάω σχολείο», τον διέκοψα, ενώ σηκώθηκα όρθια και άρπαξα από το τραπέζι το πρωινό που δεν είχα αγγίξει. Πέταξα το μπολ μου στο νεροχύτη χωρίς να σταματήσω για να το ξεπλύνω. Δεν μπορούσα να αντέξω άλλη συζήτηση.

«Θα κανονίσω με την Τζέσικα», φώναξα πάνω από τον ώμο μου, καθώς έβαλα την τσάντα μου χωρίς να συναντήσω τη ματιά του. «Μπορεί να μην έρθω σπίτι για βραδινό. Θα πάμε στο Πορτ-Άντζελες να δούμε καμιά ταινία».

Βγήκα από την πόρτα πριν προλάβει να αντιδράσει.

Στη βιασύνη μου να ξεφύγω από τον Τσάρλι, κατέληξα να είμαι από τους πρώτους που έφτασαν στο σχολείο. Το θετικό ήταν ότι βρήκα πολύ καλή θέση να παρκάρω. Το αρνητικό ήταν ότι είχα ελεύθερο χρόνο και εγώ προσπαθούσα να αποφύγω τον ελεύθερο χρόνο με κάθε τρόπο.

Γρήγορα, πριν αρχίσω να σκέφτομαι τις κατηγορίες του Τσάρλι, έβγαλα το βιβλίο των μαθηματικών. Το άνοιξα στην ενότητα που θα αρχίζαμε σήμερα και προσπάθησα να βγάλω νόημα. Το να διαβάζω μαθηματικά ήταν ακόμα χειρότερο από το να τα ακούω, αλλά είχα βελτιωθεί. Μέσα στους τελευταίους μήνες, είχα αφιερώσει δέκα φορές παραπάνω χρόνο στα μαθηματικά απ' ό,τι είχα αφιερώσει ποτέ ξανά στη ζωή μου. Ως αποτέλεσμα, τα είχα καταφέρει να βρίσκομαι στο επίπεδο ενός Α΄. Ήξερα ότι ο κύριος Βάρνερ νόμιζε πως η βελτίωσή μου οφειλόταν στις ανώτερες παιδαγωγικές του μεθόδους. Κι αν αυτό τον χαροποιούσε, δε σκόπευα να του χαλάσω την ψευδαίσθηση.

Ανάγκασα τον εαυτό μου να συνεχίσω να ασχολούμαι με τα μαθηματικά μέχρι που το πάρκινγκ γέμισε και κατέληξα να πρέπει να βιαστώ για να πάω στα φιλολογικά. Ασχολούμασταν με τη *Φάρμα των Ζώων*, ένα εύκολο αντικείμενο μελέτης. Δε με πείραζε ο κομμουνισμός· ήταν μια ευπρόσδεκτη αλλαγή από τα εξαντλητικά ρομαντικά μυθιστορήματα που αποτελούσαν το μεγαλύτερο μέρος του προγράμματος σπουδών. Βολεύτηκα στη θέση μου, ευχαριστημένη για τη δυνατότητα να ξεχαστώ που μου πρόσφερε η διάλεξη του κύριου Μπέρτι.

Ο χρόνος κυλούσε γρήγορα όσο βρισκόμουν στο σχολείο. Το κουδούνι χτύπησε πολύ σύντομα. Άρχισα να ξαναβάζω τα βιβλία μου μέσα στην τσάντα.

«Μπέλλα;»

Αναγνώρισα τη φωνή του Μάικ και ήξερα ποια θα ήταν τα επόμενα λόγια του πριν καν τα πει.

«Δουλεύεις αύριο;»

Σήκωσα το βλέμμα μου. Είχε σκύψει πάνω από το διάδρομο ανάμεσα στα θρανία με μια έκφραση γεμάτη αγωνία. Κάθε Παρασκευή μου έκανε την ίδια ερώτηση. Δεν έπαιζε ρόλο που δεν είχα πάρει ούτε μια μέρα αναρρωτικής άδειας. Δηλαδή, με μια εξαίρεση, πριν μήνες. Αλλά δεν είχε κανένα λόγο να με κοιτάζει με τέτοια ανησυχία. Ήμουν πρότυπο υπαλλήλου.

«Αύριο είναι Σάββατο, έτσι δεν είναι;» ρώτησα. Καθώς μου το είχε μόλις επισημάνει ο Τσάρλι, συνειδητοποίησα πόσο άτονη ακούστηκε η φωνή μου.

«Ναι, σωστά», συμφώνησε. «Θα τα πούμε στα ισπανικά». Κούνησε το χέρι του μια φορά πριν γυρίσει την πλάτη του. Δεν έμπαινε στον κόπο να με πάει ως την τάξη πια.

Πήγα στα μαθηματικά περπατώντας με κόπο με μια καταθλιπτική έκφραση στο πρόσωπο. Σ' αυτό το μάθημα καθόμουν δίπλα στην Τζέσικα.

Είχαν περάσει βδομάδες, ίσως και μήνες, από τότε που η Τζες σταμάτησε και να με χαιρετά όταν περνούσα δίπλα της στο διάδρομο. Ήξερα ότι την είχα προσβάλλει με την αντικοινωνική μου συμπεριφορά, και μου κρατούσε μούτρα. Δε θα ήταν εύκολο να της μιλήσω τώρα –ειδικά το να της ζητήσω να μου κάνει μια χάρη. Ζύγισα προσεχτικά τις εναλλακτικές επιλογές μου, καθώς τριγύριζα άσκοπα έξω από την τάξη χρονοτριβώντας.

Δε σκόπευα να αντιμετωπίσω τον Τσάρλι ξανά χωρίς να έχω κάποιου είδους κοινωνική συναναστροφή να αναφέρω. Ήξερα ότι δεν μπορούσα να πω ψέματα, αν και η σκέψη του να πάω και να 'ρθω από το Πορτ-Άντζελες μόνη μου –ώστε οι ενδείξεις να δείχνουν τα σωστά χιλιόμετρα σε περίπτωση που έκανε έλεγχο– ήταν πολύ δελεαστική. Η μαμά της Τζέσικα ήταν η μεγαλύτερη κουτσομπόλα στην πόλη, κι ο Τσάρλι ήταν βέβαιο ότι θα συναντούσε τυχαία την κυρία Στάνλεϊ μάλλον γρήγορα παρά αργά. Κι όταν αυτό συνέβαινε, θα ανέφερε χωρίς αμφιβολία το ταξίδι. Το να πω ψέματα αποκλειόταν.

Με έναν αναστεναγμό έσπρωξα την πόρτα.

Ο κύριος Βάρνερ με κοίταξε με ένα σκοτεινό βλέμμα –είχε ήδη αρχίσει το μάθημα. Πήγα βιαστικά στη θέση μου. Η Τζέσικα δε σήκωσε το κεφάλι για να με κοιτάξει, καθώς κάθισα δίπλα της. Χαιρόμουν που είχα πενήντα λεπτά για να προετοιμαστώ μέσα μου.

Αυτό το μάθημα τελείωσε ακόμα πιο γρήγορα κι από τα φιλολογικά. Ένα μικρό μέρος αυτής της ταχύτητας οφειλόταν στην προετοιμασία που είχα κάνει σαν καλό κορίτσι το πρωί στο φορτηγάκι μου –αλλά κυρίως πήγαζε από το γεγονός ότι ο χρόνος πάντα κυλούσε γρήγορα όταν με περίμενε κάτι που δεν ήταν ευχάριστο.

Έκανα ένα μορφασμό όταν ο κύριος Βάρνερ μας άφησε να βγούμε πέντε λεπτά νωρίτερα. Εκείνος χαμογελούσε λες και μας έκανε χάρη.

«Τζες;» Η μύτη μου σούφρωσε, καθώς ζάρωσα προς τα πίσω, περιμένοντας να γυρίσει προς το μέρος μου.

Εκείνη γύρισε στην καρέκλα της για να με κοιτάξει με ένα βλέμμα δυσπιστίας. «Σ' εμένα μιλάς, Μπέλλα;»

«Φυσικά». Άνοιξα τα μάτια μου διάπλατα για να υποδηλώσω αθωότητα.

«Τι; Θέλεις βοήθεια στα μαθηματικά;» Ο τόνος της φωνής της ήταν λιγάκι ειρωνικός.

«Όχι». Κούνησα το κεφάλι μου. «Για να πω την αλήθεια, ήθελα να ξέρω αν θέλεις… να πάμε σινεμά μαζί απόψε. Πραγματικά χρειάζομαι μια κοριτσίστικη βραδιά». Τα λόγια ακούστηκαν τυπικά, σαν ατάκες ηθοποιού χωρίς φυσικότητα, κι εκείνη φάνηκε καχύποπτη.

«Γιατί μου το ζητάς *εμένα*;» ρώτησε ακόμα εχθρική.

«Είσαι το πρώτο άτομο που σκέφτομαι όταν θέλω να περάσω χρόνο με κάποια φίλη μου». Χαμογέλασα κι ήλπιζα ότι το χαμόγελό μου φαινόταν ειλικρινές. Ήταν ίσως αλήθεια. Αυτή ήταν πάντως το πρώτο άτομο που σκεφτόμουν όταν ήθελα να αποφύγω τον Τσάρλι. Αυτό ήταν σχεδόν το ίδιο πράγμα.

Φάνηκε κάπως μαλακωμένη. «Ε, δεν ξέρω».

«Έχεις κανονίσει;»

«Όχι… υποθέτω πως μπορώ να έρθω μαζί σου. Τι θέλεις να δούμε;»

«Δεν είμαι σίγουρη τι παίζεται», είπα αόριστα. Αυτό ήταν το κομμάτι που απαιτούσε λεπτούς χειρισμούς. Έσπαγα το κεφάλι μου για κάποιο στοιχείο –δεν είχα ακούσει κανέναν να μιλάει για καμιά ταινία προσφάτως; Δεν είχα δει καμιά αφίσα; «Τι λες γι' αυτή την ταινία με τη γυναίκα πρόεδρο;»

Με κοίταξε παράξενα. «Μπέλλα, αυτή η ταινία έχει σταματήσει να παίζεται εδώ και *εκατό χρόνια*».

«Α», κατσούφιασα. «Δεν υπάρχει τίποτα που θέλεις εσύ να δεις;»

Η φυσική ομιλητικότητα της Τζέσικα άρχισε να βγαίνει παρά τη θέλησή της, καθώς σκεφτόταν δυνατά. «Λοιπόν, υπάρχει αυτή η αισθηματική κομεντί που έχει πάρει πολύ καλές κριτικές. Αυτή θέλω να τη δω. Κι ο μπαμπάς μου είδε το *Αδιέξοδο* και του άρεσε».

«Αυτό σε τι αναφέρεται;»

«Έχει σχέση με ζόμπι ή κάτι τέτοιο τελοσπάντων. Είπε ότι ήταν το πιο τρομακτικό πράγμα που έχει δει εδώ και χρόνια».

«Αυτό μου ακούγεται τέλειο». Θα προτιμούσα να βρεθώ αντιμέτωπη με πραγματικά ζόμπι παρά να δω αισθηματική ταινία.

«Εντάξει». Φάνηκε να εκπλήσσεται από την απάντησή μου. Προσπάθησα να θυμηθώ αν μου άρεσαν οι ταινίες τρόμου, αλλά δεν ήμουν σίγουρη. «Θέλεις να περάσω να σε πάρω μετά το σχολείο;» προσφέρθηκε.

«Εντάξει».

Η Τζέσικα μου χαμογέλασε με μια διστακτική φιλικότητα πριν φύγει. Της χαμογέλασα κι εγώ ίσως λιγάκι αργά, αλλά νομίζω ότι το είδε.

Το υπόλοιπο της ημέρας πέρασε γρήγορα, αφού οι σκέψεις μου ήταν επικεντρωμένες στο να σχεδιάσω το αποψινό. Ήξερα από εμπειρία ότι μόλις η Τζέσικα άρχιζε να μιλάει, θα μπορούσα να τη βγάλω καθαρή ψελλίζοντας μερικές απαντήσεις στις κατάλληλες στιγμές. Μόνο ελάχιστη επικοινωνία θα ήταν απαραίτητη.

Η πυκνή ομίχλη που έκανε τη ζωή μου θολή ήταν τώρα κάτι που μου προκαλούσε σύγχυση. Έμεινα έκπληκτη όταν βρέθηκα στο δωμάτιό μου, χωρίς να θυμάμαι ακριβώς τη διαδρομή από το σχολείο ως το σπίτι, ούτε καν πώς άνοιξα την πόρτα του σπιτιού. Αλλά δεν είχε σημασία. Η απώλεια της αίσθησης του χρόνου ήταν το μέγιστο που μπορούσα να ζητήσω από τη ζωή μου.

Δεν προσπάθησα να πολεμήσω την ομίχλη, καθώς γύρισα στην ντουλάπα μου. Η παραλυσία ήταν πιο σημαντική σε μερικά μέρη απ' ό,τι σε άλλα. Μετά βίας συνειδητοποιούσα τι κοίταζα, καθώς έσπρωξα την πόρτα για να αποκαλύψω μια στοίβα σκουπίδια στην αριστερή μεριά της ντουλάπας μου, κάτω από τα ρούχα που ποτέ δε φορούσα.

Τα μάτια μου δεν ξεστράτισαν προς τη μαύρη σακούλα σκουπιδιών που περιείχε το δώρο μου από τα τελευταία εκείνα γενέθλια, δεν είδαν το σχήμα του στερεοφωνικού στο σημείο που εξείχε μέσα από το μαύρο πλαστικό. Το μυαλό μου δε σκέφτηκε το ματωμένο χάλι των νυχιών μου, όταν το είχα ξεριζώσει από το ταμπλό του αυτοκινήτου.

Τράβηξα μια παλιά τσάντα που σπάνια χρησιμοποιούσα από το καρφί που ήταν κρεμασμένη κι έκλεισα την πόρτα με ένα σπρώξιμο.

Εκείνη ακριβώς τη στιγμή άκουσα μια κόρνα. Γρήγορα έβαλα το πορτοφόλι μου από τη σχολική μου τσάντα στην τσάντα για την έξοδο. Βιαζόμουν, λες και η βιασύνη θα έκανε τη νύχτα να περάσει πιο γρήγορα.

Έριξα μια γρήγορη ματιά στον εαυτό μου στον καθρέφτη του χολ πριν ανοίξω την πόρτα, τακτοποιώντας προσεχτικά τα χαρακτηριστικά του προσώπου μου, ώστε να σχηματίζουν ένα χαμόγελο και προσπαθώντας να τα κρατήσω σε αυτή τη θέση.

«Σ' ευχαριστώ που ήρθες μαζί μου απόψε», είπα στην Τζες, καθώς μπήκα στη θέση του συνοδηγού, προσπαθώντας να γεμίσω ευγνωμοσύνη τη φωνή μου. Είχε περάσει αρκετός καιρός από τότε που σκέφτηκα τελευταία φορά τι θα έλεγα σε οποιονδήποτε άλλο εκτός από τον Τσάρλι. Η Τζες ήταν πιο δύσκολη περίπτωση. Δεν ήμουν σίγουρη ποια ήταν τα σωστά συναισθήματα που έπρεπε να προσποιηθώ ότι νιώθω.

«Μην το συζητάς. Λοιπόν, πώς κι έτσι;» ρώτησε η Τζες, καθώς έβγαινε από το δρόμο του σπιτιού μου.

«Πώς κι έτσι ποιο πράγμα;»

«Γιατί αποφάσισες ξαφνικά... να βγεις έξω;» Ακούστηκε σαν να είχε αλλάξει την ερώτησή της στη μέση.

Σήκωσα τους ώμους. «Απλώς χρειαζόμουν μια αλλαγή».

Αναγνώρισα το τραγούδι στο ραδιόφωνο εκείνη τη στιγμή, και γρήγορα τέντωσα το χέρι μου για να αλλάξω σταθμό. «Σε πειράζει;» ρώτησα.

«Όχι, καθόλου».

Έψαξα στις συχνότητες μέχρι που βρήκα έναν σταθμό που ήταν ανώδυνος. Έριξα μια κλεφτή ματιά στην έκφραση της Τζες, ενώ η νέα μουσική γέμιζε το αμάξι.

Με κοίταξε με μισόκλειστα μάτια. «Από πότε ακούς ραπ;»

«Δεν ξέρω», είπα. «Εδώ και λίγο καιρό».

«Σου αρέσει αυτό το πράγμα;» ρώτησε δύσπιστα.

«Βέβαια».

Θα ήταν υπερβολικά δύσκολο να επικοινωνήσω με την Τζέσικα φυσιολογικά αν έπρεπε να καταβάλω προσπάθεια για να μην ακούω και τη μουσική. Κούνησα το κεφάλι μου, ελπίζοντας ότι ακολουθούσα το ρυθμό της μουσικής.

«Εντάξει…» Κοίταξε έξω από το παρμπρίζ με διάπλατα ανοιχτά μάτια.

«Λοιπόν, τι γίνεται με σένα και τον Μάικ αυτό τον καιρό;»

«Εσύ τον βλέπεις περισσότερο απ' ό,τι εγώ».

Η ερώτηση δεν την είχε κάνει ν' αρχίσει να μιλάει όπως ήλπιζα.

«Είναι δύσκολο να μιλήσεις όταν είσαι στη δουλειά», μουρμούρισα και μετά προσπάθησα ξανά. «Βγαίνεις με κανέναν τώρα τελευταία;»

«Δε θα το έλεγα. Βγαίνω μερικές φορές με τον Κόνερ. Βγήκα με τον Έρικ πριν δυο βδομάδες». Στριφογύρισε τα μάτια της, και μυρίστηκα μια μεγάλη ιστορία. Άρπαξα την ευκαιρία.

«Τον Έρικ *Γιόρκι*; Ποιος ζήτησε από ποιον να βγείτε;»

Αναστέναξε ενώ αποκτούσε περισσότερη ζωντάνια. «Εκείνος, φυσικά! Δεν μπορούσα να σκεφτώ έναν ευγενικό τρόπο να αρνηθώ».

«Πού σε πήγε;» απαίτησα να μάθω ξέροντας ότι θα ερμήνευε την προθυμία μου σαν ενδιαφέρον. «Πες τα μου όλα».

Ξεκίνησε την ιστορία της, κι εγώ βολεύτηκα στη θέση μου

πιο άνετα τώρα. Πρόσεχα αυστηρά αυτά που έλεγε, μουρμουρίζοντας με κατανόηση και βγάζοντας πνιχτές κραυγές φρίκης, όπου ταίριαζε. Όταν τελείωσε την ιστορία της με τον Έρικ, συνέχισε με μια σύγκριση με τον Κόνερ χωρίς να χρειαστεί να την ενθαρρύνω καθόλου.

Η ταινία παιζόταν νωρίς, κι έτσι η Τζες σκέφτηκε ότι θα ήταν καλό να δούμε την απογευματινή παράσταση και να φάμε αργότερα. Εγώ δεν είχα πρόβλημα να συμφωνήσω με ό,τι ήθελε εκείνη· εξάλλου, είχα πετύχει αυτό που ήθελα –να ξεφορτωθώ τον Τσάρλι.

Άφησα την Τζες να μιλάει σε όλη τη διάρκεια των διαφημίσεων για τις ταινίες προσεχώς, έτσι ώστε να μπορέσω να τις αγνοήσω με μεγαλύτερη ευκολία. Αλλά όταν ξεκίνησε η ταινία με έπιασε νευρικότητα. Ένα νεαρό ζευγάρι περπατούσε κατά μήκος μιας παραλίας, κουνώντας τα χέρια τους που ήταν πιασμένα και συζητώντας για τα αμοιβαία τους αισθήματα τρυφερότητας με ένα γλοιώδη ψεύτικο τρόπο. Αντιστάθηκα στην επιθυμία να κλείσω τα αυτιά μου και να αρχίσω να τραγουδάω από μέσα μου. Δεν είχα συμφωνήσει να δούμε την αισθηματική ταινία.

«Νόμιζα ότι είχαμε διαλέξει την ταινία με τα ζόμπι», είπα στην Τζες μέσα από τα δόντια μου.

«Αυτή *είναι* η ταινία με τα ζόμπι».

«Τότε γιατί δε βλέπω κανέναν να τρώει τους υπόλοιπους;» ρώτησα απεγνωσμένα.

Με κοίταξε με εκείνα τα διάπλατα ανοικτά μάτια που σχεδόν ήταν γεμάτα ανησυχία. «Είμαι σίγουρη ότι θα φτάσουμε και σ' αυτό», ψιθύρισε.

«Πάω να πάρω πόπ-κορν. Θέλεις καθόλου;»

«Όχι, ευχαριστώ».

Κάποιος από πίσω μας είπε να κάνουμε ησυχία.

Εγώ πήγα με την ησυχία μου στον πάγκο του καταστήματος έξω από το σινεμά, παρακολουθώντας το ρολόι και προσπαθώντας να υπολογίσω τι ποσοστό μιας ταινίας ενενήντα λεπτών θα μπορούσε να είναι αφιερωμένο σε ρομαντικές σκηνές. Αποφάσισα ότι δέκα λεπτά ήταν περισσότερα από αρκετά, αλλά σταμάτησα μόλις μπήκα στην αίθουσα για να βεβαιωθώ. Άκουγα απαίσιες κραυγές να ουρλιάζουν μέσα από τα μεγάφωνα, έτσι ήξερα ότι περίμενα αρκετά.

«Τα έχασες όλα», μουρμούρισε η Τζέσικα όταν γλίστρησα πάλι στη θέση μου. «Τώρα σχεδόν όλοι είναι ζόμπι».

«Είχε μεγάλη ουρά» είπα, προσφέροντάς της πόπ-κορν. Πήρε μια χούφτα.

Το υπόλοιπο της ταινίας αποτελείτο από φρικιαστικές επιθέσεις ζόμπι και ατελείωτα ουρλιαχτά από τους λίγους ανθρώπους που είχαν μείνει ζωντανοί, καθώς ο αριθμός τους μειωνόταν γρήγορα. Νόμιζα ότι δεν υπήρχε τίποτα σ' αυτό που θα μπορούσε να με ενοχλήσει. Αλλά ένιωθα άβολα, και δεν ήμουν σίγουρη στην αρχή γιατί.

Μόνο όταν πλησίαζε το τέλος περίπου, όταν είδα ένα καταβεβλημένο ζόμπι να τρεκλίζει κυνηγώντας τον τελευταίο επιζώντα, τότε κατάλαβα ποιο ήταν το πρόβλημα. Η σκηνή έδειχνε συνέχεια, από τη μια το αποτροπιασμένο πρόσωπο της ηρωίδας και από την άλλη το νεκρό, χωρίς αισθήματα πρόσωπο του διώκτη της, καθώς η απόσταση μεταξύ τους μειωνόταν.

Και συνειδητοποίησα σε ποιο από τα δύο πρόσωπα έμοιαζε το δικό μου περισσότερο.

Σηκώθηκα όρθια.

«Πού πας; Έχουν μείνει δυο λεπτά», είπε η Τζες μέσα από τα δόντια της.

«Χρειάζομαι κάτι να πιω», ψέλλισα καθώς έτρεχα προς την έξοδο.

Κάθισα σε ένα κάθισμα έξω από την πόρτα της αίθουσας και προσπάθησα πολύ σκληρά να μη σκέφτομαι την ειρωνεία. Αλλά ήταν ειρωνεία, αν το καλοσκεφτόσουν, ότι στο τέλος θα κατέληγα να γίνω ζόμπι. Δεν το είχα προβλέψει αυτό.

Όχι ότι δεν είχα ονειρευτεί να γίνω ένα μυθικό τέρας κάποτε –απλώς ποτέ ένα αποκρουστικό κινούμενο πτώμα. Κούνησα το κεφάλι μου για να διώξω τον ειρμό της σκέψης νιώθοντας να με έχει κατακλύσει ο πανικός. Δεν μπορούσα να σκεφτώ αυτό που κάποτε ονειρευόμουν.

Ήταν απογοητευτικό το να συνειδητοποιώ ότι δεν ήμουν πια η ηρωίδα, ότι η δική μου ιστορία είχε τελειώσει.

Η Τζέσικα βγήκε από την αίθουσα και δίστασε, αναρωτώμενη πιθανόν ποιο θα ήταν το καλύτερο μέρος για να με ψάξει. Όταν με είδε, φάνηκε ανακουφισμένη, αλλά μόνο για μια στιγμή. Μετά έδειξε εκνευρισμένη.

«Μήπως η ταινία ήταν υπερβολικά τρομακτική για σένα;» αναρωτήθηκε.

«Ναι», συμφώνησα. «Μάλλον είμαι φοβητσιάρα».

«Παράξενο». Κατσούφιασε. «Δε φαντάστηκα ότι εσύ φοβόσουν –εγώ ούρλιαζα όλη την ώρα, αλλά εσένα δε σε άκουσα να φωνάζεις ούτε μία φορά. Έτσι δεν ήξερα γιατί έφυγες».

Σήκωσα τους ώμους μου. «Απλώς τρόμαξα».

Χαλάρωσε κάπως. «Ήταν η τρομακτικότερη ταινία που νομίζω ότι έχω δει ποτέ. Βάζω στοίχημα ότι απόψε θα δούμε εφιάλτες».

«Αυτό είναι το μόνο σίγουρο», είπα, προσπαθώντας να διατηρήσω τη φωνή μου φυσιολογική. Ήταν αναπόφευκτο το να έχω εφιάλτες, αλλά δε θα ήταν σχετικά με ζόμπι. Γύρισε το βλέμμα της γρήγορα προς το πρόσωπό μου και μετά αμέσως το απομάκρυνε. Μάλλον δεν είχα καταφέρει να φανεί πολύ φυσιολογική η φωνή μου.

«Πού θέλεις να πάμε για φαγητό;» ρώτησε η Τζες.

«Δε με νοιάζει».

«Εντάξει».

Η Τζες άρχισε να μιλάει για τον πρωταγωνιστή της ταινίας, καθώς περπατούσαμε. Εγώ κουνούσα το κεφάλι μου, καθώς εκείνη μιλούσε σαν χείμαρρος για το πόσο θεός ήταν, ενώ δεν μπορούσα να θυμηθώ κανέναν άντρα που δεν ήταν ζόμπι.

Δεν πρόσεχα πού με πήγαινε η Τζέσικα. Απλώς είχα μια αμυδρή αίσθηση ότι ήταν πιο σκοτεινά και πιο ήσυχα τώρα. Μου πήρε περισσότερη ώρα απ' ό,τι έπρεπε για να καταλάβω γιατί ήταν ήσυχα. Η Τζέσικα είχε σταματήσει να φλυαρεί. Την κοίταξα απολογητικά ελπίζοντας ότι δεν είχα πληγώσει τα αισθήματά της.

Η Τζέσικα δε με κοίταζε. Το πρόσωπό της ήταν γεμάτο νευρικότητα· κοίταζε ευθεία μπροστά και περπατούσε γρήγορα. Όταν την κοίταξα προσεχτικά, τα μάτια της πήγαν γρήγορα προς τα δεξιά, στην άλλη μεριά του δρόμου, και πάλι πίσω.

Κοίταξα γύρω-γύρω κι εγώ για πρώτη φορά.

Βρισκόμασταν σε ένα μικρό κομμάτι πεζοδρομίου που δε φωτιζόταν. Τα μικρά μαγαζάκια που πλαισίωναν το δρόμο ήταν όλα κλειστά για τη νύχτα, οι βιτρίνες τους ήταν σκοτεινές. Μισό τετράγωνο πιο κάτω άρχιζαν πάλι να υπάρχουν φώτα στο δρόμο, και μπορούσα να δω, πιο κάτω, τις λαμπερές χρυσές αψίδες των ΜακΝτόναλντς, εκεί όπου κατευθυνόταν εκείνη.

Στην απέναντι μεριά του δρόμου ήταν ανοικτό ένα κατάστημα. Τα παράθυρα ήταν καλυμμένα από μέσα και υπήρχαν πινακίδες με νέον, διαφημίσεις για διάφορες μάρκες μπίρας που έλαμπαν μπροστά. Η μεγαλύτερη πινακίδα, σε εκτυφλωτικό πράσινο, ήταν το όνομα του μπαρ –Ο Μονόφθαλμος Πιτ. Αναρωτήθηκα αν μέσα υπήρχε κάποια πειρατική θεματολογία στη διακόσμηση, κάτι που έξω δε φαινόταν. Η μεταλλική πόρτα άνοιξε· το φως ήταν λιγοστό μέσα, και το χαμηλό μουρμουρητό πολλών φωνών και ο ήχος του πάγου που χτυπούσε πέφτοντας μέσα στα ποτήρια πλανήθηκαν ως την απέναντι μεριά του δρόμου. Δίπλα στην πόρτα ήταν ακουμπισμένοι χαλαρά στον τοίχο τέσσερις άντρες.

Κοίταξα πάλι πίσω στην Τζέσικα. Τα μάτια της ήταν καρφωμένα στο δρόμο μπροστά μας και κινήθηκε απότομα. Δεν έδειχνε φοβισμένη –απλώς επιφυλακτική, προσπαθώντας να μην προσελκύσει την προσοχή στο πρόσωπό της.

Σταμάτησα χωρίς να σκέφτομαι, κοιτάζοντας πίσω στους τέσσερις άντρες με μια έντονη αίσθηση ότι κάπου τους είχα ξαναδεί. Αυτός ήταν ένας άλλος δρόμος, μια άλλη νύχτα, αλλά η σκηνή ήταν τόσο όμοια. Μάλιστα μέχρι και που ένας απ' αυτούς ήταν κοντός και μελαχρινός. Καθώς σταμάτησα και γύρισα προς αυτούς, εκείνος σήκωσε το κεφάλι του για να κοιτάξει με ενδιαφέρον.

Του ανταπέδωσα το βλέμμα κοκαλωμένη στο πεζοδρόμιο.

«Μπέλλα;» ψιθύρισε η Τζες. «Τι κάνεις;»

Κούνησα το κεφάλι μου χωρίς να είμαι βέβαιη ούτε και η ίδια. «Νομίζω ότι τους ξέρω...» ψέλλισα.

Τι έκανα; Θα έπρεπε κανονικά να τρέξω μακριά από αυτή την ανάμνηση όσο πιο γρήγορα μπορούσα, διώχνοντας από το νου μου την εικόνα των τεσσάρων αντρών που ήταν ακουμπισμένοι στον τοίχο, προστατεύοντας τον εαυτό μου με το μούδιασμα χωρίς το οποίο δεν μπορούσα να λειτουργήσω. Γιατί περπάτησα παραζαλισμένη προς το μέρος τους;

Έμοιαζε υπερβολικά τυχαίο το γεγονός ότι βρισκόμουν στο Πορτ-Άντζελες με την Τζέσικα και μάλιστα σ' έναν σκοτεινό δρόμο. Τα μάτια μου εστίασαν στον κοντό άντρα, προσπαθώντας να ταιριάξουν τα χαρακτηριστικά του με εκείνα του άντρα της μνήμης μου, ο οποίος με είχε απειλήσει εκείνο το βράδυ περίπου πριν ένα χρόνο. Αναρωτήθηκα αν υπήρχε κανένας τρόπος να αναγνωρίσω τον άντρα, αν ήταν πράγματι αυτός. Το συγκεκριμένο αυτό σημείο της συγκεκριμένης εκείνης βραδιάς ήταν θολό. Το σώμα μου το θυμόταν καλύτερα απ' ό,τι το μυαλό μου· τη νευρικότητα στα πόδια μου, ενώ προσπαθούσα να αποφασίσω αν έπρεπε να τρέξω ή να αμυνθώ, την ξηρότητα στο λαιμό μου, καθώς πάσχιζα να βγάλω μια αξιοπρεπή κραυγή, το σφιγμένο κομμάτι του δέρματος στις αρθρώσεις των δαχτύλων μου, καθώς έσφιγγα τα χέρια μου σε γροθιές, το ρίγος στον αυχένα μου όταν ο μελαχρινός άντρας με αποκάλεσε "γλύκα"...

Υπήρχε ένα είδος αόριστης, υπαινισσόμενης απειλής σ' αυτούς τους άντρες που δεν είχε καμία σχέση με εκείνη τη νύχτα. Πήγαζε από το γεγονός ότι ήταν άγνωστοι, και ήταν σκοτεινά εδώ, και ήταν περισσότεροι σε αριθμό από μας –τίποτα πιο συγκεκριμένο από αυτό. Αλλά ήταν αρκετό ότι η φωνή της Τζέσικα έσπασε πανικόβλητη όταν με φώναξε.

«Μπέλλα, πάμε *επιτέλους*!»

Δεν της έδωσα σημασία προχωρώντας προς τα μπρος, χωρίς καν να πάρω μια συνειδητή απόφαση για να κουνήσω τα πόδια μου. Δεν καταλάβαινα το γιατί, αλλά η νεφελώδης απειλή που έκρυβαν οι άντρες με τραβούσε προς το μέρος τους. Ήταν μια παρόρμηση χωρίς νόημα, αλλά δεν είχα νιώσει *κανενός* είδους παρόρμηση εδώ και τόσο πολύ καιρό... που την ακολούθησα.

Κάτι ανοίκειο χτυπούσε στις φλέβες μου. Αδρεναλίνη, συνειδητοποίησα, που απουσίαζε εδώ και πολύ καιρό από τον οργανισμό μου, έκανε τον παλμό μου πιο γρήγορο και αντιμαχόταν την έλλειψη αίσθησης. Ήταν παράξενο –γιατί να υπάρχει αδρεναλίνη όταν δεν υπήρχε καθόλου φόβος; Ήταν σχεδόν σαν να ήταν μια αντήχηση από την τελευταία φορά που είχα βρεθεί σ' αυτή τη θέση, σε ένα σκοτεινό δρόμο στο Πορτ-Άντζελες με κάποιους αγνώστους.

Δεν έβλεπα κανένα λόγο να φοβηθώ. Δεν μπορούσα να φανταστώ τίποτα στον κόσμο που είχε απομείνει για να το φοβηθώ, τουλάχιστον όχι σωματικά. Ένα από τα λίγα πλεονεκτήματα του να χάνεις τα πάντα.

Ήμουν στη μέση του δρόμου για να περάσω απέναντι, όταν η Τζες με έπιασε και με τράβηξε από το μπράτσο.

«Μπέλλα! Δεν μπορείς να μπεις μέσα στο μπαρ!» είπε μέσα από τα δόντια της.

«Δε θα μπω μέσα», είπα αφηρημένα, τινάζοντας πέρα το χέρι της. «Απλώς θέλω να δω κάτι...»

«Είσαι τρελή;» ψιθύρισε. «Έχεις τάσεις αυτοκτονίας;»

Αυτή η ερώτηση απέσπασε την προσοχή μου, και τα μάτια μου εστίασαν πάνω της.

«Όχι, δεν έχω». Η φωνή μου ακούστηκε αμυντική, αλλά ήταν αλήθεια. Δεν είχα τάσεις αυτοκτονίας. Ακόμα και στην αρχή, όταν ο θάνατος θα ήταν μια λύτρωση χωρίς αμφιβολία, δε σκέφτηκα αυτή την πιθανότητα. Χρωστούσα πάρα πολλά στον Τσάρλι. Ένιωθα υπερβολικά υπεύθυνη για τη Ρενέ. Έπρεπε να σκεφτώ αυτούς τους δύο.

Και είχα υποσχεθεί να μην κάνω τίποτα ανόητο ή ριψοκίνδυνο. Για όλους αυτούς τους λόγους, ανέπνεα ακόμη.

Φέρνοντας στη μνήμη μου εκείνη την υπόσχεση, ένιωσα μια ενοχή, αλλά αυτό που έκανα αυτή τη στιγμή δε μετρούσε στ' αλήθεια. Δεν είχα βάλει δα και κανένα ξυράφι στους καρπούς μου.

Τα μάτια της Τζες ήταν διάπλατα, το στόμα της είχε μείνει ορθάνοιχτο. Η ερώτησή της για τις τάσεις αυτοκτονίας ήταν ρητορική, συνειδητοποίησα πολύ αργά.

«Πήγαινε να φας», την ενθάρρυνα, κάνοντας μια χειρονομία προς το φαστφουντάδικο. Δε μου άρεσε ο τρόπος που με κοίταξε. «Θα έρθω σε ένα λεπτό».

Γύρισα από την άλλη μεριά προς τους άντρες που μας παρακολουθούσαν με μάτια που φαίνονταν να το διασκεδάζουν, γεμάτα περιέργεια.

«Μπέλλα, σταμάτα τώρα!»

Οι μύες μου κοκάλωσαν στη στιγμή, πάγωσα στη θέση που βρισκόμουν. Επειδή δεν ήταν η φωνή της Τζέσικα που με επέπληξε αυτή τη φορά. Ήταν μια εξαγριωμένη φωνή, μια γνωστή φωνή, μια πανέμορφη φωνή –απαλή σαν βελούδο, κι ας ήταν εξοργισμένη.

Ήταν η *δική του* φωνή –ήμουν εξαιρετικά προσεχτική να

μη σκεφτώ το όνομά του– και ένιωσα έκπληξη που ο ήχος της φωνής του δε με έκανε να πέσω κάτω γονατιστή, δε με έκανε να κουλουριαστώ πάνω στο πεζοδρόμιο σφαδάζοντας από το μαρτύριο της απώλειας. Αλλά δεν υπήρχε πόνος, καθόλου.

Τη στιγμή που άκουσα τη φωνή του, όλα ξεκαθάρισαν. Λες και το κεφάλι μου είχε ανέβει ξαφνικά στην επιφάνεια μιας σκοτεινής λίμνης. Είχα περισσότερη συναίσθηση των πάντων –της όρασης, του ήχου, της αίσθησης του ψυχρού αέρα που δεν είχα προσέξει ότι φυσούσε με δριμύτητα πάνω στο πρόσωπό μου, των μυρωδιών που ερχόντουσαν από την ανοιχτή πόρτα του μπαρ.

Κοίταξα γύρω-γύρω σοκαρισμένη.

«Γύρνα στην Τζέσικα», πρόσταξε η υπέροχη φωνή, ακόμα θυμωμένη. «Το υποσχέθηκες –τίποτα ανόητο».

Ήμουν μόνη. Η Τζέσικα στεκόταν λίγα μέτρα πιο πέρα κοιτάζοντάς με μέ έντρομα μάτια. Ακουμπισμένοι στον τοίχο, οι άγνωστοι κοίταζαν μπερδεμένοι, αναρωτιόντουσαν τι έκανα, έτσι όπως στεκόμουν ακίνητη στη μέση του δρόμου.

Κούνησα το κεφάλι μου, προσπαθώντας να καταλάβω. Ήξερα ότι δεν ήταν εκεί, κι όμως, τον ένιωθα κοντά μου, αν και ήταν αδύνατον, κοντά μου για πρώτη φορά από... από το τέλος. Ο θυμός στη φωνή του ήταν ανησυχία, ο ίδιος θυμός που κάποτε μου ήταν τόσο οικείος –κάτι που δεν είχα ακούσει εδώ και τόσο καιρό που έμοιαζε σαν μια ολόκληρη ζωή.

«Κράτα την υπόσχεσή σου». Η φωνή χανόταν μακριά, λες και κάποιος χαμήλωνε την ένταση του ήχου σ' ένα ραδιόφωνο.

Άρχισα να υποψιάζομαι ότι είχα κάποιου είδους παραίσθηση. Που προκλήθηκε, χωρίς αμφιβολία, από την ανάμνηση – την αίσθηση ότι είχα ξαναζήσει την ίδια σκηνή, την παράξενη οικειότητα της κατάστασης.

Εξέτασα γρήγορα τις πιθανότητες μέσα στο κεφάλι μου.

Εναλλακτική νούμερο ένα: ήμουν παλαβή. Αυτός ήταν ο

μη-επιστημονικός όρος για τους ανθρώπους που άκουγαν φωνές στο κεφάλι τους.

Δυνατόν.

Εναλλακτική νούμερο δύο: Το υποσυνείδητό μου μού έδινε αυτό που νόμιζε ότι ήθελα. Αυτό ήταν η εκπλήρωση ενός ευσεβούς πόθου –μια στιγμιαία ανακούφιση από τον πόνο με το να υιοθετήσει τη λανθασμένη ιδέα ότι *εκείνος* ενδιαφερόταν αν ζούσα ή πέθαινα. Προβάλλοντας αυτό που θα έλεγε αν Α) ήταν εδώ, και Β) με οποιονδήποτε τρόπο ένιωθε ενόχληση από κάτι κακό που συνέβαινε σ' εμένα.

Πιθανόν.

Δεν έβλεπα καμία εναλλακτική νούμερο τρία, έτσι ήλπιζα ότι θα ίσχυε η δεύτερη εναλλακτική, και ότι απλώς το υποσυνείδητό μου βρισκόταν σε ανεξέλεγκτη κατάσταση, και όχι ότι μου συνέβαινε κάτι για το οποίο χρειαζόταν να νοσηλευτώ.

Η αντίδρασή μου δεν ήταν και πολύ λογική, παρ' όλα αυτά –ένιωσα *ευγνωμοσύνη*. Ο ήχος της φωνής του ήταν κάτι που φοβόμουν ότι έχανα, κι έτσι, περισσότερο απ' οτιδήποτε άλλο, ένιωθα να με κατακλύζει μια ευγνωμοσύνη που το υποσυνείδητό μου είχε γαντζωθεί σ' αυτό τον ήχο περισσότερο απ' ό,τι το συνειδητό μέρος του μυαλού μου.

Δεν επιτρεπόταν να τον σκέφτομαι. Αυτό ήταν κάτι με το οποίο προσπαθούσα να είμαι πολύ αυστηρή. Φυσικά και δεν το τηρούσα πάντα· άνθρωπος είμαι. Αλλά βελτιωνόμουν, κι έτσι ο πόνος ήταν κάτι που μπορούσα να αποφύγω για αρκετές μέρες κάθε φορά, πλέον. Το αντάλλαγμα ήταν μια ατελείωτη παράλυση. Μεταξύ του πόνου και του τίποτα, διάλεγα το τίποτα.

Τώρα περίμενα τον πόνο. Δεν ήμουν πια μουδιασμένη –ένιωθα τις αισθήσεις μου οξείες μετά από τόσους πολλούς μήνες ομίχλης– αλλά ο φυσιολογικός πόνος δεν ήρθε. Ο μοναδικός πόνος ήταν η απογοήτευση που η φωνή του χανόταν.

Ακολούθησε ένα δευτερόλεπτο στο οποίο έπρεπε να επιλέξω.

Το συνετό θα ήταν να φύγω μακριά από αυτή τη δυνάμει καταστροφική –και οπωσδήποτε νοητικά ασταθή– εξέλιξη. Θα ήταν ανόητο να ενθαρρύνω παραισθήσεις.

Αλλά η φωνή του χανόταν.

Έκανα άλλο ένα βήμα μπροστά, κάνοντας δοκιμή.

«Μπέλλα, κάνε στροφή», γρύλισε.

Αναστέναξα με ανακούφιση. Ο θυμός ήταν αυτό που ήθελα να ακούσω –ένα ψεύτικο, πλαστό στοιχείο ενδιαφέροντος, ένα αμφιλεγόμενο δώρο από το υποσυνείδητό μου.

Πολύ λίγα δευτερόλεπτα είχαν περάσει μέχρι να τα ξεκαθαρίσω όλα αυτά. Το μικρό μου κοινό παρακολουθούσε, γεμάτο περιέργεια. Πιθανότατα έμοιαζε σαν να αμφιταλαντευόμουν σχετικά με το αν έπρεπε να τους πλησιάσω ή όχι. Πώς ήταν δυνατόν να μαντέψουν ότι στεκόμουν εκεί απολαμβάνοντας μια απροσδόκητη στιγμή παραλογισμού;

«Γεια», φώναξε ένας από τους άντρες, με ύφος ταυτόχρονα γεμάτο αυτοπεποίθηση και λιγάκι ειρωνικό. Είχε ανοιχτόχρωμη επιδερμίδα και ανοιχτόχρωμα μαλλιά και στεκόταν με την αυτοπεποίθηση κάποιου που θεωρούσε τον εαυτό του αρκετά ευπαρουσίαστο. Δεν μπορούσα να καταλάβω αν ήταν ή όχι. Ήμουν προκατειλημμένη.

Η φωνή στο κεφάλι μου απάντησε με ένα βαθύ γρύλισμα. Χαμογέλασα, κι ο άντρας με την αυτοπεποίθηση φάνηκε να το παίρνει αυτό σαν ενθάρρυνση.

«Να σε βοηθήσω σε κάτι; Δείχνεις σαν να έχεις χαθεί». Χαμογέλασε πλατιά και μου έκλεισε το μάτι.

Εγώ πέρασα προσεχτικά πάνω από το ρείθρο μέσα στο οποίο έτρεχε νερό που ήταν μαύρο μέσα στο σκοτάδι.

«Όχι, δεν έχω χαθεί».

Τώρα που ήμουν πιο κοντά –και τα μάτια μου παραδόξως φαίνονταν πιο εστιασμένα– ανάλυσα το πρόσωπο του κοντού μελαχρινού άντρα. Δε μου ήταν καθόλου γνωστό. Μια περίεργη αίσθηση απογοήτευσης με κατέκλυσε που δεν ήταν αυτός ο τρομερός άντρας που είχε προσπαθήσει να μου κάνει κακό πριν ένα χρόνο περίπου.

Η φωνή στο κεφάλι μου είχε σωπάσει τώρα.

Ο κοντός άντρας πρόσεξε ότι είχα καρφώσει το βλέμμα μου. «Να σε κεράσω ένα ποτό;» προσφέρθηκε με νευρικότητα, δείχνοντας κολακευμένος που τον είχα ξεχωρίσει για να καρφώσω επάνω του το βλέμμα μου.

«Είμαι πολύ μικρή», απάντησα αυτόματα.

Εκείνος βρέθηκε σε σύγχυση –αναρωτώμενος γιατί τους είχα πλησιάσει. Ένιωσα την υποχρέωση να εξηγήσω.

«Από απέναντι έμοιαζες με κάποιον που ήξερα. Συγνώμη, λάθος μου».

Η απειλή που με είχε τραβήξει να περάσω το δρόμο είχε εξατμιστεί. Αυτοί δεν ήταν οι επικίνδυνοι άντρες που θυμόμουν. Πιθανότατα ήταν καλά παιδιά. Ακίνδυνα. Έχασα κάθε ενδιαφέρον.

«Δεν πειράζει», είπε ο ξανθός με την αυτοπεποίθηση. «Μείνε να μας κάνεις παρέα».

«Ευχαριστώ, αλλά δεν μπορώ». Η Τζέσικα δίσταζε στη μέση του δρόμου, με μάτια διάπλατα ανοιχτά από την οργή και την προδοσία.

«Α, για λίγα λεπτά μόνο».

Κούνησα το κεφάλι μου και γύρισα για να πάω κοντά στην Τζέσικα.

«Πάμε να φάμε», πρότεινα ρίχνοντάς της μετά βίας μια γρήγορη ματιά. Αν και φαινόμουν, για την ώρα, να έχω απελευθερωθεί από τη χαύνωση ενός ζόμπι, ήμουν εξίσου απόμακρη. Το μυαλό μου ήταν φορτωμένο έγνοιες. Το ασφαλές μούδιασμα που θύμιζε θάνατο δεν επανήλθε, κι εγώ αγχωνόμουν όλο και περισσότερο με κάθε λεπτό που περνούσε χωρίς να επανέρχεται.

«Μα τι σκεφτόσουν;» είπε η Τζέσικα απότομα. «Δεν τους

ξέρεις –θα μπορούσαν να είναι και ψυχοπαθείς!»

Σήκωσα τους ώμους ελπίζοντας να μην το συνεχίσει άλλο. «Απλώς μου φάνηκε ότι ήξερα έναν από αυτούς».

«Είσαι τόσο παράξενη, Μπέλλα Σουάν. Νιώθω σαν να μη σε ξέρω».

«Λυπάμαι». Δεν ήξερα τι άλλο να απαντήσω.

Πήγαμε στα ΜακΝτόναλντς σιωπηλά. Έβαζα στοίχημα ότι εκείνη ευχόταν να είχαμε έρθει με το αμάξι της και να είχαμε χρησιμοποιήσει το ντράιβ-θρου για να πάρουμε το φαγητό σε πακέτο χωρίς να βγούμε καθόλου, αντί να είχαμε περπατήσει από το σινεμά. Τώρα κι εκείνη ανυπομονούσε να τελειώσει αυτή η βραδιά όσο κι εγώ από την αρχή.

Προσπάθησα να ξεκινήσω συζήτηση μερικές φορές ενώ τρώγαμε, αλλά η Τζέσικα δεν ήταν συνεργάσιμη. Πρέπει να την πρόσβαλα πάρα πολύ.

Όταν γυρίσαμε στο αυτοκίνητο, έπιασε πάλι στο ραδιόφωνο τον αγαπημένο της σταθμό και ανέβασε την ένταση του ήχου τόσο δυνατά που δεν ήταν δυνατόν να γίνει άνετα κουβέντα.

Δε χρειάστηκε να βάλω τα δυνατά μου, όπως συνήθως, για να αγνοήσω τη μουσική. Αν και το μυαλό μου, για πρώτη φορά, δεν ήταν προσεχτικά μουδιασμένο και άδειο, είχα πάρα πολλά πράγματα να σκεφτώ για να ακούσω τους στίχους.

Περίμενα να επανέλθει το μούδιασμα ή ο πόνος. Γιατί πρέπει να ερχόταν ο πόνος. Είχα σπάσει τους προσωπικούς μου κανόνες. Αντί να μείνω μακριά από τις αναμνήσεις, είχα κάνει ένα βήμα μπρος και τις είχα υποδεχτεί. Είχα ακούσει τη φωνή του τόσο καθαρά μέσα στο κεφάλι μου. Αυτό θα μου στοίχιζε, ήμουν βέβαιη γι' αυτό. Ειδικά αν δεν μπορούσα να κάνω την ομίχλη να επανέλθει για να προστατεύσω τον εαυτό μου. Ένιωθα να βρίσκομαι υπερβολικά σε εγρήγορση, κι αυτό με φόβιζε.

Αλλά η ανακούφιση ήταν ακόμα το πιο δυνατό συναίσθημα

στο σώμα μου –η ανακούφιση που πήγαζε από τα βάθη της ύπαρξής μου.

Όσο κι αν πάσχιζα να μην τον σκέφτομαι, δεν πάσχιζα να ξεχάσω. Ανησυχούσα –αργά το βράδυ, όταν η εξάντληση από τη στέρηση του ύπνου θα έσπαγε τις άμυνές μου– ότι όλα θα χάνονταν. Ότι το μυαλό μου ήταν ένα κόσκινο, κι ότι κάποια μέρα δε θα μπορούσα να θυμηθώ το ακριβές χρώμα των ματιών του, την αίσθηση όταν ακουμπούσα στο δροσερό δέρμα του ή τη χροιά της φωνής του. Δεν μπορούσα να τα *σκέφτομαι* αυτά, αλλά έπρεπε να τα *θυμάμαι*.

Επειδή υπήρχε ένα πράγμα μόνο που έπρεπε να πιστεύω για να μπορώ να ζήσω –έπρεπε να ξέρω ότι εκείνος υπήρχε. Αυτό ήταν όλο. Όλα τα υπόλοιπα μπορούσα να τα αντέξω. Αρκεί να υπήρχε εκείνος.

Γι' αυτό το λόγο ήμουν παγιδευμένη στο Φορκς περισσότερο από ποτέ άλλοτε, γι' αυτό τσακώθηκα με τον Τσάρλι όταν μου πρότεινε κάποια αλλαγή. Ειλικρινά, δεν έπρεπε να έχει σημασία· κανείς δε θα επέστρεφε ποτέ εδώ.

Αλλά αν πήγαινα στο Τζάκσονσβιλ ή σε οποιοδήποτε άλλο ηλιόλουστο και άγνωστο μέρος, πώς μπορούσα να είμαι σίγουρη ότι εκείνος ήταν αληθινός; Σ' ένα μέρος όπου δε θα μπορούσα ποτέ να τον φανταστώ, η πεποίθηση μπορεί να έσβηνε... κι αυτό δεν μπορούσα να το αντέξω.

Απαγορευόταν να θυμάμαι, αλλά έτρεμα μήπως ξεχάσω· ήταν πολύ δύσκολο να περπατήσεις πάνω σ' αυτό το σκοινί.

Ένιωσα έκπληξη όταν η Τζέσικα σταμάτησε μπροστά από το σπίτι μου. Η διαδρομή δε μας είχε πάρει πολλή ώρα, αλλά, όσο μικρή κι αν φαινόταν, δε θα μπορούσα να φανταστώ ότι η Τζέσικα θα μπορούσε να πάει τόσο μακριά χωρίς να μιλήσει.

«Σ' ευχαριστώ που βγήκες μαζί μου, Τζες», είπα ενώ άνοιγα την πόρτα μου. «Περάσαμε... καλά». Ήλπιζα ότι το *καλά* ήταν η κατάλληλη λέξη.

«Σίγουρα», ψέλλισε εκείνη.

«Λυπάμαι για... μετά την ταινία».

«Δεν πειράζει, Μπέλλα». Κοίταξε άγρια έξω από το παρμπρίζ αντί να κοιτάξει εμένα. Φαινόταν να θυμώνει περισσότερο αντί να της περνάει.

«Θα τα πούμε τη Δευτέρα;»

«Ναι. Γεια».

Τα παράτησα κι έκλεισα την πόρτα. Εκείνη έφυγε ακόμα χωρίς να με κοιτάζει.

Την είχα ξεχάσει ώσπου να μπω μέσα.

Ο Τσάρλι με περίμενε στη μέση του χολ, με τα χέρια του σταυρωμένα στο στήθος του και σφιγμένα σε γροθιές.

«Γεια σου, μπαμπά», είπα αφηρημένα, καθώς έκανα το γύρο του Τσάρλι και κατευθύνθηκα προς τις σκάλες. Είχα περάσει πάρα πολλή ώρα σκεπτόμενη *εκείνον* και ήθελα να πάω επάνω πριν αρχίσει να με καταβάλλει.

«Πού ήσουν;» απαίτησε να μάθει ο Τσάρλι.

Κοίταξα τον πατέρα μου έκπληκτη. «Πήγα σε μια ταινία στο Πορτ-Άντζελες με την Τζέσικα. Όπως σου είπα σήμερα το πρωί».

«Χμμμ», μούγκρισε.

«Πειράζει;»

Μελέτησε το πρόσωπό μου, ενώ τα μάτια του άνοιξαν διάπλατα λες και είχε δει κάτι αναπάντεχο. «Όχι, δεν πειράζει. Περάσατε καλά;»

«Βέβαια», είπα. «Είδαμε ζόμπι να τρώνε ανθρώπους. Ήταν τέλεια».

Ζάρωσε τα μάτια του.

«Καληνύχτα, μπαμπά».

Με άφησε να περάσω. Ανέβηκα βιαστικά στο δωμάτιό μου.

Λίγα λεπτά αργότερα βρισκόμουν ξαπλωμένη στο κρεβάτι μου, στωικά, καθώς ο πόνος επιτέλους ερχόταν.

Ήταν ένα πράγμα που με σακάτευε, αυτή η αίσθηση ότι κάποιος με είχε χτυπήσει και μου είχε κάνει μια τεράστια τρύπα μέσα στο στήθος μου, βγάζοντας τα πιο ζωτικά μου όργανα και αφήνοντας ανώμαλες, αγιάτρευτες χαίνουσες πληγές στις άκρες των σημείων απ' όπου τα είχε αφαιρέσει, οι οποίες συνέχιζαν να πάλλονται και να αιμορραγούν παρά το πέρασμα του χρόνου. Λογικά, ήξερα ότι τα πνευμόνια μου πρέπει να ήταν ακόμα ανέπαφα, κι όμως ασφυκτιούσα, και το κεφάλι μου γύριζε καθώς οι προσπάθειές μου δεν έφερναν κανένα αποτέλεσμα. Η καρδιά μου πρέπει να χτυπούσε κι αυτή, αλλά δεν μπορούσα να ακούσω τον ήχο του σφυγμού μου στα αυτιά μου· τα χέρια μου τα ένιωθα να έχουν μελανιάσει από το κρύο. Κουλουριάστηκα προς τα μέσα, αγκαλιάζοντας τα πλευρά μου για να αντέξω. Πάλεψα να ξαναβρώ το μούδιασμά μου, την άρνησή μου, αλλά μου ξέφευγαν.

Κι όμως, ανακάλυψα ότι μπορούσα να επιβιώσω. Ήμουν σε εγρήγορση, ένιωθα τον πόνο –την οδυνηρή απώλεια που ακτινοβολούσε από το στήθος μου, στέλνοντας συντριπτικά κύματα πόνου που διαπερνούσαν τα άκρα μου και το κεφάλι μου– αλλά ήταν υποφερτό. Μπορούσα να το υπομείνω. Δεν ένιωθα ότι ο πόνος είχε γίνει λιγότερο έντονος με τον καιρό, μάλλον εγώ είχα γίνει αρκετά δυνατή ώστε να τον αντιμετωπίσω.

Ό,τι κι αν ήταν αυτό που είχε συμβεί απόψε –και είτε ήταν τα ζόμπι, η αδρεναλίνη ή οι παραισθήσεις υπεύθυνες– με είχε ξυπνήσει.

Για πρώτη φορά μετά από πολύ καιρό, δεν ήξερα τι να περιμένω το πρωί.

5. ΖΑΒΟΛΙΑΡΑ

«Μπέλλα, γιατί δε φεύγεις;» πρότεινε ο Μάικ, με τα μάτια του στραμμένα στο πλάι του προσώπου μου, χωρίς να με κοιτάζει στ' αλήθεια. Αναρωτήθηκα για πόση ώρα συνέβαινε αυτό πριν το πάρω είδηση.

Ήταν ένα απόγευμα που κυλούσε αργά στο μαγαζί των Νιούτον. Αυτή τη στιγμή υπήρχαν μόνο δύο πελάτες στο κατάστημα, με σακίδια στην πλάτη, φανατικοί πεζοπόροι απ' ό,τι φαινόταν από τη συζήτησή τους. Ο Μάικ είχε περάσει την τελευταία ώρα μιλώντας τους για τα πλεονεκτήματα και τα μειονεκτήματα που παρουσίαζαν δύο μάρκες ελαφρών σακιδίων. Αλλά τώρα έκαναν διάλειμμα από τη σοβαρή συζήτηση για τις τιμές, για να ενδώσουν στην απόλαυση του να αναμετρηθούν μεταξύ τους με τις πιο πρόσφατες ιστορίες τους από πεζοπορίες. Αυτό έδωσε στον Μάικ την ευκαιρία να ξεφύγει.

«Δε με πειράζει να μείνω», είπα εγώ. Ακόμα δεν είχα καταφέρει να ξαναχωθώ στο προστατευτικό μου καβούκι της παραλυσίας, και τα πάντα έμοιαζαν παραδόξως κοντινά και ηχηρά σήμερα, λες και είχα βγάλει το βαμβάκι από τα αυτιά μου. Προσπάθησα ανεπιτυχώς να μη δώσω σημασία στους πεζοπόρους που γελούσαν.

«Σου λέω», είπε ο κοντός γεροδεμένος άντρας με την πορτοκαλί γενειάδα που δεν ταίριαζε με τα σκούρα καστανά μαλλιά του. «Έχω δει αρκούδες γκρίζλι αρκετά κοντά στο Γέλοουστοουν, αλλά αυτού δεν του κόλλαγαν με τίποτα». Τα μαλλιά του ήταν μπερδεμένα, και τα ρούχα του έμοιαζαν λες και τα φορούσε παραπάνω από κάποιες μέρες. Φρέσκος από τα βουνά.

«Δεν υπάρχει περίπτωση. Οι μαύρες αρκούδες δε γίνονται τόσο μεγάλες. Οι γκρίζλι που είχες δει μάλλον θα ήταν κουτάβια». Ο δεύτερος άντρας ήταν ψηλός και λεπτός, το πρόσωπό του ήταν μαυρισμένο και ανεμοδαρμένο σε σημείο να μετατραπεί σε έναν εντυπωσιακό δερμάτινο φλοιό.

«Σοβαρά, Μπέλλα, μόλις αυτοί οι δύο την κοπανήσουν, θα το κλείσω το μαγαζί», μουρμούρισε ο Μάικ.

«Αν θέλεις να φύγω...» σήκωσα τους ώμους.

«Στα τέσσερα ήταν πιο ψηλή από σένα», επέμεινε ο γενειοφόρος άντρας, ενώ εγώ μάζευα τα πράγματά μου. «Μεγάλη σαν σπίτι και μαύρη σαν πίσσα. Θα το αναφέρω στο δασοφύλακα εδώ. Θα πρέπει να προειδοποιήσει τους ανθρώπους –και δεν ήταν στο βουνό, πρέπει να σου πω– την είδα μόλις λίγα χιλιόμετρα μακριά από την αρχή του μονοπατιού».

Αυτός με το δερμάτινο πρόσωπο γέλασε και στριφογύρισε τα μάτια. «Άσε με να μαντέψω –ήσουν στην επιστροφή; Είχες μια ολόκληρη βδομάδα που δεν είχες φάει αληθινό φαγητό και κοιμόσουν στο έδαφος, έτσι;»

«Ε, Μάικ, έτσι δε σε είπαμε;» φώναξε ο γενειοφόρος άντρας κοιτάζοντας προς το μέρος μας.

«Θα σε δω τη Δευτέρα», μουρμούρισα μέσα από τα δόντια μου.

«Μάλιστα, κύριε», απάντησε ο Μάικ, γυρίζοντας να φύγει.

«Για πες μας, άκουσες καμία ειδοποίηση εδώ γύρω τώρα τελευταία –για μαύρες αρκούδες;»

«Όχι, κύριε. Αλλά πάντα είναι καλό να κρατάτε αποστάσεις και να αποθηκεύετε το φαγητό σας σωστά. Έχετε δει τα καινούρια μεταλλικά κουτιά ειδικά για να αντιστέκονται σε αρκούδες; Ζυγίζουν μόνο ένα κιλό...»

Οι πόρτες άνοιξαν για να με αφήσουν να βγω έξω στη βροχή. Μαζεύτηκα μέσα στο μπουφάν μου, καθώς πήγαινα βιαστικά προς το φορτηγάκι μου. Η βροχή που σφυροκοπούσε πάνω στην κουκούλα μου ακουγόταν ασυνήθιστα δυνατά, επίσης, αλλά σύντομα ο βρυχηθμός της μηχανής κάλυψε όλους τους άλλους ήχους.

Δεν ήθελα να γυρίσω πίσω στο άδειο σπίτι του Τσάρλι. Η προηγούμενη νύχτα ήταν εξαιρετικά άγρια, και δεν είχα καμία διάθεση να βρεθώ ξανά στον τόπο του μαρτυρίου. Ακόμα κι αφού ο πόνος είχε υποχωρήσει αρκετά, ώστε να μπορέσω να κοιμηθώ, δεν είχε τελειώσει. Όπως είχα πει στην Τζέσικα μετά την ταινία, δεν υπήρχε ποτέ καμία αμφιβολία ότι θα είχα εφιάλτες.

Πάντα είχα εφιάλτες τώρα, κάθε νύχτα. Στην πραγματικότητα όχι εφιάλτες, όχι στον πληθυντικό, επειδή ήταν πάντα *ο ίδιος* εφιάλτης. Θα νόμιζε κανείς ότι θα είχα βαρεθεί μετά από τόσους μήνες, ότι θα είχα γίνει απαθής πια. Αλλά το όνειρο δεν έπαυε ποτέ να μου προκαλεί φρίκη και τελείωνε πάντα όταν ξυπνούσα από τα ουρλιαχτά μου. Ο Τσάρλι δεν έμπαινε πια για να δει τι συνέβαινε, να βεβαιωθεί ότι κανένας δεν είχε εισβάλει στο δωμάτιο για να με στραγγαλίσει ή κάτι τέτοιο –το είχε συνηθίσει τώρα πια.

Ο εφιάλτης μου πιθανότατα δε θα τρόμαζε κανέναν άλλο. Τίποτα δεν πεταγόταν φωνάζοντας «Μπου!» Δεν υπήρχαν ούτε ζόμπι, ούτε φαντάσματα, ούτε ψυχοπαθείς. Δεν υπήρχε τίποτα εδώ που τα λέμε. Απλώς τίποτα. Μόνο ο ατελείωτος λαβύρινθος των σκεπασμένων με μούσκλια δέντρων, τόσο ήσυχος που η σιωπή γινόταν μια ενοχλητική πίεση στα τύμπανα των αυτιών μου. Ήταν σκοτεινά, σαν το σούρουπο σε μια συννεφιασμένη μέρα, με αρκετό φως ίσα-ίσα για να βλέπεις ότι δεν υπήρχε τίποτα να δεις. Εγώ προχωρούσα βιαστικά μέσα από το ημίφως χωρίς μονοπάτι, διαρκώς ψάχνοντας, ψάχνοντας, ψάχνοντας, με όλο και περισσότερη μανία καθώς ο χρόνος κυλούσε, προσπαθώντας να πάω πιο γρήγορα, αν και η ταχύτητα με έκανε αδέξια... Μετά έφτανε το σημείο στο όνειρό μου –και το ένιωθα να έρχεται τώρα, αλλά δεν κατάφερνα ποτέ να ξυπνήσω πριν έρθει– όπου δε θυμόμουν τι ήταν αυτό που έψαχνα. Όπου συνειδητοποιούσα ότι *δεν υπήρχε* τίποτα να ψάξω και τίποτα να βρω. Ότι δεν υπήρξε ποτέ τίποτα περισσότερο πέρα από αυτό το άδειο, θλιβερό δάσος, κι ότι δε θα υπήρχε ποτέ τίποτα για μένα... τίποτα πέρα απ' το τίποτα.

Τότε ήταν που άρχιζα συνήθως να ουρλιάζω.

Δεν πρόσεχα πού πήγαινα με το αμάξι –απλώς περιπλανιόμουν σε άδειους, βρεγμένους παραδρόμους αποφεύγοντας τους δρόμους που θα με οδηγούσαν σπίτι– επειδή δεν είχα πού να πάω.

Μακάρι να ένιωθα ξανά εκείνο το μούδιασμα, αλλά δεν μπορούσα να θυμηθώ πώς το είχα πετύχει παλιότερα. Ο εφιάλτης τσιγκλούσε συνέχεια το μυαλό μου και με έκανε να σκέφτομαι πράγματα που θα μου προκαλούσαν πόνο. Δεν ήθελα να θυμάμαι το δάσος. Ακριβώς την ώρα που ένα ρίγος με έκανε να μπλοκάρω τις εικόνες, ένιωθα τα μάτια μου να γεμίζουν δάκρυα και τον πόνο να αρχίζει στις άκρες της τρύπας στο στήθος μου. Πήρα το ένα μου χέρι από το τιμόνι και το τύλιξα γύρω από το κορμί μου για να το εμποδίσω να διαλυθεί.

Θα είναι σαν να μην υπήρξα ποτέ. Οι λέξεις πέρασαν μέσα από το κεφάλι μου, χωρίς να έχουν την απόλυτη καθαρότητα της χθεσινοβραδινής μου παραίσθησης. Ήταν μόνο λέξεις, χωρίς ήχο, σαν χαρακτήρες τυπωμένοι σε μια σελίδα. Μόνο λέξεις, αλλά άνοιγαν ακόμα βαθύτερα την πληγή μου, κι εγώ πάτησα βαριά πάνω στο φρένο ξέροντας ότι δεν έπρεπε να οδηγώ όσο αυτό με διέλυε.

Κουλουριάστηκα πιέζοντας το πρόσωπό μου πάνω στο τιμόνι και προσπαθώντας να αναπνεύσω χωρίς πνευμόνια.

Αναρωτιόμουν πόση ώρα θα μπορούσε να κρατήσει αυτό. Ίσως κάποια μέρα μετά από πολλά χρόνια –αν ο πόνος μειωνόταν σε σημείο που να μπορούσα να τον αντέξω– θα μπορούσα να ξαναθυμηθώ αυτούς τους λίγους μήνες που θα ήταν πάντα οι καλύτεροι της ζωής μου. Και, αν ήταν ποτέ δυνατόν ο πόνος να μαλακώσει αρκετά για να μου επιτρέψει να το κάνω αυτό, ήμουν σίγουρη ότι θα ένιωθα ευγνώμων για όσο χρόνο μου είχε χαρίσει εκείνος. Περισσότερο απ' όσο είχα ζητήσει εγώ, περισσότερο απ' όσο άξιζα. Ίσως κάποια μέρα να το έβλεπα έτσι.

Αλλά τι θα γινόταν αν αυτή η τρύπα δεν έκλεινε ποτέ; Αν οι τραχιές άκρες της δε γιατρεύονταν ποτέ; Αν η ζημιά ήταν μόνιμη και μη αναστρέψιμη;

Κράτησα τον εαυτό μου σφιχτά. *Σαν να μην υπήρξα ποτέ,* σκέφτηκα απεγνωσμένα. Τι ανόητη υπόσχεση, και πόσο αδύνατο να την κρατήσει! Μπορούσε να κλέψει τις φωτογραφίες μου και να ξαναπάρει πίσω τα δώρα του, αλλά αυτό δεν έβαζε τα πράγματα εκεί που ήταν πριν τον γνωρίσω. Τα υλικά στοιχεία ήταν το πιο ασήμαντο κομμάτι της εξίσωσης. *Εγώ* είχα αλλάξει, το μέσα μου είχε αλλάξει σχεδόν σε σημείο που να μην αναγνωρίζεται πλέον. Ακόμα και το έξω μου έδειχνε διαφορετικό –το πρόσωπό μου ωχρό, λευκό αν εξαιρέσουμε τους μοβ κύκλους που είχαν αφήσει οι εφιάλτες κάτω από τα μάτια μου. Τα μάτια μου ήταν αρκετά σκούρα σε σύγκριση με το πελιδνό μου δέρμα ώστε –αν ήμουν όμορφη και με έβλεπε κανείς από κάποια απόσταση– θα μπορούσε ίσως και να με περάσει για βρικόλακα τώρα. Αλλά δεν ήμουν όμορφη και πιθανότατα έμοιαζα περισσότερο με ζόμπι.

Λες και δεν υπήρξε ποτέ; Αυτό ήταν τρέλα. Ήταν μια υπόσχεση που δεν μπορούσε να κρατήσει ποτέ, μια υπόσχεση που αθέτησε αμέσως μόλις την έδωσε.

Κοπάνησα το κεφάλι μου πάνω στο τιμόνι, προσπαθώντας να αποσπάσω την προσοχή μου από τον οξύτερο πόνο.

Με έκανε να νιώθω γελοία που ανησύχησα κάποτε για την τήρηση της *δικής μου* υπόσχεσης. Ποια η λογική του να τηρείς μια συμφωνία που την είχε ήδη παραβιάσει το άλλο μέλος; Ποιος νοιαζόταν αν εγώ ήμουν ριψοκίνδυνη και ανόητη; Δεν υπήρχε κανένας λόγος να αποφύγω τις ριψοκίνδυνες πράξεις, κανένας λόγος για τον οποίο δε θα έπρεπε να φέρομαι ανόητα.

Γέλασα χωρίς κέφι μόνη μου, ακόμα προσπαθώντας με κόπο να αναπνεύσω. Ριψοκίνδυνη στο Φορκς –να ένας απελπιστικός συλλογισμός.

Το μαύρο χιούμορ μού απέσπασε την προσοχή και αυτό καταπράυνε τον πόνο. Μπόρεσα να αναπνεύσω πιο εύκολα και να γείρω πίσω στο κάθισμα. Αν κι έκανε κρύο σήμερα, το μέτωπό μου ήταν μούσκεμα στον ιδρώτα.

Επικεντρώθηκα στον απελπιστικό συλλογισμό μου για να μη γλιστρήσω πάλι στις βασανιστικές αναμνήσεις. Το να κάνω κάτι ριψοκίνδυνο στο Φορκς θα χρειαζόταν πολλή δημιουργικότητα –ίσως περισσότερη απ' όση διέθετα. Αλλά ευχόμουν να μπορούσα να βρω κάποιον τρόπο... μπορεί να ένιωθα καλύτερα αν δεν έμενα κολλημένη ολομόναχη σε ένα αθετημένο συμβόλαιο. Αν αθετούσα κι εγώ τον όρκο μου. Μα πώς θα μπορούσα να κάνω ζαβολιά από τη δική μου πλευρά της συμφωνίας, εδώ σε αυτή την ακίνδυνη μικρή πόλη; Φυσικά, το Φορκς δεν ήταν *πάντα* τόσο ακίνδυνο, αλλά τώρα ήταν ακριβώς αυτό που φαινόταν πάντα. Ήταν πληκτικό, ήταν ασφαλές.

Κοίταξα επίμονα έξω από το παρμπρίζ για λίγο, ενώ οι σκέψεις μου ήταν νωθρές –δε φαινόταν να μπορώ να κάνω τις σκέψεις αυτές να πάνε πουθενά. Έσβησα τη μηχανή που διαμαρτυρόταν αξιοθρήνητα, επειδή δούλευε στο ρελαντί τόση ώρα, και βγήκα έξω στο ψιλοβρόχι.

Η κρύα βροχή έσταζε μέσα από τα μαλλιά μου και μετά κυλούσε στα μάγουλά μου σαν γλυκά δάκρυα. Με βοηθούσε να καθαρίσω το κεφάλι μου. Ανοιγόκλεισα τα μάτια για να διώξω το νερό κοιτάζοντας με βλέμμα κενό στην απέναντι μεριά του δρόμου.

Αφού συνέχισα να κοιτάω έτσι για ένα λεπτό ακόμα, αναγνώρισα πού βρισκόμουν. Είχα παρκάρει στη μέση της βόρειας λωρίδας της λεωφόρου Ράσελ. Στεκόμουν μπροστά από το σπίτι των Τσέινι –το φορτηγάκι μου είχε μπλοκάρει το δρομάκι που κατέβαινε απ' το σπίτι τους στον κεντρικό δρόμο– και απέναντι έμεναν οι Μαρκς. Ήξερα ότι έπρεπε να μετακινήσω το φορτηγάκι μου κι ότι έπρεπε να πάω σπίτι. Δεν ήταν σωστό να περιφέρομαι έτσι, αποπροσανατολισμένη και σε κακή κατάσταση, μια απειλή στους δρόμους του Φορκς. Εξάλλου, σύντομα κάποιος θα με πρόσεχε και θα έπαιρνε τηλέφωνο τον Τσάρλι.

Μόλις πήρα μια βαθιά ανάσα για να κουνηθώ, μια πινακίδα στην αυλή των Μαρκς μου τράβηξε την προσοχή –ήταν απλώς ένα μεγάλο κομμάτι χαρτόνι ακουμπισμένο πάνω στο γραμματοκιβώτιό τους με μαύρα κεφαλαία γράμματα.

Μερικές φορές, είναι αδύνατο να αποφύγεις το κισμέτ.

Σύμπτωση; Ή ήταν μοιραίο να συμβεί; Δεν ήξερα, αλλά μου φάνηκε κάπως ανόητο να νομίσω ότι ήταν το πεπρωμένο μου, ότι οι σαραβαλιασμένες μοτοσικλέτες που σκούριαζαν στην μπροστινή αυλή των Μαρκς δίπλα από τη χειρόγραφη πινακίδα ΠΩΛΟΥΝΤΑΙ ΩΣ ΕΧΟΥΝ εξυπηρετούσαν κάποιον ανώτερο σκοπό περιμένοντας εκεί, ακριβώς στο σημείο που τις ήθελα.

Έτσι μπορεί και να μην ήταν κισμέτ. Ίσως υπήρχαν απλώς ένα σωρό τρόποι για να είναι κανείς ριψοκίνδυνος και μόλις τώρα είχα ανοίξει τα μάτια μου για να τους δω.

Ριψοκίνδυνες και ανόητες, αυτές ήταν οι δυο πιο αγαπημένες λέξεις του Τσάρλι για τις μοτοσικλέτες.

Η δουλειά του Τσάρλι δεν είχε και πολλή δράση σε σχέση με αυτή των αστυνομικών σε μεγαλύτερες πόλεις, αλλά τον καλούσαν πολύ συχνά σε περίπτωση ατυχημάτων. Με τα μεγάλα, υγρά κομμάτια του αυτοκινητόδρομου που ελισσόταν μέσα από το δάσος, από τη μια τυφλή γωνία στην άλλη, δεν υπήρχε έλλειψη *τέτοιου* είδους δράσης. Αλλά ακόμα και όταν εκείνες οι τεράστιες νταλίκες που μετέφεραν ξύλα δίπλωναν στις στροφές, ως επί το πλείστον οι άνθρωποι τη σκαπούλαραν. Οι εξαιρέσεις σε αυτό τον κανόνα ήταν συχνά οι μηχανές, κι ο Τσάρλι είχε δει υπερβολικά πολλά θύματα, σχεδόν πάντα παιδιά, να έχουν γίνει ένα με το δρόμο. Με είχε βάλει να του υποσχεθώ πριν κλείσω τα δέκα ότι δε θα δεχόμουν ποτέ να με πάει κανείς βόλτα με μηχανή. Ακόμα και σ' εκείνη την ηλικία, δε χρειαζόταν να σκεφτώ πολύ πριν δώσω μια υπόσχεση. Ποιος θα ήθελε να καβαλήσει μηχανή εδώ πέρα; Θα ήταν σαν να κάνει το μπάνιο του με ταχύτητα εκατό χιλιόμετρα την ώρα.

Τόσες πολλές υποσχέσεις που είχα κρατήσει…

Τότε έγινε ένα κλικ. Ήθελα να είμαι ανόητη και ριψοκίνδυνη και ήθελα να αθετήσω υποσχέσεις. Γιατί να σταματήσω σε μια;

Μέχρι εκεί κάθισα να σκεφτώ. Τσαλαβούτησα μέσα στη βροχή ως την είσοδο του σπιτιού των Μαρκς και χτύπησα το κουδούνι.

Ένα από τα αγόρια των Μαρκς άνοιξε την πόρτα, το πιο μικρό, αυτό που πήγαινε πρώτη τάξη. Δε θυμόμουν το όνομά του. Τα ξανθωπά μαλλιά του έφταναν μέχρι τον ώμο μου.

Εκείνος δε δυσκολεύτηκε να θυμηθεί το όνομά μου. «Μπέλλα Σουάν;» ρώτησε έκπληκτος.

«Πόσα θες για το μηχανάκι;» είπα λαχανιασμένη, τινάζοντας τον αντίχειρά μου πάνω από τον ώμο μου προς την πινακίδα.

«Σοβαρολογείς;» ρώτησε.

«Φυσικά και σοβαρολογώ».

«Δε δουλεύουν».

Αναστέναξα ανυπόμονα –αυτό ήταν κάτι που είχα ήδη συμπεράνει από την πινακίδα. «Πόσα;»

«Αν πραγματικά θέλεις ένα, πάρ' το. Η μαμά μου έβαλε τον μπαμπά μου να τα κουβαλήσει στο δρόμο για να τα πάρουν μαζί με τα σκουπίδια».

Έριξα πάλι μια γρήγορη ματιά στα μηχανάκια και είδα ότι ήταν πάνω σε έναν σωρό ξακρίδια από την αυλή και νεκρά κλαδιά. «Είσαι σίγουρος;»

«Βέβαια, θέλεις να τη ρωτήσεις;»

Μάλλον ήταν καλύτερα να μην ανακατευτούν ενήλικες που μπορεί να το ανέφεραν αυτό στον Τσάρλι.

«Όχι, σε πιστεύω».

«Θέλεις να σε βοηθήσω;» προσφέρθηκε. «Δεν είναι ελαφριά».

«Εντάξει, ευχαριστώ. Όμως, ένα θέλω μόνο».

«Δεν τα παίρνεις και τα δύο;» είπε το αγόρι. «Μπορεί από το ένα να βρεις ανταλλακτικά που θα χρειαστείς για το άλλο».

Με ακολούθησε έξω στη νεροποντή και με βοήθησε να φορτώσω και τα δύο βαριά μηχανάκια στην καρότσα του φορτηγού μου. Έμοιαζε να καίγεται να τα ξεφορτωθεί, έτσι δε διαφώνησα.

«Τι θα τα κάνεις;» ρώτησε. «Δε δουλεύουν εδώ και χρόνια».

«Αυτό το είχα κάπως μαντέψει», είπα σηκώνοντας τους ώμους. Το καπρίτσιο που μου είχε έρθει έτσι χωρίς σκέψη δεν είχε κανένα συγκεκριμένο σχέδιο. «Μπορεί να τα πάω στου Ντόλινγκ».

«Ο Ντόλινγκ για να τα φτιάξει θα σε χρεώσει περισσότερο απ' ό,τι αξίζουν».

Σε αυτό δεν μπορούσα να διαφωνήσω. Ο Τζον Ντόλινγκ ήταν γνωστός για τις ψηλές τιμές του· κανένας δεν πήγαινε εκεί παρά μόνο σε περίπτωση έκτακτης ανάγκης. Οι περισσότεροι προτιμούσαν να πάνε ως το Πορτ-Άντζελες, αν το αμάξι τους μπορούσε να φτάσει ως εκεί. Εγώ ήμουν πολύ τυχερή από αυτή την άποψη –είχα ανησυχήσει, όταν ο Τσάρλι μου χάρισε το αρχαίο μου φορτηγάκι, ότι δε θα έβγαινα οικονομικά για να το συντηρήσω. Αλλά δεν είχε παρουσιάσει ποτέ ούτε το παραμικρό πρόβλημα, πέρα από τη μηχανή που ούρλιαζε, και το μέγιστο όριο ταχύτητας που έπιανε –ογδόντα χιλιόμετρα την ώρα. Ο Τζέικομπ Μπλακ το είχε διατηρήσει σε πολύ καλή κατάσταση όταν ανήκε στον πατέρα του, τον Μπίλι...

Μου ήρθε έμπνευση σαν κεραυνός –καθόλου παράλογο, δεδομένης της καταιγίδας. «Ξέρεις κάτι; Δεν πειράζει. Ξέρω κάποιον που συναρμολογεί αμάξια».

«Α. Ωραία». Χαμογέλασε με ανακούφιση.

Κούνησε το χέρι του χαμογελώντας ακόμα την ώρα που εγώ έφευγα. Φιλικό παιδί.

Οδηγούσα γρήγορα και αποφασιστικά τώρα, καθώς βιαζόμουν να φτάσω σπίτι πριν να υπάρχει και η παραμικρή πιθανότητα να εμφανιστεί ο Τσάρλι, ακόμα και στην περίπτωση του εξαιρετικά απίθανου γεγονότος να τελειώσει νωρίς από τη δουλειά. Έτρεξα στο τηλέφωνο διασχίζοντας το σπίτι, με τα κλειδιά ακόμα στο χέρι.

«Το Διοικητή Σουάν, παρακαλώ», είπα όταν απάντησε ο Υποδιοικητής. «Είμαι η Μπέλλα».

«Ω, γεια σου, Μπέλλα», είπε ο Υποδιοικητής Στιβ φιλικά. «Πάω να τον φέρω».

Περίμενα.

«Τι συμβαίνει, Μπέλλα;» απαίτησε να μάθει ο Τσάρλι μόλις σήκωσε το τηλέφωνο.

«Δεν μπορώ να σε πάρω στη δουλειά χωρίς να συμβαίνει κάτι επείγον;»

Έμεινε σιωπηλός για ένα λεπτό. «Δε με έχεις ξαναπάρει ποτέ. Συμβαίνει κάτι επείγον;»

«Όχι. Απλώς ήθελα οδηγίες για το πώς να πάω στο σπίτι των Μπλακ –δεν είμαι σίγουρη ότι θυμάμαι το δρόμο. Θέλω να επισκεφτώ τον Τζέικομπ. Έχω μήνες να τον δω».

Όταν ο Τσάρλι μίλησε ξανά, η φωνή του ήταν πολύ πιο χαρούμενη. «Αυτή είναι μια πολύ καλή ιδέα, Μπελς. Έχεις στυλό;»

Οι οδηγίες που μου έδωσε ήταν πολύ απλές. Τον διαβεβαίωσα ότι θα γύριζα σπίτι για βραδινό, αν και προσπάθησε να μου πει να μη βιαστώ. Ήθελε να έρθει να με βρει στο Λα Πους, κι εγώ δεν επρόκειτο να το δεχτώ αυτό.

Κι έτσι έχοντας προθεσμία διέσχισα πολύ γρήγορα τους σκοτεινούς από την καταιγίδα δρόμους που θα με έβγαζαν από την πόλη. Ήλπιζα να πετύχαινα τον Τζέικομπ μόνο του. Ο Μπίλι πιθανότατα θα με μάλωνε αν ήξερε τι ήταν αυτό που σκάρωνα.

Ενώ οδηγούσα, ανησυχούσα λιγάκι για την αντίδραση του Μπίλι όταν θα με έβλεπε. Θα ήταν *υπερβολικά* ευχαριστημένος. Στο μυαλό του Μπίλι, χωρίς αμφιβολία, όλα είχαν καταλήξει πολύ καλύτερα απ' ό,τι θα τολμούσε να ελπίζει ο ίδιος. Η χαρά του και η ανακούφισή του θα μου θύμιζαν αυτόν που δεν άντεχα να μου θυμίζουν. *Όχι πάλι σήμερα,* παρακάλεσα μέσα μου. Ήμουν εξαντλημένη.

Το σπίτι των Μπλακ μου ήταν αμυδρά γνωστό, ένα μικρό ξύλινο σπίτι με στενά παράθυρα και με τη μουντή κόκκινη μπογιά του να το κάνει να μοιάζει με μικροσκοπικό αχυρώνα. Το κεφάλι του Τζέικομπ ξεπρόβαλλε απ' το παράθυρο πριν προλάβω καν να βγω από το αμάξι. Δεν υπήρχε αμφιβολία ότι ο οικείος ήχος της μηχανής τον είχε προειδοποιήσει ότι πλησίαζα. Ο Τζέικομπ ήταν γεμάτος ευγνωμοσύνη όταν ο Τσάρλι αγόρασε το φορτηγάκι του Μπίλι για μένα, σώζοντας τον Τζέικομπ από το να πρέπει να το οδηγεί μέχρι να ενηλικιωθεί.

Μου άρεσε το φορτηγάκι μου πάρα πολύ, αλλά ο Τζέικομπ έμοιαζε να θεωρεί τους περιορισμούς στο θέμα της ταχύτητας ως μειονέκτημα.

Με συνάντησε στα μισά του δρόμου για το σπίτι.

«Μπέλλα!» Το ενθουσιώδες χαμόγελό του απλωνόταν πλατύ σε όλο του το πρόσωπο, τα λαμπερά του δόντια έκαναν έντονη αντίθεση με το βαθύ καστανοκόκκινο χρώμα της επιδερμίδας του. Δεν είχα ξαναδεί ποτέ τα μαλλιά του λυτά χωρίς τη συνηθισμένη του κοτσίδα. Έπεφταν σαν μαύρες σατέν κουρτίνες από τη μια και την άλλη μεριά του φαρδιού του προσώπου.

Ο Τζέικομπ είχε μεγαλώσει εκπληρώνοντας ένα μέρος των δυνατοτήτων ανάπτυξης του μέσα στους τελευταίους μήνες. Είχε περάσει το σημείο όπου οι μαλακοί μύες της παιδικής ηλικίας μετατρέπονταν στη σκληρή, στέρεη, ψηλόλιγνη σωματική διάπλαση ενός εφήβου· οι τένοντες και οι φλέβες πετάγονταν από το καστανοκόκκινο δέρμα στα μπράτσα και τα χέρια του. Το πρόσωπό του ήταν ακόμα γλυκό, αν και είχε σκληρύνει κι αυτό –τα ζυγωματικά του ήταν πιο έντονα, το πιγούνι του είχε γίνει πιο τετράγωνο, η στρογγυλάδα της παιδικής ηλικίας είχε χαθεί.

«Γεια σου, Τζέικομπ!» είπα νιώθοντας ένα απρόσμενο κύμα ενθουσιασμού όταν μου χαμογέλασε. Συνειδητοποίησα ότι χαιρόμουν που τον έβλεπα. Η συναίσθηση αυτού του γεγονότος με εξέπληξε.

Του χαμογέλασα κι εγώ, και κάτι έκανε κλικ ξαφνικά μπαίνοντας στη σωστή θέση σαν δυο κομμάτια ενός παζλ που ταιριάζουν μεταξύ τους. Είχα ξεχάσει πόσο πολύ συμπαθούσα τον Τζέικομπ Μπλακ.

Σταμάτησε στο ένα μέτρο από μένα, κι εγώ σήκωσα το βλέμμα μου για να τον κοιτάξω έκπληκτη γέρνοντας το κεφάλι μου προς τα πίσω, αν και η βροχή ράπιζε το πρόσωπό μου.

«Ψήλωσες ξανά!» τον κατηγόρησα με θαυμασμό.

Εκείνος γέλασε, ενώ το χαμόγελό του έγινε απίστευτα πλατύ. «Ένα ενενήντα πέντε», ανακοίνωσε αυτάρεσκα. Η φωνή του ήταν πιο βαθιά, αλλά είχε τη βραχνάδα που θυμόμουν.

«Θα σταματήσει αυτό ποτέ;» ρώτησα, κουνώντας το κεφάλι μου δύσπιστα. «Είσαι τεράστιος».

«Και πάλι ψηλολέλεκας, όμως». Έκανε μια γκριμάτσα. «Έλα μέσα! Θα γίνεις μούσκεμα!»

Πήγε μπροστά, στρίβοντας τα μαλλιά του στα μεγάλα του χέρια, καθώς περπατούσε. Έβγαλε ένα λάστιχο από την πίσω τσέπη του και το τύλιξε γύρω από τον κότσο.

«Ε, μπαμπά», φώναξε, καθώς έσκυψε για να περάσει από την κεντρική είσοδο του σπιτιού. «Κοίτα ποιος πέρασε να μας δει».

Ο Μπίλι ήταν στο μικρό τετράγωνο σαλόνι με ένα βιβλίο στα χέρια του. Άφησε το βιβλίο στην αγκαλιά του και τσούλησε το καροτσάκι του προς τα μπρος όταν με είδε.

«Βρε, βρε, για δες! Χαίρομαι που σε βλέπω, Μπέλλα».

Σφίξαμε τα χέρια. Το δικό μου χάθηκε μέσα στο δικό του τεράστιο χέρι.

«Τι σε φέρνει στα μέρη μας; Όλα καλά με τον Τσάρλι;»

«Ναι, μια χαρά. Απλώς ήθελα να δω τον Τζέικομπ –έχω να τον δω εδώ και εκατό χρόνια».

Τα μάτια του Τζέικομπ έλαμψαν στο άκουσμα των λέξεών μου. Χαμογελούσε τόσο πλατιά που έμοιαζε πως θα τραυματίζονταν τα μάγουλά του.

«Μπορείς να μείνεις να φάμε;» ο Μπίλι ήταν κι αυτός γεμάτος ενθουσιασμό.

«Όχι, έχω να ταΐσω και τον Τσάρλι, ξέρεις».

«Θα τον πάρω τηλέφωνο τώρα», πρότεινε ο Μπίλι. «Είναι πάντα ευπρόσδεκτος».

Εγώ γέλασα για να κρύψω το γεγονός ότι ένιωθα άβολα. «Δεν είναι ότι δε θα με ξαναδείς ποτέ. Υπόσχομαι ότι θα ξανάρθω γρήγορα –θα έρχομαι τόσο συχνά που θα με βαρεθείτε». Εξάλλου, αν ο Τζέικομπ μπορούσε να φτιάξει το μηχανάκι, κάποιος έπρεπε να μου δείξω πώς να το καβαλάω.

Ο Μπίλι γέλασε πνιχτά ως απάντηση. «Εντάξει, ίσως άλλη φορά».

«Λοιπόν, Μπέλλα, τι θέλεις να κάνουμε;» ρώτησε ο Τζέικομπ.

«Ό,τι να 'ναι. Τι έκανες πριν σε διακόψω;» Ένιωθα παραδόξως άνετα εδώ πέρα. Ήταν οικεία, αλλά μόνο αμυδρά. Δεν υπήρχε κανένα επώδυνο ενθύμιο του πιο πρόσφατου παρελθόντος.

Ο Τζέικομπ δίστασε. «Θα έβγαινα έξω για να δουλέψω στο αμάξι μου, αλλά μπορούμε να κάνουμε κάτι...»

«Όχι, αυτό είναι τέλειο!» διέκοψα. «Θα ήθελα πολύ να δω το αμάξι σου».

«Εντάξει», είπε, χωρίς να έχει πειστεί. «Είναι έξω, πίσω στο γκαράζ».

Ακόμα καλύτερα, σκέφτηκα μέσα μου. Χαιρέτησα τον Μπίλι από μακριά. «Θα τα πούμε αργότερα».

Μια πυκνή σειρά δέντρων και θάμνων έκρυβε το γκαράζ του από το σπίτι. Το γκαράζ δεν ήταν τίποτα περισσότερο από ένα-δυο προκατασκευασμένα παραπήγματα που είχαν στερεωθεί μαζί, με τους εσωτερικούς τοίχους να έχουν κατεδαφιστεί. Κάτω από αυτό το καταφύγιο, στημένο πάνω σε τσιμεντόλιθους, υπήρχε αυτό που εμένα μου φαινόταν σαν ολοκληρωμένο όχημα. Αναγνώρισα το σύμβολο πάνω στη μάσκα, τουλάχιστον.

«Τι είδους Φόλκσβαγκεν είναι;» ρώτησα.

«Είναι ένα παλιό Ράμπιτ –του 1986, κλασικό μοντέλο».

«Πώς πάει;»

«Είναι σχεδόν έτοιμο», είπε κεφάτα. Και μετά η φωνή του χαμήλωσε μια οκτάβα παρακάτω. «Ο μπαμπάς μου τήρησε την υπόσχεσή του την περασμένη άνοιξη».

«Α», είπα εγώ.

Φάνηκε να κατάλαβε την απροθυμία μου να ανοίξει το θέμα. Προσπάθησα να μη θυμηθώ τον προηγούμενο Μάη στο χορό του σχολείου. Τον Τζέικομπ τον είχε δωροδοκήσει ο πατέρας του με χρήματα και εξαρτήματα για να παραδώσει ένα μήνυμα. Ο Μπίλι ήθελε να κρατήσω μια απόσταση ασφαλείας από το πιο σημαντικό πρόσωπο στη ζωή μου. Τελικά αποδείχτηκε ότι η ανησυχία του ήταν περιττή. Τώρα ήμουν υπερβολικά ασφαλής.

Αλλά θα έβλεπα τι μπορούσα να κάνω για να το αλλάξω αυτό.

«Τζέικομπ, τι ξέρεις από μηχανάκια;» ρώτησα.

Σήκωσε τους ώμους του. «Λίγα πράγματα. Ο φίλος μου ο Έμπρι έχει μια μοτοσικλέτα εντούρο. Τη φτιάχνουμε μαζί καμιά φορά. Γιατί;»

«Να...» ξεκίνησα να λέω, σουφρώνοντας τα χείλη μου ενώ σκεφτόμουν. Δεν ήμουν σίγουρη αν θα μπορούσε να κρατήσει το στόμα του κλειστό, αλλά δεν είχα και πολλές άλλες επιλογές. «Απέκτησα πρόσφατα δυο μηχανάκια και δεν είναι και στην καλύτερη κατάσταση. Αναρωτιέμαι αν θα μπορούσες να τα κάνεις να δουλέψουν;»

«Ωραία». Έδειξε αληθινά ευχαριστημένος με την πρόκληση. Το πρόσωπό του έλαμψε. «Θα προσπαθήσω».

Σήκωσα το ένα μου χέρι ως προειδοποίηση. «Το θέμα είναι» εξήγησα «ότι ο Τσάρλι δεν εγκρίνει τις μηχανές. Ειλικρινά, πιθανότατα θα πάθαινε κανένα ανεύρυσμα αν το ήξερε. Άρα δεν μπορείς να το πεις στον Μπίλι».

«Βέβαια, βέβαια». Ο Τζέικομπ χαμογέλασε. «Καταλαβαίνω».

«Θα σε πληρώσω», συνέχισα εγώ.

Αυτό τον πρόσβαλλε. «Όχι. Θέλω να βοηθήσω. Δεν γίνεται να με πληρώσεις».

«Λοιπόν... τι λες τότε να κάνουμε μια ανταλλαγή;» Αυτό το σκέφτηκα εκείνη τη στιγμή χωρίς να το έχω προσχεδιάσει, αλλά μου φαινόταν αρκετά λογικό. «Εγώ χρειάζομαι ένα μόνο μηχανάκι -και θα χρειαστώ και μαθήματα. Τι λες γι' αυτό, λοιπόν; Θα σου δώσω το άλλο μηχανάκι και μπορείς να με μάθεις».

«Τέ-λει-α». Χώρισε τη λέξη σε τρεις συλλαβές.

«Για περίμενε μια στιγμή -επιτρέπεται να οδηγήσεις; Πότε είναι τα γενέθλιά σου;»

«Τα έχασες», με πείραξε, ζαρώνοντας τα μάτια του προσποιούμενος αγανάκτηση. «Είμαι δεκαέξι».

«Όχι ότι σε εμπόδισε ποτέ στο παρελθόν η ηλικία σου», μουρμούρισα. «Λυπάμαι για τα γενέθλιά σου».

«Μην ανησυχείς. Κι εγώ έχασα τα δικά σου. Πόσο είσαι, σαράντα;»

Ρουθούνισα. «Κοντά έπεσες».

«Θα κάνουμε ένα πάρτι μαζί για να επανορθώσουμε».

«Μου ακούγεται σαν ραντεβού».

Τα μάτια του άστραψαν στο άκουσμα της λέξης.

Έπρεπε να περιορίσω τον ενθουσιασμό πριν του δώσω τη λάθος εντύπωση -απλώς είχε περάσει πολύς καιρός από τότε που ένιωσα τελευταία φορά τόσο ανάλαφρη και εύθυμη. Η σπανιότητα του συναισθήματος το έκανε πιο δύσκολο να το διαχειριστώ.

«Ίσως όταν τα μηχανάκια είναι έτοιμα -ένα δώρο για τον εαυτό μας», πρόσθεσα.

«Σύμφωνοι. Πότε θα τα φέρεις;»

Δάγκωσα τα χείλη μου αμήχανη. «Είναι στο φορτηγάκι μου τώρα», παραδέχτηκα.

«Ωραία». Φάνηκε να το εννοεί.

«Θα τα δει ο Μπίλι αν τα φέρουμε εδώ πίσω;»

Μου έκλεισε το μάτι. «Θα φανούμε επιτήδειοι».

Πήγαμε προσεχτικά γύρω-γύρω από τα ανατολικά, μένοντας κοντά στα δέντρα όταν βρεθήκαμε σε σημείο που βλέπαμε τα παράθυρα, προσποιούμενοι ότι κάναμε μια ανέμελη βόλτα, μήπως και μας έβλεπε ο Μπίλι. Ο Τζέικομπ ξεφόρτωσε τα μηχανάκια γρήγορα από την καρότσα του φορτηγού τσουλώντας τα ένα-ένα μέσα στους θάμνους όπου κρυβόμουν εγώ. Φαινόταν υπερβολικά εύκολο γι' αυτόν –θυμήθηκα ότι τα μηχανάκια ήταν πολύ πιο βαριά απ' ό,τι έδειχναν.

«Δεν είναι καθόλου άσχημα», τα αξιολόγησε ο Τζέικομπ καθώς τα σπρώχναμε μέσα από το προστατευτικό παραπέτασμα των δέντρων. «Αυτό εδώ θα έχει κάποια αξία όταν το τελειώσω –είναι μια παλιά Χάρλεϊ Σπριντ».

«Τότε αυτό είναι το δικό σου».

«Είσαι σίγουρη;»

«Απολύτως».

«Θα μας χρειαστούν, όμως, κάποια μετρητά», είπε, κατσουφιάζοντας καθώς κοίταξε το μαυρισμένο μέταλλο. «Θα πρέπει να μαζέψουμε χρήματα για τα εξαρτήματα πρώτα».

«Δε θα μαζέψουμε τίποτα», διαφώνησα. «Αν θα το κάνεις αυτό δωρεάν, θα πληρώσω εγώ για τα εξαρτήματα».

«Δεν ξέρω...» μουρμούρισε.

«Έχω κάποια χρήματα στην άκρη. Για το πανεπιστήμιο, ξέρεις». *Το πανεπιστήμιο μας μάρανε*, σκέφτηκα μέσα μου. Άλλωστε δεν ήταν ότι είχα βάλει στην άκρη λεφτά για να πάω κάπου συγκεκριμένα –και πέρα απ' αυτό δεν είχα καμία επιθυμία να φύγω από το Φορκς. Τι πείραζε αν σπαταλούσα ένα μικρό ποσό;

Ο Τζέικομπ απλώς κούνησε καταφατικά το κεφάλι. Όλο αυτό του φαινόταν απολύτως λογικό.

Καθώς γυρίζαμε πίσω στο αυτοσχέδιο γκαράζ για να παραμονεύσουμε, αναλογίστηκα την τύχη μου. Μόνο ένας έφηβος θα συμφωνούσε σε κάτι τέτοιο: να εξαπατήσουμε και οι δύο τους γονείς μας για να επισκευάσουμε επικίνδυνα οχήματα χρησιμοποιώντας χρήματα που προορίζονταν για την πανεπιστημιακή μου εκπαίδευση. Εκείνος δεν έβλεπε τίποτα κακό σε όλο αυτό. Ο Τζέικομπ ήταν ένα θεόσταλτο δώρο.

6. ΦΙΛΟΙ

Δε χρειάστηκε να κρύψουμε τα μηχανάκια περισσότερο πέρα από το απλά να τα βάλουμε στην αποθηκούλα του Τζέικομπ. Το καροτσάκι του Μπίλι δεν μπορούσε να κινηθεί στο ανώμαλο έδαφος που τη χώριζε από το σπίτι.

Ο Τζέικομπ άρχισε να διαλύει το πρώτο μηχανάκι –το κόκκινο, που προοριζόταν για μένα– και να το κάνει κομμάτια αμέσως. Άνοιξε την πόρτα του συνοδηγού του Ράμπιτ για να κάτσω στο κάθισμα αντί για το έδαφος. Ενώ δούλευε, ο Τζέικομπ φλυαρούσε χαρούμενα, και χρειάζονταν μόνο τα πιο ελαφρά σπρωξίματα από μένα για να συνεχιστεί η κουβέντα. Με ενημέρωσε για την πορεία της δεύτερης χρονιάς του στο σχολείο, μιλώντας ασταμάτητα για τα μαθήματά του και τους δύο καλύτερους φίλους του.

«Κουίλ και Έμπρι;» τον διέκοψα. «Ασυνήθιστα ονόματα».

Ο Τζέικομπ γέλασε πνιχτά. «Το Κουίλ είναι οικογενειακό όνομα που πήρε από τον παππού του, και νομίζω ότι του Έμπρι του έδωσαν το όνομα ενός πρωταγωνιστή μιας σαπουνόπερας. Παρ' όλα αυτά, δεν μπορώ να πω τίποτα. Τσακώνονται άγρια αν πας να τους πεις κάτι για τα ονόματά τους –θα σε λιώσουν».

«Ωραίοι φίλοι». Σήκωσα το ένα μου φρύδι.

«Όχι, είναι. Απλώς μην τα βάλεις με τα ονόματά τους».

Εκείνη ακριβώς τη στιγμή μια φωνή αντήχησε από μακριά.

«Τζέικομπ;» φώναξε κάποιος.

«Ο Μπίλι είναι;» ρώτησα.

«Όχι». Ο Τζέικομπ έσκυψε το κεφάλι του και φάνηκε να κοκκινίζει κάτω από την καφετιά επιδερμίδα του. «Κατά φωνή κι ο *γάιδαρος*», μουρμούρισε.

«Τζέικ; Εδώ είσαι;» Η φωνή ήταν πιο κοντά τώρα.

«Ναι!» φώναξε κι ο Τζέικομπ κι αναστέναξε.

Περιμέναμε σιωπηλοί για λίγο μέχρι που δυο ψηλά αγόρια με σκούρα επιδερμίδα έστριψαν στη γωνία και μπήκαν μέσα στην αποθηκούλα περπατώντας σιγά-σιγά.

Το ένα ήταν λεπτό και περίπου στο ύψος του Τζέικομπ. Τα μαύρα του μαλλιά ήταν στο ύψος του πιγουνιού του και χώριζαν στη μέση, με τη μια μεριά να είναι χωμένη πίσω από το αριστερό του αυτί, ενώ η δεξιά κουνιόταν ελεύθερη. Το πιο κοντό αγόρι ήταν πιο γεροδεμένο. Το λευκό του φανελάκι ήταν σφιχτό πάνω στο καλά αναπτυγμένο στήθος του, κι έμοιαζε να έχει συναίσθηση του γεγονότος αυτού με θριαμβευτική χαρά. Τα μαλλιά του ήταν τόσο κοντά που σχεδόν έμοιαζαν με στρατιωτικό κούρεμα.

Και τα δυο αγόρια σταμάτησαν απότομα όταν με είδαν. Το λεπτό αγόρι κοίταξε γρήγορα μπρος-πίσω τη μια τον Τζέικομπ και την άλλη εμένα, ενώ το μυώδες αγόρι είχε τα μάτια μου καρφωμένα πάνω μου, με ένα χαμόγελο να απλώνεται αργά στο πρόσωπό του.

«Γεια σας, παιδιά», τους χαιρέτησε ο Τζέικομπ με μισή καρδιά.

«Γεια σου, Τζέικ», είπε ο κοντός παίρνοντας το βλέμμα του

από πάνω μου. Έπρεπε να χαμογελάσω ως απάντηση, το χαμόγελό του ήταν τόσο σκανταλιάρικο. Όταν το έκανα, εκείνος μου έκλεισε το μάτι. «Γεια σου».

«Κουίλ, Έμπρι, από δω η φίλη μου, η Μπέλλα».

Ο Κουίλ κι ο Έμπρι, ακόμα δεν ήξερα ποιος ήταν ποιος, αντάλλαξαν ένα βλέμμα γεμάτο νόημα.

«Το παιδί του Τσάρλι, έτσι;» με ρώτησε ο μυώδης, δίνοντάς μου το χέρι του.

«Σωστά», επιβεβαίωσα εγώ σφίγγοντας το χέρι του. Μου έσφιξε το χέρι με δύναμη· έμοιαζε σαν να τέντωνε το δικέφαλό του.

«Είμαι ο Κουίλ Ατεάρα», ανακοίνωσε με μεγαλοπρέπεια πριν μου αφήσει το χέρι.

«Χαίρω πολύ, Κουίλ».

«Γεια σου, Μπέλλα. Εγώ είμαι ο Έμπρι, ο Έμπρι Κολ –αλλά μάλλον το κατάλαβες αυτό ήδη». Ο Έμπρι χαμογέλασε με ένα ντροπαλό χαμόγελο και χαιρέτησε κουνώντας το ένα του χέρι, το οποίο μετά το έχωσε μέσα στην τσέπη του τζιν του.

Έγνεψα. «Χαίρω πολύ επίσης».

«Τι κάνετε, λοιπόν, παιδιά;» ρώτησε ο Κουίλ, κοιτάζοντάς με ακόμα.

«Η Μπέλλα κι εγώ θα φτιάξουμε αυτά τα μηχανάκια», εξήγησε ο Τζέικομπ. Αλλά τα *μηχανάκια* έμοιαζαν να είναι η μαγική λέξη. Και τα δύο αγόρια πήγαν να εξετάσουν τη δουλειά του Τζέικομπ, βομβαρδίζοντάς τον με εξειδικευμένες ερωτήσεις. Πολλές από τις λέξεις που χρησιμοποιούσαν ήταν άγνωστες σ' εμένα και υπέθεσα ότι μου έλειπε ένα χρωμόσωμα Υ για να μπορώ να συλλάβω πραγματικά τον ενθουσιασμό.

Ήταν ακόμα απορροφημένοι στην κουβέντα σχετικά με τα εξαρτήματα και τα ανταλλακτικά, όταν αποφάσισα ότι έπρεπε να πάω προς το σπίτι πριν να έρθει ο Τσάρλι εδώ. Με έναν αναστεναγμό, γλίστρησα έξω από το Ράμπιτ.

Ο Τζέικομπ σήκωσε το κεφάλι με απολογητικό τρόπο. «Σε

κάνουμε να βαριέσαι, έτσι δεν είναι;»

«Όχι». Και δεν ήταν ψέμα. Περνούσα καλά –πόσο παράξενο. «Απλώς πρέπει να πάω να ετοιμάσω φαγητό για τον Τσάρλι».

«Α... εντάξει, θα τα διαλύσω εντελώς απόψε και θα σκεφτώ τι άλλο θα χρειαστούμε για να αρχίσουμε να τα φτιάχνουμε. Πότε θέλεις να ξαναδουλέψουμε;»

«Θα μπορούσα να έρθω αύριο πάλι;» Οι Κυριακές ήταν η συμφορά της ύπαρξής μου. Δεν υπήρχε ποτέ αρκετό διάβασμα για το σχολείο για να μείνω απασχολημένη.

Ο Κουίλ σκούντησε το χέρι του Έμπρι κι αντάλλαξαν ειρωνικά χαμόγελα.

Ο Τζέικομπ χαμογέλασε ευχαριστημένος. «Αυτό θα ήταν τέλειο!»

«Αν κάνεις μια λίστα, μπορούμε να πάμε να αγοράσουμε εξαρτήματα», πρότεινα.

Το πρόσωπο του Τζέικομπ κατσούφιασε λιγάκι. «Δεν είμαι σίγουρος ακόμα ότι πρέπει να σε αφήσω να τα πληρώσεις όλα».

Κούνησα το κεφάλι μου αρνητικά. «Δεν υπάρχει περίπτωση. Εγώ θα χρηματοδοτήσω αυτό το πάρτι. Εσύ απλώς πρέπει να βάλεις τη δουλειά και τις γνώσεις».

Ο Έμπρι στριφογύρισε τα μάτια του προς τη μεριά του Κουίλ.

«Αυτό δε μου φαίνεται σωστό», είπε κουνώντας το κεφάλι του ο Τζέικομπ.

«Τζέικ, αν τα πήγαινα σ' ένα μηχανικό, πόσο θα με χρέωνε;» επισήμανα.

Χαμογέλασε. «Εντάξει, είμαστε σύμφωνοι».

«Για να μην αναφέρω τα μαθήματα οδήγησης», πρόσθεσα.

Ο Κουίλ χαμογέλασε πλατιά στον Έμπρι και ψιθύρισε κάτι που δεν το έπιασα. Το χέρι του Τζέικομπ αστραπιαία έσκασε ένα σκαμπίλι στο πίσω μέρος του κεφαλιού του Κουίλ. «Αυτό είναι, βγείτε έξω», μουρμούρισε.

«Όχι, αλήθεια, εγώ πρέπει να φύγω», διαμαρτυρήθηκα πηγαίνοντας προς την πόρτα. «Θα τα πούμε αύριο, Τζέικομπ».

Μόλις χάθηκα από τα μάτια τους, άκουσα τον Κουίλ και τον Έμπρι να φωνάζουν μαζί σαν χορωδία: «Γουόου!»

Ακολούθησε ο ήχος ενός σύντομου αλληλοσπρωξίματος διανθισμένος με ένα "Άουτς!" κι ένα "Ε!"

«Αν κανένας από τους δυο σας πατήσει έστω κι ένα του δάχτυλο στη γη μου αύριο...» άκουσα τον Τζέικομπ να τους απειλεί. Η φωνή του χάθηκε καθώς περπατούσα μέσα από τα δέντρα.

Χαζογέλασα σιωπηλά. Ο ήχος έκανε τα μάτια μου να ανοίξουν διάπλατα με απορία. Γελούσα, γελούσα πραγματικά, και δεν υπήρχε κανένας να με δει καν. Ένιωθα τόσο ανάλαφρη που γέλασα ξανά, απλώς παρατείνοντας το συναίσθημα.

Έφτασα πριν από τον Τσάρλι στο σπίτι. Όταν εκείνος μπήκε μέσα, εγώ μόλις έβγαζα το τηγανητό κοτόπουλο από το τηγάνι και το έβαζα πάνω σε ένα σωρό από χαρτιά κουζίνας.

«Γεια σου, μπαμπά». Του έριξα ένα πλατύ χαμόγελο.

Ένα σοκ πέρασε αστραπιαία από το πρόσωπό του πριν ξαναβρεί την ψυχραιμία του. «Γεια σου, γλυκιά μου», είπε με φωνή αβέβαιη. «Περάσατε καλά με τον Τζέικομπ;»

Εγώ άρχισα να βάζω το φαγητό πάνω στο τραπέζι. «Ναι, ναι».

«Ωραία». Ακόμα ήταν επιφυλακτικός. «Τι κάνατε οι δυο σας;»

Τώρα ήταν η δική μου σειρά να είμαι επιφυλακτική. «Καθίσαμε στο γκαράζ του και τον παρακολούθησα όση ώρα δούλευε. Το ήξερες ότι φτιάχνει ένα Φόλκσβαγκεν;»

«Ναι, νομίζω ότι κάτι ανέφερε ο Μπίλι».

Η ανάκριση έπρεπε να σταματήσει όταν ο Τσάρλι άρχισε να

μασάει, αλλά εκείνος συνέχιζε να περιεργάζεται το πρόσωπό μου όσο έτρωγε.

Μετά το βραδινό, εγώ μάσαγα το χρόνο μου, καθαρίζοντας την κουζίνα δύο φορές, και μετά διαβάζοντας για το σχολείο αργά στο καθιστικό, ενώ ο Τσάρλι παρακολουθούσε έναν αγώνα χόκεϊ. Περίμενα όσο περισσότερο μπορούσα, αλλά τελικά ο Τσάρλι ανέφερε ότι η ώρα είχε περάσει. Όταν δεν πήρε καμία απόκριση, σηκώθηκε, τεντώθηκε και μετά έφυγε σβήνοντας το φως πίσω του. Απρόθυμα τον ακολούθησα.

Καθώς ανέβαινα τις σκάλες, ένιωσα ό,τι είχε απομείνει από το αφύσικο αίσθημα ευδιαθεσίας του απογεύματος να στραγγίζει από το σύστημά μου και να αντικαθίσταται από ένα βουβό φόβο στη σκέψη του τι έπρεπε να ζήσω τώρα.

Δεν ήμουν μουδιασμένη πια. Απόψε θα ήταν, χωρίς αμφιβολία, το ίδιο φριχτά όπως και χθες. Ξάπλωσα στο κρεβάτι μου και κουλουριάστηκα σχηματίζοντας μια μπάλα, καθώς προετοιμαζόμουν για τη βίαιη επίθεση. Έκλεισα τα μάτια μου σφιχτά… και το επόμενο πράγμα που κατάλαβα αμέσως μετά ήταν το πρωί.

Κοίταξα το χλομό ασημένιο φως του ήλιου που έμπαινε μέσα από το παράθυρό μου εμβρόντητη.

Για πρώτη φορά μέσα σε παραπάνω από τέσσερις μήνες είχα κοιμηθεί χωρίς να ονειρευτώ τίποτα. Να ονειρευτώ ή να ουρλιάξω. Δεν μπορούσα να ξεχωρίσω ποιο συναίσθημα ήταν πιο δυνατό –η ανακούφιση ή η έκπληξη.

Έμεινα ακόμα ξαπλωμένη στο κρεβάτι μου για λίγα λεπτά, περιμένοντας ότι θα επανερχόταν. Γιατί κάτι έπρεπε να έρθει. Αν όχι πόνος, τότε μούδιασμα. Περίμενα, αλλά δεν έγινε τίποτα. Ένιωθα πιο ξεκούραστη απ' ό,τι είχα νιώσει εδώ και πολύ καιρό.

Δεν πίστευα ότι αυτό θα κρατούσε. Ισορροπούσα πάνω σε μια άκρη που γλιστρούσε και ήταν επικίνδυνη, και δε θα ήταν δύσκολο να πέσω κάτω. Το να κοιτάζω γύρω-γύρω το δωμάτιό μου με αυτά τα ξαφνικά καθαρά μάτια –παρατηρώντας πόσο παράξενο έδειχνε, υπερβολικά τακτοποιημένο, λες και δεν έμενα εκεί καθόλου– ήταν επικίνδυνο.

Έδιωξα αυτή τη σκέψη από το μυαλό μου και επικεντρώθηκα, καθώς ντυνόμουν, στο γεγονός ότι θα έβλεπα πάλι τον Τζέικομπ σήμερα. Η σκέψη με έκανε να νιώσω σχεδόν... αισιόδοξη. Μπορεί να ήταν το ίδιο με χθες. Μπορεί να μην ήταν ανάγκη να υπενθυμίζω στον εαυτό μου να κάνω ότι ενδιαφέρομαι και να γνέφω ή να χαμογελάω σε τακτά χρονικά διαστήματα, όπως έπρεπε να κάνω με όλους τους άλλους. Μπορεί... αλλά ούτε και αυτό πίστευα ότι θα κρατούσε. Δεν πίστευα ότι θα ήταν το ίδιο –τόσο εύκολο– όπως χθες. Δε σκόπευα να βάλω τον εαυτό μου στη διαδικασία να δεχτεί μια τέτοια απογοήτευση.

Στο πρωινό, ο Τσάρλι ήταν κι αυτός προσεχτικός. Προσπαθούσε να κρύψει το γεγονός ότι με περιεργαζόταν, κρατώντας το βλέμμα του πάνω στα αυγά του μέχρι που νόμιζε ότι δεν τον κοίταζα.

«Τι θα κάνεις σήμερα;» ρώτησε, κοιτάζοντας μια κλωστή που εξείχε από την άκρη του μανικετιού του σαν να μην πρόσεχε ιδιαίτερα την απάντησή μου.

«Θα πάω ξανά να περάσω λίγη ώρα στου Τζέικομπ».

Κούνησε το κεφάλι του χωρίς να σηκώσει το βλέμμα. «Α», είπε.

«Σε πειράζει;» προσποιήθηκα ότι ανησυχούσα. «Θα μπορούσα να μείνω...»

Εκείνος σήκωσε γρήγορα τα μάτια του, με ένα ίχνος πανικού. «Όχι, όχι! Να πας. Θα ερχόταν ο Χάρι για να δούμε μαζί τον αγώνα έτσι κι αλλιώς».

«Ίσως ο Χάρι θα μπορούσε να φέρει και τον Μπίλι», πρότεινα. Όσο λιγότεροι μάρτυρες, τόσο το καλύτερο.

«Πολύ καλή ιδέα!»

Δεν ήμουν σίγουρη αν το παιχνίδι ήταν απλώς μια δικαιολογία για να με διώξει, αλλά φαινόταν αρκετά ενθουσιασμένος τώρα. Πήγε προς το τηλέφωνο, ενώ εγώ φόρεσα το αδιάβροχο μπουφάν μου. Ένιωθα αμήχανα με το καρνέ των επιταγών μου χωμένο στην τσέπη του μπουφάν. Ήταν κάτι που δε χρησιμοποιούσα ποτέ.

Έξω, η βροχή έπεφτε λες και κάποιος έριχνε νερό με κουβάδες. Έπρεπε να οδηγώ πιο αργά απ' ό,τι ήθελα· μετά βίας έβλεπα σε απόσταση όση το μήκος ενός αμαξιού μπροστά από το φορτηγάκι. Αλλά τελικά κατάφερα να φτάσω στο σπίτι του Τζέικομπ περνώντας μέσα από τις λασπωμένες λωρίδες. Πριν σβήσω τη μηχανή, άνοιξε η πόρτα κι ο Τζέικομπ βγήκε έξω τρέχοντας με μια τεράστια μαύρη ομπρέλα.

Την κράτησε πάνω από την πόρτα μου ενώ εγώ την άνοιγα.

«Πήρε τηλέφωνο ο Τσάρλι –είπε ότι ήσουν στο δρόμο», εξήγησε ο Τζέικομπ με ένα πλατύ χαμόγελο.

Άκοπα, χωρίς συνειδητή εντολή στους μύες γύρω από τα χείλη μου, το χαμόγελό μου απλώθηκε στο πρόσωπό μου ως απάντηση στο δικό του. Μια παράξενη αίσθηση ζεστασιάς φούντωσε στο λαιμό μου παρά την παγωμένη βροχή που πιτσιλούσε τα μάγουλά μου.

«Γεια σου, Τζέικομπ».

«Καλή σκέψη να προσκαλέσετε τον Μπίλι στο σπίτι σας». Σήκωσε το χέρι του για να χτυπήσει το δικό μου στον αέρα συγχαίροντάς με.

Αναγκάστηκα να τεντώσω το χέρι μου τόσο ψηλά για να χτυπήσω το δικό του που γέλασε.

Ο Χάρι ήρθε για να πάρει τον Μπίλι μαζί του λίγα λεπτά αργότερα. Ο Τζέικομπ μου έκανε μια σύντομη περιήγηση στο μικροσκοπικό του δωμάτιο, ενώ περιμέναμε για να μείνουμε μόνοι μας.

Ο Τζέικομπ έβγαλε ένα διπλωμένο χαρτί από την τσέπη του και το ίσιωσε. «Θα πάμε πρώτα στη χωματερή να δούμε μήπως σταθούμε τυχεροί. Όλο αυτό μπορεί να μας κοστίσει ακριβά», με προειδοποίησε. «Εκείνα τα μηχανάκια θα χρειαστούν πολλή δουλειά για να μπορέσουν να δουλέψουν ξανά». Το πρόσωπό μου δε φάνηκε αρκετά ανήσυχο, έτσι συνέχισε. «Μιλάω ίσως και για περισσότερα από εκατό δολάρια εδώ πέρα».

Έβγαλα το καρνέ μου, και το κούνησα σαν βεντάλια στριφογυρίζοντας τα μάτια μου στο άκουσμα των ανησυχιών του. «Είμαστε καλυμμένοι».

Ήταν πολύ περίεργη μέρα. Περνούσα καλά. Ακόμα και στη χωματερή μέσα στον κατακλυσμό και στη λάσπη που έφτανε ως το γόνατο. Αναρωτιόμουν στην αρχή αν ήταν το σοκ μετά από το γεγονός ότι δεν ήμουν πια μουδιασμένη, αλλά δεν πίστευα ότι αυτό ήταν επαρκής εξήγηση.

Είχα αρχίσει να πιστεύω ότι όλο αυτό οφειλόταν κυρίως στον Τζέικομπ. Δεν ήταν μόνο που χαιρόταν πάντα που με έβλεπε ή ότι δε με κοιτούσε με την άκρη του ματιού του περιμένοντας να κάνω κάτι που θα αποδείκνυε ότι ήμουν τρελή ή ότι είχα κατάθλιψη. Δεν ήταν τίποτα που να έχει σχέση μ' εμένα καθόλου.

Ήταν ο ίδιος ο Τζέικομπ. Ο Τζέικομπ ήταν απλώς ένας συνεχώς χαρούμενος άνθρωπος και κουβαλούσε αυτή τη χαρά μαζί του σαν αύρα, ενώ τη μοιραζόταν με οποιονδήποτε ήταν κοντά του. Σαν ένας ήλιος πάνω στη γη, κάθε φορά που κάποιος ήταν μέσα στο πεδίο βαρύτητάς του, ο Τζέικομπ τον ζέσταινε. Ήταν φυσικό, ένα κομμάτι του εαυτού του. Δεν ήταν να απορεί κανείς που ανυπομονούσα τόσο πολύ να τον δω.

Ακόμα κι όταν σχολίασε την τρύπα που έχασκε στο ταμπλό του αυτοκινήτου μου, αυτό δε με έκανε να πανικοβληθώ όπως θα έπρεπε.

«Έσπασε το στερεοφωνικό;» αναρωτήθηκε.

«Ναι», είπα ψέματα.

Ψαχούλεψε μέσα στην κοιλότητα. «Πώς βγήκε; Έχει γίνει

μεγάλη ζημιά...»

«Εγώ το έβγαλα», παραδέχτηκα.

Εκείνος γέλασε. «Μήπως καλύτερα να μην πολυακουμπάς τα μηχανάκια».

«Κανένα πρόβλημα».

Σύμφωνα με τον Τζέικομπ, σταθήκαμε όντως τυχεροί στη χωματερή. Ήταν κατενθουσιασμένος με αρκετά μαυρισμένα από γράσο, στραβωμένα μεταλλικά κομμάτια που βρήκε· εγώ απλώς εντυπωσιάστηκα που μπορούσε να καταλάβει τι υποτίθεται ότι ήταν.

Από εκεί πήγαμε στο Κατάστημα Εξαρτημάτων Αυτοκινήτων Τσέκερ στο Χόκουιαμ. Με το φορτηγάκι μου, ήταν παραπάνω από δύο ώρες δρόμος προς τα νότια στο γεμάτο στροφές αυτοκινητόδρομο, αλλά ο χρόνος περνούσε εύκολα με τον Τζέικομπ. Φλυαρούσε για τους φίλους του και το σχολείο του, και βρέθηκα να κάνω ερωτήσεις, χωρίς καν να προσποιούμαι, αληθινά περίεργη να ακούσω αυτά που μου έλεγε.

«Εγώ μιλάω συνέχεια», παραπονέθηκε μετά από μια μεγάλη ιστορία για τον Κουίλ και τη φασαρία που είχε προκαλέσει όταν ζήτησε από την κοπέλα ενός παιδιού από την τελευταία τάξη να βγουν. «Ήρθε η σειρά σου. Τι γίνεται στο Φορκς; Θα είναι πιο συναρπαστικό από το Λα Πους».

«Λάθος», είπα αφήνοντας έναν αναστεναγμό. «Δεν υπάρχει τίποτα η αλήθεια είναι. Οι δικοί σου φίλοι είναι πολύ πιο ενδιαφέροντες απ' ό,τι οι δικοί μου. Μου αρέσουν οι φίλοι σου. Ο Κουίλ έχει πλάκα».

Εκείνος συνοφρυώθηκε. «Νομίζω ότι και του Κουίλ του αρέσεις».

Γέλασα. «Μου πέφτει λιγάκι μικρός».

Το συνοφρύωμα του Τζέικομπ έγινε ακόμα πιο βαθύ. «Δεν είναι και τόσο πολύ πιο μικρός από σένα. Ένα χρόνο και μερικούς μήνες μόνο».

Είχα την αίσθηση ότι δε μιλούσαμε πια για τον Κουίλ. Διατήρησα τη φωνή μου ανάλαφρη, πειραχτική. «Βέβαια, αλλά λαμβάνοντας υπόψη τη διαφορά ωριμότητας ανάμεσα σε αγόρια και κορίτσια, δε νομίζεις ότι πρέπει να το υπολογίσω με βάση τα χρόνια ζωής ενός σκύλου; Άρα πόσο είμαι, περίπου δώδεκα χρόνια μεγαλύτερη;»

Γέλασε στριφογυρίζοντας τα μάτια του. «Εντάξει, αλλά αν είναι να είσαι τόσο σχολαστική, τότε θα πρέπει να έρθεις πιο κοντά στο μέσο όρο ύψους. Είσαι τόσο μικροκαμωμένη που θα πρέπει να σου αφαιρέσω δέκα χρόνια από το σύνολο».

«Το ένα και εξήντα δύο είναι μέσος όρος ύψους», είπα ρουθουνίζοντας. «Δε φταίω εγώ που εσύ είσαι τέρας».

Πειράζαμε ο ένας τον άλλο έτσι μέχρι το Χόκουιαμ, ακόμα διαφωνώντας σχετικά με το σωστό τύπο για να υπολογίσει κανείς την ηλικία –εγώ έχασα δύο ακόμα χρόνια επειδή δεν ήξερα να αλλάζω λάστιχο, αλλά κέρδισα πάλι ένα επειδή ήμουν υπεύθυνη για τα οικονομικά του σπιτιού μου– μέχρι που φτάσαμε στου Τσέκερ, κι ο Τζέικομπ έπρεπε να συγκεντρωθεί πάλι. Βρήκαμε όλα όσα είχαν απομείνει στη λίστα του, κι ο Τζέικομπ ένιωθε πεπεισμένος ότι θα μπορούσαμε να κάνουμε μεγάλη πρόοδο με τη λεία μας.

Μέχρι να γυρίσουμε στο Λα Πους, εγώ ήμουν είκοσι τρία κι εκείνος τριάντα –χωρίς αμφιβολία έδινε μεγαλύτερη βαρύτητα σε πρακτικές δεξιότητες προς όφελός του.

Δεν είχα ξεχάσει το λόγο για τον οποίο έκανα αυτό που έκανα. Και, παρόλο που περνούσα καλά περισσότερο απ' ό,τι θεωρούσα δυνατόν, η αρχική μου επιθυμία δεν είχε μειωθεί καθόλου. Ήθελα ακόμα να κάνω κάποια ζαβολιά. Δεν είχε νόημα και πραγματικά δε μ' ενδιέφερε. Θα γινόμουν όσο πιο ριψοκίνδυνη μπορούσε να μου επιτρέψει το Φορκς. Δε θα ήμουν εγώ το μοναδικό μέλος που θα τηρούσε ένα κενό συμφωνητικό. Το γεγονός ότι περνούσα χρόνο μαζί με τον Τζέικομπ ήταν ένα επιπλέον όφελος, πιο μεγάλο απ' ό,τι περίμενα.

Ο Μπίλι δεν είχε γυρίσει ακόμα, έτσι δε χρειαζόταν να ξεφορτώσουμε κρυφά τα λάφυρα της ημέρας. Μόλις απλώσαμε τα πάντα στο πλαστικό πάτωμα δίπλα από την εργαλειοθήκη του Τζέικομπ, εκείνος έπιασε δουλειά αμέσως, ακόμα μιλώντας και γελώντας, ενώ τα δάχτυλά του χτένιζαν σαν να ήταν ειδικός τα μεταλλικά κομμάτια μπροστά του.

Η δεξιοτεχνία του Τζέικομπ όσον αφορά το πώς χρησιμοποιούσε τα χέρια του ήταν εντυπωσιακή. Έμοιαζαν υπερβολικά μεγάλα για τις λεπτές δουλειές που έκαναν με άνεση και ακρίβεια. Ενώ δούλευε, έμοιαζε σχεδόν γεμάτος χάρη. Σε αντίθεση με όταν ήταν όρθιος· εκεί, το ύψος του και τα μεγάλα του πόδια τον έκαναν σχεδόν εξίσου επικίνδυνο μ' εμένα.

Ο Κουίλ κι ο Έμπρι δε φάνηκαν, άρα μπορεί να είχαν πάρει στα σοβαρά τη χθεσινή του απειλή.

Η μέρα πέρασε υπερβολικά γρήγορα. Σκοτείνιασε έξω από την είσοδο του γκαράζ νωρίτερα απ' ό,τι περίμενα, και τότε ακούσαμε τον Μπίλι να μας φωνάζει.

Εγώ πετάχτηκα πάνω για να βοηθήσω τον Τζέικομπ να βάλει στη θέση τους τα πράγματα, διστάζοντας επειδή δεν ήμουν σίγουρη τι έπρεπε να ακουμπήσω.

«Άφησέ τα», είπε. «Θα ξαναδουλέψω αργότερα απόψε».

«Μην ξεχάσεις να διαβάσεις για το σχολείο ή ό,τι άλλο έχεις», είπα, νιώθοντας κάπως ένοχη. Δεν ήθελα να τον βάλω σε μπελάδες. Το σχέδιο ήταν μόνο για μένα.

«Μπέλλα;»

Τα κεφάλια και των δυο μας σηκώθηκαν επάνω αμέσως, καθώς η γνωστή φωνή του Τσάρλι μεταφέρθηκε με τον αέρα μέσα απ' τα δέντρα, ενώ ακουγόταν πιο κοντά από το σπίτι.

«Να πάρει!» μουρμούρισα. «Έρχομαι!» φώναξα προς το σπίτι.

«Πάμε». Ο Τζέικομπ χαμογέλασε διασκεδάζοντας με όλη αυτή τη μυστικότητα. Έσβησε το φως απότομα, και για μια στιγμή έμεινα τυφλή. Ο Τζέικομπ άρπαξε το χέρι μου και με έσυρε έξω από το γκαράζ και μέσα από τα δέντρα, καθώς τα πόδια του βρήκαν εύκολα το γνωστό μονοπάτι. Το χέρι του ήταν σκληρό και πολύ ζεστό.

Παρά το μονοπάτι και οι δυο μας σκοντάφταμε μέσα στο σκοτάδι. Έτσι γελούσαμε και οι δυο όταν βρεθήκαμε σε σημείο που να φαίνεται το σπίτι. Το γέλιο δεν πήγαινε βαθιά· ήταν ανάλαφρο και επιφανειακό, αλλά και πάλι ήταν ωραία. Ήμουν σίγουρη ότι εκείνος δε θα παρατηρούσε το αμυδρό ίχνος υστερίας. Δεν είχα συνηθίσει να γελάω και το ένιωθα σωστό αλλά και ταυτόχρονα πολύ λάθος.

Ο Τσάρλι στεκόταν κάτω από τη μικρή βεράντα στο πίσω μέρος του σπιτιού, κι ο Μπίλι καθόταν στην είσοδο της πόρτας ακριβώς από πίσω του.

«Γεια σου, μπαμπά», είπαμε και οι δυο μας ταυτόχρονα κι αυτό μας έκανε να αρχίσουμε πάλι να γελάμε.

Ο Τσάρλι με κοιτούσε με μάτια διάπλατα ανοιχτά που αστραπιαία στράφηκαν προς τα κάτω για να παρατηρήσουν το χέρι του Τζέικομπ γύρω από το δικό μου.

«Ο Μπίλι μας κάλεσε για φαγητό», μας είπε ο Τσάρλι με έναν αφηρημένο τόνο.

«Η σούπερ μυστική μου συνταγή για μακαρονάδα. Έχει περάσει από γενιά σε γενιά», είπε ο Μπίλι σοβαρά.

Ο Τζέικομπ ρουθούνισε. «Δε νομίζω ότι το ραγού είναι τόσο παλιό».

Το σπίτι ήταν γεμάτο με κόσμο. Ο Χάρι Κλίαργουοτερ ήταν εκεί, επίσης, με την οικογένειά του –τη γυναίκα του, τη Σου, την οποία γνώριζα αμυδρά από τα παιδικά καλοκαίρια που είχα περάσει στο Φορκς, και τα δυο του παιδιά. Η Λία ήταν στην τελευταία τάξη σαν κι εμένα, αλλά ένα χρόνο μεγαλύτερη. Ήταν όμορφη με έναν εξωτικό τρόπο –τέλεια χάλκινη επιδερμίδα, γυαλιστερά μαύρα μαλλιά, βλεφαρίδες σαν πούπουλα για ξεσκόνισμα– και ανήσυχη. Ήταν στο τηλέφωνο του Μπίλι όταν μπήκαμε, και δεν το άφησε καθόλου. Ο Σεθ ήταν δεκατεσσάρων· κρεμόταν από κάθε λέξη του Τζέικομπ με μάτια που τον λάτρευαν σαν είδωλό τους.

Ήμασταν πάρα πολλοί για να χωρέσουμε στο τραπέζι της κουζίνας, έτσι ο Τσάρλι κι ο Χάρι έβγαλαν καρέκλες έξω στην αυλή, και φάγαμε μακαρόνια σε πιάτα ακουμπισμένα πάνω στα πόδια μας στο θαμπό φως της ανοιχτής πόρτας του Μπίλι. Οι άντρες συζητούσαν για τον αγώνα, κι ο Χάρι με τον Τσάρλι κανόνιζαν να πάνε για ψάρεμα. Η Σου πείραζε τον άντρα της για τη χοληστερίνη του και προσπαθούσε, ανεπιτυχώς, να τον κάνει από ντροπή να φάει κάτι πράσινο και γεμάτο φύλλα. Ο Τζέικομπ μιλούσε πιο πολύ σ' εμένα και τον Σεθ, ο οποίος διέκοπτε με ενθουσιασμό κάθε φορά που ο Τζέικομπ φαινόταν να κινδυνεύει να τον ξεχάσει. Ο Τσάρλι με παρατηρούσε, προσπαθώντας να είναι διακριτικός, με ευχαριστημένα, αλλά επιφυλακτικά μάτια.

Υπήρχε πολλή φασαρία και μερικές φορές σύγχυση, καθώς όλοι μιλούσαν ταυτόχρονα με όλους τους άλλους, και το γέλιο από το ένα αστείο διέκοπτε το γέλιο από κάποιο άλλο. Εγώ δε χρειαζόταν να μιλάω συχνά, αλλά χαμογελούσα πολύ, και μόνο επειδή το ένιωθα.

Δεν ήθελα να φύγω.

Ήμασταν, όμως, στην Ουάσιγκτον και η αναπόφευκτη βροχή τελικά μας χάλασε το πάρτι· το σαλόνι του Μπίλι ήταν υπερβολικά μικρό για να αποτελέσει εναλλακτική επιλογή για τη συνέχιση της συγκέντρωσης. Ο Χάρι είχε φέρει τον Τσάρλι εδώ πέρα, έτσι φύγαμε μαζί με το φορτηγάκι μου για να γυρίσουμε σπίτι. Ρώτησε για τη μέρα μου, κι εγώ του είπα ως επί το πλείστον την αλήθεια –ότι είχαμε πάει με τον Τζέικομπ να βρούμε εξαρτήματα και ότι μετά τον παρακολούθησα που δούλευε στο γκαράζ του.

«Λες να τον ξαναεπισκεφτείς σύντομα;» αναρωτήθηκε προσπαθώντας να φανεί αδιάφορος.

«Αύριο μετά το σχολείο», παραδέχτηκα εγώ. «Θα πάρω μαζί μου και αυτά που θα έχω να διαβάσω για το σχολείο, μην ανησυχείς».

«Οπωσδήποτε», πρόσταξε προσπαθώντας να κρύψει την ικανοποίησή του.

Εγώ ένιωθα άγχος όταν φτάσαμε σπίτι. Δεν ήθελα να πάω επάνω. Η ζεστασιά της παρουσίας του Τζέικομπ είχε αρχίσει να σβήνει, και στη διάρκεια της απουσίας του η αγωνία γινόταν μεγαλύτερη. Ήμουν σίγουρη ότι δε θα την έβγαζα καθαρή με δύο συνεχόμενες νύχτες ήρεμου ύπνου.

Για να αναβάλω την ώρα του ύπνου, έλεγξα τα e-mail μου· υπήρχε ένα καινούριο μήνυμα από τη Ρενέ.

Μου έγραφε για τη μέρα της, για ένα καινούριο κλαμπ βιβλιόφιλων που ήρθε να συμπληρώσει το κενό που είχε αφήσει η διακοπή των μαθημάτων διαλογισμού, για την εβδομαδιαία αντικατάσταση της δασκάλας της δευτέρας, για το γεγονός ότι της έλειπαν τα δικά της νηπιαγωγάκια. Μου έγραφε ότι ο Φιλ απολάμβανε την καινούρια του δουλειά σαν προπονητής, κι ότι σχεδίαζαν ένα δεύτερο μήνα του μέλιτος όπου θα ταξίδευαν στο Ντίσνεϊγουορλντ.

Και πρόσεξα ότι όλο το μήνυμα έμοιαζε περισσότερο με σελίδα ημερολογίου παρά με γράμμα που απευθύνεται σε κάποιον. Με κατέκλυσαν τύψεις που μου άφησαν ένα δυσάρεστο πόνο. Ωραία κόρη ήμουν!

Της έγραψα αμέσως σχολιάζοντας κάθε μέρος του μηνύματός της και δίνοντας εθελοντικά πληροφορίες για τον εαυτό μου –περιγράφοντας το πάρτι με τη μακαρονάδα στο σπίτι του Μπίλι, και πώς ένιωθα παρακολουθώντας τον Τζέικομπ να φτιάχνει χρήσιμα πράγματα από μικρά μεταλλικά αντικείμενα– δέος και κάποια ζήλια. Δεν αναφέρθηκα καθόλου στη διαφορά που θα είχε αυτό το γράμμα σε σχέση με όλα όσα της είχα στείλει τους προηγούμενους μήνες. Μετά βίας θυμόμουν τι της έγραφα ακόμα και πριν μια βδομάδα, αλλά είμαι σίγουρη ότι δεν ήταν και πολύ θερμά τα μηνύματά μου. Όσο πιο πολύ το σκεφτόμουν, τόσο πιο ένοχη ένιωθα· πραγματικά πρέπει να την έκανα να ανησυχεί.

Έμεινα ξύπνια πολύ αργά μετά απ' αυτό διαβάζοντας περισσότερα για το σχολείο απ' ό,τι ήταν αυστηρά αναγκαίο. Αλλά ούτε η στέρηση ύπνου ούτε ο χρόνος που είχα περάσει με τον Τζέικομπ –όντας σχεδόν ευτυχισμένη με έναν επιφανειακό τρόπο– δε θα μπορούσαν να κρατήσουν μακριά το όνειρο για δυο νύχτες στη σειρά.

Ξύπνησα τρέμοντας με το ουρλιαχτό μου να πνίγεται από το μαξιλάρι.

Καθώς το αχνό φως του πρωινού διαπερνούσε την ομίχλη έξω από το παράθυρό μου, ήμουν ακόμα ξαπλωμένη στο κρεβάτι και προσπαθούσα να διώξω από το νου μου το όνειρο. Υπήρχε μια μικρή διαφορά χθες το βράδυ κι επικεντρώθηκα σ' αυτήν.

Χθες το βράδυ δεν ήμουν μόνη μου μέσα στο δάσος. Ο Σαμ Γιούλεϊ –ο άντρας που με είχε σηκώσει από το έδαφος στο δάσος, εκείνη τη νύχτα που δεν άντεχα να σκεφτώ συνειδητά– ήταν εκεί. Ήταν μια παράξενη, απρόσμενη αλλαγή. Τα σκοτεινά μάτια του άντρα ήταν απρόσμενα εχθρικά, γεμάτα με κάποιο μυστικό που δε φαινόταν να έχει τη διάθεση να μοιραστεί. Τον είχα παρατηρήσει όσο συχνά μου επέτρεπε η μανιώδης αναζήτησή μου· με έκανε να νιώθω άβολα, μέσα σε όλο το συνηθισμένο πανικό, να έχω κι αυτόν εκεί. Ίσως επειδή όταν δεν τον κοίταζα απευθείας, το σχήμα του έμοιαζε σαν να έτρεμε και να άλλαζε στην περιφέρεια του οπτικού μου πεδίου. Κι όμως εκείνος δεν έκανε τίποτα πέρα από το να στέκεται και να παρακολουθεί. Σε αντίθεση με τη φορά εκείνη που είχαμε συναντηθεί στην πραγματικότητα, δε μου πρόσφερε τη βοήθειά του.

Ο Τσάρλι με κοίταζε επίμονα όσο τρώγαμε πρωινό, κι εγώ προσπάθησα να τον αγνοήσω. Μάλλον το άξιζα. Δεν μπορούσα να έχω την απαίτηση να μην ανησυχεί. Πιθανότατα θα περνούσαν εβδομάδες ολόκληρες πριν σταματήσει να παρακολουθεί μήπως και επέστρεφε το ζόμπι, κι εγώ απλώς έπρεπε να προσπαθήσω να μην αφήνω το γεγονός αυτό να με ενοχλεί. Στο κάτω-κάτω, κι εγώ η ίδια θα πρόσεχα μήπως κι επέστρεφε το ζόμπι. Δυο μέρες δεν ήταν αρκετός χρόνος για να θεωρήσω ότι είχα θεραπευτεί.

Το σχολείο ήταν το αντίθετο. Τώρα που παρατηρούσα, ήταν φανερό ότι εδώ κανένας δε μου έδινε σημασία.

Θυμήθηκα την πρώτη μέρα που είχα έρθει στο Λύκειο του Φορκς –πόσο απεγνωσμένα ήθελα να γίνω γκρίζα, να χαθώ μέσα στο υγρό τσιμέντο του πεζοδρομίου σαν υπερμεγέθης χαμαιλέων. Φαινόταν ότι αυτή μου η ευχή είχε πραγματοποιηθεί, ένα χρόνο αργότερα.

Ήταν σαν να μην ήμουν εκεί. Ακόμα και τα μάτια των δασκάλων δεν κοντοστέκονταν καθόλου στη θέση μου, αλλά γλιστρούσαν σαν να ήταν εντελώς άδεια.

Άκουγα προσεχτικά σε όλη τη διάρκεια του πρωινού ακούγοντας και πάλι τις φωνές των ανθρώπων γύρω μου. Προσπάθησα να ενημερωθώ για ό,τι γινόταν, αλλά οι συζητήσεις ήταν τόσο αποσπασματικές που τα παράτησα.

Η Τζέσικα δε σήκωσε το βλέμμα της, όταν κάθισα δίπλα της στα μαθηματικά.

«Γεια σου, Τζες», είπα με προσποιητή αταραξία. «Πώς ήταν το υπόλοιπο του Σαββατοκύριακού σου;»

Με κοίταξε με μάτια καχύποπτα. Ήταν δυνατόν να είναι ακόμα θυμωμένη; Ή μήπως δεν είχε την υπομονή να διαχειριστεί ένα τρελό άτομο;

«Σούπερ», είπε γυρίζοντας πάλι στο βιβλίο της.

«Ωραία», μουρμούρισα μέσα από τα δόντια μου.

Το σχήμα λόγου *παγερή αδιαφορία* έμοιαζε να ενέχει κάποια κυριολεκτική αλήθεια. Ένιωθα το ζεστό αέρα να έρχεται μέσα από τους αεραγωγούς στο πάτωμα, αλλά και πάλι κρύωνα. Έβγαλα το μπουφάν από την πλάτη της καρέκλας και το φόρεσα ξανά.

Το μάθημα της τέταρτης ώρας τελείωσε αργότερα, και το τραπέζι όπου καθόμουν πάντα για μεσημεριανό είχε γεμίσει μέχρι να έρθω. Ο Μάικ ήταν εκεί, η Τζέσικα και η Άντζελα, ο Κόνερ, ο Τάιλερ, ο Έρικ και η Λόρεν. Η Κέιτι Μάρσαλ, η κοκκινομάλλα από την τρίτη τάξη που έμενε κοντά στο σπίτι μου, καθόταν με τον Έρικ, κι ο Όστιν Μαρκς –ο μεγαλύτερος αδερφός του αγοριού με τα μηχανάκια– ήταν δίπλα της. Αναρωτήθηκα πόση ώρα καθόντουσαν εδώ, ανίκανη να θυμηθώ αν αυτή ήταν η πρώτη μέρα ή κάτι που είχε γίνει τακτική συνήθεια.

Είχα αρχίσει να εκνευρίζομαι με τον εαυτό μου. Πρέπει να ήμουν σαν ένα κομμάτι φελιζόλ το προηγούμενο εξάμηνο.

Κανείς δε σήκωσε το κεφάλι, όταν κάθισα δίπλα στον Μάικ, αν και η καρέκλα σκλήρισε διαπεραστικά πάνω στο πλαστικό δάπεδο, καθώς την τράβηξα προς τα πίσω.

Προσπάθησα να μπω στη συζήτηση.

Ο Μάικ κι ο Κόνερ μιλούσαν για αθλητικά, έτσι δεν ασχολήθηκα μ' αυτούς καθόλου.

«Πού είναι ο Μπεν σήμερα;» η Λόρεν ρωτούσε την Άντζελα. Εγώ ζωήρεψα γεμάτη ενδιαφέρον. Αναρωτήθηκα αν αυτό σήμαινε ότι η Άντζελα κι ο Μπεν ήταν ακόμα μαζί.

Μετά βίας αναγνώριζα τη Λόρεν. Είχε κόψει όλα τα ξανθά, σταρένια της μαλλιά –τώρα είχε ένα σχεδόν αντρικό κούρεμα με καρφάκια, τόσο κοντό που το πίσω μέρος του κεφαλιού της ήταν ξυρισμένο σαν αγοριού. Τι παράξενο πράγμα γι' αυτήν! Μακάρι να ήξερα το λόγο που κρυβόταν πίσω απ' αυτό. Της κόλλησε μήπως τσίχλα στα μαλλιά της; Μήπως τα πούλησε; Μήπως όλοι οι άνθρωποι με τους οποίους ήταν συνήθως κακιά την έπιασαν πίσω από το γυμναστήριο και την ξεμάλλιασαν; Αποφάσισα ότι δεν ήταν δίκαιο να την κρίνω τώρα με βάση την άποψη που είχα γι' αυτήν στο παρελθόν. Τόσα που είχα χάσει, μπορεί να είχε γίνει καλή και να μην το είχα πάρει είδηση.

«Ο Μπεν έχει γαστρεντερίτιδα», είπε η Άντζελα με τη χαμηλή, ήρεμη φωνή της. «Ελπίζω να είναι καμιά απ' αυτές τις ιώσεις που κρατάνε μόνο είκοσι τέσσερις ώρες. Χθες βράδυ ήταν πολύ άσχημα».

Και η Άντζελα είχε αλλάξει τα μαλλιά της. Είχε σταματήσει να τα κόβει φυλλαριστά.

«Τι κάνατε εσείς οι δυο το σαββατοκύριακο;» ρώτησε η Τζέσικα χωρίς να φαίνεται να ενδιαφέρεται πραγματικά για την απάντηση. Έβαζα στοίχημα ότι αυτό ήταν απλώς μια εισαγωγή για να πει τις δικές της ιστορίες. Αναρωτήθηκα αν θα έλεγε για το Πορτ-Άντζελες ενώ εγώ καθόμουν δυο θέσεις πιο πέρα. Ήμουν τόσο αόρατη που κανένας δε θα ένιωθε άβολα να συζητήσει για μένα, ενώ ήμουν ακόμα εκεί;

«Θα πηγαίναμε να κάνουμε πικνίκ το Σάββατο, αλλά... αλλά αλλάξαμε γνώμη», είπε η Άντζελα. Υπήρχε μια χροιά στη φωνή της που τράβηξε το ενδιαφέρον μου.

Της Τζες, όμως, όχι και τόσο πολύ. «Κρίμα», είπε έτοιμη να ξεκινήσει με τη δική της ιστορία. Αλλά δεν ήμουν εγώ η μόνη που ενδιαφερόταν.

«Τι συνέβη;» ρώτησε η Λόρεν με περιέργεια.

«Να», είπε η Άντζελα, με περισσότερη διστακτικότητα απ' ό,τι συνήθως, αν και πάντα ήταν συγκρατημένη, «πήγαμε με το αυτοκίνητο προς το βορρά, σχεδόν φτάσαμε στις θερμές πηγές –υπάρχει ένα καλό σημείο περίπου ενάμισι χιλιόμετρο πιο πάνω στο μονοπάτι. Αλλά όταν ήμασταν στα μισά... είδαμε κάτι».

«Είδατε κάτι; Τι;» τα χλωμά φρύδια της Λόρεν έσμιξαν. Ακόμα και η Τζες έμοιαζε να ακούει με προσοχή τώρα.

«Δεν ξέρω», είπε η Άντζελα. «*Νομίζουμε* ότι ήταν αρκούδα. Ήταν μαύρο, εν πάση περιπτώσει, αλλά έδειχνε... υπερβολικά μεγάλο».

Η Λόρεν ρουθούνισε. «Ω, όχι, όχι κι εσύ!» Τα μάτια της έγιναν ειρωνικά, και αποφάσισα ότι δεν ήταν ανάγκη να της δώσω το ελαφρυντικό της αμφιβολίας. Προφανώς η προσωπικότητά της δεν είχε αλλάξει όσο τα μαλλιά της. «Ο Τάιλερ προσπάθησε να μου πουλήσει αυτό το παραμύθι την προηγούμενη βδομάδα».

«Δεν υπάρχουν αρκούδες τόσο κοντά στο καταφύγιο», είπε η Τζέσικα συμφωνώντας με τη Λόρεν.

«Αλήθεια», διαμαρτυρήθηκε η Άντζελα χαμηλόφωνα έχοντας το βλέμμα της πάνω στο τραπέζι. «Την είδαμε».

Η Λόρεν γέλασε περιπαιχτικά. Ο Μάικ μιλούσε ακόμα στον Κόνερ χωρίς να προσέχει τα κορίτσια.

«Όχι, έχει δίκιο», είπα εγώ ανυπόμονα μπαίνοντας στην κουβέντα. «Είχαμε έναν πεζοπόρο στο μαγαζί το Σάββατο που είδε την αρκούδα κι αυτός, Άντζελα. Είπε ότι ήταν τεράστια και μόλις έξω από την πόλη, έτσι δεν είναι, Μάικ;»

Ακολούθησε μια στιγμή σιωπής. Κάθε ζευγάρι μάτια στο τραπέζι γύρισαν για να με καρφώσουν σοκαρισμένα. Το καινούριο κορίτσι, η Κέιτι, είχε μείνει με το στόμα ανοιχτό, λες και είχε μόλις γίνει μάρτυρας μιας έκρηξης. Κανείς δεν κουνιόταν.

«Μάικ;» μουρμούρισα γεμάτη ντροπή. «Θυμάσαι εκείνον τον τύπο με την ιστορία για την αρκούδα;»

«Β-βέβαια», τραύλισε ο Μάικ ύστερα από ένα δευτερόλεπτο. Δεν ήξερα γιατί με κοίταζε τόσο περίεργα. Του μιλούσα στη δουλειά, έτσι δεν είναι; Δεν του μιλούσα; Νόμιζα πως του μιλούσα...

Ο Μάικ το ξεπέρασε. «Ναι, ήταν ένας τύπος που έλεγε ότι είδε μια τεράστια μαύρη αρκούδα στην αρχή του μονοπατιού –μεγαλύτερη από αρκούδα γκρίζλι», επιβεβαίωσε.

«Χα!» η Λόρεν γύρισε στην Τζέσικα, με ώμους τσιτωμένους, κι άλλαξε το θέμα.

«Είχες νέα από το πανεπιστήμιο της Νότιας Καλιφόρνια;» ρώτησε.

Όλοι οι άλλοι γύρισαν από την άλλη, εκτός από τον Μάικ

και την Άντζελα. Η Άντζελα μου χαμογέλασε διστακτικά, κι εγώ βιάστηκα να της ανταποδώσω το χαμόγελο.

«Λοιπόν, τι έκανες το σαββατοκύριακο, Μπέλλα;» ρώτησε ο Μάικ περίεργος, αλλά παράξενα ανήσυχος.

Όλοι εκτός από τη Λόρεν γύρισαν να με ξανακοιτάξουν, περιμένοντας την απάντησή μου.

«Το βράδυ της Παρασκευής η Τζέσικα κι εγώ πήγαμε να δούμε μια ταινία στο Πορτ-Άντζελες. Και μετά πέρασα το Σάββατο το απόγευμα και το μεγαλύτερο μέρος της Κυριακής στο Λα Πους».

Τα μάτια στράφηκαν στιγμιαία στην Τζέσικα και μετά πάλι πίσω σ' εμένα. Αναρωτήθηκα αν δεν ήθελε να ξέρει κανείς ότι είχε βγει μαζί μου ή αν απλώς ήθελε να είναι αυτή που θα έλεγε την ιστορία.

«Τι ταινία είδατε;» ρώτησε ο Μάικ, αρχίζοντας να χαμογελά.

«*Το Αδιέξοδο* –αυτή με τα ζόμπι». Χαμογέλασα πλατιά, ενθαρρυντικά. Ίσως ένα μέρος από τη ζημιά που είχα κάνει τους τελευταίους μήνες που ήμουν σαν ζόμπι να ήταν δυνατόν να διορθωθεί.

«Έχω ακούσει ότι είναι τρομακτική. Εσύ τι λες;» ο Μάικ έδειχνε ενθουσιασμό για τη συνέχεια της κουβέντας.

«Η Μπέλλα αναγκάστηκε να φύγει στο τέλος, είχε φρικάρει», παρενέβη η Τζέσικα με ένα ύπουλο χαμόγελο.

Κούνησα το κεφάλι μου προσπαθώντας να δείξω αμηχανία. «Ήταν αρκετά τρομακτική».

Ο Μάικ δε σταμάτησε να μου κάνει ερωτήσεις μέχρι που τελείωσε το διάλειμμα για μεσημεριανό. Σταδιακά οι άλλοι μπόρεσαν να αρχίσουν πάλι τις δικές τους συζητήσεις, αν και συνέχιζαν να με κοιτάζουν πολύ. Η Άντζελα μιλούσε κυρίως στον Μάικ και σ' εμένα και, όταν σηκώθηκα για να αδειάσω το δίσκο μου, με ακολούθησε.

«Ευχαριστώ», είπε χαμηλόφωνα, όταν απομακρυνθήκαμε

από το τραπέζι.

«Για ποιο πράγμα;»

«Που είπες τη γνώμη σου, που πήρες το μέρος μου».

«Κανένα πρόβλημα».

Με κοίταξε ανήσυχη, αλλά όχι με προσβλητικό τρόπο, του στυλ μάλλον-τα-έχει-χάσει-εντελώς. «Είσαι καλά;»

Γι' αυτό είχα προτιμήσει να βγω με την Τζέσικα αντί για την Άντζελα –παρόλο που πάντα συμπαθούσα την Άντζελα περισσότερο. Η Άντζελα ήταν υπερβολικά οξυδερκής.

«Όχι εντελώς», παραδέχτηκα. «Αλλά είμαι κάπως καλύτερα».

«Χαίρομαι», είπε. «Μου έλειψες».

Η Λόρεν και η Τζέσικα πέρασαν από δίπλα μας τότε, κι άκουσα τη Λόρεν να ψιθυρίζει δυνατά: «*Τι χαρά!* Η Μπέλλα γύρισε».

Η Άντζελα στριφογύρισε τα μάτια της προς αυτές, και μου χαμογέλασε ενθαρρυντικά.

Αναστέναξα. Ήταν σαν να ξεκινούσα πάλι από την αρχή.

«Τι ημερομηνία έχουμε;» αναρωτήθηκα ξαφνικά.

«19 Ιανουαρίου».

«Χμμμ».

«Τι είναι;» ρώτησε η Άντζελα.

«Σαν χθες πριν ένα χρόνο ήταν η πρώτη μου μέρα εδώ πέρα», αναλογίστηκα.

«Τίποτα δεν έχει αλλάξει ιδιαίτερα», μουρμούρισε η Άντζελα ακολουθώντας με το βλέμμα τη Λόρεν και την Τζέσικα.

«Το ξέρω», συμφώνησα. «Σκεφτόμουν ακριβώς το ίδιο πράγμα».

7. ΕΠΑΝΑΛΗΨΗ

Δεν ήμουν σίγουρη τι στο διάολο έκανα εδώ πέρα.

Προσπαθούσα να σπρώξω ξανά τον εαυτό μου στην αποχαύνωση του ζόμπι; Είχα μήπως γίνει μαζοχίστρια –είχα μήπως αποκτήσει την επιθυμία να βασανίζομαι; Έπρεπε να είχα πάει κατευθείαν στο Λα Πους. Ένιωθα πολύ, πολύ πιο υγιής κοντά στον Τζέικομπ. *Αυτό* δεν ήταν υγιές πράγμα.

Αλλά συνέχιζα να οδηγώ αργά στο δρόμο που ήταν γεμάτος βλάστηση από τη μια και την άλλη μεριά κι έστριβε μέσα από δέντρα που σχημάτιζαν μια αψίδα από πάνω μου σαν πράσινο, ζωντανό τούνελ. Τα χέρια μου έτρεμαν, έτσι έπιασα πιο σφιχτά το τιμόνι.

Ήξερα ότι εν μέρει αυτό το έκανα εξαιτίας του εφιάλτη· τώρα που ήμουν πραγματικά ξύπνια, η ανυπαρξία που κυριαρχούσε στο όνειρο ροκάνιζε τα νεύρα μου, όπως ένα σκυλί ροκανίζει ένα κόκαλο. *Υπήρχε* κάτι για να ψάξω. Άπιαστο και αδύνατο, αμείλικτο, κάτι που η προσοχή του είχε αποπροσανατολιστεί μακριά από μένα... όμως *εκείνος* ήταν κάπου εκεί έξω. Έπρεπε να το πιστεύω αυτό.

Από την άλλη μεριά υπήρχε η παράξενη αίσθηση της επανάληψης που είχα νιώσει στο σχολείο σήμερα, η σύμπτωση της ημερομηνίας. Το αίσθημα ότι ξεκινούσα από την αρχή – ίσως όπως θα είχε εξελιχθεί η πρώτη μου μέρα αν πραγματικά ήμουν εγώ το πιο ασυνήθιστο άτομο στην τραπεζαρία εκείνο το απόγευμα.

Οι λέξεις διαπέρασαν το κεφάλι μου, άτονα, λες και τις διάβαζα αντί να της ακούω να προφέρονται:

Θα είναι σαν να μην υπήρξα ποτέ.

Έλεγα ψέματα στον εαυτό μου χωρίζοντας το λόγο για τον οποίο ερχόμουν εδώ σε δύο μέρη μόνο. Δεν ήθελα να παραδεχτώ το πιο δυνατό κίνητρο. Επειδή ήταν διανοητικά παράλογο.

Η αλήθεια ήταν ότι ήθελα να ακούσω τη φωνή του ξανά, όπως είχε γίνει στην παράξενη παραίσθηση την Παρασκευή το βράδυ. Για μια στιγμή, όταν η φωνή του βγήκε μέσα από κάποιο κομμάτι του εαυτού μου διαφορετικό από τη συνειδητή μου μνήμη, όταν η φωνή του ήταν τέλεια και απαλή σαν μέλι αντί για την ωχρή ηχώ που παρήγαν οι δικές μου αναμνήσεις συνήθως, κατάφερα να θυμηθώ χωρίς να πονάω. Δεν είχε διαρκέσει· ο πόνος με είχε κατακλύσει, όπως ήμουν σίγουρη ότι θα γινόταν και μετά από αυτή την ανόητη πράξη που πήγαινα να κάνω. Αλλά εκείνες οι πολύτιμες στιγμές που μπορούσα να τον ακούω πάλι ήταν ένα ακαταμάχητο θέλγητρο. Έπρεπε να βρω ένα τρόπο να επαναλάβω την εμπειρία... ή ίσως η καλύτερη λέξη να ήταν *το επεισόδιο*.

Ήλπιζα ότι το κλειδί βρισκόταν στο ντεζαβού, στο να ξαναδώ κάποια σκηνή που είχα ξαναζήσει. Έτσι πήγαινα σπίτι του, ένα μέρος όπου δεν είχα ξαναπάει από την κακότυχη μέρα των γενεθλίων μου, πριν τόσους μήνες.

Η πυκνή βλάστηση, σχεδόν σαν ζούγκλας, σερνόταν αργά δίπλα από τα παράθυρά μου. Οι στροφές συνεχίζονταν. Άρχισα να πηγαίνω πιο γρήγορα, καθώς γινόμουν όλο και πιο τσιτωμένη. Πόση ώρα οδηγούσα; Δεν έπρεπε να είχα φτάσει ακόμα στο σπίτι; Ο δρόμος ήταν σε τέτοιο σημείο καλυμμένος από βλάστηση που δεν έμοιαζε γνωστός.

Τι θα έκανα αν δεν μπορούσα να το βρω; Με διαπέρασε ένα ρίγος. Κι αν δεν υπήρχε καμία απτή απόδειξη;

Και τότε είδα το κενό ανάμεσα στα δέντρα που έψαχνα, μόνο που δε φαινόταν τόσο έντονα όπως παλιά. Η χλωρίδα σ' αυτό το σημείο δεν περίμενε πολύ καιρό για να επανακτήσει τη γη που έμενε αφρούρητη. Οι ψηλές φτέρες είχαν εισβάλει μέσα στο λιβάδι γύρω από το σπίτι, συνωστίζονταν γύρω από τους κορμούς των κέδρων, ακόμα και πάνω στην πλατιά βεράντα. Ήταν λες και το γρασίδι είχε πλημμυρίσει από πράσινα, φουντωτά κύματα που έφταναν στο ύψος της μέσης.

Και το σπίτι *ήταν* εκεί, μα δεν ήταν το ίδιο. Αν και τίποτα δεν είχε αλλάξει εξωτερικά, το κενό ούρλιαζε μέσα από τα άδεια παράθυρα. Ήταν φρικιαστικό. Για πρώτη φορά από τότε που είχα δει αυτό το πανέμορφο σπίτι, έμοιαζε με λημέρι που ταίριαζε σε βρικόλακες.

Πάτησα τα φρένα, στρέφοντας αλλού το βλέμμα. Φοβόμουν να προχωρήσω περισσότερο.

Αλλά τίποτα δε συνέβη. Καμιά φωνή στο κεφάλι μου.

Έτσι άφησα τη μηχανή αναμμένη και πετάχτηκα έξω μέσα στη θάλασσα από φτέρες. Ίσως, όπως την Παρασκευή το βράδυ, αν προχωρούσα μπροστά...

Πλησίασα την ερημωμένη, άδεια πρόσοψη αργά, ενώ το φορτηγάκι μου συνέχιζε να κάνει ένα παρηγορητικό βρυχηθμό πίσω μου. Σταμάτησα όταν έφτασα στα σκαλιά της βεράντας, επειδή δεν υπήρχε τίποτα εκεί. Κανένα σημάδι της παρουσίας τους... της δικής του παρουσίας. Το σπίτι ήταν υλικά εκεί, αλλά αυτό δε σήμαινε και πολλά. Η χειροπιαστή του πραγματικότητα δεν εξουδετέρωνε την ανυπαρξία του εφιάλτη μου.

Δεν πλησίασα παραπάνω. Δεν ήθελα να κοιτάξω μέσα από

τα παράθυρα. Δεν ήμουν σίγουρη ποιο θα ήταν πιο δύσκολο να δω. Αν τα δωμάτια ήταν γυμνά, αντηχώντας αδειανά από το πάτωμα ως το ταβάνι, αυτό θα με πλήγωνε οπωσδήποτε. Όπως στην κηδεία της γιαγιάς μου. Όταν η μητέρα μου επέμενε να μείνω έξω, όταν θα ξενυχτούσαν τη γιαγιά μου. Είχε πει ότι δεν ήταν ανάγκη να δω τη γιαγιά έτσι, να τη θυμάμαι έτσι αντί για ζωντανή.

Αλλά δε θα ήταν χειρότερα αν δεν υπήρχε καμία αλλαγή; Αν οι καναπέδες είχαν μείνει ακριβώς όπως τους είχα δει τελευταία φορά, αν οι πίνακες ήταν ακόμα στους τοίχους –το χειρότερο απ' όλα, το πιάνο στο σημείο που ήταν ελαφρώς υπερυψωμένο; Θα ήταν δεύτερο μόνο σε σχέση με το να είχε εξαφανιστεί εντελώς το σπίτι, με το να έβλεπα ότι δεν υπήρχε καμία υλική ιδιοκτησία που να τους συνδέει με το μέρος με κανένα τρόπο. Αν είχαν απομείνει τα πάντα, ανέγγιχτα και λησμονημένα, πίσω τους.

Σαν εμένα.

Γύρισα την πλάτη μου στο κενό που έχασκε και πήγα βιαστικά στο φορτηγάκι μου. Σχεδόν έτρεχα. Ανυπομονούσα να φύγω, να γυρίσω πίσω στον ανθρώπινο κόσμο. Ένιωθα φριχτά κενή και ήθελα να δω τον Τζέικομπ. Ίσως είχα κολλήσει μια νέου είδους αρρώστια, έναν άλλο εθισμό, όπως και η παραλυσία πιο πριν. Δε με ένοιαζε. Έκανα το φορτηγάκι μου να πάει όσο πιο γρήγορα μπορούσε, καθώς έτρεχα προς τη δόση μου.

Ο Τζέικομπ με περίμενε. Το στήθος μου φάνηκε να χαλαρώνει μόλις τον είδα, και μπόρεσα να αναπνεύσω πιο εύκολα.

«Γεια σου, Μπέλλα», φώναξε.

Χαμογέλασα με ανακούφιση. «Γεια σου, Τζέικομπ». Χαιρέτησα τον Μπίλι που κοιτούσε από το παράθυρο.

«Ας πιάσουμε δουλειά», είπε ο Τζέικομπ με χαμηλή αλλά ενθουσιώδη φωνή.

Με κάποιο τρόπο κατάφερα να γελάσω. «Σοβαρά δε με

έχεις βαρεθεί ακόμα;» αναρωτήθηκα. Θα πρέπει να είχε αρχίσει να αναρωτιέται πόσο απεγνωσμένα έψαχνα παρέα.

Ο Τζέικομπ πήγε μπροστά οδηγώντας με γύρω από το σπίτι στο γκαράζ του.

«Όχι. Όχι ακόμα».

«Σε παρακαλώ να μου το πεις όταν αρχίσω να σου τη δίνω στα νεύρα. Δε θέλω να γίνομαι βάρος».

«Εντάξει». Γέλασε, με ένα βραχνό ήχο. «Πάντως, μην περιμένεις να γίνει γρήγορα αυτό».

Όταν μπήκα στο γκαράζ, έμεινα έκπληκτη βλέποντας το κόκκινο μηχανάκι να στέκεται όρθιο, να μοιάζει με μηχανάκι αντί για ένας σωρός από μέταλλο με ακανόνιστες προεξοχές.

«Τζέικ, είσαι φοβερός», ψιθύρισα.

Γέλασε πάλι. «Με πιάνει μανία όταν έχω μια δουλειά να τελειώσω». Σήκωσε τους ώμους του. «Αν είχα λίγο μυαλό, θα το καθυστερούσα λιγάκι».

«Γιατί;»

Κοίταξε κάτω, κάνοντας μια τόσο μεγάλη παύση που αναρωτήθηκα μήπως δεν είχε ακούσει την ερώτησή μου. Τελικά, με ρώτησε: «Μπέλλα, αν σου έλεγα ότι δεν μπορούσα να φτιάξω αυτά τα μηχανάκια, τι θα έλεγες;»

Δεν απάντησα αμέσως ούτε κι εγώ, κι εκείνος σήκωσε τα μάτια του για να δει την έκφρασή μου.

«Θα έλεγα... ότι είναι κρίμα, αλλά βάζω στοίχημα ότι θα μπορούσαμε να σκεφτούμε κάτι άλλο να κάνουμε. Αν ήμασταν εντελώς απεγνωσμένοι, θα μπορούσαμε να διαβάσουμε για το σχολείο».

Ο Τζέικομπ χαμογέλασε, και οι ώμοι του χαλάρωσαν. Κάθισε κάτω δίπλα στο μηχανάκι και πήρε ένα κλειδί στα χέρια του. «Δηλαδή λες να ξανάρθεις όταν θα έχω τελειώσει;»

«Αυτό εννοούσες;» ρώτησα, κουνώντας το κεφάλι μου. «Υποθέτω είναι αλήθεια ότι εκμεταλλεύομαι τις φτηνές τεχνικές ικανότητές σου. Αλλά όσο μου επιτρέπεις να έρχομαι εδώ, θα έρχομαι».

«Ελπίζεις να ξαναδείς τον Κουίλ;» με πείραξε.

«Με τσάκωσες».

Γέλασε πνιχτά. «Στ' αλήθεια σ' αρέσει να κάνεις παρέα μαζί μου;» ρώτησε απορημένος.

«Πάρα, πάρα πολύ. Και θα στο αποδείξω. Αύριο έχω να πάω στη δουλειά, αλλά την Τετάρτη θα κάνουμε κάτι που δε θα έχει σχέση με μηχανολογικά».

«Σαν τι;»

«Δεν έχω ιδέα. Μπορούμε να πάμε σπίτι μου ώστε να μην μπεις στο πειρασμό να σε πιάσει μανία. Μπορείς να φέρεις και ό,τι έχεις να κάνεις για το σχολείο –λογικά θα πρέπει να έχεις μείνει πίσω, αν κρίνω από 'μένα».

«Το να διαβάσουμε μπορεί να είναι καλή ιδέα». Έκανε μια γκριμάτσα, κι αναρωτήθηκα πόσα πράγματα δεν έκανε για να είναι μαζί μου.

«Ναι», συμφώνησα. «Θα πρέπει πού και πού να αρχίσουμε να είμαστε υπεύθυνοι, αλλιώς ο Μπίλι κι ο Τσάρλι δε θα είναι τόσο χαλαροί». Έκανα μια χειρονομία που έδειχνε τους δυο μας σαν μια ενιαία οντότητα. Του άρεσε αυτό –χαμογέλασε πλατιά.

«Διάβασμα μία φορά την εβδομάδα;» πρότεινε.

«Ίσως καλύτερα να πούμε δύο», πρότεινα εγώ αναλογιζόμενη των σωρό των εργασιών που μου είχαν ανατεθεί σήμερα.

Αναστέναξε βαριά. Μετά έψαξε μέσα στην εργαλειοθήκη του για να βγάλει μια χαρτοσακούλα. Έβγαλε δύο κουτάκια αναψυκτικό, άνοιξε το ένα και το έδωσε σ' εμένα. Άνοιξε και το δεύτερο και το σήκωσε ψηλά με επισημότητα.

«Στην υπευθυνότητα», έκανε πρόποση. «Δύο φορές την εβδομάδα».

«Και στην απερισκεψία κάθε μέρα εντωμεταξύ», τόνισα εγώ.

Χαμογέλασε πλατιά και ακούμπησε το κουτάκι του στο δικό μου.

ꕥ ꕥ

Έφτασα σπίτι αργότερα απ' ό,τι σκόπευα και βρήκα τον Τσάρλι να έχει παραγγείλει πίτσα αντί να με περιμένει. Δε με άφησε να ζητήσω συγνώμη.

«Δε με πειράζει», με διαβεβαίωσε. «Σου αξίζει ένα διάλειμμα από το μαγείρεμα, έτσι κι αλλιώς».

Ήξερα ότι απλώς ένιωθε ανακούφιση που συμπεριφερόμουν ακόμη σαν φυσιολογικό άτομο και δε σκόπευε να μου χαλάσει την ισορροπία.

Έλεγξα τα e-mail μου πριν αρχίσω το διάβασμα, και είχα ένα μεγάλο μήνυμα από τη Ρενέ. Μου έγραφε ένα χείμαρρο από σχόλια για όλες τις λεπτομέρειες τις οποίες της είχα δώσει στο μήνυμά μου, έτσι της έστειλα άλλη μια εξαντλητική περιγραφή της ημέρας μου. Τα πάντα εκτός από τα μηχανάκια. Ακόμα και η ελαφρόμυαλη Ρενέ ήταν πιθανόν να ανησυχούσε γι' αυτό το θέμα.

Η Τρίτη στο σχολείο είχε τα σκαμπανεβάσματά της. Η Άντζελα κι ο Μάικ έμοιαζαν έτοιμοι να με καλωσορίσουν πίσω με ανοιχτές αγκάλες –να παραβλέψουν ευγενικά τους λίγους μήνες της αποκλίνουσας συμπεριφοράς μου. Η Τζες αντιστεκόταν περισσότερο. Αναρωτήθηκα αν χρειαζόταν μια επίσημη γραπτή συγνώμη για το συμβάν στο Πορτ-Άντζελες.

Ο Μάικ ήταν ζωηρός και φλύαρος στη δουλειά. Ήταν λες και είχε αποθηκεύσει όλα όσα θα μου έλεγε στη διάρκεια του εξαμήνου, και τώρα ξεχύνονταν όλα. Ανακάλυψα ότι μπορούσα να χαμογελάω και να γελάω μαζί του, αν και δεν ήταν τόσο αβίαστο όπως με τον Τζέικομπ. Έμοιαζε, όμως, αρκετά ακίνδυνο, μέχρι την ώρα που ήταν να φύγω.

Ο Μάικ ανάρτησε την πινακίδα που έλεγε "ΚΛΕΙΣΤΟ" στη βιτρίνα, ενώ εγώ δίπλωσα το γιλέκο μου και το έχωσα κάτω από τον πάγκο.

«Είχε πλάκα απόψε», είπε ο Μάικ χαρούμενα.

«Ναι», συμφώνησα, αν και θα προτιμούσα να είχα περάσει το απόγευμά μου στο γκαράζ.

«Κρίμα που αναγκάστηκες να φύγεις νωρίς από την ταινία την προηγούμενη βδομάδα».

Ο ειρμός της σκέψης του με μπέρδεψε κάπως. Σήκωσα τους ώμους. «Μάλλον είμαι λαπάς».

«Θέλω να πω, θα έπρεπε να πας σε μια καλύτερη ταινία, κάτι που θα το απολάμβανες», εξήγησε.

«Α», μουρμούρισα ακόμα μπερδεμένη.

«Ίσως αυτή την Παρασκευή ας πούμε. Μαζί μου. Θα μπορούσαμε να πάμε να δούμε κάτι που δε θα είναι καθόλου τρομακτικό».

Δάγκωσα τα χείλη μου.

Δεν ήθελα να κάνω καμιά γκάφα με τον Μάικ και να τα χαλάσω όλα, όχι όταν αυτός ήταν ένας από τους μοναδικούς ανθρώπους που ήταν έτοιμοι να με συγχωρήσουν για την αλλοπρόσαλλη συμπεριφορά μου. Αλλά κι αυτό, για άλλη μια φορά, έμοιαζε να μου θυμίζει κάτι. Σαν να μην είχε συμβεί η περασμένη χρονιά. Μακάρι να είχα την Τζες σαν δικαιολογία αυτήν τη φορά.

«Σαν ραντεβού δηλαδή;» ρώτησα. Η ειλικρίνεια ίσως ήταν η καλύτερη τακτική σ' αυτό το σημείο. Να τελειώνουμε με το θέμα αυτό.

Εκείνος επεξεργάστηκε τον τόνο της φωνής μου. «Αν θέλεις. Αλλά δεν είναι ανάγκη να είναι έτσι».

«Δε βγαίνω ραντεβού», είπα αργά συνειδητοποιώντας πόσο αλήθεια ήταν αυτό. Ολόκληρος αυτός ο κόσμος μου φαινόταν απίστευτα απόμακρος.

«Μόνο σαν φίλοι;» πρότεινε εκείνος. Τα διαυγή του μπλε μάτια δεν ήταν και τόσο ενθουσιώδη πια. Ήλπιζα ότι πραγματικά εννοούσε ότι θα μπορούσαμε να είμαστε φίλοι έτσι κι αλλιώς.

«Θα είχε πλάκα. Αλλά έχω κανονίσει ήδη για αυτή την Παρασκευή, τι λες λοιπόν για την άλλη εβδομάδα;»

«Τι θα κάνεις;» ρώτησε εκείνος, όχι τόσο αδιάφορα όσο νομίζω ότι θα ήθελε να ακουστεί.

«Έχω να διαβάσω. Έχω... κανονίσει να διαβάσουμε μαζί με ένα φίλο».

«Α. Εντάξει. Ίσως την άλλη εβδομάδα».

Με πήγε ως το αμάξι μου, λιγότερο κεφάτος απ' ό,τι πριν. Μου θύμιζε τόσο ξεκάθαρα τους πρώτους μου μήνες στο Φορκς. Είχα κάνει έναν ολόκληρο κύκλο, και τώρα τα πάντα έμοιαζαν με μια ηχώ –μια άδεια ηχώ, στερούμενη του ενδιαφέροντος που είχε παλιά.

Το επόμενο βράδυ ο Τσάρλι δε φάνηκε να εκπλήσσεται ούτε στο ελάχιστο όταν βρήκε τον Τζέικομπ κι εμένα απλωμένους στο πάτωμα του σαλονιού με τα βιβλία μας διασκορπισμένα γύρω μας, έτσι φαντάστηκα ότι αυτός κι ο Μπίλι συζητούσαν πίσω απ' τις πλάτες μας.

«Γεια σας, παιδιά», είπε, και τα μάτια του ξεστράτισαν κατά την κουζίνα. Η μυρωδιά των λαζανιών που ετοίμαζα όλο το απόγευμα –ενώ ο Τζέικομπ παρακολουθούσε και περιστασιακά δοκίμαζε– πλανιόταν στον αέρα ως το χολ· το έπαιζα καλή προσπαθώντας να εξιλεωθώ για την πίτσα.

Ο Τζέικομπ έμεινε να φάμε μαζί βραδινό και πήρε κι ένα πιάτο στο σπίτι για τον Μπίλι. Με απροθυμία πρόσθεσε ένα χρόνο στη διαπραγματεύσιμη ηλικία μου επειδή ήμουν τόσο καλή μαγείρισσα.

Η Παρασκευή ήταν η μέρα του γκαράζ και το Σάββατο, μετά από τη βάρδιά μου στο κατάστημα των Νιούτον, ήταν η μέρα του διαβάσματος ξανά. Ο Τσάρλι ένιωθε αρκετή εμπιστοσύνη στη λογική μου ώστε να περάσει τη μέρα ψαρεύοντας με τον Χάρι. Όταν γύρισε, είχαμε τελειώσει –νιώθοντας πολύ συνετοί και ώριμοι γι' αυτό, ταυτοχρόνως– και παρακολουθούσαμε *Monster Garage* στο Discovery Channel.

«Μάλλον πρέπει να φύγω», είπε αναστενάζοντας ο Τζέικομπ. «Είναι πιο αργά απ' ό,τι νόμιζα».

«Εντάξει, καλά», γκρίνιαξα. «Θα σε πάω σπίτι».

Γέλασε με την απρόθυμη έκφρασή μου –φάνηκε να τον ευχαριστεί.

«Αύριο πιάνουμε πάλι δουλειά», είπα μόλις βρεθήκαμε στην ασφάλεια του φορτηγού. «Τι ώρα θέλεις να έρθω;»

Υπήρχε ένας ανεξήγητος ενθουσιασμός στο χαμόγελο που μου έριξε ως απάντηση. «Θα σου τηλεφωνήσω εγώ πρώτα, εντάξει;»

«Βέβαια». Κατσούφιασα, αναρωτώμενη τι συνέβαινε. Το χαμόγελό του έγινε πιο πλατύ.

Καθάρισα το σπίτι το επόμενο πρωί –περιμένοντας τον Τζέικομπ να πάρει τηλέφωνο και προσπαθώντας να διώξω από το νου μου τον πιο πρόσφατο εφιάλτη. Το σκηνικό είχε αλλάξει. Χθες το βράδυ περιπλανιόμουν σε μια πλατιά θάλασσα από φτέρες, διάσπαρτες με τεράστια έλατα. Δεν υπήρχε τίποτα άλλο, και είχα χαθεί, περιπλανώμενη άσκοπα και μονάχη μου ψάχνοντας για το τίποτα. Ήθελα να με αρχίσω στις κλοτσιές για την εκδρομή που είχα κάνει την περασμένη βδομάδα. Έδιωξα το όνειρο από το συνειδητό μέρος του μυαλού μου, ελπίζοντας ότι θα έμενε κλειδωμένο κάπου και δε θα δραπέτευε ξανά.

Ο Τσάρλι ήταν έξω κι έπλενε το περιπολικό, έτσι όταν χτύπησε το τηλέφωνο, πέταξα τη βούρτσα για το καθάρισμα της τουαλέτας, και έτρεξα κάτω.

«Εμπρός;» ρώτησα ξέπνοα.

«Μπέλλα», είπε ο Τζέικομπ, με έναν παράξενο, επίσημο τόνο στη φωνή του.

«Γεια σου, Τζέικ».

«Πιστεύω πως... έχουμε *ραντεβού*», είπε, ο τόνος του γεμάτος υπαινιγμούς.

Μου πήρε ένα δευτερόλεπτο πριν το πιάσω. «Είναι έτοιμα; Δεν το πιστεύω!» Τι τέλειος συγχρονισμός! Χρειαζόμουν κάτι για να μου αποσπάσει την προσοχή από τους εφιάλτες και την ανυπαρξία.

«Ναι, δουλεύουν και είναι όλα κομπλέ».

«Τζέικομπ, είσαι οπωσδήποτε, χωρίς καμιά αμφιβολία, το πιο ταλαντούχο και το πιο υπέροχο άτομο που ξέρω. Κερδίζεις δέκα χρόνια γι' αυτό που έκανες».

«Ωραία! Τώρα είμαι μεσήλικας!»

Γέλασα. «Έρχομαι!»

Πέταξα τα απορρυπαντικά κάτω από τον πάγκο του μπάνιου και άρπαξα το μπουφάν μου.

«Πας να δεις τον Τζέικ», είπε ο Τσάρλι όταν πέρασα τρέχοντας από δίπλα του. Δεν ήταν ερώτηση εδώ που τα λέμε.

«Ναι», απάντησα, καθώς πήδηξα μέσα στο φορτηγάκι μου.

«Θα είμαι στο τμήμα αργότερα», μου φώναξε ο Τσάρλι.

«Εντάξει», φώναξα ως απάντηση γυρίζοντας το κλειδί.

Ο Τσάρλι είπε και κάτι άλλο, αλλά δεν μπορούσα να τον ακούσω καθαρά με το θόρυβο της μηχανής. Μου φάνηκε κάτι σαν: «Πού είναι η φωτιά;»

Πάρκαρα το φορτηγάκι μου στην πλαϊνή πλευρά του σπιτιού των Μπλακ, κοντά στα δέντρα για να είναι πιο εύκολο να βγάλουμε έξω κρυφά τα μηχανάκια. Όταν βγήκα έξω, μια πιτσιλιά χρώματος μου τράβηξε την προσοχή –δύο γυαλιστερές μοτοσικλέτες, μία κόκκινη, μία μαύρη, ήταν κρυμμένες κάτω από ένα έλατο, σε σημείο που να είναι αόρατες από το σπίτι. Ο Τζέικομπ είχε προετοιμαστεί.

Υπήρχε μια μπλε κορδέλα δεμένη σε ένα μικρό φιόγκο γύρω από κάθε χερούλι. Γελούσα μ' αυτό, όταν ο Τζέικομπ βγήκε τρέχοντας από το σπίτι.

«Έτοιμη;» ρώτησε χαμηλόφωνα με μάτια που σπινθηροβολούσαν.

Κοίταξα γρήγορα πάνω από τον ώμο του, και δε φαινόταν πουθενά ο Μπίλι.

«Ναι», είπα, αλλά δεν ένιωθα τόσο ενθουσιασμένη όσο πριν· προσπαθούσα να φανταστώ τον εαυτό μου *πάνω* στο μηχανάκι.

Ο Τζέικομπ φόρτωσε τα μηχανάκια στην καρότσα του φορτηγού μου με άνεση, ακουμπώντας τα προσεχτικά στο πλάι για να μη φαίνονται.

«Πάμε», είπε, με φωνή ακόμα πιο ενθουσιώδη απ' ό,τι συνήθως. «Ξέρω το τέλειο σημείο –κανείς δε θα μας βρει εκεί».

Κατευθυνθήκαμε προς τα νότια της πόλης. Ο χωματόδρομος έστριβε μέσα κι έξω από το δάσος –μερικές φορές δεν υπήρχε τίποτα πέρα από δέντρα, και μετά ξαφνικά έβλεπες μια σκηνή του Ειρηνικού Ωκεανού που σου έκοβε την ανάσα, να εκτείνεται ως τον ορίζοντα, που ήταν σκούρος γκρίζος κάτω από τα σύννεφα. Ήμασταν πάνω από την ακτή, πάνω στους βράχους που γειτόνευαν με την παραλία εδώ, και η θέα έμοιαζε να εκτείνεται χωρίς τέλος.

Οδηγούσα αργά, έτσι ώστε να μπορώ να κοιτάζω με ασφάλεια έξω τον ωκεανό πού και πού, καθώς ο δρόμος στριφογύριζε πλησιάζοντας περισσότερο στους βράχους της θάλασσας. Ο Τζέικομπ μιλούσε για το πώς θα έκανε τις τελευταίες επιδιορθώσεις στα μηχανάκια, αλλά οι περιγραφές του γίνονταν όλο και περισσότερο τεχνολογικές, έτσι δεν πρόσεχα πάρα πολύ.

Τότε παρατήρησα τέσσερις μορφές να στέκονται πάνω στο χείλος ενός βράχου, υπερβολικά κοντά στον γκρεμό. Δεν μπορούσα να καταλάβω από απόσταση την ηλικία τους, αλλά υπέθεσα ότι ήταν άντρες. Παρά την ψύχρα του αέρα σήμερα, εκείνοι φαίνονταν να φοράνε μόνο σορτς.

Καθώς κοίταζα, ο πιο ψηλός έκανε ένα βήμα πιο κοντά στην άκρη του γκρεμού. Επιβράδυνα αυτόματα, καθώς το πόδι μου δίσταζε πάνω από το πεντάλ του φρένου.

Και τότε εκείνος πήδηξε από την άκρη του γκρεμού.

«Όχι!» ούρλιαξα πατώντας με δύναμη το φρένο.

«Τι συμβαίνει;» φώναξε ο Τζέικομπ ανήσυχος.

«Εκείνος ο τύπος –μόλις *πήδηξε* από το *βράχο*! Γιατί δεν τον σταμάτησαν; Πρέπει να καλέσουμε ένα ασθενοφόρο!» άνοιξα απότομα την πόρτα μου και πήγα να βγω έξω, πράγμα που δεν ήταν καθόλου λογικό. Ο πιο γρήγορος τρόπος να βρούμε τηλέφωνο ήταν να γυρίσουμε πίσω στο σπίτι του Μπίλι. Αλλά δεν μπορούσα να πιστέψω αυτό που μόλις είχα δει. Ίσως υποσυνείδητα, ήλπιζα ότι θα έβλεπα κάτι διαφορετικό αν δεν παρεμβαλλόταν το γυαλί του παρμπρίζ.

Ο Τζέικομπ γέλασε, κι εγώ γύρισα απότομα για να τον κοιτάξω άγρια. Πώς ήταν δυνατόν να είναι τόσο άσπλαχνος, τόσο ψυχρός;

«Απλώς κάνουν *κλιφ ντάιβινγκ*, κατάδυση από βράχους, Μπέλλα. Ψυχαγωγία. Το Λα Πους δεν έχει εμπορικό κέντρο, ξέρεις». Αστειευόταν, αλλά υπήρχε ένας παράξενος τόνος εκνευρισμού στη φωνή του.

«*Κλιφ ντάιβινγκ*;» επανέλαβα ζαλισμένη. Κάρφωσα το βλέμμα μου με δυσπιστία πάνω σε μια δεύτερη μορφή που έκανε ένα βήμα προς την άκρη του βράχου, σταμάτησε και μετά με πολλή χάρη πήδηξε στο κενό. Η πτώση του κράτησε μια αιωνιότητα, όπως μου φάνηκε εμένα, πέφτοντας τελικά ομαλά μέσα στα σκοτεινά γκρίζα κύματα από κάτω.

«Πω πω! Είναι τόσο ψηλά!» Γλίστρησα πάλι πίσω στη θέση μου, κοιτάζοντας ακόμα με διάπλατα μάτια τους δυο εναπομείναντες δύτες. «Πρέπει να είναι γύρω στα τριάντα μέτρα».

«Ε, ναι, οι περισσότεροι από μας πηδάμε από πιο χαμηλά, από εκείνον το βράχο που εξέχει από τον γκρεμό περίπου στη μέση του ύψους του». Έδειξε από το παράθυρό του. Το σημείο που μου έδειχνε φαινόταν πολύ πιο λογικό. «*Εκείνοι* εκεί οι τύποι είναι τρελοί. Πιθανότατα προσπαθούν να δείξουν πόσο σκληροί είναι. Θέλω να πω, κάνει παγωνιά σήμερα. Αυτό το νερό δεν είναι δυνατόν να είναι ευχάριστο». Έκανε ένα μορφασμό που έδειχνε δυσαρέσκεια λες και το ακροβατικό τον έθιγε προσωπικά. Κι εγώ που νόμιζα ότι ήταν σχεδόν αδύνατον να θυμώσει ο Τζέικομπ.

«*Εσύ* πηδάς από το βράχο;» Δε μου είχε διαφύγει το "οι περισσότεροι από *μας*".

«Βέβαια, βέβαια». Σήκωσε τους ώμους του και χαμογέλασε πλατιά. «Έχει πλάκα. Λιγάκι τρομακτικό, σαν πυρετός που σε πιάνει ξαφνικά».

Κοίταξα πάλι τους βράχους, όπου η τρίτη μορφή βημάτιζε προς την άκρη. Δεν είχα δει ποτέ κάτι τόσο ριψοκίνδυνο στη ζωή μου. Τα μάτια μου άνοιξαν διάπλατα και χαμογέλασα. «Τζέικ, πρέπει να με πας να κάνω κλιφ ντάιβινγκ».

Εκείνος κατσούφιασε με ένα αποδοκιμαστικό ύφος στο πρόσωπο. «Μπέλλα, εσύ μόλις ήθελες να φωνάξεις ασθενοφόρο για τον Σαμ», μου υπενθύμισε. Έμεινα έκπληκτη που μπορούσε να ξεχωρίσει ποιος ήταν από αυτή την απόσταση.

«Θέλω να δοκιμάσω», επέμεινα ενώ πήγα να βγω ξανά έξω από το αμάξι.

Ο Τζέικομπ άρπαξε τον καρπό μου. «Όχι σήμερα, εντάξει; Μπορούμε τουλάχιστον να περιμένουμε μια πιο ζεστή μέρα;»

«Εντάξει, καλά», συμφώνησα. Με την πόρτα ανοιχτή ο παγερός αέρας έκανε το μπράτσο μου να ανατριχιάζει. «Αλλά θέλω να πάμε σύντομα».

«Σύντομα». Στριφογύρισε τα μάτια του. «Μερικές φορές είσαι λιγάκι παράξενη, Μπέλλα. Το ξέρεις;»

Αναστέναξα. «Ναι».

«Και δε θα πέσουμε από την κορυφή».

Εγώ παρακολουθούσα εκστασιασμένη, καθώς το τρίτο αγόρι άρχισε να τρέχει και όρμησε με δύναμη στο κενό πηδώντας πιο μακριά απ' ό,τι οι άλλοι δύο. Περιστράφηκε κάνοντας ρόδα στο κενό καθώς έπεφτε, σαν να πετούσε στον ουρανό. Έμοιαζε εντελώς ελεύθερος –χωρίς σκέψεις και χωρίς καμία ευθύνη.

«Ωραία», συμφώνησα. «Όχι την πρώτη φορά τουλάχιστον».

Τώρα ο Τζέικομπ αναστέναξε.

«Θα δοκιμάσουμε τα μηχανάκια ή όχι;» απαίτησε να μάθει.

«Εντάξει, εντάξει», είπα παίρνοντας τα μάτια μου από το τελευταίο άτομο που περίμενε στο βράχο. Φόρεσα πάλι τη ζώνη μου κι έκλεισα την πόρτα. Η μηχανή ήταν ακόμα αναμμένη, κάνοντας θόρυβο όση ώρα λειτουργούσε στο ρελαντί. Αρχίσαμε να κατεβαίνουμε πάλι το δρόμο.

«Λοιπόν, ποιοι είναι εκείνοι οι τύποι –οι τρελοί;» αναρωτήθηκα.

Έκανε έναν ήχο στο πίσω μέρος του λαιμού του που φανέρωνε αηδία. «Η συμμορία του Λα Πους».

«Έχετε συμμορία;» ρώτησα. Συνειδητοποίησα ότι ακούστηκα εντυπωσιασμένη.

Γέλασε μια φορά με την αντίδρασή μου. «Όχι τέτοια που εννοείς. Είναι όλοι τους σαν επιμελητές τάξης που πήραν το στραβό δρόμο. Δεν αρχίζουν φασαρίες, φροντίζουν για την ηρεμία». Ρουθούνισε. «Υπήρχε ένας τύπος από κάπου εκεί κοντά στον καταυλισμό των Μακά, μεγαλόσωμος τύπος, τρομακτικός. Λοιπόν, βγήκε η φήμη ότι πουλούσε σπιντ σε παιδιά, κι ο Σαμ Γιούλεϊ και οι *μαθητές* του τον έδιωξαν από τη γη μας. Όλο μιλάνε για τη *γη μας* και την *περηφάνια της φυλής μας*... έχει αρχίσει να γίνεται γελοίο. Το χειρότερο είναι ότι το συμβούλιο τους παίρνει στα σοβαρά. Ο Έμπρι είπε ότι το συμβούλιο έχει συναντήσεις με τον Σαμ». Κούνησε το κεφάλι του, με πρόσωπο γεμάτο αγανάκτηση. «Ο Έμπρι άκουσε επίσης από τη Λία Κλίαργουοτερ ότι αποκαλούν τους εαυτούς τους “προστάτες” ή κάτι τέτοιο».

Τα χέρια του Τζέικομπ είχαν γίνει σφιχτές γροθιές, λες και θα ήθελε να χτυπήσει κάτι. Δεν είχα δει ποτέ αυτή την πλευρά του.

Έμεινα έκπληκτη στο άκουσμα του ονόματος του Σαμ Γιούλεϊ. Δεν ήθελα να μου ξαναφέρει τις αναμνήσεις του εφιάλτη μου, έτσι έκανα μια γρήγορη παρατήρηση για να ξεχαστώ. «Δεν τους συμπαθείς και πολύ».

«Φαίνεται;» ρώτησε σαρκαστικά.

«Κοίτα… Δε φαίνεται να κάνουν και τίποτα κακό». Προσπάθησα να τον κατευνάσω, να τον κάνω να ανακτήσει το κέφι του. «Απλώς κάπως εκνευριστικά καλά παιδάκια για να ανήκουν σε συμμορία».

«Ναι. Η λέξη εκνευριστικά είναι καλή επιλογή. Πάντα επιδεικνύονται –όπως τώρα πάνω στο βράχο. Φέρονται λες και… λες και, δεν ξέρω. Σαν σκληροί τύποι. Μια φορά ήμουν με τον Έμπρι και τον Κουίλ στο μαγαζί, το προηγούμενο εξάμηνο, κι ο Σαμ ήρθε με τους *μαθητές* του, τον Τζάρεντ και τον Πολ. Ο Κουίλ είπε κάτι, ξέρεις τι μεγάλο στόμα που έχει , και τσάντισε τον Πολ. Τα μάτια του σκοτείνιασαν και χαμογέλασε κατά κάποιο τρόπο –όχι, έδειξε τα δόντια του, αλλά δε χαμογέλασε– και ήταν τόσο τσαντισμένος που σαν να έτρεμε ή κάτι τέτοιο. Αλλά ο Σαμ ακούμπησε το χέρι του στο στήθος του Πολ και κούνησε το κεφάλι του. Ο Πολ τον κοίταξε για ένα λεπτό και ηρέμησε. Ειλικρινά, ήταν σαν να τον συγκρατούσε ο Σαμ –λες και ο Πολ θα μας ξέσκιζε αν ο Σαμ δεν τον σταματούσε». Αναστέναξε. «Σαν κακό γουέστερν. Ξέρεις, ο Σαμ είναι αρκετά μεγάλος, είναι είκοσι. Αλλά ο Πολ είναι μόλις δεκαέξι, πιο κοντός από μένα και όχι τόσο εύσωμος όπως ο Κουίλ. Νομίζω ότι οποιοσδήποτε από μας θα μπορούσε να τον κάνει καλά».

«Σκληροί τύποι», συμφώνησα. Το έβλεπα μέσα στο κεφάλι μου όσο εκείνος το περιέγραφε, και μου θύμιζε κάτι… μια τριάδα ψηλών, μελαχρινών αντρών που στέκονταν εντελώς ακίνητοι και κοντά ο ένας στον άλλο στο σαλόνι του πατέρα μου. Η εικόνα ήταν γυρισμένη πλάγια, επειδή το κεφάλι μου ήταν ακουμπισμένο στον καναπέ, ενώ ο δόκτωρ Τζέραντι κι ο Τσάρλι ήταν σκυμμένοι από πάνω μου... Αυτή ήταν η συμμορία του Σαμ;

Μίλησα γρήγορα ξανά για να αποσπάσω την προσοχή μου από τις θλιβερές αναμνήσεις. «Δεν είναι λιγάκι μεγάλος ο Σαμ για τέτοια πράγματα;»

«Ναι. Υποτίθεται ότι θα πήγαινε στο πανεπιστήμιο, αλλά έμεινε. Και κανένας δεν του είπε τίποτα που έμεινε. Ολόκληρο το συμβούλιο όρμησε να τη φάει την αδερφή μου, όταν απέρριψε μια μερική υποτροφία και παντρεύτηκε. Αλλά, όχι, όχι, ο Σαμ Γιούλεϊ δεν μπορεί να κάνει κάτι λάθος».

Το πρόσωπό του είχε χαρακωθεί από άγνωστες γραμμές αγανάκτησης –ήταν αγανάκτηση και κάτι άλλο που δεν αναγνώρισα στην αρχή.

«Όλα αυτά ακούγονται πραγματικά εκνευριστικά και... παράξενα. Αλλά δεν καταλαβαίνω γιατί το παίρνεις τόσο προσωπικά». Έριξα μια κλεφτή ματιά στο πρόσωπό του, ελπίζοντας να μην τον έχω προσβάλλει. Ξαφνικά ανέκτησε την ψυχραιμία του, κοιτάζοντας έξω από το πλαϊνό παράθυρο.

«Μόλις έχασες τη στροφή», είπε με φωνή χωρίς διακυμάνσεις.

Έκανα μια πολύ πλατιά αναστροφή, παραλίγο να πέσω πάνω σ' ένα δέντρο, καθώς η αναστροφή μου έβγαλε το φορτηγάκι έξω από το δρόμο.

«Ευχαριστώ για την προειδοποίηση», μουρμούρισα, καθώς άρχισα να προχωράω στον παράδρομο.

«Συγνώμη, δεν πρόσεχα».

Για μια στιγμή επικρατούσε ησυχία.

«Μπορείς να σταματήσεις οπουδήποτε εδώ πέρα», είπε απαλά.

Έκανα στην άκρη κι έσβησα τη μηχανή. Τα αυτιά μου βούιζαν στη σιωπή που ακολούθησε. Βγήκαμε κι οι δυο έξω, κι ο Τζέικομπ κατευθύνθηκε προς τα πίσω κάνοντας τον κύκλο για να πάρει τα μηχανάκια. Προσπάθησα να διαβάσω την έκφρασή του. Κάτι παραπάνω τον ενοχλούσε. Είχα πετύχει το ευαίσθητο σημείο του.

Εκείνος χαμογέλασε με μισή καρδιά, καθώς έσπρωχνε το κόκκινο μηχανάκι προς εμένα. «Χρόνια πολλά καθυστερημένα. Είσαι έτοιμη γι' αυτό;»

«Νομίζω». Το μηχανάκι ξαφνικά έδειχνε απειλητικό, τρομακτικό, καθώς συνειδητοποίησα ότι σύντομα θα το καβαλούσα.

«Θα το πάμε αργά», υποσχέθηκε. Εγώ ακούμπησα επιφυλακτικά στο φτερό του αυτοκινήτου, ενώ εκείνος πήγε να πάρει το δικό του.

«Τζέικ...» είπα διστακτικά, καθώς ήρθε πάλι γύρω από το φορτηγάκι.

«Ναι;»

«Τι είναι αυτό που σε ενοχλεί στ' αλήθεια; Θέλω να πω, σχετικά με το θέμα του Σαμ; Είναι και κάτι άλλο;» Παρατήρησα το πρόσωπό του. Έκανε ένα μορφασμό, αλλά δε φαινόταν θυμωμένος. Κοίταξε το χώμα και κλότσησε με το παπούτσι του το μπροστινό λάστιχο της μοτοσικλέτας του ξανά και ξανά, σαν να μετρούσε το χρόνο.

Αναστέναξε. «Είναι απλώς... ο τρόπος που μου συμπεριφέρονται. Με κάνει να ανατριχιάζω». Τώρα οι λέξεις άρχιζαν να βγαίνουν σαν χείμαρρος. «Ξέρεις, το συμβούλιο υποτίθεται ότι αποτελείται από ίσους, αλλά αν υπήρχε αρχηγός, τότε αυτός θα ήταν ο μπαμπάς μου. Δεν κατάλαβα ποτέ γιατί οι άνθρωποι του φέρονται έτσι. Γιατί η γνώμη του μετράει πιο πολύ. Έχει κάποια σχέση με τον πατέρα του και τον πατέρα του πατέρα του. Ο προπάππους μου, ο Έφρεμ Μπλακ, ήταν κατά κάποιο τρόπο ο τελευταίος αρχηγός που είχαμε, και ακόμα ακούνε τον Μπίλι, ίσως εξαιτίας αυτού του πράγματος.

»Αλλά εγώ είμαι σαν όλους τους άλλους. Κανένας δεν μου συμπεριφερόταν *εμένα* με ιδιαίτερο τρόπο... μέχρι τώρα».

Αυτό με αιφνιδίασε. «Ο Σαμ σου συμπεριφέρεται με ιδιαίτερο τρόπο;»

«Ναι», συμφώνησε, σηκώνοντας το βλέμμα του για να με κοιτάξει με μάτια προβληματισμένα. «Με κοιτάζει λες και περιμένει κάτι... λες και θα γίνω μέλος της ηλίθιας συμμορίας του. Δίνει μεγαλύτερη προσοχή σ' εμένα απ' ό,τι σε οποιονδήποτε άλλον. Το μισώ».

«Δεν είναι ανάγκη να γίνεις μέλος καμιάς συμμορίας». Η φωνή μου ήταν θυμωμένη. Όλο αυτό αναστάτωνε τον Τζέικομπ πάρα πολύ, και αυτό με εξαγρίωνε. Ποιοι νόμιζαν ότι ήταν αυτοί οι "προστάτες";

«Ναι». Το πόδι του συνέχιζε να κρατάει το ρυθμό χτυπώντας το λάστιχο.

«Τι;» καταλάβαινα ότι υπήρχαν κι άλλα που ήθελε να μου πει.

Εκείνος κατσούφιασε, με τα φρύδια του να σηκώνονται με έναν τρόπο που έδειχνε θλιμμένος και ανήσυχος περισσότερο, παρά θυμωμένος. «Ο Έμπρι. Με αποφεύγει τώρα τελευταία».

Οι σκέψεις δε φαίνονταν να συνδέονται, αλλά αναρωτήθηκα αν έφταιγα εγώ για τα προβλήματα με το φίλο του. «Κάνεις πολύ παρέα μαζί μου τελευταία», του υπενθύμισα, νιώθοντας εγωίστρια. Τον είχα μονοπωλήσει.

«Όχι, δεν είναι αυτό. Δεν αποφεύγει μόνο εμένα –αποφεύγει και τον Κουίλ κι όλους τους άλλους. Ο Έμπρι έλειψε από το σχολείο για μια βδομάδα, αλλά δεν ήταν ποτέ σπίτι όταν προσπαθούσαμε να τον δούμε. Κι όταν γύρισε, έμοιαζε... έμοιαζε φρικαρισμένος. Έντρομος. Και ο Κουίλ κι εγώ προσπαθήσαμε κι οι δυο να τον κάνουμε να μας πει τι έπαθε, αλλά δε μιλάει σε κανέναν από μας».

Κάρφωσα το βλέμμα μου στον Τζέικομπ, δαγκώνοντας τα χείλη μου με αγωνία –ήταν πραγματικά φοβισμένος. Αλλά δε με κοίταζε. Κοίταζε το πόδι του που κλοτσούσε το λάστιχο σαν να ανήκε σε κάποιον άλλο. Ο ρυθμός έγινε πιο έντονος.

«Μετά, αυτή τη βδομάδα, από το πουθενά, ο Έμπρι κάνει παρέα με τον Σαμ και τους άλλους. Ήταν στους βράχους σήμερα». Η φωνή του ήταν χαμηλή και γεμάτη ένταση.

Τελικά με κοίταξε. «Μπέλλα, εκείνον τον εκνεύριζαν περισσότερο απ' ό,τι εμένα. Δεν ήθελε να έχει καμία σχέση μαζί τους. Και τώρα ο Έμπρι ακολουθεί τον Σαμ εδώ κι εκεί λες κι έχει ασπαστεί κάποια αίρεση.

»Το ίδιο είχε γίνει κα με τον Πολ. Ακριβώς το ίδιο. Δεν ήταν καθόλου φίλοι με τον Σαμ. Μετά σταμάτησε να έρχεται σχολείο για λίγες βδομάδες, και μετά, όταν γύρισε, ξαφνικά ανήκε στον Σαμ. Δεν ξέρω τι σημαίνει αυτό. Δεν μπορώ να το καταλάβω, και νιώθω ότι πρέπει, γιατί ο Έμπρι είναι φίλος μου και... ο Σαμ με κοιτάζει περίεργα... και...» η φωνή του έσβησε.

«Έχεις μιλήσει στον Μπίλι γι' αυτό;» ρώτησα. Μου μετέδιδε τον τρόμο του. Ένιωθα ρίγη να διαπερνούν τον αυχένα μου.

Τώρα υπήρχε θυμός στο πρόσωπό του. «Ναι», είπε με φανερή ειρωνεία. «Πολύ που με βοήθησε αυτό».

«Τι είπε;»

Η έκφραση του Τζέικομπ ήταν σαρκαστική, κι όταν μίλησε, η φωνή του μιμείτο τους βαθιούς τόνους της φωνής του πατέρα του. «Δε χρειάζεται ν' ανησυχείς γι' αυτό τώρα, Τζέικομπ. Σε μερικά χρόνια, αν δεν... δηλαδή, θα σου το εξηγήσω αργότερα». Και μετά η φωνή του έγινε πάλι δικιά του. «Τι υποτίθεται ότι πρέπει να καταλάβω εγώ απ' όλα αυτά; Ότι είναι από αυτά τα χαζά της μετάβασης των εφήβων στην ενηλικίωση; Αυτό είναι κάτι άλλο. Κάτι δεν πάει καλά».

Δάγκωνε το κάτω χείλος του και έσφιγγε τα χέρια του.

Έμοιαζε λες και ήταν έτοιμος να κλάψει.

Όρμησα να τον αγκαλιάσω ενστικτωδώς, τυλίγοντας τα χέρια μου γύρω από τη μέση του και χώνοντας το πρόσωπό μου στο στήθος του. Ήταν τόσο μεγαλόσωμος που ένιωθα σαν παιδί που αγκαλιάζει ένα μεγάλο.

«Ω, Τζέικ, όλα θα πάνε καλά!» υποσχέθηκα. «Αν τα πράγματα χειροτερέψουν, μπορείς να έρθεις να μείνεις μ' εμένα και τον Τσάρλι. Μη φοβάσαι, κάτι θα σκεφτούμε!»

Εκείνος είχε παγώσει για ένα δευτερόλεπτο, και μετά τα μακριά του χέρια τυλίχτηκαν διστακτικά γύρω μου. «Σ' ευχαριστώ, Μπέλλα». Η φωνή του ήταν πιο βραχνή απ' ό,τι συνήθως.

Μείναμε έτσι για μια στιγμή και δε με ενόχλησε· μάλιστα, ένιωσα να με ανακουφίζει η επαφή. Δεν έμοιαζε καθόλου με την τελευταία φορά που κάποιος με είχε αγκαλιάσει έτσι. Αυτό ήταν φιλία. Κι ο Τζέικομπ ήταν πολύ ζεστός.

Ήταν παράξενο για μένα το να είμαι τόσο κοντά –περισσότερο συναισθηματικά παρά σωματικά, αν και ακόμα και σωματικά ήταν παράξενο για μένα– σε ένα άλλο ανθρώπινο πλάσμα. Δεν ήταν το συνηθισμένο μου στυλ. Δε δενόμουν με τους ανθρώπους υπό φυσιολογικές συνθήκες τόσο εύκολα, σε ένα τόσο πρωτογενές επίπεδο.

Πάντως όχι με τα ανθρώπινα πλάσματα.

«Αν αντιδράς έτσι, θα φροντίσω να με πιάνει κρίση πανικού πιο συχνά». Η φωνή του Τζέικομπ ήταν ανάλαφρη, φυσιολογική ξανά, και το γέλιο του ακούστηκε βροντερό στο αυτί μου. Τα δάχτυλά του άγγιξαν τα μαλλιά μου, απαλά και διστακτικά.

Βέβαια, για μένα ήταν φιλία.

Τραβήχτηκα γρήγορα γελώντας μαζί του, αλλά αποφασισμένη να βάλω πάλι τα πράγματα στη θέση τους αμέσως.

«Είναι δύσκολο να πιστέψω ότι είμαι δυο χρόνια μεγαλύτερή σου», είπα δίνοντας έμφαση στη λέξη *μεγαλύτερη*. «Με κάνεις να νιώθω σαν νάνος». Έτσι όπως στεκόμουν τόσο κοντά του, στ' αλήθεια έπρεπε να ξελαιμιάζομαι για να δω το πρόσωπό του.

«Ξεχνάς ότι είμαι στα σαράντα μου, φυσικά».

«Α, ναι, σωστά».

Χτύπησε χαϊδευτικά το κεφάλι μου. «Είσαι σαν μια μικρή κούκλα», με πείραξε. «Μια πορσελάνινη κούκλα».

Στριφογύρισα τα μάτια μου κάνοντας ένα βήμα πιο μακριά. «Μην αρχίσεις τώρα να μου πετάς καρφιά για να υπονοήσεις ότι μοιάζω με αλμπίνο».

«Σοβαρά, Μπέλλα, είσαι σίγουρη ότι δεν είσαι;» Τέντωσε το καστανέρυθρο μπράτσο του δίπλα στο δικό μου. Η διαφορά δεν ήταν κολακευτική. «Δεν έχω δει κανέναν πιο χλομό από σένα... δηλαδή, εκτός από–» Διέκοψε τη φράση του, κι εγώ γύρισα από την άλλη μεριά προσπαθώντας να μην καταλάβω σε τι αναφερόταν.

«Λοιπόν θα πάμε βόλτα με τα μηχανάκια ή όχι;»

«Ας το κάνουμε», συμφώνησα, με περισσότερο ενθουσιασμό απ' ό,τι θα είχα πριν μισό λεπτό. Η πρότασή του που έμεινε στη μέση μού θύμισε το λόγο για τον οποίο ήμουν εκεί.

8. ΑΔΡΕΝΑΛΙΝΗ

«Ωραία, πού είναι ο συμπλέκτης σου;»

Έδειξα το μοχλό στο αριστερό μου χερούλι. Ήταν λάθος που άφησα τη χειρολαβή. Το βαρύ μηχανάκι κλυδωνίστηκε από κάτω μου, απειλώντας να με πετάξει στα πλάγια. Άρπαξα πάλι τη λαβή προσπαθώντας να το κρατήσω ίσιο.

«Τζέικομπ, δε στέκεται», παραπονέθηκα.

«Θα σταθεί όταν αρχίσεις να κινείσαι», υποσχέθηκε εκείνος. «Τώρα πού είναι το φρένο σου;»

«Πίσω από το δεξί μου πόδι».

«Λάθος».

Άρπαξε το δεξί μου χέρι και τύλιξε τα δάχτυλά μου γύρω από το μοχλό πάνω από το γκάζι.

«Μα εσύ είπες –»

«Αυτό είναι το φρένο που θέλεις. Μη χρησιμοποιήσεις το πίσω φρένο τώρα, είναι για αργότερα, όταν θα ξέρεις τι κάνεις».

«Αυτό δε μου φαίνεται σωστό», είπα καχύποπτα. «Δεν είναι και τα δύο φρένα εξίσου σημαντικά;»

«Ξέχνα το πίσω φρένο, εντάξει; Εδώ–» τύλιξε το χέρι του γύρω από το δικό μου και με έκανε να πατήσω κάτω το μοχλό. «Έτσι φρενάρεις. Μην το ξεχάσεις». Πίεσε το χέρι μου άλλη μια φορά.

«Εντάξει», συμφώνησα.

«Γκάζι;»

Έστριψα τη δεξιά χειρολαβή.

«Μοχλός ταχυτήτων;»

Τον έσπρωξα ελαφρώς με την κνήμη μου.

«Πολύ καλά. Νομίζω ότι τώρα ξέρεις όλα τα μέρη. Τώρα το μόνο που μένει είναι να το κάνεις να κινηθεί».

«Α-χα», μουρμούρισα, καθώς φοβόμουν να πω περισσότερα. Το στομάχι μου είχε παράξενες συσπάσεις, κι εγώ νόμιζα ότι η φωνή μου μπορεί και να έσπαγε. Ήμουν τρομοκρατημένη. Προσπάθησα να πω στον εαυτό μου ότι ο φόβος απλώς δεν είχε νόημα. Είχα ήδη επιζήσει από το χειρότερο που θα μπορούσε να μου συμβεί. Σε σύγκριση μ' εκείνο, γιατί να με φοβίζει οτιδήποτε τώρα; Λογικά θα μπορούσα να κοιτάξω το θάνατο κατάματα γελώντας.

Το στομάχι μου όμως δεν πειθόταν.

Κοίταξα κάτω στο μακρύ χωματόδρομο που γειτόνευε με ένα πυκνό, ομιχλώδες πράσινο από τη μια και την άλλη μεριά. Ο δρόμος ήταν αμμώδης και υγρός. Καλύτερος από λάσπη.

«Θέλω να κρατήσεις πατημένο το συμπλέκτη», με καθοδήγησε ο Τζέικομπ.

Τύλιξα τα χέρια μου γύρω από το συμπλέκτη.

«Τώρα αυτό είναι ζωτικής σημασίας, Μπέλλα», μου τόνισε ο Τζέικομπ. «Μην τον αφήσεις, εντάξει; Θέλω να κάνεις σαν να σου έχω δώσει ενεργή χειροβομβίδα. Η περόνη έχει βγει και κρατάς το άγκιστρο σφιχτά».

Πίεσα πιο σφιχτά.

«Ωραία. Πιστεύεις ότι μπορείς να το ξεκινήσεις με το πόδι απ' το πεντάλ;»

«Αν κουνήσω το πόδι μου, θα πέσω κάτω», του είπα μέσα από τα σφιγμένα μου δόντια, ενώ τα δάχτυλά μου ήταν τυλιγμένα με δύναμη γύρω από την ενεργή μου χειροβομβίδα.

«Εντάξει. Θα το κάνω εγώ. Μην αφήσεις το συμπλέκτη».

Έκανε ένα βήμα πίσω και μετά ξαφνικά πάτησε το πόδι του δυνατά πάνω στο πεντάλ. Ακούστηκε ένας σύντομος θόρυβος που έσκισε τον αέρα, και η δύναμη του σπρωξίματός του τράνταξε το μηχανάκι. Άρχισα να πέφτω προς το πλάι, αλλά ο Τζέικ έπιασε το μηχανάκι πριν με ρίξει στο έδαφος.

«Σταθερά», με ενθάρρυνε. «Έχεις ακόμα το συμπλέκτη;»

«Ναι», είπα αγκομαχώντας.

«Ακούμπα τα πόδια σου κάτω –θα προσπαθήσω πάλι». Αλλά έβαλε το χέρι του στο πίσω μέρος του καθίσματος για ασφάλεια.

Χρειάστηκαν τέσσερα ακόμα σπρωξίματα πριν πάρει μπρος η μηχανή. Ένιωθα το μηχανάκι να κάνει ένα βροντερό θόρυβο από κάτω μου σαν θυμωμένο ζώο. Έσφιξα το συμπλέκτη μέχρι που τα δάχτυλά μου πονούσαν.

«Δοκίμασε το γκάζι», πρότεινε εκείνος. «Πολύ απαλά. Και μην αφήσεις το συμπλέκτη».

Διστακτικά, έστριψα τη δεξιά χειρολαβή. Αν και η κίνηση ήταν πολύ μικρή, το μηχανάκι βρυχήθηκε από κάτω μου. Ακούστηκε θυμωμένο *και* πεινασμένο τώρα. Ο Τζέικομπ χαμογέλασε με βαθιά ικανοποίηση.

«Θυμάσαι πώς να βάλεις πρώτη;» ρώτησε.

«Ναι».

«Λοιπόν, άντε βάλ' τη».

«Εντάξει».

Περίμενε για λίγα δευτερόλεπτα.

«Αριστερό πόδι», μου υπενθύμισε.

«Το *ξέρω*», είπα παίρνοντας μια βαθιά ανάσα.

«Είσαι σίγουρη ότι θέλεις να το κάνεις αυτό;» ρώτησε ο

Τζέικομπ. «Δείχνεις φοβισμένη».

«Είμαι μια χαρά», είπα απότομα. Κλότσησα το μοχλό των ταχυτήτων και κατέβασα μια ταχύτητα κάτω.

«Πολύ ωραία», είπε επιδοκιμαστικά. «Τώρα, *πολύ* απαλά, χαλάρωσε τη λαβή σου στο συμπλέκτη».

Έκανε ένα βήμα πιο μακριά από το μηχανάκι.

«Θέλεις να αφήσω τη χειροβομβίδα;» ρώτησα δύσπιστη. Δεν ήταν να απορείς που έκανε πίσω.

«Έτσι κινείσαι, Μπέλλα. Απλώς κάν' το σιγά-σιγά».

Καθώς άρχισα να χαλαρώνω το σφιχτό κράτημα του συμπλέκτη, ένιωσα σοκ όταν με διέκοψε μια φωνή που δεν ανήκε στο αγόρι που στεκόταν δίπλα μου.

«Αυτό είναι ριψοκίνδυνο και παιδιάστικο και χαζό, Μπέλλα», ξεσπάθωσε η βελούδινη φωνή.

«Ω!» έβγαλα μια πνιχτή κραυγή, και το χέρι μου έπεσε από το συμπλέκτη.

Το μηχανάκι αναπήδησε από κάτω μου, ρίχνοντάς με μπροστά και μετά κατέρρευσε στο έδαφος σχεδόν από πάνω μου. Ο ήχος της μηχανής που γρύλιζε πνίγηκε.

«Μπέλλα;» ο Τζέικομπ τίναξε το βαρύ μηχανάκι από πάνω μου με άνεση.

«Χτύπησες;»

Αλλά εγώ δεν άκουγα.

«Στα 'λεγα εγώ», μουρμούρισε η τέλεια φωνή, ξεκάθαρα.

«Μπέλλα;» ο Τζέικομπ κουνούσε τον ώμο μου.

«Είμαι καλά», ψέλλισα παραζαλισμένη.

Κάτι παραπάνω από καλά. Η φωνή μέσα στο μυαλό μου είχε ξανάρθει. Ακόμα αντηχούσε στ' αυτιά μου –μια απαλή, βελούδινη ηχώ.

Το μυαλό μου σκέφτηκε γρήγορα τις πιθανότητες. Δεν υπήρχε τίποτα οικείο εδώ –σε ένα δρόμο που δεν είχα ξαναδεί, κάνοντας κάτι που δεν είχα ξανακάνει– άρα δεν ήταν η περίπτωση του ντεζαβού. Άρα οι παραισθήσεις πρέπει να προκαλούνταν από κάτι άλλο... Ένιωσα την αδρεναλίνη να τρέχει μέσα στις φλέβες μου ξανά και πίστεψα ότι είχα την απάντηση. Κάποιος συνδυασμός αδρεναλίνης και κινδύνου ή ίσως απλώς βλακείας.

Ο Τζέικομπ με σήκωσε όρθια.

«Χτύπησες το κεφάλι σου;» ρώτησε.

«Δε νομίζω». Το κούνησα μπρος-πίσω κάνοντας έλεγχο. «Δε χάλασα το μηχανάκι, ε;» Αυτή η σκέψη με ανησυχούσε. Ανυπομονούσα να δοκιμάσω πάλι, αμέσως. Το να είμαι ριψοκίνδυνη είχε καλύτερα αποτελέσματα απ' ό,τι περίμενα. Ξέχνα τις ζαβολιές. Ίσως είχα βρει έναν τρόπο για να προκαλώ τις παραισθήσεις –αυτό ήταν πολύ πιο σημαντικό.

«Όχι. Απλώς έσβησες τη μηχανή», είπε ο Τζέικομπ διακόπτοντας τις σύντομες εικασίες μου. «Άφησες το συμπλέκτη πολύ γρήγορα».

Κούνησα το κεφάλι μου. «Ας δοκιμάσουμε πάλι».

«Είσαι σίγουρη;» ρώτησε ο Τζέικομπ.

«Απολύτως».

Αυτή τη φορά προσπάθησα να το ξεκινήσω μόνη μου απ' το πεντάλ. Ήταν περίπλοκο· έπρεπε να αναπηδήσω λιγάκι για να κλοτσήσω με αρκετή δύναμη το πεντάλ, και κάθε φορά που το έκανα, το μηχανάκι προσπαθούσε να με ρίξει κάτω. Το χέρι του Τζέικομπ αιωρείτο πάνω από τις χειρολαβές έτοιμο να με πιάσει αν ήταν ανάγκη.

Χρειάστηκαν αρκετές καλές προσπάθειες, και ακόμα περισσότερες κακές προσπάθειες, πριν πάρει μπρος η μηχανή και ζωντανέψει με ένα βρυχηθμό κάτω από τα πόδια μου. Έχοντας στο νου μου να κρατάω τη χειροβομβίδα μου, έστριψα το γκάζι πειραματικά. Γρύλιζε στο ελάχιστο άγγιγμα. Το χαμόγελό μου καθρέφτιζε αυτό του Τζέικομπ τώρα.

«Σιγά-σιγά με το συμπλέκτη», μου υπενθύμισε.

«Θέλεις, λοιπόν, να σκοτωθείς; Γι' αυτό γίνονται όλα αυτά;» μίλησε ξανά η άλλη φωνή, με τόνο αυστηρό.

Χαμογέλασα χωρίς να ανοίξω το στόμα –ακόμα είχε αποτέλεσμα– και αγνόησα τις ερωτήσεις. Ο Τζέικομπ δε θα με άφηνε να πάθω κάτι σοβαρό.

«Γύρνα σπίτι στον Τσάρλι», πρόσταξε η φωνή. Η απόλυτη ομορφιά της με εξέπληξε. Δεν μπορούσα να επιτρέψω στη μνήμη μου να τη χάσει, όποιο κι αν ήταν το τίμημα.

«Άφησέ τον αργά», με ενθάρρυνε ο Τζέικομπ.

«Εντάξει», είπα. Ενοχλήθηκα λιγάκι όταν συνειδητοποίησα ότι απαντούσα και στους δύο.

Η φωνή στο κεφάλι μου γρύλισε ενάντια στο βρυχηθμό της μηχανής.

Προσπαθώντας να συγκεντρωθώ αυτή τη φορά, να μην αφήσω τη φωνή να με αιφνιδιάσει πάλι, χαλάρωσα το χέρι μου πολύ σιγά. Ξαφνικά, η ταχύτητα έπιασε και με ώθησε απότομα προς τα μπρος.

Και βρέθηκα να πετάω.

Υπήρχε αέρας που δε φυσούσε νωρίτερα, πιέζοντας το δέρμα μου πάνω στο κρανίο μου και εκτοξεύοντας τα μαλλιά μου προς τα πίσω με τόση δύναμη που ένιωθα λες και κάποιος μου τα τραβούσε. Είχα αφήσει το στομάχι μου στην εκκίνηση· η αδρεναλίνη διαπερνούσε το σώμα μου προκαλώντας ρίγος μέσα στις φλέβες μου. Τα δέντρα περνούσαν δίπλα μου τρέχοντας, έχοντας μετατραπεί σε ένα θολό τοίχο από πράσινο.

Αλλά αυτή ήταν μόνο η πρώτη ταχύτητα. Το πόδι μου με έτρωγε να πατήσω ξανά το μοχλό των ταχυτήτων, καθώς έστριψα τη λαβή για να δώσω περισσότερο γκάζι.

«Όχι, Μπέλλα!» πρόσταξε η θυμωμένη, γλυκιά σαν μέλι φωνή στ' αυτί μου. «Πρόσεχε τι κάνεις!»

Μου απέσπασε αρκετά την προσοχή από την ταχύτητα, ώστε να συνειδητοποιήσω ότι ο δρόμος είχε μια κλειστή στροφή προς τα αριστερά, κι εγώ πήγαινα ακόμα ευθεία. Ο Τζέικομπ δε μου είχε πει πώς να στρίβω.

«Φρένα, φρένα», μουρμούρισα στον εαυτό μου και ενστικτωδώς πάτησα με δύναμη κάτω με το δεξί μου πόδι, όπως θα έκανα στο φορτηγάκι μου.

Το μηχανάκι ξαφνικά έχασε τη σταθερότητά του κάτω από τα πόδια μου, τρέμοντας πρώτα προς τη μια μεριά και μετά προς την άλλη. Με έσερνε προς τον πράσινο τοίχο, και πήγαινα πολύ γρήγορα. Προσπάθησα να στρίψω το τιμόνι προς την άλλη κατεύθυνση, και η ξαφνική μετατόπιση του βάρους μου έσπρωξε το μηχανάκι στο έδαφος, ακόμα σπινάροντας προς τα δέντρα.

Η μοτοσικλέτα προσγειώθηκε και πάλι πάνω μου κάνοντας ένα δυνατό βρυχηθμό, σέρνοντάς με στο υγρό χώμα μέχρι που χτύπησε πάνω σε κάτι σταθερό. Δεν έβλεπα. Το πρόσωπό μου ήταν χωμένο μέσα στα βρύα. Προσπάθησα να σηκώσω το κεφάλι μου, αλλά κάτι με εμπόδιζε.

Ένιωθα ναυτία και σύγχυση. Ακουγόταν λες και τρία πράγματα γρύλιζαν –το μηχανάκι από πάνω μου, η φωνή μέσα στο κεφάλι μου και κάτι άλλο…

«Μπέλλα!» φώναξε ο Τζέικομπ, κι άκουσα το θόρυβο της άλλης μηχανής να σταματά.

Η μηχανή δε με κρατούσε πια κολλημένη στο έδαφος, και γύρισα ανάσκελα για να αναπνεύσω. Όλα τα γρυλίσματα σταμάτησαν.

«Ουάου!» μουρμούρισα. Ήμουν ενθουσιασμένη. Πρέπει να το είχα βρει, τη συνταγή της παραίσθησης –αδρεναλίνη συν κίνδυνος συν βλακεία. Ή κάτι τέτοιο, τουλάχιστον.

«Μπέλλα!» ο Τζέικομπ έσκυβε πάνω μου με αγωνία. «Μπέλλα, είσαι ζωντανή;»

«Είμαι μια χαρά!» είπα με ενθουσιασμό. Τέντωσα τα χέρια και τα πόδια μου. Όλα έμοιαζαν να λειτουργούν σωστά. «Ας το κάνουμε ξανά».

«Δε νομίζω». Ο Τζέικομπ φώναζε ακόμα ανήσυχος. «Νομίζω ότι καλύτερα να σε πάω στο νοσοκομείο πρώτα».

«Είμαι μια χαρά».

«Εμ, Μπέλλα; Έχεις ένα τεράστιο σχίσιμο στο μέτωπό σου και τρέχει αίμα», με πληροφόρησε.

Χτύπησα το χέρι μου στο κεφάλι μου. Πράγματι ήταν υγρό και γλοιώδες. Δε μύριζα τίποτα πέρα από τα υγρά βρύα στο πρόσωπό μου, κι αυτά απομάκρυναν το αίσθημα της ναυτίας.

«Ω, λυπάμαι πολύ, Τζέικομπ». Πίεσα με δύναμη τη πληγή μου που έτρεχε, λες και μπορούσα να αναγκάσω το αίμα να γυρίσει πίσω και να ξαναμπεί στο κεφάλι μου.

«Γιατί ζητάς συγνώμη επειδή αιμορραγείς;» αναρωτήθηκε, ενώ τύλιγε το ένα του μακρύ χέρι γύρω από τη μέση μου και με σήκωσε όρθια. «Πάμε. Θα οδηγήσω εγώ». Έβγαλε το χέρι του για τα κλειδιά.

«Και τα μηχανάκια;» ρώτησα, δίνοντάς του τα.

Σκέφτηκε για ένα δευτερόλεπτο. «Περίμενε εδώ. Και πάρε αυτό». Έβγαλε το μπλουζάκι του, ήδη πιτσιλισμένο με αίμα και μου το πέταξε. Το κράτησα σφιχτά στο μέτωπό μου για να βουλώσω την πληγή. Είχα αρχίσει να μυρίζω το αίμα· ανέπνευσα βαθιά από το στόμα και προσπάθησα να συγκεντρωθώ σε κάτι άλλο.

Ο Τζέικομπ πήδηξε πάνω στο μαύρο μηχανάκι, το κλότσησε για να ξεκινήσει και κατέβηκε το δρόμο τρέχοντας, ψεκάζοντάς τον με χώμα και πετραδάκια πίσω του. Έδειχνε αθλητικός και επαγγελματίας, έτσι όπως ήταν σκυμμένος πάνω από το τιμόνι με το κεφάλι χαμηλά, το πρόσωπο μπροστά, τα λαμπερά του μαλλιά να μαστιγώνουν το καστανέρυθρο δέρμα στην πλάτη του. Τα μάτια μου ζάρωσαν ζηλόφθονα. Ήμουν σίγουρη ότι εγώ δεν ήμουν έτσι πάνω στη μηχανή.

Με εξέπληξε το πόσο μακριά είχα φτάσει. Μετά βίας μπορούσα να δω τον Τζέικομπ πέρα μακριά, όταν επιτέλους έφτασε στο φορτηγάκι. Έριξε το μηχανάκι στην καρότσα και έτρεξε στη θέση του οδηγού.

Πραγματικά δεν ένιωθα καθόλου άσχημα, ενώ ο Τζέικομπ καλόπιανε το φορτηγάκι μου να γυρίσει γρήγορα σ' εμένα μ' έναν εκκωφαντικό θόρυβο. Το κεφάλι μου έτσουζε λιγάκι, κι ένιωθα μια δυσφορία στο στομάχι, αλλά το σχίσιμο δεν ήταν σοβαρό. Τα τραύματα στο κεφάλι απλώς αιμορραγούσαν περισσότερο από άλλα. Η βιασύνη του δεν ήταν απαραίτητη.

Ο Τζέικομπ άφησε τη μηχανή αναμμένη, καθώς έτρεξε προς εμένα, τυλίγοντας το χέρι του γύρω από τη μέση μου ξανά.

«Εντάξει, πάμε στο φορτηγάκι».

«Ειλικρινά είμαι καλά», τον διαβεβαίωσα, καθώς με βοηθούσε. «Μην ανησυχείς. Είναι μόνο λίγο αίμα».

«Μόνο *πολύ* αίμα», τον άκουσα να μουρμουρίζει, καθώς πήγε να μαζέψει και το δικό μου μηχανάκι.

«Για κάτσε να το σκεφτούμε ένα δευτερόλεπτο», άρχισα, όταν ξαναμπήκε μέσα. «Αν με πας στα επείγοντα έτσι, ο Τσάρλι σίγουρα θα το μάθει». Κοίταξα κάτω το χώμα και τη σκόνη που είχαν κολλήσει στο τζιν μου.

«Μπέλλα, νομίζω ότι χρειάζεσαι ράμματα. Δε θα σε αφήσω να πεθάνεις από αιμορραγία».

«Δε θα πεθάνω», υποσχέθηκα. «Ας πάμε τουλάχιστον πρώτα πίσω τα μηχανάκια, και μετά θα σταματήσουμε στο σπίτι μου για να ξεφορτωθώ τις αποδείξεις, πριν πάμε στο νοσοκομείο».

«Κι ο Τσάρλι;»

«Είπε ότι είχε δουλειά σήμερα».

«Είσαι σίγουρη;»

«Έχε μου εμπιστοσύνη. Ματώνω εύκολα. Δεν είναι τόσο σοβαρό όσο φαίνεται».

Ο Τζέικομπ δε χαιρόταν –όλο του το στόμα είχε γυρίσει προς τα κάτω κατσουφιάζοντας με έναν ασυνήθιστο γι' αυτόν τρόπο– αλλά δεν ήθελε να με βάλει σε μπελάδες. Κοίταζα έξω από το παράθυρο, κρατώντας το κατεστραμμένο του μπλουζάκι, ενώ εκείνος με πήγαινε στο Φορκς.

Η μηχανή ήταν καλύτερη απ' ό,τι είχα φανταστεί στα όνειρά μου. Είχε εξυπηρετήσει τον αρχικό της σκοπό. Είχα κάνει ζαβολιά –είχα αθετήσει την υπόσχεσή μου. Είχα συμπεριφερθεί ριψοκίνδυνα χωρίς λόγο. Ένιωθα κάπως λιγότερο αξιοθρήνητη τώρα που οι υποσχέσεις είχαν αθετηθεί και από τις δυο μεριές.

Και μετά να ανακαλύψω το κλειδί για τις παραισθήσεις! Τουλάχιστον, ήλπιζα ότι το είχα καταφέρει. Θα δοκίμαζα αν ίσχυε η θεωρία ξανά όσο το δυνατόν το συντομότερο. Μπορεί να ξεμπέρδευαν μαζί μου στα επείγοντα γρήγορα, και θα μπορούσα να δοκιμάσω ξανά απόψε.

Ήταν εκπληκτικό το να τρέχω στο δρόμο έτσι. Η αίσθηση του αέρα στο πρόσωπό μου, η ταχύτητα και η ελευθερία... μου θύμιζε μια προηγούμενη ζωή, όπου διέσχισα το πυκνό δάσος πετώντας πάνω στην πλάτη του, ενώ εκείνος έτρεχε –σταμάτησα να σκέφτομαι ακριβώς σ' αυτό το σημείο, αφήνοντας την ανάμνηση να σβήσει μέσα στον ξαφνικό πόνο. Ζάρωσα προς τα πίσω.

«Είσαι ακόμα εντάξει;» έκανε έναν έλεγχο ο Τζέικομπ.

«Ναι». Προσπάθησα να ακουστώ εξίσου πειστική με πριν.

«Παρεμπιπτόντως», πρόσθεσε. «Θα αποσυνδέσω το ποδόφρενό σου απόψε».

Στο σπίτι, πήγα να κοιταχτώ στον καθρέφτη πρώτα απ' όλα· ήταν αρκετά αποτρόπαιο το θέαμα. Το αίμα στέγνωνε σε παχιές λωρίδες στο μάγουλό μου και στο λαιμό, ενώ μπερδευόταν μέσα στα λασπωμένα μου μαλλιά. Εξέτασα τον εαυτό μου κλινικά, προσποιούμενη ότι το αίμα ήταν μπογιά για να μη μου γυρίσει το στομάχι. Ανέπνευσα από το στόμα μου και ένιωσα καλά.

Πλύθηκα όσο καλύτερα μπορούσα. Μετά έκρυψα τα βρόμικα, ματωμένα μου ρούχα στο βάθος του καλαθιού με τα άπλυτα φορώντας ένα καινούριο τζιν και ένα πουκάμισο με κουμπιά (που δεν ήταν ανάγκη να περάσω από το κεφάλι μου) όσο πιο προσεχτικά μπορούσα. Κατάφερα να το κάνω αυτό με το ένα χέρι και να μη λερώσω κανένα από τα δύο ρούχα με αίμα.

«Βιάσου» φώναξε ο Τζέικομπ.

«Εντάξει, εντάξει», του φώναξα. Αφού βεβαιώθηκα ότι δεν είχα αφήσει τίποτα ενοχοποιητικό πίσω μου, κατευθύνθηκα προς τα κάτω.

«Πώς είμαι;» τον ρώτησα.

«Καλύτερα», παραδέχτηκε εκείνος.

«Μοιάζω, όμως, σαν να σκόνταψα στο γκαράζ σου και να χτύπησα το κεφάλι μου σ' ένα σφυρί;»

«Βέβαια, μάλλον ναι».

«Πάμε τότε».

Ο Τζέικομπ με έβγαλε βιαστικά έξω και επέμεινε να οδηγήσει ξανά. Ήμασταν στη μέση της διαδρομής για το νοσοκομείο, όταν συνειδητοποίησα ότι ακόμα δε φορούσε μπλουζάκι.

Συνοφρυώθηκα ένοχα. «Έπρεπε να πάρουμε ένα μπουφάν για σένα».

«Αυτό θα μας πρόδιδε», με πείραξε. «Εξάλλου, δεν κάνει κρύο».

«Με κοροϊδεύεις;» Εγώ έτρεμα και άπλωσα το χέρι μου για να ανάψω τη ζέστη.

Παρακολούθησα τον Τζέικομπ για να δω αν το έπαιζε σκληρός, για να μην ανησυχώ εγώ, αλλά φαινόταν αρκετά άνετος. Είχε το ένα του χέρι στην πλάτη του καθίσματός μου, αν και ήμουν κουκουλωμένη για να ζεσταθώ.

Ο Τζέικομπ πράγματι φαινόταν μεγαλύτερος από δεκάξι –όχι ακριβώς σαράντα, αλλά ίσως μεγαλύτερος από μένα. Ο Κουίλ δεν το περνούσε και πολύ στο θέμα μύες, κι ας ισχυριζόταν ο Τζέικομπ για τον εαυτό του ότι ήταν ένας σκελετός. Οι μύες του ήταν από αυτούς τους μακριούς, τους λεπτούς και νευρώδεις, αλλά υπήρχαν χωρίς αμφιβολία κάτω από το απαλό του δέρμα. Η επιδερμίδα του είχε τόσο όμορφο χρώμα που ζήλευα.

Ο Τζέικομπ παρατήρησε την προσεχτική εξέτασή μου.

«Τι;» ρώτησε ξαφνικά αμήχανος.

«Τίποτα. Απλώς δεν το είχα συνειδητοποιήσει νωρίτερα. Το ήξερες ότι κατά κάποιο τρόπο είσαι όμορφος;»

Μόλις μου ξέφυγαν οι λέξεις, ανησύχησα ότι μπορεί να έπαιρνε με λάθος τρόπο την αυθόρμητη παρατήρησή μου.

Αλλά ο Τζέικομπ απλώς στριφογύρισε τα μάτια του. «Χτύπησες το κεφάλι σου πολύ δυνατά, έτσι δεν είναι;»

«Σοβαρά μιλάω».

«Τότε, λοιπόν, σ' ευχαριστώ. Υποθέτω».

Εγώ χαμογέλασα πλατιά. «Παρακαλώ. Υποθέτω».

Χρειάστηκαν επτά ράμματα για να κλείσει το σχίσιμο στο μέτωπό μου. Μετά το τσίμπημα της τοπικής αναισθησίας, δεν υπήρχε καθόλου πόνος στη διαδικασία. Ο Τζέικομπ μου κρατούσε το χέρι, ενώ ο δόκτωρ Σνόου έραβε, κι εγώ προσπάθησα να μη σκέφτομαι γιατί αυτό το σκηνικό μου φαινόταν τραγική ειρωνεία.

Μείναμε στο νοσοκομείο μια αιωνιότητα. Μέχρι να τελειώσω, έπρεπε να πετάξω τον Τζέικομπ στο σπίτι του και να βιαστώ να γυρίσω για να μαγειρέψω βραδινό για τον Τσάρλι. Ο Τσάρλι φάνηκε να πείθεται από το παραμύθι μου ότι έπεσα στο γκαράζ του Τζέικομπ. Εξάλλου, δεν ήταν ότι δεν είχα ξαναβρεθεί στα επείγοντα στο παρελθόν χωρίς καμία βοήθεια εκτός από τα ίδια μου τα πόδια.

Αυτή η νύχτα δεν ήταν τόσο άσχημη όσο η πρώτη νύχτα, που είχα ακούσει την τέλεια φωνή στο Πορτ-Άντζελες. Η τρύπα ξαναήρθε, όπως γινόταν πάντα όταν ήμουν μακριά από τον Τζέικομπ, αλλά δεν παλλόταν τόσο δυνατά στις άκρες της. Έκανα ήδη σχέδια για το μέλλον, ανυπομονώντας για περισσότερες παραισθήσεις, κι αυτό με βοηθούσε να ξεχνιέμαι. Επίσης, ήξερα ότι θα ένιωθα καλύτερα αύριο όταν θα βρισκόμουν ξανά με τον Τζέικομπ. Αυτό έκανε την άδεια τρύπα και το γνωστό πόνο πιο υποφερτά· η ανακούφιση ερχόταν. Ο εφιάλτης, επίσης, είχε χάσει λίγη από τη δύναμή του. Ένιωθα φρίκη μπροστά στο κενό, όπως πάντα, αλλά παραδόξως ανυπομονούσα κιόλας, καθώς περίμενα τη στιγμή που θα με ξυπνούσε ουρλιάζοντας. Ήξερα ότι ο εφιάλτης έπρεπε να τελειώσει.

Την επόμενη Τετάρτη, πριν προλάβω να φτάσω σπίτι από τα επείγοντα, ο δόκτωρ Τζέραντι πήρε τηλέφωνο για να προειδοποιήσει τον πατέρα μου ότι μπορεί να είχα διάσειση και τον συμβούλεψε να με ξυπνάει κάθε δυο ώρες το βράδυ για να βεβαιωθεί ότι δεν ήταν τίποτε σοβαρό. Τα μάτια του Τσάρλι ζάρωσαν καχύποπτα στο άκουσμα της αδύναμης εξήγησης που του έδωσα ότι σκόνταψα κι έπεσα πάλι.

«Ίσως είναι καλύτερα να μην πηγαίνεις στο γκαράζ εν τέλει, Μπέλλα», πρότεινε εκείνη τη νύχτα στη διάρκεια του βραδινού.

Πανικοβλήθηκα, ανησυχώντας μήπως ο Τσάρλι ετοιμαζόταν να βγάλει κάποιου είδους διάταγμα που θα απαγόρευε το Λα Πους, και κατά συνέπεια τη μηχανή μου. Και δε θα την παρατούσα –είχα την πιο καταπληκτική παραίσθηση σήμερα. Η αυταπάτη με τη βελούδινη φωνή μου είχε φωνάξει σχεδόν πέντε φορές πριν πατήσω το φρένο τόσο απότομα που εκτοξεύτηκα πάνω στο δέντρο. Θα υπέφερα ό,τι πόνο κι αν μου προκαλούσε αυτό απόψε χωρίς κανένα παράπονο.

«Αυτό δε συνέβη στο γκαράζ», διαμαρτυρήθηκα γρήγορα. «Είχαμε πάει για πεζοπορία και σκόνταψα σε ένα βράχο».

«Από πότε εσύ πηγαίνεις για πεζοπορία;» ρώτησε ο Τσάρλι δύσπιστος.

«Η δουλειά στο μαγαζί των Νιούτον ήταν βέβαιο ότι κάποια μέρα θα με επηρέαζε», επισήμανα. «Το να περνάς κάθε μέρα εκθειάζοντας τις αρετές του υπαίθρου, τελικά σου προκαλεί μια περιέργεια».

Ο Τσάρλι με αγριοκοίταξε χωρίς να έχει πειστεί.

«Θα προσέχω περισσότερο», υποσχέθηκα σταυρώνοντας

κρυφά τα δάχτυλά μου κάτω από το τραπέζι.

«Δε με πειράζει να πηγαίνετε για πεζοπορία κοντά στο Λα Πους, αλλά να μην απομακρύνεστε από την πόλη, εντάξει;»

«Γιατί;»

«Να, τώρα τελευταία ακούω πολλά παράπονα για άγρια ζώα. Η δασονομία θα το ερευνήσει, αλλά προς το παρόν...»

«Α, για τη μεγάλη αρκούδα», είπα καταλαβαίνοντας ξαφνικά. «Ναι, κάποιοι πεζοπόροι απ' αυτούς που περνάνε απ' το κατάστημα των Νιούτον την έχουν δει. Λες να υπάρχει κάποια γιγάντια μεταλλαγμένη αρκούδα γκρίζλι εκεί έξω;»

Το πρόσωπό του ζάρωσε. «Κάτι υπάρχει. Να μην απομακρύνεστε από την πόλη, εντάξει;»

«Καλά, καλά», είπα γρήγορα. Εκείνος δε φάνηκε εντελώς καθησυχασμένος.

«Ο Τσάρλι αρχίζει να γίνεται αδιάκριτος», παραπονέθηκα στον Τζέικομπ όταν τον πήρα μετά το σχολείο την Παρασκευή.

«Ίσως θα ήταν καλύτερα να μην πηγαίνουμε τόσο συχνά βόλτα με τις μηχανές». Είδε την έκφρασή μου, που έδειχνε πως είχα αντίρρηση, και πρόσθεσε: «Τουλάχιστον για καμιά βδομάδα. Θα μπορούσες να μην πας στο νοσοκομείο μια βδομάδα, έτσι δεν είναι;»

«Τι θα κάνουμε;» γκρίνιαξα.

Χαμογέλασε κεφάτα. «Ό,τι θέλεις».

Το σκέφτηκα για μια στιγμή –τι ήταν αυτό που ήθελα.

Μισούσα την ιδέα να χάσω τα ελάχιστα δευτερόλεπτα που βρισκόμουν κοντά στις αναμνήσεις που δεν πονούσαν –αυτές που έρχονταν από μόνες τους, χωρίς να τις σκέφτομαι συνειδητά. Αν δεν μπορούσα να έχω τα μηχανάκια, θα έπρεπε να βρω κάποιον άλλο δρόμο που να οδηγεί στον κίνδυνο και την αδρεναλίνη, κι αυτό θα χρειαζόταν σοβαρή σκέψη και δημιουργικότητα. Το να μην κάνω τίποτα εντωμεταξύ δεν ήταν καθόλου ελκυστικό. Κι αν με έπιανε πάλι κατάθλιψη, ακόμα και με τον Τζέικ; Έπρεπε να βρω κάτι για να απασχολώ τον εαυτό μου.

Μπορεί να υπήρχε κάποιος άλλος τρόπος, κάποια άλλη συνταγή… κάποιο άλλο μέρος.

Το σπίτι ήταν λάθος, χωρίς αμφιβολία. Αλλά *η δική του* παρουσία πρέπει να είχε σημαδέψει κάτι άλλο, κάτι άλλο εκτός από εμένα. Έπρεπε να υπάρχει κάποιο μέρος όπου εκείνος θα φαινόταν περισσότερο αληθινός απ' ό,τι ανάμεσα σε όλα τα γνωστά ορόσημα που ήταν γεμάτα με άλλες ανθρώπινες αναμνήσεις.

Μπορούσα να σκεφτώ ένα μέρος μόνο, όπου θα μπορούσε να ισχύει αυτό. Ένα μέρος που πάντα θα ανήκε σ' *εκείνον* και σε κανέναν άλλο. Ένα μαγικό μέρος, γεμάτο φως. Το πανέμορφο λιβάδι που είχα δει μόνο μία φορά στη ζωή μου, λουσμένο στο φως του ήλιου και τη λάμψη της επιδερμίδας του.

Αυτή η ιδέα είχε τεράστια προοπτική να γυρίσει μπούμεραγκ –θα μπορούσε να είναι και επικίνδυνα οδυνηρό. Το στήθος μου πονούσε από την αίσθηση της κενότητας ακόμα και που το σκέφτηκα. Ήταν δύσκολο να κρατήσω την ψυχραιμία μου, να μην προδοθώ. Αλλά οπωσδήποτε εκεί απ' όλα τα άλλα μέρη, θα μπορούσα να ακούσω τη φωνή του. Και είχα ήδη πει στον Τσάρλι ότι πήγαινα για πεζοπορία…

«Τι σκέφτεσαι με τόση ένταση;» ρώτησε ο Τζέικομπ.

«Να…» άρχισα αργά. «Βρήκα κάποτε αυτό το μέρος μέσα στο δάσος –το βρήκα τυχαία όταν είχα πάει, εε, για πεζοπορία. Ένα μικρό λιβάδι, το πιο όμορφο μέρος. Δεν ξέρω αν θα μπορούσα να το εντοπίσω ξανά μόνη μου. Θα χρειάζονταν οπωσδήποτε αρκετές προσπάθειες…»

«Θα μπορούσαμε να χρησιμοποιήσουμε πυξίδα κι ένα χάρτη της περιοχής», είπε ο Τζέικομπ γεμάτος διάθεση να βοηθήσει και αυτοπεποίθηση. «Ξέρεις από πού ξεκίνησες;»

«Ναι, ακριβώς κάτω από την αρχή του μονοπατιού, εκεί

όπου τελειώνει ο αυτοκινητόδρομος I-10. Πήγαινα κατά βάση προς τα νότια, νομίζω».

«Ωραία. Θα το βρούμε». Όπως πάντα ο Τζέικομπ ήταν μέσα σε οτιδήποτε ήθελα εγώ. Όσο παράξενο κι αν ήταν.

Έτσι, το Σάββατο το απόγευμα, έβαλα τις καινούριες μου μπότες πεζοπορίας –που τις είχα αγοράσει εκείνο το πρωί κάνοντας για πρώτη φορά χρήση της έκπτωσης είκοσι τις εκατό που δικαιούνταν οι υπάλληλοι του μαγαζιού– άρπαξα τον καινούριο μου τοπογραφικό χάρτη της Ολυμπιακής Χερσονήσου και πήγα με το αμάξι στο Λα Πους.

Δεν ξεκινήσαμε αμέσως· πρώτα, ο Τζέικομπ ξάπλωσε στο πάτωμα του σαλονιού –πιάνοντας όλο το χώρο– και για ένα ολόκληρο εικοσάλεπτο, σχεδίαζε ένα πολύπλοκο πλέγμα με τετράγωνα στο βασικό κομμάτι του χάρτη, ενώ εγώ κούρνιαζα σε μια καρέκλα της κουζίνας και μιλούσα στον Μπίλι. Ο Μπίλι δεν έμοιαζε καθόλου ανήσυχος για την εκδρομή που είχαμε κανονίσει. Με εξέπληξε το γεγονός ότι ο Τζέικομπ του είπε πού θα πηγαίναμε, με δεδομένη τη φασαρία που γινόταν για τις αρκούδες. Ήθελα να ζητήσω από τον Μπίλι να μην πει τίποτα στον Τσάρλι, αλλά φοβόμουν ότι αν του το ζητούσα θα είχε ακριβώς το αντίθετο αποτέλεσμα.

«Μπορεί να δούμε τη σούπερ αρκούδα», αστειεύτηκε ο Τζέικομπ, με τα μάτια του πάνω στο σχέδιό του.

Έριξα ένα γρήγορο βλέμμα στον Μπίλι φοβούμενη μία αντίδραση σε στυλ Τσάρλι.

Αλλά ο Μπίλι απλώς ειρωνεύτηκε το γιο του. «Ίσως θα ήταν καλό να πάρεις ένα βάζο μέλι μαζί σου, μήπως και τη δείτε πράγματι».

Ο Τζέικ γέλασε πνιχτά. «Ελπίζω οι καινούριες σου μπότες να είναι γρήγορες, Μπέλλα. Ένα μικρό βαζάκι δε θα κρατήσει μια πεινασμένη αρκούδα απασχολημένη για πολλή ώρα».

«Απλά πρέπει να είμαι πιο γρήγορη από σένα».

«Καλή τύχη!» είπε ο Τζέικομπ στριφογυρίζοντας τα μάτια του, καθώς δίπλωσε πάλι το χάρτη. «Πάμε».

«Καλά να περάσετε», είπε ο Μπίλι με βροντερή φωνή τσουλώντας το καροτσάκι του προς το ψυγείο.

Ο Τσάρλι δεν ήταν δύσκολος άνθρωπος για να ζει κανείς μαζί του, αλλά μου φαινόταν ότι ο Τζέικομπ την είχε ακόμα πιο άνετα απ' ό,τι εγώ.

Οδήγησα ως το τέλος του χωματόδρομου, σταματώντας κοντά στην πινακίδα που σηματοδοτούσε την αρχή του μονοπατιού. Είχε περάσει πολύς καιρός από τότε που βρέθηκα εκεί, και το στομάχι μου αντιδρούσε αγχωμένα. Αυτό μπορεί να ήταν πολύ κακό. Αλλά θα άξιζε τον κόπο αν κατάφερνα να ακούσω *εκείνον*.

Βγήκα έξω και κοίταξα τον πυκνό τοίχο από πράσινο.

«Πήγα από δω», μουρμούρισα, δείχνοντας ευθεία μπροστά.

«Χμμμ», ψιθύρισε ο Τζέικ.

«Τι;»

Κοίταξε προς την κατεύθυνση που είχα δείξει, μετά στο οριοθετημένο μονοπάτι, και πάλι πίσω.

«Και νόμιζα ότι ήσουν από τα κορίτσια που ακολουθούν τα μονοπάτια».

«Όχι εγώ». Χαμογέλασα παγερά. «Είμαι επαναστάτρια».

Γέλασε και μετά έβγαλε έξω το χάρτη μας.

«Δώσε μου ένα δευτερόλεπτο». Κράτησε την πυξίδα με επιδέξιο τρόπο στρίβοντας γύρω της το χάρτη μέχρι που απέκτησε την κλίση που ήθελε.

«Εντάξει –η πρώτη γραμμή στο δίκτυο. Ας το κάνουμε».

Καταλάβαινα ότι καθυστερούσα τον Τζέικομπ, αλλά δεν παραπονέθηκε. Προσπάθησα να μη σκέφτομαι το τελευταίο μου ταξίδι μέσα από αυτό το μέρος του δάσους, με μια πολύ διαφορετική παρέα. Οι φυσιολογικές αναμνήσεις ήταν ακόμα επικίνδυνες. Αν άφηνα τον εαυτό μου να παρασυρθεί, θα κατέληγα με τα χέρια μου να κρατάνε σφιχτά το στήθος μου για να μην εκραγεί, προσπαθώντας να αναπνεύσω, και πώς θα το εξηγούσα αυτό στον Τζέικομπ;

Δεν ήταν τόσο δύσκολο όπως είχα φανταστεί το να μείνω συγκεντρωμένη στο παρόν. Το δάσος έμοιαζε πολύ με οποιοδήποτε άλλο μέρος της χερσονήσου, κι ο Τζέικομπ δημιουργούσε μια τελείως διαφορετική διάθεση.

Σφύριζε κεφάτα, έναν άγνωστο σκοπό, κουνώντας τα χέρια του και περνώντας εύκολα μέσα από την τραχιά βλάστηση στο έδαφος. Οι σκιές δεν έμοιαζαν τόσο σκοτεινές όσο συνήθως. Όχι όταν ήταν μαζί μου ο προσωπικός μου ήλιος.

Ο Τζέικομπ έλεγχε την πυξίδα κάθε λίγα λεπτά, κρατώντας μας σε ευθεία γραμμή παράλληλη προς μια από τις ακτίνες που εκτείνονταν πάνω στο δίκτυο που είχε σχεδιάσει. Έδειχνε πραγματικά σαν να ήξερε τι έκανε. Ήμουν έτοιμη να του κάνω φιλοφρόνηση, αλλά συγκρατήθηκα. Δεν υπήρχε αμφιβολία ότι θα πρόσθετε μερικά ακόμα χρόνια στην ήδη παραφουσκωμένη ηλικία του.

Το μυαλό μου ταξίδευε καθώς περπατούσα και ένιωσα μια περιέργεια. Δεν είχα ξεχάσει τη συζήτηση που είχαμε κάνει δίπλα στους βράχους στη θάλασσα –περίμενα να το αναφέρει ξανά το θέμα, και δε φαινόταν ότι θα συνέβαινε κάτι τέτοιο.

«Ε, Τζέικ», ρώτησα διστακτικά.

«Ναι;»

«Πώς πάνε τα πράγματα... με τον Έμπρι; Έγινε ξανά φυσιολογικός;»

Ο Τζέικομπ έμεινε σιωπηλός για ένα λεπτό, ακόμα προχωρώντας μπροστά με μεγάλα βήματα. Όταν βρέθηκε περίπου τρία μέτρα πιο μπροστά από μένα, σταμάτησε για να με περιμένει.

«Όχι. Δεν ξαναέγινε φυσιολογικός», είπε ο Τζέικομπ όταν τον έφτασα, και το στόμα του κύρτωσε προς τα κάτω στις άκρες. Δεν ξεκίνησε να περπατάει ξανά. Αμέσως το μετάνιωσα που το ανέφερα.

«Ακόμα με τον Σαμ».

«Ναι».

Έβαλε το μπράτσο του γύρω από τον ώμο μου και φαινόταν τόσο προβληματισμένος που δεν το τίναξα από πάνω μου παιχνιδιάρικα, όπως μπορεί να είχα κάνει αλλιώς.

«Σε κοιτάνε ακόμα περίεργα;» μισοψιθύρισα.

Ο Τζέικομπ κοίταξε μέσα από τα δέντρα. «Μερικές φορές».

«Κι ο Μπίλι;»

«Συνεχίζει να με βοηθάει τόσο όσο και πριν», είπε με μια χολωμένη, θυμωμένη φωνή που δε μου άρεσε.

«Ο καναπές μας είναι πάντα διαθέσιμος», προσφέρθηκα εγώ.

Γέλασε σπάζοντας την αφύσικη κατήφεια. «Μα σκέψου σε τι θέση θα βρισκόταν ο Τσάρλι –όταν ο Μπίλι πάρει τηλέφωνο για να δηλώσει την απαγωγή μου».

Γέλασα κι εγώ χαρούμενη που ο Τζέικομπ είχε γίνει πάλι φυσιολογικός.

Σταματήσαμε όταν ο Τζέικομπ δήλωσε ότι είχαμε διανύσει γύρω στα δέκα χιλιόμετρα, κόψαμε προς τα δυτικά για λίγο, και γυρίσαμε προς τα πίσω κατά μήκος μιας άλλης γραμμής του πλέγματός που είχε σχεδιάσει. Τα πάντα έμοιαζαν ακριβώς ίδια, όπως όταν ερχόμασταν, και είχα ένα προαίσθημα ότι η ανόητη αναζήτησή μου ήταν κατά βάση καταδικασμένη. Το παραδέχτηκα όταν άρχισε να σκοτεινιάζει, καθώς η μέρα χωρίς ήλιο έσβηνε και γινόταν μια νύχτα χωρίς αστέρια, αλλά ο Τζέικομπ είχε περισσότερη αυτοπεποίθηση.

«Εφόσον είσαι σίγουρη ότι ξεκινάμε από το σωστό σημείο...» χαμήλωσε το βλέμμα του για να με κοιτάξει.

«Ναι, είμαι σίγουρη».

«Τότε θα το βρούμε», υποσχέθηκε, αρπάζοντας το χέρι μου και τραβώντας με μέσα από ένα θύσανο από φτέρες. Στην άλλη μεριά βρισκόταν το φορτηγάκι. Έκανε μια χειρονομία δείχνοντας προς αυτό περήφανα. «Έχε μου εμπιστοσύνη».

«Είσαι καλός», παραδέχτηκα. «Την επόμενη φορά, όμως, θα πάρουμε μαζί και φακούς».

«Θα αφήσουμε την πεζοπορία για τις Κυριακές από δω και πέρα. Δεν ήξερα ότι είσαι τόσο αργή».

Τράβηξα βίαια το χέρι μου πίσω και πήγα με βαριά βήματα γύρω-γύρω για να φτάσω στη θέση του οδηγού, ενώ εκείνος γελούσε πνιχτά με την αντίδρασή μου.

«Λοιπόν, είσαι να προσπαθήσουμε αύριο πάλι;» ρώτησε, γλιστρώντας στη θέση του συνοδηγού.

«Βέβαια. Εκτός κι αν θέλεις να πας χωρίς εμένα για να μη σε καθυστερώ με τους αναπηρικούς ρυθμούς μου».

«Θα αντέξω», με διαβεβαίωσε. «Αν είναι να πάμε για πεζοπορία ξανά, όμως, μπορεί να θέλεις να πάρεις κανένα επίθεμα για τις φουσκάλες σου. Βάζω στοίχημα ότι τώρα νιώθεις τις καινούριες σου μπότες για τα καλά».

«Λιγάκι», ομολόγησα. Ένιωθα σαν να είχα παραπάνω φουσκάλες απ' ό,τι έφτανε ο χώρος για να χωρέσουν όλες.

«Ελπίζω να δούμε αύριο την αρκούδα. Απογοητεύτηκα κάπως μ' αυτό το θέμα».

«Ναι, κι εγώ», συμφώνησα σαρκαστικά. «Μπορεί να είμαστε τυχεροί αύριο και κάτι να μας φάει!»

«Οι αρκούδες δεν τρώνε ανθρώπους. Δεν έχουμε και τόσο καλή γεύση». Μου χαμογέλασε πλατιά μέσα στη σκοτεινή καμπίνα. «Φυσικά, εσύ μπορεί και να είσαι εξαίρεση. Βάζω στοίχημα ότι εσύ έχεις ωραία γεύση».

«Σ' ευχαριστώ πολύ», είπα γυρίζοντας απ' την άλλη το βλέμμα. Δεν ήταν ο πρώτος που μου το έλεγε.

9. ΤΡΙΤΟΣ ΤΡΟΧΟΣ

Ο χρόνος είχε αρχίσει να κυλάει πολύ πιο γρήγορα απ' ό,τι παλιά. Το σχολείο, η δουλειά και ο Τζέικομπ –αν και όχι απαραίτητα με αυτή τη σειρά– δημιουργούσαν ένα τακτικό μοτίβο που δεν απαιτούσε προσπάθεια για να το ακολουθήσω. Κι εκπληρώθηκε και η επιθυμία του Τσάρλι: δεν ήμουν πια δυστυχισμένη. Φυσικά, δεν μπορούσα να ξεγελάσω εντελώς τον εαυτό μου. Όταν σταματούσα για να κάνω έναν απολογισμό της ζωής μου, πράγμα που προσπαθούσα να μην κάνω και πολύ συχνά, δεν μπορούσα να αγνοήσω τις συνέπειες της συμπεριφοράς μου.

Ήμουν σαν ένα χαμένο φεγγάρι –ο πλανήτης μου είχε καταστραφεί σύμφωνα με κάποιο κατακλυσμικό σενάριο αφανισμού από ταινία καταστροφής– που συνέχιζε, παρ' όλα αυτά, να γυρίζει σε μια σταθερή, μικρή τροχιά γύρω από το κενό που είχε μείνει πίσω, αγνοώντας τους νόμους της βαρύτητας.

Βελτιωνόμουν με το μηχανάκι μου, πράγμα που σήμαινε ότι υπήρχαν λιγότεροι επίδεσμοι για να ανησυχήσουν τον Τσάρλι. Αλλά σήμαινε επίσης ότι η φωνή στο κεφάλι μου άρχισε να σβήνει, μέχρι που δεν την άκουγα πια καθόλου. Σιωπηρά με έπιασε πανικός. Ρίχτηκα στην αναζήτηση του λιβαδιού με μια ελαφρώς υστερική ένταση. Έσπαγα το μυαλό μου να σκεφτώ άλλες δραστηριότητες παραγωγής αδρεναλίνης.

Δεν είχα την αίσθηση των ημερών που περνούσαν –δεν υπήρχε κανένας λόγος, καθώς προσπαθούσα να ζω στο παρόν όσο το δυνατόν γινόταν, χωρίς κανένα παρελθόν να ξεθωριάζει, χωρίς κανένα μέλλον να επίκειται. Έτσι με εξέπληξε η ημερομηνία, όταν ο Τζέικομπ την ανέφερε μια από τις μέρες που θα αφιερώναμε στο διάβασμα. Με περίμενε όταν πάρκαρα μπροστά από το σπίτι του.

«Χρόνια Πολλά!» είπε ο Τζέικομπ, χαμογελώντας, αλλά με χαμηλωμένο το κεφάλι του, καθώς με χαιρετούσε.

Έβγαλε ένα μικρό, ροζ κουτάκι ισορροπώντας το πάνω στην παλάμη του. Δυο ζαχαρωτές καρδιές.

«Νιώθω σαν ηλίθια», μουρμούρισα μέσα από τα δόντια μου. «Σήμερα είναι του Αγίου Βαλεντίνου;»

Ο Τζέικομπ κούνησε το κεφάλι του με προσποιητή λύπη. «Μερικές φορές τα έχεις τελείως χαμένα. Ναι, είναι δεκατέσσερις Φεβρουαρίου σήμερα. Λοιπόν, θα γίνεις η Βαλεντίνα μου; Αφού δε μου πήρες ούτε ένα κουτάκι φτηνά ζαχαρωτά, είναι το λιγότερο που μπορείς να κάνεις».

Άρχισα να νιώθω άβολα. Οι λέξεις ήταν πειραχτικές, αλλά μόνο επιφανειακά.

«Τι ακριβώς συμπεριλαμβάνει αυτό;» ρώτησα αόριστα.

«Τα συνηθισμένα –να γίνεις σκλάβα μου για μια ζωή, και τέτοια».

«Α, εντάξει, αν αυτό είναι όλο...» Πήρα τα ζαχαρωτά. Αλλά προσπαθούσα να σκεφτώ κάποιον τρόπο για να θέσω πάλι τα όρια ξεκάθαρα. Έμοιαζαν να είναι συχνά θολά με τον Τζέικομπ.

«Λοιπόν, τι θα κάνουμε αύριο; Θα πάμε για πεζοπορία ή στα επείγοντα;»

«Πεζοπορία», είπα αποφασιστικά. «Δεν είσαι ο μόνος που μπορεί να σε πιάσει μανία. Αρχίζω να νομίζω ότι φαντάστηκα εκείνο το μέρος ... » Συνοφρυώθηκα στο κενό.

«Θα το βρούμε», με διαβεβαίωσε. «Μηχανάκια την Παρασκευή;» πρότεινε.

Είδα μια ευκαιρία και την άρπαξα χωρίς να το σκεφτώ.

«Θα πάω σινεμά την Παρασκευή. Το έχω υποσχεθεί εδώ και αιώνες στην παρέα μου που κάθομαι μαζί τους στην τραπεζαρία». Ο Μάικ θα χαιρόταν.

Αλλά το πρόσωπο του Τζέικομπ συννέφιασε. Συναισθάνθηκα την έκφραση στα σκούρα του μάτια, πριν καν τα χαμηλώσει για να κοιτάξει κάτω στο έδαφος.

«Θα έρθεις κι εσύ, έτσι;» πρόσθεσα γρήγορα. «Ή θα είναι πολύ ανιαρό με ένα τσούρμο βαρετούς τελειόφοιτους;» Πήγε χαμένη η ευκαιρία μου να βάλω λίγη απόσταση ανάμεσά μας. Δεν άντεχα να πληγώσω τον Τζέικομπ· φαινόταν πως είχαμε κάποια σύνδεση κατά ένα παράξενο τρόπο, κι ο δικός του πόνος με έκανε να πονάω κι εγώ. Επίσης, η ιδέα τού να έχω και τη δική του συντροφιά για τη δοκιμασία –το *είχα όντως* υποσχεθεί στο Μάικ, αλλά δεν ένιωθα καθόλου ενθουσιασμό στην ιδέα να εκπληρώσω την υπόσχεσή μου– ήταν πολύ δελεαστική.

«Θα ήθελες να έρθω κι εγώ μαζί με τις φίλους σου;»

«Ναι», παραδέχτηκα με ειλικρίνεια, γνωρίζοντας καθώς συνέχιζα ότι πιθανότατα αυτοπυροβολούμουν στο πόδι με τα λόγια μου. «Θα περάσω καλύτερα αν είσαι κι εσύ εκεί. Φέρε και τον Κουίλ, θα κάνουμε πάρτι».

«Ο Κουίλ θα τα παίξει. Τελειόφοιτες». Γέλασε στριφογυρίζοντας τα μάτια του. Δεν ανέφερα τον Έμπρι, και ούτε κι αυτός.

Γέλασα και εγώ. «Θα προσπαθήσω να φέρω μεγάλη ποικιλία για να διαλέξει».

Ανέφερα το θέμα στον Μάικ την ώρα των αγγλικών.

«Έι, Μάικ», είπα στο τέλος του μαθήματος. «Είσαι ελεύθερος την Παρασκευή το βράδυ;»

Εκείνος σήκωσε το βλέμμα του με τα μπλε μάτια του να έχουν γεμίσει αμέσως ελπίδα. «Ναι, είμαι. Θέλεις να βγούμε;»

Διάλεξα πολύ προσεχτικά τις λέξεις για την απάντησή μου. «Σκεφτόμουν να *μαζευτούμε*» –τόνισα τη λέξη– «να δούμε το *Επίκεντρο*». Ήμουν καλά διαβασμένη αυτή τη φορά –είχα διαβάσει ακόμα και την πλοκή των ταινιών ως το τέλος για να είμαι σίγουρη ότι δε θα αιφνιδιαζόμουν. Αυτή η ταινία υποτίθεται ότι ήταν ένα λουτρό αίματος από την αρχή ως το τέλος. Δεν είχα βελτιωθεί τόσο πολύ ώστε να αντέξω να δω ρομαντική ιστορία. «Πλάκα δε θα έχει;»

«Σίγουρα», συμφώνησε εκείνος, εμφανώς λιγότερο ενθουσιασμένος.

«Ωραία».

Μετά από ένα δευτερόλεπτο ζωήρεψε ξανά προσεγγίζοντας το προηγούμενο επίπεδο ενθουσιασμού στο οποίο είχε φτάσει. «Τι λες να πούμε στην Άντζελα και τον Μπεν; Ή στον Έρικ και την Κέιτι;»

Ήταν αποφασισμένος να το κάνει σαν ραντεβού για ζευγάρια προφανώς.

«Τι λες να πούμε και στους τέσσερις;» πρότεινα. «Και στην Τζέσικα, φυσικά. Και στον Τάιλερ και τον Κόνερ, και ίσως και στη Λόρεν», πρόσθεσα εγώ απρόθυμα. *Είχα* υποσχεθεί στον Κουίλ ποικιλία.

«Εντάξει», μουρμούρισε ο Μάικ, απογοητευμένος από τη ματαίωση των σχεδίων του.

«Και» συνέχισα «έχω κι ένα δυο φίλους από το Λα Πους που θα προσκαλέσω. Μου φαίνεται, λοιπόν, ότι θα χρειαστούμε το τζιπάκι σου, το Σεμπέρμπαν, αν είναι να έρθουν όλοι».

Τα μάτια του Μάικ ζάρωσαν καχύποπτα.

«Αυτοί είναι οι φίλοι που περνάς όλο σου τον καιρό μαζί τους τώρα;»

«Ναι, οι ίδιοι», απάντησα κεφάτα. «Αν και θα μπορούσες να το δεις σαν ιδιαίτερα μαθήματα. Είναι μόλις στην πρώτη λυκείου».

«Α», είπε ο Μάικ έκπληκτος. Μετά από ένα δευτερόλεπτο σκέψης, χαμογέλασε.

Στο τέλος, παρ' όλα αυτά, το Σεμπέρμπαν δεν ήταν απαραίτητο.

Η Τζέσικα και η Λόρεν ισχυρίστηκαν ότι ήταν απασχολημένες μόλις του Μάικ του ξέφυγε ότι είχα κι εγώ να κάνω με το σχεδιασμό της εξόδου. Ο Έρικ και η Κέιτι ήδη είχαν κανονίσει –ήταν η επέτειος της τρίτης τους βδομάδας ή κάτι τέτοιο. Η Λόρεν μίλησε στον Κόνερ και τον Τάιλερ πριν προλάβει ο Μάικ, έτσι κι οι δυο αυτοί ήταν απασχολημένοι. Ακόμα κι ο Κουίλ ήταν εκτός –τιμωρία επειδή είχε τσακωθεί στο σχολείο. Στο τέλος, μόνο η Άντζελα κι ο Μπεν, και φυσικά ο Τζέικομπ θα μπορούσαν να έρθουν.

Ο περιορισμένος αριθμός δε μείωσε τον ενθουσιασμό του Μάικ, πάντως. Την Παρασκευή ήταν το μόνο πράγμα για το οποίο μιλούσε συνέχεια.

«Είσαι σίγουρη ότι δε θες να πάμε να δούμε το *Αύριο και Για Πάντα;*» με ρώτησε στο μεσημεριανό, αναφερόμενος στην τρέχουσα ρομαντική κομεντί που βρισκόταν στην κορυφή του μποξ-όφις. «*Οι Σάπιες Ντομάτες* του έκαναν καλύτερη κριτική».

«Θέλω να δω το *Επίκεντρο*», επέμεινα εγώ. «Έχω διάθεση για δράση. Φέρτε μου αίμα και σωθικά».

«Εντάξει». Ο Μάικ γύρισε από την άλλη, αλλά όχι πριν προλάβω να δω την έκφραση ίσως-τελικά-να-είναι-τρελή.

Όταν γύρισα σπίτι από το σχολείο, ένα πολύ γνωστό αυτοκίνητο ήταν παρκαρισμένο μπροστά από το σπίτι μου. Ο Τζέικομπ ακουμπούσε στο καπό, με ένα τεράστιο χαμόγελο να φωτίζει το πρόσωπό του.

«Αποκλείεται!» φώναξα, καθώς πετάχτηκα έξω από το φορτηγάκι μου. «Το τελείωσες! Δεν το πιστεύω! Τελείωσες το Ράμπιτ!»

Γέλασε πλατιά. «Μόλις χθες το βράδυ. Αυτό είναι το παρθενικό του ταξίδι».

«Απίστευτο». Σήκωσα το χέρι μου ψηλά για να του δώσω συγχαρητήρια χτυπώντας την παλάμη του.

Χτύπησε το χέρι του στο δικό μου, αλλά το άφησε εκεί, μπλέκοντας τα δάχτυλά του με τα δικά μου. «Λοιπόν, θα με αφήσεις να οδηγήσω εγώ απόψε;»

«Οπωσδήποτε», είπα και μετά αναστέναξα.

«Τι συμβαίνει;»

«Τα παρατάω –δεν μπορώ να κάνω τίποτα για να το ξεπεράσω αυτό. Λοιπόν, κερδίζεις εσύ. Είσαι μεγαλύτερος».

Σήκωσε τους ώμους, χωρίς να εκπλήσσεται από το γεγονός ότι παραδόθηκα. «Φυσικά και είμαι».

Το Σεμπέρμπαν του Μάικ φάνηκε στη γωνία με τη μηχανή του να ξεφυσά. Εγώ τράβηξα το χέρι μου από του Τζέικομπ, κι εκείνος έκανε μια γκριμάτσα που εγώ δεν έπρεπε να δω.

«Τον θυμάμαι αυτό τον τύπο», είπε χαμηλόφωνα, καθώς ο Μάικ πάρκαρε απέναντι. «Αυτός δεν είναι που νόμιζε ότι είσαι η κοπέλα του; Είναι ακόμα μπερδεμένος;»

Εγώ σήκωσα το ένα μου φρύδι. «Μερικοί άνθρωποι δεν αποθαρρύνονται εύκολα».

«Μα από την άλλη», είπε σκεπτικά ο Τζέικομπ, «καμιά φορά η επιμονή έχει αποτελέσματα».

«Τις περισσότερες φορές, όμως, είναι εκνευριστική».

Ο Μάικ βγήκε από το αμάξι του και μετά τα μάτια του γέμισαν ανησυχία, καθώς σήκωσε το βλέμμα του να κοιτάξει τον Τζέικομπ. Έριξα μια σύντομη ματιά στον Τζέικομπ, προσπαθώντας να είμαι αντικειμενική. Δεν έδειχνε καθόλου σαν μαθητής της πρώτης λυκείου. Ήταν τόσο ψηλός· το κεφάλι του Μάικ μετά βίας έφτανε στον ώμο του Τζέικομπ. Δεν ήθελα ούτε καν να το σκεφτώ πόσο μικρή έδειχνα εγώ δίπλα του –και μετά και το πρόσωπό του έμοιαζε μεγαλύτερο απ' ό,τι ήταν στο παρελθόν, ακόμα και σε σύγκριση με ένα μήνα πρωτύτερα.

«Γεια σου, Μάικ! Θυμάσαι τον Τζέικομπ Μπλακ;»

«Δε θα το έλεγα». Ο Μάικ έδωσε το χέρι του.

«Παλιός οικογενειακός φίλος», συστήθηκε ο Τζέικομπ κουνώντας το χέρι του Μάικ. Έσφιξαν τα χέρια με περισσότερη δύναμη απ' ό,τι χρειαζόταν. Όταν σταμάτησαν, ο Μάικ τέντωσε τα δάχτυλά του.

Άκουσα το τηλέφωνο να χτυπάει από την κουζίνα.

«Καλύτερα να το απαντήσω –μπορεί να είναι ο Τσάρλι», τους είπα και όρμησα μέσα.

Ήταν ο Μπεν. Η Άντζελα είχε κάποια γαστρεντερική ίωση, και εκείνος δεν είχε διάθεση να έρθει χωρίς αυτήν. Ζήτησε συγνώμη που μας κρέμαγε.

Γύρισα περπατώντας αργά στα αγόρια που περίμεναν, κουνώντας το κεφάλι μου. Πραγματικά ήλπιζα η Άντζελα να γινόταν γρήγορα καλύτερα, αλλά έπρεπε να παραδεχτώ ότι είχα αναστατωθεί για εγωιστικούς λόγους από αυτή την εξέλιξη. Μόνο οι τρεις μας, ο Μάικ, ο Τζέικομπ κι εγώ μαζί για το αποψινό βράδυ –τι υπέροχη κατάληξη, σκέφτηκα με σκοτεινό σαρκασμό.

Ο Τζέικ κι ο Μάικ δε φαίνονταν να έχουν κάνει καμία πρόοδο προς μια πιο φιλική διάθεση στη διάρκεια της απουσίας μου. Ήταν αρκετά μέτρα μακριά ο ένας από τον άλλο, κοιτάζοντας ο καθένας αλλού, καθώς με περίμεναν· η έκφραση του Μάικ ήταν βαρύθυμη, ενώ του Τζέικομπ εξίσου χαρούμενη όπως πάντα.

«Η Αντζ είναι άρρωστη», τους είπα σκυθρωπά. «Αυτή κι ο Μπεν δε θα έρθουν».

«Μάλλον η ίωση κάνει άλλον έναν κύκλο. Και ο Όστιν κι

ο Κόνερ κόλλησαν σήμερα. Μήπως να το κάναμε καλύτερα άλλη φορά;» πρότεινε ο Μάικ.

Πριν προλάβω να συμφωνήσω, ο Τζέικομπ μίλησε.

«Εγώ είμαι μέσα ακόμα. Αλλά αν εσύ προτιμάς να μην έρθεις, Μάικ–»

«Όχι, θα έρθω», διέκοψε ο Μάικ. «Απλώς σκεφτόμουν την Άντζελα και τον Μπεν. Πάμε». Άρχισε να προχωράει προς το Σεμπέρμπαν του.

«Έ, σε πειράζει να πάμε με του Τζέικομπ;» ρώτησα εγώ. «Του είπα ότι μπορεί να οδηγήσει αυτός σήμερα –μόλις τελείωσε το αμάξι. Το έφτιαξε από την αρχή, ολομόναχος», καυχήθηκα, περήφανη σαν μαμά του συλλόγου γονέων και κηδεμόνων με παιδί στον κατάλογο με τους αριστεύσαντες.

«Εντάξει», είπε ο Μάικ κοφτά.

«Ωραία, λοιπόν», είπε ο Τζέικομπ, λες και όλα είχαν διευθετηθεί όπως έπρεπε. Εκείνος φαινόταν πιο άνετος απ' όλους.

Ο Μάικ σκαρφάλωσε στην πίσω θέση του Ράμπιτ με μια έκφραση γεμάτη αηδία.

Ο Τζέικομπ ήταν ο συνηθισμένος ευχάριστος εαυτός του, φλυαρώντας συνέχεια, μέχρι που ξέχασα τον Μάικ που καθόταν μουτρωμένος στο πίσω κάθισμα.

Και τότε ο Μάικ άλλαξε την τακτική του. Έσκυψε μπροστά ακουμπώντας το πιγούνι του στον ώμο του καθίσματός μου· το μάγουλό του σχεδόν ακουμπούσε στο δικό μου. Εγώ άλλαξα στάση, γυρνώντας την πλάτη μου προς το παράθυρο.

«Δε δουλεύει το ραδιόφωνο σ' αυτό το πράγμα;» ρώτησε ο Μάικ με μια υποψία θυμού, διακόπτοντας τον Τζέικομπ στη μέση της πρότασής του.

«Ναι», απάντησε ο Τζέικομπ. «Αλλά δεν αρέσει στην Μπέλλα να ακούει μουσική».

Κάρφωσα το βλέμμα μου στον Τζέικομπ έκπληκτη. Δεν του το είχα πει ποτέ αυτό.

«Μπέλλα;» ρώτησε ο Μάικ εκνευρισμένος.

«Έχει δίκιο», μουρμούρισα μέσα από τα δόντια μου, κοιτάζοντας ακόμα το γαλήνιο προφίλ του Τζέικομπ.

«Πώς είναι δυνατόν να μη σου αρέσει η μουσική;» απαίτησε να μάθει ο Μάικ.

Σήκωσα τους ώμους. «Δεν ξέρω. Απλώς με εκνευρίζει».

«Χα». Ο Μάικ έγειρε πάλι προς τα πίσω.

Όταν φτάσαμε στο σινεμά, ο Τζέικομπ μου έδωσε ένα δεκαδόλαρο.

«Τι είναι αυτό;» διαμαρτυρήθηκα.

«Δεν είμαι αρκετά μεγάλος για να μπω σ' αυτό το έργο», μου υπενθύμισε.

Γέλασα δυνατά. «Πάει λοιπόν η θεωρία σου για τη σχετικότητα της ηλικίας. Ο Μπίλι θα με σκοτώσει αν σε βάλω μέσα κρυφά;»

«Όχι. Του είπα ότι σκόπευες να διαφθείρεις τη νεανική μου αθωότητα».

Γέλασα κοροϊδευτικά, κι ο Μάικ επιτάχυνε το ρυθμό του για να συμβαδίσει μαζί μας.

Σχεδόν ευχόμουν ο Μάικ να είχε αποφασίσει να μείνει σπίτι. Ήταν ακόμα βαρύθυμος –δεν ήταν και σπουδαία παρέα στη συντροφιά μας. Αλλά ούτε ήθελα να καταλήξω να έχω βγει μόνη ραντεβού με τον Τζέικομπ. Αυτό δε θα βοηθούσε σε τίποτα.

Η ταινία ήταν ακριβώς αυτό που υποσχόταν. Ακόμα και στη διάρκεια των τίτλων της αρχής τέσσερις άνθρωποι ανατινάχθηκαν κι ένας αποκεφαλίστηκε. Το κορίτσι μπροστά μου έκρυψε τα μάτια του με τα χέρια του και γύρισε το πρόσωπό της στο στήθος του συνοδού της. Εκείνος χτύπησε χαϊδευτικά τον ώμο της, και το δικό του πρόσωπο μόρφαζε κι αυτό περιστασιακά. Ο Μάικ δε φαινόταν να παρακολουθεί. Το πρόσωπό του ήταν άκαμπτο, καθώς αγριοκοίταζε προς την άκρη της κουρτίνας πάνω από την οθόνη.

Βολεύτηκα καλύτερα για να αντέξω τις δυο ώρες, περισσότερο παρακολουθώντας τα χρώματα και την κίνηση στην οθόνη παρά βλέποντας τα σχήματα των ανθρώπων, των αμαξιών και των σπιτιών. Αλλά τότε ο Τζέικομπ άρχισε να γελάει κοροϊδευτικά.

«Τι;» ψιθύρισα.

«Ω, έλα τώρα!» είπε μέσα από τα δόντια του. «Το αίμα εκτοξεύτηκε από εκείνο τον τύπο έξι μέτρα ψηλά. Πόσο πιο ψεύτικο θα μπορούσε να γίνει;»

Χαχάνισε ξανά, την ώρα που ένα κοντάρι λόγχισε έναν άλλο άντρα σε ένα τοίχο από μπετόν.

Μετά απ' αυτό, πραγματικά άρχισα να παρακολουθώ το θέαμα γελώντας μαζί του, καθώς οι ακρωτηριασμοί γίνονταν όλο και πιο γελοίοι. Πώς θα διαχειριζόμουν τα συγκεχυμένα όρια στη σχέση μας, όταν περνούσα τόσο καλά μαζί του;

Και ο Τζέικομπ και ο Μάικ είχαν διεκδικήσει τα μπράτσα κι από τις δυο μεριές της καρέκλας μου. Και των δυο τα χέρια ήταν ακουμπισμένα ανάλαφρα, με τις παλάμες προς τα πάνω σε μια στάση που δεν έδειχνε φυσική. Σαν ατσαλένιες παγίδες για αρκούδες, ανοικτές και πανέτοιμες. Ο Τζέικομπ το είχε συνήθειο να μου πιάνει το χέρι όποτε παρουσιαζόταν μια ευκαιρία, αλλά εδώ, μέσα στη σκοτεινή αίθουσα του σινεμά, με τον Μάικ να παρακολουθεί, θα είχε διαφορετική σημασία –και ήμουν σίγουρη ότι το ήξερε. Δεν μπορούσα να το πιστέψω ότι ο Μάικ σκεφτόταν το ίδιο πράγμα, αλλά το χέρι του ήταν τοποθετημένο όπως ακριβώς και του Τζέικομπ.

Εγώ σταύρωσα τα χέρια μου στο στήθος μου και ήλπιζα ότι τα χέρια και των δυο τους θα αποκοιμιόντουσαν.

Ο Μάικ τα παράτησε πρώτος. Σχεδόν στη μέση της ταινίας, τράβηξε πίσω το χέρι του και έσκυψε μπροστά για να βάλει το κεφάλι του μέσα στα χέρια του. Στην αρχή νόμισα ότι αντιδρούσε σε κάτι που είχε δει στην οθόνη, αλλά μετά έβγαλε ένα βογκητό.

«Μάικ, είσαι καλά;» ψιθύρισα.

Το ζευγάρι μπροστά μας γύρισε για να τον κοιτάξει, καθώς βόγκηξε ξανά.

«Όχι», είπε με κομμένη ανάσα. «Νομίζω ότι έχω αρρωστήσει».

Έβλεπα τη γυαλάδα του ιδρώτα στο πρόσωπό του από το φως της οθόνης.

Ο Μάικ βόγκηξε και τράπηκε σε φυγή προς την πόρτα. Σηκώθηκα για να τον ακολουθήσω, κι ο Τζέικομπ με αντέγραψε αμέσως.

«Όχι, κάτσε», ψιθύρισα. «Πάω να δω αν είναι εντάξει».

Ο Τζέικομπ ήρθε μαζί μου έτσι κι αλλιώς.

«Δε χρειάζεται να έρθεις. Μην πάει χαμένο τέτοιο μακελειό αξίας οκτώ δολαρίων», επέμεινα καθώς περπατούσαμε στο διάδρομο.

«Δεν πειράζει. Σίγουρα ξέρεις να τις διαλέγεις, Μπέλλα. Αυτή η ταινία είναι χάλια». Η φωνή του από ψίθυρος έγινε ξανά δυνατή καθώς βγαίναμε από την αίθουσα.

Δεν υπήρχε πουθενά κανένα ίχνος του Μάικ στο φουαγέ, και χαιρόμουν πολύ που ο Τζέικομπ είχε έρθει μαζί μου –έσκυψε για να μπει στις τουαλέτες των αντρών για να ψάξει αν ήταν εκεί.

Ο Τζέικομπ γύρισε πίσω σε λίγα δευτερόλεπτα.

«Α, εντάξει, εκεί μέσα είναι», είπε στριφογυρίζοντας τα μάτια του. «Τι λαπάς. Καλύτερα να περιμένεις κάποιον με πιο γερό στομάχι. Κάποιον που γελάει με τα αίματα που κάνουν τους αδύναμους άντρες να ξερνάνε».

«Θα έχω τα μάτια μου ανοιχτά να βρω κάποιον τέτοιο».

Ήμασταν ολομόναχοι στο φουαγέ. Και στις δυο αίθουσες οι ταινίες ήταν στη μέση τους, έτσι το φουαγέ ήταν έρημο –αρκετά ήσυχο ώστε να μπορούμε να ακούσουμε το ποπκόρν να σκάει.

Ο Τζέικομπ πήγε να κάτσει στον πάγκο με την ταπετσαρία από βαμβακερό βελούδο που ακουμπούσε κατά μήκος του τοίχου, και χτύπησε απαλά τη θέση δίπλα του, εννοώντας να καθίσω εκεί.

«Ακουγόταν σαν να πρόκειται να μείνει εκεί για λίγη ώρα», είπε τεντώνοντας τα μακριά του πόδια μπροστά του, καθώς βολεύτηκε καλύτερα για να περιμένει.

Πήγα να κάτσω μαζί του αναστενάζοντας. Έμοιαζε σαν να σκόπευε να κάνει τα όρια ακόμα πιο συγκεχυμένα. Σίγουρα πάντως, αμέσως μόλις κάθισα, μετακινήθηκε προς το μέρος μου για να βάλει το μπράτσο του γύρω από τους ώμους μου.

«Τζέικ», διαμαρτυρήθηκα εγώ, ενώ έσκυψα για να απομακρυνθώ. Κατέβασε το μπράτσο του, χωρίς να δείχνει ενοχλημένος από αυτή τη μικρή απόρριψη. Άπλωσε το χέρι του και έπιασε το δικό μου σφιχτά, τυλίγοντας το άλλο του χέρι γύρω από τον καρπό μου, όταν προσπάθησα να τραβηχτώ μακριά του. Από πού αντλούσε την αυτοπεποίθηση;

«Για περίμενε ένα λεπτό, Μπέλλα», είπε με ψύχραιμη φωνή. «Για πες μου κάτι».

Εγώ έκανα ένα μορφασμό. Δεν ήθελα να το κάνω αυτό. Όχι απλώς αυτή τη στιγμή, ούτε και ποτέ. Δεν υπήρχε τίποτα άλλο στη ζωή μου σ' αυτό το σημείο που να ήταν πιο σημαντικό από τον Τζέικομπ Μπλακ. Αλλά εκείνος έμοιαζε αποφασισμένος να τα χαλάσει όλα.

«Τι;» μουρμούρισα ξινισμένα.

«Με συμπαθείς, έτσι;»

«Το ξέρεις πως σε συμπαθώ».

«Περισσότερο απ' όσο εκείνο τον καραγκιόζη που ξερνάει τα σωθικά του εκεί μέσα;» Έκανε μια χειρονομία δείχνοντας προς τις τουαλέτες.

«Ναι», αναστέναξα.

«Περισσότερο απ' όσο οποιοδήποτε άλλο αγόρι που γνωρίζεις;» Ήταν ήρεμος, γαλήνιος –σαν να μην είχε σημασία η απάντησή μου ή να ήξερε ήδη ποια θα ήταν αυτή.

«Περισσότερο κι από τα κορίτσια, επίσης», επισήμανα

εγώ.

«Αλλά αυτό είναι όλο», είπε, κι αυτό δεν ήταν ερώτηση.

Ήταν δύσκολο να απαντήσω, να πω τη λέξη. Θα πληγωνόταν και θα με απέφευγε; Πώς θα το άντεχα αυτό;

«Ναι», ψιθύρισα.

Εκείνος μου χαμογέλασε πλατιά. «Δεν πειράζει, ξέρεις. Αρκεί που με συμπαθείς περισσότερο απ' όλους. *Και* με βρίσκεις όμορφο –κατά κάποιο τρόπο. Είμαι προετοιμασμένος να γίνω εκνευριστικά επίμονος».

«Δεν πρόκειται να αλλάξω», είπα, και παρόλο που προσπάθησα να διατηρήσω τη φωνή μου φυσιολογική, άκουγα τη θλίψη μέσα της.

Το πρόσωπό του ήταν σκεπτικό, δεν είχε πια πειραχτικό ύφος. «Είναι ακόμα εκείνος ο άλλος, έτσι δεν είναι;»

Ζάρωσα. Παράξενο το πώς έμοιαζε να ξέρει πως δεν έπρεπε να πει το όνομα –όπως και πριν στο αυτοκίνητο με τη μουσική. Καταλάβαινε τόσα πολλά για μένα χωρίς να τα έχω πει ποτέ.

«Δεν είναι ανάγκη να μου μιλήσεις γι' αυτό», μου είπε.

Κούνησα το κεφάλι μου με ευγνωμοσύνη.

«Αλλά μη θυμώσεις που εγώ θα συνεχίσω να είμαι κοντά σου, εντάξει;» Ο Τζέικομπ χτύπησε ελαφρά την παλάμη μου. «Επειδή δε θα τα παρατήσω. Έχω πολύ χρόνο».

Αναστέναξα. «Θα ήταν καλύτερα να μην τον σπαταλήσεις μ' εμένα», είπα, αν και ήθελα να το κάνει. Ειδικά αν ήταν πρόθυμος να με δεχτεί έτσι όπως ήμουν –ελαττωματικό προϊόν, δηλαδή.

«Αυτό είναι που θέλω να κάνω, εφόσον σου αρέσει ακόμα να είσαι μαζί μου».

«Δεν μπορώ να φανταστώ πώς θα μπορούσε να μη μου αρέσει να είμαι μαζί σου», του είπα με ειλικρίνεια.

Ο Τζέικομπ χαμογέλασε πλατιά. «Αυτό μπορώ να το αντέξω».

«Απλώς μην περιμένεις κάτι περισσότερο», τον προειδοποίησα, προσπαθώντας να τραβήξω το χέρι μου μακριά του. Εκείνος το κράτησε με πείσμα.

«Δε σε ενοχλεί στ' αλήθεια τόσο πολύ αυτό, έτσι δεν είναι;» απαίτησε να μάθει πιέζοντας τα δάχτυλά μου.

«Όχι», αναστέναξα. Ειλικρινά, ένιωθα όμορφα. Το χέρι του ήταν τόσο πιο ζεστό απ' το δικό μου· πάντα ένιωθα να κρυώνω υπερβολικά αυτές τις μέρες.

«Και δε σε νοιάζει τι σκέφτεται *αυτός*». Ο Τζέικομπ κούνησε τον αντίχειρά του απότομα προς την τουαλέτα.

«Μάλλον όχι».

«Τότε λοιπόν ποιο είναι το πρόβλημα;»

«Το πρόβλημα» είπα «είναι ότι σημαίνει κάτι διαφορετικό για μένα απ' ό,τι σημαίνει για σένα».

«Κοίτα». Έσφιξε το χέρι του πιο πολύ γύρω από το δικό μου. «Αυτό είναι δικό μου πρόβλημα, έτσι δεν είναι;»

«Εντάξει», γκρίνιαξα. «Μην το ξεχάσεις, όμως».

«Δε θα το ξεχάσω. Η περόνη βγήκε από τη χειροβομβίδα μου τώρα, ε;» Με κέντρισε στα πλευρά.

Στριφογύρισα τα μάτια μου. Υποθέτω ότι αν ήθελε να αστειευτεί με την κατάσταση, είχε το δικαίωμα.

Γέλασε πνιχτά για ένα λεπτό, ενώ τα ροδαλά του δάχτυλα έκαναν αφηρημένα σχέδια στο πλάι του χεριού μου.

«Τι παράξενη ουλή είναι αυτή που έχεις εκεί», είπε ξαφνικά, στρίβοντας το χέρι μου για να τη μελετήσει. «Πώς έγινε;»

Ο δείκτης του ελεύθερου χεριού του ακολούθησε τη μακριά ασημένια ημισέληνο που ήταν μετά βίας ορατή πάνω στο χλομό μου δέρμα.

Εγώ κατσούφιασα. «Ειλικρινά περιμένεις να θυμάμαι πώς έγιναν όλες οι ουλές που έχω;»

Περίμενα να έρθει η ανάμνηση –να ανοίξει η αναβλύζουσα πληγή μου. Αλλά, όπως γινόταν τόσο συχνά, η παρουσία του

Τζέικομπ με εμπόδισε από το να διαλυθώ.

«Είναι κρύα», μουρμούρισε εκείνος, πιέζοντας ελαφρά το σημείο, όπου ο Τζέιμς με είχε σχίσει με τα δόντια του.

Και τότε ο Μάικ βγήκε από το μπάνιο τρεκλίζοντας, με το πρόσωπό του κάτωχρο και λουσμένο στον ιδρώτα. Έδειχνε χάλια.

«Αχ, Μάικ», ξεφώνισα πνιχτά.

«Σας πειράζει να φύγουμε νωρίς;» ψιθύρισε.

«Όχι, φυσικά και όχι». Τράβηξα το χέρι μου και πήγα να βοηθήσω τον Μάικ να περπατήσει. Έδειχνε ασταθής.

«Σου έπεσε βαριά η ταινία;» ρώτησε ο Τζέικομπ άκαρδα.

Το άγριο βλέμμα του Μάικ ήταν βλοσυρό. «Ούτε που την είδα καθόλου την ταινία», ψέλλισε. «Με έπιασε ναυτία πριν σβήσουν τα φώτα».

«Γιατί δεν είπες τίποτα;» τον μάλωσα, καθώς βαδίζαμε παραπατώντας προς την έξοδο.

«Ήλπιζα ότι θα μου περνούσε», είπε.

«Μια στιγμή», είπε ο Τζέικομπ, καθώς φτάναμε στην πόρτα. Πήγε γρήγορα πίσω στον πάγκο με τα σνακ.

«Θα μπορούσα να έχω ένα άδειο κουτί ποπκόρν;» ρώτησε την πωλήτρια. Εκείνη κοίταξε μια φορά τον Μάικ και μετά πέταξε στον Τζέικομπ ένα κουτί.

«Βγάλτε τον έξω, σας παρακαλώ», ικέτεψε. Προφανώς, αυτή θα έπρεπε να καθαρίσει το πάτωμα.

Τράβηξα τον Μάικ έξω στο δροσερό, υγρό αέρα. Εκείνος εισέπνευσε βαθιά. Ο Τζέικομπ ήταν ακριβώς από πίσω μας. Με βοήθησε να βάλουμε τον Μάικ να κάτσει στο πίσω κάθισμα του αυτοκινήτου και του έδωσε το κουτί με ένα σοβαρό βλέμμα.

«Σε παρακαλώ», ήταν το μόνο που είπε ο Τζέικομπ.

Κατεβάσαμε τα παράθυρα, αφήνοντας τον παγερό νυχτερινό αέρα να μπαίνει στο αυτοκίνητο, ελπίζοντας ότι αυτό θα βοηθούσε τον Μάικ. Τύλιξα τα μπράτσα μου γύρω από τα πόδια μου για να ζεσταθώ.

«Κρυώνεις, πάλι;» ρώτησε ο Τζέικομπ, βάζοντας το χέρι του γύρω μου πριν προλάβω να απαντήσω.

«Εσύ δεν κρυώνεις;»

Κούνησε το κεφάλι του.

«Πρέπει να έχεις πυρετό ή κάτι τέτοιο», διαμαρτυρήθηκα. Έκανε παγωνιά. Ακούμπησα τα δάχτυλά μου στο μέτωπό του, και το κεφάλι του ήταν όντως ζεστό.

«Πω πω, Τζέικ –εσύ καις!»

«Νιώθω μια χαρά». Σήκωσε τους ώμους του. «Γερός σαν σίδερο».

Εγώ συνοφρυώθηκα και ακούμπησα πάλι το μέτωπό του. Το δέρμα του φλεγόταν κάτω από τα δάχτυλά μου

«Τα χέρια σου είναι σαν παγάκια», παραπονέθηκε.

«Ίσως να φταίω εγώ», έκανα μια παραχώρηση.

Ο Μάικ βόγκηξε στο πίσω κάθισμα και ξέρασε μέσα στο κουτί. Έκανα ένα μορφασμό ελπίζοντας ότι το δικό μου στομάχι θα άντεχε τον ήχο και τη μυρωδιά. Ο Τζέικομπ έριξε μια ανήσυχη ματιά πάνω απ' τον ώμο του για να βεβαιωθεί ότι το αμάξι του δεν είχε λερωθεί.

Η διαδρομή έμοιαζε πιο μακριά στο γυρισμό.

Ο Τζέικομπ ήταν ήσυχος, σκεπτικός. Άφησε το χέρι του γύρω μου, και ήταν τόσο ζεστό που ο ψυχρός αέρας με έκανε να νιώθω καλά.

Κοίταζα έξω από το παρμπρίζ, ενώ με έτρωγαν οι τύψεις.

Ήταν τόσο λάθος να ενθαρρύνω τον Τζέικομπ. Καθαρός εγωισμός. Δεν είχε σημασία που είχα προσπαθήσει να ξεκαθαρίσω τη θέση μου. Αν εκείνος είχε και την παραμικρή ελπίδα ότι αυτό μπορούσε να καταλήξει σε κάτι παραπάνω από φιλία, τότε δεν ήμουν αρκετά ξεκάθαρη.

Πώς μπορούσα να εξηγήσω ώστε να καταλάβει; Ήμουν ένα άδειο κουφάρι. Σαν ένα έρημο σπίτι –καταδικασμένη– για μήνες ήμουν εντελώς ακατοίκητη. Τώρα είχα βελτιωθεί λίγο.

Το καθιστικό είχε επισκευαστεί κάπως. Αλλά αυτό ήταν όλο –ένα μόνο μικρό κομμάτι. Άξιζε περισσότερα απ' αυτό –περισσότερα από ένα ετοιμόρροπο σπίτι με ένα ανακαινισμένο δωμάτιο. Καμία επένδυση από μέρους του δε θα μπορούσε να με επαναφέρει σε μια καλή κατάσταση.

Κι όμως, ήξερα ότι ανεξάρτητα απ' αυτό, εγώ δε θα τον έδιωχνα. Τον χρειαζόμουν πάρα πολύ και ήμουν εγωίστρια. Ίσως μπορούσα να ξεκαθαρίσω τη θέση μου περισσότερο, έτσι ώστε να καταλάβει ότι έπρεπε να με αφήσει. Η σκέψη προκάλεσε ένα ρίγος που με διαπέρασε, κι ο Τζέικομπ έσφιξε το χέρι του περισσότερο γύρω μου.

Πήγα τον Μάικ στο σπίτι του με το Σεμπέρμπαν του, ενώ ο Τζέικομπ ακολουθούσε από πίσω μας για να με πάει σπίτι. Ο Τζέικομπ ήταν σιωπηλός σε όλη τη διαδρομή της επιστροφής για το σπίτι μου, και αναρωτήθηκα αν σκεφτόταν τα ίδια πράγματα που σκεφτόμουν κι εγώ. Μπορεί να είχε αρχίσει να αλλάζει γνώμη.

«Θα αυτοπροσκαλούμουν μέσα, αφού ήρθαμε νωρίς», είπε καθώς παρκάραμε δίπλα στο φορτηγάκι μου. «Αλλά νομίζω ότι μπορεί και να 'χεις δίκιο για τον πυρετό. Αρχίζω να νιώθω λιγάκι... παράξενα».

«Ωχ όχι, όχι κι εσύ! Θέλεις να σε πάω εγώ σπίτι;»

«Όχι». Κούνησε το κεφάλι του, ενώ τα φρύδια του έσμιξαν. «Δε νιώθω άρρωστος ακόμη. Απλώς... κάτι δεν πάει καλά. Αν χρειαστεί, θα κάνω στην άκρη και θα σταματήσω».

«Θα με πάρεις τηλέφωνο αμέσως μόλις φτάσεις;» ρώτησα με αγωνία.

«Βέβαια, βέβαια». Συνοφρυώθηκε κοιτάζοντας ευθεία μπροστά μέσα στο σκοτάδι και δαγκώνοντας τα χείλια του.

Άνοιξα την πόρτα για να βγω έξω, αλλά εκείνος άρπαξε τον καρπό μου ελαφρά και με κράτησε εκεί. Παρατήρησα ξανά πόσο ζεστό ένιωθα το δέρμα του πάνω στο δικό μου.

«Τι είναι, Τζέικ;» ρώτησα.

«Είναι κάτι που θέλω να σου πω, Μπέλλα... αλλά νομίζω ότι θα ακουστεί κάπως σαχλό».

Εγώ αναστέναξα. Πάλι τα ίδια με εκείνα που μου είχε πει στο θέατρο. «Πες το».

«Να, ξέρω ότι είσαι πολύ δυστυχισμένη. Και, ίσως να μη σε βοηθάει σε τίποτα, αλλά ήθελα να ξέρεις ότι είμαι πάντα εδώ. Δε θα σε απογοητεύσω ποτέ –υπόσχομαι ότι πάντα θα μπορείς να βασίζεσαι πάνω μου. Ουάου, όντως ακούγεται σαχλό. Αλλά το ξέρεις, έτσι; Ότι ποτέ, ποτέ δε θα σε πλήγωνα;»

«Ναι, Τζέικ. Το ξέρω. Και ήδη βασίζομαι πάνω σου περισσότερο απ' όσο γνωρίζεις».

Το χαμόγελο απλώθηκε στο πρόσωπό του όπως η ανατολή του ήλιου βάζει φωτιά στα σύννεφα, κι εγώ ήθελα να κόψω τη γλώσσα μου. Δεν είχα πει ούτε λέξη που να ήταν ψέμα, αλλά έπρεπε να είχα πει ψέματα. Η αλήθεια ήταν λάθος, θα τον πλήγωνε. Θα τον απογοήτευα εγώ.

Μια παράξενη έκφραση πέρασε απ' το πρόσωπό του. «Νομίζω στ' αλήθεια πως καλύτερα να πάω σπίτι τώρα», είπε.

Εγώ βγήκα έξω γρήγορα.

«Πάρε με!» φώναξα, καθώς εκείνος ξεπάρκαρε.

Τον παρακολούθησα να φεύγει, κι έδειχνε τουλάχιστον να έχει τον έλεγχο του αυτοκινήτου. Εγώ έμεινα να κοιτάζω τον άδειο δρόμο, όταν αυτός είχε φύγει, νιώθοντας λιγάκι άρρωστη κι εγώ, αλλά όχι για κάποιο σωματικό λόγο.

Πόσο πολύ ευχόμουν ο Τζέικομπ Μπλακ να είχε γεννηθεί αδερφός μου, αδερφός μου με την ίδια σάρκα και αίμα, έτσι ώστε να έχω κάποια νόμιμα δικαιώματα πάνω του που θα με απάλλασσαν από κάθε ευθύνη τώρα. Ένας Θεός ξέρει ότι δεν ήθελα ποτέ να χρησιμοποιήσω τον Τζέικομπ, αλλά δεν μπορούσα παρά να ερμηνεύσω την ενοχή που ένιωθα τώρα ως απόδειξη ότι τον είχα χρησιμοποιήσει.

Ακόμα περισσότερο, ποτέ δεν ήθελα να τον αγαπήσω. Αν υπήρχε ένα πράγμα που ήξερα πραγματικά –που το ήξερα μέσα στα σωθικά μου, στο μεδούλι στα κόκαλά μου, από το κεφάλι ως τα πόδια μου, βαθιά μέσα στο άδειο στήθος μου– ήταν πώς η αγάπη έδινε στον άλλο τη δύναμη να σε διαλύσει.

Εγώ ήμουν διαλυμένη χωρίς τη δυνατότητα επισκευής.

Αλλά χρειαζόμουν τον Τζέικομπ τώρα, τον χρειαζόμουν σαν ναρκωτικό. Τον είχα χρησιμοποιήσει σαν δεκανίκι για πολύ καιρό και είχα δεθεί μαζί του περισσότερο απ' όσο σκόπευα να δεθώ με κανέναν από δω και πέρα. Τώρα δεν άντεχα να τον δω να πληγώνεται, αλλά ούτε και μπορούσα να μην τον πληγώσω. Νόμιζε ότι ο χρόνος και η υπομονή θα με άλλαζαν και, αν και ήξερα ότι είχε απόλυτο άδικο, ήξερα επίσης ότι θα τον άφηνα να προσπαθήσει.

Ήταν ο καλύτερός μου φίλος. Πάντα θα τον αγαπούσα, και δε θα ήταν ποτέ, ποτέ αρκετό.

Μπήκα μέσα στο σπίτι για να καθίσω δίπλα στο τηλέφωνο δαγκώνοντας τα νύχια μου.

«Τελείωσε κιόλας η ταινία;» ρώτησε ο Τσάρλι έκπληκτος, όταν μπήκα μέσα. Ήταν στο πάτωμα, ούτε μισό μέτρο μακριά από την τηλεόραση. Πρέπει να ήταν συναρπαστικός ο αγώνας.

«Ο Μάικ αρρώστησε», εξήγησα. «Κάποιο είδος γαστρεντερίτιδας».

«Εσύ είσαι καλά;»

«Τώρα νιώθω μια χαρά», είπα με αμφιβολία. Προφανώς, είχα εκτεθεί στην ίωση κι εγώ.

Ακούμπησα στον πάγκο της κουζίνας, τα χέρια μου σε απόσταση μόλις μερικών πόντων από το τηλέφωνο, και προσπάθησα να περιμένω υπομονετικά. Σκέφτηκα την περίεργη έκφραση στο πρόσωπο του Τζέικομπ πριν φύγει, και τα δάχτυλά μου άρχισαν να χτυπάνε ρυθμικά πάνω στον πάγκο. Έπρεπε να επιμείνω να τον πάω εγώ σπίτι.

Κοίταζα το ρολόι καθώς τα λεπτά κυλούσαν. Δέκα. Δεκαπέντε. Ακόμα κι όταν οδηγούσα εγώ, χρειαζόταν μόνο δεκαπέντε λεπτά, κι ο Τζέικομπ οδηγούσε πιο γρήγορα από μένα. Δεκαοχτώ λεπτά. Σήκωσα το ακουστικό και κάλεσα.

Χτυπούσε ξανά και ξανά. Μπορεί ο Μπίλι να κοιμόταν. Μπορεί να είχα πάρει λάθος νούμερο. Ο Μπίλι απάντησε.

«Εμπρός;» είπε. Η φωνή του ήταν ανήσυχη, σαν να περίμενε άσχημα νέα.

«Μπίλι, εγώ είμαι, η Μπέλλα –έφτασε ο Τζέικ σπίτι; Έφυγε πριν από είκοσι λεπτά από δω».

«Εδώ είναι», είπε ο Μπίλι άτονα.

«Υποτίθεται ότι θα με έπαιρνε τηλέφωνο». Ήμουν λιγάκι εκνευρισμένη. «Δεν ήταν πολύ καλά όταν έφυγε, και ανησύχησα».

«Ήταν πολύ άσχημα... για να πάρει τηλέφωνο. Δεν αισθάνεται πολύ καλά αυτή τη στιγμή». Ο Μπίλι ακουγόταν απόμακρος. Κατάλαβα ότι πρέπει να ήθελε να είναι μαζί με τον Τζέικομπ.

«Πες μου αν χρειαστείτε βοήθεια», προσφέρθηκα. «Θα μπορούσα να έρθω εκεί». Σκέφτηκα τον Μπίλι, κολλημένο στην καρέκλα του, και τον Τζέικ να φροντίζει τον εαυτό του...

«Όχι, όχι», είπε γρήγορα ο Μπίλι. «Είμαστε μια χαρά. Κάτσε σπίτι σου».

Ο τρόπος που το είπε ήταν σχεδόν αγενής.

«Εντάξει», συμφώνησα εγώ.

«Γεια σου, Μπέλλα».

Η γραμμή κόπηκε.

«Γεια», μουρμούρισα.

Λοιπόν, τουλάχιστον τα είχε καταφέρει να φτάσει σπίτι. Παραδόξως, δεν ένιωθα λιγότερο ανήσυχη. Ανέβηκα τις σκάλες με κόπο, γεμάτη αγωνία. Μπορεί να πήγαινα αύριο πριν τη δουλειά να τον δω. Θα μπορούσα να του πάω μια σούπα –είχαμε μια κονσέρβα Κάμπελ κάπου εδώ.

Συνειδητοποίησα ότι όλα αυτά τα σχέδια ακυρώνονταν

όταν ξύπνησα νωρίς –το ρολόι μου έλεγε τέσσερις και μισή– κι έτρεξα στο μπάνιο. Ο Τσάρλι με βρήκε εκεί μισή ώρα αργότερα, ξαπλωμένη στο πάτωμα, με το μάγουλό μου να ακουμπά πάνω στην κρύα άκρη της μπανιέρας.

Με κοίταξε για μια στιγμή που φάνηκε να διαρκεί πολλή ώρα.

«Γαστρεντερίτιδα», είπε τελικά.

«Ναι», μούγκρισα.

«Χρειάζεσαι τίποτα;» ρώτησε.

«Πάρε τηλέφωνο τους Νιούτον, σε παρακαλώ», του έδωσα οδηγίες με βραχνή φωνή. «Πες τους ότι έχω αυτό που έχει κι ο Μάικ κι ότι δε θα μπορέσω να πάω στη δουλειά σήμερα. Πες τους ότι λυπάμαι».

«Βέβαια, κανένα πρόβλημα», με διαβεβαίωσε ο Τσάρλι.

Πέρασα το υπόλοιπο της ημέρας στο πάτωμα του μπάνιου, ενώ κοιμήθηκα για λίγες ώρες με το κεφάλι μου πάνω σε μια τσαλακωμένη πετσέτα. Ο Τσάρλι ισχυρίστηκε ότι έπρεπε να πάει στη δουλειά, αλλά υποπτευόμουν ότι απλώς ήθελε να βρει πρόσβαση σε κάποια τουαλέτα. Άφησε ένα ποτήρι νερό στο πάτωμα δίπλα μου για να μην πάθω αφυδάτωση.

Με ξύπνησε όταν γύρισε σπίτι. Έβλεπα ότι είχε σκοτεινιάσει στο δωμάτιό μου –αφού είχε νυχτώσει. Ανέβηκε με βαριά βήματα τις σκάλες για να δει αν είμαι καλά.

«Ζεις ακόμα;»

«Περίπου», είπα.

«Θέλεις τίποτα;»

«Όχι, ευχαριστώ».

Δίστασε, ξεκάθαρα έξω απ' το στοιχείο του. «Εντάξει, τότε», είπε, και μετά κατέβηκε πάλι στην κουζίνα.

Άκουσα το τηλέφωνο να χτυπάει λίγα λεπτά αργότερα. Ο Τσάρλι μίλησε με κάποιον χαμηλόφωνα για μια στιγμή, και μετά έκλεισε.

«Ο Μάικ νιώθει καλύτερα», μου φώναξε.

Ωραία, αυτό ήταν ενθαρρυντικό. Είχε αρρωστήσει μόνο οκτώ ώρες πριν από μένα. Άλλες οκτώ ώρες. Η σκέψη έκανε το στομάχι μου να γυρίζει, και σηκώθηκα με κόπο για να σκύψω πάνω από την τουαλέτα.

Αποκοιμήθηκα πάλι πάνω στην πετσέτα, αλλά όταν ξύπνησα ήμουν στο κρεβάτι μου, και είχε φως έξω. Δε θυμόμουν να έχω μετακινηθεί· ο Τσάρλι πρέπει να με κουβάλησε στο δωμάτιό μου –είχε βάλει και το ποτήρι με το νερό στο κομοδίνο μου. Είχα κορακιάσει! Το κατάπια ξεφυσώντας, αν και είχε περίεργη γεύση επειδή είχε μείνει στάσιμο όλη τη νύχτα.

Σηκώθηκα αργά, προσπαθώντας να μην προκαλέσω πάλι ναυτία. Ήμουν αδύναμη και είχα μια απαίσια γεύση στο στόμα, αλλά το στομάχι μου ήταν μια χαρά. Κοίταξα το ρολόι μου.

Οι είκοσι τέσσερις ώρες είχαν τελειώσει.

Δεν το παράκανα, τρώγοντας μόνο αρμυρά κρακεράκια για πρωινό και τίποτα άλλο. Ο Τσάρλι φαινόταν γεμάτος ανακούφιση που με έβλεπε πάλι καλά.

Αμέσως μόλις βεβαιώθηκα ότι δε θα χρειαζόταν να περάσω τη μέρα πάλι μέσα στην τουαλέτα, τηλεφώνησα τον Τζέικομπ.

Ο Τζέικομπ ήταν αυτός που απάντησε, αλλά όταν άκουσα το χαιρετισμό του ήξερα ότι εκείνος δεν είχε αναρρώσει.

«Εμπρός;» Η φωνή του ήταν σπασμένη, ραγισμένη.

«Αχ, Τζέικ», αναστέναξα με συμπόνια. «Ακούγεσαι χάλια».

«Νιώθω χάλια», ψιθύρισε εκείνος.

«Συγνώμη που σε ανάγκασα να βγεις μαζί μου. Αυτή η ίωση είναι απαίσια».

«Χαίρομαι που ήρθα». Η φωνή του ήταν ακόμα ψίθυρος. «Μην κατηγορείς τον εαυτό σου. Δε φταις εσύ».

«Θα γίνεις καλύτερα γρήγορα», υποσχέθηκα. «Εγώ ξύπνησα σήμερα το πρωί και ήμουν μια χαρά».

«Ήσουν άρρωστη;» ρώτησε άτονα.

«Ναι, κόλλησα κι εγώ. Αλλά είμαι καλά τώρα».

«Ωραία». Η φωνή του ήταν σβησμένη.

«Άρα λοιπόν πιθανότατα θα είσαι καλύτερα σε λίγες ώρες», τον ενθάρρυνα.

Μετά βίας άκουγα τη φωνή του. «Δε νομίζω ότι έχω το ίδιο πράγμα που είχες εσύ».

«Δεν έχεις αυτή την ίωση της γαστρεντερίτιδας;» ρώτησα μπερδεμένη.

«Όχι. Έχω κάτι άλλο».

«Τι έχεις;»

«Τα πάντα», ψιθύρισε. «Πονάει όλο μου το σώμα».

Ο πόνος στη φωνή του ήταν σχεδόν απτός.

«Τι μπορώ να κάνω, Τζέικ; Τι να σου φέρω;»

«Τίποτα. Δεν μπορείς να έρθεις εδώ». Ήταν απότομος. Μου θύμισε τον Μπίλι το προηγούμενο βράδυ.

«Έχω ήδη εκτεθεί σε οτιδήποτε έχεις», επισήμανα.

Δε μου έδωσε σημασία. «Θα σε πάρω όταν μπορέσω. Θα σου πω πότε θα μπορείς να ξανάρθεις εδώ κάτω».

«Τζέικομπ–»

«Πρέπει να κλείσω», είπε με ξαφνική βιασύνη.

«Πάρε με όταν νιώσεις καλύτερα».

«Καλά», συμφώνησε, και η φωνή του είχε έναν παράξενο, πικραμένο τόνο.

Ήταν σιωπηλός για μια στιγμή. Περίμενα να πει αντίο, αλλά περίμενε κι εκείνος.

«Θα σε δω σύντομα», είπα τελικά εγώ.

«Περίμενε να σε πάρω εγώ», είπε ξανά.

«Εντάξει... γεια σου, Τζέικομπ».

«Μπέλλα», ψιθύρισε το όνομά μου και μετά έκλεισε το τηλέφωνο.

10. ΤΟ ΛΙΒΑΔΙ

Ο Τζέικομπ δεν πήρε τηλέφωνο.

Την πρώτη φορά που πήρα εγώ τηλέφωνο, απάντησε ο Μπίλι και μου είπε ότι ο Τζέικομπ ήταν ακόμα στο κρεβάτι. Εγώ έγινα αδιάκριτη, θέλοντας να βεβαιωθώ ότι ο Μπίλι τον είχε πάει στο γιατρό. Ο Μπίλι είπε πως τον είχε πάει, αλλά, για κάποιο λόγο που δεν μπορούσα να προσδιορίσω, δεν τον πίστεψα. Έπαιρνα ξανά, αρκετές φορές κάθε μέρα, για τις επόμενες δυο μέρες, αλλά κανείς δεν απαντούσε.

Το Σάββατο αποφάσισα να πάω να τον δω, είχα δεν είχα πρόσκληση. Αλλά το μικρό κόκκινο σπιτάκι ήταν άδειο. Αυτό με φόβισε –ήταν τόσο άρρωστος ο Τζέικομπ που χρειάστηκε να πάει στο νοσοκομείο; Πέρασα από το νοσοκομείο γυρίζοντας σπίτι, αλλά η νοσοκόμα μου είπε ότι ούτε ο Τζέικομπ ούτε ο Μπίλι είχαν πάει εκεί.

Έβαλα τον Τσάρλι να πάρει τον Χάρι Κλίαργουοτερ αμέσως μόλις γύρισε σπίτι από τη δουλειά. Περίμενα με ανυπομονησία, ενώ ο Τσάρλι είχε στήσει ψιλοκουβέντα με το φίλο του· η συζήτηση έμοιαζε να διαρκεί μια αιωνιότητα χωρίς καν να έχει γίνει μία αναφορά στον Τζέικομπ. Φαινόταν ότι ο *Χάρι* είχε πάει στο νοσοκομείο... για κάποιες εξετάσεις για την καρδιά του. Το μέτωπο του Τσάρλι είχε ζαρώσει, αλλά ο Χάρι του έκανε πλάκα, κάνοντάς τον να το ξεχάσει, μέχρι που ο Τσάρλι γελούσε ξανά. Μόνο τότε ρώτησε ο Τσάρλι για τον Τζέικομπ, και αυτή τη φορά η δική του συνεισφορά στην κουβέντα δε μου έδινε και πολλά στοιχεία για να καταλάβω τι γινόταν, μόνο πολλά *χμμμ* και *ναι*. Χτυπούσα ρυθμικά τα δάχτυλά μου πάνω στον πάγκο δίπλα του, μέχρι που έβαλε το χέρι του πάνω στο δικό μου για να με σταματήσει.

Επιτέλους ο Τσάρλι έκλεισε το τηλέφωνο και γύρισε προς εμένα.

«Ο Χάρι λέει ότι κάποιο πρόβλημα έχουν οι τηλεφωνικές γραμμές, και γι' αυτό δεν μπορείς να επικοινωνήσεις. Ο Μπίλι πήγε τον Τζέικ στο γιατρό εκεί, και φαίνεται ότι έχει μονοπυρήνωση. Είναι πολύ κουρασμένος, κι ο Μπίλι είπε όχι επισκέψεις», μου έδωσε αναφορά.

«Όχι επισκέψεις;» είπα με τόνο απαιτητικό και καχύποπτο.

Ο Τσάρλι σήκωσε το ένα του φρύδι. «Τώρα μη γίνεσαι ενοχλητική, Μπελς. Ο Μπίλι ξέρει ποιο είναι το καλύτερο για τον Τζέικ. Θα γίνει καλά αρκετά γρήγορα. Κάνε υπομονή».

Δεν το πίεσα παραπάνω. Ο Τσάρλι ανησυχούσε υπερβολικά για τον Χάρι. Αυτό ήταν προφανώς το πιο σπουδαίο –δε θα ήταν σωστό να τον βαρύνω με τις δικές μου πιο ασήμαντες ανησυχίες. Αντί γι' αυτό, πήγα κατευθείαν πάνω και ξεκίνησα τον υπολογιστή μου. Βρήκα μια ιατρική ιστοσελίδα στο διαδίκτυο και πληκτρολόγησα τη λέξη "μονοπυρήνωση" στο πεδίο αναζήτησης.

Το μόνο που ήξερα για τη μονοπυρήνωση ήταν ότι υποτίθεται κολλούσε από τα φιλιά, πράγμα που ήταν ξεκάθαρο ότι δεν ίσχυε στην προκειμένη περίπτωση με τον Τζέικ. Διάβασα γρήγορα τα συμπτώματα –τον πυρετό τον είχε οπωσδήποτε, αλλά τα υπόλοιπα; Ούτε ερεθισμένος λαιμός, ούτε εξάντληση, ούτε πονοκέφαλος, τουλάχιστον όχι πριν γυρίσει σπίτι μετά την ταινία· είπε ότι ένιωθε "γερός σαν σίδερο". Έρχονταν μήπως όλα μετά τόσο γρήγορα; Έτσι όπως τα έλεγε το άρθρο φαινόταν ότι τα σημάδια αυτά εμφανίζονταν πρώτα.

Κοίταξα άγρια την οθόνη του υπολογιστή και αναρωτήθηκα για ποιον ακριβώς λόγο το έκανα αυτό. Γιατί ένιωθα... τόσο *καχύποπτη*, σαν να μην πίστευα την ιστορία του Μπίλι; Γιατί να πει ψέματα ο Μπίλι στον Χάρι;

Πιθανότατα, ήμουν ανόητη. Απλώς ανησυχούσα και για να είμαι ειλικρινής, φοβόμουν που δε μου επιτρεπόταν να δω τον Τζέικομπ –αυτό με άγχωνε.

Σάρωσα γρήγορα το υπόλοιπο κομμάτι του άρθρου, ψάχνοντας για περισσότερες πληροφορίες. Σταμάτησα όταν έφτασα στο σημείο όπου έλεγε ότι η μονοπυρήνωση μπορούσε να διαρκέσει περισσότερο από ένα μήνα.

Ένα μήνα; Έμεινα με ανοιχτό το στόμα.

Μα ο Μπίλι δεν μπορούσε να επιβάλει την εντολή ο Τζέικ να μη δέχεται επισκέψεις για τόσο πολύ καιρό. Φυσικά και όχι. Ο Τζέικ θα τρελαινόταν κολλημένος στο κρεβάτι τόσο καιρό, χωρίς κανέναν για να μιλήσει.

Τι ήταν αυτό που φοβόταν ο Μπίλι, εν πάση περιπτώσει; Το άρθρο έλεγε ότι ένα άτομο με μονοπυρήνωση έπρεπε να αποφύγει τη φυσική δραστηριότητα, αλλά δεν υπήρχε τίποτα για τις επισκέψεις. Η ασθένεια δεν ήταν πολύ μεταδοτική.

Θα έδινα στον Μπίλι μια βδομάδα, αποφάσισα, πριν αρχίσω να γίνομαι πιεστική. Μια βδομάδα ήταν γενναιόδωρη.

Μια βδομάδα ήταν *πολύς* καιρός. Ως την Τετάρτη, ήμουν σίγουρη ότι δε θα μπορούσα να τα βγάλω πέρα ως το Σάββατο.

Όταν αποφάσισα να αφήσω τον Μπίλι και τον Τζέικομπ ήσυχους για μια βδομάδα, δεν πίστευα στ' αλήθεια ότι ο Τζέικομπ θα συμφωνούσε με τον κανόνα του Μπίλι. Κάθε μέρα όταν γύριζα σπίτι από το σχολείο, έτρεχα στο τηλέφωνο για να κοιτάξω μήπως υπήρχαν μηνύματα. Δεν υπήρχαν ποτέ.

Πήγα να σπάσω τη συμφωνία τρεις φορές προσπαθώντας να τον πάρω τηλέφωνο, αλλά η τηλεφωνική γραμμή ήταν ακόμα εκτός λειτουργίας.

Ήμουν στο σπίτι πάρα πολύ καιρό και πάρα πολύ μόνη μου. Χωρίς τον Τζέικομπ και την αδρεναλίνη μου και όλα αυτά που με έκαναν να ξεχνιέμαι, όλα όσα είχα απωθήσει άρχισαν να έρχονται ξανά στην επιφάνεια. Τα όνειρα έγιναν άγρια πάλι. Δεν μπορούσα πια να δω το τέλος να πλησιάζει. Μόνο το φριχτό απόλυτο κενό –τις μισές φορές μέσα στο δάσος, τις άλλες μισές στην άδεια θάλασσα από φτέρες, όπου το λευκό σπίτι δεν υπήρχε πια. Μερικές φορές ο Σαμ Γιούλεϊ ήταν εκεί στο δάσος, παρακολουθώντας με ξανά. Δεν του έδινα σημασία –δεν υπήρχε τίποτα παρηγορητικό στην παρουσία του· δε με έκανε να νιώθω ούτε στο ελάχιστο λιγότερο μόνη. Δε με εμπόδιζε να ξυπνάω ουρλιάζοντας, τη μια νύχτα μετά την άλλη.

Η τρύπα στο στήθος μου ήταν χειρότερα από ποτέ. Νόμιζα ότι είχα αποκτήσει τον έλεγχο, αλλά έβρισκα τον εαυτό μου κουλουριασμένο, τη μια μέρα μετά την άλλη, πιάνοντας σφιχτά τα πλευρά μου και προσπαθώντας να αναπνεύσω.

Δεν τα κατάφερνα μόνη μου καθόλου καλά.

Ένιωσα τεράστια ανακούφιση το πρωί που ξύπνησα –ουρλιάζοντας, φυσικά– και θυμήθηκα ότι ήταν Σάββατο. Σήμερα θα μπορούσα να πάρω τηλέφωνο τον Τζέικομπ. Κι αν η τηλεφωνική γραμμή ήταν ακόμα εκτός λειτουργίας, τότε θα πήγαινα στο Λα Πους. Είτε έτσι είτε αλλιώς, η σημερινή μέρα θα ήταν καλύτερη από την προηγούμενη μοναχική εβδομάδα.

Πάτησα τους αριθμούς και μετά περίμενα χωρίς μεγάλες προσδοκίες. Αιφνιδιάστηκα όταν ο Μπίλι απάντησε στο δεύτερο χτύπημα.

«Εμπρός;»

«Α, για δες, το τηλέφωνο δουλεύει τώρα! Γεια σου, Μπίλι!

Η Μπέλλα είμαι. Απλώς πήρα για να δω πώς πάει ο Τζέικομπ. Μπορεί να δεχτεί επισκέψεις τώρα; Σκεφτόμουν να περάσω–»

«Λυπάμαι, Μπέλλα», με διέκοψε ο Μπίλι, και αναρωτήθηκα αν παρακολουθούσε τηλεόραση· έμοιαζε να μη με προσέχει ιδιαίτερα. «Δεν είναι εδώ».

«Α». Μου πήρε ένα δευτερόλεπτο. «Άρα νιώθει καλύτερα;»

«Ναι», ο Μπίλι δίστασε για μια στιγμή που διάρκεσε υπερβολικά πολύ. «Αποδείχτηκε ότι δεν ήταν μονοπυρήνωση τελικά. Κάποιος άλλος ιός».

«Α. Τότε λοιπόν... πού είναι;»

«Έχει πάει με κάτι φίλους στο Πορτ-Άντζελες –νομίζω ότι θα δούνε δυο ταινίες μαζί τη μια μετά την άλλη ή κάτι τέτοιο τελοσπάντων. Θα λείπει ολόκληρη τη μέρα».

«Αυτό είναι μεγάλη ανακούφιση. Είχα ανησυχήσει τόσο πολύ. Χαίρομαι που ένιωθε αρκετά καλά ώστε να βγει». Η φωνή μου ακούστηκε φριχτά ψεύτικη, καθώς συνέχισα να φλυαρώ.

Ο Τζέικομπ ήταν καλύτερα, αλλά όχι αρκετά καλά για να με πάρει τηλέφωνο. Είχε βγει έξω με φίλους. Εγώ καθόμουν σπίτι, ενώ μου έλειπε όλο και περισσότερο ώρα την ώρα. Ένιωθα μοναξιά, αγωνία, βαριόμουν... ήμουν γεμάτη τρύπες –και τώρα ένιωθα και περίλυπη, επειδή αυτή η βδομάδα που ήμασταν χώρια δεν είχε το ίδιο αποτέλεσμα σ' εκείνον.

«Ήθελες κάτι συγκεκριμένο;» ρώτησε ο Μπίλι ευγενικά.

«Όχι, δε θα το έλεγα».

«Τότε θα του πω ότι πήρες», υποσχέθηκε ο Μπίλι. «Γεια σου, Μπέλλα».

«Γεια», απάντησα, αλλά είχε ήδη κλείσει.

Στάθηκα μια στιγμή με το ακουστικό ακόμα στο χέρι μου.

Ο Τζέικομπ πρέπει να άλλαξε γνώμη, όπως ακριβώς το φοβόμουν. Θα ακολουθούσε τη συμβουλή μου και δε θα σπαταλούσε άλλο χρόνο με κάποια που δε θα του ανταπέδιδε τα αισθήματά του. Ένιωθα το πρόσωπό μου να στραγγίζει από το αίμα.

«Συμβαίνει κάτι;» ρώτησε ο Τσάρλι, καθώς κατέβαινε τις σκάλες.

«Όχι», είπα ψέματα κλείνοντας το τηλέφωνο. «Ο Μπίλι λέει ότι ο Τζέικομπ νιώθει καλύτερα. Δεν ήταν μονοπυρήνωση τελικά. Άρα είναι καλά».

«Θα έρθει αυτός εδώ ή θα πας εσύ εκεί;» ρώτησε ο Τσάρλι αφηρημένα, καθώς άρχισε να ψαχουλεύει μέσα στο ψυγείο.

«Τίποτα από τα δύο», παραδέχτηκα. «Έχει βγει με κάτι άλλους φίλους του».

Ο τόνος της φωνής μου τράβηξε τελικά την προσοχή του Τσάρλι. Σήκωσε το βλέμμα του κοιτώντας με μέ ξαφνική ανησυχία, ενώ τα χέρια του είχαν παγώσει γύρω από μια συσκευασία με τυρί σε φέτες.

«Δεν είναι λιγάκι νωρίς για μεσημεριανό;» ρώτησα όσο πιο ανάλαφρα μπορούσα προσπαθώντας να του αποσπάσω την προσοχή.

«Όχι, απλώς ετοιμάζω μερικά πράγματα για να πάρω μαζί μου στο ποτάμι ... »

«Α, θα πας για ψάρεμα σήμερα;»

«Να, πήρε ο Χάρι ... και δε βρέχει». Έφτιαχνε ένα σωρό από φαγητά πάνω στον πάγκο ενώ μιλούσε. Ξαφνικά σήκωσε πάλι το βλέμμα λες και μόλις είχε συνειδητοποιήσει κάτι. «Για πες, θες να μείνω μαζί σου αφού ο Τζέικ έχει βγει;»

«Δεν πειράζει, μπαμπά», είπα προσπαθώντας να ακουστώ αδιάφορη. «Τα ψάρια τσιμπάνε καλύτερα όταν ο καιρός είναι καλός».

Με κοίταξε επίμονα, και ήταν φανερό στο πρόσωπό του ότι ήταν αναποφάσιστος. Ήξερα ότι ανησυχούσε, φοβόταν να με αφήσει μόνη, μήπως με έπιανε πάλι η διάθεση για "κλάψες".

«Σοβαρά, μπαμπά, νομίζω ότι θα πάρω τηλέφωνο την Τζέσικα», είπα ένα αθώο ψέμα γρήγορα. Προτιμούσα να μείνω μόνη παρά να έχω κι αυτόν να με παρακολουθεί όλη την ημέρα. «Έχουμε να διαβάσουμε για το τεστ των μαθηματικών. Χρειάζομαι τη βοήθειά της». Αυτό ήταν αλήθεια. Αλλά θα έπρεπε να τα καταφέρω χωρίς αυτήν.

«Καλή ιδέα. Περνάς τόσο πολύ χρόνο με τον Τζέικομπ τον τελευταίο καιρό που οι άλλοι σου φίλοι θα νομίζουν ότι τους έχεις ξεχάσει».

Εγώ χαμογέλασα και κούνησα το κεφάλι λες και με ένοιαζε τι θα νόμιζαν οι άλλοι μου φίλοι.

Ο Τσάρλι έκανε να γυρίσει απ' την άλλη, αλλά μετά γύρισε γρήγορα πάλι προς εμένα με μια ανήσυχη έκφραση. «Ε, θα διαβάσετε εδώ ή στο σπίτι της Τζες, έτσι;»

«Βέβαια, πού αλλού;»

«Να, απλώς θέλω να προσέχεις να μην μπεις στο δάσος, όπως σου έχω πει ξανά».

Μου πήρε ένα λεπτό για να καταλάβω, έτσι αποπροσανατολισμένη καθώς ήμουν. «Κι άλλα προβλήματα με τις αρκούδες;»

Ο Τσάρλι κούνησε το κεφάλι του, συνοφρυωμένος. «Έχουμε έναν πεζοπόρο που αγνοείται –οι δασοφύλακες βρήκαν τη σκηνή του σήμερα το πρωί, αλλά δεν υπάρχει πουθενά ούτε ίχνος του. Υπήρχαν μερικά πολύ μεγάλα αποτυπώματα ζώου... φυσικά θα μπορούσαν να είχαν γίνει και αργότερα, αφού η αρκούδα θα είχε μυρίσει το φαγητό... Εν πάση περιπτώσει, στήνουν τώρα παγίδες να την πιάσουν».

«Α», είπα αόριστα. Δεν πρόσεχα στ' αλήθεια τις προειδοποιήσεις του· ήμουν περισσότερο αναστατωμένη από την κατάσταση με τον Τζέικομπ παρά από την πιθανότητα να με φάει καμιά αρκούδα.

Χαιρόμουν που ο Τσάρλι βιαζόταν. Δε με περίμενε να πάρω τηλέφωνο την Τζέσικα, έτσι δε χρειάστηκε να παίξω αυτή την κωμωδία. Έκανα τις απαραίτητες κινήσεις για να συγκεντρώσω τα βιβλία μου για το σχολείο πάνω στο τραπέζι της κουζίνας, για να είναι έτοιμα για την τσάντα μου· αυτό πιθανότατα ήταν υπερβολικό, και αν δεν είχε τόσο μεγάλη επιθυμία να πάει για ψάρεμα, θα τον έβαζε σε υποψίες.

Εγώ ήμουν τόσο απασχολημένη με το να δείχνω απασχολημένη, που η άδεια μέρα που ανοιγόταν μπροστά μου δεν προσγειώθηκε ασήκωτη πάνω μου παρά μόνο όταν τον είδα να φεύγει με το αυτοκίνητο. Μου πήρε μόνο δυο λεπτά με το βλέμμα καρφωμένο στο σιωπηλό τηλέφωνο της κουζίνας για να αποφασίσω ότι δε θα έμενα σπίτι σήμερα. Αναλογίστηκα τις επιλογές μου.

Δε θα έπαιρνα τηλέφωνο την Τζέσικα. Η Τζέσικα, για μένα, είχε περάσει στην πλευρά του κακού.

Θα πήγαινα με το αυτοκίνητο στο Λα Πους και θα έπαιρνα το μηχανάκι μου –μια ελκυστική σκέψη, εκτός από ένα μικρό πρόβλημα: ποιος θα με πήγαινε στα επείγοντα αν χρειαζόταν μετά;

Ή... ήδη είχα το χάρτη μας και την πυξίδα στο φορτηγάκι. Ήμουν αρκετά σίγουρη ότι είχα καταλάβει τη διαδικασία αρκετά καλά μέχρι τώρα, ώστε να μη χαθώ. Μπορεί και να ξεπέταγα δυο γραμμές από το πλέγμα σήμερα, ώστε να είμαστε μπροστά, όταν ο Τζέικομπ αποφάσιζε να με τιμήσει με την παρουσία του ξανά. Αρνήθηκα να σκεφτώ μετά από πόσο καιρό μπορεί να συνέβαινε αυτό. Ή αν θα συνέβαινε ποτέ.

Ένιωσα κάποιες σύντομες τύψεις όταν συνειδητοποίησα πώς θα ένιωθε ο Τσάρλι γι' αυτό, αλλά τις αγνόησα. Απλά δεν μπορούσα να μείνω σπίτι σήμερα.

Λίγα λεπτά αργότερα ήμουν στο γνωστό χωματόδρομο που δεν οδηγούσε πουθενά συγκεκριμένα. Είχα κατεβάσει τα παράθυρα κι οδηγούσα τόσο γρήγορα όσο ήταν υγιεινό για το φορτηγάκι μου, προσπαθώντας να απολαύσω τον αέρα πάνω στο πρόσωπό μου. Είχε συννεφιά, αλλά ο αέρας ήταν σχεδόν ξηρός –μια πολύ καλή μέρα για τα δεδομένα του Φορκς.

Το να ξεκινήσω μου πήρε περισσότερο απ' ό,τι θα είχε πάρει στον Τζέικομπ. Αφού πάρκαρα στο συνηθισμένο σημείο, έπρεπε να περάσω δεκαπέντε ολόκληρα λεπτά μελετώντας τη μικρή βελόνα στην πρόσοψη της πυξίδας και τα σημάδια πάνω στο φθαρμένο τώρα πια χάρτη. Όταν ήμουν βέβαιη, σε λογικά πλαίσια, ότι ακολουθούσα τη σωστή γραμμή πάνω στο δίκτυο, ξεκίνησα μέσα στο δάσος.

Το δάσος ήταν γεμάτο ζωή σήμερα, καθώς όλα τα μικρά πλάσματα απολάμβαναν την προσωρινή ξηρότητα. Όμως, με κάποιο τρόπο, ακόμα και με τα πουλιά να τιτιβίζουν και να κράζουν, τα έντομα να κάνουν θόρυβο βουίζοντας γύρω από το κεφάλι μου, και τα βιαστικά βηματάκια που έκαναν περιστασιακά τα ποντίκια του αγρού μέσα από τους θάμνους, το δάσος έμοιαζε πιο τρομακτικό σήμερα· μου θύμιζε τον πιο πρόσφατο εφιάλτη μου. Ήξερα ότι ήταν επειδή ήμουν μόνη μου, και μου έλειπε το ξένοιαστο σφύριγμα του Τζέικομπ κι ο ήχος ενός άλλου ζευγαριού ποδιών να πλατσουρίζουν στο υγρό έδαφος.

Η αίσθηση της δυσφορίας έγινε πιο έντονη όσο πιο βαθιά πήγαινα μέσα στα δέντρα. Άρχισα να δυσκολεύομαι να αναπνεύσω –όχι εξαιτίας κάποιας πίεσης, αλλά επειδή πάλι αντιμετώπιζα πρόβλημα με την ηλίθια τρύπα στο στήθος μου. Κράτησα τα χέρια μου σφιχτά γύρω από το κορμί μου και προσπάθησα να διώξω τον πόνο από τις σκέψεις μου. Παραλίγο να γυρίσω πίσω, αλλά δε μου άρεσε η ιδέα να πάει χαμένος όλος ο κόπος που είχα ήδη κάνει.

Ο ρυθμός των βημάτων μου άρχισε να μουδιάζει το μυαλό μου και τον πόνο μου, καθώς προχωρούσα τρεκλίζοντας. Η αναπνοή μου ομαλοποιήθηκε τελικά, και χάρηκα που δεν το είχα βάλει κάτω. Βελτιωνόμουν στο χτύπημα των θάμνων για να τους κάνω στην άκρη· καταλάβαινα ότι ήμουν πιο γρήγορη.

Δεν είχα συνειδητοποιήσει πόσο πιο αποτελεσματικά κινούμουν. Νόμιζα ότι είχα διανύσει ίσως γύρω στα έξι χιλιόμετρα, και δεν είχα καν αρχίσει να κοιτάζω γύρω-γύρω, μήπως και το έβρισκα ακόμα. Και τότε, τόσο απότομα που αποπροσανατολίστηκα, πέρασα κάτω από μια χαμηλή αψίδα που σχημάτιζαν δυο αναρριχητικοί σφένδαμνοι –σπρώχνοντας στην άκρη τις φτέρες στο ύψος του στήθους μου– και μπήκα μέσα στο λιβάδι.

Ήταν το ίδιο μέρος –γι' αυτό ήμουν σίγουρη αμέσως. Δεν είχα δει ποτέ κανένα τόσο συμμετρικό ξέφωτο. Ήταν τόσο απόλυτα κυκλικό, λες και κάποιος είχε δημιουργήσει επίτηδες τον άψογο κύκλο, ξεριζώνοντας τα δέντρα, αλλά χωρίς να αφήσει κανένα ίχνος αυτής της βιαιοπραγίας στο κυματιστό χορτάρι. Στην ανατολή, άκουγα το ρυάκι να κελαρύζει ήσυχα.

Το μέρος δεν ήταν εξίσου εντυπωσιακό χωρίς το φως του ήλιου, αλλά ήταν ακόμα πολύ όμορφο και γαλήνιο. Ήταν λάθος εποχή για αγριολούλουδα· το έδαφος ήταν γεμάτο με ψηλό χορτάρι που λικνιζόταν στο ελαφρύ αεράκι σαν μικρές αναδεύσεις σε μια λίμνη.

Ήταν το ίδιο μέρος... αλλά δεν είχε αυτό που έψαχνα.

Η απογοήτευση ήταν σχεδόν εξίσου άμεση με την αναγνώριση. Σωριάστηκα κάτω ακριβώς εκεί που βρισκόμουν, γονατισμένη εκεί στην άκρη του ξέφωτου, ασθμαίνοντας.

Ποιο το νόημα να προχωρήσω παρακάτω; Τίποτα δεν είχε απομείνει εκεί. Τίποτα περισσότερο από τις αναμνήσεις που θα μπορούσα να είχα ανασύρει όποτε ήθελα, αν ήμουν ποτέ πρόθυμη να υποφέρω τον αντίστοιχο πόνο –τον πόνο που με είχε καταλάβει τώρα, που με είχε παγώσει. Δεν υπήρχε τίποτα ιδιαίτερο σ' αυτό το μέρος χωρίς *εκείνον*. Δεν ήμουν σίγουρη ακριβώς τι ήλπιζα να βρω εδώ, αλλά το λιβάδι δεν είχε ατμόσφαιρα, δεν είχε τίποτα, όπως και όλα τα άλλα μέρη. Όπως και οι εφιάλτες μου. Το κεφάλι μου άρχισε να στροβιλίζεται ζαλισμένο.

Τουλάχιστον είχα έρθει μόνη μου. Ένιωσα ένα ξέσπασμα

ευγνωμοσύνης όταν το συνειδητοποίησα αυτό. Αν είχα ανακαλύψει το λιβάδι με τον Τζέικομπ... τότε, δε θα υπήρχε κανένας τρόπος να κρύψω την άβυσσο στην οποία βούλιαζα τώρα. Πώς θα μπορούσα να εξηγήσω τον τρόπο που γινόμουν κομμάτια, τον τρόπο που έπρεπε να κουλουριαστώ σαν μπάλα για να εμποδίσω την άδεια τρύπα να με διαλύσει; Ήταν πολύ καλύτερα που δεν είχα κοινό.

Και ούτε θα χρειαζόταν να εξηγήσω σε κανένα γιατί βιαζόμουν τόσο πολύ να φύγω. Ο Τζέικομπ θα υπέθετε, αφού θα κάναμε τόσο πολύ κόπο για να εντοπίσουμε το ηλίθιο μέρος, ότι θα ήθελα να περάσω περισσότερο χρόνο από μερικά μόνο δευτερόλεπτα εδώ. Αλλά εγώ ήδη προσπαθούσα να βρω τη δύναμη να σταθώ πάλι στα πόδια μου, αναγκάζοντας τον εαυτό μου να σηκωθεί όρθιος για να μπορέσω να ξεφύγω. Υπήρχε πάρα πολύς πόνος σ' αυτό το άδειο μέρος για να μπορέσω να τον αντέξω –θα έφευγα ακόμα κι αν χρειαζόταν να συρθώ.

Τι μεγάλη τύχη που ήμουν μόνη μου!

Μόνη. Επανέλαβα τη λέξη με μακάβρια ικανοποίηση, καθώς σηκώθηκα απότομα όρθια παρά τον πόνο. Ακριβώς εκείνη τη στιγμή, μια μορφή βγήκε μέσα από τα δέντρα προς το βορρά, καμιά τριανταριά βήματα παραπέρα.

Μια ποικιλία συναισθημάτων που μου προκάλεσαν παραζάλη με διαπέρασαν μέσα σε ένα δευτερόλεπτο. Το πρώτο ήταν έκπληξη· ήμουν μακριά από οποιοδήποτε μονοπάτι εδώ πέρα, και δεν περίμενα παρέα. Μετά, όταν το μάτια μου εστίασαν στην ακίνητη μορφή, βλέποντας την απόλυτη ακινησία της, το πελιδνό δέρμα, ένα ξέσπασμα ελπίδας με διαπέρασε ταρακουνώντας με. Το απώθησα άγρια, παλεύοντας ενάντια στο εξίσου διαπεραστικό μαστίγωμα του μαρτυρίου, καθώς τα μάτια μου προχώρησαν στο πρόσωπο κάτω από τα μαύρα μαλλιά, το πρόσωπο που δεν ήταν αυτό που ήθελα να δω. Το επόμενο συναίσθημα ήταν φόβος· αυτό δεν ήταν το πρόσωπο για το οποίο θρηνούσα, αλλά ήταν αρκετά κοντά μου για να καταλάβω ότι ο άντρας που ήταν απέναντί μου δεν ήταν πεζοπόρος που είχε ξεστρατίσει.

Και τελικά αναγνώριση.

«Λόρεντ!» φώναξα με χαρά γεμάτη έκπληξη.

Ήταν μια παράλογη αντίδραση. Πιθανότατα θα έπρεπε να είχα σταματήσει στο φόβο.

Ο Λόρεντ ήταν μέλος της ομάδας του Τζέιμς, όταν συναντηθήκαμε πρώτη φορά. Δεν είχε πάρει μέρος στο κυνηγητό που ακολούθησε –το κυνηγητό στο οποίο εγώ ήμουν η λεία– αλλά αυτό έγινε μόνο εξαιτίας του φόβου του· ήμουν υπό την προστασίας μιας ομάδας μεγαλύτερης από τη δικιά του. Τα πράγματα θα ήταν διαφορετικά αν δεν ήταν αυτή η κατάσταση –δε θα είχε καθόλου ηθικές αναστολές εκείνη την περίοδο να με μετατρέψει σε γεύμα του. Φυσικά, πρέπει να άλλαξε, επειδή είχε πάει στην Αλάσκα για να ζήσει μαζί με την άλλη πολιτισμένη ομάδα εκεί, την άλλη οικογένεια που αρνείτο να πιει ανθρώπινο αίμα για λόγους ηθικής. Την άλλη οικογένεια σαν... αλλά δεν μπορούσα να επιτρέψω στον εαυτό μου να σκεφτεί το όνομα.

Ναι, ο φόβος θα ήταν πιο λογικός, αλλά το μόνο που ένιωθα ήταν μια ικανοποίηση που με κατέκλυζε. Το λιβάδι ήταν ξανά ένα μαγικό μέρος. Υπήρχε μια πιο σκοτεινή μαγεία, χωρίς αμφιβολία, απ' αυτό που περίμενα, αλλά και πάλι ήταν μαγεία. Ορίστε ο σύνδεσμος που έψαχνα. Η απόδειξη, όσο απόμακρη κι αν ήταν, ότι –κάπου στον ίδιο κόσμο όπου ζούσα εγώ– *εκείνος* πράγματι υπήρχε.

Ήταν απίστευτο το πόσο ολόιδιος ήταν ο Λόρεντ. Υποθέτω ότι ήταν πολύ ανόητο και ανθρώπινο να περιμένω κάποιου είδους αλλαγή μέσα στον περασμένο χρόνο. Αλλά υπήρχε κάτι... δεν μπορούσα να εντοπίσω ακριβώς τι.

«Μπέλλα;» ρώτησε, δείχνοντας περισσότερο εμβρόντητος απ' ό,τι ένιωθα εγώ.

«Θυμάσαι». Χαμογέλασα. Ήταν γελοίο το ότι ήμουν τόσο

χαρούμενη, επειδή ένας βρικόλακας ήξερε το όνομά μου.

Εκείνος χαμογέλασε πλατιά. «Δεν περίμενα να σε δω εδώ». Με πλησίασε με μεγάλα βήματα, με έκφραση σαστισμένη.

«Μάλλον το αντίθετο θα έλεγα. Εγώ ζω εδώ πέρα. Νόμιζα ότι εσύ είχες πάει στην Αλάσκα».

Σταμάτησε περίπου δέκα βήματα μακριά μου, γέρνοντας το κεφάλι του στο πλάι. Το πρόσωπό του ήταν το πιο όμορφο πρόσωπο που είχα δει εδώ και τόσο καιρό που μου φαινόταν μια αιωνιότητα. Μελέτησα τα χαρακτηριστικά του με μια παράδοξα αχόρταγη αίσθηση απελευθέρωσης. Να κάποιος που δε χρειαζόταν να προσποιηθώ για χάρη του –κάποιος που ήδη ήξερε όλα αυτά που δεν μπορούσα να πω ποτέ.

«Έχεις δίκιο», συμφώνησε. «Πήγα πράγματι στην Αλάσκα. Όμως, δεν περίμενα... Όταν βρήκα το σπίτι των Κάλεν άδειο, νόμισα ότι είχαν φύγει».

«Α». Δάγκωσα τα χείλη μου, καθώς το όνομα έκανε τις τραχιές άκρες της πληγής μου να πάλλονται. Μου πήρε ένα δευτερόλεπτο για να ανακτήσω την ψυχραιμία μου. Ο Λόρεντ περίμενε με μάτια γεμάτα περιέργεια.

«Όντως έφυγαν», κατάφερα να πω τελικά.

«Χμμ», μουρμούρισε. «Εκπλήσσομαι που σε άφησαν εδώ. Δεν ήσουν κατά κάποιο τρόπο το κατοικίδιό τους;» Τα μάτια του ήταν αθώα για οποιαδήποτε εσκεμμένη προσβολή.

Εγώ χαμογέλασα ειρωνικά. «Κάτι τέτοιο».

«Χμμ», είπε σκεφτικός ξανά.

Εκείνη ακριβώς τη στιγμή, συνειδητοποίησα γιατί έδειχνε ίδιος –*υπερβολικά* ίδιος. Αφού ο Κάρλαϊλ μας είχε πει ότι ο Λόρεντ είχε πάει να μείνει με την οικογένεια της Τάνια, είχα αρχίσει να τον φαντάζομαι, στις σπάνιες περιπτώσεις που τον σκεφτόμουν, με τα ίδια χρυσαφένια μάτια που είχαν οι... Κάλεν –εξανάγκασα τον εαυτό μου να σκεφτεί το όνομα, κάνοντας ένα μορφασμό. Που είχαν όλοι οι *καλοί* βρικόλακες.

Έκανα ένα βήμα πίσω χωρίς να το θέλω, και τα γεμάτα περιέργεια σκούρα κόκκινα μάτια του ακολούθησαν την κίνησή μου.

«Επισκέπτονται συχνά το μέρος εδώ;» ρώτησε, ακόμα αδιάφορος, αλλά το βάρος του μετατοπίστηκε προς τα μένα.

«Πες ψέματα», ψιθύρισε με αγωνία η πανέμορφη βελουδένια φωνή από τη μνήμη μου.

Σάστισα από τον ήχο της φωνής εκείνου, αλλά δεν έπρεπε να με έχει αιφνιδιάσει. Δε βρισκόμουν στον πιο μεγάλο κίνδυνο που θα μπορούσε κανείς να φανταστεί; Το μηχανάκι ήταν άκακο σαν μικρή γατούλα σε σύγκριση με αυτό εδώ.

Έκανα αυτό που μου είπε η φωνή.

«Πού και πού». Προσπάθησα να κάνω τη φωνή μου ανάλαφρη, άνετη. «Φαντάζομαι ότι εμένα ο χρόνος μου φαίνεται περισσότερος. Ξέρεις πώς ξεχνιούνται...» είχα αρχίσει να φλυαρώ. Έπρεπε να βάλω τα δυνατά μου για να το βουλώσω.

«Χμμμ», είπε ξανά. «Το σπίτι μύριζε σαν να έχει μείνει ακατοίκητο αρκετό καιρό...»

«Πρέπει να πεις ψέματα πιο πειστικά, Μπέλλα», με παρότρυνε η φωνή.

Προσπάθησα. «Θα ενημερώσω τον Κάρλαϊλ ότι πέρασες από δω. Θα λυπηθεί που έχασαν την επίσκεψή σου». Έκανα πως σκεφτόμουν για ένα δευτερόλεπτο. «Αλλά ίσως να μην πρέπει να το αναφέρω στον... Έντουαρντ, υποθέτω...» Μετά βίας κατάφερα να πω το όνομά του και καθώς το πρόφερα η έκφρασή μου παραμορφώθηκε, καταστρέφοντας την μπλόφα μου «–είναι τόσο οξύθυμος... βέβαια, είμαι σίγουρη ότι το θυμάσαι. Είναι ακόμα πολύ ευαίσθητος σε ότι αφορά το θέμα με τον Τζέιμς». Στριφογύρισα τα μάτια μου και έκανα μια απορριπτική χειρονομία με το χέρι μου, σαν να ήταν όλο αυτό αρχαία ιστορία, αλλά υπήρχε μια δόση υστερίας στη φωνή μου. Αναρωτήθηκα αν θα αναγνώριζε τι ήταν.

«Αλήθεια;» ρώτησε ο Λόρεντ ευχάριστα... δύσπιστα.

Η απάντησή μου ήταν σύντομη, για να μην προδώσει τον

πανικό μου η φωνή μου. «Μμ-χμμμ».

Ο Λόρεντ έκανε ένα αδιάφορο βήμα στο πλάι κοιτάζοντας γύρω-γύρω στο μικρό λιβάδι. Δε μου διέφυγε το γεγονός ότι αυτό το βήμα τον έφερε πιο κοντά μου. Μέσα στο κεφάλι μου, η φωνή απάντησε με ένα χαμηλό γρύλισμα.

«Λοιπόν, πώς πάνε τα πράγματα στο Ντενάλι; Ο Κάρλαϊλ είπε ότι έμενες με την Τάνια;» Η φωνή μου ήταν πολύ τσιριχτή.

Η ερώτηση τον έκανε να σταματήσει. «Συμπαθώ πολύ την Τάνια», είπε σκεφτικός. «Και την αδερφή της, την Αϊρίνα ακόμα περισσότερο... Δεν έχω μείνει άλλοτε σε κάποιο μέρος τόσο πολύ καιρό και απολαμβάνω τα πλεονεκτήματα και την πρωτοτυπία. Αλλά, οι περιορισμοί είναι πολύ δύσκολοι... Εκπλήσσομαι που μπορούν να μην τους σπάνε για τόσο καιρό». Μου χαμογέλασε συνωμοτικά. «Μερικές φορές εγώ κάνω ζαβολιές».

Δεν μπορούσα να καταπιώ. Το πόδι μου πήγε να κάνει ένα βήμα πίσω, αλλά κοκάλωσα, όταν τα κόκκινα μάτια του τρεμόπαιξαν για να πιάσουν την κίνηση.

«Α», είπα με αχνή φωνή. «Κι ο Τζάσπερ έχει προβλήματα με αυτό».

«Μην κουνιέσαι», ψιθύρισε η φωνή. Προσπάθησα να ακολουθήσω τις οδηγίες του. Ήταν δύσκολο· το ένστικτο να δραπετεύσω ήταν σχεδόν ανεξέλεγκτο.

«Αλήθεια;» ο Λόρεντ φάνηκε να δείχνει ενδιαφέρον. «Γι' αυτό έφυγαν;»

«Όχι», απάντησα ειλικρινά. «Ο Τζάσπερ είναι πιο προσεχτικός όταν είναι σπίτι».

«Ναι», συμφώνησε ο Λόρεντ. «Κι εγώ το ίδιο».

Το βήμα προς τα μπρος που έκανε τώρα ήταν αρκετά εσκεμμένο.

«Σε βρήκε καθόλου η Βικτόρια;» ρώτησα ξέπνοα, απεγνωσμένη να του αποσπάσω την προσοχή. Ήταν η πρώτη ερώτηση που μου ήρθε στο κεφάλι, και μετάνιωσα γι' αυτήν αμέσως μόλις οι λέξεις είχαν ειπωθεί. Η Βικτόρια –που με είχε κυνηγήσει μαζί με τον Τζέιμς, και μετά εξαφανίστηκε– δεν ήταν κάποια που ήθελα να σκεφτώ τη δεδομένη στιγμή.

Αλλά η ερώτηση τον σταμάτησε.

«Ναι», είπε, διστάζοντας να κάνει εκείνο το βήμα. «Για να πω την αλήθεια ήρθα εδώ για να της κάνω μια χάρη». Έκανε ένα μορφασμό. «Δε θα χαρεί καθόλου γι' αυτό».

«Για ποιο;» είπα ένθερμα, προσκαλώντας τον να συνεχίσει. Κοίταζε άγρια μέσα στα δέντρα μακριά από μένα. Εκμεταλλεύτηκα το γεγονός ότι η προσοχή του είχε αποσπαστεί κάνοντας ένα βήμα πίσω στα κρυφά.

Γύρισε πάλι το βλέμμα του προς εμένα και χαμογέλασε –η έκφραση τον έκανε να μοιάζει με μελαχρινό άγγελο.

«Που θα σε σκοτώσω», απάντησε με ένα σαγηνευτικό γουργούρισμα.

Έκανα άλλο ένα βήμα τρεκλίζοντας προς τα πίσω. Το ξέφρενο γρύλισμα στο κεφάλι μου με δυσκόλευε να ακούσω.

«Ήθελε να κρατήσει αυτό το κομμάτι για τον εαυτό της», συνέχισε μακαρίως. «Είναι λιγάκι... εκνευρισμένη μαζί σου, Μπέλλα».

«Μ' εμένα;» είπα σχεδόν τσιριχτά.

Κούνησε το κεφάλι του και γέλασε πνιχτά. «Το ξέρω, μου φαίνεται κάπως οπισθοδρομικό κι εμένα. Αλλά ο Τζέιμς ήταν το ταίρι της, κι ο καλός σου, ο Έντουαρντ τον σκότωσε».

Ακόμα κι εδώ, στο χείλος του θανάτου, το όνομά του έσκιζε τις αγιάτρευτες πληγές μου σαν μια πριονωτή λάμα.

Ο Λόρεντ ήταν ανυποψίαστος για την αντίδρασή μου. «Θεώρησε πιο σωστό να σκοτώσει εσένα παρά τον Έντουαρντ –δίκαιη ανταλλαγή– το ένα ταίρι αντί του άλλου. Μου ζήτησε να σε βρω για να προετοιμάσω το έδαφος, κατά κάποιο τρόπο. Δε φανταζόμουν ότι θα ήταν τόσο εύκολο να σε βρω. Άρα ίσως το σχέδιό της είναι ελαττωματικό –προφανώς δε θα είναι η εκδίκηση που φανταζόταν. Δεν πρέπει να σημαίνεις και τόσο πολλά γι' αυτόν αν σε άφησε εδώ απροστάτευτη».

Κι άλλο χτύπημα, άλλο ένα σκίσιμο στο στήθος μου.

Το βάρος του Λόρεντ μετατοπίστηκε ελαφρώς, κι εγώ έκανα άλλο ένα βήμα πίσω παραπατώντας.

Εκείνος κατσούφιασε. «Υποθέτω ότι θα θυμώσει, όπως και να 'χει».

«Τότε γιατί να μην την περιμένεις;» είπα ενώ παραλίγο να πνιγώ.

Ένα πονηρό χαμόγελο άλλαξε τα χαρακτηριστικά του. «Να, με βρήκες σε άσχημη περίοδο, Μπέλλα. Δεν ήρθα σ' *αυτό* το μέρος σε αποστολή για χάρη της Βικτόρια –κυνηγούσα. Είμαι αρκετά διψασμένος, κι εσύ μυρίζεις πράγματι... απλώς τόσο νόστιμα που μου τρέχουν τα σάλια».

Ο Λόρεντ με κοίταξε επιδοκιμαστικά, λες και το εννοούσε σαν κομπλιμέντο.

«Απείλησέ τον», η πανέμορφη ψευδαίσθηση με πρόσταξε, με φωνή παραμορφωμένη από τον τρόμο.

«Θα καταλάβει ότι ήσουν εσύ», ψιθύρισα υπάκουα. «Δε θα τη γλιτώσεις».

«Και γιατί όχι;» Το χαμόγελο του Λόρεντ έγινε πιο πλατύ. Κοίταξε γύρω-γύρω στο μικρό άνοιγμα μέσα στα δέντρα. «Η μυρωδιά θα φύγει με την επόμενη βροχή. Κανείς δε θα βρει το πτώμα σου –θα αγνοείσαι κι εσύ, όπως και τόσοι, μα τόσοι άλλοι άνθρωποι. Δεν υπάρχει κανένας λόγος για τον Έντουαρντ να νομίσει ότι ήμουν εγώ, αν ενδιαφέρεται αρκετά για να ερευνήσει το θέμα. Δεν είναι κάτι προσωπικό, σε διαβεβαιώ, Μπέλλα. Απλώς διψάω».

«Ικέτεψε», με εκλιπάρησε η παραίσθησή μου.

«Σε παρακαλώ», είπα ασθμαίνοντας.

Ο Λόρεντ κούνησε το κεφάλι του, με πρόσωπο ευγενικό. «Δες το έτσι, Μπέλλα. Είσαι πολύ τυχερή που εγώ ήμουν αυτός που σε βρήκε».

«Είμαι;» ξεστόμισα κάνοντας άλλο ένα βήμα προς τα πίσω παραπατώντας.

Ο Λόρεντ ακολούθησε, λυγερός και γεμάτος χάρη.

«Ναι», με διαβεβαίωσε. «Θα είμαι πολύ γρήγορος. Δε θα καταλάβεις τίποτα, στο υπόσχομαι. Α, φυσικά, θα πω ψέματα στη Βικτόρια γι' αυτό αργότερα, απλώς για να την εξευμενίσω. Αλλά αν ήξερες τι είχε σχεδιάσει για σένα, Μπέλλα...» Κούνησε το κεφάλι του με μια αργή κίνηση, σχεδόν αηδιασμένος. «Στ' ορκίζομαι ότι θα με ευχαριστούσες γι' αυτό».

Τον κοίταξα με τρόμο.

Εκείνος μύρισε το αεράκι που φυσούσε προς το μέρος του τούφες από τα μαλλιά μου. «Μου τρέχουν τα σάλια», επανέλαβε, εισπνέοντας βαθιά.

Εγώ τέντωσα το σώμα μου για να κατευθυνθώ προς την πηγή, ενώ τα μάτια μου μισόκλεισαν, καθώς ζάρωσα προς τα πίσω, και ο ήχος του φρενιασμένου βρυχηθμού του Έντουαρντ αντήχησε απόμακρος στο πίσω μέρος του κεφαλιού μου. Το όνομά του έσπασε όλα τα τείχη που είχα χτίσει για να το κλείσω μέσα. *Έντουαρντ, Έντουαρντ, Έντουαρντ.* Θα πέθαινα. Δεν πείραζε αν τον σκεφτόμουν τώρα. *Έντουαρντ, σ' αγαπώ.*

Μέσα από τα μισόκλειστά μου μάτια, παρακολουθούσα καθώς ο Λόρεντ σταμάτησε να εισπνέει και έστριψε απότομα το κεφάλι του προς τα αριστερά. Φοβόμουν να πάρω τα μάτια μου από πάνω του, να ακολουθήσω το βλέμμα του, αν και δε χρειαζόταν κάτι για να μου αποσπάσει την προσοχή ή κάποιο άλλο κόλπο για να με ακινητοποιήσει. Ήμουν υπερβολικά σαστισμένη για να νιώσω ανακούφιση, όταν άρχισε να απομακρύνεται από μένα, αργά.

«Δεν το πιστεύω», είπε, με φωνή τόσο χαμηλή που μετά βίας τον άκουσα.

Έπρεπε να κοιτάξω τότε. Τα μάτια μου σάρωσαν το λιβάδι, ψάχνοντας για το λόγο που διέκοψε τον Λόρεντ και παρέτεινε τη ζωή μου για μερικά δευτερόλεπτα. Στην αρχή δεν είδα τίποτα, και το βλέμμα μου τρεμόπαιξε πάλι προς τον Λόρεντ. Υποχωρούσε πιο γρήγορα τώρα, με τα μάτια του να τρυπάνε το δάσος.

Τότε το είδα· ένα τεράστιο μαύρο σχήμα βγήκε αργά μέσα από τα δέντρα, ήσυχο σαν ίσκιος, και άρχισε να βαδίζει καμαρωτά προς το βρικόλακα. Ήταν θηριώδες –ψηλό σαν άλογο, αλλά πιο ογκώδες, πολύ πιο μυώδες. Το μακρύ ρύγχος έκανε ένα μορφασμό, αποκαλύπτοντας μια σειρά από κοπτήρες που έμοιαζαν με στιλέτα. Ένα αποκρουστικό γρύλισμα βγήκε μέσα από τα δόντια του, βροντώντας μέσα στο ξέφωτο σαν μια παρατεταμένη ριπή κεραυνού.

Η αρκούδα. Μόνο που δεν ήταν καθόλου αρκούδα. Ωστόσο, αυτό το γιγάντιο μαύρο τέρας έπρεπε να είναι το πλάσμα που είχε προκαλέσει όλη αυτή την ανησυχία. Από μακριά, οποιοσδήποτε θα μπορούσε να το περάσει για αρκούδα. Τι άλλο θα μπορούσε να είναι τόσο τεράστιο, τόσο μεγαλόσωμο;

Ευχήθηκα να είχα αρκετή τύχη ώστε να παρακολουθούσα μόνο από μακριά. Αντί γι' αυτό όμως, εκείνο πέρασε μέσα από το χορτάρι με ελαφριά βήματα για να σταθεί μόλις τρία μέτρα μακριά από εκεί που βρισκόμουν.

«Μην κουνηθείς ούτε σπιθαμή», ψιθύρισε η φωνή του Έντουαρντ.

Εγώ είχα μείνει με το βλέμμα καρφωμένο στο τερατώδες πλάσμα, με το μυαλό μου σαστισμένο, καθώς προσπαθούσα να του δώσω ένα όνομα. Υπήρχε κάτι το καθαρά σκυλίσιο στη μορφή του, στον τρόπο που κινείτο. Σκέφτηκα μόνο μία πιθανότητα, παγωμένη από το φόβο καθώς ήμουν. Όμως δεν είχα φανταστεί ποτέ ότι ένας λύκος θα μπορούσε να είναι τόσο *μεγάλος*.

Άλλο ένα γρύλισμα ακούστηκε βροντερό μέσα από το λαιμό του, κι εγώ ανατρίχιασα ακούγοντας τον ήχο.

Ο Λόρεντ υποχωρούσε προς την άκρη των δέντρων, και, υπό το κράτος του τρόμου που με είχε παγώσει, με κατέκλυσε μια σύγχυση. Γιατί έκανε πίσω ο Λόρεντ; Εντάξει, ο λύκος ήταν τεράστιος σε μέγεθος, αλλά ήταν απλώς ένα ζώο. Τι λόγο θα είχε ένας βρικόλακας να φοβάται ένα ζώο; Κι ο Λόρεντ πράγματι φοβόταν. Τα μάτια του ήταν διάπλατα ανοιχτά από τον τρόμο, όπως και τα δικά μου.

Σαν απάντηση στην ερώτησή μου, ξαφνικά ο γιγαντιαίος σαν μαμούθ λύκος δεν ήταν μόνος του. Κι από τις δυο μεριές του άλλα δυο τεράστια θηρία κινούνταν σε αναζήτηση λείας ήσυχα μέσα στο λιβάδι. Το ένα ήταν ένα βαθύ γκρίζο, το άλλο καφέ, κανένα από τα δύο τόσο ψηλό, όμως, όσο το πρώτο. Ο γκρίζος λύκος ήρθε μέσα από τα δέντρα και στάθηκε μόλις ένα μέτρο μακριά μου, με τα μάτια του καρφωμένα πάνω στον Λόρεντ.

Πριν προλάβω καν να αντιδράσω, ακολούθησαν δυο ακόμα λύκοι, σχηματίζοντας όλοι ένα τόξο, σαν χήνες που πετάνε προς τα νότια. Πράγμα που σήμαινε ότι το καφέ, στο χρώμα της σκουριάς, τέρας που έκανε πέρα τα κλαδιά με τους ώμους του και ξεπρόβαλλε τελευταίο, ήταν αρκετά κοντά μου, ώστε να μπορώ να το αγγίξω.

Εγώ ξεφώνισα πνιχτά χωρίς να το θέλω και πήδηξα προς τα πίσω –που ήταν το πιο ανόητο πράγμα που θα μπορούσα να είχα κάνει. Κοκάλωσα ξανά, περιμένοντας οι λύκοι να στραφούν εναντίον μου, το πιο αδύναμο μέλος της διαθέσιμης λείας. Ευχήθηκα για λίγο ο Λόρεντ να τελείωνε με αυτή την υπόθεση και να συνέτριβε την αγέλη των λύκων –θα έπρεπε να ήταν τόσο απλό γι' αυτόν. Είχα καταλήξει ότι ανάμεσα στις δυο επιλογές που υπήρχαν μπροστά μου, το να με φάνε οι λύκοι ήταν σχεδόν βέβαια η χειρότερη.

Ο λύκος πιο κοντά σ' εμένα, ο καστανοκόκκινος, γύρισε το κεφάλι του ελαφρώς στο άκουσμα της πνιχτής κραυγής μου.

Τα μάτια του λύκου ήταν σκούρα, σχεδόν μαύρα. Με κοίταξε επίμονα για ένα κλάσμα του δευτερολέπτου, ενώ τα βαθιά του μάτια φαίνονταν υπερβολικά έξυπνα για άγριου ζώου.

Καθώς με κοίταζε, ξαφνικά σκέφτηκα τον Τζέικομπ –πάλι με ευγνωμοσύνη. Τουλάχιστον είχα έρθει εδώ μόνη μου, σ' αυτό το παραμυθένιο λιβάδι γεμάτο με σκοτεινά τέρατα. Τουλάχιστον ο Τζέικομπ δε θα πέθαινε κι αυτός. Τουλάχιστον δε θα ήμουν υπεύθυνη για το θάνατό του.

Τότε άλλο ένα χαμηλό γρύλισμα από τον αρχηγό έκανε τον καστανοκόκκινο λύκο να γυρίσει το κεφάλι του απότομα πάλι προς τον Λόρεντ.

Ο Λόρεντ κοίταζε επίμονα την αγέλη των τεράστιων λύκων με έκπληξη και φόβο που δεν μπορούσε να κρύψει. Το πρώτο μπορούσα να το καταλάβω. Αλλά σάστισα όταν, χωρίς προειδοποίηση, γύρισε γρήγορα και χάθηκε μέσα στα δέντρα.

Το έβαλε στα πόδια.

Οι λύκοι τον πήραν στο κατόπι μετά από ένα δευτερόλεπτο, διασχίζοντας την έκταση του χορταριού, τρέχοντας με μερικούς δυνατούς πήδους, γρυλίζοντας και ανοιγοκλείνοντας τα δόντια τους για να δαγκώσουν τόσο δυνατά που τα χέρια μου σηκώθηκαν ενστικτωδώς για να σκεπάσουν τα αυτιά μου. Ο ήχος έσβησε με εκπληκτική γρηγοράδα αμέσως μόλις εξαφανίστηκαν μέσα στο δάσος.

Και μετά βρέθηκα πάλι μόνη μου.

Τα γόνατά μου λύγισαν κάτω από το σώμα μου, κι έπεσα στα χέρια μου, ενώ λυγμοί ετοιμάζονταν να ανέβουν στο λαιμό μου.

Ήξερα ότι έπρεπε να φύγω, να φύγω τώρα. Πόση ώρα θα κυνηγούσαν οι λύκοι τον Λόρεντ μέχρι να γυρίσουν πίσω για μένα; Ή θα τους έκανε επίθεση ο Λόρεντ; Μήπως αυτός θα ήταν που θα γύριζε ψάχνοντάς με;

Στην αρχή, παρ' όλα αυτά, δεν μπορούσα να κουνηθώ· τα χέρια μου και τα πόδια μου έτρεμαν, και δεν ήξερα πώς να σηκωθώ όρθια.

Το μυαλό μου δεν μπορούσε να ξεπεράσει το φόβο, τη φρίκη της σύγχυσης. Δεν καταλάβαινα τι ήταν αυτό του οποίου μόλις είχα γίνει μάρτυρας.

Ένας βρικόλακας δε θα έπρεπε να το είχε βάλει στα πόδια για να ξεφύγει από μερικά μεγάλα σκυλιά μ' αυτό τον τρόπο. Πώς θα μπορούσαν τα δόντια τους να βλάψουν το γρανιτένιο του δέρμα;

Και οι λύκοι θα έπρεπε να είχαν αποφύγει τον Λόρεντ. Ακόμα κι αν το ασυνήθιστο μέγεθός τους τούς είχε διδάξει να μη φοβούνται τίποτα, και πάλι δεν ήταν λογικό να κυνηγήσουν εκείνον. Αμφέβαλλα αν το παγωμένο, σαν μάρμαρο δέρμα του θα μύριζε έστω και λίγο σαν φαγητό. Γιατί να αφήσουν κάτι θερμόαιμο και αδύναμο όπως εγώ για να κυνηγήσουν τον Λόρεντ;

Δεν έβγαζα νόημα.

Ένα κρύο αεράκι μαστίγωσε το λιβάδι κάνοντας το χορτάρι να λικνίζεται λες και κάτι περνούσε από μέσα.

Εγώ σηκώθηκα με κόπο για να σταθώ στα πόδια μου, κάνοντας προς τα πίσω, παρόλο που ο άνεμος πέρασε ξυστά από δίπλα μου χωρίς να υπάρχει κίνδυνος. Σκοντάφτοντας πανικόβλητη, γύρισα κι έτρεξα κατευθείαν μέσα στα δέντρα.

Οι επόμενες ώρες ήταν αγωνιώδεις. Μου πήρε τρεις φορές περισσότερο χρόνο για να ξεφύγω από τα δέντρα απ' ό,τι είχα χρειαστεί για να φτάσω στο λιβάδι. Στην αρχή δεν πρόσεχα καθόλου προς τα πού πήγαινα, είχα επικεντρωθεί μόνο σε αυτό απ' το οποίο προσπαθούσα να ξεφύγω. Μέχρι να ξαναβρώ την ψυχραιμία μου αρκετά ώστε να θυμηθώ την πυξίδα, ήμουν ήδη βαθιά μέσα στο άγνωστο και απειλητικό δάσος. Τα χέρια μου έτρεμαν τόσο βίαια που έπρεπε να ακουμπήσω την πυξίδα πάνω στο λασπωμένο έδαφος για να μπορέσω να τη διαβάσω. Κάθε λίγα λεπτά σταματούσα για να ακουμπήσω κάτω την πυξίδα και να σιγουρευτώ ότι κατευθυνόμουν ακόμα προς τα βορειοδυτικά, ακούγοντας –όταν οι ήχοι δεν ήταν κρυμμένοι πίσω από το υστερικό τσαλαβούτημα των βημάτων μου– το ήσυχο ψιθύρισμα των αόρατων πραγμάτων που κινούνταν μέσα στα φύλλα.

Το κρώξιμο μιας κίσσας με έκανε να πεταχτώ πίσω και να πέσω μέσα σε μια πυκνή συστοιχία από νεαρά έλατα γδέρνοντας τα χέρια μου και μπλέκοντας τα μαλλιά μου με ρετσίνι. Ένας σκίουρος όρμησε ξαφνικά πάνω σε ένα πεύκο, κάνοντάς με να ουρλιάξω τόσο δυνατά που πόνεσαν τα ίδια μου τα αυτιά.

Επιτέλους υπήρχε ένα κενό στα δέντρα μπροστά μου. Βγήκα έξω πάνω στον άδειο δρόμο, περίπου ενάμισι χιλιόμετρο νότια από το σημείο όπου είχα αφήσει το φορτηγάκι. Αν και εξουθενωμένη, πήρα το δρόμο προς τα πάνω τρέχοντας ελαφρά, μέχρι που το βρήκα. Μέχρι να μπω μέσα στην καμπίνα του αμαξιού, έκλαιγα ξανά με αναφιλητά. Έσπρωξα κάτω άγρια και τις δύο άκαμπτες ασφάλειες πριν βγάλω τα κλειδιά μου από την τσέπη μου. Ο βρυχηθμός της μηχανής ήταν παρηγορητικός και λογικός. Με βοήθησε να συγκρατήσω τα δάκρυα, καθώς έτρεχα όσο πιο γρήγορα μου επέτρεπε το φορτηγό μου προς τον κύριο αυτοκινητόδρομο.

Ήμουν πιο ψύχραιμη, αλλά ακόμα χάλια όταν έφτασα σπίτι. Το περιπολικό του Τσάρλι ήταν στο πάρκινγκ –δεν είχα συνειδητοποιήσει πόσο είχα αργήσει. Ο ουρανός ήταν ήδη μισοσκότεινος.

«Μπέλλα;» ρώτησε ο Τσάρλι όταν έκλεισα με δύναμη την πόρτα πίσω μου και έβαλα βιαστικά τους σύρτες.

«Ναι, εγώ είμαι». Η φωνή μου δεν ήταν σταθερή.

«Πού ήσουν;» βροντοφώναξε, ενώ φάνηκε από την πόρτα της κουζίνας με μια έκφραση απειλητική.

Εγώ δίστασα. Είχε πιθανότατα πάρει τηλέφωνο στους Στάνλεϊ. Καλύτερα να έλεγα την αλήθεια.

«Είχα πάει για πεζοπορία», παραδέχτηκα.

Τα μάτια του ήταν σφιγμένα. «Εσύ δεν είπες ότι θα πήγαινες στην Τζέσικα;»

«Δεν είχα και πολλή όρεξη να κάνω μαθηματικά σήμερα».

Ο Τσάρλι σταύρωσε τα χέρια του στο στήθος του. «Νομίζω ότι σου είπα να μην πας στο δάσος».

«Ναι, το ξέρω. Μην ανησυχείς. Δε θα το ξανακάνω». Με διαπέρασε ένα ρίγος.

Ο Τσάρλι έμοιαζε σαν να με κοίταζε πραγματικά για πρώτη φορά. Θυμήθηκα ότι είχα περάσει λίγη ώρα πάνω στο χώμα στο δάσος· πρέπει να έδειχνα χάλια.

«Τι συνέβη;» απαίτησε να μάθει ο Τσάρλι.

Πάλι, αποφάσισα ότι η αλήθεια ή τουλάχιστον ένα μέρος της, ήταν η καλύτερη επιλογή. Ήμουν υπερβολικά αναστατωμένη για να προσποιηθώ ότι είχα περάσει μια μέρα χωρίς ιδιαίτερα συμβάντα με τη χλωρίδα και την πανίδα.

«Είδα την αρκούδα». Προσπάθησα να το πω ψύχραιμα, αλλά η φωνή μου ήταν τσιριχτή και έτρεμε. «Όμως, δεν είναι αρκούδα –είναι κάποιο είδος λύκου. Και υπάρχουν πέντε τέτοιοι. Ένας μεγάλος μαύρος, και ένας γκρίζος κι ένας καστανοκόκκινος…»

Τα μάτια του Τσάρλι έγιναν πιο στρογγυλά από τη φρίκη. Ήρθε γρήγορα με μεγάλα βήματα σ' εμένα και άρπαξε το πάνω μέρος των μπράτσων μου.

«Είσαι καλά;»

Το κεφάλι μου ανεβοκατέβηκε γνέφοντας αδύναμα.

«Πες μου τι έγινε».

«Δε μου έδωσαν καμία σημασία. Αλλά αφού έφυγαν, εγώ το έβαλα στα πόδια και έπεσα αρκετές φορές».

Άφησε τους ώμους μου και τύλιξε τα χέρια του γύρω μου. Για μια στιγμή που κράτησε πολλή ώρα, δεν είπε τίποτα.

«Λύκοι», μουρμούρισε.

«Τι;»

«Οι δασοφύλακες είπαν ότι τα μονοπάτια δεν ήταν τα συνηθισμένα για μια αρκούδα –αλλά οι λύκοι δε γίνονται τόσο μεγάλοι…»

«Αυτοί ήταν *τεράστιοι*».

«Πόσους είπες ότι είδες;»

«Πέντε».

Ο Τσάρλι κούνησε το κεφάλι του κατσουφιάζοντας από την αγωνία. Επιτέλους μίλησε με έναν τόνο που δε σήκωνε αντιρρήσεις. «Όχι άλλη πεζοπορία».

«Κανένα πρόβλημα», υποσχέθηκα.

Ο Τσάρλι πήρε τηλέφωνο στο τμήμα για να αναφέρει αυτό που είχα δει. Τα μάσησα λιγάκι σχετικά με το πού ακριβώς είχα δει τους λύκους –ισχυριζόμενη ότι ήμουν στο μονοπάτι που οδηγούσε στο βορρά. Δεν ήθελα να ξέρει ο μπαμπάς μου πόσο βαθιά μέσα στο δάσος είχα μπει παρά τη θέλησή του και, το κυριότερο, δεν ήθελα κανένας να περιπλανηθεί εκεί όπου ο Λόρεντ μπορεί να έψαχνε εμένα. Η σκέψη αυτή με έκανε να νιώθω ναυτία.

«Πεινάς;» με ρώτησε όταν έκλεισε το τηλέφωνο.

Κούνησα το κεφάλι μου αρνητικά, αν και θα έπρεπε να πέθαινα στην πείνα. Δεν είχα φάει όλη μέρα.

«Απλώς είμαι κουρασμένη», του είπα. Γύρισα απ' την άλλη κατευθυνόμενη προς τις σκάλες.

«Έι», είπε ο Τσάρλι, με φωνή ξαφνικά καχύποπτη ξανά. «Δεν είπες ότι ο Τζέικομπ έλειπε όλη μέρα;»

«Έτσι είπε ο Μπίλι», του είπα, μπερδεμένη από την ερώτησή του.

Μελέτησε την έκφρασή μου για ένα λεπτό, και έμοιαζε ικανοποιημένος με αυτό που είδε εκεί.

«Χα».

«Γιατί;» απαίτησα να μάθω. Ακούστηκε σαν να υπονοούσε ότι του είχα πει ψέματα σήμερα το πρωί. Για κάτι άλλο εκτός από το ότι θα διάβαζα μαζί με την Τζέσικα.

«Να, απλώς όταν πήγα να πάρω τον Χάρι, είδα τον Τζέικομπ έξω μπροστά από το μαγαζί εκεί πέρα με κάτι φίλους του. Τον χαιρέτησα, αλλά αυτός... δηλαδή, δεν ξέρω αν με είδε. Νομίζω ότι ίσως τσακωνόταν με τους φίλους του. Έδειχνε παράξενος, σαν να ήταν νευριασμένος για κάτι. Και... διαφορετικός. Αυτό το παιδί λες και το βλέπεις να μεγαλώνει μπροστά στα μάτια σου! Γίνεται όλο και πιο ψηλός κάθε φορά που τον βλέπω».

«Ο Μπίλι είπε ότι ο Τζέικ και οι φίλοι του θα πήγαιναν στο Πορτ-Άντζελες να δούνε κάτι ταινίες. Πιθανότατα απλώς περίμεναν κάποιον να τους συναντήσει».

«Α». Ο Τσάρλι κούνησε το κεφάλι του και πήγε προς την κουζίνα.

Εγώ στάθηκα στο χολ σκεπτόμενη τον Τζέικομπ να τσακώνεται με τους φίλους του. Αναρωτιόμουν αν είχε έρθει σε αντιπαράθεση με τον Έμπρι για το θέμα του Σαμ. Ίσως αυτός να ήταν ο λόγος που με είχε κρεμάσει σήμερα –αν αυτό σήμαινε ότι θα μπορούσε να ξεδιαλύνει ορισμένα πράγματα με τον Έμπρι, χαιρόμουν που το είχε κάνει.

Σταμάτησα για να ελέγξω ξανά τους σύρτες πριν πάω στο δωμάτιό μου. Τι ανόητο πράγμα που ήταν αυτό. Τι ρόλο θα έπαιζε οποιοσδήποτε σύρτης για κάποιο από το τέρατα που είχα δει αυτό το απόγευμα; Υπέθεσα ότι μόνο το χερούλι θα στρίμωχνε τους λύκους, αφού δεν είχαν παλάμες με αντίχειρες. Κι αν ο Λόρεντ ερχόταν εδώ...

Ή... *η Βικτόρια.*

Ξάπλωσα στο κρεβάτι μου, αλλά έτρεμα πάρα πολύ για να ελπίζω ότι θα κοιμόμουν. Κουλουριάστηκα σε μια μικροσκοπική μπάλα κάτω από το πάπλωμά μου και ήρθα αντιμέτωπη με τα τρομακτικά γεγονότα.

Δεν υπήρχε τίποτα που να μπορώ να κάνω. Δεν υπήρχαν προφυλάξεις που θα μπορούσα να πάρω. Δεν υπήρχε κανένα μέρος για να κρυφτώ. Δεν υπήρχε κανείς για να με βοηθήσει.

Συνειδητοποίησα, με ένα αίσθημα ναυτίας στο στομάχι μου, ότι η κατάσταση ήταν χειρότερη απ' ό,τι ποτέ άλλοτε. Επειδή όλα αυτά τα γεγονότα ίσχυαν και για τον Τσάρλι. Ο πατέρας μου, που κοιμόταν ένα δωμάτιο πιο κάτω από το δικό μου, ήταν μια τρίχα απόσταση από το επίκεντρο του στόχου που ήταν πάνω μου. Η μυρωδιά μου θα τους οδηγούσε εδώ, είτε ήμουν η ίδια εδώ είτε όχι.

Τα ρίγη με ταρακουνούσαν μέχρι που τα δόντια μου άρχισαν να χτυπάνε μεταξύ τους.

Για να ηρεμήσω, φαντασιώθηκα το αδύνατο: φαντάστηκα τους μεγάλους λύκους να πιάνουν τον Λόρεντ μέσα στο δάσος και να κατασπαράζουν τον άφθαρτο αθάνατο, όπως θα έκαναν με οποιονδήποτε φυσιολογικό άνθρωπο. Παρά το παράλογο ενός τέτοιου οράματος, η ιδέα με παρηγόρησε. Αν τον έπιαναν οι λύκοι, τότε δε θα μπορούσε να πει στη Βικτόρια ότι ήμουν εδώ ολομόναχη. Αν δεν επέστρεφε, ίσως εκείνη να νόμιζε ότι οι Κάλεν με προστάτευαν ακόμα. Μακάρι οι λύκοι να κέρδιζαν μια τέτοια μάχη…

Οι καλοί μου βρικόλακες δε θα γύριζαν ποτέ· πόσο παρηγορητικό ήταν να φαντάζομαι ότι μπορούσε εξίσου να εξαφανιστεί και το *άλλο* είδος.

Πίεσα τα μάτια μου σφιχτά και περίμενα να με εγκαταλείψουν οι αισθήσεις μου –ανυπομονούσα σχεδόν να αρχίσει ο εφιάλτης μου. Καλύτερα από εκείνο το χλομό, όμορφο πρόσωπο που μου χαμογελούσε τώρα πίσω από τα βλέφαρά μου.

Στη φαντασία μου, τα μάτια της Βικτόρια ήταν μαύρα από τη δίψα, λαμπερά από την ανυπομονησία, και τα χείλη της ήταν τραβηγμένα πίσω σε μια έκφραση απόλαυσης αποκαλύπτοντας τα αστραφτερά της δόντια. Τα κόκκινα μαλλιά της ήταν λαμπερά σαν φωτιά· ανέμιζαν χαοτικά γύρω από το άγριο πρόσωπό της.

Τα λόγια του Λόρεντ επαναλαμβάνονταν στο κεφάλι μου. *Αν ήξερες τι έχει σχεδιάσει για σένα…*

Πίεσα τη γροθιά μου στο στόμα μου για να μην ουρλιάξω.

11. ΑΙΡΕΣΗ

Κάθε μέρα που άνοιγα τα μάτια μου κι έβλεπα το πρωινό φως και συνειδητοποιούσα ότι είχα επιζήσει κι άλλη μια νύχτα ήταν μια έκπληξη για μένα. Αφού η έκπληξη άρχιζε σιγά-σιγά να υποχωρεί, η καρδιά μου άρχιζε να χτυπάει σαν τρελή, και οι παλάμες μου ίδρωναν· δεν μπορούσα να αναπνεύσω ξανά κανονικά, μέχρι που να σηκωθώ και να βεβαιωθώ ότι και ο Τσάρλι είχε επιζήσει.

Καταλάβαινα ότι ανησυχούσε –βλέποντάς με να πετάγομαι στο άκουσμα κάθε δυνατού ήχου ή βλέποντας το πρόσωπό μου να γίνεται άσπρο ξαφνικά, χωρίς κανένα λόγο που να μπορούσε να δει κι αυτός. Από τις ερωτήσεις που έκανε πού και πού, φαινόταν να θεωρεί ότι για την αλλαγή έφταιγε η συνεχιζόμενη απουσία του Τζέικομπ.

Ο τρόμος που πάντα κυριαρχούσε στις σκέψεις μου, συνήθως μου αποσπούσε την προσοχή από το γεγονός ότι είχε περάσει άλλη μια βδομάδα κι ο Τζέικομπ ακόμα δε με είχε πάρει τηλέφωνο. Αλλά όταν κατάφερνα να επικεντρωθώ στη φυσιολογική ζωή μου –αν η ζωή μου ήταν ποτέ φυσιολογική στην πραγματικότητα– αυτό με αναστάτωνε.

Μου έλειπε τρομερά.

Ήταν ήδη αρκετά άσχημα που είχα μείνει μόνη μου πριν αρχίσω και να φοβάμαι σαν χαζή. Τώρα, περισσότερο από ποτέ, λαχταρούσα το ξέγνοιαστο γέλιο του και το μεταδοτικό του χαμόγελο. Είχα ανάγκη την ασφαλή λογική του γκαράζ του σπιτιού του και το ζεστό του χέρι γύρω από τα κρύα μου δάχτυλα.

Μισοπερίμενα να με πάρει τη Δευτέρα. Αν είχε κάνει καμία πρόοδο με τον Έμπρι, δε θα ήθελε να την αναφέρει; Ήθελα να πιστεύω ότι αυτό στο οποίο αφιέρωνε όλο το χρόνο του ήταν η ανησυχία για το φίλο του, όχι ότι τα είχε παρατήσει σχετικά μ' εμένα.

Τον πήρα τηλέφωνο την Τετάρτη, αλλά κανείς δεν απάντησε. Μήπως οι τηλεφωνικές γραμμές είχαν ακόμα πρόβλημα; Ή μήπως ο Μπίλι είχε επενδύσει σε αναγνώριση κλήσης;

Την Τετάρτη έπαιρνα κάθε μισή ώρα μέχρι και μετά τις έντεκα το βράδυ, θέλοντας απεγνωσμένα να ακούσω τη ζεστασιά της φωνής του Τζέικομπ.

Την Πέμπτη κάθισα στο φορτηγάκι μου μπροστά από το σπίτι μου –με τις ασφάλειες κλειστές– τα κλειδιά στο χέρι, μια ολόκληρη ώρα. Συζητούσα με τον εαυτό μου προσπαθώντας να δικαιολογήσω ένα γρήγορο ταξίδι στο Λα Πους, αλλά δεν μπορούσα να το κάνω.

Ήξερα ότι ο Λόρεντ θα είχε γυρίσει στη Βικτόρια ως τώρα. Αν πήγαινα στο Λα Πους, θα έπαιζα με την πιθανότητα να οδηγήσω έναν από αυτούς εκεί πέρα. Κι αν με προλάβαιναν όταν ο Τζέικ θα ήταν κοντά; Όσο κι αν με πλήγωνε αυτό, ήξερα ότι ήταν καλύτερα για τον Τζέικομπ να με αποφεύγει. Πιο ασφαλές γι' αυτόν.

Ήταν ήδη αρκετά άσχημο που δεν μπορούσα να σκεφτώ κάποιον τρόπο για να είναι ασφαλής ο Τσάρλι. Η νύχτα ήταν η πιο πιθανή ώρα της ημέρας για να έρθουν να με βρουν, και τι θα μπορούσα να πω για να βγάλω τον Τσάρλι έξω από το σπίτι; Αν του έλεγα την αλήθεια, θα με κλείδωνε σε κανένα θάλαμο φρενοκομείου. Αυτό θα το άντεχα –ακόμα και θα το καλοδεχόμουν– αν μπορούσε να τον κρατήσει ασφαλή. Αλλά η Βικτόρια και πάλι θα ερχόταν στο σπίτι του πρώτα, ψάχνοντας εμένα. Ίσως, αν με έβρισκε εκεί, αυτό να της ήταν αρκετό. Ίσως να έφευγε μόλις ξεμπέρδευε μαζί μου.

Έτσι δεν μπορούσα να φύγω. Ακόμα κι αν μπορούσα, πού θα πήγαινα; Στη Ρενέ; Έτρεμα στην ιδέα να τραβήξω τους θανάσιμους ίσκιους μου στον ασφαλή, ηλιόλουστο κόσμο της μητέρας μου. Δε θα την έβαζα ποτέ σε κίνδυνο κατά αυτό τον τρόπο.

Η ανησυχία με έτρωγε κάνοντας μια τρύπα μέσα στο στομάχι μου. Σύντομα θα είχα δυο τρύπες, να κάνουν παρέα μεταξύ τους.

Εκείνη τη νύχτα, ο Τσάρλι μου έκανε άλλη μια χάρη και πήρε τον Χάρι ξανά τηλέφωνο για να δει αν οι Μπλακ είχαν φύγει από την πόλη. Ο Χάρι ανέφερε ότι ο Μπίλι είχε παραβρεθεί στη συνάντηση του συμβουλίου την Τετάρτη το βράδυ και δεν ανέφερε τίποτα σχετικά με το αν θα έφευγε. Ο Τσάρλι με προειδοποίησε να μη γίνομαι φορτική –ο Τζέικομπ θα με έπαιρνε, όταν θα έβρισκε χρόνο.

Την Παρασκευή το απόγευμα, καθώς γύριζα σπίτι από το σχολείο, μου ήρθε αναπάντεχα.

Δεν πρόσεχα το γνωστό δρόμο, αφήνοντας τον ήχο της μηχανής να νεκρώσει τον εγκέφαλό μου και να κάνει τις ανησυχίες να σωπάσουν, όταν το υποσυνείδητό μου έβγαλε μια ετυμηγορία που πρέπει να επεξεργαζόταν για λίγο καιρό χωρίς να το ξέρω.

Μόλις το σκέφτηκα, ένιωσα πολύ χαζή που δεν το είχα δει νωρίτερα. Βέβαια, πολλά πράγματα με απασχολούσαν –βρικόλακες με εκδικητική μανία, γιγάντιοι μεταλλαγμένοι λύκοι, μια τρύπα με πριονωτές άκρες στο κέντρο του στήθους μου–

αλλά όταν αναλογιζόμουν τα στοιχεία, ήταν εξευτελιστικά προφανές.

Ο Τζέικομπ που με απέφευγε. Ο Τσάρλι που είπε ότι έδειχνε παράξενος, αναστατωμένος... οι αόριστες απαντήσεις του Μπίλι που δε βοηθούσαν σε τίποτα.

Μα ναι βέβαια, ήξερα ακριβώς τι συνέβαινε στον Τζέικομπ.

Ήταν ο Σαμ Γιούλεϊ. Ακόμα και οι εφιάλτες μου προσπαθούσαν να μου το πουν. Ο Σαμ είχε προσεγγίσει τον Τζέικομπ. Ό,τι κι αν ήταν αυτό που συνέβαινε στα άλλα αγόρια στον καταυλισμό είχε εξαπλωθεί και είχε κλέψει το φίλο μου. Τον είχε ρουφήξει η αίρεση του Σαμ.

Δε τα είχε παρατήσει με μένα, συνειδητοποίησα με ένα ξέσπασμα συγκίνησης.

Άφησα το αυτοκίνητό μου να δουλεύει στο ρελαντί μπροστά στο σπίτι μου. Τι έπρεπε να κάνω; Ζύγισα τους κινδύνους.

Αν πήγαινα να ψάξω τον Τζέικομπ, ρίσκαρα την πιθανότητα να με βρουν η Βικτόρια ή ο Λόρεντ μαζί του.

Αν δεν πήγαινα να τον βρω, ο Σαμ θα τον τραβούσε πιο βαθιά στην τρομακτική, εξαναγκαστική του συμμορία. Ίσως να ήταν πολύ αργά αν δεν έκανα κάτι σύντομα.

Είχε περάσει μια βδομάδα, και κανένας βρικόλακας δεν είχε έρθει για μένα ακόμα. Μια βδομάδα ήταν περισσότερος από αρκετός χρόνος ώστε να έχουν επιστρέψει, άρα δεν πρέπει να ήμουν προτεραιότητα γι' αυτούς. Το πιο πιθανό, όπως είχα αποφασίσει νωρίτερα, ήταν να έρθουν τη νύχτα. Οι πιθανότητες να με ακολουθήσουν στο Λα Πους ήταν πολύ λιγότερες από την πιθανότητα να χάσω τον Τζέικομπ εξαιτίας του Σαμ.

Άξιζε τον κόπο να διακινδυνεύσω μπαίνοντας στον απομονωμένο δρόμο του δάσους. Αυτή δεν ήταν καμία άσκοπη επίσκεψη για να μάθω τι συνέβαινε. *Ήξερα* τι συνέβαινε. Αυτή ήταν μια αποστολή διάσωσης. Θα μιλούσα στον Τζέικομπ – θα τον απήγαγα αν χρειαζόταν. Είχα δει μια εκπομπή στην τηλεόραση σχετικά με τον αποπρογραμματισμό των ανθρώπων που τους έχει γίνει πλύση εγκεφάλου. Θα έπρεπε να υπάρχει κάποιου είδους θεραπεία.

Αποφάσισα ότι καλό θα ήταν να πάρω πρώτα τον Τσάρλι. Ίσως ό,τι κι αν ήταν αυτό που συνέβαινε εκεί κάτω στο Λα Πους να ήταν κάτι στο οποίο θα έπρεπε να εμπλακεί και η αστυνομία. Όρμησα μέσα βιαστική για να ξεκινήσω.

Ο Τσάρλι απάντησε στο τηλέφωνο στο τμήμα ο ίδιος.

«Διοικητής Σουάν».

«Μπαμπά, η Μπέλλα είμαι».

«Τι συνέβη;»

Δεν μπορούσα να τον κατηγορήσω που υπέθετε ότι είχε γίνει κάποια καταστροφή. Η φωνή μου έτρεμε.

«Ανησυχώ για τον Τζέικομπ».

«Γιατί;» ρώτησε έκπληκτος από το αναπάντεχο θέμα.

«Νομίζω... νομίζω ότι κάτι παράξενο συμβαίνει στον καταυλισμό. Ο Τζέικομπ μου είπε μερικά περίεργα πράγματα που συνέβησαν στα άλλα αγόρια της ηλικίας του. Τώρα συμπεριφέρεται με τον ίδιο τρόπο, κι εγώ φοβάμαι».

«Τι είδους πράγματα;» Χρησιμοποιούσε την επαγγελματική φωνή του που είχε για τις δουλειές της αστυνομίας. Αυτό ήταν καλό· με έπαιρνε στα σοβαρά.

«Πρώτα ήταν φοβισμένος, και μετά με απέφευγε, και τώρα... φοβάμαι ότι έχει γίνει μέλος εκείνης της περίεργης συμμορίας εκεί κάτω, της συμμορίας του Σαμ. Της συμμορίας του Σαμ Γιούλεϊ».

«Του Σαμ Γιούλεϊ;» επανέλαβε ο Τσάρλι έκπληκτος και πάλι.

«Ναι».

Η φωνή του Τσάρλι ήταν πιο χαλαρή όταν απάντησε. «Νομίζω ότι δεν το έχεις καταλάβει σωστά, Μπελς. Ο Σαμ Γιούλεϊ είναι σπουδαίο παιδί. Δηλαδή, είναι άντρας τώρα πια. Ένας καλός γιος. Πρέπει να ακούσεις τον Μπίλι να μιλάει γι' αυτόν.

Πραγματικά κάνει θαύματα με τους νέους στον καταυλισμό. Αυτός είναι που–» Ο Τσάρλι σταμάτησε στη μέση της πρότασής του, και μάντεψα ότι ήταν έτοιμος να αναφερθεί στη νύχτα που είχα χαθεί στο δάσος. Συνέχισα γρήγορα.

«Μπαμπά, δεν είναι έτσι. Ο Τζέικομπ τον *φοβόταν*».

«Μίλησες στον Μπίλι για το θέμα αυτό;» Προσπαθούσε να με καθησυχάσει τώρα. Τον είχα χάσει αμέσως μόλις ανέφερα τον Σαμ.

«Ο Μπίλι δεν ανησυχεί».

«Ε, τότε λοιπόν, Μπέλλα, είμαι σίγουρος ότι όλα είναι εντάξει. Ο Τζέικομπ είναι παιδί· πιθανότατα απλώς σαχλαμάριζε. Είμαι σίγουρος ότι είναι μια χαρά. Δεν μπορεί να περνάει κάθε λεπτό μαζί σου, εξάλλου».

«Δεν πρόκειται για μένα», επέμεινα εγώ, αλλά η μάχη είχα χαθεί.

«Δε νομίζω ότι χρειάζεται να ανησυχείς. Άσε τον Μπίλι να φροντίσει τον Τζέικομπ».

«Τσάρλι...» Η φωνή μου είχε αρχίσει να γίνεται κλαψιάρικη.

«Μπελς, έχω πολλές σκοτούρες αυτή τη στιγμή. Δυο τουρίστες χάθηκαν σε κάποιο μονοπάτι παραέξω από τη λίμνη». Υπήρχε ένας τόνος αγωνίας στη φωνή του. «Αυτό το πρόβλημα με τους λύκους έχει αρχίσει να βγαίνει εκτός ελέγχου».

Για μια στιγμή η προσοχή μου αποσπάστηκε –περισσότερο μάλλον είχα σαστίσει– από τα νέα. Δεν υπήρχε περίπτωση οι λύκοι να είχαν επιβιώσει από μια μάχη με τον Λόρεντ...

«Είσαι σίγουρος ότι αυτό τους συνέβη;» ρώτησα.

«Πολύ φοβάμαι πως ναι, γλυκιά μου. Υπήρχαν...» Δίστασε. «Υπήρχαν πατημασιές πάλι και... λίγο αίμα αυτή τη φορά».

«Ω!» Τότε δεν πρέπει να ήρθαν αντιμέτωποι. Ο Λόρεντ πρέπει απλώς να ξέφυγε από τους λύκους με την ταχύτητά του, αλλά γιατί; Αυτό που είχα δει στο λιβάδι γινόταν όλο και πιο παράδοξο –πιο αδύνατο να το κατανοήσω.

«Κοίτα, πραγματικά πρέπει να κλείσω. Μην ανησυχείς για τον Τζέικ, Μπέλλα. Είμαι σίγουρος ότι δεν είναι τίποτα».

«Εντάξει», είπα κοφτά, απογοητευμένη, καθώς τα λόγια του μου θύμισαν την πιο επείγουσα κρίση που επέκειτο. «Γεια». Έκλεισα το τηλέφωνο.

Κοίταξα το τηλέφωνο επίμονα για μια παρατεταμένη στιγμή. *Ας πάει στο διάολο,* είπα αποφασισμένη.

Ο Μπίλι απάντησε μετά από δυο χτυπήματα.

«Εμπρός;»

«Γεια σου, Μπίλι», είπα σχεδόν γρυλίζοντας. Προσπάθησα να ακουστώ πιο φιλική, καθώς συνέχιζα. «Μπορώ να μιλήσω στον Τζέικομπ, σε παρακαλώ;»

«Ο Τζέικ δεν είναι εδώ».

Τι έκπληξη. «Ξέρεις πού είναι;»

«Έχει βγει με κάτι φίλους». Η φωνή του Μπίλι ήταν προσεχτική.

«Α, αλήθεια; Με κανέναν που να ξέρω; Με τον Κουίλ;» Κατάλαβα ότι οι λέξεις δεν ακούστηκαν και τόσο αδιάφορες όσο σκόπευα.

«Όχι», είπε ο Μπίλι αργά. «Δε νομίζω ότι είναι με τον Κουίλ σήμερα».

Ήμουν αρκετά συνετή ώστε να μην αναφέρω το όνομα του Σαμ.

«Με τον Έμπρι;» ρώτησα.

Ο Μπίλι φάνηκε πιο χαρούμενος να απαντήσει σ' αυτή την ερώτηση. «Ναι, είναι με τον Έμπρι».

Αυτό μου αρκούσε. Ο Έμπρι ήταν ένας από αυτούς.

«Λοιπόν, θα του πεις να με πάρει τηλέφωνο όταν γυρίσει, έτσι;»

«Βέβαια, βέβαια. Κανένα πρόβλημα». *Κλικ.*

«Θα σε δω σύντομα, Μπίλι», μουρμούρισα στο νεκρό τηλέφωνο.

Πήγα στο Λα Πους αποφασισμένη να περιμένω. Θα καθόμουν μπροστά από το σπίτι του όλη τη νύχτα αν χρειαζόταν. Δε θα πήγαινα σχολείο. Κάποια στιγμή θα ερχόταν σπίτι, κι όταν γινόταν αυτό, θα αναγκαζόταν να μου μιλήσει.

Το μυαλό μου ήταν τόσο απασχολημένο που το ταξίδι που φοβόμουν να κάνω πήρε μόνο μερικά δευτερόλεπτα. Νωρίτερα απ' ό,τι περίμενα, το δάσος άρχισε να αραιώνει, κι εγώ ήξερα ότι σύντομα θα μπορούσα να δω τα πρώτα σπιτάκια του καταυλισμού.

Στην αριστερή πλευρά του δρόμου περπατούσε ένα αγόρι με ένα καπέλο του μπέιζμπολ, πηγαίνοντας προς την αντίθετη κατεύθυνση.

Η ανάσα μου κόπηκε για μια στιγμή στο λαιμό μου, ελπίζοντας ότι η τύχη ήταν με το μέρος μου, και είχα πετύχει τον Τζέικομπ χωρίς να προσπαθήσω σχεδόν καθόλου. Αλλά αυτό το αγόρι ήταν πολύ φαρδύ στο σώμα και τα μαλλιά του ήταν κοντά κάτω από το καπέλο. Ακόμα κι από πίσω, ήμουν σίγουρη ότι ήταν ο Κουίλ, αν και έδειχνε μεγαλύτερος απ' ό,τι την τελευταία φορά που τον είχα δει. Μα τι γινόταν μ' αυτά τα αγόρια των Κουιλαγιούτ; Τα τάιζαν μήπως πειραματικές ορμόνες για να αναπτύσσονται;

Πέρασα απέναντι στο αντίθετο ρεύμα για να σταματήσω δίπλα του. Εκείνος σήκωσε το βλέμμα του, όταν ο βρυχηθμός του φορτηγού μου τον πλησίασε.

Η έκφραση του Κουίλ με τρόμαξε περισσότερο απ' ό,τι με εξέπληξε. Το πρόσωπό του ήταν παγερό, μελαγχολικό, το μέτωπό του ζαρωμένο από την ανησυχία.

«Α, γεια σου, Μπέλλα», με χαιρέτησε άτονα.

«Γεια σου, Κουίλ... Είσαι καλά;»

Το επίμονο βλέμμα του ήταν σκυθρωπό. «Μια χαρά».

«Μπορώ να σε πετάξω κάπου;» προσφέρθηκα.

«Μάλλον ναι», μουρμούρισε. Πήγε γύρω-γύρω από το μπροστινό μέρος του φορτηγού μου, σέρνοντας τα πόδια του, και άνοιξε την πόρτα του συνοδηγού για να σκαρφαλώσει μέσα.

«Πού πάμε;»

«Το σπίτι μου είναι στη βόρεια πλευρά, πίσω από το κατάστημα», μου είπε.

«Είδες τον Τζέικομπ σήμερα;» Η ερώτηση όρμησε από μέσα μου σχεδόν πριν να τελειώσει τη φράση του.

Κοίταξα τον Κουίλ ανυπόμονα περιμένοντας την απάντησή του. Κοίταξε έξω από το παρμπρίζ για ένα δευτερόλεπτο πριν μιλήσει. «Από μακριά», είπε τελικά.

«Προσπάθησα να τους ακολουθήσω –ήταν μαζί με τον Έμπρι». Η φωνή του ήταν χαμηλή, ήταν δύσκολο να την ακούσω με το θόρυβο της μηχανής. Έγειρα πιο κοντά του. «Το ξέρω ότι με είδαν. Αλλά γύρισαν από την άλλη κι απλώς χάθηκαν μέσα στα δέντρα. Δε νομίζω ότι ήταν μόνοι τους – νομίζω ότι ο Σαμ και η ομάδα του μπορεί να ήταν μαζί τους.

»Περπάτησα σκοντάφτοντας μέσα στο δάσος για πάνω από μια ώρα, φωνάζοντάς τους. Με δυσκολία βρήκα το δρόμο πάλι, όταν ήρθες εσύ».

«Άρα λοιπόν ο Σαμ τον προσέγγισε πράγματι». Οι λέξεις ακούστηκαν λιγάκι παραμορφωμένες –αφού έτριζαν τα δόντια μου.

Ο Κουίλ με κοίταξε. «Ξέρεις γι' αυτό;»

Εγώ κούνησα το κεφάλι μου. «Ο Τζέικ μου το είπε... πριν».

«Πριν», επανέλαβε ο Κουίλ και αναστέναξε.

«Τώρα ο Τζέικομπ είναι εξίσου άσχημα με τους άλλους;»

«Δε φεύγει ποτέ από το πλευρό του Σαμ». Ο Κουίλ γύρισε το κεφάλι του και έφτυσε από το ανοιχτό παράθυρο.

«Και πριν από αυτό –απέφευγε τους πάντες; Ήταν αναστατωμένος;»

Η φωνή του ήταν χαμηλή και τραχιά. «Όχι για τόσο καιρό όσο οι άλλοι. Ίσως για μια μέρα. Μετά τον βρήκε ο Σαμ».

«Εσύ τι νομίζεις ότι είναι; Ναρκωτικά ή κάτι τέτοιο;»

«Δεν μπορώ να φανταστώ τον Τζέικομπ ή τον Έμπρι να μπλέκονται σε κάτι τέτοιο... αλλά τι ξέρω εγώ; Τι άλλο θα μπορούσε να είναι; Και γιατί δεν ανησυχούν οι μεγάλοι;» Κούνησε το κεφάλι του, κι ο φόβος φάνηκε στα μάτια του τώρα. «Ο Τζέικομπ δεν ήθελε να γίνει ακόλουθος αυτής της... αίρεσης. Δεν καταλαβαίνω τι είναι αυτό που μπορεί να τον άλλαξε». Με κοίταξε με πρόσωπο τρομαγμένο. «Δε θέλω *να είμαι ο επόμενος*».

Στα μάτια μου καθρεφτίστηκε ο φόβος του. Αυτή ήταν η δεύτερη φορά που είχα ακούσει να το περιγράφουν αυτό σαν μια αίρεση. Με διαπέρασε ένα ρίγος. «Οι γονείς σου σε βοηθάνε καθόλου;»

Εκείνος έκανε ένα μορφασμό. «Καλά. Ο παππούς μου είναι στο συμβούλιο με τον μπαμπά του Τζέικομπ. Ο Σαμ Γιούλεϊ είναι το καλύτερο πράγμα που συνέβη σ' αυτό το μέρος, σύμφωνα μ' αυτόν».

Κοιταχτήκαμε για μια στιγμή που φάνηκε να διαρκεί πολύ. Ήμασταν στο Λα Πους τώρα, και το φορτηγάκι μου μετά βίας σερνόταν κατά μήκος του άδειου δρόμου. Έβλεπα το μοναδικό κατάστημα του χωριού όχι και πολύ μακριά ευθεία μπροστά.

«Θα κατέβω τώρα», είπε ο Κουίλ. «Το σπίτι μου είναι εκεί πέρα». Έκανε μια χειρονομία δείχνοντας προς το μικρό ξύλινο ορθογώνιο πίσω από το κατάστημα. Έκανα στην άκρη του δρόμου, κι εκείνος πήδηξε έξω.

«Θα περιμένω τον Τζέικομπ», του είπα με σκληρή φωνή.

«Καλή τύχη». Έκλεισε με δύναμη την πόρτα και προχώρησε στο δρόμο σέρνοντας τα πόδια του, με το κεφάλι του σκυμμένο μπροστά, τους ώμους του καμπουριασμένους.

Το πρόσωπο του Κουίλ με είχε στοιχειώσει, καθώς έκανα μια ανοικτή αναστροφή και κατευθύνθηκα πάλι προς το σπίτι των Μπλακ. Ήταν τρομοκρατημένος ότι θα ήταν ο επόμενος. Τι συνέβαινε εκεί πέρα;

Σταμάτησα μπροστά από το σπίτι του Τζέικομπ σβήνοντας τη μηχανή και κατεβάζοντας τα παράθυρα. Ήταν αποπνιχτικά σήμερα, δε φυσούσε καθόλου αεράκι. Σήκωσα τα πόδια μου ψηλά στο ταμπλό και βολεύτηκα καλύτερα για να περιμένω.

Κάτι που κινείτο άστραψε στην περιφέρεια του οπτικού μου πεδίου –γύρισα και εντόπισα τον Μπίλι να με κοιτάζει μέσα από το μπροστινό παράθυρο με μια μπερδεμένη έκφραση. Τον χαιρέτησα κουνώντας το χέρι μια φορά και χαμογέλασα μ' ένα σφιγμένο χαμόγελο, αλλά έμεινα εκεί που ήμουν.

Τα μάτια του ζάρωσαν· άφησε την κουρτίνα να πέσει πάνω στο τζάμι.

Ήμουν προετοιμασμένη να μείνω όση ώρα χρειαζόταν, αλλά μακάρι να είχα κάτι να κάνω. Ψαχούλεψα στην τσάντα μου κι έβγαλα ένα στυλό από τον πάτο της κι ένα παλιό τεστ. Άρχισα να ζωγραφίζω αφηρημένα στο πίσω μέρος του χαρτιού.

Μόλις που πρόλαβα να φτιάξω μια σειρά διαμάντια, όταν ακούστηκε ένα απότομο χτύπημα στην πόρτα μου.

Εγώ πετάχτηκα, σηκώνοντας το κεφάλι, περιμένοντας να δω τον Μπίλι.

«Τι γυρεύεις εδώ, Μπέλλα;» ρώτησε άγρια ο Τζέικομπ.

Τον κοίταξα με μια κενή σαστιμάρα.

Ο Τζέικομπ είχε αλλάξει ριζικά μέσα στις τελευταίες βδομάδες από τότε που είχα να τον δω. Το πρώτο πράγμα που παρατήρησα πάνω του ήταν τα μαλλιά του –τα υπέροχα μαλλιά του είχαν χαθεί, ήταν κομμένα πολύ κοντά, και κάλυπταν το κεφάλι του σαν μαύρο σατέν. Οι πεδιάδες του προσώπου του φαίνονταν πως είχαν σκληρύνει ανεπαίσθητα, σαν να είχαν γίνει πιο σφιχτά... σαν να ανήκαν σε ενήλικα. Ο λαιμός του και οι ώμοι του ήταν διαφορετικοί επίσης, πιο παχιοί κατά κάποιο τρόπο. Τα χέρια του, στο σημείο όπου κρατούσαν σφιχτά την κάσα του παραθύρου, έδειχναν τεράστια, με τους τένοντες και τις φλέβες να προεξέχουν περισσότερο κάτω από την κασтανοκόκκινη επιδερμίδα. Αλλά οι σωματικές αλλαγές ήταν ασήμαντες.

Ήταν η έκφρασή του αυτό που τον έκανε σχεδόν τελείως αγνώριστο. Το ανοιχτό, φιλικό του χαμόγελο είχε χαθεί σαν τα μαλλιά του, η ζεστασιά στα σκούρα του μάτια είχε αντικατασταθεί από μια μελαγχολική αγανάκτηση που αμέσως με ενόχλησε. Υπήρχε κάτι το σκοτεινό στον Τζέικομπ τώρα πια. Λες και ο ήλιος μου είχε εκραγεί.

«Τζέικομπ;» ψιθύρισα.

Εκείνος απλώς με κοίταζε επίμονα, με μάτια γεμάτα ένταση και θυμό.

Συνειδητοποίησα ότι δεν ήμασταν μόνοι. Πίσω του στέκονταν τέσσερις άλλοι· όλοι τους ψηλοί και με δέρμα καστανοκόκκινο, μαύρα μαλλιά κουρεμένα πολύ κοντά όπως και του Τζέικομπ. Θα μπορούσαν να είναι αδέρφια –δεν μπορούσα καν να ξεχωρίσω τον Έμπρι από την ομάδα. Η ομοιότητα τονιζόταν περισσότερο από την εκπληκτικά όμοια εχθρότητα σε κάθε ζευγάρι μάτια.

Κάθε ζευγάρι εκτός από ένα. Ο μεγαλύτερος κατά αρκετά χρόνια, ο Σαμ στεκόταν πίσω-πίσω, το πρόσωπό του ήταν γαλήνιο και σίγουρο. Έπρεπε να καταπιώ ξανά τη χολή που ανέβαινε στο λαιμό μου. Ήθελα να τον χτυπήσω. Όχι, ήθελα να κάνω κάτι παραπάνω απ' αυτό. Περισσότερο απ' οτιδήποτε άλλο, ήθελα να είμαι άγρια και θανάσιμη, κάποια με την οποία κανείς δεν τολμάει να τα βάλει. Κάποια που θα τρόμαζε τον Σαμ Γιούλεϊ.

Ήθελα να είμαι βρικόλακας.

Η παράφορη επιθυμία με βρήκε απροετοίμαστη και μου έκοψε την ανάσα. Ήταν η πιο απαγορευμένη απ' όλες τις επιθυμίες –ακόμα κι όταν το ήθελα για κάποιον κακόβουλο σκοπό όπως αυτός εδώ, για να κερδίσω το πλεονέκτημα έναντι σε κάποιον εχθρό– επειδή ήταν η πιο οδυνηρή. Αυτό το μέλλον είχε χαθεί για μένα για πάντα, δεν είχε υπάρξει ποτέ μέσα στις δυνατότητές μου. Πάλεψα να ανακτήσω την ψυχραιμία μου, ενώ η τρύπα στο στήθος μου πονούσε εσωτερικά.

«Τι θέλεις;» είπε ο Τζέικομπ με απαιτητικό τόνο, ενώ η έκφρασή του γινόταν όλο και πιο αγανακτισμένη, καθώς έβλεπε το παιχνίδι των συναισθημάτων στο πρόσωπό μου.

«Θέλω να σου μιλήσω», είπα με αδύναμη φωνή. Προσπάθησα να συγκεντρωθώ, αλλά η σκέψη μου παράπαιε ακόμα προσπαθώντας να ξεφύγει από το απαγορευμένο όνειρο.

«Λέγε», είπε μέσα από τα δόντια του. Το βλέμμα του ήταν άγριο γεμάτο κακία. Δεν τον είχα δει ποτέ να κοιτάζει κανέναν έτσι, και λιγότερο απ' όλους εμένα. Με πλήγωσε με μια απάντεχη ένταση –ήταν ένας σωματικός πόνος, μια σουβλιά μέσα στο κεφάλι μου.

«Μόνη μου!» είπα, και η φωνή μου ήταν πιο δυνατή.

Κοίταξε πίσω του, και ήξερα πού θα πήγαιναν τα μάτια του. Όλοι τους είχαν γυρίσει για να δουν την αντίδραση του Σαμ.

Ο Σαμ κούνησε το κεφάλι του μια φορά, με πρόσωπο ατάραχο. Έκανε ένα σύντομο σχόλιο σε μια άγνωστη γλώσσα. Ήμουν βέβαιη ότι δεν ήταν Γαλλικά ή Ισπανικά, αλλά μάντεψα ότι ήταν η γλώσσα των Κουιλαγιούτ. Εκείνος γύρισε και μπήκε μέσα στο σπίτι του Τζέικομπ. Οι άλλοι, ο Πολ, ο Τζάρεντ κι ο Έμπρι, υπέθεσα, τον ακολούθησαν.

«Εντάξει». Ο Τζέικομπ έμοιαζε κάπως λιγότερο θυμωμένος, όταν οι άλλοι έφυγαν. Το πρόσωπό του ήταν λιγάκι πιο ψύχραιμο, αλλά και πιο απεγνωσμένο. Το στόμα του έμοιαζε μόνιμα τραβηγμένο προς τα κάτω.

Πήρα μια βαθιά ανάσα. «Ξέρεις τι είναι αυτό που θέλω να μάθω».

Δεν απάντησε. Απλώς με κοίταξε πικρά.

Εγώ του ανταπόδωσα το βλέμμα, και η σιωπή συνεχίστηκε. Ο πόνος στο πρόσωπό του με πτόησε. Ένιωσα έναν όγκο να αρχίζει να δημιουργείται στο λαιμό μου.

«Μπορούμε να περπατήσουμε;» ρώτησα όσο μπορούσα ακόμα να μιλήσω.

Δεν ανταποκρίθηκε με κανένα τρόπο· το πρόσωπό του δεν άλλαξε.

Εγώ βγήκα από το αμάξι, νιώθοντας αόρατα μάτια πίσω από το παρμπρίζ να με κοιτάνε, και άρχισα να περπατάω προς τα δέντρα στο βορρά. Τα πόδια μου πλατσούρισαν στο υγρό χορτάρι και τη λάσπη δίπλα από το δρόμο, και, καθώς αυτός ήταν ο μοναδικός ήχος, στην αρχή νόμισα ότι δε με ακολούθησε. Αλλά όταν έριξα μια ματιά πίσω, ήταν ακριβώς δίπλα μου, τα πόδια του είχαν βρει με κάποιο τρόπο ένα λιγότερο θορυβώδες μονοπάτι από τα δικά μου.

Ένιωθα καλύτερα στην παρυφή των δέντρων, όπου ο Σαμ δεν ήταν δυνατόν να μας βλέπει. Καθώς περπατούσαμε, πάσχιζα να βρω τα σωστά λόγια για να πω, αλλά δε μου ερχόταν τίποτα. Απλώς θύμωνα όλο και περισσότερο που τον Τζέικομπ τον είχαν ρουφήξει… που ο Μπίλι το είχε επιτρέψει αυτό… που ο Σαμ μπορούσε να στέκεται εκεί με τόση αυτοπεποίθηση και ψυχραιμία…

Ο Τζέικομπ ξαφνικά επιτάχυνε το ρυθμό του, πέρασε μπροστά μου εύκολα, βαδίζοντας με τα μακριά του πόδια, και μετά γύρισε για να είναι πρόσωπο με πρόσωπο μ' εμένα, και ακινητοποιήθηκε στο δρόμο μου, ώστε να πρέπει να σταματήσω κι εγώ.

Μου απέσπασε την προσοχή η απροκάλυπτη χάρη της κίνησής του. Ο Τζέικομπ ήταν σχεδόν το ίδιο ατσούμπαλος μ' εμένα με το ξέσπασμα της ανάπτυξής του που δε σταματούσε ποτέ. Πότε άλλαξε αυτό;

Αλλά ο Τζέικομπ δε μου έδωσε αρκετό χρόνο για να το σκεφτώ.

«Ας τελειώνουμε μ' αυτό», είπε με μια τραχιά, βραχνή φωνή.

Εγώ περίμενα. Ήξερε τι ήθελα.

«Δεν είναι αυτό που νομίζεις». Η φωνή του απότομα γέμισε ανησυχία. «Δεν είναι αυτό που νόμιζα εγώ –είχα πέσει τελείως έξω».

«Λοιπόν, τι είναι τότε;»

Περιεργάστηκε το πρόσωπό μου κάνοντας υποθέσεις. Ο θυμός δεν έφυγε ποτέ εντελώς από τα μάτια του. «Δεν μπορώ να σου πω», είπε τελικά.

Έσφιξα το σαγόνι μου κι είπα μέσα από τα δόντια μου. «Νόμιζα ότι ήμασταν φίλοι».

«Ήμασταν». Υπήρχε μια ελαφριά έμφαση στον παρελθόντα χρόνο.

«Αλλά εσύ δε χρειάζεσαι πια φίλους», φώναξα πικαρισμένα. «Έχεις τον Σαμ. Τι ωραία –πάντα τον σεβόσουν τόσο πολύ».

«Δεν τον καταλάβαινα παλιά».

«Και τώρα είδες το φως. Αμήν».

«Δεν είναι όπως νόμιζα ότι ήταν τα πράγματα. Δε φταίει ο Σαμ. Εκείνος με βοηθάει όσο μπορεί». Η φωνή του έγινε άγρια και κοίταξε πάνω από το κεφάλι μου, πέρα από μένα, με τα μάτια του να φλέγονται από οργή.

«Σε βοηθάει», επανέλαβα με αμφιβολία. «Φυσικά».

Αλλά ο Τζέικομπ δε φαινόταν να με ακούει. Έπαιρνε βαθιές ανάσες επίτηδες, προσπαθώντας να ηρεμήσει. Ήταν τόσο εξοργισμένος που τα χέρια του έτρεμαν.

«Τζέικομπ, σε παρακαλώ», ψιθύρισα. «Δε θα μου πεις τι συνέβη; Ίσως μπορώ να βοηθήσω».

«Κανείς δεν μπορεί να με βοηθήσει τώρα». Οι λέξεις ήταν ένα χαμηλό μουγκρητό· η φωνή του έσπασε.

«Τι σου έκανε;» απαίτησα να μάθω, καθώς τα δάκρυα μαζεύονταν στα μάτια μου. Τεντώθηκα προς το μέρος του, όπως το είχα κάνει κι άλλοτε, κάνοντας ένα βήμα μπροστά με ανοιχτή την αγκαλιά μου.

Αυτή τη φορά ζάρωσε αποφεύγοντάς με, σηκώνοντας τα χέρια του ψηλά για να αμυνθεί. «Μη με αγγίζεις», ψιθύρισε.

«Θα κολλήσω Σαμ;» μουρμούρισα. Τα ανόητα δάκρυα είχαν δραπετεύσει από τις άκρες των ματιών μου. Τα σκούπισα με την ανάστροφη του χεριού μου και σταύρωσα τα χέρια μου στο στήθος μου.

«Σταμάτα να κατηγορείς τον Σαμ». Ξεστόμισε τις λέξεις γρήγορα, σαν αντανακλαστικό. Τα χέρια του τεντώθηκαν ψηλά για να γυρίσουν τα μαλλιά που δεν ήταν πια εκεί, και μετά έπεσαν χαλαρά στο πλάι.

«Τότε ποιον να κατηγορήσω;» ανταπάντησα.

Εκείνος μισοχαμογέλασε· ήταν ένα ψυχρό, παραμορφωμένο πράγμα.

«Δε θέλεις να το ακούσεις αυτό».

«Φυσικά και θέλω!» είπα απότομα. «Θέλω να ξέρω, και θέλω να ξέρω *τώρα*».

«Κάνεις λάθος!» ανταπάντησε κι αυτός απότομα.

«Πώς τολμάς και μου λες ότι κάνω λάθος –δεν είμαι εγώ αυτή που της έκαναν πλύση εγκεφάλου! Πες μου ποιος φταίει για όλα αυτά, αν δεν είναι ο πολύτιμος ο Σαμ σου».

«Εσύ το ζήτησες!» είπε μουγκρίζοντας με μάτια που άστραψαν με σκληρότητα. «Αν θέλεις να κατηγορήσεις κάποιον, γιατί δε στρέφεις το δάχτυλό σου σ' εκείνους τους άθλιους, τους *βρομερούς* αιμοπότες που αγαπάς τόσο πολύ;»

Έμεινα μ' ανοιχτό το στόμα, και η αναπνοή μου βγήκε έξω με έναν σφυριχτό ήχο. Είχα κοκαλώσει όπως ήμουν, μαχαιρωμένη διπλά από τα λόγια του. Ο πόνος διαπέρασε το σώμα μου με τους γνωστούς τρόπους, η πριονωτή τρύπα με ξέσκισε ξανά από μέσα ως έξω, αλλά αυτό ήταν δευτερεύον, μια απλή υπόκρουση στο χάος των σκέψεών μου. Δεν μπορούσα να το πιστέψω ότι είχα ακούσει καλά. Δεν υπήρχε ούτε ίχνος που να δείχνει ότι ήταν αναποφάσιστος στο πρόσωπό του. Μόνο οργή.

Το στόμα μου ήταν ακόμα κρεμασμένο ορθάνοιχτο.

«Σου το είπα ότι δεν ήθελες να το ακούσεις», είπε.

«Δεν καταλαβαίνω ποιους εννοείς», ψιθύρισα.

Σήκωσε το ένα του φρύδι δύσπιστα. «Νομίζω ότι καταλαβαίνεις ακριβώς ποιους εννοώ. Δε θα με αναγκάσεις να το πω, έτσι; Δε μου αρέσει να σε πληγώνω».

«Δεν καταλαβαίνω ποιους εννοείς», επανέλαβα μηχανικά.

«Τους Κάλεν», είπε αργά, παρατείνοντας τη λέξη, εξετάζοντας προσεχτικά το πρόσωπό μου, καθώς την ξεστόμιζε. «Το είδα –βλέπω στα μάτια σου τι παθαίνεις όταν λέω το όνομά τους».

Εγώ κούνησα το κεφάλι μου πέρα-δώθε σε μια κίνηση άρνησης, προσπαθώντας να το καθαρίσω ταυτοχρόνως. Πώς το ήξερε αυτό; Και πώς αυτό είχε κάποια σχέση με την αίρεση του Σαμ; Μήπως ήταν μια συμμορία από ανθρώπους που μισούσαν τους βρικόλακες; Ποιο το νόημα να δημιουργήσει κανείς μια τέτοια ομάδα όταν δε ζούσαν πια βρικόλακες στο Φορκς; Γιατί ο Τζέικομπ να αρχίσει να πιστεύει τους μύθους για τους Κάλεν τώρα, όταν τα ίχνη τους είχαν χαθεί για πάντα, χωρίς να πρόκειται να επιστρέψουν ποτέ;

Μου πήρε πάρα πολλή ώρα για να βρω τη σωστή απάντηση. «Μη μου πεις ότι δίνεις βάση στις χαζές δεισιδαιμονίες του Μπίλι τώρα», είπα σε μια αδύναμη προσπάθεια να τον ειρωνευτώ.

«Ξέρει περισσότερα απ' όσα του είχα αναγνωρίσει».

«Σοβαρέψου, Τζέικομπ».

Με κοίταξε άγρια με μάτια επικριτικά.

«Ανεξάρτητα από τις δεισιδαιμονίες», είπα γρήγορα. «Ακόμα δε βλέπω για ποιο πράγμα κατηγορείς τους... Κάλεν» –μορφασμός. «Έχουν φύγει εδώ και παραπάνω από μισό χρόνο. Πώς μπορείς να τους κατηγορείς για αυτό που κάνει τώρα ο Σαμ;»

«Ο Σαμ δεν *κάνει* τίποτα, Μπέλλα. Και ξέρω ότι έχουν φύγει. Αλλά μερικές φορές... κάποια πράγματα ενεργοποιούνται, και μετά είναι πολύ αργά».

«Τι έχει ενεργοποιηθεί» Για τι πράγμα είναι πολύ αργά;

Για ποιο πράγμα τους κατηγορείς;»

Ξαφνικά ήταν ακριβώς μπροστά στο πρόσωπό μου, με την οργή του να λάμπει μέσα στα μάτια του. «Που υπάρχουν», είπε μέσα από τα δόντια του.

Αιφνιδιάστηκα και αποπροσανατολίστηκα, καθώς τα προειδοποιητικά λόγια ήρθαν με τη φωνή του Έντουαρντ πάλι, όταν δε φοβόμουν καν.

«Ήρεμα τώρα, Μπέλλα. Μην τον πιέζεις», μου επέστησε την προσοχή ο Έντουαρντ στο αυτί μου.

Από τη στιγμή που το όνομα του Έντουαρντ είχε σπάσει τα προσεχτικά τείχη πίσω από τα οποία το είχα θάψει, δεν τα είχα καταφέρει να το κλειδώσω ξανά εκεί. Δεν πονούσε τώρα –όχι κατά τη διάρκεια των πολύτιμων δευτερολέπτων που άκουγα τη φωνή του.

Ο Τζέικομπ άφριζε μπροστά μου τρέμοντας από το θυμό.

Δεν καταλάβαινα γιατί η ψευδαίσθηση του Έντουαρντ βρέθηκε απρόσμενα στο μυαλό μου. Ο Τζέικομπ ήταν εξοργισμένος, αλλά ήταν ο Τζέικομπ. Δεν υπήρχε καθόλου αδρεναλίνη, καθόλου κίνδυνος.

«Δωσ' του μια ευκαιρία να ηρεμήσει», επέμεινε η φωνή του Έντουαρντ.

Εγώ κούνησα το κεφάλι μου μπερδεμένη. «Είσαι ανόητος», είπα και στους δύο.

«Εντάξει», απάντησε ο Τζέικομπ, παίρνοντας άλλη μια βαθιά ανάσα. «Δε θα τσακωθώ μαζί σου. Δεν παίζει ρόλο έτσι κι αλλιώς, η ζημιά έχει γίνει».

«*Ποια ζημιά;*»

Δεν αποτραβήχτηκε, καθώς του φώναξα τα λόγια αυτά κατάματα.

«Ας πάμε πίσω. Δεν υπάρχει τίποτα άλλο να πούμε».

Εγώ είχα μείνει με το στόμα ανοιχτό. «Δεν υπάρχει τίποτα άλλο να πούμε! Δεν είπες τίποτα ακόμα!»

Με προσπέρασε και ξεκίνησε να περπατάει με μεγάλες δρασκελιές προς το σπίτι.

«Συνάντησα κατά τύχη τον Κουίλ σήμερα», του φώναξα.

Σταμάτησε στη μέση του βήματός του, αλλά δε γύρισε.

«Τον θυμάσαι το φίλο σου, τον Κουίλ; Ναι, είναι έντρομος».

Ο Τζέικομπ γύρισε απότομα για να με κοιτάξει. Η έκφρασή του ήταν γεμάτη πόνο. «Ο Κουίλ», ήταν το μόνο πράγμα που είπε.

«Ανησυχεί κι αυτός για σένα. Έχει φρικάρει».

Ο Τζέικομπ κοίταξε πέρα από μένα με μάτια γεμάτα απόγνωση.

Τον τσίγκλησα ακόμα παραπάνω. «Φοβάται ότι θα είναι εκείνος ο επόμενος».

Ο Τζέικομπ πιάστηκε σφιχτά από ένα δέντρο για να στηριχτεί, καθώς το πρόσωπό του πήρε μια παράξενη απόχρωση του πράσινου κάτω από την καστανοκόκκινη επιφάνεια. «Δε θα είναι ο επόμενος», μουρμούρισε στον εαυτό του ο Τζέικομπ. «Δεν είναι δυνατόν. Τελείωσε τώρα. Αυτό δε θα έπρεπε να συμβαίνει ακόμα. Γιατί; Γιατί;» Η γροθιά του χτύπησε με δύναμη στο δέντρο. Δεν ήταν μεγάλο δέντρο, λεπτό και μόνο λίγα εκατοστά ψηλότερο από τον Τζέικομπ. Αλλά και πάλι με ξάφνιασε, όταν ο κορμός υποχώρησε κι έσπασε με θόρυβο από τις γροθιές του.

Ο Τζέικομπ κοίταξε το αιχμηρό, σπασμένο σημείο με έκπληξη που γρήγορα μετατράπηκε σε φρίκη.

«Πρέπει να γυρίσω». Γύρισε γρήγορα από την άλλη και έφυγε καμαρωτός τόσο γρήγορα που έπρεπε να τρέξω ελαφρώς για να τον προλάβω.

«Γύρνα στον Σαμ!»

«Αυτός είναι ένας τρόπος να το δεις», ακούστηκε σαν να είπε. Μουρμούριζε και κοιτούσε από την άλλη μεριά.

Τον κυνήγησα ως το φορτηγάκι μου. «Περίμενε!» φώναξα, καθώς έστριψε προς το σπίτι.

Στράφηκε προς εμένα, και είδα ότι τα χέρια του έτρεμαν πάλι.

«Πήγαινε σπίτι, Μπέλλα. Δεν μπορώ να κάνω παρέα μαζί σου πια».

Το ανόητο, ασήμαντο πλήγμα ήταν απίστευτα ισχυρό. Τα δάκρυα ανάβλυσαν ξανά. «Τα... χαλάμε;» Οι λέξεις ήταν εντελώς λάθος, αλλά ήταν ο καλύτερος τρόπος που μπορούσα να σκεφτώ για να διατυπώσω αυτό που ρωτούσα. Εξάλλου, αυτό που είχαμε ο Τζέικ κι εγώ ήταν περισσότερο από μια οποιαδήποτε ρομαντική σχεσούλα του προαυλίου. Πιο δυνατό.

Εκείνου του ξέφυγε ένα πικρό γέλιο σαν δυνατό γάβγισμα. «Δε θα το έλεγα. Αν ήταν έτσι τα πράγματα, θα έλεγα: "Ας μείνουμε φίλοι." Δεν μπορώ ούτε καν αυτό να πω».

«Τζέικομπ... γιατί; Ο Σαμ δε σε αφήνει να έχεις άλλους φίλους; Σε παρακαλώ, Τζέικ. Το υποσχέθηκες. Σε χρειάζομαι!» Το απόλυτο κενό της ζωής μου πριν –πριν ο Τζέικομπ να επαναφέρει σ' αυτήν κάποια εικονικότητα λογικής– ορθώθηκε ξανά μπροστά μου και με κοίταξε κατάματα. Η μοναξιά με έπνιγε.

«Λυπάμαι, Μπέλλα», ο Τζέικομπ είπε κάθε λέξη καθαρά με μια ψυχρή φωνή που δεν έμοιαζε να του ανήκει.

Δεν πίστευα ότι αυτό ήταν που ήθελε πραγματικά να πει ο Τζέικομπ. Έμοιαζε σαν να υπήρχε κάτι άλλο που προσπαθούσε να ειπωθεί μέσα από τα θυμωμένα του μάτια, αλλά δεν μπορούσα να καταλάβω το μήνυμα.

Ίσως αυτό δεν είχε σχέση με τον Σαμ. Ίσως να μην είχε να κάνει ούτε με τους Κάλεν. Ίσως προσπαθούσε απλώς να βγει από μια κατάσταση που δε θα κατέληγε πουθενά. Ίσως έπρεπε να τον αφήσω να το κάνει, αν αυτό ήταν το καλύτερο γι' αυτόν. Έπρεπε να το κάνω. Θα ήταν το σωστό.

Αλλά άκουσα τη φωνή μου να ψιθυρίζει χωρίς τη θέλησή μου.

«Λυπάμαι που δεν μπορούσα... πριν... μακάρι να μπορούσα να αλλάξω το πώς νιώθω για σένα, Τζέικομπ». Ήμουν απεγνωσμένη, προσπαθώντας να τραβήξω στα άκρα την αλήθεια, τόσο μακριά που τελικά διαστρεβλώθηκε και είχε πάρει το σχήμα ενός ψέματος. «Ίσως... ίσως να άλλαζα», ψιθύρισα. «Ίσως, αν μου έδινες λίγο χρόνο... απλώς μη με παρατήσεις τώρα, Τζέικ. Δεν μπορώ να το αντέξω».

Το πρόσωπό του άλλαξε κι από θυμωμένο που ήταν πριν, γέμισε πόνο μέσα σε ένα δευτερόλεπτο. Ένα τρεμάμενο χέρι απλώθηκε προς το μέρος μου.

«Όχι. Μη σκέφτεσαι έτσι, Μπέλλα, σε παρακαλώ. Μην κατηγορείς τον εαυτό σου, μη νομίζεις ότι φταις εσύ. Αυτό είναι *μόνο* δικό μου φταίξιμο. Το ορκίζομαι, δεν έχει να κάνει μ' εσένα».

«Δε φταις εσύ, εγώ φταίω», ψιθύρισα. «Να κάτι που δεν έχω ξανακούσει».

«Το εννοώ, Μπέλλα. Δεν είμαι...» πάσχισε να συνεχίσει, ενώ η φωνή του έγινε πιο βραχνή ακόμα, καθώς πάλευε να συγκρατήσει τη συγκίνησή του. Τα μάτια του ήταν βασανισμένα. «Δεν είμαι αρκετά καλός για να είμαι φίλος σου πια ή οτιδήποτε άλλο. Δεν είμαι αυτό που ήμουν πριν. Δεν είμαι καλός».

«Τι;» Τον κοίταξα μπερδεμένη και τρομαγμένη. «Τι λες; Είσαι πολύ καλύτερος από μένα, Τζέικομπ. Είσαι καλός! Ποιος σου είπε ότι δεν είσαι; Ο Σαμ; Είναι ένα κακόβουλο ψέμα, Τζέικομπ! Μην τον αφήνεις να σου λέει τέτοια πράγματα!» ξαφνικά φώναζα πάλι.

Το πρόσωπο του Τζέικομπ έγινε σκληρό και ανέκφραστο. «Κανείς δε χρειαζόταν να μου πει τίποτα. Ξέρω τι είμαι».

«Είσαι φίλος μου, αυτό είσαι! Τζέικ –μην το κάνεις αυτό!»

Απομακρυνόταν από μένα.

«Λυπάμαι, Μπέλλα», είπε ξανά· αυτή τη φορά ήταν ένα

μπερδεμένο μουρμουρητό με φωνή που είχε ραγίσει. Γύρισε από την άλλη και σχεδόν έτρεξε προς το σπίτι.

Δεν μπορούσα να κουνηθώ από εκεί όπου βρισκόμουν. Κοίταζα επίμονα το σπιτάκι· έμοιαζε υπερβολικά μικρό για να χωράει τέσσερα μεγαλόσωμα αγόρια και δύο ακόμα πιο μεγαλόσωμους άντρες. Δεν υπήρχε καμία αντίδραση μέσα. Κανένα θρόισμα της άκρης της κουρτίνας, κανένας ήχος από φωνές ή κίνηση. Ήταν απέναντί μου άδειο.

Είχε αρχίσει να ψιχαλίζει, κι ένιωθα τσιμπήματα εδώ κι εκεί στο δέρμα μου. Δεν μπορούσα να πάρω τα μάτια μου από το σπίτι. Ο Τζέικομπ θα ξαναερχόταν. Έπρεπε να ξανάρθει.

Η βροχή άρχισε να δυναμώνει και το ίδιο κι ο αέρας. Οι σταγόνες δεν έπεφταν πια από πάνω· έρχονταν λοξά από τα δυτικά. Μπορούσα να μυρίσω την αλμύρα από τον ωκεανό. Τα μαλλιά μου μαστίγωναν το πρόσωπό μου, κολλώντας στα υγρά σημεία, και μπλέκονταν με τις βλεφαρίδες μου. Περίμενα.

Τελικά η πόρτα άνοιξε, κι εγώ έκανα ένα βήμα προς τα μπρος με ανακούφιση.

Ο Μπίλι τσούλησε την καρέκλα του στην κάσα της πόρτας. Δεν έβλεπα κανέναν πίσω του.

«Μόλις πήρε τηλέφωνο ο Τσάρλι, Μπέλλα. Του είπα ότι είσαι στο δρόμο και γυρίζεις σπίτι». Τα μάτια του ήταν γεμάτα οίκτο.

Ο οίκτος το οριστικοποίησε κατά κάποιον τρόπο. Δεν έκανα κανένα σχόλιο. Απλώς γύρισα σαν ρομπότ και ανέβηκα στο φορτηγάκι μου. Είχα αφήσει ανοιχτά τα παράθυρα και τα καθίσματα ήταν γλιστερά και βρεγμένα. Δεν πείραζε. Ήμουν ήδη μούσκεμα.

Όχι και τόσο άσχημα! Όχι και τόσο άσχημα! Το μυαλό μου προσπάθησε να με παρηγορήσει. Ήταν αλήθεια. Δεν ήταν και τόσο άσχημα. Δεν είχε έρθει το τέλος του κόσμου, όχι πάλι. Αυτό ήταν απλά το τέλος της ελάχιστης γαλήνης που είχε απομείνει. Αυτό ήταν όλο.

Όχι και τόσο άσχημα, συμφώνησα, μετά πρόσθεσα, *αλλά αρκετά άσχημα*.

Νόμιζα ότι ο Τζέικ μου γιάτρευε την τρύπα –ή τουλάχιστον την έκλεινε προσωρινά, εμποδίζοντάς την από το να με πονάει τόσο πολύ. Είχα κάνει λάθος. Απλώς άνοιγε τη δική του τρύπα, έτσι λοιπόν τώρα ήμουν τρυπημένη σαν ελβετικό τυρί. Αναρωτήθηκα γιατί δε σωριαζόμουν κάτω κομμάτια.

Ο Τσάρλι με περίμενε στη βεράντα. Καθώς σταμάτησα, βγήκε έξω για να με συναντήσει.

«Με πήρε τηλέφωνο ο Μπίλι. Είπε ότι τσακώθηκες με τον Τζέικ –είπε ότι ήσουν αρκετά αναστατωμένη», εξήγησε, καθώς μου άνοιγε την πόρτα.

Μετά κοίταξε το πρόσωπό μου. Ένα είδος τρομαγμένης αναγνώρισης υπήρχε στην έκφρασή του. Προσπάθησα να νιώσω το πρόσωπό μου από μέσα προς τα έξω, να καταλάβω τι ήταν αυτό που έβλεπε εκείνος. Ένιωθα το πρόσωπό μου άδειο και παγωμένο, και συνειδητοποίησα τι θα του θύμιζε.

«Δεν έγιναν έτσι ακριβώς τα πράγματα», μουρμούρισα.

Ο Τσάρλι με αγκάλιασε και με βοήθησε να βγω από το αμάξι. Δε σχολίασε τα βρεγμένα μου ρούχα.

«Τότε πώς έγιναν;» ρώτησε, όταν βρεθήκαμε μέσα. Τράβηξε το κουβερλί από το πίσω μέρος του καναπέ, καθώς μιλούσε, και το τύλιξε γύρω από τους ώμους μου. Κατάλαβα ότι έτρεμα ακόμα.

Η φωνή μου δεν είχε ζωντάνια. «Ο Σαμ Γιούλεϊ λέει ότι ο Τζέικομπ δεν μπορεί να είναι φίλος μου πια».

Ο Τσάρλι μου έριξε ένα παράξενο βλέμμα. «Ποιος σου το είπε αυτό;»

«Ο Τζέικομπ», δήλωσα, αν και δεν ήταν αυτό ακριβώς που είχε πει. Και πάλι, όμως, ήταν αλήθεια.

Τα φρύδια του Τσάρλι έσμιξαν. «Πραγματικά πιστεύεις ότι κάτι δεν πάει καλά μ' αυτό το παιδί, τον Γιούλεϊ;»

«Το ξέρω. Αν και ο Τζέικομπ δε μου είπε τι». Άκουγα το νερό να στάζει από τα ρούχα μου στο πάτωμα και να πιτσιλάει το πλαστικό. «Θα πάω να αλλάξω».

Ο Τσάρλι ήταν χαμένος στις σκέψεις του. «Εντάξει», είπε αφηρημένα.

Αποφάσισα να κάνω ένα ντους επειδή κρύωνα, αλλά το ζεστό νερό δε φάνηκε να επηρεάζει τη θερμοκρασία του δέρματός μου. Πάγωνα ακόμα όταν τα παράτησα και έκλεισα το νερό. Στην ξαφνική ησυχία, μπορούσα να ακούσω τον Τσάρλι να μιλάει με κάποιον κάτω. Τύλιξα γύρω μου μια πετσέτα κι άνοιξα πολύ λίγο την πόρτα του μπάνιου.

Η φωνή του Τσάρλι ήταν θυμωμένη. «Δεν το πιστεύω αυτό. Δεν είναι λογικό».

Τότε ακολούθησε σιωπή, και κατάλαβα ότι μιλούσε στο τηλέφωνο. Πέρασε ένα λεπτό.

«Μην κατηγορείς την Μπέλλα γι' αυτό!» φώναξε ξαφνικά ο Τσάρλι.

Αναπήδησα. Όταν μίλησε ξανά, η φωνή του ήταν προσεχτική και πιο χαμηλή. «Η Μπέλλα το ξεκαθάρισε από την αρχή ότι αυτή κι ο Τζέικομπ ήταν απλώς φίλοι... Λοιπόν, αν ήταν αυτό, τότε γιατί δεν το είπες από την αρχή; Όχι, Μπίλι, νομίζω ότι έχει δίκιο πάνω σ' αυτό... Επειδή ξέρω την κόρη μου, κι αν λέει ότι ο Τζέικομπ φοβόταν πριν–» Σταμάτησε στη μέση της πρότασής του, κι όταν απάντησε σχεδόν φώναζε πάλι.

«Τι εννοείς ότι δεν ξέρω την κόρη μου τόσο καλά όσο νομίζω;» Άκουσε προσεχτικά για μια στιγμή, και η απάντησή του ήταν σχεδόν υπερβολικά χαμηλόφωνη για να την ακούσω. «Αν νομίζεις ότι θα της το θυμίσω, τότε καλύτερα να το ξανασκεφτείς. Μόλις τώρα έχει αρχίσει να το ξεπερνάει, και κυρίως χάρη στον Τζέικομπ, νομίζω. Αν ό,τι κι αν είναι αυτό που κάνει ο Τζέικομπ μαζί με αυτό τον τύπο, τον Σαμ, την κάνει να ξαναγυρίσει σ' εκείνη την κατάθλιψη, τότε ο Τζέικομπ θα πρέπει να λογοδοτήσει σ' εμένα. Είσαι φίλος μου, Μπίλι, αλλά αυτό κάνει κακό στην οικογένειά μου».

Άλλο ένα διάλειμμα ακολούθησε για να απαντήσει ο Μπίλι.

«Σωστά το κατάλαβες –αν εκείνα τα αγόρια κάνουν έστω και ένα πράγμα που ξεπερνάει τα όρια, θα το μάθω. Θα έχουμε το νου μας στην κατάσταση αυτή, να είσαι σίγουρος». Δεν ήταν πια ο Τσάρλι· ήταν τώρα ο Διοικητής Σουάν.

«Ωραία. Ναι. Αντίο». Το τηλέφωνο χτύπησε με δύναμη πάνω στο άγκιστρο.

Διέσχισα γρήγορα το διάδρομο στις άκρες των νυχιών μου για να πάω στο δωμάτιό μου. Ο Τσάρλι κάτι μουρμούριζε θυμωμένα μέσα στην κουζίνα.

Ώστε ο Μπίλι κατηγορούσε εμένα. Εγώ είχα παρασύρει τον Τζέικομπ με ψέματα, και τελικά εκείνος είχε απαυδήσει.

Ήταν παράξενο, επειδή το φοβόμουν αυτό κι εγώ η ίδια, αλλά μετά το τελευταίο πράγμα που είχε πει ο Τζέικομπ σήμερα το απόγευμα, δεν το πίστευα πια. Πολύ περισσότερα κρύβονταν πίσω από αυτό, από ένα έρωτα χωρίς ανταπόκριση, και με εξέπληξε που ο Μπίλι είχε ξεπέσει τόσο, ώστε να ισχυριστεί κάτι τέτοιο. Με έκανε να σκεφτώ ότι όποιο μυστικό κι αν είχαν ήταν μεγαλύτερο απ' όσο φανταζόμουν. Τουλάχιστον ο Τσάρλι ήταν με το μέρος μου τώρα.

Φόρεσα τις πιτζάμες μου και σύρθηκα στο κρεβάτι. Η ζωή έμοιαζε αρκετά σκοτεινή τώρα, ώστε να αφήσω τον εαυτό μου να κάνει ζαβολιές. Η τρύπα –οι τρύπες τώρα– πονούσαν ήδη, άρα γιατί όχι; Ανέσυρα την ανάμνηση –όχι μια πραγματική ανάμνηση που θα πονούσε πάρα πολύ, αλλά την ψεύτικη ανάμνηση της φωνής του Έντουαρντ μέσα στο μυαλό μου σήμερα το απόγευμα– και την άκουσα ξανά και ξανά μέσα στο κεφάλι μου, μέχρι που αποκοιμήθηκα, με τα δάκρυα να τρέχουν ακόμα ήρεμα από το άδειο μου πρόσωπο.

Ήταν ένα καινούριο όνειρο απόψε. Έπεφτε βροχή, κι ο Τζέικομπ περπατούσε αθόρυβα δίπλα μου, αν και κάτω από τα *δικά μου* πόδια το έδαφος έτριζε σαν ξερό αμμοχάλικο. Αλλά δεν ήταν ο δικός μου ο Τζέικομπ· ήταν ο καινούριος, ο οργισμένος, ο γεμάτος χάρη Τζέικομπ. Η απαλή ευλυγισία του βαδίσματός του μου θύμιζε κάποιον άλλο, και, καθώς τον παρατηρούσα, τα χαρακτηριστικά του άρχισαν να αλλάζουν. Το καστανοκόκκινο χρώμα της επιδερμίδας του φιλτραρίστηκε μέσα από τους πόρους της και χάθηκε, αφήνοντας το πρόσωπό του χλομό, άσπρο σαν φάντασμα. Τα μάτια του έγιναν χρυσαφένια, και μετά βαθύ κόκκινο, και μετά πάλι χρυσαφένια. Τα κοντά του μαλλιά σάλεψαν στο αεράκι, και έγιναν χάλκινα εκεί που τα άγγιξε ο αέρας. Και το πρόσωπό του έγινε τόσο όμορφο που έκανε την καρδιά μου κομμάτια. Άπλωσα το χέρι μου να τον πιάσω, αλλά έκανε ένα βήμα μακριά μου, σηκώνοντας τα χέρια του σαν ασπίδα. Και μετά ο Έντουαρντ εξαφανίστηκε.

Δεν ήμουν σίγουρη, όταν ξύπνησα μέσα στο σκοτάδι, αν μόλις είχα αρχίσει να κλαίω ή αν τα δάκρυά μου είχαν αρχίσει να κυλάνε, ενώ κοιμόμουν, και απλώς συνέχιζαν να κυλάνε τώρα. Κάρφωσα το βλέμμα στο σκοτεινό ταβάνι μου. Ένιωθα ότι ήταν στη μέση της νύχτας –ήμουν ακόμα μισοκοιμισμένη, ίσως κάτι παραπάνω από μισοκοιμισμένη. Έκλεισα τα μάτια μου ανήσυχα και προσευχήθηκα να κοιμηθώ χωρίς όνειρα.

Τότε άκουσα το θόρυβο που πρέπει να με ξύπνησε σε πρώτη φάση. Κάτι αιχμηρό έγδερνε το παράθυρό μου με ένα διαπεραστικό τρίξιμο, σαν νύχια πάνω σε γυαλί.

12. ΕΙΣΒΟΛΕΑΣ

Τα μάτια μου άνοιξαν διάπλατα με τρόμο, αν και ήμουν τόσο εξαντλημένη και παραζαλισμένη που δεν ήμουν ακόμα σίγουρη αν ήμουν ξύπνια ή αν κοιμόμουν.

Κάτι έξυσε το παράθυρό μου ξανά με τον ίδιο λεπτό, οξύ ήχο.

Μπερδεμένη και αδέξια από τον ύπνο κατέβηκα παραπατώντας από το κρεβάτι μου και πήγα στο παράθυρο, ανοιγοκλείνοντας στην πορεία τα μάτια μου για να φύγουν τα εναπομείναντα δάκρυα.

Μια τεράστια, σκοτεινή μορφή ταλαντευόταν σπασμωδικά από την άλλη μεριά του τζαμιού, γέρνοντας προς τα μένα λες και επρόκειτο να σπάσει το γυαλί και να περάσει μέσα. Τρέκλισα προς τα πίσω, έντρομη, ενώ ο λαιμός μου έκλεισε γύρω από ένα ουρλιαχτό.

Η Βικτόρια.

Είχε έρθει για μένα.

Ήμουν νεκρή.

Όχι κι ο Τσάρλι!

Έπνιξα το ουρλιαχτό που ήταν έτοιμο να βγει. Έπρεπε να κάνω ησυχία σε όλη τη διάρκεια αυτού που θα συνέβαινε. Με κάποιο τρόπο. Έπρεπε να εμποδίσω τον Τσάρλι να έρθει για να δει τι γίνεται...

Και τότε μια οικεία, βραχνή φωνή ακούστηκε μέσα από τη σκοτεινή μορφή.

«Μπέλλα», είπε μέσα από τα δόντια της η μορφή. «Ωχ! Να πάρει, άνοιξε το παράθυρο! ΩΧ!»

Χρειάστηκα δύο δευτερόλεπτα για να διώξω τον τρόμο πριν μπορέσω να κουνηθώ, αλλά μετά πήγα βιαστικά στο παράθυρο και έσπρωξα το τζάμι από τη μέση. Τα σύννεφα ήταν αχνά φωτισμένα από πίσω, αρκετά για να μπορέσω να καταλάβω τι ήταν τα σχήματα.

«Τι *κάνεις;*» είπα πνιχτά.

Ο Τζέικομπ είχε γαντζωθεί επικίνδυνα από την κορυφή της έλατου που ορθωνόταν στη μέση της μικρής μπροστινής αυλής του Τσάρλι. Το βάρος του είχε κάνει το δέντρο να γείρει προς το σπίτι, και τώρα κουνιόταν πέρα δώθε –με τα πόδια του να αιωρούνται έξι μέτρα πάνω από το έδαφος– ούτε ένα μέτρο απόσταση από μένα. Τα λεπτά κλαδιά στην κορυφή του δέντρου έξυσαν ξανά την άκρη του σπιτιού με ένα ανατριχιαστικό σκλήρισμα.

«Προσπαθώ να κρατήσω» –ξεφύσησε, μετατοπίζοντας το βάρος του, καθώς η κορυφή του δέντρου τον έκανε να αναπηδήσει– «την υπόσχεσή μου!»

Ανοιγόκλεισα τα υγρά θολά μου μάτια, ξαφνικά σίγουρη ότι ονειρευόμουν.

«Πότε υποσχέθηκες να σκοτωθείς πέφτοντας από το δέντρο του Τσάρλι;»

Ρουθούνισε, χωρίς να το βρίσκει αστείο, κουνώντας τα πόδια του πέρα-δώθε για να βελτιώσει την ισορροπία του. «Φύγε από τη μέση», πρόσταξε.

«Τι;»

Κούνησε πάλι τα πόδια του μπρος-πίσω, αυξάνοντας την ορμή του. Συνειδητοποίησα τι προσπαθούσε να κάνει.

«Όχι, Τζέικ!»

Αλλά έσκυψα στην άκρη, γιατί ήταν πολύ αργά. Με ένα βογκητό, εκτοξεύτηκε προς το ανοιχτό μου παράθυρο.

Άλλο ένα ουρλιαχτό άρχισε να ανεβαίνει στο λαιμό μου, καθώς περίμενα να πέσει και να σκοτωθεί –ή τουλάχιστον να σακατευτεί πάνω στον ξύλινο τοίχο. Προς μεγάλη μου έκπληξη, εκείνος μπήκε ευκίνητα μέσα στο δωμάτιό μου, και προσγειώθηκε στις φτέρνες του με ένα ήσυχο γδούπο.

Κοιτάξαμε και οι δυο αυτόματα την πόρτα, κρατώντας την ανάσα μας, περιμένοντας να δούμε αν ο θόρυβος είχε ξυπνήσει τον Τσάρλι. Μια σύντομη στιγμή σιωπής ακολούθησε, και μετά ακούσαμε τον πνιχτό ήχο του ροχαλητού του Τσάρλι.

Ένα πλατύ χαμόγελο απλώθηκε αργά στο πρόσωπο του Τζέικομπ· έμοιαζε εξαιρετικά ικανοποιημένος με τον εαυτό του. Δεν ήταν το χαμόγελο που ήξερα και αγαπούσα –ήταν ένα καινούριο χαμόγελο, ένα χαμόγελο που ήταν μια κυνική παρωδία της παλιάς του ειλικρίνειας, στο καινούριο πρόσωπο που ανήκε στον Σαμ.

Αυτό ήταν πάρα πολύ για να το αντέξω.

Είχα αποκοιμηθεί κλαίγοντας γι' αυτό το αγόρι. Η σκληρή του απόρριψη είχε ανοίξει μια καινούρια τρύπα που πονούσε σε ό,τι είχε απομείνει από το στήθος μου. Είχε αφήσει έναν καινούριο εφιάλτη πίσω του, σαν μόλυνση σε μια πληγή –η προσβολή μετά από το τραύμα. Και τώρα ήταν εδώ στο δωμάτιό μου, χαμογελώντας αυτάρεσκα λες και τίποτα απ' όλα αυτά δεν είχε γίνει. Και το χειρότερο, αν και η άφιξή του ήταν θορυβώδης και άγαρμπη, μου θύμισε τότε που ο Έντουαρντ περνούσε κρυφά μέσα από το παράθυρό μου τη νύχτα, και η υπενθύμιση σκάλιζε άγρια τις αγιάτρευτες πληγές.

Όλα αυτά, σε συνδυασμό με το γεγονός ότι ήμουν εξουθενωμένη, δε μου δημιούργησαν φιλική διάθεση.

«Βγες έξω!» είπα μέσα από τα δόντια μου, βάζοντας όσο το δυνατόν περισσότερο δηλητήριο στον ψίθυρο αυτό.

Εκείνος ανοιγόκλεισε τα μάτια, καθώς το πρόσωπό του σάστισε από την έκπληξη.

«Όχι» διαμαρτυρήθηκε «ήρθα για να ζητήσω συγνώμη».

«Δεν τη *δέχομαι!*»

Προσπάθησα να τον σπρώξω πίσω έξω από το παράθυρο –εξάλλου, αν αυτό ήταν όνειρο, δε θα του έκανα κακό στ' αλήθεια. Ήταν ανώφελο, όμως, γιατί δεν τον έκανα να μετακινηθεί ούτε πόντο. Τα χέρια μου έπεσαν γρήγορα, και απομακρύνθηκα απ' αυτόν.

Δε φορούσε μπλούζα, αν και ο αέρας που φύσαγε μέσα από το παράθυρο ήταν αρκετά κρύος, ώστε να με κάνει να τρέμω, και ένιωθα άβολα να έχω τα χέρια μου πάνω στο γυμνό του στήθος. Το δέρμα του καιγόταν, όπως το κεφάλι του την τελευταία φορά που τον είχα αγγίξει. Σαν να ήταν ακόμα άρρωστος με πυρετό.

Δεν έδειχνε άρρωστος. Έδειχνε *τεράστιος*. Έσκυψε από πάνω μου, τόσο μεγάλος που έκρυψε το παράθυρο, αποσβολωμένος από την αγανακτισμένη μου αντίδραση.

Ξαφνικά, όλα αυτά ήταν πιο πολύ απ' όσο μπορούσα ν' αντέξω –ένιωθα λες και όλες οι άγρυπνες νύχτες μου είχαν πέσει πάνω μου μαζικά. Ήμουν τόσο βάναυσα κουρασμένη που νόμιζα ότι θα κατέρρεα εκεί ακριβώς στο πάτωμα. Κλυδωνίστηκα με αστάθεια και πάσχισα να κρατήσω τα μάτια μου ανοιχτά.

«Μπέλλα;» ψιθύρισε με αγωνία ο Τζέικομπ. Έπιασε τον αγκώνα μου, καθώς κλυδωνίστηκα ξανά, και με οδήγησε πίσω στο κρεβάτι. Τα πόδια μου παρέλυσαν όταν έφτασα στην άκρη του, και σωριάστηκα πάνω στο στρώμα σαν άδειο σακί.

«Ε, είσαι καλά;» ρώτησε ο Τζέικομπ, ενώ η ανησυχία γέμιζε ρυτίδες το μέτωπό του.

Σήκωσα το κεφάλι μου για να τον κοιτάξω, τα δάκρυα δεν είχαν στεγνώσει ακόμα στα μάγουλά μου. «Για ποιο λόγο να είμαι καλά, Τζέικομπ;»

Αγωνία αντικατέστησε ένα μέρος του θυμού στο πρόσωπό του. «Σωστά», συμφώνησε και πήρε μια βαθιά ανάσα. «Να πάρει. Να... Συ... -Συγνώμη, συγχώρεσέ με Μπέλλα». Η συγνώμη του ήταν ειλικρινής, δεν υπήρχε αμφιβολία, αν και υπήρχε ακόμα κάποιο ίχνος θυμού στα χαρακτηριστικά του.

«Γιατί ήρθες εδώ; Δε θέλω συγγνώμες από σένα, Τζέικ».

«Το ξέρω», ψιθύρισε. «Αλλά δεν μπορούσα να αφήσω τα πράγματα όπως το απόγευμα. Ήταν απαίσιο. Συγνώμη».

Κούνησα το κεφάλι μου αποκαμωμένα. «Δεν καταλαβαίνω τίποτα».

«Το ξέρω. Θέλω να σου εξηγήσω-» Σταμάτησε ξαφνικά, με το στόμα του ανοιχτό, σχεδόν σαν κάτι να του είχε κόψει τον αέρα. Μετά πήρε μια βαθιά ανάσα. «Αλλά δεν μπορώ να σου εξηγήσω», είπε ακόμα θυμωμένος. «Μακάρι να μπορούσα».

Άφησα το κεφάλι μου να πέσει μέσα στα χέρια μου. Η ερώτησή μου ακούστηκε πνιχτά από το μπράτσο μου. «Γιατί;»

Έμεινε σιωπηλός για μια στιγμή. Έστριψα το κεφάλι μου στο πλάι -πολύ κουρασμένη για να το κρατήσω όρθιο- για να δω την έκφρασή του. Με εξέπληξε. Τα μάτια του ήταν μισοκλεισμένα, τα δόντια του σφιγμένα, το μέτωπό του ζαρωμένο από την προσπάθεια.

«Τι συμβαίνει;» ρώτησα.

Εξέπνευσε βαριά, και κατάλαβα ότι κρατούσε και την αναπνοή του. «Δεν μπορώ να το κάνω», μουρμούρισε απογοητευμένος.

«Να κάνεις τι;»

Δεν έδωσε σημασία στην ερώτησή μου. «Κοίτα, Μπέλλα, δεν είχες ποτέ κανένα μυστικό που δεν μπορούσες να πεις σε κανέναν;»

Με κοίταξε με μάτια γεμάτα γνώση, και οι σκέψεις μου πήγαν κατευθείαν στους Κάλεν. Ήλπιζα η έκφρασή μου να μην έδειχνε ένοχη.

«Κάτι που ένιωθες ότι έπρεπε να μη μάθει ο Τσάρλι, η μαμά σου...;» με πίεσε περισσότερο. «Κάτι για το οποίο δε μιλάς ούτε σ' εμένα; Ούτε καν τώρα;»

Ένιωθα τα μάτια μου να σφίγγονται. Δεν απάντησα στην ερώτησή του, αν και ήξερα ότι θα το εκλάμβανε ως επιβεβαίωση.

«Δεν μπορείς να καταλάβεις ότι μπορεί να αντιμετωπίζω την ίδια... κατάσταση;» Πάλευε ξανά, δείχνοντας να ψάχνει με κόπο να βρει τις κατάλληλες λέξεις. «Μερικές φορές, η αφοσίωση μπαίνει στη μέση και δε σε αφήνει να κάνεις αυτό που θέλεις. Μερικές φορές, δεν είναι καν δικό σου μυστικό για να το πεις».

Λοιπόν, δεν μπορούσα να διαφωνήσω μ' αυτό. Είχε απόλυτο δίκιο –είχα ένα μυστικό που δεν ήταν δικό μου για να το πω, κι όμως ένα μυστικό που ένιωθα υποχρεωμένη να προστατεύσω. Ένα μυστικό για το οποίο, ξαφνικά, εκείνος έμοιαζε να τα ξέρει όλα.

Και πάλι δεν έβλεπα πώς αυτό ίσχυε στη δική του περίπτωση, στην περίπτωση του Σαμ ή του Μπίλι. Τι τους πείραζε τώρα πια που οι Κάλεν είχαν φύγει;

«Δεν ξέρω γιατί ήρθες εδώ, Τζέικομπ, αν απλώς ήθελες να μου δώσεις γρίφους αντί για απαντήσεις».

«Συγνώμη», ψιθύρισε. «Αυτό είναι τόσο δύσκολο».

Κοιταχτήκαμε για μια παρατεταμένη στιγμή μέσα στο σκοτεινό δωμάτιο, με πρόσωπα και οι δύο απεγνωσμένα.

«Αυτό που με σκοτώνει» είπε απότομα «είναι ότι ήδη το ξέρεις. Σου τα έχω ήδη πει όλα!»

«Για τι πράγμα μιλάς;»

Εκείνος πήρε μια σαστισμένη ανάσα, και μετά έσκυψε προς εμένα, με την έκφραση στο πρόσωπό του να αλλάζει, και από απεγνωσμένο που ήταν να φλέγεται από ένταση μέσα σε ένα δευτερόλεπτο. Κοίταξε άγρια μέσα στα μάτια μου, και η φωνή του ήταν γρήγορη και ενθουσιώδης. Ξεστόμισε τις λέξεις στο πρόσωπό μου· η ανάσα του ήταν ζεστή όσο και το δέρμα του.

«Νομίζω ότι βλέπω κάποιον τρόπο για να πετύχω αυτό που θέλω – επειδή ήδη το ξέρεις, Μπέλλα! Δεν μπορώ να σου το πω εγώ, αλλά αν το *μάντευες* εσύ! Αυτό θα με αποδέσμευε!»

«Θέλεις να μαντέψω; Να μαντέψω *τι πράγμα;*»

«Το μυστικό μου! Μπορείς να το κάνεις – ξέρεις την απάντηση!»

Ανοιγόκλεισα τα μάτια μου προσπαθώντας να καθαρίσω το κεφάλι μου. Ήμουν τόσο κουρασμένη. Τίποτα απ' όσα έλεγε δεν έβγαζε νόημα.

Εκείνος είδε την κενή έκφρασή μου, και μετά το πρόσωπό του τσιτώθηκε πάλι από την προσπάθεια. «Περίμενε, για να δω αν μπορώ να σου δώσω κάποια βοήθεια», είπε. Ό,τι κι αν ήταν αυτό που προσπαθούσε να κάνει, ήταν τόσο δύσκολο που είχε λαχανιάσει.

«Βοήθεια;» ρώτησα προσπαθώντας να συμβαδίσω με τη σκέψη του. Τα βλέφαρά μου ήθελαν να κλείσουν, αλλά τα ανάγκασα να μείνουν ανοιχτά.

«Ναι», είπε, αναπνέοντας με δυσκολία. «Στοιχεία ας πούμε».

Πήρε το πρόσωπό μου στα τεράστια, υπερβολικά ζεστά χέρια του και το κράτησε λίγους πόντους μακριά από το δικό του. Με κοίταξε μέσα στα μάτια ενώ ψιθύριζε, σαν να ήθελε να μου δώσει να καταλάβω κάτι πέρα από τις λέξεις που έλεγε.

«Θυμάσαι την πρώτη μέρα που συναντηθήκαμε –στην παραλία του Λα Πους;»

«Φυσικά τη θυμάμαι».

«Πες μου γι' αυτήν».

Πήρα μια βαθιά ανάσα και προσπάθησα να συγκεντρωθώ. «Με ρώτησες για το φορτηγάκι μου...»

Κούνησε το κεφάλι του, προτρέποντάς με να συνεχίσω.

«Μιλήσαμε για το Ράμπιτ...»

«Συνέχισε».

«Πήγαμε μια βόλτα στην παραλία...» Τα μάγουλά μου ζεσταίνονταν κάτω από τις παλάμες του, καθώς θυμόμουν, αλλά εκείνος δεν το παρατήρησε, καθώς το δέρμα του ήταν καυτό. Του είχα ζητήσει να πάμε για περπάτημα μαζί, φλερτάροντας αδέξια, αλλά με επιτυχία, ώστε να αντλήσω τις πληροφορίες που ήθελα από αυτόν.

Κουνούσε το κεφάλι του, ανυπομονώντας να ακούσει κι άλλα.

Η φωνή μου σχεδόν δεν ακουγόταν. «Μου είπες τρομακτικές ιστορίες... θρύλους των Κουιλαγιούτ».

Έκλεισε τα μάτια του και τα άνοιξε πάλι. «Ναι». Η λέξη ήταν γεμάτη ένταση, πάθος, σαν να ήταν στα πρόθυρα κάποιου ζωτικής σημασίας πράγματος. Μίλησε αργά, ξεχωρίζοντας κάθε λέξη. «Θυμάσαι τι σου είπα;»

Ακόμα και μέσα στο σκοτάδι, πρέπει να μπορούσε να δει την αλλαγή του χρώματος στο πρόσωπό μου. Πώς θα μπορούσα να το ξεχάσω αυτό ποτέ; Χωρίς να συνειδητοποιεί τι έκανε, ο Τζέικομπ μου είχε πει ακριβώς αυτό που είχα ανάγκη να μάθω εκείνη την ημέρα –ότι ο Έντουαρντ ήταν βρικόλακας.

Με κοίταξε με μάτια που γνώριζαν πάρα πολλά. «Σκέψου καλά», μου είπε.

«Ναι, θυμάμαι», ψιθύρισα.

Πήρε μια βαθιά ανάσα, πασχίζοντας. «Θυμάσαι όλες τις ιστορ–» Δεν μπόρεσε να τελειώσει την ερώτησή του. Το στόμα του άνοιξε σαν κάτι να είχε κολλήσει στο λαιμό του.

«Όλες τις ιστορίες;» ρώτησα.

Εκείνος κούνησε το κεφάλι του βουβά.

Το δικό μου κεφάλι γύριζε. Μια μόνο ιστορία ήταν σημαντική. Ήξερα ότι είχε ξεκινήσει με άλλες, αλλά δεν μπορούσα να θυμηθώ το επουσιώδες προοίμιο, ειδικά όταν το μυαλό μου ήταν τόσο συννεφιασμένο από την εξάντληση. Άρχισα να κουνάω το κεφάλι μου.

Ο Τζέικομπ μούγκρισε και πετάχτηκε από το κρεβάτι. Πίεσε τη γροθιά του στο μέτωπό του και ανέπνευσε γρήγορα και θυμωμένα. «Το ξέρεις, το ξέρεις», μουρμούρισε στον εαυτό του.

«Τζέικ; Τζέικ, σε παρακαλώ, είμαι *εξουθενωμένη*. Δε θα σου φανώ χρήσιμη σ' αυτό αυτή τη στιγμή. Ίσως το πρωί...»

Πήρε μια ανάσα που τον σταθεροποίησε και κούνησε το κεφάλι του. «Μπορεί να σου έρθει. Μάλλον καταλαβαίνω γιατί θυμάσαι μόνο τη μία ιστορία», πρόσθεσε με ένα σαρκαστικό, πικραμένο τόνο. Κάθισε με ένα γδούπο πάλι στο στρώμα δίπλα μου. «Σε πειράζει να σου κάνω μια ερώτηση σχετικά μ' αυτό;» ρώτησε, ακόμα σαρκαστικός. «Πεθαίνω από την περιέργεια».

«Μια ερώτηση σχετικά με τι;» ρώτησα ανήσυχα.

«Για την ιστορία με τους βρικόλακες που σου είπα».

Τον κοίταξα με επιφυλακτικά μάτια, ανίκανη να απαντήσω. Εκείνος έκανε την ερώτησή του έτσι κι αλλιώς.

«Ειλικρινά δεν ήξερες;» με ρώτησε με φωνή που είχε γίνει βραχνή. «Εγώ ήμουν αυτός που σου είπε τι ήταν εκείνος;»

Πώς το ήξερε αυτό; Γιατί αποφάσισε να πιστέψει, γιατί *τώρα*; Έσφιξα τα δόντια μου. Τον κοίταξα κι εγώ χωρίς καμία πρόθεση να μιλήσω. Το κατάλαβε.

«Βλέπεις τι εννοώ σχετικά με την αφοσίωση;» μουρμούρισε, ακόμα πιο βραχνά τώρα. «Είναι το ίδιο για μένα, μόνο που είναι χειρότερα. Δεν μπορείς να φανταστείς πόσο πολύ με δεσμεύει το μυστικό μου...»

Δε μου άρεσε αυτό –δε μου άρεσε ο τρόπος με τον οποίο έκλειναν τα μάτια του με πόνο, όταν μιλούσε για τη δέσμευσή του. Ήταν κάτι παραπάνω από το ότι απλώς δε μου άρεσε –το μισούσα, μισούσα οτιδήποτε του προκαλούσε πόνο. Το μισούσα με μανία.

Το πρόσωπο του Σαμ γέμισε το μυαλό μου.

Για μένα αυτό ήταν κατ' ουσίαν εκούσιο. Προστάτευα το μυστικό των Κάλεν από αγάπη· χωρίς ανταπόκριση μεν, αλλά αληθινή. Για τον Τζέικομπ, δε φαινόταν να ισχύει αυτό.

«Δεν υπάρχει κανένας τρόπος να ελευθερωθείς;» ψιθύρισα αγγίζοντας τη σκληρή άκρη στο πίσω μέρος των κουρεμένων του μαλλιών.

Τα χέρια του άρχισαν να τρέμουν, αλλά δεν άνοιξε τα μάτια του. «Όχι. Είμαι δεμένος για μια ζωή. Μια ισόβια ποινή». Ένα ζοφερό γέλιο. «Ίσως και περισσότερο».

«Όχι, Τζέικ», στέναξα. «Και αν φεύγαμε; Μόνο εσύ κι εγώ. Αν φεύγαμε από το σπίτι, κι αφήναμε πίσω τον Σαμ;»

«Δεν είναι κάτι από το οποίο μπορώ να ξεφύγω, Μπέλλα», ψιθύρισε. «Θα έφευγα μαζί σου, βέβαια, αν μπορούσα». Έτρεμαν και οι ώμοι του τώρα. Πήρε μια βαθιά ανάσα. «Κοίτα, πρέπει να φύγω».

«Γιατί;»

«Καταρχάς μοιάζεις σαν να πρόκειται να λιποθυμήσεις όπου να 'ναι. Χρειάζεσαι ύπνο –θέλω να δουλέψουν όλα σου τα πιστόνια. Θα το μαντέψεις, πρέπει».

«Και κατά δεύτερον;»

Συνοφρυώθηκε. «Έπρεπε να φύγω κρυφά –υποτίθεται ότι δεν κάνει να σε βλέπω. Θα αναρωτιούνται πού είμαι». Το στόμα του συσπάστηκε. «Μάλλον θα πρέπει να τους το πω».

«Δε χρειάζεται να τους πεις τίποτα», είπα μέσα από τα δόντια μου.

«Παρ' όλα αυτά, εγώ θα τους το πω».

Ο θυμός ξέσπασε μέσα μου. «Τους *μισώ*!»

Ο Τζέικομπ με κοίταξε με μάτια διάπλατα ανοιχτά, γεμάτος έκπληξη. «Όχι, Μπέλλα. Μην τα μισείς τα παιδιά. Δε φταίει ούτε ο Σαμ ούτε κανένας άλλο. Σου το είπα και πριν –εγώ φταίω. Μάλιστα ο Σαμ... να, είναι τρομερά ωραίος τύπος. Και ο Τζάρεντ κι ο Πολ είναι πολύ καλοί, αν κι ο Πολ είναι λιγάκι... Κι ο Έμπρι πάντα ήταν φίλος μου. Τίποτα δεν έχει αλλάξει όσον αφορά εκείνον –το *μόνο* πράγμα που δεν έχει αλλάξει. Νιώθω πραγματικά άσχημα για τα πράγματα που σκεφτόμουν παλιά για τον Σαμ...»

Ο Σαμ ήταν τρομερά ωραίος τύπος; Τον κοίταξα άγρια με καχυποψία, αλλά δεν επέμεινα άλλο.

«Τότε γιατί υποτίθεται ότι δεν πρέπει να με βλέπεις;» απαίτησα να μάθω.

«Δεν είναι ασφαλές», μουρμούρισε χαμηλώνοντας το βλέμμα.

Ένα ρίγος τρόμου με διαπέρασε στο άκουσμα των λόγων του.

Το ήξερε κι *αυτό;* Κανείς δεν το ήξερε αυτό εκτός από μένα. Αλλά είχε δίκιο –ήμασταν ακριβώς στη μέση της νύχτας, η τέλεια ώρα για κυνήγι. Ο Τζέικομπ δε θα έπρεπε να είναι στο δωμάτιό μου. Αν ερχόταν κάποιος για μένα, έπρεπε να είμαι μόνη.

«Αν πίστευα ότι ήταν υπερβολικά... ριψοκίνδυνο» ψιθύρισε «δε θα είχα έρθει. Αλλά, Μπέλλα», με κοίταξε πάλι, «σου έδωσα μια υπόσχεση. Δεν είχα ιδέα ότι θα ήταν τόσο δύσκολο να την κρατήσω, μα αυτό δε σημαίνει ότι δε θα προσπαθήσω».

Είδε το γεγονός ότι δεν καταλάβαινα τίποτα στο πρόσωπό μου. «Μετά από εκείνη την ανόητη ταινία», μου θύμισε. «Σου υποσχέθηκα ότι δε θα σε πλήγωνα ποτέ... Άρα λοιπόν τα έκανα στ' αλήθεια θάλασσα σήμερα το απόγευμα, έτσι δεν είναι;»

«Ξέρω ότι δεν το ήθελες, Τζέικομπ. Δεν πειράζει».

«Σ' ευχαριστώ, Μπέλλα». Πήρε το χέρι μου. «Θα κάνω ό,τι μπορώ για να είμαι εδώ για σένα, όπως σου το υποσχέθηκα». Ξαφνικά μου χαμογέλασε πλατιά. Το χαμόγελο δεν ήταν το δικό μου, ούτε του Σαμ, αλλά κάποιος παράξενος συνδυασμός και των δύο. «Θα με βοηθούσε πολύ αν μπορούσες να το βρεις από μόνη σου, Μπέλλα. Βάλε τα δυνατά σου».

Έκανα έναν αδύναμο μορφασμό. «Θα προσπαθήσω».

«Κι εγώ θα προσπαθήσω να σε δω σύντομα». Αναστέναξε. «Κι εκείνοι θα προσπαθήσουν να με πείσουν να μην το κάνω».

«Μην τους ακούς».

«Θα προσπαθήσω». Κούνησε το κεφάλι του σαν να αμφέβαλλε για την επιτυχία του. «Έλα να μου πεις μόλις το βρεις». Κάτι σκέφτηκε εκείνη τη στιγμή, κάτι που έκανε τα χέρια του να τρέμουν. «Αν... αν *θέλεις*».

«Γιατί να μη θέλω να σε δω;»

Το πρόσωπό του έγινε σκληρό και κυνικό, εκατό τοις εκατό το πρόσωπο που ανήκε στον Σαμ. «Ω, μπορώ να σκεφτώ ένα λόγο», είπε με σκληρό τόνο. «Κοίτα, πραγματικά πρέπει να φύγω. Θα μπορούσες να μου κάνεις μια χάρη;»

Απλά κούνησα το κεφάλι μου, φοβισμένη από την αλλαγή πάνω του.

«Τουλάχιστον πάρε με τηλέφωνο –αν δε θέλεις να με δεις ξανά. Πες το μου αν είναι έτσι».

«Αυτό δεν πρόκειται να συμβεί –»

Σήκωσε το ένα του χέρι, διακόπτοντάς με. «Απλώς πες το μου».

Σηκώθηκε και πήγε προς το παράθυρο.

«Μην είσαι χαζός, Τζέικ», διαμαρτυρήθηκα. «Θα σπάσεις κανένα πόδι. Χρησιμοποίησε την πόρτα. Ο Τσάρλι δε θα σε πιάσει».

«Δε θα πάθω τίποτα», μουρμούρισε, αλλά γύρισε προς την πόρτα. Δίστασε καθώς με προσπέρασε, κοιτάζοντάς με μέ μια έκφραση λες και κάτι τον μαχαίρωνε. Άπλωσε το ένα του χέρι παρακλητικά.

Πήρα το χέρι του, και ξαφνικά με τράβηξε βίαια –υπερβολικά άγρια– από το κρεβάτι, έτσι που έπεσα πάνω στο στήθος του με ένα γδούπο.

«Για καλό και για κακό», μουρμούρισε πάνω στα μαλλιά μου, συνθλίβοντάς με σε μια σφιχτή αγκαλιά που παραλίγο να μου σπάσει τα πλευρά.

«Δεν μπορώ –να αναπνεύσω!» είπα ξέπνοα.

Με άφησε αμέσως, κρατώντας το ένα του χέρι στη μέση μου για να μην πέσω. Με έσπρωξε, πιο απαλά αυτή τη φορά, πάλι πίσω στο κρεβάτι μου.

«Κοιμήσου λιγάκι, Μπελς. Πρέπει να ξαναδουλέψει το κεφάλι σου. Ξέρω ότι μπορείς να τα καταφέρεις. Το έχω ανάγκη να τα καταφέρεις. Δε θα σε χάσω, Μπέλλα. Όχι γι' αυτό».

Βρέθηκε στην πόρτα με μια δρασκελιά, ανοίγοντάς την ήσυχα, και μετά εξαφανίστηκε περνώντας την. Προσπάθησα να ακούσω τα βήματά του να τρίζουν στις σκάλες, αλλά δεν ακούστηκε κανένας ήχος.

Ξάπλωσα πάλι στο κρεβάτι μου, ενώ το κεφάλι μου γύριζε. Ήμουν υπερβολικά μπερδεμένη, υπερβολικά εξουθενωμένη. Έκλεισα τα μάτια μου, προσπαθώντας να βγάλω κάποιο νόημα, μόνο για να με καταπιεί τελικά το ασυνείδητο τόσο γρήγορα που μου δημιούργησε σύγχυση.

Δεν ήταν ο γαλήνιος ύπνος χωρίς όνειρα που λαχταρούσα –φυσικά και όχι. Ήμουν πάλι στο δάσος και άρχισα να περιπλανιέμαι όπως πάντα.

Γρήγορα κατάλαβα ότι αυτό δεν ήταν το ίδιο όνειρο όπως συνήθως. Καταρχάς, δεν ένιωθα καμία επιθυμία να περιπλανηθώ ή να ψάξω· απλώς περιπλανιόμουν από συνήθεια, επειδή αυτό ήταν το αναμενόμενο από μένα εδώ πέρα. Μάλιστα, αυτό δεν ήταν καν το ίδιο δάσος. Η μυρωδιά ήταν διαφορετική, και το φως επίσης. Μύριζε όχι σαν το υγρό χώμα του δάσους, αλλά σαν την αρμύρα του ωκεανού. Δεν μπορούσα να δω τον ουρανό· ωστόσο, φαινόταν ότι ο ήλιος πρέπει να έλαμπε –τα φύλλα από πάνω μου είχαν μια λαμπερή απόχρωση πράσινου σαν το νεφρίτη.

Αυτό ήταν το δάσος γύρω από το Λα Πους –κοντά στην

παραλία εκεί, ήμουν σίγουρη γι' αυτό. Ήξερα ότι αν έβρισκα την παραλία, θα μπορούσα να δω ξανά τον ήλιο, έτσι προχώρησα μπροστά βιαστικά, ακολουθώντας τον αχνό ήχο των κυμάτων πέρα μακριά.

Και τότε ο Τζέικομπ βρέθηκε εκεί. Άρπαξε το χέρι μου, τραβώντας με πίσω προς το πιο σκοτεινό κομμάτι του δάσους.

«Τζέικομπ, τι συμβαίνει;» ρώτησα. Το πρόσωπό του ήταν το φοβισμένο πρόσωπο ενός αγοριού, και τα μαλλιά του ήταν πανέμορφα ξανά, τραβηγμένα πίσω σε αλογοουρά στο σβέρκο του. Εκείνος τραβούσε βίαια με όλη του τη δύναμη, αλλά εγώ αντιστεκόμουν· δεν ήθελα να μπω μέσα στο σκοτάδι.

«Τρέχα, Μπέλλα, πρέπει να τρέξεις!» ψιθύρισε εκείνος, έντρομος.

Το απότομο κύμα της αίσθησης του ντεζαβού ήταν τόσο δυνατό που σχεδόν με ξύπνησε.

Ήξερα γιατί αναγνώριζα το μέρος αυτό τώρα. Ήταν επειδή είχα ξαναβρεθεί εκεί, σε κάποιο άλλο όνειρο. Ένα εκατομμύριο χρόνια πριν, ένα μέρος μιας εντελώς διαφορετικής ζωής. Αυτό ήταν το όνειρο που είχα δει τη νύχτα, αφού είχα περπατήσει με τον Τζέικομπ στην παραλία, την πρώτη νύχτα που έμαθα ότι ο Έντουαρντ ήταν βρικόλακας. Το ότι ξαναέζησα εκείνη τη μέρα με τον Τζέικομπ πρέπει να ανέσυρε το όνειρο αυτό από τις θαμμένες μου αναμνήσεις.

Αποστασιοποιημένη από το όνειρο τώρα πια, περίμενα να εκτυλιχτεί. Ένα φως ερχόταν προς το μέρος μου από την παραλία. Σε μια στιγμή, ο Έντουαρντ θα πρόβαλλε μέσα από τα δέντρα, με το δέρμα του να λάμπει αχνά και τα μάτια του μαύρα κι επικίνδυνα. Θα μου έκανε νόημα και θα χαμογελούσε. Θα ήταν όμορφος σαν άγγελος, και τα δόντια του θα ήταν αιχμηρά και κοφτερά...

Αλλά προέτρεχα. Κάτι άλλο έπρεπε να συμβεί πρώτα.

Ο Τζέικομπ άφησε το χέρι μου κι έβγαλε μια διαπεραστική κραυγή. Τρέμοντας και σφαδάζοντας απ' τις συσπάσεις, έπεσε στο έδαφος μπροστά στα πόδια μου.

«Τζέικομπ!» ούρλιαξα, αλλά είχε χαθεί.

Στη θέση του ήταν ένας τεράστιος καστανοκόκκινος λύκος με σκούρα, έξυπνα μάτια.

Το όνειρο είχε ξεφύγει από την πορεία του σαν τρένο που εκτροχιαζόταν.

Αυτός δεν ήταν ο ίδιος λύκος που είχα ονειρευτεί στην άλλη μου ζωή. Αυτός ήταν ο μεγάλος καστανοκόκκινος λύκος που είχα σταθεί δίπλα του σε απόσταση δεκαπέντε πόντων στο λιβάδι, μόλις πριν μια βδομάδα. Αυτός ο λύκος ήταν γιγάντιος, θηριώδης, μεγαλύτερος από αρκούδα.

Αυτός ο λύκος με κοίταζε έντονα προσπαθώντας να με κάνει να καταλάβω κάτι ιδιαίτερα σημαντικό με τα έξυπνα μάτια του. Τα καστανόμαυρα γνωστά μάτια του Τζέικομπ Μπλακ.

Ξύπνησα ουρλιάζοντας με όλη τη δύναμη της φωνής μου.

Σχεδόν περίμενα ο Τσάρλι να έρθει να μου ρίξει μια ματιά αυτή τη φορά. Αυτό δεν ήταν το συνηθισμένο μου ουρλιαχτό. Έχωσα το κεφάλι μου στο μαξιλάρι μου και προσπάθησα να πνίξω τις υστερικές κραυγές στις οποίες είχε αρχίσει να μετατρέπεται το ουρλιαχτό μου. Πίεσα το βαμβάκι σφιχτά στο πρόσωπό μου, αναρωτώμενη αν δεν μπορούσα επίσης με κάποιο τρόπο να πνίξω και το συσχετισμό που είχα μόλις κάνει.

Αλλά ο Τσάρλι δεν ήρθε, και τελικά κατάφερα να καταπνίξω τις παράξενες στριγκλιές που έβγαιναν από το λαρύγγι μου.

Τώρα τα θυμόμουν όλα –κάθε λέξη που μου είχε πει ο Τζέικομπ εκείνη τη μέρα στην παραλία, ακόμα και το κομμάτι πριν φτάσει στους βρικόλακες, τους "παγωμένους". Ειδικά εκείνο το πρώτο κομμάτι.

«Ξέρεις καμιά από τις παλιές μας ιστορίες, από πού ήρθαμε –οι Κουιλαγιούτ, θέλω να πω;» άρχισε.

«Να σου πω την αλήθεια, όχι», παραδέχτηκα.

«Να, υπάρχουν πολλοί θρύλοι, μερικοί απ' τους οποίους ξεκινάνε από την εποχή του Κατακλυσμού –υποτίθεται ότι οι αρχαί-

οι Κουιλαγιούτ έδεσαν τα κανό τους στις κορυφές των πιο ψηλών δέντρων του βουνού για να επιζήσουν, όπως ο Νώε και η κιβωτός του». Χαμογέλασε για να μου δείξει πόσο λίγη βάση έδινε στις ιστορίες αυτές. «Ένας άλλος θρύλος ισχυρίζεται ότι καταγόμαστε από τους λύκους –κι ότι οι λύκοι είναι ακόμα αδέρφια μας. Είναι ενάντια στο νόμο της φυλής να τους σκοτώνουμε...

...Μετά υπάρχουν οι ιστορίες για τους παγωμένους». Η φωνή του χαμήλωσε λίγο.

«Τους παγωμένους;» ρώτησα χωρίς να υπάρχει ανάγκη να προσποιούμαι πια ότι μου είχε εξάψει την περιέργεια.

«Ναι. Υπάρχουν ιστορίες για τους παγωμένους τόσο παλιές όσο και οι θρύλοι για τους λύκους, και κάποιες άλλες είναι πολύ πιο πρόσφατες. Σύμφωνα με το θρύλο, ο ίδιος μου ο προπάππους ήξερε μερικούς απ' αυτούς. Αυτός ήταν που έκανε τη συμφωνία μαζί τους να μην ξαναπατήσουν στη γη μας». Οι κόρες των ματιών του στριφογύρισαν κοροϊδευτικά..

«Ο προπάππους σου;» τον ενθάρρυνα.

«Ήταν ένας από τους γέροντες της φυλής, όπως και ο πατέρας μου. Βλέπεις, οι παγωμένοι είναι οι φυσικοί εχθροί του λύκου –δηλαδή, όχι του λύκου ακριβώς, αλλά του λύκου που γίνεται άνθρωπος, όπως ήταν οι πρόγονοί μας. Θα μπορούσες να τους πεις λυκάνθρωπους».

«Οι λυκάνθρωποι έχουν εχθρούς;»

«Μόνο έναν».

Κάτι είχε φρακάρει στο λαιμό μου, πνίγοντάς με. Προσπάθησα να το καταπιώ, αλλά ήταν κολλημένο εκεί πέρα, χωρίς να κουνιέται. Προσπάθησα να το φτύσω.

"Λυκάνθρωπος", είπα ξέπνοα.

Ναι, αυτή ήταν η λέξη που με έκανε να πνίγομαι.

Ολόκληρος ο κόσμος κλυδωνιζόταν γέρνοντας προς τη λάθος μεριά πάνω στον άξονά του.

Τι σόι μέρος ήταν αυτό; Ήταν δυνατόν να υπάρχει στ' αλήθεια ένας κόσμος όπου αρχαίοι θρύλοι και μυθικά τέρατα να γύριζαν εδώ κι εκεί στα σύνορα μικρών, ασήμαντων πόλεων; Μήπως αυτό σήμαινε ότι κάθε απίθανο παραμύθι είχε τις ρίζες του κάπου μέσα στην απόλυτη αλήθεια; Υπήρχε τίποτα λογικό ή φυσιολογικό εντέλει ή ήταν όλα μαγικά φαινόμενα και φαντάσματα;

Κράτησα το κεφάλι μου σφιχτά στα χέρια μου προσπαθώντας να το εμποδίσω να εκραγεί.

Μια χαμηλή βραχνή φωνούλα στο πίσω μέρος του μυαλού μου με ρώτησε γιατί το έκανα τόσο μεγάλο θέμα. Δεν είχα ήδη αποδεχτεί την ύπαρξη των βρικολάκων εδώ και καιρό –και χωρίς όλη αυτή την υστερία τότε;

Ακριβώς, ήθελα να φωνάξω στη φωνή αυτή. Δεν ήταν αρκετός ένας μύθος για όλους, αρκετός για μια ολόκληρη ζωή;

Εξάλλου, δεν υπήρξε ούτε μια στιγμή που να μη διαισθανόμουν ότι ο Έντουαρντ Κάλεν ήταν πάνω και πέρα από τα όρια του συνηθισμένου. Δεν ήταν και τόσο μεγάλη έκπληξη να μάθω τι ήταν –επειδή ήταν τόσο προφανές ότι ήταν *κάτι ξεχωριστό*.

Αλλά ο Τζέικομπ; Ο Τζέικομπ, που ήταν απλώς ο Τζέικομπ, και τίποτα παραπάνω; Ο Τζέικομπ, ο φίλος μου; Ο Τζέικομπ, ο μόνος άνθρωπος που είχα καταφέρει να συνδεθώ μαζί του…

Και δεν ήταν καν άνθρωπος.

Κατέπνιξα την επιθυμία να ουρλιάξω ξανά.

Τι αποδείκνυε αυτό για μένα;

Ήξερα την απάντηση σ' αυτή την ερώτηση. Αποδείκνυε ότι κάτι δεν πήγαινε καθόλου καλά μ' εμένα. Για ποιον άλλο λόγο η ζωή μου ήταν γεμάτη με χαρακτήρες από ταινίες τρόμου; Για ποιον άλλο λόγο νοιαζόμουν τόσο πολύ γι' αυτούς ώστε να νιώθω σαν να κόβονται μεγάλα κομμάτια από το στήθος μου, όταν εκείνοι έφευγαν για τους μυθικούς τους δρόμους;

Μέσα στο κεφάλι μου, όλα γύριζαν γρήγορα και άλλαζαν θέση, έτσι ώστε τα πράγματα που σήμαιναν κάτι παλιά, τώρα να σημαίνουν κάτι άλλο.

Δεν υπήρχε καμία αίρεση. Ποτέ δεν είχε υπάρξει καμία αίρεση, ούτε και συμμορία. Όχι, ήταν κάτι πολύ χειρότερο. Ήταν μια *αγέλη*.

Μια αγέλη πέντε, ασύλληπτων διαστάσεων και πολλών διαφορετικών αποχρώσεων, λυκανθρώπων που είχαν περάσει καμαρωτοί από δίπλα μου στο λιβάδι του Έντουαρντ...

Ξαφνικά, με έπιασε μια υστερική βιασύνη. Κοίταξα το ρολόι –ήταν πολύ νωρίς και δε με ένοιαζε. Έπρεπε να πάω στο Λα Πους *τώρα*. Έπρεπε να δω τον Τζέικομπ για να μου πει ότι δεν είχα χάσει εντελώς το μυαλό μου

Φόρεσα τα πρώτα καθαρά ρούχα που μπόρεσα να βρω, χωρίς να μπω καν στον κόπο να βεβαιωθώ ότι ταίριαζαν μεταξύ τους και κατέβηκα τα σκαλιά δυο-δυο. Σχεδόν έπεσα πάνω στον Τσάρλι, καθώς γλίστρησα στο χολ πηγαίνοντας προς την πόρτα.

«Πού πας;» ρώτησε, εξίσου έκπληκτος με εμένα που με είδε. «Ξέρεις τι ώρα είναι;»

«Ναι. Πρέπει να πάω να δω τον Τζέικομπ».

«Νόμισα ότι το θέμα με τον Σαμ–»

«Δεν παίζει ρόλο αυτό, πρέπει να του μιλήσω τώρα».

«Είναι αρκετά νωρίς». Κατσούφιασε, όταν η έκφρασή μου δεν άλλαξε. «Δε θέλεις πρωινό;»

«Δεν πεινάω». Οι λέξεις βγήκαν από το στόμα μου πετώντας. Εκείνος με εμπόδιζε να βγω έξω. Σκέφτηκα την πιθανότητα να σκύψω και να τον αποφύγω και μετά να τρέξω, αλλά ήξερα ότι θα έπρεπε να του εξηγήσω αργότερα. «Θα γυρίσω γρήγορα, εντάξει;»

Ο Τσάρλι συνοφρυώθηκε. «Κατευθείαν στο σπίτι του Τζέικομπ, έτσι; Όχι άλλες στάσεις στο δρόμο;»

«Φυσικά και όχι. Πού αλλού θα μπορούσα να σταματήσω;» Οι λέξεις μου μπλέκονταν μεταξύ τους μέσα στη βιασύνη μου.

«Δεν ξέρω», παραδέχτηκε. «Απλώς... να, έγινε κι άλλη μια επίθεση –πάλι οι λύκοι. Ήταν πολύ κοντά στο θέρετρο δίπλα στις θερμές πηγές –υπάρχει μάρτυρας αυτή τη φορά. Το θύμα ήταν μόλις ένα χιλιόμετρο από το δρόμο όταν εξαφανίστηκε. Η σύζυγός του είδε έναν τεράστιο γκρίζο λύκο, μόλις λίγα λεπτά αργότερα, ενώ τον έψαχνε, κι έτρεξε να ζητήσει βοήθεια».

Το στομάχι μου ταράχτηκε, σαν να ήμουν σε ένα τρενάκι του λουναπάρκ και να είχα φτάσει στο σημείο της διαδρομής που γυρίζει ανάποδα. «Του επιτέθηκε λύκος;»

«Δεν έχει μείνει ούτε ίχνος του πουθενά –μόνο λίγο αίμα». Το πρόσωπο του Τσάρλι ήταν γεμάτο πόνο. «Οι δασοφύλακες θα βγουν έξω οπλισμένοι και θα πάρουν μαζί τους και οπλισμένους εθελοντές. Υπάρχουν πολλοί κυνηγοί που είναι πρόθυμοι να πάρουν μέρος –προσφέρεται αμοιβή για κουφάρια λύκων. Αυτό σημαίνει ότι θα πέσουν πολλά πυρά στο δάσος, κι αυτό με ανησυχεί». Κούνησε το κεφάλι του. «Όταν οι άνθρωποι ξεσηκώνονται υπερβολικά, μπορεί να συμβούν ατυχήματα...»

«Θα πυροβολήσουν τους λύκους;» Η φωνή μου ακούστηκε τρεις οκτάβες ψηλότερα.

«Τι άλλο μπορούμε να κάνουμε; Τι πρόβλημα υπάρχει;» ρώτησε εκείνος, ενώ τα γεμάτα ένταση μάτια του μελετούσαν το πρόσωπό μου. Ένιωθα αδύναμη· πρέπει να ήμουν πιο άσπρη απ' ό,τι συνήθως. «Δε σκοπεύεις να μου γίνεις ακτιβίστρια για τα δικαιώματα των ζώων, έτσι;»

Δεν μπορούσα να απαντήσω. Αν δε με παρατηρούσε, θα είχα βάλει το κεφάλι μου ανάμεσα στα γόνατά μου. Είχα ξεχάσει τους πεζοπόρους που αγνοούνταν, τα ματωμένα χνάρια... Δεν είχα συνδυάσει τα γεγονότα εκείνα με το πρώτο πράγμα που συνειδητοποίησα.

«Κοίτα, γλυκιά μου, μην το αφήσεις να σε φοβίσει αυτό. Απλώς μείνε στην πόλη ή στον αυτοκινητόδρομο –μην κάνεις στάσεις– εντάξει;»

«Εντάξει», επανέλαβα με αδύναμη φωνή.

«Πρέπει να φύγω».

Τον κοίταξα προσεχτικά για πρώτη φορά και είδα ότι είχε το πιστόλι του περασμένο στη μέση του και φορούσε τις μπότες του για πεζοπορία.

«Δε θα βγεις κι εσύ να κυνηγήσεις τους λύκους, μπαμπά, έτσι;»

«Πρέπει να βοηθήσω, Μπελς. Υπάρχουν άνθρωποι που εξαφανίζονται».

Η φωνή μου έγινε ψηλή πάλι, σχεδόν υστερική τώρα. «Όχι! Όχι, μην πας. Είναι πολύ επικίνδυνο!»

«Πρέπει να κάνω τη δουλειά μου, κορίτσι μου. Μην είσαι τόσο απαισιόδοξη –δε θα πάθω τίποτα». Γύρισε για να πάει προς την πόρτα και την κράτησε ανοιχτή. «Έφευγες;»

Δίστασα, καθώς το στομάχι μου γύριζε ακόμα γύρω-γύρω με δυσφορία. Τι μπορούσα να πω για να τον σταματήσω; Ήμουν υπερβολικά ζαλισμένη για να σκεφτώ κάποια λύση.

«Μπελς;»

«Ίσως να είναι πολύ νωρίς για να πάω στο Λα Πους», ψιθύρισα.

«Συμφωνώ», είπε, και βγήκε έξω στη βροχή κλείνοντας πίσω του την πόρτα.

Αμέσως μόλις χάθηκε απ' τα μάτια μου, έπεσα στο πάτωμα και έβαλα το κεφάλι μου ανάμεσα στα γόνατά μου.

Μήπως έπρεπε να ακολουθήσω τον Τσάρλι; Τι θα του έλεγα;

Κι ο Τζέικομπ; Ο Τζέικομπ ήταν ο καλύτερός μου φίλος· έπρεπε να τον προειδοποιήσω. Αν ήταν πράγματι –ζάρωσα από φόβο και ανάγκασα τον εαυτό μου να σκεφτεί τη λέξη– λυκάνθρωπος (και ήξερα ότι ήταν αλήθεια, το ένιωθα), τότε κάποιοι άνθρωποι θα τον πυροβολούσαν! Έπρεπε να το πω και σ' αυτόν *και* στους φίλους του ότι κάποιοι θα προσπαθούσαν να τους σκοτώσουν, αν συνέχιζαν να γυρίζουν εδώ κι εκεί με τη μορφή γιγαντιαίων λύκων. Έπρεπε να τους πω να σταματήσουν.

Έπρεπε να σταματήσουν! Ο Τσάρλι ήταν εκεί έξω στο δάσος! Θα τους ένοιαζε γι' αυτόν; Αναρωτιόμουν... Μέχρι τώρα, μόνο ξένοι είχαν εξαφανιστεί. Αυτό σήμαινε κάτι ή ήταν απλώς τυχαίο;

Είχα ανάγκη να πιστέψω ότι ο Τζέικομπ, τουλάχιστον, θα νοιαζόταν γι' αυτό.

Έτσι κι αλλιώς, έπρεπε να τον προειδοποιήσω.

Ή μήπως... δεν έπρεπε;

Ο Τζέικομπ ήταν ο καλύτερος μου φίλος, αλλά ήταν κι αυτός ένα τέρας; Ένα πραγματικό τέρας; Ένα κακό τέρας; *Ήταν σωστό* να τον προειδοποιήσω, αν αυτός κι οι φίλοι του... ήταν *δολοφόνοι*; Αν ήταν εκεί έξω κι έσφαζαν αθώους πεζοπόρους εν ψυχρώ; Αν ήταν στ' αλήθεια πλάσματα από ταινία τρόμου με όλη τη σημασία της λέξης, θα ήταν λάθος να τους προστατέψω;

Ήταν αναπόφευκτο να συγκρίνω τον Τζέικομπ και τους φίλους του με τους Κάλεν. Τύλιξα τα χέρια μου γύρω από το στήθος μου, πολεμώντας την τρύπα, ενώ τους σκεφτόμουν.

Δεν ήξερα τίποτα για τους λυκανθρώπους, προφανώς. Θα ανέμενα κάτι πιο κοντά στις ταινίες –μεγάλα μαλλιαρά πλάσματα που ήταν μισά άνθρωποι και μισά κάτι άλλο– αν υποθέσουμε ότι ανέμενα οτιδήποτε τέτοιο. Έτσι δεν ήξερα τι τους έκανε να κυνηγούν, αν ήταν πείνα ή δίψα ή απλώς επιθυμία να σκοτώσουν. Ήταν δύσκολο να κρίνω, χωρίς να το ξέρω αυτό.

Αλλά δεν μπορούσε να είναι χειρότερο από αυτό που έπρεπε να υποφέρουν οι Κάλεν στη δική τους προσπάθεια να είναι καλοί. Σκέφτηκα την Έσμι –τα δάκρυα άρχισαν, όταν μου ήρθε η εικόνα του καλοσυνάτου, υπέροχου προσώπου της– και πώς, όσο τρυφερή και στοργική κι αν ήταν, έπρεπε να κλείσει τη μύτη της, γεμάτη ντροπή, και να φύγει τρέχοντας μακριά μου όταν αιμορραγούσα. Δεν μπορούσε να είναι πιο δύσκολο απ' αυτό. Σκέφτηκα τον Κάρλαϊλ, τους αιώνες επί αιώνων που χρειάστηκε να παλέψει για να μάθει στον εαυτό του να αγνοεί το αίμα, ώστε να μπορεί να σώζει ζωές ως γιατρός. Τίποτα δεν μπορούσε να είναι πιο δύσκολο από *αυτό*.

Οι λυκάνθρωποι είχαν διαλέξει διαφορετικό δρόμο.

Τώρα, τι έπρεπε να διαλέξω *εγώ;*

13. ΔΟΛΟΦΟΝΟΣ

Αν ήταν οποιοσδήποτε άλλος εκτός από τον Τζέικομπ, έλεγα στον εαυτό μου κουνώντας το κεφάλι μου, καθώς οδηγούσα στον αυτοκινητόδρομο κατά μήκος του δάσους προς το Λα Πους.

Ακόμα δεν ήμουν σίγουρη αν έκανα το σωστό, αλλά είχα κάνει έναν συμβιβασμό με τον εαυτό μου.

Δεν μπορούσα να συγχωρήσω αυτό που έκανε ο Τζέικομπ κι οι φίλοι του, η αγέλη του. Καταλάβαινα τώρα αυτό που είχε πει το προηγούμενο βράδυ –ότι μπορεί να μην ήθελα να τον ξαναδώ – και θα μπορούσα να τον είχα πάρει τηλέφωνο, όπως είχε προτείνει ο ίδιος, αλλά αυτό μου φαινόταν δειλία. Του χρωστούσα μια κατά πρόσωπο συζήτηση, τουλάχιστον. Θα του το έλεγα κατάματα ότι δεν μπορούσα απλά να παραβλέψω αυτό που συνέβαινε. Δεν μπορούσα να είμαι φίλη με ένα δολοφόνο και να μην πω τίποτα, να αφήσω τις δολοφονίες να συνεχίζονται... Αυτό θα με έκανε κι εμένα ένα τέρας.

Αλλά δεν μπορούσα και να μην τον προειδοποιήσω. Έπρεπε να κάνω ό,τι μπορούσα για να τον προστατέψω.

Πάρκαρα μπροστά στο σπίτι των Μπλακ με τα χείλη μου σφιγμένα σε μια σκληρή γραμμή. Ήταν ήδη αρκετά άσχημο που ο καλύτερός μου φίλος ήταν λυκάνθρωπος. Ήταν ανάγκη να είναι και τέρας;

Το σπίτι ήταν σκοτεινό, δεν υπήρχε φως στα παράθυρα, αλλά δε με ένοιαζε αν τους ξυπνούσα. Η γροθιά μου βρόντηξε πάνω στην πόρτα με οργισμένη ενέργεια· ο ήχος αντήχησε μες απ' τους τοίχους.

«Περάστε», άκουσα τον Μπίλι να φωνάζει μετά από ένα λεπτό, κι ένα φως άναψε.

Γύρισα το πόμολο· ήταν ξεκλείδωτα. Ο Μπίλι έγερνε μέσα από ένα άνοιγμα πόρτας λίγο πιο πέρα από το τραπέζι της κουζίνας, με μια ρόμπα πάνω στους ώμους του, όχι ακόμα στο αναπηρικό του καρότσι. Όταν είδε ποιος ήταν, τα μάτια του άνοιξαν διάπλατα για λίγο, και μετά το πρόσωπό του έγινε στωικό.

«Λοιπόν, καλημέρα, Μπέλλα. Γιατί ξύπνησες τόσο νωρίς;»

«Γεια σου, Μπίλι. Πρέπει να μιλήσω στον Τζέικ –πού είναι;»

«Εμ... πραγματικά δεν ξέρω», είπε ψέματα με σοβαρό πρόσωπο.

«Ξέρεις τι κάνει ο Τσάρλι σήμερα το πρωί;» απαίτησα να μάθω, έχοντας βαρεθεί να χρονοτριβούμε.

«Θα έπρεπε;»

«Αυτός κι οι άλλοι μισοί άντρες της πόλης έχουν βγει όλοι στο δάσος με όπλα για να κυνηγήσουν τεράστιους λύκους».

Η έκφραση του Μπίλι τρεμόπαιξε και μετά έγινε κενή.

«Λοιπόν, θα ήθελα να μιλήσω στον Τζέικ γι' αυτό, αν δε σε πειράζει», συνέχισα.

Ο Μπίλι σούφρωσε τα γεμάτα χείλη του σκεφτικός για μια στιγμή. «Θα έβαζα στοίχημα ότι κοιμάται ακόμα», είπε τελικά, κουνώντας το κεφάλι του προς το μικρό διάδρομο δίπλα από την κεντρική είσοδο. «Γυρνάει αργά συχνά αυτές τις μέρες. Το παιδί χρειάζεται ξεκούραση –ίσως να μην πρέπει να τον ξυπνήσεις».

«Είναι η σειρά μου», μουρμούρισα μες απ' τα δόντια μου, καθώς προχωρούσα με μεγάλα βήματα προς το διάδρομο. Ο Μπίλι αναστέναξε.

Το μικροσκοπικό δωμάτιο του Τζέικομπ που έμοιαζε με ντουλάπα ήταν η μοναδική πόρτα στον ένα μέτρο διάδρομο. Δεν μπήκα στον κόπο να χτυπήσω. Άνοιξα την πόρτα με δύναμη· αυτή χτύπησε στον τοίχο κάνοντας θόρυβο.

Ο Τζέικομπ –φορώντας ακόμα την ίδια μαύρη κομμένη φόρμα που φορούσε και χθες το βράδυ– ήταν απλωμένος διαγώνια στο διπλό κρεβάτι που έπιανε όλο το χώρο του δωματίου του, εκτός από μερικούς πόντους στις άκρες. Ακόμα κι έτσι όπως ήταν λοξά, το κρεβάτι δεν ήταν αρκετά μακρύ· τα πόδια του κρέμονταν από τη μια άκρη και το κεφάλι του από την άλλη. Κοιμόταν του καλού καιρού ροχαλίζοντας ελαφρώς με το στόμα του ανοιχτό. Ο ήχος της πόρτας δεν του είχε προκαλέσει ούτε καν μια σύσπαση.

Το πρόσωπό του ήταν γαλήνιο μέσα στο βαθύ ύπνο του, όλες οι οργισμένες γραμμές είχαν λειανθεί. Είχε κύκλους κάτω από τα μάτια του που δεν είχα προσέξει πιο πριν. Παρά το εξωφρενικό του μέγεθος, έδειχνε πολύ νεαρός τώρα, και πολύ κουρασμένος. Με κλόνισε οίκτος.

Έκανα ένα βήμα προς τα έξω, κι έκλεισα την πόρτα ήσυχα πίσω μου.

Ο Μπίλι με κοίταξε με μάτια γεμάτα περιέργεια, επιφυλακτικά, καθώς πήγαινα αργά πίσω στο καθιστικό.

«Νομίζω ότι θα τον αφήσω να ξεκουραστεί λίγο».

Ο Μπίλι κούνησε το κεφάλι του, και μετά κοιταχτήκαμε μόνο για ένα λεπτό. Πέθαινα να τον ρωτήσω για το δικό του ρόλο σε όλα αυτά. Τι γνώμη είχε γι' αυτό που είχε γίνει ο γιος του; Αλλά ήξερα ότι υποστήριζε τον Σαμ από την αρχή, κι έτσι υπέθεσα ότι οι φόνοι δεν πρέπει να τον ενοχλούσαν. Πώς το δικαιολογούσε αυτό στον εαυτό του δεν μπορούσα να φανταστώ.

Έβλεπα πολλές ερωτήσεις για μένα μέσα στα σκούρα του μάτια, αλλά δεν τις ξεστόμιζε ούτε κι αυτός.

«Κοίτα», είπα, σπάζοντας τη γεμάτη ήχους σιωπή. «Θα πάω στην παραλία για λίγο. Όταν ξυπνήσει, πες του ότι τον περιμένω, εντάξει;»

«Βέβαια, βέβαια», συμφώνησε ο Μπίλι.

Αναρωτήθηκα αν θα το έκανε πραγματικά. Εντάξει, αν δεν το έκανε, τουλάχιστον είχα προσπαθήσει, σωστά;

Πήγα κάτω στην Πρώτη Παραλία με το αμάξι και πάρκαρα στο άδειο χωμάτινο πάρκινγκ. Είχε ακόμα σκοτάδι –το καταθλιπτικό προοίμιο της αυγής μιας συννεφιασμένης μέρας– κι όταν έσβησα τους προβολείς ήταν δύσκολο να δω. Έπρεπε να αφήσω τα μάτια μου να προσαρμοστούν, πριν μπορέσω να βρω το μονοπάτι που οδηγούσε μέσα από τον ψηλό φράχτη των αγριόχορτων στην παραλία. Έκανε περισσότερο κρύο εδώ, με τον άνεμο να μαστιγώνει το μαύρο νερό, κι εγώ έσπρωξα τα χέρια μου μέσα στις τσέπες του μπουφάν μου. Τουλάχιστον η βροχή είχε σταματήσει.

Κατέβηκα στην παραλία αργά προς το βόρειο κυματοθραύστη. Δεν μπορούσα να δω το νησί Σεντ Τζέιμς ούτε και τα άλλα νησάκια, μόνο το αχνό σχήμα της άκρης του νερού. Διέσχισα την έκταση με τα βράχια προχωρώντας προσεχτικά για να μη σκοντάψω πάνω σε κανένα ξεβρασμένο ξύλο.

Βρήκα αυτό που έψαχνα πριν συνειδητοποιήσω ότι το έψαχνα. Πήρε σάρκα και οστά μπροστά μου μέσα από την καταχνιά, όταν ήταν μόλις μερικά εκατοστά πιο πέρα: ένα μακρύ ξασπρισμένο σαν κόκαλο δέντρο που είχε ξεβραστεί και κειτόταν πάνω στις πέτρες. Οι ρίζες του ήταν στραμμένες προς τα πάνω, προς τη θάλασσα, σαν εκατοντάδες εύθρυπτα πλοκάμια. Δεν μπορούσα να είμαι σίγουρη ότι αυτό ήταν το ίδιο δέντρο, όπου ο Τζέικομπ κι εγώ είχαμε κάνει την πρώτη μας κουβέντα –μια κουβέντα που είχε γίνει αφετηρία για τόσα πολλά διαφορετικά, μπλεγμένα νήματα της ζωής μου– αλλά έμοιαζε να βρίσκεται στο ίδιο περίπου σημείο. Κάθισα κάτω, εκεί όπου είχα κάτσει παλιά, και κάρφωσα το βλέμμα μου πέρα στην αόρατη θάλασσα.

Το γεγονός ότι είδα τον Τζέικομπ έτσι –αθώο και ευάλωτο την ώρα που κοιμόταν– μου είχε κλέψει όλη την αποστροφή που ένιωθα, είχε διαλύσει όλο το θυμό μου. Ακόμα δεν μπορούσα να αγνοήσω αυτό που συνέβαινε, όπως έμοιαζε να κάνει ο Μπίλι, αλλά ούτε και μπορούσα να καταδικάσω τον Τζέικομπ γι' αυτό. Η αγάπη δεν ήταν έτσι, αποφάσισα. Από τη στιγμή που νοιαζόσουν για κάποιον, ήταν πλέον αδύνατον να φανείς λογικός σχετικά μ' αυτό το άτομο. Ο Τζέικομπ ήταν φίλος μου είτε σκότωνε ανθρώπους είτε όχι. Και δεν ήξερα τι θα έκανα γι' αυτό.

Όταν μου ερχόταν η εικόνα του την ώρα που κοιμόταν τόσο γαλήνια, ένιωθα μια ακατανίκητη παρόρμηση να τον *προστατέψω*. Τελείως παράλογο.

Παράλογο ή όχι, συνέχισα να σκέφτομαι μελαγχολικά την ανάμνηση του γαλήνιου προσώπου του, προσπαθώντας να βρω κάποια απάντηση, κάποιον τρόπο να τον προστατέψω, ενώ ο ουρανός σιγά-σιγά γινόταν γκρίζος.

«Γεια σου, Μπέλλα».

Η φωνή του Τζέικομπ ήρθε μέσα από το σκοτάδι και με έκανε να πεταχτώ. Ήταν απαλή, σχεδόν ντροπαλή, αλλά περίμενα κάποια προειδοποίηση από τις θορυβώδεις πέτρες, κι έτσι με αιφνιδίασε και πάλι. Μπορούσα να δω τη μορφή του να διαγράφεται στο φως του ήλιου που θα ανέτειλε σε λίγο –έδειχνε τεράστια.

«Τζέικ;»

Στάθηκε αρκετά βήματα πιο πέρα, μετατοπίζοντας το βάρος του από το ένα πόδι στο άλλο με αγωνία.

«Ο Μπίλι μου είπε ότι πέρασες απ' το σπίτι –δε σου πήρε και πολύ χρόνο, έτσι; Ήξερα ότι θα το έβρισκες».

«Ναι, τώρα θυμάμαι τη σωστή ιστορία», ψιθύρισα.

Ακολούθησε μια στιγμιαία σιωπή, και αν και είχε ακόμα πολύ σκοτάδι για να δω καλά, ένιωθα το δέρμα μου να με τσιμπάει, καθώς τα μάτια του έψαχναν το πρόσωπό μου. Πρέπει να υπήρχε αρκετό φως, ώστε να μπορούσε να διαβάσει την έκφρασή μου, επειδή, όταν μίλησε ξανά, η φωνή του ήταν ξαφνικά πικρόχολη.

«Θα μπορούσες απλώς να πάρεις τηλέφωνο», είπε σκληρά.

Κούνησα το κεφάλι μου. «Το ξέρω».

Ο Τζέικομπ άρχισε να βηματίζει κατά μήκος των βράχων. Αν άκουγα πολύ προσεχτικά, μπορούσα να ακούσω τα πέλματά του να αγγίζουν ξυστά τις πέτρες, απαλά πίσω από τον ήχο των κυμάτων. Οι πέτρες κροτάλιζαν σαν καστανιέτες όταν τις πατούσα εγώ.

«Γιατί ήρθες;» απαίτησε να μάθει, χωρίς να σταματά τις οργισμένες δρασκελιές του.

«Σκέφτηκα ότι θα ήταν καλύτερα να μιλούσαμε πρόσωπο με πρόσωπο».

Ρουθούνισε. «Α, πολύ καλύτερα».

«Τζέικομπ, πρέπει να σε προειδοποιήσω –»

«Για τους δασοφύλακες και τους κυνηγούς; Μην ανησυχείς γι' αυτό. Το ξέρουμε ήδη».

«Να μην ανησυχώ;» είπα δύσπιστα. «Τζέικ, έχουν όπλα! Στήνουν παγίδες και προσφέρουν αμοιβές και –»

«Μπορούμε να φροντίσουμε τους εαυτούς μας», είπε άγρια, βηματίζοντας ακόμα. «Δεν πρόκειται να πιάσουν τίποτα. Απλώς το κάνουν πιο δύσκολο –θα αρχίσουν να εξαφανίζονται κι αυτοί σύντομα».

«Τζέικ!» είπα μέσα από τα δόντια μου.

«Τι; Είναι απλώς γεγονός».

Η φωνή μου ήταν ωχρή από την αηδία. «Πώς μπορείς... να νιώθεις έτσι; Τους ξέρεις αυτούς τους ανθρώπους. Ο Τσάρλι είναι εκεί έξω!» Η σκέψη έκανε το στομάχι μου να γυρίζει.

Σταμάτησε απότομα. «Τι μπορούμε να κάνουμε;» ανταπάντησε.

Ο ήλιος είχε δώσει στα σύννεφα μια ασημένια-ροζ απόχρωση από πάνω μας. Έβλεπα την έκφρασή του τώρα· ήταν θυμωμένη, απογοητευμένη, προδομένη.

«Δε θα μπορούσες... να, να προσπαθήσεις να *μην* είσαι... λυκάνθρωπος;» πρότεινα ψιθυριστά.

Σήκωσε τα χέρια του ψηλά στον αέρα με ορμή. «Λες κι έχω επιλογή!» φώναξε. «Και εσύ που ανησυχείς για τους ανθρώπους που χάνονται, σε τι θα βοηθούσε αυτό;»

«Δε σε καταλαβαίνω».

Με κοίταξε βλοσυρά, ενώ τα μάτια του ζάρωσαν, και το στόμα του συσπάστηκε για να βγάλει ένα γρυλισμό. «Ξέρεις τι είναι αυτό που με κάνει τόσο έξαλλο;»

Εγώ ζάρωσα και απομακρύνθηκα εξαιτίας της εχθρικής του έκφρασης. Έμοιαζε να περιμένει μια απάντηση, κι έτσι κούνησα το κεφάλι μου.

«Είσαι τόσο υποκρίτρια, Μπέλλα –κάθεσαι εκεί, *έντρομη* εξαιτίας μου. Πώς είναι δίκαιο αυτό;» Τα χέρια του έτρεμαν από το θυμό.

«*Υποκρίτρια*; Πώς το γεγονός ότι φοβάμαι ένα τέρας με κάνει υποκρίτρια;»

«Α!» μούγκρισε, πιέζοντας τις τρεμάμενες γροθιές του στους κροτάφους του και κλείνοντας σφιχτά τα μάτια του. «Ακούς τι λες;»

«Τι;»

Έκανε δυο βήματα προς το μέρος μου, γέρνοντας από πάνω μου και κοιτάζοντάς με βλοσυρά με αγανάκτηση. «Ε, λοιπόν, λυπάμαι που δεν μπορώ να είμαι το σωστό είδος τέρατος για σένα, Μπέλλα. Μάλλον δεν είμαι και τόσο καλός όσο μια αιμορουφήχτρα, έτσι;»

Πετάχτηκα όρθια και του ανταπόδωσα το βλοσυρό του βλέμμα. «Όχι, δεν είσαι!» φώναξα. «Δεν πρόκειται γι' αυτό που *είσαι*, χαζέ, αλλά γι' αυτό που *κάνεις*!»

«Τι υποτίθεται ότι σημαίνει αυτό;» Βρυχήθηκε, με ολόκληρο το σκελετό του να τρέμει από την οργή.

Μου ήρθε εντελώς ξαφνικό όταν η φωνή του Έντουαρντ με προειδοποίησε. «Πρόσεχε πολύ, Μπέλλα!» συνέστησε η βελούδινη φωνή του. «Μην τον εξωθείς στα άκρα. Πρέπει να τον ηρεμήσεις».

Ακόμα και η φωνή στο κεφάλι μου δεν έβγαζε κανένα νόημα σήμερα.

Παρ' όλα αυτά, τον άκουσα. Θα έκανα τα πάντα για εκείνη τη φωνή.

«Τζέικομπ», παρακάλεσα, κάνοντας τη φωνή μου πιο απαλή και στρωτή. «Είναι πραγματικά απαραίτητο να *σκοτώνεις* ανθρώπους, Τζέικομπ; Δεν υπάρχει κάποιος άλλος τρόπος; Θέλω να πω, αν οι βρικόλακες μπορούν να βρουν κάποιον τρόπο να επιζούν χωρίς να δολοφονούν ανθρώπους, δε θα μπορούσες και εσύ να προσπαθήσεις;»

Ίσιωσε το κορμί του με ένα τίναγμα, λες και τα λόγια μου είχαν στείλει ένα ηλεκτρικό ρεύμα να περάσει από μέσα του. Τα φρύδια του σηκώθηκαν ψηλά και τα μάτια του άνοιξαν διάπλατα.

«Να σκοτώνω ανθρώπους;» είπε με τόνο απαιτητικό.

«Για τι πράγμα νόμιζες ότι μιλούσαμε;»

Δεν έτρεμε πια. Με κοίταξε με μια μισοαισιόδοξη δυσπιστία. «Εγώ νόμιζα ότι μιλούσαμε για την αποστροφή που νιώθεις για τους λυκανθρώπους».

«Όχι, Τζέικ, όχι. Δεν είναι ότι είσαι... λυκάνθρωπος. Αυτό δε με πειράζει», του υποσχέθηκα και ήξερα καθώς ξεστόμισα τις λέξεις ότι τις εννοούσα. Δε με ένοιαζε πραγματικά αν μεταμορφωνόταν σε ένα μεγάλο λύκο –ήταν και πάλι ο Τζέικομπ.

«Αν μπορούσες να βρεις ένα τρόπο να μην κάνεις κακό στους ανθρώπους... αυτό είναι το μόνο που με ενοχλεί. Είναι αθώοι άνθρωποι, Τζέικ, άνθρωποι σαν τον Τσάρλι, και δεν μπορώ απλώς να μη δώσω σημασία ενώ εσύ-»

«Αυτό είναι όλο; Αλήθεια;» με διέκοψε, ενώ ένα χαμόγελο έσκασε στο πρόσωπό του. «Απλώς φοβάσαι επειδή είμαι δολοφόνος; Αυτός είναι ο μοναδικός λόγος;»

«Δεν είναι αρκετός αυτός ο λόγος;»

Άρχισε να γελάει.

«Τζέικομπ Μπλακ, αυτό δεν είναι καθόλου αστείο!»

«Σίγουρα, σίγουρα», συμφώνησε, ακόμα γελώντας.

Έκανε ένα μεγάλο βήμα και με έκλεισε σε μια σφιχτή σαν μέγκενη αγκαλιά.

«Στ' αλήθεια, ειλικρινά δε σε πειράζει που μεταμορφώνομαι σε έναν τεράστιο σκύλο;» ρώτησε με φωνή που ακούστηκε χαρούμενη δίπλα στο αυτί μου.

«Όχι», είπα ξέπνοα. «Δεν – μπορώ – να – ανασάνω – Τζέικ!»

Με άφησε ελεύθερη αλλά κράτησε και τα δυο μου χέρια. «Δεν είμαι δολοφόνος, Μπέλλα».

Περιεργάστηκα το πρόσωπό του και ήταν φανερό ότι αυτό ήταν αλήθεια. Ανακούφιση με κατέκλυσε.

«Αλήθεια;» ρώτησα.

«Αλήθεια», υποσχέθηκε σοβαρά.

Τον αγκάλιασα με ορμή. Μου θύμισε εκείνη την πρώτη μέρα με τα μηχανάκια –ήταν πιο μεγαλόσωμος, βέβαια, κι ένιωθα πιο πολύ ακόμα σαν παιδί τώρα.

Όπως κι εκείνη την άλλη φορά, μου χάιδεψε τα μαλλιά.

«Με συγχωρείς που σε είπα υποκρίτρια», απολογήθηκε.

«Με συγχωρείς που σε είπα δολοφόνο».

Γέλασε.

Σκέφτηκα κάτι τότε, και τραβήχτηκα μακριά του για να μπορώ να δω το πρόσωπό του. Συνοφρυώθηκα γεμάτη αγωνία. «Κι ο Σαμ; Και οι άλλοι;»

Κούνησε το κεφάλι του, χαμογελώντας λες κι ένα τεράστιο βάρος είχε φύγει από τους ώμους του. «Φυσικά και όχι. Δε θυμάσαι πώς αποκαλούμε τους εαυτούς μας;»

Η ανάμνηση ήταν ξεκάθαρη –το σκεφτόμουν ακριβώς εκείνη την ημέρα. «Προστάτες;»

«Ακριβώς».

«Μα δεν καταλαβαίνω. Τι συμβαίνει μέσα στο δάσος; Οι πεζοπόροι που αγνοούνται; Το αίμα;»

Το πρόσωπό του σοβάρεψε, ανήσυχο αμέσως. «Προσπαθούμε να κάνουμε τη δουλειά μας, Μπέλλα. Προσπαθούμε να τους προστατέψουμε, αλλά πάντα φτάνουμε λιγάκι αργότερα».

«Να τους προστατέψετε από τι; Υπάρχει πράγματι και αρκούδα εκεί πέρα;»

«Μπέλλα, γλυκιά μου, εμείς προστατεύουμε τους ανθρώπους από ένα πράγμα –το μοναδικό μας εχθρό. Αυτός είναι ο λόγος της ύπαρξής μας– επειδή υπάρχουν εκείνοι».

Τον κοίταξα με μια κενή έκφραση για ένα δευτερόλεπτο πριν αρχίσω να καταλαβαίνω. Μετά το αίμα στράγγισε από το πρόσωπό μου, και μια αδύναμη άναρθρη κραυγή τρόμου ξέφυγε από τα χείλη μου.

Κούνησε το κεφάλι του. «Νόμιζα ότι εσύ, απ' όλους τους ανθρώπους, θα καταλάβαινες τι συνέβαινε».

«Ο Λόρεντ», ψιθύρισα. «Είναι ακόμα εδώ».

Ο Τζέικομπ ανοιγόκλεισε δυο φορές τα μάτια του κι έγειρε το κεφάλι του προς τη μια μεριά. «Ποιος είναι ο Λόρεντ;»

Προσπάθησα να βάλω σε μια τάξη το χάος μέσα στο κεφάλι μου για να μπορέσω να απαντήσω. «Ξέρεις –τον είδες στο λιβάδι. Ήσουν εκεί...» Ξεστόμισα τις λέξεις με έναν τόνο απορίας, καθώς συνειδητοποιούσα τα πάντα. «Ήσουν εκεί, και τον εμπόδισες να με σκοτώσει...»

«Α, τη βδέλλα με τα μαύρα μαλλιά;» Χαμογέλασε μοχθηρά, ένα χαμόγελο σφιγμένο, άγριο. «Αυτό ήταν το όνομά του;»

Ένα ρίγος με διαπέρασε. «Τι είχες μέσα στο κεφάλι σου;» ψιθύρισα. «Μπορούσε να σε είχε σκοτώσει! Τζέικ, δε συνειδητοποιείς πόσο επικίνδυνος –»

Άλλο ένα γέλιο με διέκοψε. «Μπέλλα, ένας βρικόλακας μόνος του δεν είναι και μεγάλη υπόθεση για μια αγέλη τόσο μεγάλη όσο η δικιά μας. Ήταν τόσο εύκολο, δεν ήταν καν διασκεδαστικό!»

«Ποιο πράγμα ήταν τόσο εύκολο;»

«Το να σκοτώσουμε τη βδέλλα που θα σε σκότωνε. Εντάξει, αυτό δε μετράει για φόνος», πρόσθεσε γρήγορα. «Οι βρικόλακες δε μετράνε για άνθρωποι».

Μπόρεσα μόνο να ξεστομίσω τις λέξεις. «Εσύ... σκότωσες... τον Λόρεντ;»

Κούνησε το κεφάλι του. «Δηλαδή, ήταν συλλογική προσπάθεια», είπε πιο συγκεκριμένα.

«Ο Λόρεντ είναι νεκρός;» ψιθύρισα.

Η έκφρασή του άλλαξε. «Δεν έχεις θυμώσει γι' αυτό, έτσι; Θα σε σκότωνε –είχε σκοπό να σε σκοτώσει, Μπέλλα, ήμασταν σίγουροι γι' αυτό πριν του επιτεθούμε. Το ξέρεις, έτσι δεν είναι;»

«Το ξέρω. Όχι, δεν έχω θυμώσει –νιώθω...» έπρεπε να κάτσω κάτω. Έκανα ένα βήμα πίσω σκοντάφτοντας, μέχρι που ένιωσα τον ξεβρασμένο κορμό να ακουμπά στις γάμπες μου και μετά βούλιαξα πάνω του. «Ο Λόρεντ είναι νεκρός. Δε θα έρθει να με βρει».

«Δεν έχεις θυμώσει; Δεν ήταν από τους φίλους σου, έτσι;»

«Φίλος μου;» σήκωσα το βλέμμα μου για να τον κοιτάξω, μπερδεμένη και παραζαλισμένη από την ανακούφιση. Άρχισα να μουρμουρίζω ακατανόητα, ενώ τα μάτια μου γέμιζαν υγρασία. «Όχι, Τζέικ. Νιώθω τέτοια... *ανακούφιση*. Νόμιζα ότι θα με έβρισκε –τον περίμενα κάθε νύχτα, ελπίζοντας απλώς ότι θα σταματούσε σ' εμένα και θα άφηνε ήσυχο τον Τσάρλι. Φοβόμουν τόσο πολύ, Τζέικομπ... Μα πώς; Ήταν βρικόλακας! Πώς τον σκοτώσατε; Ήταν τόσο δυνατός, τόσο σκληρός, σαν μάρμαρο...»

Κάθισε κάτω δίπλα μου κι έβαλε το ένα του μεγάλο χέρι γύρω μου για να με παρηγορήσει. «Γι' αυτό είμαστε φτιαγμένοι, Μπέλλα. Είμαστε κι εμείς δυνατοί. Μακάρι να μου έλεγες ότι φοβόσουν τόσο πολύ. Δε χρειαζόταν να φοβάσαι».

«Δε σε έβρισκα πουθενά», μουρμούρισα, χαμένη στις σκέψεις μου.

«Α ναι, έχεις δίκιο».

«Για στάσου, Τζέικ –νόμιζα ότι ήξερες, όμως. Χθες το βράδυ είπες ότι δεν ήταν ασφαλές να είσαι στο δωμάτιό μου. Νόμιζα ότι ήξερες ότι μπορεί να ερχόταν κάποιος βρικόλακας. Σ' αυτό δεν αναφερόσουν;»

Φάνηκε μπερδεμένος για ένα λεπτό, και μετά έσκυψε το κεφάλι του. «Όχι, δεν εννοούσα αυτό».

«Τότε γιατί νόμιζες ότι δεν ήταν ασφαλές για σένα να βρίσκεσαι εκεί;»

Με κοίταξε με μάτια γεμάτα ενοχές. «Δεν είπα ότι δεν ήταν ασφαλές για *μένα*. Εσένα σκεφτόμουν».

«Τι θέλεις να πεις;»

Χαμήλωσε το βλέμμα και κλότσησε μια πέτρα. «Υπάρχει παραπάνω από ένας λόγος που δεν πρέπει να είμαι κοντά σου, Μπέλλα. Δεν έπρεπε να σου πω το μυστικό μας, κατά πρώτον, αλλά υπάρχει και το άλλο, ότι δεν είναι ασφαλές για *σένα*. Αν θυμώσω πάρα πολύ... αν αναστατωθώ υπερβολικά... μπορεί να σου κάνω κακό».

Το σκέφτηκα προσεχτικά. «Όταν θύμωσες πριν... όταν σου φώναζα... κι έτρεμες...;»

«Ναι». Το πρόσωπό του χαμήλωσε ακόμα περισσότερο. «Ήταν ανόητο εκ μέρους μου. Έπρεπε να συγκρατηθώ περισσότερο. Ορκίστηκα ότι δε θα θύμωνα, ό,τι κι αν μου έλεγες. Αλλά... ήμουν τόσο στενοχωρημένος επειδή θα σε έχανα.... Επειδή δε θα μπορούσες να δεχτείς αυτό που είμαι...»

«Τι θα συνέβαινε... αν θύμωνες πολύ;» ψιθύρισα.

«Θα μεταμορφωνόμουν σε λύκο», μου απάντησε κι αυτός ψιθυριστά.

«Δε χρειάζεται να έχει πανσέληνο;»

Τα μάτια του στριφογύρισαν ειρωνικά. «Η χολιγουντιανή εκδοχή δεν έχει και μεγάλη σχέση με την πραγματικότητα». Μετά αναστέναξε και σοβάρεψε ξανά. «Δεν είναι ανάγκη να είσαι τόσο αγχωμένη, Μπελς. Θα το φροντίσουμε το θέμα. Και προσέχουμε ιδιαίτερα τον Τσάρλι και τους υπόλοιπους –δε θα αφήσουμε να του συμβεί τίποτα. Έχε μου εμπιστοσύνη».

Κάτι πολύ, πολύ προφανές, κάτι που θα έπρεπε να είχα συνειδητοποιήσει αμέσως –αλλά μου είχε αποσπάσει την προσοχή τόσο πολύ η ιδέα του Τζέικομπ και των φίλων του αντιμέτωπων με τον Λόρεντ που μου είχε διαφύγει εντελώς εκείνη τη στιγμή –μου ήρθε στο νου μόνο τότε, όταν ο Τζέικομπ χρησιμοποίησε το μέλλοντα χρόνο ξανά.

Θα το φροντίσουμε το θέμα.

Δεν είχε τελειώσει.

«Ο Λόρεντ είναι νεκρός», είπα ξέπνοα και ολόκληρο το σώμα μου πάγωσε.

«Μπέλλα;» ρώτησε ο Τζέικομπ με αγωνία, αγγίζοντας το κάτωχρο μάγουλό μου.

«Αν ο Λόρεντ πέθανε... πριν μια βδομάδα... τότε κάποιος άλλος σκοτώνει ανθρώπους *τώρα*».

Ο Τζέικομπ κούνησε το κεφάλι του· έσφιξε τα δόντια του και μίλησε μέσα απ' αυτά. «Ήταν δύο. Νομίζαμε ότι το ταίρι του θα ήθελε να μας πολεμήσει –στους θρύλους μας, συνήθως τσαντίζονται πολύ αν σκοτώσεις το ταίρι τους– αλλά αυτή συνέχεια φεύγει μακριά και μετά ξανάρχεται. Αν μπορούσαμε να καταλάβουμε τι είναι αυτό που ψάχνει, θα ήταν πιο εύκολο να τη σκοτώσουμε. Αλλά δεν έχει νόημα αυτό που κάνει. Συνέχεια γυρίζει γύρω-γύρω σαν να δοκιμάζει τις άμυνές μας, ψάχνοντας κάποιο τρόπο για να μπει μέσα –αλλά πού *μέσα*; Πού θέλει να πάει; Ο Σαμ νομίζει ότι προσπαθεί να μας χωρίσει, για να έχει περισσότερες ελπίδες...»

Η φωνή του έσβησε μέχρι που ακουγόταν σαν να ερχόταν μέσα από μια μακριά σήραγγα· δεν μπορούσα πια να ξεχωρίσω τις λέξεις. Το μέτωπό μου είχε καλυφθεί από ιδρώτα και το στομάχι μου γύριζε σαν να είχα πάλι εκείνη την ίωση γαστρεντερίτιδας. Ακριβώς σαν να είχα την ίωση.

Γύρισα από την άλλη μεριά γρήγορα κι έσκυψα πάνω από τον κορμό του δέντρου. Το σώμα μου σφάδαζε με άχρηστες συσπάσεις, το άδειο μου στομάχι σφιγγόταν από τη ναυτία που μου προκάλεσε ο τρόμος, αν και δεν υπήρχε τίποτα για να ξεράσω.

Η Βικτόρια ήταν εδώ. Με έψαχνε. Σκότωνε αγνώστους μέσα στο δάσος. Το δάσος όπου ο Τσάρλι έψαχνε...

Το κεφάλι μου γύριζε προκαλώντας μου ναυτία.

Τα χέρια του Τζέικομπ έπιασαν τους ώμους μου –με εμπόδισαν από το να γλιστρήσω μπροστά πάνω στα βράχια. Ένιωθα τη ζεστή του ανάσα στο μάγουλό μου. «Μπέλλα! Τι έπαθες;»

«Η Βικτόρια», είπα ξέπνοα, μόλις μπόρεσα να ανασάνω ξανά ανάμεσα στους σπασμούς της ναυτίας.

Μέσα στο κεφάλι μου, ο Έντουαρντ γρύλισε έξαλλος στο άκουσμα του ονόματος.

Ένιωσα τον Τζέικομπ να με τραβάει για να με σηκώσει από κάτω. Με τύλιξε αδέξια μέσα στην αγκαλιά του, ακουμπώντας το παράλυτο κεφάλι μου στον ώμο του. Πάσχισε να με κάνει να ισορροπήσω, να με εμποδίσει από το να γείρω προς τη μια μεριά ή την άλλη και να πέσω. Έσπρωξε τα ιδρωμένα μου μαλλιά μακριά από το πρόσωπό μου.

«Ποιος;» ρώτησε ο Τζέικομπ. «Με ακούς, Μπέλλα; Μπέλλα;»

«Δεν ήταν το ταίρι του Λόρεντ», μούγκρισα στον ώμο του. «Ήταν απλώς παλιοί φίλοι...»

«Θέλεις νερό; Ένα γιατρό; Πες μου τι να κάνω», είπε με απαιτητικό τόνο, αλλόφρων.

«Δεν είμαι άρρωστη –φοβάμαι», εξήγησα ψιθυριστά. Η λέξη *φοβάμαι* δε φαινόταν να εκφράζει πραγματικά αυτό που ένιωθα.

Ο Τζέικομπ χτύπησε χαϊδευτικά την πλάτη μου. «Φοβάσαι αυτήν τη Βικτόρια;»

Έγνεψα καταφατικά, τρέμοντας.

«Η Βικτόρια είναι η κοκκινομάλλα θηλυκή;»

Αναρίγησα ξανά και ψιθύρισα: «Ναι».

«Πώς το ξέρεις ότι δεν ήταν το ταίρι του;»

«Ο Λόρεντ μου είπε ότι ο Τζέιμς ήταν το ταίρι της», εξήγησα, τεντώνοντας αυτόματα το χέρι με την ουλή.

Γύρισε το πρόσωπό μου κρατώντας το σταθερό μέσα στο μεγάλο του χέρι. Κοίταξε έντονα μέσα στα μάτια μου. «Σου είπε τίποτα άλλο, Μπέλλα; Είναι σημαντικό. Ξέρεις τι θέλει εκείνη;»

«Φυσικά», ψιθύρισα. «Θέλει *εμένα*».

Τα μάτια του άνοιξαν διάπλατα, και μετά ζάρωσαν κι έγιναν στενές σχισμές. «Γιατί;» απαίτησε να μάθει.

«Ο Έντουαρντ σκότωσε τον Τζέιμς», ψιθύρισα. Ο Τζέικομπ με κρατούσε τόσο σφιχτά που δεν υπήρχε ανάγκη να σφίξω το σημείο όπου υπήρχε η τρύπα –εκείνος με κράτησε ολόκληρη για να μη διαλυθώ. «Πράγματι... τσαντίστηκε. Αλλά ο Λόρεντ είπε ότι θεωρούσε πιο δίκαιο να σκοτώσει εμένα αντί για τον Έντουαρντ. Το ένα ταίρι ως αντάλλαγμα για το άλλο που χάθηκε. Δεν ήξερε –ακόμα δεν ξέρει, υποθέτω– ότι... ότι...» κατάπια με δυσκολία. «Ότι τα πράγματα δεν είναι έτσι για μας πια. Όχι για τον Έντουαρντ, τουλάχιστον».

Η προσοχή του Τζέικομπ αποσπάστηκε από αυτό το τελευταίο, και το πρόσωπό του διχάστηκε ανάμεσα σε διάφορες εκφράσεις. «Αυτό συνέβη; Γι' αυτό έφυγαν οι Κάλεν;»

«Δεν είμαι παρά ένας άνθρωπος, τελικά. Τίποτα ιδιαίτερο», εξήγησα, σηκώνοντας αδύναμα τους ώμους.

Κάτι σαν γρύλισμα –όχι αληθινό γρύλισμα, απλώς μια ανθρώπινη προσέγγιση– ακούστηκε μέσα στο στήθος του Τζέικομπ κάτω από το αυτί μου. «Αν αυτή η ηλίθια αιμορουφήχτρα είναι τόσο ηλίθια ώστε–»

«Σε παρακαλώ», είπα με ένα βογκητό. «Σε παρακαλώ. Μην το κάνεις αυτό».

Ο Τζέικομπ δίστασε, μετά κούνησε το κεφάλι του μια φορά.

«Αυτό είναι σημαντικό», είπε ξανά με πρόσωπο που δεν αστειευόταν καθόλου τώρα. «Αυτό ακριβώς χρειαζόμασταν να μάθουμε. Πρέπει να το πούμε στους άλλους αμέσως».

Σηκώθηκε όρθιος σηκώνοντάς με κι εμένα. Άφησε τα δυο του χέρια στη μέση μου μέχρι που βεβαιώθηκε ότι δε θα έπεφτα.

«Είμαι εντάξει», είπα ψέματα.

Σταμάτησε να με κρατάει από τη μέση και πήρε το ένα μου χέρι. «Πάμε».

Με τράβηξε πίσω στο φορτηγάκι.

«Πού πάμε;» ρώτησα.

«Δεν είμαι σίγουρος ακόμα», παραδέχτηκε. «Θα συγκαλέσω συμβούλιο. Ε, περίμενε εδώ ένα λεπτό, εντάξει;» Με ακούμπησε στο πλάι του φορτηγού και άφησε το χέρι μου.

«Πού πας;»

«Θα γυρίσω αμέσως», υποσχέθηκε. Μετά γύρισε κι έτρεξε μέσα από το πάρκινγκ, περνώντας στην άλλη μεριά του δρόμου, και μπήκε μέσα στο δάσος που συνόρευε με το δρόμο. Χάθηκε σαν αστραπή μέσα στα δέντρα , γοργός και με χάρη σαν ελάφι.

«Τζέικομπ!» του φώναξα βραχνά, αλλά είχε ήδη εξαφανιστεί.

Δεν ήταν καλή στιγμή για να είμαι μόνη μου. Δευτερόλεπτα αφού έχασα τον Τζέικομπ από τα μάτια μου, άρχισαν να ανεβαίνουν οι σφυγμοί μου. Σύρθηκα ως την καμπίνα του αυτοκινήτου και έκλεισα αμέσως τις ασφάλειες. Αυτό δε με έκανε να νιώσω καλύτερα.

Η Βικτόρια ήδη με κυνηγούσε. Από απλή τύχη δε με είχε βρει ακόμα –από απλή τύχη κι εξαιτίας πέντε εφήβων λυκανθρώπων. Εξέπνευσα απότομα. Ότι κι αν έλεγε ο Τζέικομπ, η ιδέα του να βρεθεί κοντά στη Βικτόρια με τρόμαζε. Δε με ένοιαζε σε τι μπορούσε να μεταμορφωθεί όταν ήταν θυμωμένος. Την έβλεπα στο κεφάλι μου, με πρόσωπο άγριο, τα μαλλιά της σαν φλόγες, θανάσιμη, άτρωτη...

Αλλά, σύμφωνα με τον Τζέικομπ, ο Λόρεντ είχε πεθάνει. Ήταν αυτό στ' αλήθεια δυνατόν; Ο Έντουαρντ –γραπώθηκα αυτόματα από το στήθος μου– μου είχε πει πόσο δύσκολο ήταν να σκοτώσεις ένα βρικόλακα. Μόνο ένας άλλος βρικόλακας θα μπορούσε να κάνει τη δουλειά. Κι όμως ο Τζέικ είπε ότι γι' αυτό το σκοπό υπήρχαν οι λυκάνθρωποι...

Είπε ότι πρόσεχαν ιδιαίτερα τον Τσάρλι –ότι έπρεπε να εμπιστευθώ τους λυκανθρώπους κι ότι θα μπορούσαν να εγγυηθούν την ασφάλεια του πατέρα μου. Πώς μπορούσα να είμαι σίγουρη; Κανείς από μας δεν ήταν ασφαλής! Κι ο Τζέικομπ λιγότερο απ' όλους, αν προσπαθούσε να μπει ανάμεσα στη Βικτόρια και τον Τσάρλι... ανάμεσα στη Βικτόρια κι εμένα.

Ένιωθα ότι μπορεί να έκανα εμετό πάλι.

Ένας έντονος κτύπος στο παράθυρο του φορτηγού με έκανε να βγάλω μια διαπεραστική κραυγή –αλλά ήταν μόνο ο Τζέικομπ που είχε κιόλας γυρίσει. Ξεκλείδωσα την πόρτα με τρεμάμενα δάχτυλα γεμάτα ευγνωμοσύνη.

«Φοβάσαι στ' αλήθεια, έτσι;» ρώτησε καθώς σκαρφάλωσε μέσα.

Έγνεψα καταφατικά.

«Να μη φοβάσαι. Θα σε φροντίσουμε εμείς –και τον Τσάρλι, επίσης. Στο υπόσχομαι».

«Η ιδέα του να βρεις εσύ τη Βικτόρια είναι πιο τρομακτική από την ιδέα του να βρει εκείνη εμένα», ψιθύρισα.

Γέλασε. «Πρέπει να έχεις λίγη περισσότερη εμπιστοσύνη σ' εμάς. Είναι προσβλητικό».

Κούνησα απλώς το κεφάλι μου. Είχα δει υπερβολικά πολλούς βρικόλακες εν δράση.

«Πού πήγες τώρα;» ρώτησα.

Σούφρωσε τα χείλη του και δεν είπε τίποτα.

«Τι; Είναι μυστικό;»

Συνοφρυώθηκε. «Όχι, δε θα το έλεγα. Αν και είναι λιγάκι παράξενο. Και δε θέλω να σε τρομάξω».

«Έχω κατά κάποιο τρόπο συνηθίσει σε παράξενα πράγματα ως τώρα, ξέρεις». Προσπάθησα να χαμογελάσω χωρίς ιδιαίτερη επιτυχία.

Ο Τζέικομπ μου ανταπόδωσε το χαμόγελο με άνεση. «Υποθέτω ότι θα πρέπει να έχεις συνηθίσει. Εντάξει. Κοίτα, όταν είμαστε λύκοι, μπορούμε... να ακούσουμε ο ένας τον άλλο».

Τα φρύδια μου τραβήχτηκαν κάτω, καθώς ένιωθα να βρίσκομαι σε σύγχυση.

«Όχι να ακούμε ήχους» συνέχισε «αλλά μπορούμε να ακούσουμε... *σκέψεις* –ο ένας του άλλου τουλάχιστον– όσο μακριά και αν είμαστε μεταξύ μας. Βοηθάει πολύ όταν κυνηγάμε, αλλά κατά τα άλλα είναι μεγάλο πρόβλημα. Σε φέρνει σε δύσκολη θέση –το να μην έχεις μυστικά. Τρομακτικό, ε;»

«Αυτό εννοούσες χθες το βράδυ όταν είπες ότι θα τους έλεγες ότι με είχες δει, αν και δεν το ήθελες;»

«Είσαι γρήγορη».

«Ευχαριστώ».

«Επίσης έχεις και πολύ καλή αντίδραση στα παράξενα πράγματα. Νόμιζα ότι αυτό θα σε ενοχλούσε».

«Δεν είναι... θέλω να πω, δεν είσαι το πρώτο άτομο που γνωρίζω που μπορεί και το κάνει αυτό. Άρα δε μου φαίνεται και πολύ παράξενο».

«Αλήθεια;... Για στάσου –μιλάς για τις αιμορουφήχτρες σου;»

«Θα προτιμούσα να μην τους αποκαλούσες έτσι».

Γέλασε. «Όπως θες. Τους Κάλεν, τότε;»

«Μόνο... μόνο για τον Έντουαρντ». Τύλιξα το ένα μου χέρι κρυφά γύρω από το κορμί μου.

Ο Τζέικομπ φάνηκε να εκπλήσσεται –με δυσάρεστο τρόπο. «Νόμιζα ότι αυτά ήταν απλώς παραμύθια. Έχω ακούσει θρύλους για βρικόλακες που μπορούσαν να κάνουν... επιπλέον πράγματα, αλλά νόμιζα ότι αυτό ήταν ένας μύθος».

«Έμεινε τίποτα που να είναι απλώς μύθος τώρα πια;» τον ρώτησα ειρωνικά.

Εκείνος κατσούφιασε. «Μάλλον όχι. Εντάξει, πάμε να συναντήσουμε τον Σαμ και τους υπόλοιπους στο μέρος που πάμε βόλτα με τα μηχανάκια».

Έβαλα μπρος και πήρα το δρόμο προς τα πάνω.

«Δηλαδή, μόλις τώρα έγινες λύκος για να μιλήσεις με τον Σαμ;» ρώτησα περίεργη.

Ο Τζέικομπ έγνεψε καταφατικά, δείχνοντας να νιώθει κάπως άβολα. «Το έκανα πολύ γρήγορα –προσπάθησα να μη σε σκέφτομαι για να μην καταλάβουν τι συνέβαινε. Φοβόμουν ότι ο Σαμ θα μου έλεγε ότι δε θα μπορούσα να σε φέρω μαζί».

«Αυτό δε θα με σταματούσε». Δεν μπορούσα να ξεφορτωθώ την αντίληψη που είχα για τον Σαμ στο ρόλο του κακού. Έσφιγγα τα δόντια κάθε φορά που άκουγα το όνομά του.

«Να σου πω, θα σταματούσε εμένα», είπε ο Τζέικομπ, σκυθρωπός τώρα. «Θυμάσαι που δεν μπορούσα να τελειώσω τις προτάσεις μου χθες το βράδυ; Που δεν μπορούσα να σου πω όλη την ιστορία;»

«Ναι. Έμοιαζες σαν να πνιγόσουν».

Γέλασε πνιχτά με ύφος σκοτεινό. «Κοντά έπεσες. Ο Σαμ μου είπε ότι δεν μπορούσα να σου την πω. Είναι… ο αρχηγός της αγέλης, ξέρεις. Είναι ο Άλφα. Όταν μας λέει να κάνουμε κάτι ή να μην κάνουμε κάτι –όταν το εννοεί πραγματικά, να, δεν μπορούμε απλά να τον αγνοήσουμε».

«Παράξενο», μουρμούρισα.

«Πολύ», συμφώνησε. «Είναι απ' αυτά των λύκων».

«Χα» ήταν η καλύτερη απάντηση που μπόρεσα να σκεφτώ.

«Ναι, υπάρχουν πολλά τέτοια πράγματα –των λύκων. Ακόμα μαθαίνω. Δεν μπορώ να φανταστώ πώς ήταν για τον Σαμ, όταν προσπαθούσε να τα αντιμετωπίσει όλα αυτά μόνος του. Είναι αρκετά άσχημο να πρέπει να τα περάσεις όλα αυτά μαζί με μια ολόκληρη αγέλη για υποστήριξη».

«Ο Σαμ ήταν μόνος του;»

«Ναι». Η φωνή του Τζέικομπ χαμήλωσε. «Όταν εγώ… μεταμορφώθηκα ήταν το πιο … *απαίσιο*, το πιο *τρομακτικό* πράγμα που μου έχει συμβεί ποτέ –χειρότερο απ' ό,τι μπορούσα ποτέ να φανταστώ. Αλλά εγώ δεν ήμουν μόνος– υπήρχαν φωνές εκεί, μέσα στο κεφάλι μου, που μου εξηγούσαν τι μου συνέβαινε και τι έπρεπε να κάνω. Αυτό με βοήθησε να μη χάσω το μυαλό μου, νομίζω. Αλλά ο Σαμ…» Κούνησε το κεφάλι του. «Ο Σαμ δεν είχε καθόλου βοήθεια».

Θα έπρεπε να αλλάξω κάποιες απόψεις. Όταν ο Τζέικομπ μου το εξήγησε έτσι, ήταν δύσκολο να μη νιώσω συμπόνια για τον Σαμ. Έπρεπε να θυμίζω συνέχεια στον εαυτό μου ότι δεν υπήρχε κανένας λόγος να τον μισώ πια.

«Θα θυμώσουν που είμαι κι εγώ μαζί σου;» ρώτησα.

Έκανε ένα μορφασμό. «Πιθανότατα».

«Ίσως δε θα έπρεπε –»

«Όχι, δεν πειράζει», με διαβεβαίωσε. «Ξέρεις ένα σωρό πράγματα που μπορούν να μας βοηθήσουν. Δεν είσαι κανένας άσχετος άνθρωπος. Είσαι... δεν ξέρω, ένας κατάσκοπος ή κάτι τέτοιο. Έχεις κάνει πίσω από τις γραμμές του εχθρού».

Συνοφρυώθηκα. Αυτό ήταν που ήθελε ο Τζέικομπ από μένα; Πληροφορίες εκ των έσω για να τους βοηθήσω να εξολοθρεύσουν τους εχθρούς τους; Παρ' όλα αυτά, εγώ δεν ήμουν κατάσκοπος. Δε μάζευα αυτού του είδους τις πληροφορίες. Ήδη, τα λόγια του με έκαναν να νιώθω σαν προδότης.

Αλλά ήθελα να σταματήσει τη Βικτόρια, σωστά;

Όχι.

Ήθελα *πράγματι* κάτι να σταματήσει τη Βικτόρια, κατά προτίμηση πριν με βασανίσει μέχρι θανάτου ή βρει τον Τσάρλι ή σκοτώσει κανέναν άλλο άγνωστο. Απλώς δεν ήθελα να είναι ο Τζέικομπ αυτός που θα τη σταματούσε ή μάλλον που θα προσπαθούσε. Δεν ήθελα ο Τζέικομπ να βρεθεί ούτε σε απόσταση εκατό χιλιομέτρων από κείνη.

«Όπως αυτό που είπες για τη βδέλλα που μπορεί και διαβάζει τις σκέψεις», συνέχισε, ανυποψίαστος για την ονειροπόλησή μου. «Αυτού του είδους τα πράγματα πρέπει να ξέρουμε. Δεν είναι καθόλου καλό που αυτά τα παραμύθια είναι αλήθεια. Τα πάντα είναι πιο περίπλοκα έτσι. Δε μου λες, πιστεύεις ότι η Βικτόρια έχει κάποια ιδιαίτερη ικανότητα;»

«Δε νομίζω», δίστασα και μετά αναστέναξα. «Θα μου το είχε αναφέρει».

«Ε; Α, εννοείς ο Έντουαρντ –ωπ, συγνώμη. Το ξέχασα. Δε σου αρέσει να λέμε το όνομά του. Ή να το ακούς».

Πίεσα το κέντρο του κορμού μου προσπαθώντας να αγνοήσω τους παλμούς στις άκρες του στήθους μου. «Όχι ιδιαίτερα».

«Συγνώμη».

«Πώς με ξέρεις τόσο καλά, Τζέικομπ; Μερικές φορές είναι σαν να μπορείς να διαβάζεις το *δικό μου* μυαλό».

«Όχι. Απλώς προσέχω».

Ήμασταν στο μικρό χωματόδρομο όπου ο Τζέικομπ με είχε

μάθει πρώτη φορά να καβαλάω τη μηχανή.

«Εδώ είναι καλά;»

«Ναι, ναι».

Έκανα στην άκρη και έσβησα τη μηχανή.

«Είσαι ακόμα πολύ λυπημένη, έτσι δεν είναι;» μουρμούρισε.

Κούνησα το κεφάλι μου, με το βλέμμα καρφωμένο μέσα στο σκοτεινό δάσος χωρίς να βλέπω τίποτα.

«Σκέφτηκες ποτέ... ότι μπορεί... να είναι καλύτερα έτσι για σένα;»

Εισέπνευσα αργά, και μετά άφησα τον αέρα να βγει έξω. «Όχι».

«Επειδή δεν ήταν ο καλύτερος –»

«Σε παρακαλώ, Τζέικομπ», διέκοψα, αρχίζοντας ψιθυριστά. «Μπορούμε σε παρακαλώ να μη μιλήσουμε γι' αυτό; Δεν το αντέχω».

«Εντάξει». Πήρε μια βαθιά ανάσα. «Συγνώμη που είπα οτιδήποτε».

«Μη νιώθεις άσχημα. Αν τα πράγματα ήταν διαφορετικά, θα ήταν ωραία να μπορώ να μιλήσω σε κάποιον γι' αυτό».

Εκείνος κούνησε το κεφάλι. «Ναι, μου ήταν πολύ δύσκολο να κρατήσω μυστικό από σένα για δυο βδομάδες. Θα πρέπει να είναι μαρτύριο το να μην μπορείς να μιλήσεις σε *κανέναν*».

«Μαρτύριο», συμφώνησα.

Ο Τζέικομπ ρούφηξε απότομα αέρα. «Είναι εδώ. Πάμε».

«Είσαι σίγουρος;» ρώτησα, ενώ εκείνος άνοιξε την πόρτα του. «Ίσως δε θα έπρεπε να είμαι εγώ εδώ».

«Θα το αντέξουν», είπε και μετά χαμογέλασε ειρωνικά. «Ποιος φοβάται τον κακό λύκο;»

«Χα, χα», είπα. Αλλά βγήκα από το φορτηγάκι και έκανα το γύρο βιαστικά από μπροστά για να σταθώ κοντά στον Τζέικομπ. Θυμόμουν πολύ καθαρά τα τεράστια θηρία στο λιβάδι. Τα χέρια μου έτρεμαν όπως πριν του Τζέικομπ, αλλά από φόβο παρά από θυμό.

Ο Τζέικ πήρε το χέρι μου και το πίεσε. «Να 'μαστε λοιπόν».

14. ΟΙΚΟΓΕΝΕΙΑ

Ζάρωσα πλάι στον Τζέικομπ, ενώ τα μάτια μου σάρωναν το δάσος για να δω τους άλλους λυκάνθρωπους. Όταν φάνηκαν, βγαίνοντας με μεγάλες δρασκελιές ανάμεσα από τα δέντρα, δεν ήταν αυτό που περίμενα. Είχε κολλήσει μέσα στο μυαλό μου η εικόνα των λύκων. Αυτά ήταν απλώς τέσσερα πολύ μεγαλόσωμα μισόγυμνα αγόρια.

Και πάλι, μου θύμιζαν αδέρφια, τετράδυμα. Ήταν κάτι στον τρόπο που κινήθηκαν σχεδόν συγχρονισμένοι για να σταθούν από την άλλη μεριά του δρόμου απέναντί μας, στον τρόπο που είχαν όλοι τους ίδιους επιμήκεις, στρογγυλούς μύες κάτω από το ίδιο καστανοκόκκινο δέρμα, τα ίδια κοντοκουρεμένα μαύρα μαλλιά, και στον τρόπο που η έκφρασή τους άλλαξε την ίδια ακριβώς στιγμή.

Στην αρχή ήταν γεμάτοι περιέργεια, αλλά και επιφυλακτικοί. Όταν με είδαν εκεί, μισοκρυμμένη δίπλα στον Τζέικομπ, όλοι τους εξοργίστηκαν το ίδιο δευτερόλεπτο.

Ο Σαμ ήταν ακόμα ο πιο μεγαλόσωμος, αν και ο Τζέικομπ δε θα αργούσε να τον φτάσει. Ο Σαμ εδώ που τα λέμε δεν θεωρείτο πλέον αγόρι. Το πρόσωπό του ήταν μεγαλύτερο –όχι με την έννοια ότι είχε ρυτίδες ή σημάδια που έδειχναν μεγαλύτερη ηλικία, αλλά με την έννοια της ωριμότητας, της υπομονής στην έκφρασή του.

«Τι έκανες, Τζέικομπ;» απαίτησε να μάθει.

Ένας από τους άλλους, ένας που δεν αναγνώρισα –ο Τζάρεντ ή ο Πολ– πετάχτηκε προσπερνώντας τον Σαμ και μίλησε πριν προλάβει ο Τζέικομπ να υπερασπιστεί τον εαυτό του.

«Γιατί δεν μπορείς απλώς να ακολουθήσεις τους κανόνες, Τζέικομπ;» φώναξε, σηκώνοντας τα χέρια του στον αέρα. «Τι στο διάολο σκεφτόσουν; Είναι πιο σημαντική από τα πάντα –από ολόκληρη τη φυλή; Από τους ανθρώπους που σκοτώνονται;»

«Μπορεί να βοηθήσει», είπε ο Τζέικομπ ήσυχα.

«Να βοηθήσει!» φώναξε το θυμωμένο αγόρι. Τα χέρια του άρχισαν να τρέμουν. «Α, ναι, αυτό είναι πολύ πιθανό! Είμαι σίγουρος ότι η φιλενάδα της βδέλλας πεθαίνει από την επιθυμία της να μας βοηθήσει!»

«Μη μιλάς γι' αυτήν έτσι!» φώναξε ο Τζέικομπ θιγμένος από την κριτική του αγοριού.

Ένα ρίγος διαπέρασε το άλλο αγόρι, κατά μήκος των ώμων του και στη σπονδυλική του στήλη.

«Πολ! Ηρέμησε!» πρόσταξε ο Σαμ.

Ο Πολ κούνησε το κεφάλι του μπρος-πίσω, όχι περιφρονητικά, αλλά σαν να προσπαθούσε να συγκεντρωθεί.

«Αμάν, Πολ», ένα από τα άλλα αγόρια –πιθανότατα ο Τζάρεντ– μουρμούρισε. «Συγκρατήσου».

Ο Πολ έστριψε το κεφάλι του προς τον Τζάρεντ, ενώ τα χείλη του κύρτωσαν προς τα πάνω από τον εκνευρισμό. Μετά έριξε το άγριο βλέμμα του στη δική μου κατεύθυνση. Ο Τζέικομπ έκανε ένα βήμα για να τοποθετήσει τον εαυτό του μπροστά μου.

Αυτό ήτανε.

«Ωραία, προστάτεψε *αυτή*!» βρυχήθηκε ο Πολ εξοργισμένος. Άλλο ένα ρίγος, μια σύσπαση, διαπέρασε όλο του το κορμί. Έριξε το κεφάλι του προς τα πίσω, καθώς ένα αληθινό γρύλισμα βγήκε μέσα από τα δόντια του.

«Πολ!» φώναξαν ταυτόχρονα ο Σαμ κι ο Τζέικομπ.

Ο Πολ φάνηκε να πέφτει προς τα μπρος δονούμενος βίαια. Στη μέση της πτώσης προς το έδαφος ακούστηκε ένας δυνατός θόρυβος σαν κάτι να σχιζόταν και το αγόρι εξερράγη.

Σκούρο ασημένιο τρίχωμα πετάχτηκε μέσα από το αγόρι, το οποίο μεταλλάχθηκε σε μια μορφή πέντε φορές μεγαλύτερη από το κανονικό του μέγεθος –μια ογκώδη μορφή που είχε συσπειρωθεί, έτοιμη να χιμήξει.

Η μουσούδα του λύκου ήταν ζαρωμένη προς τα πίσω πάνω από τα δόντια του, κι άλλο ένα γρύλισμα βγήκε μέσα από το κολοσσιαίο του στήθος. Τα σκοτεινά, εξοργισμένα του μάτια εστίασαν πάνω μου.

Το ίδιο δευτερόλεπτο, ο Τζέικομπ διέσχισε τρέχοντας το δρόμο κατευθείαν για το τέρας.

«Τζέικομπ!» ούρλιαξα.

Στη μέση της δρασκελιάς του, ένα μεγάλο ρίγος διαπέρασε τη σπονδυλική στήλη του Τζέικομπ. Πήδησε μπροστά, βουτώντας με το κεφάλι στο κενό.

Με έναν άλλο οξύ ήχο σαν κάτι να σχιζόταν, ο Τζέικομπ εξερράγη κι αυτός. Έσκασε μέσα από το δέρμα του –κουρέλια από μαύρο κι άσπρο ύφασμα εκσφενδονίστηκαν στον αέρα. Έγιναν όλα τόσο γρήγορα που αν είχα ανοιγοκλείσει τα μάτια μου, θα είχα χάσει όλη τη μεταμόρφωση. Το ένα δευτερόλεπτο ήταν ο Τζέικομπ αυτός που βουτούσε μέσα στο κενό, και την αμέσως επόμενη στιγμή ήταν ο γιγάντιος καστανοκόκκινος λύκος –τόσο τεράστιος που δεν μπορούσα να καταλάβω πώς ήταν δυνατόν ο όγκος του να χωρούσε με κάποιο τρόπο μέσα στον Τζέικομπ– που ορμούσε πάνω στο ασημένιο θηρίο που είχε μαζευτεί πίσω για να χιμήξει.

Ο Τζέικομπ συγκρούστηκε μετωπικά με τον άλλο λύκο. Τα θυμωμένα τους γρυλίσματα αντηχούσαν σαν κεραυνός στα δέντρα.

Τα ασπρόμαυρα κουρέλια –τα απομεινάρια των ρούχων του Τζέικομπ– θρόιζαν στο έδαφος εκεί όπου είχε εξαφανιστεί.

«Τζέικομπ!» ούρλιαξα ξανά παραπατώντας προς τα μπρος.

«Μείνε εκεί που είσαι, Μπέλλα!» πρόσταξε ο Σαμ. Ήταν δύσκολο να τον ακούσω μέσα στη φασαρία που έκαναν οι λύκοι που τσακώνονταν. Δάγκωναν και προσπαθούσαν να σχίσουν ο ένας τον άλλο, με τα σουβλερά δόντια του ενός να αστράφτουν κοντά στο λαιμό του άλλου. Ο λύκος-Τζέικομπ έμοιαζε να έχει το πάνω χέρι –ήταν αισθητά μεγαλύτερος από τον άλλο λύκο, και φαινόταν να είναι και πιο δυνατός. Εμβόλιζε με τον ώμο του τον γκρίζο λύκο ξανά και ξανά σπρώχνοντάς τον πίσω προς τα δέντρα.

«Πηγαίνετέ τη στο σπίτι της Έμιλι», φώναξε ο Σαμ προς τα άλλα αγόρια, που παρακολουθούσαν τη διαμάχη συνεπαρμένα. Ο Τζέικομπ είχε σπρώξει με επιτυχία τον γκρίζο λύκο έξω από το δρόμο, και χάνονταν μέσα στο δάσος, αν και ο ήχος των γρυλισμάτων τους ήταν ακόμα δυνατός. Ο Σαμ έτρεξε πίσω τους, κλοτσώντας τα παπούτσια του στο δρόμο. Καθώς όρμησε μέσα στα δέντρα, έτρεμε από το κεφάλι ως τα πόδια.

Ο ήχος από τα γρυλίσματα και από τα χτυπήματα των σαγονιών που έκλειναν έσβηνε πέρα μακριά. Ξαφνικά, ο ήχος σταμάτησε απότομα και επικράτησε ησυχία στο δρόμο.

Ένα από τα αγόρια άρχισε να γελάει.

Γύρισα να τον κοιτάξω –τα μάτια μου ήταν σαν παγωμένα, σαν να μην μπορούσα να τα ανοιγοκλείσω.

Το αγόρι έμοιαζε να γελάει με την έκφρασή μου. «Λοιπόν, αυτό είναι κάτι που δε βλέπεις κάθε μέρα», είπε γελώντας πνιχτά. Το πρόσωπό του μου ήταν αμυδρά γνωστό –πιο αδύνατο από των άλλων... ο Έμπρι Κολ.

«Εγώ βλέπω», γκρίνιαξε το άλλο αγόρι, ο Τζάρεντ. «Κάθε μέρα».

«Ω, ο Πολ δε χάνει την ψυχραιμία του κάθε μέρα», διαφώνησε ο Έμπρι χαμογελώντας ακόμα. «Ίσως κάθε δυο ή τρεις μέρες».

Ο Τζάρεντ σταμάτησε για να μαζέψει από κάτω κάτι άσπρο. Το σήκωσε προς τον Έμπρι· αιωρήθηκε από το χέρι του σε χαλαρές λωρίδες.

«Εντελώς σκισμένο», είπε ο Τζάρεντ. «Ο Μπίλι είπε ότι αυτό ήταν το τελευταίο ζευγάρι που μπορούσε να αγοράσει –μάλλον ο Τζέικομπ θα περπατάει ξυπόλυτος τώρα».

«Αυτό εδώ επέζησε», είπε ο Έμπρι, σηκώνοντας ψηλά ένα λευκό αθλητικό παπούτσι. «Ο Τζέικ μπορεί να κάνει κουτσό», πρόσθεσε γελώντας.

Ο Τζάρεντ άρχισε να μαζεύει διάφορα κομμάτια υφάσματος από το χώμα. «Μάζεψε τα παπούτσια του Σαμ, εντάξει; Όλα τα υπόλοιπα θα πάνε στα σκουπίδια».

Ο Έμπρι άρπαξε τα παπούτσια και μετά έτρεξε χαλαρά μέσα στα δέντρα όπου εξαφανίστηκε ο Σαμ. Γύρισε πίσω μέσα σε λίγα δευτερόλεπτα με ένα κομμένο τζιν κρεμασμένο πάνω στο μπράτσο του. Ο Τζάρεντ μάζεψε τα σκισμένα απομεινάρια των ρούχων του Τζέικομπ και του Πολ και τα έκανε όλα μια μπάλα. Ξαφνικά, φάνηκε να με θυμάται.

Με κοίταξε προσεχτικά, αξιολογώντας με.

«Έ, δεν πρόκειται να λιποθυμήσεις ή να κάνεις εμετό ή τίποτα τέτοιο;» απαίτησε να μάθει.

«Δε *νομίζω*», είπα ξέπνοα.

«Δε φαίνεσαι και πολύ καλά. Καλύτερα να κάτσεις κάτω».

«Εντάξει», ψέλλισα. Για δεύτερη φορά μέσα σε ένα πρωί, έβαλα το κεφάλι μου ανάμεσα στα γόνατά μου.

«Ο Τζέικ έπρεπε να μας είχε προειδοποιήσει», παραπονέθηκε ο Έμπρι.

«Δεν έπρεπε να φέρει την κοπέλα του εδώ. Τι περίμενε;»

«Τώρα ό,τι έγινε, έγινε», είπε αναστενάζοντας ο Έμπρι. «Μπράβο, Τζέικ!»

Σήκωσα το κεφάλι μου για να κοιτάξω άγρια τα δυο αγόρια που έμοιαζαν να το παίρνουν τόσο ελαφρά όλο αυτό. «Δεν ανησυχείτε καθόλου γι' αυτούς;» απαίτησα να μάθω.

Ο Έμπρι ανοιγόκλεισε τα μάτια του μια φορά έκπληκτος. «Ν' ανησυχούμε; Γιατί;»

«Μπορεί να τραυματίσουν ο ένας τον άλλο!»

Ο Έμπρι κι ο Τζάρεντ έσκασαν στα γέλια.

«Ελπίζω ο Πολ να του κόψει μια γερή δαγκωνιά», είπε ο Τζάρεντ. «Να του δώσει ένα μάθημα».

Εγώ χλώμιασα.

«Ναι, καλά!» διαφώνησε ο Έμπρι. «Τον είδες τον Τζέικ; Ούτε καν ο Σαμ δε θα μπορούσε να μεταμορφωθεί τόσο γρήγορα μόλις χρειαστεί. Είδε τον Πολ να χάνει την ψυχραιμία του και του πήρε, πόση ώρα, μισό δευτερόλεπτο για να επιτεθεί; Το παλικάρι έχει χάρισμα».

«Ο Πολ έχει περισσότερη εμπειρία στη μάχη. Βάζω στοίχημα δέκα δολάρια ότι θα του αφήσει σημάδι».

«Πάει. Ο Τζέικ το έχει έμφυτο. Ο Πολ δεν έχει καμία ελπίδα».

Έδωσαν τα χέρια, χαμογελώντας πλατιά.

Προσπάθησα να παρηγορήσω τον εαυτό μου με την έλλειψη ανησυχίας τους, αλλά δεν μπορούσα να διώξω από το κεφάλι μου την κτηνώδη εικόνα των δύο λυκανθρώπων που τσακώνονταν. Το στομάχι μου αναδεύτηκε βίαια, ερεθισμένο και άδειο, το κεφάλι μου πονούσε από την ανησυχία.

«Πάμε να δούμε την Έμιλι. Ξέρεις ότι θα έχει έτοιμο φαγητό». Ο Έμπρι χαμήλωσε το βλέμμα του για να με κοιτάξει. «Σε πειράζει να μας πας με το αυτοκίνητό σου;»

«Κανένα πρόβλημα», είπα σαν να πνιγόμουν.

Ο Τζάρεντ σήκωσε το ένα του φρύδι. «Ίσως είναι καλύτερα να οδηγήσεις εσύ, Έμπρι. Ακόμα φαίνεται σαν να θέλει να ξεράσει».

«Καλή ιδέα. Πού είναι τα κλειδιά σου;» με ρώτησε ο Έμπρι.

«Στη μίζα».

Ο Έμπρι άνοιξε την πόρτα του συνοδηγού. «Μπείτε μέσα», είπε κεφάτα, τραβώντας με για να σηκωθώ από το έδαφος με το ένα του χέρι και βάζοντάς με άτσαλα στη θέση μου. Έκανε μια εκτίμηση του διαθέσιμου χώρου. «Εσύ θα πρέπει να πας πίσω», είπε στον Τζάρεντ.

«Δεν πειράζει. Έχω ευαίσθητο στομάχι. Δε θέλω να είμαι μέσα όταν θα τα βγάλει».

«Βάζω στοίχημα ότι είναι πιο σκληρή. Αφού κάνει παρέα με βρικόλακες».

«Πέντε δολάρια;» ρώτησε ο Τζάρεντ.

«Έγινε. Νιώθω ένοχος που σου παίρνω έτσι τα χρήματα».

Ο Έμπρι μπήκε μέσα κι έβαλε μπρος τη μηχανή, ενώ ο Τζάρεντ πήδηξε με χάρη στην καρότσα. Μόλις η πόρτα του έκλεισε, ο Έμπρι μουρμούρισε προς εμένα: «Μην ξεράσεις, εντάξει; Έχω μόνο δέκα, κι αν ο Πολ δαγκώσει τον Τζέικομπ... »

«Εντάξει», ψιθύρισα.

Ο Έμπρι μας πήγε πίσω προς το χωριό.

«Για πες, πώς τα κατάφερε ο Τζέικ να παρακάμψει την απαγόρευση;»

«Την... ποια;»

«Εε, τη διαταγή. Ξέρεις, να μη σου αποκαλύψει το μυστικό. Πώς σου το είπε;»

«Α, αυτό εννοείς», είπα καθώς θυμήθηκα τον Τζέικ που προσπαθούσε να μου πει την αλήθεια χθες το βράδυ σαν να πνιγόταν. «Δε μου το είπε. Το μάντεψα εγώ».

Ο Έμπρι σούφρωσε τα χείλη του δείχνοντας έκπληκτος. «Χμμμ. Υποθέτω ότι αυτό θα μπορούσε να λειτουργήσει».

«Πού πάμε;» ρώτησα.

«Στο σπίτι της Έμιλι. Είναι η κοπέλα του Σαμ... όχι, η αρραβωνιαστικιά του τώρα, μάλλον. Θα έρθουν να μας βρουν εκεί αφού ο Σαμ τους τα χώσει γι' αυτό που μόλις έγινε. Κι αφού ο Πολ κι ο Τζέικ βρουν κανένα ρούχο, αν δηλαδή του έχουν απομείνει καθόλου του Πολ».

«Η Έμιλι το ξέρει αυτό...;»

«Ναι. Και να σου πω, μην καρφωθείς πάνω της. Του τη δίνει του Σαμ όταν το κάνουν αυτό».

Κατσούφιασα. «Γιατί να καρφωθώ;»

Ο Έμπρι φάνηκε να νιώθει άβολα. «Όπως είδες μόλις τώρα, το να κάνεις παρέα με λυκανθρώπους έχει και κάποιους κινδύνους». Άλλαξε το θέμα γρήγορα. «Έ, έχεις κανένα πρόβλημα σχετικά με εκείνη τη μελαχρινή αιμορουφήχτρα στο λιβάδι; Δε μου φάνηκε να είναι φίλος σου, αλλά...» είπε ο Έμπρι σηκώνοντας τους ώμους του.

«Όχι, δεν ήταν φίλος μου».

«Ωραία. Δε θέλαμε να ξεκινήσουμε τίποτα, να σπάσουμε τη συνθήκη, ξέρεις».

«Α, ναι, ο Τζέικ μου είχε πει κάποτε για τη συνθήκη, πριν πολύ καιρό. Πώς θα σπάζατε τη συνθήκη με το να σκοτώσετε τον Λόρεντ;»

«Τον Λόρεντ», επανέλαβε, ρουθουνίζοντας, σαν να το έβρισκε αστείο που ο βρικόλακας είχε όνομα. «Κοίτα, από τεχνική άποψη, ήμασταν στα χωράφια των Κάλεν. Δεν επιτρέπεται να επιτεθούμε σε κανέναν απ' αυτούς, τους Κάλεν, τουλάχιστον, έξω από τη γη μας –εκτός κι αν σπάσουν αυτοί πρώτοι τη συνθήκη. Δεν ξέραμε αν ο μελαχρινός ήταν συγγενής τους ή κάτι τέτοιο. Φάνηκες σαν να τον ήξερες».

«Μα πώς θα έσπαζαν αυτοί τη συνθήκη;»

«Δαγκώνοντας κάποιον άνθρωπο. Του Τζέικ δεν του άρεσε και πολύ η ιδέα να το αφήσουμε να φτάσει ως εκεί».

«Α. Εε, ευχαριστώ. Χαίρομαι που δεν περιμένατε».

«Ευχαρίστησή μας». Ακούστηκε σαν το εννοούσε αυτό κυριολεκτικά.

Ο Έμπρι πέρασε το πιο ανατολικό σπίτι πάνω στον αυτοκινητόδρομο πριν στρίψει σε έναν στενό χωματόδρομο. «Το φορτηγάκι σου είναι αργό», επισήμανε.

«Λυπάμαι».

Στο τέλος του δρόμου ήταν ένα μικρό σπιτάκι που κάποτε ήταν γκρίζο. Υπήρχε ένα μόνο στενό παράθυρο δίπλα από τη φθαρμένη μπλε πόρτα, αλλά η ζαρντινιέρα από κάτω του ήταν γεμάτη με έντονους πορτοκαλί και κίτρινους κατιφέδες, που έδιναν σε όλο το μέρος μια χαρούμενη όψη.

Ο Έμπρι άνοιξε την πόρτα του φορτηγού και εισέπνευσε. «Μμμμ, η Έμιλι μαγειρεύει».

Ο Τζάρεντ πήδηξε έξω από το πίσω μέρος του φορτηγού και κατευθύνθηκε προς την πόρτα, αλλά ο Έμπρι τον σταμάτησε με το ένα χέρι στο στήθος του. Με κοίταξε με νόημα και καθάρισε το λαιμό του.

«Δεν έχω το πορτοφόλι μου μαζί», είπε ο Τζάρεντ.

«Δεν πειράζει. Δε θα το ξεχάσω».

Ανέβηκαν το ένα σκαλοπάτι και μπήκαν στο σπίτι χωρίς να χτυπήσουν. Τους ακολούθησα συνεσταλμένα.

Το σαλόνι, όπως και στο σπίτι του Μπίλι, ήταν κατά βάση η κουζίνα. Μια νεαρή γυναίκα με λείο χάλκινο δέρμα και μακριά, ίσια, κατάμαυρα μαλλιά στεκόταν στον πάγκο δίπλα στο νεροχύτη. Έβγαζε κάτι μεγάλα μάφιν από μια φόρμα και τα τοποθετούσε σε ένα χάρτινο πιάτο. Για ένα δευτερόλεπτο νόμισα ότι ο λόγος που ο Έμπρι μου είχε πει να μην καρφωθώ πάνω της ήταν επειδή το κορίτσι ήταν τόσο όμορφο.

Και μετά ρώτησε: «Πεινάτε, αγόρια;» με μια μελωδική φωνή, και γύρισε το πρόσωπό της προς εμάς, με ένα χαμόγελο στο μισό της πρόσωπο.

Η δεξιά μεριά του προσώπου της ήταν σημαδεμένη από εκεί που ξεκινούσαν τα μαλλιά ως κάτω στο πιγούνι της από τρεις χοντρές, κόκκινες ουλές, μπλάβες, αν και είχαν κλείσει εδώ και πολύ καιρό. Η μια ουλή είχε τραβήξει προς τα κάτω την άκρη του σκούρου αμυγδαλωτού δεξιού ματιού της, άλλη μια παραμόρφωνε τη δεξιά πλευρά του στόματός της ώστε να κάνει ένα μόνιμο μορφασμό.

Ευτυχώς χάρη στην προειδοποίηση του Έμπρι έστρεψα γρήγορα τα μάτια μου προς τα μάφιν στα χέρια της. Μύριζαν υπέροχα –σαν φρέσκα μούρα.

«Α», είπε η Έμιλι έκπληκτη. «Ποιον έχουμε εδώ;»

Σήκωσα το βλέμμα μου προσπαθώντας να εστιάσω στην αριστερή μεριά του προσώπου της.

«Την Μπέλλα Σουάν», της είπε ο Τζάρεντ σηκώνοντας τους ώμους του. Προφανώς, ήμουν θέμα συζήτησης γι' αυτούς στο παρελθόν. «Ποια άλλη;»

«Άσε τον Τζέικομπ να βρει τρόπο να τα ξεμπλέξει», μουρμούρισε η Έμιλι. Με κοίταξε επίμονα και κανένα από τα δυο μισά του κάποτε όμορφου προσώπου της δεν ήταν φιλικό. «Λοιπόν, εσύ είσαι το κορίτσι των βρικολάκων».

Τσιτώθηκα. «Ναι. Εσύ είσαι το κορίτσι των λυκανθρώπων;»

Γέλασε, όπως κι ο Έμπρι με τον Τζάρεντ. Το αριστερό μισό του προσώπου της ζέστανε. «Υποθέτω πως ναι». Γύρισε προς τον Τζάρεντ. «Πού είναι ο Σαμ;»

«Η Μπέλλα, εε, αιφνιδίασε τον Πολ σήμερα το πρωί».

Η Έμιλι στριφογύρισε ειρωνικά το καλό της μάτι. «Αχ, αυτός ο Πολ», είπε αναστενάζοντας. «Λες να αργήσουν; Μόλις ετοιμαζόμουν να αρχίσω να φτιάχνω τα αυγά».

«Μην ανησυχείς», της είπε ο Έμπρι. «Αν αργήσουν, δε θα αφήσουμε τίποτα να πάει χαμένο».

Η Έμιλι γέλασε πνιχτά και μετά άνοιξε το ψυγείο. «Δεν υπάρχει αμφιβολία», συμφώνησε. «Μπέλλα, πεινάς; Έλα, πάρε ένα μάφιν».

«Ευχαριστώ». Πήρα ένα από το πιάτο και άρχισα να τσιμπολογώ τις άκρες του. Ήταν πεντανόστιμο και το ευαίσθητο στομάχι μου ένιωθε πολύ καλά, καθώς το κατέβαζα. Ο Έμπρι πήρε το τρίτο του μάφιν και το έσπρωξε ολόκληρο μέσα στο στόμα του.

«Κράτα και κανένα για τα αδέρφια σου», τον επέπληξε η Έμιλι, χτυπώντας τον στο κεφάλι με μια ξύλινη κουτάλα. Η λέξη με ξάφνιασε, αλλά οι άλλοι δεν έδωσαν ιδιαίτερη σημασία.

«Γουρούνι», σχολίασε ο Τζάρεντ.

Ακούμπησα πάνω στον πάγκο και παρακολούθησα τους τρεις τους να πειράζουν ο ένας τον άλλον σαν οικογένεια. Η κουζίνα της Έμιλι ήταν ένα φιλικό μέρος, φωτεινό με άσπρα ντουλάπια και ανοιχτόχρωμες ξύλινες σανίδες στο πάτωμα. Πάνω στο μικρό στρογγυλό τραπέζι μια ραγισμένη μπλε και άσπρη πορσελάνινη κανάτα ξεχείλιζε από αγριολούλουδα. Ο Έμπρι κι ο Τζάρεντ έμοιαζαν να νιώθουν εντελώς άνετα εδώ.

Η Έμιλι ανακάτευε μια τεράστια παρτίδα αυγών, αρκετές ντουζίνες, μέσα σε ένα μεγάλο κίτρινο μπολ. Είχε σηκώσει τα μανίκια της λιλά μπλούζας της, και μπόρεσα να δω ότι οι ουλές απλώνονταν σε όλο της το μπράτσο ως την ανάστροφη του δεξιού χεριού της. Το να κάνεις παρέα με λυκάνθρωπους πράγματι είχε κινδύνους, ακριβώς όπως είχε πει ο Έμπρι.

Η πόρτα άνοιξε και μπήκε μέσα ο Σαμ.

«Έμιλι», είπε, και η φωνή του ήταν ποτισμένη με τόση πολλή αγάπη που ένιωσα αμήχανα, σαν εισβολέας, καθώς τον παρακολουθούσα να διασχίζει το δωμάτιο με μια μεγάλη δρασκελιά και να παίρνει το πρόσωπό της στα πλατιά του χέρια. Έσκυψε κάτω και φίλησε τις σκούρες ουλές στο δεξί της μάγουλο πριν φιλήσει τα χείλη της.

«Ε, μην κάνετε τέτοια», διαμαρτυρήθηκε ο Τζάρεντ. «Τρώω».

«Τότε σκάσε και τρώγε», πρότεινε ο Σαμ φιλώντας ξανά το κατεστραμμένο στόμα της Έμιλι.

«Μπλιάχ!» μούγκρισε ο Έμπρι.

Αυτό ήταν χειρότερο από οποιαδήποτε ρομαντική ταινία·

αυτό ήταν τόσο αληθινό που αντηχούσε δυνατά από χαρά και ζωντάνια και πραγματική αγάπη. Ακούμπησα κάτω το μάφιν μου και σταύρωσα τα χέρια μου στο άδειο μου στήθος. Κάρφωσα το βλέμμα στα λουλούδια, προσπαθώντας να αγνοήσω την απόλυτη γαλήνη της στιγμής τους, και τον άθλιο παλμό των δικών μου πληγών.

Ένιωσα ευγνωμοσύνη όταν η είσοδος του Τζέικομπ και του Πολ μου απέσπασαν την προσοχή, και έμεινα έκπληκτη όταν είδα ότι γελούσαν. Ενώ εγώ κοιτούσα, ο Πολ έδωσε μια γροθιά στον Τζέικομπ στον ώμο, κι ο Τζέικομπ για αντίποινα τον κέντρισε στο νεφρό. Γέλασαν ξανά. Και οι δυο τους φαίνονταν να είναι σώοι και αβλαβείς.

Ο Τζέικομπ σάρωσε το δωμάτιο, και τα μάτια του σταμάτησαν, όταν με βρήκε ακουμπισμένη στον πάγκο στην άλλη άκρη της κουζίνας, αμήχανη και έξω από τα νερά μου.

«Γεια σου, Μπελς», με χαιρέτησε κεφάτα. Άρπαξε δύο μάφιν καθώς πέρασε από το τραπέζι και ήρθε να σταθεί δίπλα μου. «Συγνώμη για πριν», μουρμούρισε μέσα από τα δόντια του. «Πώς τα πας;»

«Μην ανησυχείς, εγώ καλά είμαι. Ωραία μάφιν». Πήρα πάλι το δικό μου κι άρχισα να τσιμπάω ξανά. Το στήθος μου ένιωθε καλύτερα αμέσως μόλις ο Τζέικομπ βρέθηκε πλάι μου.

«Α, να πάρει!» κλαψούρισε ο Τζάρεντ, διακόπτοντάς μας.

Σήκωσα τα μάτια μου, κι εκείνος μαζί με τον Έμπρι εξέταζαν μια ροζ γραμμή που έσβηνε σιγά-σιγά στον πήχυ του Πολ. Ο Έμπρι χαμογελούσε πλατιά, περιχαρής.

«Δεκαπέντε δολάρια», θριαμβολόγησε.

«Εσύ το έκανες αυτό;» ψιθύρισα στον Τζέικομπ, καθώς θυμήθηκα το στοίχημα.

«Ίσα-ίσα που τον άγγιξα. Θα είναι μια χαρά μέχρι να πέσει ο ήλιος».

«Μέχρι να πέσει ο ήλιος;» Κοίταξα την ουλή στο χέρι του Πολ. Παράξενο, έμοιαζε σαν να ήταν εβδομάδων.

«Είναι απ' αυτά τα λυκανθρωπικά», ψιθύρισε ο Τζέικομπ.

Κούνησα το κεφάλι μου, προσπαθώντας να μη δείχνω πόσο παραξενεύτηκα.

«*Εσύ* καλά;» τον ρώτησα μέσα από τα δόντια μου.

«Ούτε γρατζουνιά δεν έχω». Η έκφρασή του ήταν αυτάρεσκη.

«Ε, παιδιά», είπε ο Σαμ δυνατά, διακόπτοντας όλες τις κουβέντες στο μικρό δωμάτιο. Η Έμιλι ήταν στην κουζίνα, ξύνοντας το μείγμα των αυγών από ένα μεγάλο τηγάνι, αλλά ο Σαμ είχε ακόμα το ένα του χέρι στη μέση της, ασυναίσθητα. «Ο Τζέικομπ έχει πληροφορίες για μας».

Ο Πολ δεν έδειχνε καθόλου έκπληκτος. Ο Τζέικομπ πρέπει να τα εξήγησε όλα ήδη και σ' εκείνον και στον Σαμ. Ή... απλώς είχαν ακούσει τις σκέψεις του.

«Ξέρω τι θέλει η κοκκινομάλλα». Ο Τζέικομπ απευθυνόταν στον Τζάρεντ και τον Έμπρι. «Αυτό προσπαθούσα να σας πω πριν». Κλότσησε το πόδι της καρέκλας, όπου είχε βολευτεί ο Πολ.

«Και;» ρώτησε ο Τζάρεντ.

Το πρόσωπο του Τζέικομπ σοβάρεψε. «Προσπαθεί *πράγματι* να εκδικηθεί για το ταίρι της –μόνο που δεν ήταν η μελαχρινή βδέλλα που σκοτώσαμε *εμείς*. Οι Κάλεν σκότωσαν το ταίρι της πέρυσι και τώρα αυτή κυνηγάει την Μπέλλα».

Αυτά δεν ήταν καινούρια νέα για μένα, αλλά και πάλι με διαπέρασε ένα ρίγος.

Ο Τζάρεντ, ο Έμπρι και η Έμιλι με κοίταξαν με ανοιχτό το στόμα γεμάτοι έκπληξη.

«Μα είναι απλώς ένα κορίτσι», διαμαρτυρήθηκε ο Έμπρι.

«Δεν είπα ότι είναι λογικό. Αλλά γι' αυτό η βδέλλα προσπαθεί να περάσει από μας. Κατευθύνεται προς το Φορκς».

Συνέχισαν να με κοιτάνε με τα στόματά τους ακόμα ανοιχτά για αρκετή ώρα. Εγώ έσκυψα το κεφάλι.

«Έξοχα», είπε τελικά ο Τζάρεντ, καθώς ένα χαμόγελο είχε

αρχίσει να σκάει στις άκρες των χειλιών του. «Έχουμε δόλωμα».

Με εκπληκτική ταχύτητα, ο Τζέικομπ τράβηξε απότομα ένα ανοιχτήρι από τον πάγκο και το εκσφενδόνισε στο κεφάλι του Τζάρεντ. Το χέρι του Τζάρεντ τινάχτηκε ψηλά πιο γρήγορα απ' ό,τι θα πίστευα ότι ήταν δυνατό κι άρπαξε το εργαλείο πριν χτυπήσει το πρόσωπό του.

«Η Μπέλλα δεν είναι δόλωμα».

«Ξέρεις τι θέλω να πω», είπε ο Τζάρεντ απτόητος.

«Θα αλλάξουμε, λοιπόν, τα σχέδιά μας», είπε ο Σαμ, αγνοώντας το μικροκαβγά τους. «Θα προσπαθήσουμε να αφήσουμε μερικά ανοίγματα και να δούμε αν θα πέσει στην παγίδα. Θα χρειαστεί να χωριστούμε και δε μου αρέσει αυτό. Αλλά αν πράγματι την Μπέλλα κυνηγάει, πιθανότατα δε θα προσπαθήσει να εκμεταλλευτεί το γεγονός ότι είμαστε χωρισμένοι».

«Ο Κουίλ πρέπει όπου να 'ναι να γίνει κι αυτός δικός μας», μουρμούρισε ο Έμπρι. «Τότε θα μπορέσουμε να χωριστούμε μισοί-μισοί».

Όλοι χαμήλωσαν το βλέμμα. Κοίταξα γρήγορα το πρόσωπο του Τζέικομπ και ήταν απεγνωσμένο, όπως ήταν χθες το απόγευμα, έξω από το σπίτι του. Όσο άνετα κι αν φαίνονταν να ένιωθαν με τη μοίρα τους, εδώ σ' αυτήν τη χαρούμενη κουζίνα, κανένας από αυτούς τους λυκανθρώπους δεν ήθελε την ίδια μοίρα για το φίλο τους.

«Εντάξει, δε θα βασιστούμε σ' αυτό», είπε ο Σαμ χαμηλόφωνα, και μετά συνέχισε με την κανονική ένταση της φωνής του. «Ο Πολ, ο Τζάρεντ κι ο Έμπρι θα πάρετε την εξωτερική περίμετρο, κι ο Τζέικομπ κι εγώ θα πάρουμε την εσωτερική. Θα επιτεθούμε όταν την έχουμε παγιδεύσει».

Πρόσεξα ότι της Έμιλι δεν της άρεσε ιδιαίτερα το γεγονός ότι ο Σαμ θα ήταν στη μικρότερη ομάδα. Η δική της ανησυχία με έκανε να σηκώσω τα μάτια μου για να κοιτάξω τον Τζέικομπ ανήσυχη κι εγώ.

Ο Σαμ μου τράβηξε την προσοχή. «Ο Τζέικομπ πιστεύει ότι θα ήταν καλύτερα αν περνούσες όσο το δυνατόν περισσότερο χρόνο εδώ στο Λα Πους. Δε θα ξέρει πού να σε βρει τόσο εύκολα. Για καλό και για κακό».

«Κι ο Τσάρλι;» απαίτησα να μάθω.

«Το πρωτάθλημα του μπάσκετ δεν έχει τελειώσει ακόμα», είπε ο Τζέικομπ. «Νομίζω ότι ο Μπίλι κι ο Χάρι θα τα καταφέρουν να έχουν τον Τσάρλι συνέχεια εδώ, όταν δεν είναι στη δουλειά».

«Περίμενε», είπε ο Σαμ, σηκώνοντας το ένα του χέρι. Το βλέμμα του τρεμόπαιξε πρώτα προς την Έμιλι και μετά ξανά προς εμένα. «Αυτό πιστεύει ο Τζέικομπ ότι θα ήταν το καλύτερο, αλλά πρέπει να αποφασίσεις μόνη σου. Πρέπει να ζυγίσεις τους κινδύνους που κρύβουν κι οι δυο εναλλακτικές πολύ σοβαρά. Είδες σήμερα το πρωί πόσο εύκολα τα πράγματα μπορούν να γίνουν επικίνδυνα εδώ, πόσο γρήγορα ξεφεύγουν από τον έλεγχο. Αν διαλέξεις να μείνεις μαζί μας, δεν μπορώ να σου εγγυηθώ για την ασφάλειά σου».

«Δε θα της κάνω κακό», ψέλλισε ο Τζέικομπ, κοιτάζοντας κάτω.

Ο Σαμ έκανε σαν να μην τον είχε ακούσει να μιλάει. «Αν υπάρχει κάποιο άλλο μέρος όπου θα ένιωθες πιο ασφαλής...»

Δάγκωσα τα χείλη μου. Πού θα μπορούσα να πάω όπου δε θα έβαζα κάποιον άλλο σε κίνδυνο; Η ιδέα του να μπλέξω και τη Ρενέ σε όλη αυτή την ιστορία με απωθούσε –να τη βάλω ξανά μέσο στον κύκλο του στόχου που είχα πάνω μου... «Δε θέλω να οδηγήσω τη Βικτόρια πουθενά αλλού», ψιθύρισα.

Ο Σαμ κούνησε το κεφάλι του. «Αυτό είναι αλήθεια. Είναι καλύτερα να την έχουμε εδώ γύρω, όπου μπορούμε να δώσουμε ένα τέλος σε όλο αυτό».

Ζάρωσα από το φόβο. Δεν ήθελα ούτε ο Τζέικομπ ούτε κανένας άλλος τους να προσπαθήσουν να *τελειώσουν* τη Βικτόρια. Κοίταξα γρήγορα το πρόσωπο του Τζέικομπ· ήταν χαλαρό, σχεδόν το ίδιο όπως το θυμόμουν πριν ξεκινήσει αυτή η ιστορία με τους λύκους, και εντελώς απροβλημάτιστο από την ιδέα τού να κυνηγήσει βρικόλακες.

«Θα προσέχεις, έτσι;» ρώτησα με έναν κόμπο στο λαιμό μου που ακουγόταν ξεκάθαρα.

Τα αγόρια έσκασαν σε δυνατά χάχανα που έδειχναν ότι το έβρισκαν πολύ αστείο αυτό. Όλοι γελούσαν μαζί μου –εκτός από την Έμιλι. Το βλέμμα της διασταυρώθηκε με το δικό μου, και ξαφνικά είδα τη συμμετρία που κρυβόταν κάτω από την παραμόρφωσή της. Το πρόσωπό της ήταν ακόμα όμορφο και ζωντανό, γεμάτο από μια ανησυχία ακόμα πιο δυνατή από τη δικιά μου. Αναγκάστηκα να γυρίσω από την άλλη, πριν η αγάπη πίσω από αυτή την ανησυχία προλάβει να αρχίσει να με πονάει ξανά.

«Το φαγητό είναι έτοιμο», ανακοίνωσε τότε, και η στρατηγική συζήτηση έγινε παρελθόν. Τα αγόρια βιάστηκαν να καθίσουν γύρω από το τραπέζι –που έδειχνε μικροσκοπικό και σαν να κινδύνευε να το συντρίψουν– και καταβρόχθισαν σε χρόνο ρεκόρ το τηγάνι με τα αυγά σε μέγεθος ολόκληρου μπουφέ, που η Έμιλι έβαλε στη μέση. Η Έμιλι έφαγε ακουμπισμένη στον πάγκο όπως κι εγώ – αποφεύγοντας το χαμό που γινόταν στο τραπέζι– ενώ τους παρατηρούσε με στοργικά μάτια. Η έκφρασή της έδειχνε καθαρά ότι αυτή ήταν η οικογένειά της.

Σε γενικές γραμμές, δεν ήταν αυτό που περίμενα από μια αγέλη λυκανθρώπων.

Πέρασα τη μέρα στο Λα Πους, το μεγαλύτερο μέρος της στο σπίτι του Μπίλι. Άφησε ένα μήνυμα στο τηλέφωνο του Τσάρλι και στο τμήμα, κι ο Τσάρλι ήρθε γύρω στην ώρα του βραδινού με δύο πίτσες. Ευτυχώς που έφερε δύο μεγάλες· ο Τζέικομπ έφαγε τη μία μόνος του.

Είδα τον Τσάρλι να κοιτάζει τους δυο μας καχύποπτα όλη

τη νύχτα, ειδικά τον εξαιρετικά αλλαγμένο Τζέικομπ. Ρώτησε για τα μαλλιά· ο Τζέικομπ σήκωσε τους ώμους του και του είπε ότι απλώς ήταν πιο βολικά.

Ήξερα ότι μόλις ο Τσάρλι κι εγώ φεύγαμε για το σπίτι, ο Τζέικομπ θα έφευγε –για να περιπλανηθεί εδώ και εκεί με τη μορφή λύκου, όπως είχε κάνει σε διάφορες φάσεις της ημέρας. Αυτός και τα "αδέρφια" του περιπολούσαν αδιάλειπτα, ψάχνοντας για κάποιο σημάδι της επιστροφής της Βικτόρια. Αλλά από τότε που την είχαν διώξει από τις θερμές πηγές το προηγούμενο βράδυ –την είχαν κυνηγήσει ως τη μέση της απόστασης για τον Καναδά, σύμφωνα με τον Τζέικομπ– δεν είχε προσπαθήσει ακόμα να κάνει άλλη αιφνίδια έφοδο.

Δεν είχα καμιά απολύτως ελπίδα ότι μπορεί να τα παρατούσε. Δεν είχα τέτοια τύχη.

Ο Τζέικομπ με πήγε ως το φορτηγάκι μου μετά το βραδινό και έμεινε δίπλα στο παράθυρο περιμένοντας τον Τσάρλι να φύγει πρώτος με το αυτοκίνητό του.

«Μη φοβάσαι απόψε», είπε ο Τζέικομπ, ενώ ο Τσάρλι έκανε πως δυσκολευόταν να βάλει τη ζώνη του. «Θα είμαστε εκεί έξω και θα παρακολουθούμε».

«Δεν ανησυχώ για τον εαυτό μου», υποσχέθηκα.

«Είσαι ανόητη. Το κυνήγι των βρικολάκων έχει πλάκα. Είναι το καλύτερο κομμάτι από όλο αυτό το χάλι».

Κούνησα το κεφάλι μου. «Αν εγώ είμαι ανόητη, τότε εσύ είσαι επικίνδυνα ανισόρροπος».

Γέλασε πνιχτά. «Πήγαινε να ξεκουραστείς λιγάκι, Μπέλλα, γλυκιά μου. Φαίνεσαι εξαντλημένη».

«Θα προσπαθήσω».

Ο Τσάρλι πάτησε την κόρνα του ανυπόμονα.

«Θα σε δω αύριο», είπε ο Τζέικομπ. «Κατέβα εδώ πέρα πρωί-πρωί».

«Θα κατέβω».

Ο Τσάρλι με ακολούθησε στο σπίτι. Έδινα ελάχιστη σημασία στα φώτα του στον καθρέφτη μου. Αντί γι' αυτό, αναρωτιόμουν αν ο Σαμ κι ο Τζάρεντ κι ο Έμπρι κι ο Πολ ήταν εκεί έξω, κι αν θα έτρεχαν εδώ κι εκεί σε όλη τη διάρκεια της νύχτας. Αναρωτήθηκα αν ο Τζέικομπ είχε πάει να τους βρει ακόμα.

Όταν φτάσαμε σπίτι, πήγα βιαστικά προς τις σκάλες, αλλά ο Τσάρλι ήταν ήδη πίσω μου.

«Τι συμβαίνει, Μπέλλα;» απαίτησε να μάθει, πριν μπορέσω να του ξεφύγω. «Νόμιζα ότι ο Τζέικομπ είχε γίνει μέλος συμμορίας, κι ότι οι δυο σας ήσασταν τσακωμένοι».

«Τα ξαναβρήκαμε».

«Και η συμμορία;»

«Δεν ξέρω –ποιος καταλαβαίνει τα αγόρια στην εφηβεία τους; Είναι μυστήριο. Αλλά γνώρισα τον Σαμ Γιούλεϊ και την αρραβωνιαστικιά του, την Έμιλι. Μου φάνηκαν αρκετά καλοί». Σήκωσα τους ώμους. «Πρέπει να ήταν όλα μια παρεξήγηση».

Το πρόσωπό του άλλαξε. «Δεν το ήξερα ότι εκείνος κι η Έμιλι το είχαν επισημοποιήσει. Ωραία. Το καημένο το κορίτσι».

«Ξέρεις τι της συνέβη;»

«Την ξέσκισε μια αρκούδα ψηλά, βόρεια, την εποχή της αναπαραγωγής του σολομού –τρομερό ατύχημα. Έχει περάσει πάνω από ένας χρόνος από τότε. Άκουσα ότι ο Σαμ είχε στενοχωρηθεί πάρα πολύ για το θέμα αυτό».

«Αυτό είναι τρομερό», ακούστηκα σαν ηχώ. Είχε περάσει πάνω από ένας χρόνος. Έβαζα στοίχημα ότι αυτό σήμαινε ότι είχε συμβεί, όταν υπήρχε μόνο ένας λυκάνθρωπος στο Λα Πους. Με διαπέρασε ένα ρίγος στη σκέψη του πώς πρέπει να ένιωθε ο Σαμ κάθε φορά που αντίκριζε το πρόσωπο της Έμιλι.

Εκείνη τη νύχτα, έμεινα ξύπνια πολλή ώρα προσπαθώντας να βάλω σε μια τάξη αυτά που είχα ζήσει την ημέρα. Πήγαινα σταδιακά προς τα πίσω, από το βραδινό παρέα με τον Μπίλι, τον Τζέικομπ και τον Τσάρλι, στο μακρύ απόγευμα στο σπίτι των Μπλακ, περιμένοντας ανυπόμονα να έχω νέα του Τζέικομπ, στην κουζίνα της Έμιλι, στη φρίκη του τσακωμού μεταξύ των δύο λυκανθρώπων, στη συζήτησή μου με τον Τζέικομπ στην παραλία.

Σκέφτηκα αυτό που μου είχε πει ο Τζέικομπ νωρίς το πρωί σχετικά με την υποκρισία. Το σκέφτηκα πολλή ώρα. Δεν ήθελα να πιστεύω ότι ήμουν υποκρίτρια, μόνο που ποιο νόημα είχε το να λέω ψέματα στον εαυτό μου;

Κουλουριάστηκα σε μια σφιχτή μπάλα. Όχι, ο Έντουαρντ δεν ήταν δολοφόνος. Ακόμα και στο πιο σκοτεινό του παρελθόν, ποτέ δεν ήταν δολοφόνος αθώων τουλάχιστον.

Αλλά και αν ήταν; Αν, τον καιρό που τον ήξερα, ήταν ακριβώς όπως κι οι άλλοι βρικόλακες; Αν κάποιοι άνθρωποι εξαφανίζονταν από το δάσος, όπως ακριβώς τώρα; Θα με είχε κρατήσει αυτό μακριά του;

Κούνησα το κεφάλι μου θλιμμένα. Η αγάπη είναι παράλογη, θύμισα στον εαυτό μου. Όσο περισσότερο αγαπάς κάποιον, τόσο λιγότερο λογικά είναι τα πάντα.

Γύρισα από την άλλη και προσπάθησα να σκεφτώ κάτι άλλο –και σκέφτηκα τον Τζέικομπ και τα αδέρφια του, που έτρεχαν εκεί έξω μέσα στο σκοτάδι. Αποκοιμήθηκα έχοντας στο μυαλό μου τους λύκους, αόρατους μέσα στη νύχτα, να με προφυλάσσουν από τον κίνδυνο. Όταν ονειρεύτηκα, ήμουν πάλι στο δάσος, αλλά δεν περιπλανιόμουν. Κρατούσα το σημαδεμένο χέρι της Έμιλι, καθώς κοιτούσαμε μέσα στις σκιές και περιμέναμε ανυπόμονα τους λυκανθρώπους μας να γυρίσουν σπίτι.

15. ΠΙΕΣΗ

Είχαν έρθει οι διακοπές της Άνοιξης ξανά στο Φορκς. Όταν ξύπνησα τη Δευτέρα το πρωί, έμεινα στο κρεβάτι για λίγα δευτερόλεπτα για να το συνειδητοποιήσω. Την προηγούμενη άνοιξη τέτοια εποχή, πάλι με κυνηγούσε ένας βρικόλακας. Ήλπιζα ότι δε θα καθιερωνόταν κάποια παράδοση.

Ήδη είχα αρχίσει να συνηθίζω τη ροή των πραγμάτων στο Λα Πους. Είχα περάσει το μεγαλύτερο μέρος της Κυριακής στην παραλία, ενώ ο Τσάρλι ήταν μαζί με τον Μπίλι στο σπίτι των Μπλακ. Εγώ υποτίθεται ότι θα ήμουν μαζί με τον Τζέικομπ, αλλά ο Τζέικομπ είχε άλλα πράγματα να κάνει, έτσι περιφερόμουν μόνη μου, κρατώντας το κρυφό από τον Τσάρλι.

Όταν πέρασε ο Τζέικομπ για να μου ρίξει μια ματιά, μου ζήτησε συγνώμη που με είχε παρατήσει τόσο πολύ μόνη μου. Μου είπε ότι το πρόγραμμά του δεν ήταν πάντα τόσο τρελό, αλλά μέχρι να σταματούσαν τη Βικτόρια, οι λύκοι ήταν σε κατάσταση κόκκινου συναγερμού.

Όταν περπατούσαμε στην παραλία τώρα, πάντα κρατούσε το χέρι μου.

Αυτό με έκανε να αναλογιστώ αυτό που είχε πει ο Τζάρεντ, ότι ο Τζέικομπ είχε μπλέξει την "κοπέλα" του. Υποθέτω ότι έτσι φαινόταν απ' έξω. Εφόσον ο Τζέικ κι εγώ ξέραμε πώς είχαν τα πράγματα αληθινά, δεν έπρεπε να αφήνω τέτοιου είδους συμπεράσματα να με ενοχλούν. Κι ίσως να μη με ενοχλούσαν, αν δεν ήξερα ότι του Τζέικομπ θα του άρεσε πολύ τα πράγματα να ήταν έτσι όπως φαίνονταν. Αλλά το χέρι του με έκανε να νιώθω ωραία, καθώς ζέσταινε το δικό μου, και δε διαμαρτυρόμουν.

Δούλευα την Τρίτη το απόγευμα –ο Τζέικομπ με ακολούθησε με το μηχανάκι του για να βεβαιωθεί ότι θα έφτανα με ασφάλεια– κι ο Μάικ το πρόσεξε.

«Βγαίνεις με αυτό το παιδί από το Λα Πους; Που πηγαίνει πρώτη λυκείου;» ρώτησε, κρύβοντας ανεπιτυχώς την αηδία στη φωνή του.

Σήκωσα τους ώμους. «Όχι από τεχνικής απόψεως. Περνάω τον περισσότερο καιρό με τον Τζέικομπ, βέβαια. Είναι ο καλύτερός μου φίλος».

Τα μάτια του Μάικ μισόκλεισαν. «Μην κοροϊδεύεις τον εαυτό σου, Μπέλλα. Ο τύπος είναι τρελά ερωτευμένος μαζί σου».

«Το ξέρω», αναστέναξα. «Η ζωή είναι περίπλοκη».

«Και τα κορίτσια είναι σκληρά», είπε ο Μάικ μέσα από τα δόντια του.

Υποθέτω ότι και αυτό ήταν ένα εύκολο συμπέρασμα να βγάλει κανείς.

Εκείνη τη νύχτα, εκτός απ' τον Τσάρλι κι εμένα, και ο Σαμ με την Έμιλι ήρθαν στο σπίτι του Μπίλι για γλυκό. Η Έμιλι έφερε ένα κέικ που θα κέρδιζε κι έναν σκληρότερο άντρα από τον Τσάρλι. Έβλεπα, καθώς η συζήτηση κυλούσε φυσικά σχετικά με ένα σωρό καθημερινά θέματα, ότι οποιεσδήποτε ανησυχίες μπορεί να έτρεφε ο Τσάρλι για τις συμμορίες στο Λα Πους είχαν διαλυθεί.

Ο Τζέικ κι εγώ φύγαμε νωρίς για να μείνουμε λίγο μόνοι μας. Πήγαμε στο γκαράζ του και καθίσαμε στο Ράμπιτ του. Ο Τζέικομπ έγειρε την πλάτη του προς τα πίσω, το πρόσωπό του εξαντλημένο.

«Χρειάζεσαι ύπνο, Τζέικ».

«Θα τα καταφέρω».

Άπλωσε το χέρι του κι έπιασε το δικό μου. Το δέρμα του έκαιγε πάνω στο δικό μου.

«Είναι κι αυτό από αυτά τα λυκανθρωπικά;» τον ρώτησα. «Η θερμότητα, θέλω να πω».

«Ναι. Είμαστε λιγάκι πιο ζεστοί από τους φυσιολογικούς ανθρώπους. Έχουμε γύρω στους σαράντα δύο με σαράντα τρεις βαθμούς. Δε νιώθω ποτέ να κρυώνω. Θα μπορούσα να μείνω κι έτσι» –έδειξε το γυμνό του κορμί– «μέσα σε μια χιονοθύελλα και δε θα με ενοχλούσε. Οι νιφάδες θα γίνονταν βροχή, όταν με ακουμπούσαν».

«Και οι πληγές όλων σας κλείνουν γρήγορα –είναι κι αυτό λυκανθρωπικό;»

«Ναι, θέλεις να δεις; Είναι τρομερό!» Τα μάτια του άνοιξαν διάπλατα και χαμογέλασε. Άπλωσε το χέρι του γύρω μου εκεί στο σημείο που είχε τα γάντια του και ψαχούλεψε για ένα λεπτό. Το χέρι του βγήκε έξω με ένα σουγιά.

«Όχι, δε θέλω να δω!» φώναξα αμέσως μόλις κατάλαβα τι σκεφτόταν. «Βάλτο πίσω αυτό το πράγμα!»

Ο Τζέικομπ γέλασε πνιχτά, αλλά έσπρωξε το μαχαίρι εκεί που ήταν η θέση του. «Εντάξει. Ωστόσο, είναι καλό που κλείνουν οι πληγές μας. Δεν μπορείς να πας να σε δει γιατρός, όταν έχεις θερμοκρασία που σημαίνει ότι θα έπρεπε να είσαι ήδη νεκρός».

«Όχι, μάλλον όχι». Το σκέφτηκα αυτό για ένα λεπτό. «... Και το ότι είστε τόσο μεγαλόσωμοι –είναι κι αυτό απ' αυτά τα δικά σας; Γι' αυτό ανησυχείτε όλοι για τον Κουίλ;»

«Γι' αυτό, κι επίσης επειδή ο παππούς του Κουίλ λέει ότι το

παλικάρι θα μπορούσε να τηγανίσει αυγό στο μέτωπό του». Το πρόσωπο του Τζέικομπ γέμισε απόγνωση. «Δε θα πάρει πολύ καιρό τώρα πια. Δεν υπάρχει ακριβής ηλικία... απλώς φουντώνει και φουντώνει και μετά ξαφνικά–» Διέκοψε απότομα, και ένα λεπτό πέρασε πριν μπορέσει να μιλήσει ξανά. «Μερικές φορές, αν θυμώσεις πολύ ή σου συμβεί κάτι παρόμοιο, αυτό μπορεί να το προκαλέσει νωρίς. Αλλά εγώ δεν είχα θυμώσει για τίποτα –ήμουν *χαρούμενος*». Γέλασε πικραμένα. «Εξαιτίας σου, κυρίως. Γι' αυτό δε μου συνέβη νωρίτερα. Αντί γι' αυτό συνέχισε να φουντώνει μέσα μου –ήταν σαν μια ωρολογιακή βόμβα. Ξέρεις τι ήταν αυτό που με έκανε να εκραγώ; Γύρισα από την ταινία εκείνο το βράδυ, κι ο Μπίλι είπε ότι έδειχνα περίεργος. Αυτό ήταν όλο, αλλά εγώ απλά θύμωσα. Και μετά απλά–απλά εξερράγηκα. Παραλίγο να του ξεσκίσω το πρόσωπο –του ίδιου μου του πατέρα!» Αναρίγησε, και το πρόσωπό του χλώμιασε.

«Είναι τόσο χάλια, Τζέικ;» ρώτησα με αγωνία, ενώ ευχόμουν να υπήρχε κάποιος τρόπος να τον βοηθήσω. «Είσαι δυστυχισμένος;»

«Όχι, δεν είμαι δυστυχισμένος», μου είπε. «Όχι πια. Όχι τώρα που τα ξέρεις όλα. Ήταν δύσκολο πριν». Έσκυψε από πάνω μου έτσι που το μάγουλό του ακουμπούσε στο κεφάλι μου.

Έμεινε σιωπηλός για ένα λεπτό, κι αναρωτήθηκα τι σκεφτόταν. Μπορεί και να μην ήθελα να ξέρω.

«Ποιο είναι το πιο δύσκολο πράγμα;» ψιθύρισα, ενώ ευχόμουν ακόμα να μπορούσα να βοηθήσω.

«Το πιο δύσκολο είναι το να νιώθω... εκτός ελέγχου», είπε αργά. «Το να νιώθω ότι δεν μπορώ να είμαι σίγουρος για τον εαυτό μου –ότι ίσως *δε θα έπρεπε* να είσαι κοντά μου, ότι ίσως κανείς να μην πρέπει να είναι κοντά μου. Ότι είμαι ένα τέρας που μπορεί να κάνει κακό σε κάποιον. Είδες την Έμιλι. Ο Σαμ δεν μπόρεσε να συγκρατήσει το θυμό του για ένα δευτερόλεπτο… κι εκείνη ήταν πολύ κοντά. Και τώρα δεν υπάρχει τίποτα που να μπορεί να κάνει για να το διορθώσει. Ακούω τις σκέψεις του –ξέρω πώς νιώθει…

»Ποιος θέλει να είναι ένας εφιάλτης, ένα τέρας;

»Και μετά, ο τρόπος που μου βγαίνει τόσο φυσικά, ο τρόπος που είμαι καλύτερος σ' αυτό απ' ό,τι όλοι οι άλλοι –μήπως αυτό με κάνει λιγότερο ανθρώπινο από τον Έμπρι ή τον Σαμ; Μερικές φορές φοβάμαι ότι χάνω τον εαυτό μου».

«Είναι δύσκολο; Να ξαναβρείς τον εαυτό σου;»

«Στην αρχή», είπε. «Χρειάζεται εξάσκηση για να μεταμορφώνεσαι σε άνθρωπο πάλι και το αντίστροφο. Αλλά εμένα μου είναι πιο εύκολο».

«Γιατί;» αναρωτήθηκα.

«Επειδή ο Έφρεμ Μπλακ ήταν ο παππούς του πατέρα μου, κι ο Κουίλ Ατεάρα ήταν ο παππούς της μητέρας μου».

«Ο Κουίλ;» ρώτησα μπερδεμένη.

«Ο προπάππους του», εξήγησε ο Τζέικομπ. «Ο Κουίλ που ξέρεις εσύ είναι δεύτερος ξάδερφός μου».

«Μα γιατί έχει τόση σημασία ποιοι είναι ο προπαππούδες σου;»

«Επειδή ο Έφρεμ κι ο Κουίλ ήταν στην τελευταία αγέλη. Ο Λέβι Γιούλεϊ ήταν ο τρίτος. Είναι στο αίμα μου κι από τις δυο μεριές. Ποτέ δεν είχα ελπίδα. Όπως κι ο Κουίλ δεν έχει ελπίδα».

Η έκφρασή του ήταν ζοφερή.

«Ποιο είναι το καλύτερο πράγμα;» ρώτησα, ελπίζοντας να του φτιάξω τη διάθεση.

«Το καλύτερο» είπε, ξαφνικά χαμογελώντας ξανά, «είναι η *ταχύτητα*».

«Καλύτερα κι από τις μηχανές;»

Κούνησε το κεφάλι του γεμάτος ενθουσιασμό. «Δεν υπάρχει σύγκριση».

«Πόσο γρήγορα μπορείτε να…;»

«Να τρέξουμε;» ολοκλήρωσε την ερώτησή μου. «Αρκετά γρήγορα. Με τι να το συγκρίνω; Πιάσαμε τον... πώς τον λέγαν; Τον Λόρεντ; Φαντάζομαι ότι αυτό σημαίνει περισσότερα πράγματα για σένα απ' ό,τι για οποιονδήποτε άλλο».

Πράγματι κάτι σήμαινε για μένα. Δεν μπορούσα να φανταστώ –τους λύκους να τρέχουν πιο γρήγορα από ένα βρικόλακα. Όταν έτρεχαν οι Κάλεν, μόνο που δε γίνονταν αόρατοι από την ταχύτητα.

«Λοιπόν, για πες μου κάτι που εγώ δεν ξέρω», είπε. «Κάτι για τους βρικόλακες. Πώς το άντεξες να κάνεις παρέα μαζί τους; Δε σε τρόμαζε;»

«Όχι», είπα απότομα.

Ο τόνος μου τον έκανε σκεφτικό για μια στιγμή.

«Για πες, γιατί η αιμορουφήχτρα σου σκότωσε τον Τζέιμς, εν πάση περιπτώσει;» ρώτησε ξαφνικά.

«Ο Τζέιμς προσπαθούσε να με σκοτώσει –ήταν κάτι σαν παιχνίδι γι' αυτόν. Έχασε. Θυμάσαι την περασμένη άνοιξη που ήμουν στο νοσοκομείο στο Φοίνιξ;»

Του Τζέικομπ του κόπηκε η ανάσα. «Έφτασε τόσο κοντά;»

«Έφτασε πολύ, πολύ κοντά». Χάιδεψα την ουλή μου. Ο Τζέικομπ το παρατήρησε, επειδή κρατούσε το χέρι που κούνησα.

«Τι είναι αυτό;» Άλλαξε χέρια εξετάζοντας το δεξί μου. «Αυτό είναι το παράξενο σημάδι σου, το παγωμένο». Το κοίταξε πιο προσεχτικά, με μάτια καινούρια, και έβγαλε μια πνιχτή κραυγή.

«Ναι, είναι αυτό που κατάλαβες πως είναι», είπα. «Ο Τζέιμς με δάγκωσε».

Τα μάτια του εξογκώθηκαν, και το πρόσωπό του πήρε μια παράξενη, ωχρή απόχρωση κάτω από την καστανοκόκκινη επιφάνεια. Έδειχνε σαν να ήταν έτοιμος να ξεράσει.

«Μα αν σε δάγκωσε...; Δε θα έπρεπε να είσαι...;» Πνίγηκε.

«Ο Έντουαρντ με έσωσε δυο φορές», ψιθύρισα. «Ρούφηξε έξω το δηλητήριο –ξέρεις, όπως αν με είχε δαγκώσει κροταλίας». Συσπάστηκα καθώς ο πόνος με μαστίγωσε.

Αλλά δεν ήμουν η μόνη που είχε σπασμούς. Ένιωθα το σώμα του Τζέικομπ να τρέμει δίπλα στο δικό μου. Ακόμα και το αμάξι κουνιόταν.

«Πρόσεχε, Τζέικ. Ήρεμα. Χαλάρωσε».

«Ναι», είπε αγκομαχώντας. «Ήρεμα». Κούνησε το κεφάλι του μπρος-πίσω γρήγορα. Μετά από μια στιγμή, μόνο τα χέρια του έτρεμαν.

«Είσαι εντάξει;»

«Ναι, σχεδόν. Πες μου κάτι άλλο. Δώσε μου κάτι άλλο να σκεφτώ».

«Τι θέλεις να μάθεις;»

«Δεν ξέρω». Είχε κλείσει τα μάτια του προσπαθώντας να συγκεντρωθεί. «Τα επιπλέον πράγματα, υποθέτω. Είχε κανένας από τους άλλους Κάλεν κανένα... επιπλέον ταλέντο; Όπως η ικανότητα να διαβάζει τις σκέψεις;»

Δίστασα ένα δευτερόλεπτο. Αυτό ήταν σαν ερώτηση που θα έκανε σε ένα κατάσκοπο, σε κάποιο φίλο. Αλλά ποιο νόημα είχε να του κρύβω αυτά που ήξερα; Δεν είχαν σημασία πια, και θα τον βοηθούσα να συγκρατηθεί.

Έτσι μίλησα γρήγορα, με την εικόνα του κατεστραμμένου προσώπου της Έμιλι στο νου μου και τις τρίχες να έχουν σηκωθεί στα μπράτσα μου. Δεν μπορούσα να φανταστώ πώς ο καστανοκόκκινος λύκος θα χωρούσε μέσα στο Ράμπιτ –ο Τζέικομπ θα κατέστρεφε ολόκληρο το γκαράζ αν μεταμορφωνόταν τώρα.

«Ο Τζάσπερ μπορούσε να... ρυθμίζει κατά κάποιο τρόπο τα συναισθήματα των ανθρώπων γύρω του. Όχι με την αρνητική έννοια, απλώς για να ηρεμήσει κάποιον, μ' αυτή την έννοια. Πιθανότατα κάτι τέτοιο θα βοηθούσε πολύ τον Πολ», πρόσθεσα κάνοντας ένα αδύναμο αστείο. «Και μετά η Άλις μπορούσε να δει πράγματα που επρόκειτο να συμβούν. Το μέλλον, ξέρεις, αλλά όχι απόλυτα. Τα πράγματα που έβλεπε μπορούσαν να αλλάξουν, αν κάποιος άλλαζε το δρόμο που είχε πάρει…»

Όπως τότε που με είχε δει να πεθαίνω… και με είχε δει να γίνομαι ένας απ' αυτούς. Δύο πράγματα που δεν είχαν συμβεί. Κι ένα που δε θα συνέβαινε ποτέ. Το κεφάλι μου άρχισε να γυρίζει –δε φαινόμουν να μπορώ να τραβήξω αρκετό οξυγόνο από τον αέρα. Δεν είχα πνευμόνια.

Ο Τζέικομπ είχε ανακτήσει τώρα εντελώς τον έλεγχο, και ήταν πολύ ακίνητος δίπλα μου.

«Γιατί το κάνεις αυτό;» ρώτησε. Τράβηξε ελαφρά ένα από τα μπράτσα μου, που είχε δεθεί γύρω από το στήθος μου, και μετά το άφησε, αφού δεν ξέσφιγγε εύκολα. Δεν είχα συνειδητοποιήσει καν ότι τα είχα μετακινήσει. «Το κάνεις αυτό όταν είσαι αναστατωμένη. Γιατί;»

«Με πονάει όταν τους σκέφτομαι», ψιθύρισα. «Είναι σαν να μην μπορώ να αναπνεύσω… σαν να σπάω και να γίνομαι κομμάτια…» Ήταν παράξενο πόσα πολλά πράγματα μπορούσα να πω στον Τζέικομπ τώρα. Δεν είχαμε καθόλου μυστικά.

Χάιδεψε τα μαλλιά μου. «Δεν πειράζει, Μπέλλα, δεν πειράζει. Δε θα τους αναφέρω ξανά. Συγνώμη».

«Είμαι μια χαρά», είπα ξέπνοα. «Μου συμβαίνει συνέχεια. Δε φταις εσύ».

«Είμαστε πολύ περίεργο ζευγάρι, έτσι δεν είναι;» είπε ο Τζέικομπ. «Κανένας απ' τους δυο δεν μπορεί να διατηρήσει το σχήμα του».

«Αξιολύπητο», συμφώνησα, ακόμα χωρίς να μπορώ ν' ανασάνω καλά.

«Τουλάχιστον έχουμε ο ένας τον άλλο», είπε, με τη σκέψη αυτή να τον παρηγορεί φανερά.

Κι εγώ ένιωθα να με παρηγορεί. «Τουλάχιστον υπάρχει

αυτό», συμφώνησα.

Κι όταν ήμασταν μαζί, ήταν εντάξει. Αλλά ο Τζέικομπ είχε μια απαίσια, επικίνδυνη δουλειά που ένιωθε υποχρεωμένος να κάνει, κι έτσι έμενα συχνά μόνη μου, κολλημένη στο Λα Πους για ασφάλεια, χωρίς να έχω τίποτα να κάνω για να αποσπάσω το μυαλό μου από τις ανησυχίες μου.

Ένιωθα αμήχανα, πιάνοντας πάντα χώρο στο σπίτι του Μπίλι. Μελέτησα λίγο για άλλο ένα τεστ στα μαθηματικά που είχαμε την επόμενη βδομάδα, αλλά δεν άντεχα να διαβάζω μαθηματικά παραπάνω. Όταν δεν είχα κάτι προφανές να κάνω στα χέρια μου, ένιωθα ότι έπρεπε να ανοίξω κουβέντα με τον Μπίλι –η πίεση των φυσιολογικών κοινωνικών κανόνων. Αλλά ο Μπίλι δεν ήταν ο τύπος που θα γέμιζε τις μακρές σιωπές, κι έτσι η αμηχανία συνεχιζόταν.

Δοκίμασα να περάσω λίγη ώρα στο σπίτι της Έμιλι το απόγευμα της Τετάρτης για αλλαγή. Στην αρχή ήταν ωραία. Η Έμιλι ήταν ένα κεφάτο άτομο που ποτέ δεν καθόταν ήσυχο. Εγώ περιφερόμουν πίσω της ενώ εκείνη κινείτο αστραπιαία μέσα στο μικρό σπιτάκι της και στην αυλή της, τρίβοντας το πεντακάθαρο πάτωμα, ξεριζώνοντας το πιο μικροσκοπικό ζιζάνιο, φτιάχνοντας κάποιο σπασμένο μεντεσέ, τραβώντας ένα νήμα από μαλλί μέσα από έναν πανάρχαιο αργαλειό, και μονίμως μαγειρεύοντας, επίσης. Παραπονιόταν ελαφρώς για την αύξηση της όρεξης των αγοριών εξαιτίας του επιπλέον τρεξίματος, αλλά ήταν εύκολο να δει κανείς ότι δεν την πείραζε να τους φροντίζει. Δεν ήταν δύσκολο να είμαι μαζί της –εξάλλου, τώρα ήμασταν κι οι δυο κορίτσια των λυκανθρώπων.

Αλλά ο Σαμ ήρθε αφού είχα περάσει εκεί λίγες ώρες. Έμεινα μόνο τόσο όσο χρειαζόταν για να βεβαιωθώ ότι ο Τζέικομπ ήταν καλά και ότι δεν υπήρχαν νέα, και μετά έπρεπε να ξεφύγω. Η αύρα της αγάπης και της ικανοποίησης που τους περιέβαλλε ήταν πιο δύσκολη να την αντέξω σε μεγάλες δόσεις, χωρίς να υπάρχει κανένας άλλος εκεί γύρω για να τη διασπάσει.

Έτσι έμεινα να περιπλανιέμαι στην παραλία πηγαίνοντας μπρος-πίσω κατά μήκος του βραχώδους μισοφέγγαρου, ξανά και ξανά.

Ο χρόνος που περνούσα μόνη μου δε μου έκανε καλό. Χάρη στη νέα ειλικρίνεια με τον Τζέικομπ, μιλούσα για τους Κάλεν και τους σκεφτόμουν υπερβολικά πολύ. Όσο κι αν προσπαθούσα να ξεχαστώ –και είχα πολλά πράγματα να σκεφτώ: ανησυχούσα ειλικρινά και απεγνωσμένα για τον Τζέικομπ και τα αδέρφια του, τους λύκους, ένιωθα τρόμο για τον Τσάρλι και τους άλλους που νόμιζαν ότι κυνηγούσαν ζώα, δενόμουν όλο και πιο πολύ με τον Τζέικομπ χωρίς να έχω αποφασίσει συνειδητά να προχωρήσω προς αυτή την κατεύθυνση και δεν ήξερα τι να κάνω γι' αυτό –καμία από αυτές τις πολύ αληθινές, πολύ επείγουσες ανησυχίες που άξιζαν σκέψη δεν μπορούσαν να κρατήσουν το μυαλό μου μακριά από τον πόνο στο στήθος μου για πολλή ώρα. Τελικά, δεν μπορούσα να περπατήσω άλλο, επειδή δεν μπορούσα να αναπνεύσω. Κάθισα κάτω πάνω σε μια έκταση βράχων που είχαν μισοστεγνώσει και κουλουριάστηκα σε μια μπάλα.

Ο Τζέικομπ με βρήκε έτσι, και κατάλαβα από την έκφρασή του ότι καταλάβαινε.

«Συγνώμη», είπε αμέσως. Με σήκωσε από το έδαφος και τύλιξε και τα δυο του χέρια γύρω από τους ώμους μου. Δεν είχα συνειδητοποιήσει ότι κρύωνα μέχρι εκείνη τη στιγμή. Η ζεστασιά του με έκανε να αναριγήσω, αλλά τουλάχιστον μπορούσα να αναπνεύσω με εκείνον εκεί.

«Σου χαλάω τις διακοπές», κατηγόρησε τον εαυτό του ο Τζέικομπ, καθώς ανεβαίναμε πάλι προς τα πάνω.

«Όχι, δε μου το χαλάς. Δεν είχα σχέδια. Δε νομίζω ότι μου αρέσουν οι διακοπές, έτσι και αλλιώς».

«Αύριο το πρωί θα φροντίσω να μην έχω τίποτα να κάνω. Οι άλλοι μπορούν να κάνουν περιπολία και χωρίς εμένα. Θα κάνουμε κάτι διασκεδαστικό».

Η λέξη φάνηκε να μην έχει θέση στη ζωή μου αυτή τη στιγμή, ήταν μετά βίας κατανοητή, παράδοξη. «Διασκεδαστικό;»

«Λίγη διασκέδαση είναι ακριβώς αυτό που σου χρειάζεται. Χμμμ...» κοίταξε πέρα μακριά στα γκρίζα κύματα που ανεβοκατέβαιναν, ενώ αναλογιζόταν κάτι. Καθώς τα μάτια του σάρωσαν τον ορίζοντα, του ήρθε μια έμπνευση ξαφνικά.

«Το βρήκα!» αναφώνησε. «Άλλη μια υπόσχεση που πρέπει να κρατήσω».

«Για ποιο πράγμα μιλάς;»

Μου άφησε το χέρι κι έδειξε προς τη νότια άκρη της παραλίας, όπου μια επίπεδη, βραχώδης ημισέληνος τελείωνε ακριβώς εκεί που άρχιζαν τα κατακόρυφα βράχια της θάλασσας. Το βλέμμα μου είχε μείνει καρφωμένο εκεί χωρίς να καταλαβαίνω.

«Δεν υποσχέθηκα να σε πάω για *κλιφ-ντάιβινγκ*;»

Αναρίγησα.

«Ναι, θα είναι πολύ κρύο –όχι τόσο κρύο όσο σήμερα. Νιώθεις τον καιρό να αλλάζει; Την πίεση; Αύριο θα κάνει περισσότερη ζέστη. Είσαι μέσα;»

Το σκοτεινό νερό δεν έδειχνε δελεαστικό και, από αυτήν τη γωνία, οι βράχοι φαίνονταν ακόμα πιο ψηλοί από πριν.

Αλλά είχαν περάσει μέρες από τότε που άκουσα τη φωνή του Έντουαρντ. Αυτό πιθανότατα ήταν εν μέρει το πρόβλημα. Ήμουν εθισμένη στον ήχο των παραισθήσεών μου. Τα πράγματα ήταν χειρότερα αν περνούσε πολύς καιρός χωρίς αυτές. Το να πηδήξω από ένα βράχο σίγουρα θα διόρθωνε την κατάσταση.

«Βέβαια, είμαι μέσα. Διασκέδαση».

«Τότε έχουμε ραντεβού», είπε εκείνος και έριξε το χέρι του γύρω από τους ώμους μου.

«Εντάξει –πάμε τώρα να κοιμηθείς λίγο». Δε μου άρεσε που οι κύκλοι κάτω από τα μάτια του είχαν αρχίσει να δείχνουν μόνιμα χαραγμένοι στο δέρμα του.

Ξύπνησα νωρίς το επόμενο πρωί και έβαλα κρυφά μια αλλαξιά ρούχα μέσα στο φορτηγάκι. Είχα ένα προαίσθημα ότι ο Τσάρλι θα ενέκρινε το σημερινό μου σχέδιο ακριβώς όσο θα ενέκρινε τη μοτοσικλέτα.

Η ιδέα μιας δραστηριότητας που θα μου αποσπούσε την προσοχή από όλες τις ανησυχίες μου με είχε σχεδόν ενθουσιάσει. Ίσως να *ήταν* διασκεδαστικό τελικά. Ένα ραντεβού με τον Τζέικομπ, ένα ραντεβού με τον Έντουαρντ... γέλασα ζοφερά μόνη μου. Ο Τζέικ μπορούσε να λέει ότι ήθελε σε σχέση με το ότι είμαστε περίεργο ζευγάρι –εγώ ήμουν αυτή που ήμουν περίεργη. Μπροστά μου ο λυκάνθρωπος ήταν πολύ συνηθισμένος.

Περίμενα τον Τζέικομπ να με συναντήσει έξω μπροστά από την πόρτα, όπως έκανε συνήθως, όταν το θορυβώδες φορτηγάκι μου δήλωνε την άφιξή μου. Όταν αυτό δεν έγινε, υπέθεσα ότι μπορεί να κοιμόταν ακόμα. Μπορούσα να περιμένω –να τον αφήσω να ξεκουραστεί όσο το δυνατόν περισσότερο. Χρειαζόταν ύπνο, κι αυτό θα έδινε χρόνο στη μέρα να ζεστάνει περισσότερο. Ο Τζέικ είχε δίκιο για τον καιρό. Ένα πυκνό στρώμα από σύννεφα ήταν βαρύ πάνω στην ατμόσφαιρα τώρα, κάνοντάς τη σχεδόν πνιγηρή· έκανε ζέστη και ήταν αποπνικτικά κάτω από την γκρίζα κουβέρτα. Άφησα το πουλόβερ μου στο φορτηγάκι.

Χτύπησα μαλακά την πόρτα.

«Πέρνα μέσα», είπε ο Μπίλι.

Ήταν στο τραπέζι της κουζίνας κι έτρωγε κρύα δημητριακά.

«Ο Τζέικ κοιμάται;»

«Ε, όχι». Άφησε κάτω το κουτάλι του, και τα φρύδια του έσμιξαν.

«Τι συνέβη;» απαίτησα να μάθω. Κατάλαβα από την έκφρασή του ότι *κάτι* είχε συμβεί.

«Ο Έμπρι, ο Τζάρεντ κι ο Πολ βρήκαν φρέσκα ίχνη σήμερα το πρωί. Ο Σαμ κι ο Τζέικ έφυγαν για να πάνε να βοηθήσουν. Ο Σαμ ήταν γεμάτος ελπίδες –έχει παγιδευτεί μέσα στα βουνά. Πιστεύει ότι έχουν καλές πιθανότητες να δώσουν ένα τέλος».

«Ωχ, όχι, Μπίλι», ψιθύρισα. «Όχι».

Εκείνος γέλασε πνιχτά, ένα βαθύ και χαμηλό γέλιο. «Σου αρέσει τόσο πολύ το Λα Πους στ' αλήθεια που θέλεις να παρατείνεις την ποινή σου εδώ πέρα;»

«Μην αστειεύεσαι, Μπίλι. Αυτό είναι υπερβολικά τρομακτικό για αστεία».

«Έχεις δίκιο», συμφώνησε, ακόμα εφησυχασμένος. Τα αρχαία του μάτια ήταν αδύνατον να διαβαστούν. «Αυτό εδώ είναι περίπλοκο».

Δάγκωσα τα χείλη μου.

«Δεν είναι τόσο επικίνδυνο για εκείνους όσο νομίζεις. Ο Σαμ ξέρει τι κάνει. Εσύ είσαι αυτή για την οποία πρέπει να ανησυχείς. Ο βρικόλακας δε θέλει να δώσει μάχη μ' εκείνους. Απλώς προσπαθεί να βρει έναν τρόπο να περάσει από τον κλοιό τους… για να φτάσει σ' εσένα».

«Πώς ξέρει ο Σαμ τι κάνει;» απαίτησα να μάθω, αφήνοντας κατά μέρος την ανησυχία του για μένα. «Έχουν σκοτώσει μόνο ένα βρικόλακα –αυτό θα μπορούσε να ήταν τύχη».

«Παίρνουμε πολύ σοβαρά αυτό που κάνουμε, Μπέλλα. Τίποτα δεν έχει ξεχαστεί. Όλα όσα χρειάζονται να ξέρουν έχουν περάσει από πατέρα σε γιο εδώ και γενιές ολόκληρες».

Αυτό δε με παρηγόρησε, όπως πιθανότατα σκόπευε εκείνος. Η ανάμνηση της Βικτόρια, άγριας, ύπουλης, θανάσιμης, ήταν πολύ δυνατή μέσα στο κεφάλι μου. Αν δεν μπορούσε να ξεφύγει από τον κλοιό των λύκων, θα προσπαθούσε εν τέλει να τον σπάσει.

Ο Μπίλι συνέχισε το πρωινό του· εγώ κάθισα κάτω στον

καναπέ και έκανα άσκοπα ζάπινγκ στα κανάλια της τηλεόρασης. Αυτό δεν κράτησε πολλή ώρα. Άρχισα να νιώθω ότι ασφυκτιούσα μέσα στο μικρό δωμάτιο, με έπιασε κλειστοφοβία, ταράχτηκα από το γεγονός ότι δεν μπορούσα να δω έξω από τα παράθυρα με τις κουρτίνες.

«Θα είμαι στην παραλία», είπα απότομα στον Μπίλι και βγήκα έξω βιαστικά.

Το ότι βρέθηκα έξω δε βοήθησε τόσο όσο ήλπιζα. Τα σύννεφα ήταν χαμηλά κοντά στο έδαφος με ένα αόρατο βάρος που δεν άφηνε την κλειστοφοβία μου να γίνει λιγότερο έντονη. Το δάσος έμοιαζε παράξενα άδειο, καθώς περπατούσα προς την παραλία. Δεν έβλεπα καθόλου ζώα –ούτε πουλιά, ούτε σκίουρους. Ούτε καν άκουγα πουλιά. Η σιωπή ήταν απόκοσμη· δεν υπήρχε ούτε καν ο ήχος του ανέμου μέσα στα δέντρα.

Ήξερα ότι όλα ήταν απλώς αποτέλεσμα του καιρού, αλλά και πάλι ήμουν νευρική. Η βαριά, ζεστή πίεση της ατμόσφαιρας ήταν αντιληπτή ακόμα και από τις αδύναμες ανθρώπινες αισθήσεις μου, και υποδήλωνε ότι πλησίαζε κάποια μεγάλη καταιγίδα. Μια γρήγορη ματιά στον ουρανό το επιβεβαίωνε αυτό· τα σύννεφα αναδεύονταν νωθρά παρά την έλλειψη αέρα στο έδαφος. Τα πιο κοντινά σύννεφα είχαν ένα γκρίζο χρώμα σαν καπνός, αλλά ανάμεσα στις χαραμάδες μπορούσα να δω άλλο ένα στρώμα σε ένα φρικιαστικό μοβ χρώμα. Οι ουρανοί μάς επιφύλασσαν κάποιο άγριο σχέδιο για σήμερα. Τα ζώα μπορεί να έψαχναν να βρουν καταφύγιο στο έδαφος.

Μόλις έφτασα στην παραλία, ευχήθηκα να μην είχα έρθει –ήδη είχα βαρεθεί αυτό το μέρος. Ερχόμουν εδώ σχεδόν κάθε μέρα, περιπλανώμενη μόνη μου. Ήταν τόσο πολύ διαφορετικό από τους εφιάλτες μου; Αλλά πού αλλού να πάω; Σύρθηκα αργά κάτω ως τον ξεβρασμένο κορμό και κάθισα στην άκρη για να μπορώ να ακουμπήσω πάνω στις μπερδεμένες ρίζες. Κάρφωσα το βλέμμα μου σκεφτικό στο θυμωμένο ουρανό, περιμένοντας τις πρώτες σταγόνες να σπάσουν τη σιωπή.

Προσπάθησα να μη σκέφτομαι τον κίνδυνο που διέτρεχε ο Τζέικομπ και οι φίλοι του. Επειδή τίποτα δεν μπορούσε να συμβεί στον Τζέικομπ. Η σκέψη ήταν αβάσταχτη. Είχα ήδη χάσει πάρα πολλά –η μοίρα θα μου έπαιρνε και τα τελευταία ελάχιστα ίχνη γαλήνης που μου είχαν απομείνει; Αυτό έμοιαζε άδικο, δεν υπήρχε κάποια ισορροπία. Αλλά ίσως να είχα παραβιάσει κάποιον άγνωστο κανόνα, να είχα υπερβεί κάποιο όριο που με είχε καταδικάσει. Ίσως να ήταν λάθος που μπλέχτηκα τόσο πολύ με μύθους και θρύλους, που γύρισα την πλάτη μου στον κόσμο των ανθρώπων. Ίσως…

Όχι. Τίποτα δε θα συνέβαινε στον Τζέικομπ. Έπρεπε να το πιστεύω αυτό ή αλλιώς δε θα μπορούσα να λειτουργήσω.

«Αααχ!» στέναξα και πήδηξα από το κούτσουρο. Δεν μπορούσα να καθίσω ήσυχη· ήταν χειρότερα από το να πηγαίνω πέρα-δώθε.

Σήμερα το πρωί το είχα σίγουρο ότι θα άκουγα τον Έντουαρντ. Έμοιαζε σαν αυτό να ήταν το μοναδικό πράγμα που θα μπορούσε να κάνει αυτή τη μέρα υποφερτή. Το κενό μου είχε αρχίσει να φουντώνει τελευταία, λες κι έπαιρνε εκδίκηση για τις φορές που την είχε ηρεμήσει η παρουσία του Τζέικομπ. Οι άκρες της πληγής έκαιγαν.

Τα κύματα γίνονταν πιο μεγάλα, καθώς περπατούσα, είχαν αρχίσει να σκάνε πάνω στους βράχους, αλλά δε φυσούσε καθόλου. Ένιωθα κολλημένη στο έδαφος από την πίεση της καταιγίδας. Τα πάντα στροβιλίζονταν γύρω μου, αλλά εκεί όπου στεκόμουν υπήρχε απόλυτη ακινησία. Ο αέρας ήταν αμυδρά φορτισμένος –ένιωθα τον ηλεκτρισμό στα μαλλιά μου.

Πιο πέρα, έξω, τα κύματα ήταν πιο οργισμένα απ᾿ ό,τι ήταν κατά μήκος της ακτής. Τα έβλεπα να σπάνε πάνω στη γραμμή των βράχων πιτσιλίζοντας τον ουρανό με μεγάλα λευκά σύννεφα θαλασσινού αφρού. Ακόμα δεν κουνιόταν τίποτα στον αέρα, αν και τα σύννεφα κυλούσαν πιο γρήγορα τώρα. Ήταν μυστήριο –σαν να κουνιούνταν τα σύννεφα μόνα τους με τη θέλησή τους. Αναρίγησα, αν και ήξερα ότι ήταν απλώς ένα οπτικό παιχνίδι της πίεσης.

Οι μεγάλοι βράχοι ήταν η μαύρη λεπίδα ενός μαχαιριού που έκοβε τον μπλαβί ουρανό. Κοιτάζοντάς τους, θυμήθηκα τη μέρα που ο Τζέικομπ μου είχε πει για τον Σαμ και τη "συμμορία" του. Σκέφτηκα τα αγόρια –τους λυκανθρώπους– που έπεφταν μέσα στο κενό. Η εικόνα των σωμάτων που στροβιλίζονταν σαν έλικες πέφτοντας ήταν ακόμα έντονα χαραγμένη μέσα στο μυαλό μου. Φαντάστηκα την απόλυτη ελευθερία της πτώσης... φαντάστηκα τον τρόπο που η φωνή του Έντουαρντ θα ακουγόταν στα αυτιά μου –έξαλλη από θυμό, βελούδινη, τέλεια... Το κάψιμο στο στήθος μου φούντωσε βασανιστικά.

Κάποιος τρόπος έπρεπε να υπάρχει για να το σβήσω. Ο πόνος γινόταν όλο και πιο αβάσταχτος όσο περνούσαν τα δευτερόλεπτα. Κοίταξα τους βράχους και τα κύματα που έσκαγαν πάνω τους.

Λοιπόν, γιατί όχι; Γιατί να μην το σβήσω αυτή τη στιγμή;

Ο Τζέικομπ μου είχε υποσχεθεί ότι θα πηγαίναμε για *κλιφντάιβινγκ*, έτσι δεν είναι; Απλώς επειδή εκείνος δεν ήταν διαθέσιμος, έπρεπε εγώ να χάσω την ευκαιρία για διασκέδαση που χρειαζόμουν τόσο απεγνωσμένα –που χρειαζόμουν ακόμα περισσότερο επειδή ο Τζέικομπ διακινδύνευε τη ζωή του; Τη διακινδύνευε, κατ' ουσίαν, για μένα. Αν δεν ήμουν εγώ, η Βικτόρια δε θα σκότωνε ανθρώπους εδώ πέρα... αλλά κάπου αλλού, μακριά. Αν συνέβαινε οτιδήποτε στον Τζέικομπ, θα ήταν δική μου ευθύνη. Αυτή η συνειδητοποίηση με μαχαίρωσε βαθιά και με έκανε να ανέβω πάλι το δρόμο τρέχοντας για να γυρίσω στο σπίτι του Μπίλι, όπου με περίμενε το φορτηγάκι μου.

Ήξερα πώς να πάω στο δρόμο που περνούσε πιο κοντά από τους βράχους, αλλά έπρεπε να βρω το μικρό μονοπάτι που θα με οδηγούσε στην άκρη. Καθώς το ακολουθούσα, έψαχνα για μικρές στροφές ή διχάλες, ξέροντας ότι ο Τζέικ σκόπευε να με πάει στο πιο χαμηλό σημείο που προεξείχε από τους βράχους αντί για την κορυφή, αλλά το μονοπάτι έστριβε σε μια λεπτή μοναδική γραμμή προς την κορυφή χωρίς άλλες επιλογές. Δεν είχα χρόνο για να βρω άλλο δρόμο προς τα κάτω –η καταιγίδα ερχόταν γρήγορα τώρα. Ο άνεμος είχε αρχίσει επιτέλους να με φτάνει, τα σύννεφα είχαν κατέβει ακόμα πιο χαμηλά κοντά στο έδαφος. Μόλις έφτασα στην επίπεδη έκταση, όπου ο χωματόδρομος φάρδαινε καταλήγοντας στο βραχώδη γκρεμό, οι πρώτες σταγόνες έπεσαν και πιτσίλισαν το πρόσωπό μου.

Δεν ήταν δύσκολο να πείσω τον εαυτό μου ότι δεν είχα χρόνο να ψάξω για άλλο δρόμο –*ήθελα* να πηδήξω από την κορυφή. Αυτή ήταν η εικόνα που είχε μείνει στο μυαλό μου. Ήθελα την πτώση από ψηλά που θα με έκανε να νιώσω σαν να πετάω.

Ήξερα ότι αυτό ήταν το πιο ανόητο, το πιο ριψοκίνδυνο πράγμα που είχα κάνει ποτέ. Η σκέψη με έκανε να χαμογελάσω. Ο πόνος ήδη είχε απαλύνει, λες και το σώμα μου ήξερε ότι η φωνή του Έντουαρντ ήταν μόλις δευτερόλεπτα μακριά...

Ο ωκεανός ακουγόταν πολύ μακριά, με κάποιον τρόπο πιο μακριά από πριν, εκεί που βρισκόμουν στο μονοπάτι με τα δέντρα. Έκανα ένα μορφασμό, όταν σκέφτηκα την πιθανή θερμοκρασία του νερού. Αλλά δε θα με εμπόδιζε αυτό.

Ο άνεμος φυσούσε πιο δυνατά τώρα, κάνοντας τη βροχή να μαστιγώνει τα πάντα γύρω μου πέφτοντας σε δίνες.

Περπάτησα στην άκρη, καρφώνοντας τα μάτια μου στο κενό μπροστά μου. Τα δάχτυλα των ποδιών μου έψαξαν στα τυφλά για κάτι που θα μπορούσαν να ακουμπήσουν μπροστά, χαϊδεύοντας την άκρη του βράχου όταν τη συνάντησαν. Πήρα μια βαθιά ανάσα και την κράτησα... περιμένοντας.

«Μπέλλα».

Χαμογέλασα κι εξέπνευσα.

Ναι; Δεν απάντησα φωναχτά, μήπως και ο ήχος της φωνής

μου έκανε κομμάτια την υπέροχη ψευδαίσθηση. Ακούστηκε τόσο αληθινός, τόσο κοντά μου. Μόνο όταν ήταν τόσο επικριτικός μπορούσα να ακούσω την πραγματική ανάμνηση της φωνής του –τη βελούδινη υφή και τη μελωδική διακύμανση του τόνου του που έφτιαχναν την πιο τέλεια απ' όλες τις φωνές.

«Μην το κάνεις αυτό», παρακάλεσε.

Ήθελες να είμαι άνθρωπος, του υπενθύμισα. *Λοιπόν, να 'μαι.*

«Σε παρακαλώ. Για χάρη μου».

Αλλά δε μένεις μαζί μου με κανέναν άλλο τρόπο.

«Σε παρακαλώ». Ήταν μόνο ένας ψίθυρος στη βροχή που λυσσομανούσε και έμπλεκε τα μαλλιά μου και έβρεχε τα ρούχα μου –μουσκεύοντάς με τόσο πολύ λες κι αυτό ήταν το δεύτερο άλμα της ημέρας.

Έριξα το βάρος μου στις φτέρνες των ποδιών μου.

«Όχι, Μπέλλα!» τώρα ήταν θυμωμένος, κι ο θυμός ήταν τόσο εξαίσιος.

Χαμογέλασα και σήκωσα τα χέρια μου ευθεία μπροστά, σαν να επρόκειτο να κάνω βουτιά, σηκώνοντας το πρόσωπό μου μέσα στη βροχή. Αλλά είχε χαραχτεί τόσο έντονα μέσα μου από τα χρόνια που έκανα κολύμπι στη δημόσια πισίνα –πρώτα τα πόδια, την πρώτη φορά. Έσκυψα μπροστά, ενώ συσπειρώθηκα ταυτοχρόνως για να πάρω περισσότερη φόρα...

Κι έπεσα από το βράχο.

Ούρλιαζα, καθώς έπεφτα μέσα στο κενό σαν μετεωρίτης, αλλά ήταν ένα ουρλιαχτό ενθουσιασμού κι όχι φόβου. Ο άνεμος αντιστεκόταν, προσπαθώντας μάταια να νικήσει την αδάμαστη βαρύτητα, σπρώχνοντάς με προς τα πάνω και στροβιλίζοντάς με σαν πύραυλο που συντρίβεται στη γη.

Ναι! Η λέξη αντήχησε μέσα στο κεφάλι μου, καθώς μπήκα μέσα στο νερό σχίζοντας στη μέση την επιφάνειά του. Ήταν παγωμένο, πιο κρύο απ' ό,τι φοβόμουν, κι όμως η ψύχρα με έκανε μόνο να νιώσω ακόμα περισσότερο ενθουσιασμό.

Ήμουν περήφανη για τον εαυτό μου, καθώς βυθιζόμουν πιο μέσα στο παγωμένο μαύρο νερό. Δεν είχα τρομάξει ούτε μια στιγμή -ένιωθα απλώς καθαρή αδρεναλίνη. Αλήθεια, η πτώση δεν ήταν καθόλου τρομακτική. Πού βρισκόταν η πρόκληση;

Αυτή ήρθε όταν με παγίδευσε το ρεύμα.

Με είχε απασχολήσει τόσο πολύ το μέγεθος των βράχων, ο προφανής κίνδυνος των ψηλών, κατακόρυφων προσόψεών τους, που δεν είχα ανησυχήσει καθόλου για το σκοτεινό νερό που περίμενε. Δεν είχα φανταστεί ποτέ ότι η αληθινή απειλή καραδοκούσε από κάτω μου, κάτω από το κύμα που ανεβοκατέβαινε.

Ένιωθα λες και τα κύματα μαίνονταν από πάνω μου, πετώντας με μπρος-πίσω ανάμεσά τους σαν να ήταν αποφασισμένα να με μοιραστούν κόβοντάς με στη μέση. Ήξερα το σωστό τρόπο για να αποφύγω ένα παλιρροϊκό ρεύμα: να κολυμπήσω παράλληλα προς την παραλία, αντί να προσπαθήσω να φτάσω στην ακτή. Αλλά η γνώση δε με ωφέλησε και πολύ εφόσον δεν ήξερα προς τα πού ήταν η παραλία.

Δεν μπορούσα καν να καταλάβω πού ήταν η επιφάνεια.

Το οργισμένο νερό ήταν μαύρο προς κάθε κατεύθυνση· δεν υπήρχε πουθενά καμία φωτεινότητα για να με οδηγήσει προς τα πάνω. Η βαρύτητα ήταν ακατανίκητη, όταν συναγωνιζόταν με τον αέρα, αλλά δεν είχε καμία δύναμη πάνω στα κύματα -δεν ένιωθα τίποτα να με τραβάει προς τα κάτω, τίποτα που να με κάνει να βυθίζομαι προς καμία κατεύθυνση. Μόνο το ρεύμα που με κοπανούσε και με έριχνε με δύναμη εδώ κι εκεί σαν πάνινη κούκλα.

Πάσχισα να κρατήσω μέσα μου την ανάσα μου, να κρατήσω τα χείλη μου κλειδωμένα γύρω από το τελευταίο μου απόθεμα οξυγόνου.

Δε με ξάφνιασε που η ψευδαίσθηση του Έντουαρντ ήταν εκεί. Μου το χρωστούσε τουλάχιστον αυτό, με δεδομένο ότι πέθαινα. Με ξάφνιασε, όμως, το πόσο βέβαιη ήταν αυτή η γνώση. Θα πνιγόμουν. Πνιγόμουν ήδη.

«Συνέχισε να κολυμπάς!» με ικέτευσε ο Έντουαρντ με έναν επείγοντα τόνο μέσα στο κεφάλι μου.

Προς τα πού; Δεν υπήρχε τίποτα πέρα από το σκοτάδι. Δεν υπήρχε κανένα μέρος για να κολυμπήσω προς τα κει.

«Σταμάτα!» πρόσταξε. «Μην τολμήσεις να το βάλεις κάτω!»

Το κρύο νερό έκανε τα χέρια και τα πόδια μου να παραλύουν. Δεν ένιωθα το χτύπημα των κυμάτων τόσο έντονα όπως πριν. Τώρα ένιωθα περισσότερο μια ζαλάδα, μια ανήμπορη περιδίνηση μέσα στο νερό.

Αλλά τον άκουσα. Ανάγκασα τα χέρια μου να συνεχίσουν να τεντώνονται, τα πόδια μου να κλοτσήσουν με περισσότερη δύναμη, αν και κάθε δευτερόλεπτο βρισκόμουν σε διαφορετική κατεύθυνση. Δεν μπορεί να με ωφελούσαν σε τίποτα όλα αυτά. Ποιο το νόημα;

«Πάλεψε!» φώναξε. «Να πάρει, Μπέλλα, συνέχισε να παλεύεις».

Γιατί;

Δεν ήθελα να παλέψω πια. Και δεν ήταν ούτε η ζαλάδα, ούτε το κρύο, ούτε η αποτυχία των χεριών μου, καθώς οι μύες σταμάτησαν να δουλεύουν εξαντλημένοι, αυτό που με έκανε να νιώθω ικανοποιημένη μένοντας έτσι ακριβώς όπως ήμουν. Ήμουν σχεδόν χαρούμενη που είχε τελειώσει. Αυτός ήταν πιο εύκολος θάνατος από τους άλλους που είχα αντιμετωπίσει. Παραδόξως γαλήνιος.

Σκέφτηκα για λίγο τα κλισέ, όλα αυτά σχετικά με το πώς υποτίθεται ότι έβλεπες τη ζωή σου να περνάει σαν αστραπή μπροστά από τα μάτια σου. Εγώ ήμουν τόσο πιο τυχερή. Ποιος ήθελε να δει μια επανάληψη, εξάλλου;

Είδα *εκείνον*, και δεν είχα άλλη θέληση να παλέψω. Ήταν τόσο ξεκάθαρη η εικόνα του, τόσο πιο συγκεκριμένη από οποιαδήποτε ανάμνηση. Το υποσυνείδητό μου είχε κρατήσει την εικόνα του Έντουαρντ με άψογες λεπτομέρειες, σώζοντάς τη για την τελευταία αυτή στιγμή. Έβλεπα το τέλειο πρόσωπό του σαν να ήταν πράγματι εκεί· την ακριβή απόχρωση του παγωμένου του δέρματος, το σχήμα των χειλιών του, το περίγραμμα του πιγουνιού του, το χρυσαφί που λαμπύριζε μέσα στα έξαλλα μάτια του. Ήταν θυμωμένος, φυσικά, που τα είχα παρατήσει. Τα δόντια του ήταν σφιγμένα, και τα ρουθούνια του είχαν ανοίξει διάπλατα από την οργή.

«Όχι, Μπέλλα! Όχι!»

Τα αυτιά μου είχαν πλημμυρίσει από παγωμένο νερό, αλλά η φωνή του ήταν πιο καθαρή από ποτέ. Αγνόησα τα λόγια του και επικεντρώθηκα στον ήχο της φωνής του. Γιατί να παλέψω όταν ήμουν τόσο χαρούμενη εδώ; Ακόμα και τη στιγμή που τα πνευμόνια μου καίγονταν από την έλλειψη αέρα, και τα πόδια μου είχαν μουδιάσει μέσα στο παγερό κρύο, ήμουν ευχαριστημένη. Είχα ξεχάσει πώς ήταν να νιώθεις πραγματική ευτυχία.

Ευτυχία. Έκανε όλη αυτή την ιστορία του θανάτου πιο υποφερτή.

Το ρεύμα κέρδισε εκείνη τη στιγμή, σπρώχνοντάς με πάνω σε κάτι σκληρό, ένα βράχο αόρατο μέσα στο σκοτάδι. Με χτύπησε γερά πάνω στο στήθος, πέφτοντας πάνω μου με δύναμη σαν σιδερένια μπάρα, και η ανάσα βγήκε σφυρίζοντας έξω από τα πνευμόνια μου, δραπετεύοντας μέσα σε ένα πυκνό νέφος από ασημένιες μπουρμπουλήθρες. Το νερό πλημμύρισε το λαιμό μου πνίγοντας και καίγοντάς με. Η σιδερένια μπάρα έμοιαζε να με σέρνει, να με τραβάει μακριά από τον Έντουαρντ, πιο βαθιά μέσα στο σκοτάδι, στον πάτο του ωκεανού.

Αντίο, σ' αγαπάω, ήταν η τελευταία μου σκέψη.

16. ΠΑΡΙΣ

Εκείνη τη στιγμή, το κεφάλι μου έσκισε την επιφάνεια.

Πόσο αποπροσανατολιστικό. Ήμουν σίγουρη ότι βούλιαζα προς τα κάτω.

Το ρεύμα συνέχιζε να είναι ισχυρό. Με έριχνε με ορμή πάνω σε άλλα βράχια· εκείνα χτυπούσαν το κέντρο της πλάτης μου με δύναμη, ρυθμικά, ωθώντας το νερό να βγει από τα πνευμόνια μου. Ανάβλυζε σε απίστευτο όγκο, ολόκληροι χείμαρροι κυλούσαν από το στόμα και τη μύτη μου. Το αλάτι έκαιγε, και τα πνευμόνια μου έκαιγαν, κι ο λαιμός μου ήταν υπερβολικά γεμάτος με νερό για να μπορέσω να πάρω ανάσα, και τα βράχια πονούσαν την πλάτη μου. Με κάποιο τρόπο έμεινα σε ένα σημείο ακίνητη, αν και τα κύματα ακόμα ανεβοκατέβαιναν γύρω μου. Δεν μπορούσα να δω τίποτα εκτός από νερό παντού, που έφτανε ως το πρόσωπό μου.

«Ανάπνευσε!» μια φωνή, έξαλλη από την αγωνία, πρόσταξε, κι ένιωσα μια σκληρή σουβλιά πόνου, όταν αναγνώρισα τη φωνή –γιατί δεν ήταν του Έντουαρντ.

Δεν μπορούσα να υπακούσω. Ο καταρράκτης που έτρεχε

από το στόμα μου δε σταματούσε αρκετά για να μπορέσω να πάρω ανάσα. Το μαύρο, παγωμένο νερό γέμιζε το στήθος μου, καίγοντάς με.

Ο βράχος με χτύπησε πάλι ακριβώς ανάμεσα στις ωμοπλάτες, κι άλλος ένας χείμαρρος νερού ξεπήδησε από τα πνευμόνια μου πνίγοντάς με.

«Ανάπνευσε, Μπέλλα! Έλα!» ικέτευσε ο Τζέικομπ.

Μαύρες βούλες ήταν διάσπαρτες στο οπτικό μου πεδίο και γίνονταν όλο και πιο πλατιές, εμποδίζοντας το φως.

Ο βράχος με χτύπησε ξανά.

Ο βράχος δεν ήταν κρύος όπως το νερό· ήταν ζεστός πάνω στο δέρμα μου. Συνειδητοποίησα ότι ήταν το χέρι του Τζέικομπ που προσπαθούσε να διώξει το νερό από τα πνευμόνια μου. Η σιδερένια μπάρα που με έβγαλε από τη θάλασσα ήταν επίσης... ζεστή... Το κεφάλι μου στροβιλιζόταν, οι μαύρες βούλες σκέπαζαν τα πάντα...

Πέθαινα ξανά, λοιπόν; Δε μου άρεσε –δεν ήταν τόσο ωραία όσο την άλλη φορά. Τώρα υπήρχε μόνο σκοτάδι, δεν υπήρχε τίποτα που να άξιζε να το κοιτάω. Ο ήχος των κυμάτων που έσκαγαν έσβηνε μέσα στο σκοτάδι και γινόταν ένας ήσυχος, σταθερός, σφυριχτός ήχος που ακουγόταν λες κι ερχόταν μέσα από τα αυτιά μου...

«Μπέλλα;» ρώτησε ο Τζέικομπ, με φωνή ακόμα γεμάτη αγωνία, αλλά όχι τόσο άγρια όσο πριν. «Μπελς, γλυκιά μου, με ακούς;»

Το περιεχόμενο του κεφαλιού μου θρόιζε και γύριζε με τρόπο μου προκαλούσε εμετό, σαν να είχε κι αυτό συμμαχήσει με το ταραγμένο νερό...

«Πόση ώρα είναι αναίσθητη;» ρώτησε κάποιος άλλος.

Η φωνή που δεν ήταν του Τζέικομπ με ξάφνιασε, με ταρακούνησε σε σημείο που να έχω μια πιο εστιασμένη επίγνωση του περιβάλλοντος.

Κατάλαβα ότι ήμουν ακίνητη. Το ρεύμα δε με τραβούσε

πια –το σκαμπανέβασμα ήταν μέσα στο κεφάλι μου. Η επιφάνεια από κάτω μου ήταν επίπεδη και σταθερή. Έτσι όπως ακουμπούσαν τα γυμνά μου μπράτσα πάνω της, ένιωθα σαν να είχε κόκκους.

«Δεν ξέρω», έδωσε αναφορά ο Τζέικομπ, ακόμα υστερικός. Η φωνή του ήταν πολύ κοντά. Χέρια –τόσο ζεστά που έπρεπε να είναι δικά του– έδιωχναν τα βρεγμένα μαλλιά από τα μάγουλά μου. «Λίγα λεπτά; Δεν πήρε πολλή ώρα να τη βγάλω στην παραλία».

Ο χαμηλός σφυριχτός ήχος στ' αυτιά μου δεν ήταν τα κύματα –ήταν ο αέρας που έμπαινε κι έβγαινε από τα πνευμόνια μου ξανά. Κάθε ανάσα με έκαιγε– οι δίοδοι απ' όπου περνούσε ήταν τόσο τραχιές λες και κάποιος τις είχε τρίψει με συρματόσχοινο. Αλλά ανέπνεα.

Κι έτρεμα από το κρύο. Χιλιάδες τσουχτερές, παγωμένες σταγόνες κάλυπταν το κεφάλι μου και τα μπράτσα μου κάνοντας το κρύο χειρότερο.

«Αναπνέει. Θα ανακτήσει τις αισθήσεις της. Όμως, πρέπει να την πάμε κάπου ζεστά. Δε μου αρέσει το χρώμα που πήρε...» αναγνώρισα τη φωνή του Σαμ αυτή τη φορά.

«Πιστεύεις ότι δεν πειράζει να τη μετακινήσουμε;»

«Δε χτύπησε τη μέση της ή τίποτα τέτοιο, όταν έπεσε;»

«Δεν ξέρω».

Δίστασαν.

Προσπάθησα να ανοίξω τα μάτια μου. Μου πήρε ένα λεπτό, αλλά μετά έβλεπα τα σκοτεινά, μοβ σύννεφα να ρίχνουν με ορμή την παγωμένη βροχή πάνω μου. «Τζέικ;» είπα βραχνά.

Το πρόσωπο του Τζέικομπ μου έκοψε τη θέα του ουρανού. «Ω!» είπε ξέπνοα, ενώ ανακούφιση πλημμύρισε τα χαρακτηριστικά του. Τα μάτια του ήταν βρεγμένα από τη βροχή. «Ω, Μπέλλα! Είσαι καλά; Με ακούς; Πονάς πουθενά;»

«Α-απλώς στο λαιμό μου», είπα τραυλίζοντας, καθώς τα

χείλη μου έτρεμαν από το κρύο.

«Πάμε να φύγουμε από δω τότε», είπε ο Τζέικομπ. Γλίστρησε τα χέρια του από κάτω μου και με σήκωσε χωρίς να καταβάλει προσπάθεια –σαν να σήκωνε ένα άδειο κουτί. Το στήθος του ήταν γυμνό και ζεστό· κύρτωσε τους ώμους του για να μην πέφτει πάνω μου η βροχή. Το κεφάλι μου έγειρε τεμπέλικα πάνω στο μπράτσο του. Κοίταξα με κενό βλέμμα πίσω προς το οργισμένο νερό, που έσκαγε πάνω στην άμμο πίσω του.

«Την κρατάς;» άκουσα τον Σαμ να ρωτάει.

«Ναι, θα το αναλάβω εγώ από δω. Γύρνα στο νοσοκομείο. Θα έρθω να σε βρω αργότερα. Σ' ευχαριστώ, Σαμ».

Το κεφάλι μου γύριζε ακόμα. Δεν είχα συνειδητοποιήσει ακόμα τίποτα από τα λόγια του. Ο Σαμ δεν απάντησε. Δεν ακουγόταν κανένας ήχος, κι αναρωτήθηκα αν είχε φύγει ήδη.

Το νερό έγλυφε και κουλουριαζόταν πάνω στην άμμο ακολουθώντας μας, καθώς ο Τζέικομπ με έπαιρνε από κει, λες και είχε θυμώσει που του είχα ξεφύγει. Καθώς κοίταζα κουρασμένα, ένα ίχνος χρώματος τράβηξε την προσοχή των ματιών μου –μια μικρή λάμψη από φωτιά χόρευε πάνω στο μαύρο νερό, πέρα μακριά στον κόλπο. Η εικόνα δεν έβγαζε κανένα νόημα, και αναρωτήθηκα κατά πόσο είχα ανακτήσει τις αισθήσεις μου. Το κεφάλι μου στροβιλιζόταν από την ανάμνηση του μαύρου, ταραγμένου νερού –την ανάμνηση του να είμαι τόσο χαμένη που να μην μπορώ να ξεχωρίσω το πάνω και το κάτω. Τόσο χαμένη… αλλά με κάποιο τρόπο ο Τζέικομπ…

«Πώς με βρήκες;» ρώτησα με φωνή τραχιά.

«Σε έψαχνα», μου είπε. Σχεδόν έτρεχε μέσα στη βροχή για να ανέβει από την παραλία στο δρόμο. «Ακολούθησα τα ίχνη που άφησαν τα λάστιχα του φορτηγού σου και μετά σε άκουσα να ουρλιάζεις…» Αναρίγησε. «Γιατί πήδηξες, Μπέλλα; Δεν το πρόσεξες ότι ερχόταν θύελλα; Δεν μπορούσες να με περιμένεις;» Θυμός γέμιζε τον τόνο της φωνής του, καθώς έσβηνε η ανακούφιση.

«Συγνώμη», μουρμούρισα. «Ήταν ανοησία».

«Ναι, ήταν *μεγάλη* ανοησία», συμφώνησε, ενώ σταγόνες βροχής έπεφταν από τα μαλλιά του, καθώς κουνούσε το κεφάλι του. «Κοίτα, σε πειράζει να αφήσεις τα ανόητα πράγματα για όταν είμαι κι εγώ μαζί σου; Δε θα μπορέσω να συγκεντρωθώ αν νομίζω ότι πας και πηδάς από βράχους πίσω από την πλάτη μου».

«Εντάξει», συμφώνησα. «Κανένα πρόβλημα». Ακούστηκα σαν μανιώδης καπνιστής. Προσπάθησα να καθαρίσω το λαιμό μου –και μετά έκανα ένα μορφασμό· το καθάρισμα του λαιμού ήταν λες και κάποιος είχε καρφώσει ένα μαχαίρι εκεί πέρα. «Τι έγινε σήμερα; *Την*... βρήκατε;» Ήταν η σειρά μου να νιώσω ένα ρίγος, αν και δεν κρύωνα τόσο πολύ εδώ, δίπλα στη εξωφρενική ζέστη που ανέδιδε το σώμα του.

Ο Τζέικομπ κούνησε το κεφάλι του. Ακόμα έτρεχε περισσότερο παρά περπατούσε, καθώς ανέβαινε το δρόμο προς το σπίτι του. «Όχι. Χάθηκε μέσα στο νερό –οι αιμορουφήχτρες έχουν το πλεονέκτημα εκεί. Γι' αυτό έτρεξα σπίτι –φοβόμουν ότι θα γυρνούσε πίσω κολυμπώντας. Εσύ περνάς τόση πολλή ώρα στην παραλία...» Η φωνή του αργόσβησε, και κάτι σαν κόμπος ακούστηκε στο λαιμό του.

«Ο Σαμ γύρισε πίσω μαζί σου... είναι κι όλοι οι άλλοι σπίτι;» Ήλπιζα ότι δεν ήταν ακόμα έξω ψάχνοντας εμένα.

«Ναι. Περίπου».

Προσπάθησα να διαβάσω την έκφρασή του, κοιτάζοντάς τον με μισόκλειστα μάτια μέσα στη βροχή που σφυροκοπούσε. Τα μάτια του ήταν σφιγμένα από την ανησυχία ή τον πόνο.

Οι λέξεις που πριν δεν έβγαζαν κανένα νόημα τώρα ξαφνικά σήμαιναν κάτι. «Είπες... νοσοκομείο. Πριν, στον Σαμ. Έπαθε κάποιος κάτι; Βρεθήκατε αντιμέτωποι με εκείνη;» Η φωνή μου ανέβηκε μια οκτάβα, ενώ ακούστηκε παράξενη από τη βραχνάδα.

«Όχι, όχι. Όταν γυρίσαμε, η Εμ μας περίμενε με τα νέα. Ο Χάρι Κλίαργουοτερ. Έπαθε καρδιακή προσβολή σήμερα το πρωί».

«Ο Χάρι;» κούνησα το κεφάλι μου προσπαθώντας να αφομοιώσω αυτό που μου έλεγε. «Ωχ, όχι! Ο Τσάρλι το ξέρει;»

«Ναι. Έχει πάει κι αυτός εκεί μαζί με τον μπαμπά μου».

«Θα γίνει καλά ο Χάρι;»

Τα μάτια του Τζέικομπ σφίχτηκαν ξανά. «Δε φαίνεται και πολύ καλή η κατάσταση τώρα».

Απότομα, ένιωσα άρρωστη από τις ενοχές –ένιωσα πραγματικά απαίσια για την ανεγκέφαλη πτώση από το βράχο. Δε χρειάζονταν να ανησυχούν και για μένα τώρα. Τι χαζή στιγμή για να κάνω κάτι ριψοκίνδυνο.

«Τι μπορώ να κάνω εγώ;» ρώτησα.

Εκείνη τη στιγμή η βροχή σταμάτησε. Δεν είχα συνειδητοποιήσει ότι είχαμε ήδη φτάσει στο σπίτι του Τζέικομπ, μέχρι που μπήκε μέσα. Η καταιγίδα κοπανούσε βίαια τη σκεπή.

«Μπορείς να μείνεις εδώ», είπε ο Τζέικομπ, καθώς με έριξε στον κοντό καναπέ. «Το εννοώ –ακριβώς εδώ. Θα σου φέρω στεγνά ρούχα».

Άφησα τα μάτια μου να προσαρμοστούν στο σκοτεινό δωμάτιο, ενώ ο Τζέικομπ έκανε θόρυβο χτυπώντας εδώ κι εκεί μέσα στο δωμάτιό του. Το γεμάτο με πράγματα καθιστικό έμοιαζε τόσο άδειο χωρίς τον Μπίλι. Ήταν παράδοξα απειλητικό –πιθανότατα απλά επειδή ήξερα πού βρισκόταν.

Ο Τζέικομπ γύρισε σε μερικά δευτερόλεπτα. Μου πέταξε ένα γκρι βαμβακερό σωρό. «Θα σου είναι τεράστια, αλλά είναι το καλύτερο που έχω. Θα, εε, θα βγω έξω για να αλλάξεις».

«Μην πας πουθενά. Είμαι υπερβολικά κουρασμένη για να κουνηθώ. Μείνε μαζί μου».

Ο Τζέικομπ κάθισε στο πάτωμα δίπλα μου, με την πλάτη του να ακουμπάει στον καναπέ. Αναρωτήθηκα πότε ήταν η τελευταία φορά που κοιμήθηκε. Έδειχνε εξίσου ξεθεωμένος μ' εμένα.

Έγειρε το κεφάλι του στο μαξιλάρι δίπλα στο δικό μου και χασμουρήθηκε. «Υποθέτω πως θα μπορούσα να ξεκουραστώ για ένα λεπτό...»

Τα μάτια του έκλεισαν. Άφησα και τα δικά μου να κλείσουν επίσης.

Ο καημένος ο Χάρι. Η καημένη η Σου. Ήξερα ότι ο Τσάρλι θα ήταν εκτός εαυτού. Ο Χάρι ήταν ένας από τους καλύτερούς του φίλους. Παρά την αρνητική πρόγνωση του Τζέικ, εγώ ήλπιζα διακαώς ότι ο Χάρι θα τα κατάφερνε. Για χάρη του Τσάρλι. Για χάρη της Σου, και της Λία και του Σεθ...

Ο καναπές του Μπίλι ήταν δίπλα στο καλοριφέρ, κι ήμουν ζεστή τώρα παρά τα βρεγμένα μου ρούχα. Τα πνευμόνια μου πονούσαν τόσο που με ωθούσαν περισσότερο να χάσω τις αισθήσεις μου παρά να μη μείνω ξύπνια. Αναρωτήθηκα αόριστα αν ήταν λάθος να κοιμηθώ... ή μήπως μπέρδευα τον πνιγμό με τη διάσειση...; Ο Τζέικομπ άρχισε να ροχαλίζει απαλά, κι ο ήχος με ηρέμησε σαν νανούρισμα. Αποκοιμήθηκα γρήγορα.

Για πρώτη φορά εδώ και πάρα πολύ καιρό το όνειρό μου ήταν ένα φυσιολογικό όνειρο. Μια θολή περιπλάνηση σε παλιές αναμνήσεις –εκτυφλωτικά λαμπερά οράματα του ήλιου στο Φοίνιξ, του προσώπου της μητέρας μου, ενός ετοιμόρροπου δεντρόσπιτου, ενός τοίχου με καθρέφτες, μια φλόγας πάνω στο μαύρο νερό... Ξέχναγα το καθένα απ' αυτά αμέσως μόλις άλλαζε η εικόνα.

Η τελευταία εικόνα ήταν η μόνη που κόλλησε στο κεφάλι μου. Δεν είχε κανένα νόημα –ήταν απλώς ένα σκηνικό πάνω σε μια θεατρική σκηνή. Ένα μπαλκόνι μέσα στη νύχτα, ένα ζωγραφισμένο φεγγάρι που κρεμόταν στον ουρανό. Παρακολούθησα το κορίτσι που φορούσε το νυχτικό της να γέρνει από την κουπαστή του μπαλκονιού και να μιλάει στον εαυτό της.

Χωρίς κανένα νόημα... αλλά όταν αργά-αργά πάσχισα

να γυρίσω στο συνειδητό κόσμο, η Ιουλιέτα ήταν στο μυαλό μου.

Ο Τζέικομπ κοιμόταν ακόμα· είχε κατρακυλήσει κάτω στο πάτωμα, και η αναπνοή του ήταν βαθιά και ρυθμική. Το σπίτι τώρα ήταν πιο σκοτεινό απ' ό,τι πριν, είχε μαύρο σκοτάδι έξω από το παράθυρο. Εγώ ήμουν μουδιασμένη, αλλά ζεστή και σχεδόν στεγνή. Το μέσα του λαιμού μου έκαιγε με κάθε ανάσα που έπαιρνα.

Θα χρειαζόταν να σηκωθώ –τουλάχιστον για να πιω κάτι. Αλλά το σώμα μου ήθελε απλώς να μείνει εδώ πέρα παράλυτο, να μην κουνηθεί ποτέ ξανά.

Αντί να κουνηθώ, σκέφτηκα κι άλλο την Ιουλιέτα.

Αναρωτήθηκα τι θα έκανε αν ο Ρωμαίος την είχε αφήσει, όχι επειδή τον είχαν εξορίσει, αλλά επειδή είχε χάσει το ενδιαφέρον του; Αν η Ροζαλίντα τον είχε ξετρελάνει και έτσι είχε αλλάξει γνώμη; Αν, αντί να παντρευτεί την Ιουλιέτα, είχε απλώς εξαφανιστεί;

Σκέφτηκα ότι ήξερα πώς θα ένιωθε η Ιουλιέτα.

Δε θα ξαναγύριζε στην παλιά ζωή της, όχι αληθινά. Δε θα προχωρούσε ποτέ παρακάτω, ήμουν σίγουρη γι' αυτό. Ακόμα κι αν ζούσε μέχρι που θα γινόταν γριά και θα άσπριζαν τα μαλλιά της, κάθε φορά που θα έκλεινε τα μάτια της, το πρόσωπο του Ρωμαίου θα ήταν αυτό που θα έβλεπε πίσω από τα κλειστά της βλέφαρα. Τελικά, θα το είχε αποδεχτεί αυτό.

Αναρωτήθηκα αν θα είχε παντρευτεί τον Πάρι στο τέλος, μόνο και μόνο για να ευχαριστήσει τους γονείς της, για να διατηρηθεί η ειρήνη. Όχι, πιθανότατα όχι, αποφάσισα. Αλλά από την άλλη, η ιστορία δεν έλεγε και πολλά για τον Πάρι. Ήταν απλώς ένας στερεότυπος χαρακτήρας –κάποιος που κρατούσε μια θέση, μια απειλή, μια προθεσμία που θα την ανάγκαζε να δράσει.

Κι αν υπήρχαν κι άλλα στοιχεία στον Πάρι;

Αν ο Πάρις ήταν φίλος της Ιουλιέτας; Ο καλύτερός της

φίλος; Αν ήταν το μοναδικό άτομο στο οποίο μπορούσε να εμπιστευθεί όλη αυτή την ολέθρια ιστορία με τον Ρωμαίο; Το μόνο άτομο που την καταλάβαινε πραγματικά και την έκανε να νιώθει σχεδόν άνθρωπος ξανά; Αν ήταν υπομονετικός και ευγενικός; Αν τη φρόντιζε; Αν η Ιουλιέτα ήξερε ότι δεν μπορούσε να ζήσει χωρίς αυτόν; Αν πραγματικά την αγαπούσε και ήθελε να είναι ευτυχισμένη;

Και... αν εκείνη αγαπούσε τον Πάρι; Όχι όπως τον Ρωμαίο. Τίποτα τέτοιο, φυσικά. Αλλά αρκετά ώστε να θέλει κι αυτός να είναι ευτυχισμένος;

Η αργή, βαθιά αναπνοή του Τζέικομπ ήταν ο μόνος ήχος μέσα στο δωμάτιο –σαν νανούρισμα που σιγοτραγουδούσε κάποιος σε ένα παιδί, σαν το ψίθυρο μιας κουνιστής πολυθρόνας, σαν το χτύπο ενός παλιού ρολογιού όταν δεν υπήρχε κανένα μέρος που να έπρεπε να πας... Ήταν ο ήχος της παρηγοριάς.

Αν ο Ρωμαίος είχε φύγει στ' αλήθεια, και δε θα γύριζε ποτέ ξανά, θα έπαιζε ρόλο αν ή όχι η Ιουλιέτα είχε δεχτεί την πρόταση του Πάρι; Μπορεί να έπρεπε να προσπαθήσει να βολευτεί με όσα ψήγματα ζωής είχαν απομείνει πίσω. Μπορεί αυτό να ήταν το κοντινότερο στην ευτυχία που θα μπορούσε να φτάσει.

Αναστέναξα, και μετά βόγκηξα, όταν ο αναστεναγμός έγδαρε το λαιμό μου. Έβλεπα υπερβολικά πολλά πράγματα μέσα στην ιστορία. Ο Ρωμαίος δε θα άλλαζε γνώμη. Γι' αυτό οι άνθρωποι ακόμα θυμούνται το όνομά του πάντα δεμένο με το δικό της: Ρωμαίος και Ιουλιέτα. Γι' αυτό ήταν καλή ιστορία. Το "Ρωμαίος παρατάει Ιουλιέτα και αυτή καταλήγει με τον Πάρι", δε θα είχε γίνει ποτέ επιτυχία.

Έκλεισα τα μάτια μου και αφέθηκα να παρασυρθώ, αφήνοντας το μυαλό μου να περιπλανηθεί μακριά από το ηλίθιο θεατρικό έργο που δεν ήθελα να σκέφτομαι πια. Σκέφτηκα την πραγματικότητα αντί γι' αυτό –σκέφτηκα το γεγονός ότι είχα πηδήξει από το βράχο, και πόσο ανεγκέφαλο λάθος ήταν αυτό. Κι όχι μόνο ο βράχος, αλλά και τα μηχανάκια και όλη αυτή η ιστορία που αποφάσισα να το παίξω ανεύθυνος κασκαντέρ. Τι θα γινόταν αν μου είχε συμβεί κάτι κακό; Τι συνέπειες θα είχε αυτό για τον Τσάρλι; Η καρδιακή προσβολή του Χάρι με είχε κάνει να τα δω όλα με άλλο μάτι ξαφνικά. Είδα μια άποψη που δεν ήθελα να δω, επειδή –αν παραδεχόμουν ότι αυτό ήταν αλήθεια– αυτό θα σήμαινε ότι έπρεπε να αλλάξω τη συμπεριφορά μου. Μπορούσα να ζήσω έτσι;

Μπορεί. Δε θα ήταν εύκολο· μάλιστα, θα ήταν εντελώς άθλιο να πρέπει να εγκαταλείψω τις παραισθήσεις μου και να προσπαθήσω να φερθώ σαν ενήλικας. Αλλά ίσως να έπρεπε να το κάνω. Και ίσως μπορούσα. Αν είχα τον Τζέικομπ.

Δεν μπορούσα να πάρω την απόφαση αυτή τώρα. Ήταν πολύ οδυνηρή. Θα σκεφτόμουν κάτι άλλο.

Εικόνες από το απερίσκεπτο απογευματινό ακροβατικό μου περνούσαν μέσα από το κεφάλι μου, ενώ προσπαθούσα να σκεφτώ κάτι ευχάριστο για να απασχολήσω μ' αυτό το νου μου... την αίσθηση του αέρα καθώς έπεφτα, το μαύρο χρώμα του νερού, τα δυνατά χτυπήματα του ρεύματος... το πρόσωπο του Έντουαρντ... έμεινα εκεί για πολλή ώρα. Τα ζεστά χέρια του Τζέικομπ που προσπαθούσαν να με ξαναφέρουν στη ζωή... την τσουχτερή βροχή που έπεφτε με δύναμη από τα μοβ σύννεφα... την παράξενη φωτιά πάνω στα κύματα...

Υπήρχε κάτι οικείο σε αυτή την αναλαμπή χρώματος πάνω στο νερό. Φυσικά δεν ήταν δυνατόν να ήταν πράγματι φωτιά—

Οι σκέψεις μου διακόπηκαν από τον ήχο ενός αυτοκινήτου που τσαλαβούτησε μέσα στη λάσπη απ' έξω, στο δρόμο. Το άκουσα να σταματάει μπροστά από το σπίτι, και άρχισαν να ανοίγουν και να κλείνουν πόρτες. Σκέφτηκα να ανακαθίσω πάνω στον καναπέ και μετά αποφάσισα ότι δεν ήταν καλή ιδέα.

Η φωνή του Μπίλι εύκολα αναγνωριζόταν, αλλά μιλούσε τόσο χαμηλά όσο δε συνήθιζε ποτέ, έτσι που ακουγόταν μόνο σαν ένα τραχύ μουρμουρητό.

Η πόρτα άνοιξε, και άναψε το φως. Εγώ ανοιγόκλεισα τα μάτια προς στιγμή τυφλωμένη. Ο Τζέικ ξύπνησε ξαφνιασμένος βγάζοντας μια πνιχτή κραυγή και πετάχτηκε όρθιος.

«Συγνώμη», είπε ο Μπίλι. «Σας ξυπνήσαμε;»

Τα μάτια μου εστίασαν αργά στο πρόσωπό του, και μετά, καθώς μπόρεσα να διαβάσω την έκφρασή του, γέμισαν με δάκρυα.

«Ω, όχι, Μπίλι!» είπα αναστενάζοντας.

Εκείνος έγνεψε αργά, με έκφραση σκληρή από τη θλίψη. Ο Τζέικ πήγε βιαστικά στον πατέρα του και έπιασε το ένα του χέρι. Ο πόνος έκανε το πρόσωπό του ξαφνικά παιδικό –έδειχνε παράξενο πάνω στο σώμα ενός άντρα.

Ο Σαμ ήταν ακριβώς πίσω από τον Μπίλι σπρώχνοντας την καρέκλα του για να μπουν μέσα. Η συνηθισμένη του ψυχραιμία έλειπε από το βασανισμένο του πρόσωπο.

«Λυπάμαι πολύ», ψιθύρισα.

Ο Μπίλι κούνησε το κεφάλι. «Θα είναι δύσκολο για όλους».

«Πού είναι ο Τσάρλι;»

«Ο μπαμπάς σου είναι ακόμα στο νοσοκομείο με τη Σου. Υπάρχουν πολλές... λεπτομέρειες που πρέπει να κανονιστούν».

Ξεροκατάπια με δυσκολία.

«Καλύτερα να ξαναγυρίσω εκεί», μουρμούρισε ο Σαμ και έσκυψε βιαστικά για να βγει.

Ο Μπίλι τράβηξε το χέρι του από του Τζέικομπ, και μετά τσούλησε την καρέκλα του μέσα από την κουζίνα προς το δωμάτιό του.

Ο Τζέικ τον ακολούθησε με το βλέμμα του για ένα λεπτό, και μετά ήρθε για να κάτσει δίπλα μου στο πάτωμα πάλι. Έχωσε το πρόσωπό του μέσα στα χέρια του. Έτριψα τον ώμο του, ενώ ευχόμουν να μπορούσα να σκεφτώ κάτι να πω.

Μετά από μια παρατεταμένη στιγμή, ο Τζέικομπ έπιασε το χέρι μου και το κράτησε στο πρόσωπό του.

«Πώς νιώθεις; Είσαι καλά; Μάλλον έπρεπε να σε είχα πάει σε κανένα γιατρό ή κάτι τέτοιο τελοσπάντων». Αναστέναξε.

«Μην ανησυχείς για μένα», είπα βραχνά.

Γύρισε το κεφάλι του για να με κοιτάξει. Το περίγραμμα των ματιών του ήταν κόκκινο. «Δε φαίνεσαι και πολύ καλά».

«Δε νιώθω και τόσο καλά, υποθέτω».

«Θα πάω να φέρω το φορτηγάκι σου να σε πάω σπίτι –μάλλον είναι καλύτερα να είσαι εκεί, όταν γυρίσει ο Τσάρλι».

«Σωστά».

Έμεινα χωρίς ενέργεια πάνω στον καναπέ, ενώ τον περίμενα. Ο Μπίλι ήταν σιωπηλός στο άλλο δωμάτιο. Ένιωθα σαν ηδονοβλεψίας που κοιτούσε κρυφά μέσα από τις χαραμάδες την ιδιωτική θλίψη που δεν ήταν δικιά μου.

Ο Τζέικ δεν άργησε. Ο βρυχηθμός της μηχανής του αμαξιού μου έσπασε τη σιωπή ξαφνιάζοντάς με. Με βοήθησε να σηκωθώ από τον καναπέ χωρίς να μιλάει, έχοντας τα χέρια του γύρω από τον ώμο μου, όταν ο κρύος αέρας έξω με έκανε να τρέμω. Κάθισε στη θέση του οδηγού χωρίς να ρωτήσει και μετά με τράβηξε δίπλα του για να κρατήσει το μπράτσο του σφιχτά γύρω μου. Έγειρα το κεφάλι μου στο στήθος του.

«Πώς θα γυρίσεις εσύ σπίτι;» ρώτησα.

«Δε θα γυρίσω σπίτι. Ακόμα δεν την πιάσαμε εκείνη τη αιμορουφήχτρα, το θυμάσαι;»

Το επόμενο ρίγος μου δεν το προκάλεσε το κρύο.

Μετά από αυτό η διαδρομή ήταν σιωπηλή. Ο κρύος αέρας με είχε ξυπνήσει. Το μυαλό μου ήταν σε εγρήγορση και δούλευε πολύ έντονα και πολύ γρήγορα.

Κι αν; Ποιο ήταν το σωστό να κάνω;

Δεν μπορούσα να φανταστώ τη ζωή μου χωρίς τον Τζέικομπ τώρα –η ιδέα του να προσπαθήσω έστω και να το φανταστώ αυτό μου προκαλούσε τρόμο. Με κάποιο τρόπο, μου είχε γίνει εντελώς απαραίτητος για την επιβίωσή μου. Αλλά να αφήσω τα πράγματα έτσι όπως ήταν... μήπως αυτό ήταν σκληρό, όπως με είχε κατηγορήσει ο Μάικ;

Θυμήθηκα ότι είχα ευχηθεί να ήταν ο Τζέικομπ αδερφός μου. Συνειδητοποιούσα τώρα ότι αυτό που ήθελα πραγματικά ήταν να είχα κάποια δικαιώματα πάνω του. Δεν ένιωθα αδερφικά όταν με κρατούσε έτσι. Απλώς ένιωθα ωραία –ζεστά και παρήγορα και οικεία. Ένιωθα ασφάλεια. Ο Τζέικομπ ήταν ένα ασφαλές λιμάνι.

Θα μπορούσα να διεκδικήσω δικαιώματα στον Τζέικ. Είχα τόση δύναμη.

Θα έπρεπε να του πω τα πάντα, αυτό το ήξερα. Ήταν ο μόνος τρόπος για να είμαι δίκαιη. Θα έπρεπε να το εξηγήσω σωστά, ώστε να ξέρει ότι δε συμβιβαζόμουν, ότι ήταν πολύ καλός για μένα. Ήξερε ήδη ότι ήμουν διαλυμένη, αυτό το κομμάτι δε θα τον ξάφνιαζε, αλλά θα έπρεπε να ξέρει σε τι βαθμό. Θα έπρεπε ακόμα και να παραδεχτώ ότι ήμουν τρελή –να εξηγήσω σχετικά με τις φωνές που άκουγα. Θα έπρεπε να μάθει τα πάντα πριν να πάρει μια απόφαση.

Αλλά, αν και αναγνώριζα αυτή την αναγκαιότητα, ήξερα ότι θα με δεχόταν παρ' όλα αυτά. Δε θα σταματούσε ούτε καν για να το σκεφτεί.

Θα έπρεπε να αφοσιωθώ σ' αυτό –να αφιερώσω ότι είχε απομείνει από μένα, όλα τα σπασμένα κομμάτια. Ήταν ο μόνος τρόπος για να είμαι δίκαιη μαζί του. Θα το έκανα; Μπορούσα να το κάνω;

Θα ήταν τόσο λάθος να προσπαθήσω να κάνω ευτυχισμένο τον Τζέικομπ; Ακόμα κι αν η αγάπη που ένιωθα γι' αυτόν ήταν απλώς μια αδύναμη ηχώ της αγάπης που ήμουν ικανή να νιώσω, ακόμα κι αν η καρδιά μου ήταν μακριά, αν περιπλανιόταν και θρηνούσε για τον άστατο Ρωμαίο μου, θα ήταν τόσο λάθος;

Ο Τζέικομπ σταμάτησε το φορτηγάκι μπροστά από το σκοτεινό σπίτι μου, σβήνοντας τη μηχανή έτσι που έγινε ξαφνικά απόλυτη ησυχία. Όπως και τόσες άλλες φορές, έδειχνε να γνωρίζει τις σκέψεις μου τώρα.

Άπλωσε το άλλο του χέρι γύρω μου, σφίγγοντάς με στο στήθος του, δένοντάς με μαζί του. Και πάλι, αυτό ήταν ωραίο. Σχεδόν σαν να ήμουν ολόκληρος άνθρωπος ξανά.

Νόμιζα ότι θα σκεφτόταν τον Χάρι, αλλά μετά μίλησε, κι ο τόνος του ήταν απολογητικός. «Συγνώμη. Ξέρω ότι δε νιώθεις ακριβώς όπως νιώθω εγώ, Μπελς. Σου ορκίζομαι ότι δε με πειράζει. Απλώς χαίρομαι τόσο πολύ που είσαι καλά που θα μπορούσα να τραγουδήσω –κι αυτό είναι κάτι που κανείς δε θέλει να ακούσει». Γέλασε με ένα βαθύ γέλιο στο αυτί μου.

Η ανάσα μου έκανε μια χαρακιά γδέρνοντας σαν γυαλόχαρτο το λαιμό μου.

Δε θα ήθελε ο Έντουαρντ, όσο αδιάφορος κι αν ήταν, να είμαι χαρούμενη όσο ήταν δυνατόν υπό τις δεδομένες συνθήκες; Δε θα του έμενε αρκετή φιλική διάθεση, ώστε να θέλει τουλάχιστον αυτό για μένα; Πίστευα πως ναι. Δε θα μου κρατούσε κακία γι' αυτό: να δώσω ένα μικρό κομμάτι αγάπης που δεν ήθελε εκείνος στον Τζέικομπ. Εξάλλου, δεν ήταν καθόλου η ίδια αγάπη.

Ο Τζέικ πίεσε το ζεστό του μάγουλο στην κορυφή των μαλλιών μου.

Αν γύριζα το πρόσωπό μου στο πλάι –αν πίεζα τα χείλη μου πάνω στο γυμνό του ώμο... ήξερα χωρίς αμφιβολία ακριβώς τι θα επακολουθούσε. Θα ήταν πολύ εύκολο. Δε θα υπήρχε καθόλου ανάγκη για εξηγήσεις απόψε.

Αλλά μπορούσα να το κάνω; Μπορούσα να προδώσω την απούσα καρδιά μου για να σώσω την άθλια ζωή μου;

Ένας κόμπος σφίχτηκε στο στομάχι μου, καθώς σκεφτόμουν να γυρίσω το κεφάλι μου.

Και τότε, ξεκάθαρα σαν να βρισκόμουν σε άμεσο κίνδυνο, η βελούδινη φωνή του Έντουαρντ ψιθύρισε στ' αυτί μου.

«Γίνε ευτυχισμένη», μου είπε.

Κοκάλωσα.

Ο Τζέικομπ ένιωσε ότι πάγωσα και με απελευθέρωσε αυτόματα, απλώνοντας το χέρι του προς την πόρτα.

Περίμενε, ήθελα να πω. *Ένα λεπτό.* Αλλά ήμουν ακόμα κοκαλωμένη στη θέση μου, ακούγοντας την ηχώ της φωνής του Έντουαρντ μέσα στο κεφάλι μου.

Δροσερός αέρας από την καταιγίδα φύσηξε μέσα στην καμπίνα του φορτηγού.

«Ω!» Η ανάσα βγήκε σφυριχτή από τον Τζέικομπ λες και κάποιος τον είχε χτυπήσει στα σωθικά. «*Να πάρει!*»

Έκλεισε με δύναμη την πόρτα και γύρισε τα κλειδιά στη μίζα την ίδια στιγμή ακριβώς. Τα χέρια του έτρεμαν τόσο έντονα που δεν ήξερα πώς τα κατάφερε.

«Τι συμβαίνει;»

Ανέβασε τι στροφές της μηχανής υπερβολικά γρήγορα· αυτή ρέταρε κι άρχισε να τρέμει.

«Βρικόλακας», είπε φτύνοντας.

Το αίμα έφυγε από το κεφάλι μου και με άφησε ζαλισμένη. «Πώς το ξέρεις;»

«Επειδή το μυρίζω! Να πάρει!»

Τα μάτια του Τζέικομπ ήταν άγρια, σαρώνοντας τον σκοτεινό δρόμο. Μετά βίας έδειχνε να συναισθάνεται τα ρίγη που δονούσαν το σώμα του. «Να μεταμορφωθώ ή να την πάρω από δω;» είπε στον εαυτό του μέσα από τα δόντια του.

Χαμήλωσε το βλέμμα του προς εμένα για ένα κλάσμα του δευτερολέπτου, αφομοιώνοντας τα έντρομα μάτια μου και το πανιασμένο μου πρόσωπο, και μετά σάρωσε πάλι το δρόμο με τα μάτια του. «Σωστά. Να σε πάρω από δω».

Η μηχανή βρυχήθηκε επιταχύνοντας. Τα λάστιχα σκλήρισαν, καθώς έστριψε γρήγορα το φορτηγάκι από την άλλη μεριά, γυρίζοντας προς τη μοναδική μας έξοδο διαφυγής. Οι προβολείς έλουσαν το πεζοδρόμιο, φώτισαν την μπροστινή γραμμή του μαύρου δάσους και τελικά άστραψαν περνώντας ξυστά από ένα αυτοκίνητο παρκαρισμένο στην άλλη μεριά του δρόμου, απέναντι από το σπίτι μου.

«Σταμάτα!» ξεφώνισα πνιχτά.

Ήταν ένα μαύρο αμάξι –ένα αμάξι που ήξερα. Μπορεί να ήμουν κάθε άλλο παρά φίλος των αυτοκινήτων, αλλά μπορούσα να σου πω τα πάντα για το συγκεκριμένο αυτοκίνητο. Ήταν μια Μερσεντές S55 AMG. Ήξερα την ιπποδύναμη και το χρώμα στο εσωτερικό. Ήξερα την αίσθηση της δυνατής μηχανής που βούιζε μέσα από το σκελετό. Ήξερα την πλούσια μυρωδιά των δερμάτινων καθισμάτων και τον τρόπο που η πολύ σκούρα απόχρωση έκανε το μεσημέρι να φαίνεται σαν σούρουπο μέσα από εκείνα τα παράθυρα.

Ήταν το αυτοκίνητο του Κάρλαϊλ.

«Σταμάτα!» φώναξα, πιο δυνατά αυτή τη φορά, επειδή ο Τζέικομπ κατέβαινε το δρόμο μαρσάροντας το φορτηγάκι.

«Τι;!»

«Δεν είναι η Βικτόρια. Σταμάτα, σταμάτα! Θέλω να γυρίσουμε πίσω».

Πάτησε απότομα το φρένο τόσο δυνατά που έπρεπε να πιαστώ για να μην πέσω πάνω στο ταμπλό.

«Τι;» ρώτησε ξανά άναυδος. Με κοίταξε επίμονα με τρόμο στα μάτια του.

«Είναι το αυτοκίνητο του Κάρλαϊλ! Είναι οι Κάλεν. Το ξέρω».

Είδε τη συνειδητοποίηση να φωτίζει το πρόσωπό μου, κι ένα βίαιο τρέμουλο ταρακούνησε το σώμα του.

«Έι, ηρέμησε, Τζέικ. Όλα είναι εντάξει. Δεν υπάρχει κίνδυνος, βλέπεις; Χαλάρωσε».

«Ναι, ήρεμα», είπε αγκομαχώντας, βάζοντας το κεφάλι του κάτω και κλείνοντας τα μάτια του. Ενώ εκείνος συγκεντρωνόταν ώστε να μην εκραγεί και μεταμορφωθεί σε λύκο, εγώ κοίταζα έξω από το πίσω παράθυρο το μαύρο αυτοκίνητο.

Ήταν μόνο ο Κάρλαϊλ, είπα στον εαυτό μου. Μην περιμένεις τίποτα άλλο. Ίσως και η Έσμι... *Σταμάτα εκεί που είσαι*, είπα στον εαυτό μου. Μόνο ο Κάρλαϊλ. Αυτό ήταν πολύ. Περισσότερο απ' ό,τι είχα ελπίσει ποτέ ξανά.

«Ένας βρικόλακας βρίσκεται μέσα στο σπίτι σου», είπε ο Τζέικομπ μέσα από τα δόντια του. «Κι εσύ *θέλεις* να γυρίσουμε πίσω;»

Του έριξα μια γρήγορη ματιά, τραβώντας βίαια τα απρόθυμα μάτια μου από τη Μερσεντές –γεμάτη τρόμο ότι θα εξαφανιζόταν τη στιγμή που θα γύριζα αλλού το βλέμμα.

«Φυσικά», είπα, με φωνή ανέκφραστη από την έκπληξη που μου προκάλεσε η ερώτησή του. Φυσικά και ήθελα να γυρίσουμε πίσω.

Το πρόσωπο του Τζέικομπ σκλήρυνε ενώ τον κοίταζα, καθώς η κυνική μάσκα που νόμιζα ότι είχε χαθεί για τα καλά στερεοποιήθηκε πάνω του. Λίγο πριν βάλει τη μάσκα στο πρόσωπό του, έπιασα το σπασμό της προδοσίας που άστραψε στιγμιαία μέσα στα μάτια του. Τα χέρια του έτρεμαν ακόμα. Έδειχνε δέκα χρόνια μεγαλύτερός μου.

Πήρε μια βαθιά ανάσα. «Είσαι σίγουρη ότι δεν είναι κόλπο;» ρώτησε με μια αργή, βαριά φωνή.

«Δεν είναι κόλπο. Είναι ο Κάρλαϊλ. Πήγαινέ με πίσω!»

Ένα ρίγος διαπέρασε τους φαρδιούς του ώμους, αλλά τα μάτια του ήταν άτονα και ανέκφραστα. «Όχι».

«Τζέικ, δεν πειράζει –»

«Όχι. Πήγαινε πίσω μόνη σου, Μπέλλα». Η φωνή του ήταν ένα χαστούκι –ζάρωσα πίσω, καθώς ο ήχος του με χτύπησε. Το σαγόνι του σφίχτηκε και ξεσφίχτηκε.

«Κοίτα, Μπέλλα», είπε με την ίδια σκληρή φωνή. «Δεν μπορώ να γυρίσω πίσω. Είτε υπάρχει συνθήκη ανακωχής είτε όχι, εκεί πέρα βρίσκεται ο εχθρός μου».

«Δεν είναι έτσι–»

«Πρέπει να το πω στον Σαμ αμέσως. Αυτό αλλάζει τα πράγματα. Δεν πρέπει να μας πιάσουν στην περιοχή τους».

«Τζέικ, δεν είναι πόλεμος!»

Δε με άκουσε. Έβαλε το φορτηγάκι στο νεκρό και πήδηξε έξω από την πόρτα, αφήνοντάς το αναμμένο.

«Γεια σου, Μπέλλα», φώναξε πίσω από τον ώμο του. «Πραγματικά ελπίζω να μην πεθάνεις». Έφυγε τρέχοντας μέσα στο σκοτάδι, τρέμοντας τόσο βίαια που η μορφή του έμοιαζε θολή· εξαφανίστηκε πριν προλάβω να ανοίξω το στόμα μου για να τον φωνάξω πίσω.

Τύψεις με είχαν καρφώσει στο κάθισμά μου. Τι είχα μόλις κάνει στον Τζέικομπ;

Αλλά οι τύψεις δεν μπορούσαν να με κρατήσουν πολλή ώρα.

Γλίστρησα στο άλλο κάθισμα κι έβαλα πάλι ταχύτητα στο φορτηγάκι. Τα χέρια μου έτρεμαν σχεδόν το ίδιο έντονα όπως και του Τζέικ, και μου πήρε ένα λεπτό για να συγκεντρωθώ. Μετά έκανα προσεχτικά αναστροφή και γύρισα πίσω στο σπίτι μου.

Ήταν πολύ σκοτεινά, όταν έσβησα τους προβολείς. Ο Τσάρλι είχε φύγει τόσο βιαστικά που είχε ξεχάσει να αφήσει αναμμένη τη λάμπα της βεράντας. Ένιωσα μια σουβλιά αμφιβολίας κοιτάζοντας το σπίτι, βυθισμένο στις σκιές. Κι αν ήταν *όντως κόλπο;*

Κοίταξα πάλι το μαύρο αμάξι, σχεδόν αόρατο μέσα στη νύχτα. Όχι, το ήξερα αυτό το αμάξι.

Και πάλι, τα χέρια μου έτρεμαν ακόμα χειρότερα απ' ό,τι πριν, καθώς τέντωσα το χέρι μου για να πιάσω το κλειδί πάνω από την πόρτα. Όταν άρπαξα το πόμολο για να την ξεκλειδώσω, γύρισε εύκολα κάτω από το χέρι μου. Άφησα την πόρτα να ανοίξει. Το χολ ήταν κατασκότεινο.

Ήθελα να χαιρετήσω δυνατά, αλλά ο λαιμός μου είχε ξεραθεί πάρα πολύ. Δε φαινόμουν να μπορώ να ανασάνω κανονικά.

Έκανα ένα βήμα μέσα και ψαχούλεψα για το διακόπτη. Ήταν τόσο μαύρα γύρω-γύρω –σαν το μαύρο νερό… Πού ήταν εκείνος ο διακόπτης;

Όπως ακριβώς και το μαύρο νερό, με την πορτοκαλί φλόγα που τρεμόπαιζε πάνω του, αν και ήταν αδύνατον. Μια φλόγα που δεν μπορούσε να είναι φωτιά, αλλά τότε τι…; Τα δάχτυλά μου άγγιζαν τον τοίχο, ακόμα ψάχνοντας, ακόμα τρέμοντας –

Ξαφνικά, κάτι που μου είχε πει ο Τζέικομπ σήμερα το απόγευμα αντήχησε μέσα στο κεφάλι μου, καθώς τελικά καταλάβαινα… *Χάθηκε μέσα στο νερό,* είχε πει. *Οι αιμορουφήχτρες έχουν το πλεονέκτημα εκεί. Γι' αυτό έτρεξα σπίτι –φοβόμουν ότι θα γυρνούσε πίσω κολυμπώντας.*

Το χέρι μου πάγωσε καθώς έψαχνε, ολόκληρο το σώμα μου κοκάλωσε εκεί ακριβώς που ήμουν, καθώς συνειδητοποίησα γιατί αναγνώριζα το παράξενο χρώμα πάνω στο νερό.

Τα μαλλιά της Βικτόρια, που τα φυσούσε άγρια ο αέρας, το χρώμα της φωτιάς…

Είχε έρθει εκεί. Ακριβώς εκεί στο λιμάνι μ' εμένα και τον Τζέικομπ. Αν ο Σαμ δεν ήταν εκεί, αν ήμασταν μόνο οι δυο μας…; Δεν μπορούσα να αναπνεύσω ούτε να κουνηθώ.

Το φως άναψε, αν και το παγωμένο μου χέρι δεν είχε βρει ακόμα το διακόπτη.

Ανοιγόκλεισα τα μάτια μέσα στο ξαφνικό φως και είδα ότι κάποιος ήταν εκεί, περιμένοντάς με.

17. ΕΠΙΣΚΕΠΤΗΣ

Αφύσικα ακίνητη και άσπρη, με τα μεγάλα μαύρα της μάτια προσηλωμένα πάνω στο πρόσωπό μου, η επισκέπτριά μου περίμενε εντελώς αδρανής στο κέντρο του χολ, όμορφη πέρα από κάθε φαντασία.

Τα γόνατά μου τα διαπέρασε ένα τρέμουλο για ένα δευτερόλεπτο, και παραλίγο να πέσω. Μετά όρμησα πάνω της.

«Άλις, ω, Άλις!» φώναξα, καθώς έπεσα πάνω της με δύναμη.

Είχα ξεχάσει πόσο *σκληρή* ήταν· ήταν σαν αν είχα συγκρουστεί μετωπικά με έναν τσιμεντένιο τοίχο.

«Μπέλλα!» υπήρχε ένα περίεργο μείγμα ανακούφισης και σύγχυσης στη φωνή της.

Κλείδωσα τα χέρια μου γύρω της αγκομαχώντας, για να εισπνεύσω όσο το δυνατόν περισσότερο από το άρωμα της επιδερμίδας της. Δεν έμοιαζε με τίποτα άλλο –δεν ήταν ούτε λουλουδάτο, ούτε πικάντικο, ούτε ξινό, ούτε μοσχομυριστό. Κανένα άρωμα στον κόσμο δε θα μπορούσε να συγκριθεί. Η ανάμνησή μου το είχε αδικήσει.

Δεν το πρόσεξα, όταν το αγκομαχητό έγινε κάτι άλλο –συνειδητοποίησα ότι έκλαιγα, μόνο όταν η Άλις με τράβηξε στον καναπέ του σαλονιού και με έβαλε στην αγκαλιά της. Ήταν σαν να κουλουριαζόμουν μέσα σε ένα δροσερό βράχο, αλλά ένα βράχο που είχε πάρει παρηγορητικά το σχήμα του σώματός μου. Έτριψε την πλάτη μου με έναν απαλό ρυθμό, περιμένοντας να ανακτήσω την ψυχραιμία μου.

«Συγνώμη», κλαψούρισα. «Απλώς είμαι... τόσο χαρούμενη... που σε βλέπω!»

«Δεν πειράζει, Μπέλλα. Όλα θα πάνε καλά».

«Ναι», φώναξα γοερά. Και για πρώτη φορά, μου φάνηκε ότι όντως ήταν έτσι τα πράγματα.

Η Άλις αναστέναξε. «Είχα ξεχάσει πόσο εκδηλωτική είσαι», είπε, και ο τόνος της ήταν επικριτικός.

Σήκωσα το βλέμμα μου για να την κοιτάξω μέσα από τα μάτια μου από τα οποία κυλούσαν χείμαρροι δακρύων. Ο λαιμός της Άλις ήταν σφιγμένος, είχε ζαρώσει μακριά μου, τα χείλη της ήταν κλειστά, σφιχτά. Τα μάτια της ήταν μαύρα σαν πίσσα.

«Ω», ξεφύσηξα, καθώς κατάλαβα το πρόβλημα. Πεινούσε. Κι εγώ μύριζα πολύ νόστιμα. Είχε περάσει αρκετός καιρός από τότε που χρειάστηκε να σκεφτώ τέτοια πράγματα. «Συγνώμη».

«Εγώ φταίω. Έχει περάσει πολύς καιρός από τότε που πήγα για κυνήγι τελευταία φορά. Δεν έπρεπε να αφήσω τον εαυτό μου να διψάσει. Αλλά βιαζόμουν σήμερα». Το βλέμμα που έριξε προς εμένα ήταν άγριο. «Παρεμπιπτόντως, θα ήθελες να μου εξηγήσεις πώς είσαι ακόμα ζωντανή;»

Αυτό με σταμάτησε και έπαψα να κλαίω με λυγμούς. Κατάλαβα αμέσως τι πρέπει να είχε συμβεί, και γιατί η Άλις ήταν εδώ.

Κατάπια δυνατά. «Με είδες να πέφτω».

«Όχι», διαφώνησε, ενώ τα μάτια της ζάρωσαν. «Σε είδα

να *πηδάς*».

Σούφρωσα τα χείλη μου, καθώς προσπαθούσα να σκεφτώ κάποια εξήγηση που δε θα ακουγόταν παλαβή.

Η Άλις κούνησε το κεφάλι της. «Του το είπα ότι αυτό θα συνέβαινε, αλλά δε με πίστεψε. "Η Μπέλλα υποσχέθηκε"», η φωνή της μιμήθηκε τη δική του τόσο άψογα που κοκάλωσα έκπληκτη, ενώ ο πόνος διαπέρασε βίαια όλο μου το κορμί. «"Ούτε να κοιτάζεις για να δεις το μέλλον της"», συνέχισε να επαναλαμβάνει τα λόγια του. «"Αρκετή ζημιά κάναμε"».

«Αλλά μόνο και μόνο επειδή δεν κοιτάζω επί τούτου, αυτό δε σημαίνει ότι δε *βλέπω* κιόλας», συνέχισε εκείνη. «Δεν προσπαθούσα να ακολουθήσω τα χνάρια σου, στ' ορκίζομαι, Μπέλλα. Απλώς είμαι ήδη στο ίδιο μήκος κύματος μαζί σου… όταν σε είδα να πηδάς, δε σκέφτηκα, απλώς μπήκα σε ένα αεροπλάνο. Ήξερα ότι θα έφτανα πολύ αργά, αλλά δεν μπορούσα να κάνω *τίποτα*. Και μετά φτάνω εδώ, νομίζοντας ότι ίσως θα μπορούσα να βοηθήσω τον Τσάρλι με κάποιο τρόπο, κι έρχεσαι εσύ με το αυτοκίνητο». Κούνησε το κεφάλι της, αυτή τη φορά μπερδεμένη. Η φωνή της ήταν φορτισμένη. «Σε είδα να μπαίνεις μέσα στο νερό και περίμενα, περίμενα να βγεις έξω, αλλά δε βγήκες. Τι συνέβη; Και πώς μπόρεσες να το κάνεις αυτό στον Τσάρλι; Σταμάτησες να σκεφτείς τι αποτέλεσμα θα είχε αυτό σ' εκείνον; Και τον αδερφό μου; Έχεις την παραμικρή ιδέα ο Έντουαρντ τι–»

Τη διέκοψα εκείνη τη στιγμή, αμέσως μόλις είπε το όνομά του. Θα την άφηνα να συνεχίσει, ακόμα και αφού κατάλαβα με ποιο τρόπο είχε παρεξηγήσει τις προθέσεις μου, απλώς και μόνο για να ακούσω τον τέλειο κουδουνιστό τόνο της φωνής της. Αλλά είχε έρθει η ώρα να διακόψω.

«Άλις, δεν προσπαθούσα να αυτοκτονήσω».

Με κοίταξε καχύποπτα. «Θες να πεις ότι δεν πήδηξες από το βράχο;»

«Όχι, αλλά…» είπα με ένα μορφασμό. «Ήταν για λόγους

ψυχαγωγίας».

Η έκφρασή της σκλήρυνε.

«Είχα δει κάποιους φίλους του Τζέικομπ να πηδάνε από το βράχο», επέμεινα. «Μου φάνηκε ότι θα ήταν... διασκεδαστικό, και βαριόμουν...»

Εκείνη περίμενε.

«Δε σκέφτηκα ότι η καταιγίδα μπορεί να επηρέαζε τα ρεύματα. Στην πραγματικότητα, δε σκέφτηκα καθόλου τον καιρό».

Η Άλις δεν το έχαψε. Έβλεπα ότι ακόμα πίστευε ότι προσπαθούσα να αυτοκτονήσω. Αποφάσισα να το πάω αλλιώς. «Λοιπόν, αν με είδες να πέφτω, τότε γιατί δεν είδες τον Τζέικομπ;»

Έγειρε το κεφάλι της στο πλάι αποπροσανατολισμένη.

Συνέχισα. «Είναι αλήθεια ότι πιθανότατα θα είχα πνιγεί, αν ο Τζέικομπ δεν είχε πηδήξει από πίσω μου. Δηλαδή, εντάξει, ήταν σίγουρο. Αλλά εκείνος πήδηξε κι έτσι υποθέτω ότι με έβγαλε στη στεριά, αν και ήμουν αναίσθητη κι αυτό δεν το κατάλαβα. Δεν μπορεί να πέρασε περισσότερο από ένα λεπτό, όταν εκείνος με έπιασε. Πώς και δεν το είδες αυτό;»

Συνοφρυώθηκε μπερδεμένη. «Κάποιος σε τράβηξε έξω;»

«Ναι. Ο Τζέικομπ με έσωσε».

Παρακολουθούσα με περιέργεια, καθώς μια αινιγματική ποικιλία από συναισθήματα εναλλάχτηκαν στο πρόσωπό της. Κάτι την ενοχλούσε –το ατελές της όραμα; Αλλά δεν ήμουν σίγουρη. Μετά επίτηδες έσκυψε προς εμένα και μύρισε τον ώμο μου.

Πάγωσα.

«Μην είσαι ανόητη», μουρμούρισε, μυρίζοντάς με λίγο ακόμα.

«Τι κάνεις;»

Δεν έδωσε σημασία στην ερώτησή μου. «Ποιος ήταν μαζί σου όταν ήσουν έξω μόλις πριν λίγο; Μου φάνηκε σαν να τσακωνόσουν με κάποιον».

«Ο Τζέικομπ Μπλακ. Είναι... περίπου ο καλύτερός μου φίλος, μάλλον. Τουλάχιστον, ήταν...» Σκέφτηκα το θυμωμένο, προδομένο πρόσωπο του Τζέικομπ κι αναρωτήθηκα τι μου ήταν τώρα πια.

Η Άλις κούνησε το κεφάλι της, δείχνοντας προβληματισμένη.

«Τι;»

«Δεν ξέρω», είπε. «Δεν είμαι σίγουρη τι σημαίνει αυτό».

«Λοιπόν, δεν είμαι πεθαμένη τουλάχιστον».

Στριφογύρισε ειρωνικά τα μάτια της. «Ήταν ανοησία του που πίστεψε ότι θα μπορούσες να επιβιώσεις μόνη σου. Δεν έχω δει κανέναν τόσο επιρρεπή σε τόσο θανάσιμες χαζομάρες όσο εσύ».

«Επέζησα», επισήμανα.

Εκείνη σκεφτόταν κάτι άλλο. «Λοιπόν, αν τα ρεύματα ήταν τέτοια που εσύ δεν μπορούσες να ξεφύγεις απ' αυτά, πώς τα κατάφερε αυτός ο Τζέικομπ;»

«Ο Τζέικομπ είναι... δυνατός».

Άκουσε την απροθυμία στη φωνή μου, και τα φρύδια της σηκώθηκαν.

Μάσησα τα χείλη μου για ένα δευτερόλεπτο. Ήταν μυστικό αυτό ή όχι; Κι αν ήταν, σε ποιον έπρεπε να φανώ περισσότερο πιστή, στον Τζέικομπ ή στην Άλις;

Ήταν πολύ δύσκολο να κρατάω μυστικά, αποφάσισα. Ο Τζέικομπ ήξερε τα πάντα, γιατί όχι και η Άλις;

«Να, βλέπεις, είναι... περίπου λυκάνθρωπος», παραδέχτηκα σε ένα ξέσπασμα. «Οι Κουιλαγιούτ μεταμορφώνονται σε λύκους, όταν γύρω υπάρχουν βρικόλακες. Ξέρουν τον Κάρλαϊλ εδώ και πολλά χρόνια. Ήσουν τότε μαζί με τον Κάρλαϊλ;»

Η Άλις με κοίταξε σαν χαζή για μια στιγμή, και μετά ξαναβρήκε τον εαυτό της ανοιγοκλείνοντας τα μάτια γρήγορα.

«Λοιπόν, έτσι εξηγείται μάλλον η μυρωδιά», μουρμούρισε. «Αλλά εξηγείται και το ότι δεν είδα;» Κατσούφιασε, ενώ το πορσελάνινο μέτωπό της ζάρωσε.

«Η μυρωδιά;» επανέλαβα.

«Μυρίζεις απαίσια», είπε αφηρημένα, ακόμα κατσουφιασμένη. «Λυκάνθρωπος; Είσαι σίγουρη γι' αυτό;»

«Πολύ σίγουρη», ορκίστηκα, καθώς θυμήθηκα τον Πολ και τον Τζέικομπ να τσακώνονται στο δρόμο. «Μάλλον δεν ήσουν μαζί με τον Κάρλαϊλ την τελευταία φορά που υπήρχαν λυκάνθρωποι εδώ στο Φορκς».

«Όχι. Δεν τον είχα βρει ακόμα». Η Άλις ήταν ακόμα χαμένη στις σκέψεις της. Ξαφνικά, τα μάτια της άνοιξαν διάπλατα, και γύρισε για να με κοιτάξει με μια έκφραση γεμάτη έκπληξη. «Ο καλύτερός σου φίλος είναι λυκάνθρωπος;»

Έγνεψα συνεσταλμένα.

«Πόσο καιρό συμβαίνει αυτό;»

«Όχι και πολύ», είπα, ενώ η φωνή μου ακούστηκε αμυντική. «Είναι λυκάνθρωπος μόνο λίγες βδομάδες».

Εκείνη με κοίταξε άγρια. «Ένας *νεαρός* λυκάνθρωπος; Ακόμα χειρότερα! Ο Έντουαρντ είχε δίκιο –είσαι μαγνήτης του κινδύνου. Δεν υποτίθεται ότι θα έμενες μακριά από μπελάδες;»

«Δεν έχουν τίποτα κακό οι λυκάνθρωποι», διαμαρτυρήθηκα θιγμένη από τον επικριτικό της τόνο.

«Μέχρι να χάσουν την ψυχραιμία τους». Κούνησε το κεφάλι της απότομα από τη μια μεριά ως την άλλη. «Έλα τώρα, Μπέλλα. Για οποιονδήποτε άλλον τα πράγματα θα ήταν καλύτερα, όταν θα έφευγαν οι βρικόλακες από την πόλη. Αλλά εσύ πρέπει να αρχίσεις να κάνεις παρέα με τα πρώτα τέρατα που μπορείς να βρεις».

Δεν ήθελα να τσακωθώ με την Άλις –ακόμα έτρεμα από τη χαρά μου που ήταν πραγματικά, αληθινά εδώ πέρα, που μπορούσα να αγγίξω το μαρμάρινο δέρμα της και να ακούσω την κουδουνιστή φωνή της –αλλά εκείνη τα είχε παρεξηγήσει όλα.

«Όχι, Άλις, οι βρικόλακες δεν έφυγαν στ' αλήθεια –όχι όλοι τους, τουλάχιστον. Αυτό είναι το πρόβλημα. Αν δεν ήταν οι λυκάνθρωποι, η Βικτόρια θα με είχε πιάσει ως τώρα. Δηλαδή, αν δεν ήταν ο Τζέικ κι οι φίλοι του, ο Λόρεντ θα με είχε πιάσει πριν προλάβει εκείνη, υποθέτω, άρα–»

«Η Βικτόρια;» είπε μέσα από τα δόντια της. «Ο Λόρεντ;»

Κούνησα το κεφάλι μου, ελάχιστα ανήσυχη από την έκφραση μέσα στα μαύρα της μάτια. Έδειξα το στήθος μου. «Μαγνήτης Κινδύνου, θυμάσαι;»

Κούνησε ξανά το κεφάλι της. «Πες τα μου όλα –πάρ' τα από την αρχή».

Της είπα σκόπιμα πολύ λίγα πράγματα για την αρχή των γεγονότων, παραλείποντας τα σχετικά με τις μηχανές και τις φωνές, αλλά της είπα όλα τα υπόλοιπα μέχρι και τη σημερινή ατυχή περιπέτειά μου. Της Άλις δεν της άρεσε η ανεπαρκής μου εξήγηση για την ανία μου και τους βράχους, έτσι προχώρησα βιαστικά στο θέμα της παράξενης φλόγας που είχα δει στο νερό και στο τι νόμιζα ότι σήμαινε. Στο σημείο αυτό τα μάτια της ζάρωσαν τόσο πολύ που έγιναν σχεδόν μικρές σχισμές. Ήταν παράξενο να τη βλέπω να δείχνει τόσο... επικίνδυνη –σαν βρικόλακας. Κατάπια με δυσκολία και συνέχισα με τα υπόλοιπα σχετικά με τον Χάρι.

Άκουσε την ιστορία μου χωρίς να διακόπτει. Περιστασιακά, κουνούσε το κεφάλι της, και η ρυτίδα στο μέτωπό της βάθαινε περισσότερο μέχρι που έδειχνε σαν να ήταν χαραγμένη μόνιμα στη μαρμάρινη επιδερμίδα της. Δε μιλούσε, και τελικά σταμάτησα κι εγώ χτυπημένη ξανά από τη δανεική θλίψη για το θάνατο του Χάρι. Σκέφτηκα τον Τσάρλι· θα γύριζε σπίτι σε λίγο. Σε τι κατάσταση θα βρισκόταν;

«Το γεγονός ότι φύγαμε δε βοήθησε καθόλου, έτσι;»

μουρμούρισε η Άλις.

Γέλασα μια φορά –ήταν ένας ελαφρώς υστερικός ήχος. «Αν και δεν ήταν ποτέ αυτό το θέμα, έτσι; Δεν είναι ότι φύγατε για δικό μου καλό».

Η Άλις κατσούφιασε κοιτάζοντας στο πάτωμα για μια στιγμή. «Κοίτα... υποθέτω ότι σήμερα κινήθηκα αυθόρμητα. Πιθανότατα δεν έπρεπε ποτέ να ανακατευτώ».

Ένιωθα το αίμα να στραγγίζει από το πρόσωπό μου. Το στομάχι μου σφίχτηκε. «Μη φύγεις, Άλις», ψιθύρισα. Τα δάχτυλά μου κλείδωσαν γύρω από το γιακά του λευκού της πουκαμίσου, κι άρχισα να αναπνέω πολύ γρήγορα. «Σε παρακαλώ».

Τα μάτια της άνοιξαν ακόμα πιο πλατιά. «Εντάξει», είπε προφέροντας τη λέξη με αργή ακρίβεια. «Δεν πάω πουθενά απόψε. Πάρε βαθιά ανάσα».

Προσπάθησα να υπακούσω, αν και δεν μπορούσα να εντοπίσω ακριβώς τα πνευμόνια μου.

Εκείνη παρατηρούσε το πρόσωπό μου, ενώ εγώ συγκεντρωνόμουν στην αναπνοή μου. Περίμενε μέχρι να ηρεμήσω για να σχολιάσει.

«Φαίνεσαι σε φριχτή κατάσταση, Μπέλλα».

«Παραλίγο να πνιγώ σήμερα», της υπενθύμισα.

«Είναι πιο βαθύ απ' αυτό. Είσαι ένα μάτσο χάλια».

Ζάρωσα προς τα πίσω. «Κοίτα, κάνω ό,τι μπορώ».

«Τι εννοείς;»

«Δεν ήταν εύκολο. Το προσπαθώ».

Εκείνη κατσούφιασε. «Του το είπα», είπε στον εαυτό της.

«Άλις», αναστέναξα. «Τι περίμενες να βρεις; Θέλω να πω, εκτός από εμένα νεκρή; Περίμενες να με βρεις να χοροπηδάω και να τραγουδάω; Με ξέρεις καλύτερα».

«Σε ξέρω. Αλλά ήλπιζα».

«Τότε μάλλον δεν είμαι και τόσο χαζή».

Το τηλέφωνο χτύπησε.

«Αυτός πρέπει να είναι ο Τσάρλι», είπα, τρεκλίζοντας καθώς σηκώθηκα όρθια. Άρπαξα το πέτρινο χέρι της Άλις και την τράβηξα μαζί μου στην κουζίνα. Δε σκόπευα να την αφήσω να φύγει από τα μάτια μου.

«Τσάρλι;» απάντησα στο τηλέφωνο.

«Όχι, εγώ είμαι», είπε ο Τζέικομπ.

«Τζέικ!»

Η Άλις εξέτασε προσεχτικά την έκφρασή μου.

«Απλώς πήρα να βεβαιωθώ ότι είσαι ζωντανή ακόμα», είπε ο Τζέικομπ ξινισμένα.

«Είμαι μια χαρά. Σου είπα ότι δεν ήταν–»

«Ναι. Το κατάλαβα. Γεια».

Ο Τζέικομπ μου το έκλεισε.

Αναστέναξα κι άφησα το κεφάλι μου να κρεμαστεί πίσω, κοιτάζοντας επίμονα το ταβάνι. «Αυτό θα είναι πρόβλημα».

Η Άλις πίεσε το χέρι μου. «Δεν είναι ενθουσιασμένοι που είμαι εδώ».

«Όχι ιδιαίτερα. Αλλά, έτσι και αλλιώς, δεν είναι δική τους δουλειά».

Η Άλις έβαλε το χέρι της γύρω μου. «Λοιπόν τι κάνουμε τώρα;» συλλογίστηκε δυνατά. Έμοιαζε να μιλάει στον εαυτό της για μια στιγμή. «Υπάρχουν πράγματα που πρέπει να γίνουν. Λογαριασμοί που πρέπει να κλείσουν».

«Τι πράγματα;»

Το πρόσωπό της ξαφνικά έγινε επιφυλακτικό. «Δεν ξέρω σίγουρα... πρέπει να δω τον Κάρλαϊλ».

Θα έφευγε τόσο γρήγορα; Το στομάχι μου σφίχτηκε.

«Θα μπορούσες να μείνεις;» την ικέτεψα. «Σε παρακαλώ; Για λίγο μόνο. Μου έλειψες τόσο πολύ». Η φωνή μου ράγισε.

«Αν νομίζεις ότι αυτό είναι καλή ιδέα». Τα μάτια της ήταν γεμάτα λύπη.

«Ναι το νομίζω. Μπορείς να μείνεις εδώ –του Τσάρλι θα

του άρεσε πολύ».

«Έχω σπίτι, Μπέλλα».

Κούνησα το κεφάλι, απογοητευμένη αλλά παραιτημένη. Εκείνη δίστασε παρατηρώντας με.

«Λοιπόν, πρέπει να πάρω μια βαλίτσα με ρούχα, τουλάχιστον».

Όρμησα να την αγκαλιάσω. «Άλις, είσαι η καλύτερη!»

«Και νομίζω ότι θα πρέπει να πάω για κυνήγι. Αμέσως», πρόσθεσε με φωνή τσιτωμένη.

«Ουπς». Έκανα ένα βήμα πίσω.

«Μπορείς να μην μπλεχτείς σε τίποτα μπελάδες για μία ώρα;» ρώτησε με αμφιβολία. Τότε, πριν προλάβω να απαντήσω, σήκωσε το ένα της δάχτυλο και έκλεισε τα μάτια της. Το πρόσωπό της ήταν ήρεμο και ανέκφραστο για λίγα δευτερόλεπτα.

Και μετά τα μάτια της άνοιξαν και απάντησε την ίδια της την ερώτηση. «Ναι, θα είσαι μια χαρά. Για απόψε, τουλάχιστον». Έκανε ένα μορφασμό. Ακόμα και κάνοντας γκριμάτσες, έμοιαζε με άγγελο.

«Θα γυρίσεις;» ρώτησα με αδύναμη φωνή.

«Το υπόσχομαι –μια ώρα».

Κοίταξα γρήγορα το ρολόι πάνω από το τραπέζι της κουζίνας. Εκείνη γέλασε και έγειρε γρήγορα προς εμένα για να με φιλήσει στο μάγουλο. Μετά χάθηκε.

Πήρα μια βαθιά ανάσα. Η Άλις θα γυρνούσε. Ξαφνικά ένιωθα πολύ καλύτερα.

Είχα πολλά να κάνω για να μείνω απασχολημένη, ενώ περίμενα. Ένα ντους ήταν οπωσδήποτε το πρώτο πράγμα στο πρόγραμμα. Μύρισα τους ώμους μου, καθώς ξεντυνόμουν, αλλά δεν μπορούσα να μυρίσω τίποτα εκτός από την αρμύρα και το άρωμα των φυκιών από τον ωκεανό. Αναρωτήθηκα τι εννοούσε η Άλις όταν είπε ότι μύριζα απαίσια.

Όταν πλύθηκα, γύρισα πάλι στην κουζίνα. Δεν έβλεπα κανένα σημάδι ότι ο Τσάρλι είχε φάει πρόσφατα και πιθανότατα θα πεινούσε όταν θα γύριζε. Σιγοτραγουδούσα φάλτσα στον εαυτό μου με κλειστό στόμα, καθώς κινούμουν γύρω-γύρω στην κουζίνα.

Ενώ το φαγητό κατσαρόλας από την Πέμπτη περιστρεφόταν στο φούρνο μικροκυμάτων, έστρωσα στον καναπέ σεντόνια κι ένα παλιό μαξιλάρι. Η Άλις δε θα τα χρειαζόταν όλα αυτά, αλλά ο Τσάρλι θα έπρεπε να τα δει. Πρόσεχα πολύ να μην κοιτάζω το ρολόι. Δεν υπήρχε κανένας λόγος να αρχίσω πάλι να πανικοβάλλομαι· η Άλις είχε υποσχεθεί.

Έφαγα βιαστικά το βραδινό μου, χωρίς να το γεύομαι πραγματικά –απλώς ένιωθα τον πόνο, καθώς κατέβαινε μέσα από τον τραχύ λαιμό μου. Κυρίως διψούσα· πρέπει να ήπια περίπου δύο λίτρα νερό μέχρι να τελειώσω. Όλο το αλάτι μέσα στον οργανισμό μου με είχε αφυδατώσει.

Πήγα να προσπαθήσω να δω τηλεόραση, ενώ περίμενα.

Η Άλις είχε ήδη έρθει και καθόταν στο αυτοσχέδιο κρεβάτι της. Τα μάτια της ήταν ένα ρευστό χρώμα καραμέλας βουτύρου. Χαμογέλασε και χτύπησε ελαφρά το μαξιλάρι. «Σ' ευχαριστώ».

«Ήρθες νωρίς», είπα κατενθουσιασμένη.

Κάθισα δίπλα της κι έγειρα το κεφάλι μου πάνω στον ώμο της. Εκείνη με αγκάλιασε με τα ψυχρά της χέρια κι αναστέναξε.

«Μπέλλα. Τι *θα κάνουμε* με σένα;»

«Δεν ξέρω», παραδέχτηκα. «Πραγματικά έβαλα τα δυνατά μου».

«Σε πιστεύω».

Ακολούθησε σιωπή.

«Ο –ο...» πήρα μια βαθιά ανάσα. Ήταν πιο δύσκολο να πω το όνομά του δυνατά, αν και μπορούσα πια να το σκεφτώ. «Ο Έντουαρντ ξέρει ότι είσαι εδώ;» Δεν μπορούσα να μη ρωτήσω. Ήταν δικός μου ο πόνος στο κάτω-κάτω. Θα τον αντιμετώπιζα όταν θα έφευγε εκείνη, υποσχέθηκα στον εαυτό μου κι ένιωσα σαν να ήθελα να ξεράσω και μόνο στη σκέψη.

«Όχι».

Μόνο ένας τρόπος υπήρχε να ήταν αλήθεια αυτό. «Δεν είναι μαζί με τον Κάρλαϊλ και την Έσμι;»

«Έρχεται και μας βλέπει κάθε μερικούς μήνες».

«Α». Πρέπει να ήταν ακόμα μακριά διασκεδάζοντας. Εστίασα την περιέργειά μου σε ένα πιο ασφαλές θέμα. «Είπες ότι ήρθες με αεροπλάνο... Από πού ήρθες;»

«Ήμουν στο Ντενάλι. Επισκεπτόμουν την οικογένεια της Τάνια».

«Ο Τζάσπερ είναι εδώ; Ήρθε μαζί σου;»

Κούνησε το κεφάλι της. «Δεν ενέκρινε την ανάμειξή μου. Υποσχεθήκαμε...» η φωνή της αργόσβησε και μετά ο τόνος της άλλαξε. «Και λες τον Τσάρλι να μην τον πειράξει που είμαι εδώ;» ρώτησε, ενώ ακούστηκε ανήσυχη.

«Ο Τσάρλι πιστεύει ότι είσαι υπέροχη, Άλις».

«Λοιπόν, θα το μάθουμε αμέσως».

Όπως ήταν βέβαιο, λίγα δευτερόλεπτα αργότερα άκουσα το περιπολικό να παρκάρει στο δρομάκι στην αυλή μας. Πετάχτηκα όρθια και πήγα βιαστικά να ανοίξω την πόρτα.

Ο Τσάρλι ανέβαινε με κόπο προς το σπίτι με τα μάτια του στο έδαφος και τους ώμους του σκυφτούς. Προχώρησα μπροστά για να τον συναντήσω· δε με είδε καν μέχρι που τον αγκάλιασα γύρω από τη μέση του. Μου ανταπόδωσε την αγκαλιά ένθερμα.

«Λυπάμαι πολύ για τον Χάρι, μπαμπά».

«Θα μου λείψει πολύ», ψέλλισε ο Τσάρλι.

«Πώς είναι η Σου;»

«Φαίνεται παραζαλισμένη, λες και δεν το έχει συνειδητοποιήσει ακόμα. Ο Σαμ θα μείνει μαζί της...» Η ένταση της φωνής του μία αυξανόταν και μία μειωνόταν. «Εκείνα τα καημένα τα παιδιά. Η Λία είναι μόλις ένα χρόνο μεγαλύτερή σου, κι ο Σεθ είναι μόνο δεκατεσσάρων...» Κούνησε το κεφάλι του.

Συνέχισε να με κρατάει σφιχτά όταν ξεκίνησε πάλι προς την πόρτα.

«Εε, μπαμπά;» Σκέφτηκα ότι ήταν καλύτερα να τον προειδοποιήσω. «Δε θα μαντέψεις ποιος ήρθε».

Με κοίταξε με αδειανό βλέμμα. Το κεφάλι του περιστράφηκε και είδε τη Μερσεντές στην απέναντι μεριά του δρόμου, καθώς το φως της βεράντας αντανακλούσε στη γυαλιστερή μαύρη μπογιά. Πριν προλάβει να αντιδράσει, η Άλις ήταν στην πόρτα.

«Γεια σου, Τσάρλι», είπε με φωνή σβησμένη. «Λυπάμαι που ήρθα σε τόσο ακατάλληλη ώρα».

«Η Άλις Κάλεν;» Κοίταξε εξεταστικά τη μικροσκοπική σιλουέτα μπροστά του, λες και αμφέβαλλε γι' αυτό που του έλεγαν τα μάτια του. «Άλις, εσύ είσαι;»

«Εγώ είμαι», επιβεβαίωσε εκείνη. «Ήμουν εδώ κοντά».

«Είναι ο Κάρλαϊλ...»

«Όχι, μόνη μου είμαι».

Και η Άλις κι εγώ ξέραμε ότι δε ρωτούσε πραγματικά για τον Κάρλαϊλ. Το χέρι του σφίχτηκε γύρω από τον ώμο μου.

«Μπορεί να μείνει εδώ, έτσι δεν είναι;» τον παρακάλεσα. «Της το ζήτησα ήδη».

«Φυσικά», είπε μηχανικά ο Τσάρλι. «Πολύ θα χαρούμε να μείνεις μαζί μας, Άλις».

«Σ' ευχαριστώ, Τσάρλι. Το ξέρω ότι ήρθα σε στιγμή εντελώς φρικτή».

«Όχι, δεν πειράζει, αλήθεια. Θα είμαι πολύ απασχολημένος κάνοντας ό,τι μπορώ για την οικογένεια του Χάρι· θα είναι καλό για την Μπέλλα να έχει λίγη παρέα».

«Έχω βραδινό στο τραπέζι για σένα, μπαμπά», του είπα.

«Ευχαριστώ, Μπελ». Με έσφιξε άλλη μια φορά πριν πάει στην κουζίνα σέρνοντας τα πόδια του.

Η Άλις ξαναγύρισε στον καναπέ, κι εγώ την ακολούθησα. Αυτή τη φορά, αυτή ήταν που με τράβηξε στον ώμο της.

«Φαίνεσαι κουρασμένη».

«Ναι», συμφώνησα και σήκωσα τους ώμους. «Οι σχεδόν θανάσιμες εμπειρίες μου το κάνουν αυτό... Λοιπόν, τι λέει ο Κάρλαϊλ που ήρθες εδώ;»

«Δεν το ξέρει. Εκείνος κι η Έσμι είχαν πάει ταξίδι για να κυνηγήσουν. Θα έχω νέα του σε λίγες μέρες, όταν γυρίσει».

«Δε θα το πεις σ' *εκείνον*, όμως... όταν ξανάρθει να σας δει;» ρώτησα. Ήξερε ότι δεν εννοούσα τον Κάρλαϊλ αυτή τη φορά.

«Όχι. Θα μου έκοβε το κεφάλι», είπε η Άλις αγέλαστα.

Γέλασα μια φορά και μετά αναστέναξα.

Δεν ήθελα να κοιμηθώ, ήθελα να μείνω ξύπνια όλη νύχτα για να μιλήσω με την Άλις. Και δεν καταλάβαινα γιατί ήμουν κουρασμένη, αφού είχα κοιμηθεί στον καναπέ του Τζέικομπ όλη την ημέρα. Αλλά ο παραλίγο πνιγμός μου με *είχε* πραγματικά εξαντλήσει, και τα μάτια μου δεν μπορούσαν να μείνουν ανοιχτά. Ακούμπησα το κεφάλι μου στον πέτρινο ώμο της και παρασύρθηκα σε μια κατάσταση λήθης, πιο γαλήνια απ' ό,τι είχα ελπίσει.

Ξύπνησα νωρίς, από ένα βαθύ και χωρίς όνειρα ύπνο, νιώθοντας ξεκούραστη, αλλά πιασμένη. Ήμουν στον καναπέ σκεπασμένη κάτω από τις κουβέρτες που είχα στρώσει για την Άλις και την άκουγα να μιλάει με τον Τσάρλι στην κουζίνα. Ακουγόταν σαν να της έφτιαχνε ο Τσάρλι πρωινό.

«Πόσο άσχημα ήταν, Τσάρλι;» ρωτούσε η Άλις μαλακά, και στην αρχή νόμισα ότι μιλούσαν για τους Κλίαργουοτερ.

Ο Τσάρλι αναστέναξε. «Πολύ άσχημα».

«Πες τα μου όλα. Θέλω να ξέρω ακριβώς τι συνέβη όταν φύγαμε».

Ακολούθησε μια παύση, ενώ μια πόρτα από ένα ντουλάπι έκλεισε, κι ένας διακόπτης της κουζίνας έσβησε. Εγώ περίμενα, ζαρωμένη από το φόβο.

«Δεν έχω νιώσει ποτέ τόσο αβοήθητος», άρχισε αργά ο Τσάρλι. «Δεν ήξερα τι να κάνω. Εκείνη την πρώτη βδομάδα –νόμιζα ότι θα έπρεπε να νοσηλευτεί. Δεν έτρωγε, ούτε έπινε, δεν κουνιόταν. Ο δόκτωρ Τζέραντι πετούσε λέξεις, όπως "κατατονική", αλλά δεν τον άφηνα να πάει επάνω να την εξετάσει. Φοβόμουν ότι θα την τρόμαζε».

«Αλλά τα κατάφερε να επανέλθει;»

«Φώναξα τη Ρενέ να έρθει να την πάρει στη Φλόριντα. Απλώς δεν ήθελα να είμαι εγώ αυτός... αν χρειαζόταν να πάει σε νοσοκομείο ή κάτι τέτοιο... Ήλπιζα ότι θα τη βοηθούσε να βρεθεί με τη μητέρα της. Αλλά όταν αρχίσαμε να μαζεύουμε τα ρούχα της, την έπιασε μανία. Δεν είχα δει την Μπέλλα ποτέ να κάνει τέτοια φασαρία. Δεν ήταν ποτέ από εκείνα τα παιδιά που τους πιάνουν τα πείσματα, αλλά, Χριστέ μου, αν έγινε έξαλλη λέει! Πετούσε τα ρούχα της παντού και ούρλιαζε ότι δε θα την αναγκάζαμε να φύγει –και τότε επιτέλους άρχισε να κλαίει. Νόμιζα ότι αυτό θα ήταν το καθοριστικό σημείο που θα άλλαζε τα πράγματα. Δε διαφώνησα όταν επέμεινε να μείνει εδώ... και πράγματι φαινόταν να τα πηγαίνει καλύτερα στην αρχή...»

Η φωνή του Τσάρλι αργόσβησε. Ήταν δύσκολο να το ακούω αυτό, γνωρίζοντας πόσο πολύ πόνο του είχα προξενήσει.

«Αλλά;» τον παρότρυνε η Άλις.

«Γύρισε πάλι στο σχολείο και στη δουλειά, έτρωγε και κοιμόταν και διάβαζε τα μαθήματά της. Απαντούσε όταν κάποιος της απεύθυνε μια ερώτηση. Αλλά ήταν... άδεια. Τα μάτια της ήταν ανέκφραστα. Υπήρχαν πολλά μικρά πράγματα –δεν άκουγε μουσική πια· βρήκα ένα σωρό CD σπασμένα στα σκουπίδια. Δε διάβαζε λογοτεχνία· δεν καθόταν στο ίδιο δωμάτιο, όταν ήταν αναμμένη η τηλεόραση, όχι ότι έβλεπε και πολύ παλιότερα. Τελικά, το κατάλαβα –απέφευγε οτιδήποτε μπορεί να της θύμιζε... εκείνον.

»Μετά βίας μιλούσαμε· ανησυχούσα τόσο πολύ μην πω κάτι που θα την τάραζε –και τα πιο μικρά πράγματα την έκαναν να αποτραβιέται φοβισμένη– και ποτέ δεν έπαιρνε την πρωτοβουλία να πει κάτι από μόνη της. Απλώς απαντούσε αν τη ρωτούσα κάτι.

»Ήταν μόνη της συνέχεια. Δεν τηλεφωνούσε στους φίλους της όταν την έπαιρναν, και μετά από λίγο σταμάτησαν να την παίρνουν.

»Ήταν *η νύχτα των ζωντανών νεκρών* εδώ πέρα. Ακόμα την ακούω να ουρλιάζει μέσα στον ύπνο της...»

Σχεδόν τον έβλεπα να τρέμει. Αναρίγησα κι εγώ, καθώς θυμόμουν όλα αυτά. Και μετά αναστέναξα. Δεν τον είχα ξεγελάσει καθόλου, ούτε για ένα δευτερόλεπτο.

«Λυπάμαι τόσο πολύ, Τσάρλι», είπε η Άλις με κατήφεια στη φωνή της.

«Δε φταις *εσύ*». Από τον τρόπο που το είπε ήταν τελείως ξεκάθαρο ότι κάποιο θεωρούσε υπεύθυνο. «Εσύ ήσουν πάντα καλή της φίλη».

«Φαίνεται καλύτερα τώρα, παρ' όλα αυτά».

«Ναι. Από τότε που άρχισε να κάνει παρέα με τον Τζέικομπ Μπλακ, έχω παρατηρήσει μεγάλη βελτίωση. Έχει χρώμα στα μάγουλά της, όταν γυρίζει σπίτι, φως στα μάτια της. Είναι πιο χαρούμενη». Έκανε μια παύση, και η φωνή του ήταν διαφορετική, όταν μίλησε ξανά. «Είναι περίπου ένα χρόνο μικρότερός της, και ξέρω ότι τον θεωρούσε φίλο της, αλλά νομίζω ότι μπορεί να είναι κάτι περισσότερο τώρα ή τουλάχιστον πηγαίνει προς τα κει». Ο Τσάρλι το είπε αυτό με έναν τόνο σχεδόν εχθρικό. Ήταν μια προειδοποίηση, όχι για την Άλις, αλλά εκείνη έπρεπε να τη μεταφέρει. «Ο Τζέικ είναι ώριμος για την ηλικία του», συνέχισε, ακόμα με φωνή αμυντική. «Φροντίζει τον πατέρα του σωματικά με τον ίδιο ακριβώς τρόπο που η Μπέλλα φρόντιζε τη μητέρα της συναισθηματικά. Αυτό τον ωρίμασε. Είναι και ωραίο παιδί –πήρε απ' το σόι της μητέρας του. Είναι καλός για την Μπέλλα, ξέρεις», επέμεινε ο Τσάρλι.

«Τότε καλά που τον έχει», συμφώνησε η Άλις.

Ο Τσάρλι αναστέναξε βγάζοντας ένα μεγάλο ρεύμα αέρα, αφού παραιτήθηκε λόγω έλλειψης αντίστασης. «Εντάξει, μάλλον αυτό είναι λιγάκι υπερβολή. Δεν ξέρω... ακόμα και με τον Τζέικομπ, πού και πού βλέπω κάτι στα μάτια της, κι αναρωτιέμαι αν έχω καταλάβει ποτέ πόσο πολύ πονάει πραγματικά. Δεν είναι φυσιολογικό, Άλις, και με... με φοβίζει. Καθόλου φυσιολογικό. Δεν είναι σαν να την άφησε κάποιος... αλλά σαν να πέθανε κάποιος». Η φωνή του ράγισε.

Ήταν *όντως* σαν να είχε πεθάνει κάποιος –σαν να είχα πεθάνει *εγώ*. Επειδή ήταν παραπάνω από την απώλεια της πιο αληθινής από τις αληθινές αγάπες, λες και δεν ήταν αυτό αρκετό για να σκοτώσει κάποιον. Ήταν η απώλεια ενός ολόκληρου μέλλοντος, μιας ολόκληρης οικογένειας –ολόκληρης της ζωής που είχα διαλέξει...

Ο Τσάρλι συνέχισε με έναν απεγνωσμένο τόνο. «Δεν ξέρω αν θα το ξεπεράσει –δεν είμαι σίγουρος αν είναι στη φύση της να γιατρευτεί από κάτι τέτοιο. Πάντα ήταν τόσο πεισματάρικο πλασματάκι. Δεν ξεπερνάει τα πράγματα, δεν αλλάζει γνώμη».

«Είναι μοναδική», συμφώνησε η Άλις με ξερή φωνή.

«Και Άλις... » δίστασε ο Τσάρλι. «Κοίτα, ξέρεις πόσο πολύ σε συμπαθώ, και το βλέπω ότι χάρηκε που σε είδε, αλλά... ανησυχώ λιγάκι για το τι θα της προκαλέσει η επίσκεψή σου».

«Κι εγώ, Τσάρλι, κι εγώ. Δε θα είχα έρθει αν είχα την παραμικρή ιδέα. Λυπάμαι».

«Μη ζητάς συγνώμη, γλυκιά μου. Ποιος ξέρει; Μπορεί και να της κάνει καλό».

«Ελπίζω να έχεις δίκιο».

Ακολούθησε ένα μεγάλο διάλειμμα, καθώς τα πιρούνια έγδερναν τα πιάτα και ο Τσάρλι μασούσε. Αναρωτήθηκα πού έκρυβε η Άλις το φαγητό.

«Άλις, πρέπει να σε ρωτήσω κάτι», είπε ο Τσάρλι αμήχανα.

Η Άλις ήταν ήρεμη. «Ορίστε».

«Δε θα έρθει κι εκείνος για να μας κάνει επίσκεψη, έτσι;» Άκουγα το θυμό που κρυβόταν στη φωνή του Τσάρλι.

Η Άλις απάντησε με μια απαλή, καθησυχαστική φωνή. «Δεν ξέρει καν ότι είμαι εδώ. Την τελευταία φορά που μίλησα μαζί του, ήταν στη Νότια Αμερική».

Σφίχτηκα, καθώς άκουσα αυτή την καινούρια πληροφορία, και προσπάθησα να ακούσω με μεγαλύτερη προσοχή.

«Κάτι είναι κι αυτό, τουλάχιστον», είπε ρουθουνίζοντας ο Τσάρλι. «Λοιπόν, ελπίζω να περνάει καλά».

Για πρώτη φορά, η φωνή της Άλις ήταν λιγάκι σκληρή. «Δε θα βιαζόμουν να βγάλω συμπεράσματα, Τσάρλι». Ήξερα πώς άστραφταν τα μάτια της όταν χρησιμοποιούσε αυτό τον τόνο.

Μια καρέκλα απομακρύνθηκε από το τραπέζι, γδέρνοντας με θόρυβο το πάτωμα. Φαντάστηκα τον Τσάρλι να σηκώνεται· δεν υπήρχε καμία περίπτωση η Άλις να έκανε αυτόν το θόρυβο. Η βρύση έτρεξε, ενώ το νερό έπεσε παφλάζοντας πάνω σε ένα πιάτο.

Δε φαινόταν ότι θα έλεγαν κι άλλα για τον Έντουαρντ, έτσι αποφάσισα ότι είχε έρθει η ώρα να ξυπνήσω.

Γύρισα ανάσκελα, χοροπηδώντας πάνω στα ελατήρια για να τα κάνω να τρίξουν. Μετά χασμουρήθηκα δυνατά.

Υπήρχε απόλυτη ησυχία στην κουζίνα.

Τεντώθηκα και μούγκρισα.

«Άλις;» ρώτησα αθώα· ο ερεθισμένος μου λαιμός που παρήγε ένα τραχύ ήχο ήταν ένα επιπλέον ατού στην κωμωδία.

«Είμαι στην κουζίνα, Μπέλλα», φώναξε η Άλις, χωρίς κανένα σημάδι στη φωνή της που να έδειχνε ότι υποψιαζόταν ότι είχα κρυφακούσει. Αλλά ήταν καλή στο να κρύβει τέτοια πράγματα.

Ο Τσάρλι έπρεπε να φύγει τότε –θα βοηθούσε τη Σου Κλίαργουοτερ με τις ετοιμασίες για την κηδεία. Θα ήταν μια πολύ μακριά ημέρα χωρίς την Άλις. Δε μίλησε ποτέ για το γεγονός ότι έπρεπε να φύγει, και δεν τη ρώτησα ούτε εγώ. Ήξερα ότι ήταν αναπόφευκτο, αλλά προσπαθούσα να μην το σκέφτομαι.

Αντί γι' αυτό, μιλήσαμε για την οικογένειά της –για όλους εκτός από έναν.

Ο Κάρλαϊλ δούλευε τα βράδια στην Ίθακα και δίδασκε με μερική απασχόληση στο πανεπιστήμιο Κορνέλ. Η Έσμι αναστύλωνε ένα σπίτι του δέκατου έβδομου αιώνα, ένα ιστορικό μνημείο στο δάσος στα βόρεια της πόλης. Ο Έμετ κι η Ρόζαλι είχαν πάει στην Ευρώπη για λίγους μήνες άλλη μια φορά για το ταξίδι του μέλιτος, αλλά για την ώρα είχαν γυρίσει. Ο Τζάσπερ ήταν κι αυτός στο Κορνέλ και σπούδαζε φιλοσοφία αυτή τη φορά. Κι η Άλις είχε κάνει κάποιες προσωπικές έρευνες γύρω από την πληροφορία που της είχα αποκαλύψει κατά λάθος την περασμένη άνοιξη. Είχε εντοπίσει με επιτυχία το άσυλο όπου είχε περάσει τα τελευταία χρόνια της ανθρώπινης ζωής της. Της ζωής από την οποία δε θυμόταν τίποτα.

«Το όνομά μου ήταν Μαίρη Άλις Μπράντον», μου είπε ήσυχα. «Είχα μια μικρή αδερφή που την έλεγαν Σίνθια. Η κόρη της –η ανιψιά μου– ζει ακόμα στο Μπιλόξι».

«Έμαθες γιατί σε έκλεισαν σε... εκείνο το μέρος;» Τι μπορούσε να οδηγήσει τους γονείς σε κάτι τόσο ακραίο; Ακόμα κι αν η κόρη τους έβλεπε οράματα από το μέλλον...

Εκείνη απλώς κούνησε το κεφάλι της, και τα μάτια της, που έμοιαζαν σαν τοπάζι ήταν σκεφτικά. «Δεν μπόρεσα να μάθω πολλά για εκείνους. Έψαξα σε όλες τις παλιές εφημερίδες σε μικροφίλμ. Δεν υπήρχαν συχνές αναφορές στην οικογένειά μου· δεν ήταν μέρος του κοινωνικού κύκλου με τον οποίο ασχολούνταν οι εφημερίδες. Βρήκα τον αρραβώνα των γονιών μου και της Σίνθια». Το όνομα βγήκε αβέβαια από τη γλώσσα της. «Υπήρχε ανακοίνωση για τη γέννησή μου...

και για το θάνατό μου. Βρήκα τον τάφο μου. Επίσης έκλεψα το δελτίο εισαγωγής μου από τα παλιά αρχεία του ασύλου. Η ημερομηνία στο δελτίο εισαγωγής και η ημερομηνία στην ταφόπλακά μου είναι οι ίδιες».

Δεν ήξερα τι να πω, και, μετά από μια σύντομη παύση, η Άλις προχώρησε σε πιο ανάλαφρα θέματα.

Οι Κάλεν είχαν μαζευτεί όλοι μαζί τώρα, με μια εξαίρεση, και θα περνούσαν τις ανοιξιάτικες διακοπές του Κορνέλ στο Ντενάλι με την Τάνια και την οικογένειά της. Άκουγα και τα πιο ασήμαντα νέα με υπερβολική προθυμία. Δεν ανέφερε καθόλου αυτόν για τον οποίο ενδιαφερόμουν περισσότερο, και γι' αυτό της ήμουν ευγνώμων. Ήταν αρκετό που άκουγα τις ιστορίες της οικογένειας στην οποία κάποτε ονειρεύτηκα ότι θα μπορούσα να ανήκω.

Ο Τσάρλι δε γύρισε παρά μόνο όταν είχε πέσει το σκοτάδι κι έδειχνε περισσότερο εξουθενωμένος από την προηγούμενη νύχτα. Θα πήγαινε πάλι στον καταυλισμό νωρίς το πρωί για την κηδεία του Χάρι, έτσι κοιμήθηκε νωρίς. Εγώ έμεινα ξανά στον καναπέ με την Άλις.

Ο Τσάρλι ήταν σχεδόν ένας ξένος, όταν κατέβηκε τις σκάλες, πριν ανατείλει ο ήλιος, φορώντας ένα παλιό κοστούμι που δεν τον είχα δει ποτέ να φοράει. Το σακάκι ήταν ανοιχτό μπροστά· υπέθεσα ότι ήταν πολύ σφιχτό για να κουμπώσει τα κουμπιά. Η γραβάτα του ήταν λιγάκι φαρδιά για τη μόδα της εποχής. Πήγε στην πόρτα στα νύχια των ποδιών του προσπαθώντας να μη μας ξυπνήσει. Τον άφησα να φύγει, κάνοντας ότι κοιμόμουν, όπως έκανε και η Άλις στη σεζλόνγκ.

Αμέσως μόλις βγήκε έξω, η Άλις ανακάθισε. Κάτω από το πάπλωμα ήταν ντυμένη.

«Λοιπόν, τι θα κάνουμε σήμερα;» ρώτησε.

«Δεν ξέρω –βλέπεις να γίνεται τίποτα ενδιαφέρον;»

Χαμογέλασε και κούνησε το κεφάλι της. «Αλλά είναι νωρίς

ακόμα».

Όλος ο καιρός που είχα περάσει στο Λα Πους σήμαινε ένα σωρό πράγματα που είχα παραμελήσει στο σπίτι, κι αποφάσισα να κάνω μερικές δουλειές. Ήθελα να κάνω κάτι, οτιδήποτε θα έκανε τη ζωή του Τσάρλι ευκολότερη –μπορεί να τον έκανε να νιώσει κάπως καλύτερα το να γυρίσει σε ένα καθαρό, τακτοποιημένο σπίτι. Ξεκίνησα με το μπάνιο –εκείνο είχε τα περισσότερα σημάδια αμέλειας.

Ενώ δούλευα, η Άλις ήταν ακουμπισμένη στο κούφωμα της πόρτας και ρωτούσε αδιάφορες ερωτήσεις για τους φίλους *μου*, δηλαδή τους φίλους *μας* από το σχολείο, και τι έκαναν από τότε που είχε φύγει. Το πρόσωπό της έμενε αδιάφορο και ασυγκίνητο, αλλά ένιωσα την αποδοκιμασία της, όταν συνειδητοποίησα πόσο λίγα πράγματα μπορούσα να της πω. Ή μπορεί να είχα απλώς τύψεις από όταν είχα κρυφακούσει την κουβέντα της με τον Τσάρλι χθες το πρωί.

Είχα βουτήξει κυριολεκτικά ως τους αγκώνες μου στο καθαριστικό τρίβοντας το πάτωμα της μπανιέρας, όταν χτύπησε το κουδούνι.

Κοίταξα μια φορά την Άλις, και η έκφρασή της ήταν γεμάτη σύγχυση, σχεδόν ανήσυχη, πράγμα που ήταν παράξενο· η Άλις ποτέ δεν ξαφνιαζόταν.

«Μισό λεπτό!» φώναξα γενικά προς την κατεύθυνση της πόρτας, ενώ σηκώθηκα και πήγα βιαστικά στο νιπτήρα για να ξεπλύνω τα χέρια μου.

«Μπέλλα», είπε η Άλις με ένα ίχνος απογοήτευσης στη φωνή της, «έχω μια αρκετά καλή υποψία ποιος μπορεί να είναι και νομίζω ότι θα ήταν καλύτερα να βγω έξω».

«Υποψία;» ακούστηκε η φωνή μου σαν ηχώ. Από πότε η Άλις είχε απλώς υποψίες για οτιδήποτε;

«Αν αυτό είναι μια επανάληψη της κατάφωρης αναποτελεσματικότητας των χτεσινών μου προβλέψεων, τότε είναι πολύ πιθανόν αυτός να είναι ο Τζέικομπ Μπλακ ή ένας από τους...

φίλους του».

Την κοίταξα επίμονα, συνδέοντας τα κομμάτια. «Δεν μπορείς να δεις τους λυκάνθρωπους;»

Εκείνη έκανε ένα μορφασμό. «Έτσι φαίνεται». Προφανώς είχε εκνευριστεί από το γεγονός αυτό *–πάρα πολύ*.

Το κουδούνι χτύπησε ξανά –κουδουνίζοντας δυο φορές γρήγορα και ανυπόμονα.

«Δε χρειάζεται να πας πουθενά, Άλις. Εσύ ήρθες εδώ πρώτη».

Γέλασε με ένα μικρό αργυρόηχο γελάκι –είχε κάτι σκοτεινό. «Έχε μου εμπιστοσύνη –δε θα ήταν καλή ιδέα εγώ κι ο Τζέικομπ Μπλακ να βρεθούμε μαζί στο ίδιο δωμάτιο».

Φίλησε το μάγουλό μου γρήγορα πριν εξαφανιστεί μέσα από την πόρτα του Τσάρλι –και βγαίνοντας από το παράθυρό του, χωρίς αμφιβολία.

Το κουδούνι χτύπησε ξανά.

18. Η ΚΗΔΕΙΑ

Κατέβηκα τις σκάλες τρέχοντας και άνοιξα την πόρτα με ορμή.

Ήταν ο Τζέικομπ, φυσικά. Ακόμα και τυφλή, η Άλις δεν ήταν αργόστροφη.

Στεκόταν περίπου δύο μέτρα πίσω από την πόρτα, με τη μύτη του σουφρωμένη από την αηδία, αλλά κατά τα άλλα το πρόσωπό του ήταν ήρεμο –σαν μια μάσκα. Δε με ξεγελούσε· έβλεπα το αχνό τρέμουλο των χεριών του.

Η εχθρικότητα έβγαινε από μέσα του σε κύματα. Μου ξαναθύμιζε εκείνο το απαίσιο απόγευμα που είχε διαλέξει τον Σαμ αντί για μένα, κι ένιωσα το πιγούνι μου να πετάγεται ψηλά αμυντικά ως απάντηση.

Το Ράμπιτ του Τζέικομπ λειτουργούσε στο ρελαντί δίπλα στη στροφή, με τον Τζάρεντ πίσω από το τιμόνι και τον Έμπρι στη θέση του συνοδηγού. Κατάλαβα τι σήμαινε αυτό: φοβόντουσαν να τον αφήσουν να έρθει μέσα μόνος του. Αυτό με λύπησε και λιγάκι με εκνεύρισε. Οι Κάλεν δεν ήταν έτσι.

«Γεια», είπα τελικά, όταν δε μίλησε εκείνος.

Ο Τζέικ σούφρωσε τα χείλη του, ακόμα μένοντας μακριά από την πόρτα. Τα μάτια του τρεμόπαιξαν στην πρόσοψη του σπιτιού.

Έτριξα τα δόντια μου. «Δεν είναι εδώ. Χρειάζεσαι κάτι;»

Δίστασε. «Είσαι μόνη;»

«Ναι». Αναστέναξα.

«Μπορώ να σου μιλήσω για ένα λεπτό;»

«*Φυσικά* μπορείς, Τζέικομπ. Έλα μέσα».

Ο Τζέικομπ έριξε μια ματιά πάνω από τον ώμο του στους φίλους του στο αυτοκίνητο. Είδα τον Έμπρι να κουνάει το κεφάλι του λιγάκι. Για κάποιο λόγο, αυτό με ενόχλησε απίστευτα.

Τα δόντια μου σφίχτηκαν ξανά. «*Κότα*», μουρμούρισα μέσα από τα δόντια μου.

Τα μάτια του Τζέικομπ άστραψαν πάλι προς εμένα, ενώ τα πυκνά, μαύρα του φρύδια σηκώθηκαν σχηματίζοντας μια οργισμένη γωνία πάνω από τις βαθιές κόγχες των ματιών του. Με το σαγόνι του σφιγμένο, περπατούσε σαν να έκανε παρέλαση –δεν υπήρχε άλλος τρόπος να περιγράψω τον τρόπο που κινείτο– ανέβηκε από το πεζοδρόμιο και με έκανε στην άκρη για να μπει στο σπίτι.

Εγώ κοιτάχτηκα επίμονα πρώτα με τον Τζάρεντ και μετά με τον Έμπρι –δε μου άρεσε ο σκληρός τρόπος που με κοιτούσαν· πραγματικά πίστευαν ότι θα άφηνα να πάθει κάτι ο Τζέικομπ;– πριν τους κλείσω την πόρτα.

Ο Τζέικομπ ήταν στο χολ πίσω μου, κοιτάζοντας το χάος με τις κουβέρτες στο σαλόνι.

«Πιτζάμα-πάρτι;» ρώτησε με τόνο σαρκαστικό.

«Ναι», απάντησα με το ίδιον ειρωνικό τόνο. Δε μου άρεσε ο Τζέικομπ όταν συμπεριφερόταν έτσι. «Εσένα τι σε νοιάζει;»

Σούφρωσε τη μύτη του ξανά σαν να μύριζε κάτι δυσάρεστο. «Πού είναι η "φίλη" σου;» Σχεδόν μπορούσα να δω τα εισαγωγικά στον τόνο του.

«Είχε να κάνει κάποιες δουλειές. Κοίτα, Τζέικομπ, τι θέλεις;»

Κάτι στο δωμάτιο φαινόταν να τον κάνει πιο νευρικό –τα μακριά του χέρια έτρεμαν. Δεν απάντησε στην ερώτησή μου. Αντί γι' αυτό προχώρησε στην κουζίνα, με τα ανήσυχα μάτια του να γυρίζουν γρήγορα εδώ κι εκεί.

Τον ακολούθησα. Περπατούσε μπρος-πίσω παράλληλα με τον κοντό πάγκο.

«Ε», είπα, μπαίνοντας μπροστά του. Σταμάτησε να περπατάει και χαμήλωσε τα μάτια του για να με κοιτάξει. «Τι πρόβλημα έχεις;»

«Δε μου αρέσει που πρέπει να βρίσκομαι εδώ».

Αυτό πόνεσε. Έκανα ένα μορφασμό, και τα μάτια του σφίχτηκαν.

«Τότε λυπάμαι που έπρεπε να έρθεις», μουρμούρισα. «Γιατί δε μου λες τι είναι αυτό που θες για να μπορείς να φύγεις;»

«Απλώς έχω να σου κάνω μια-δυο ερωτήσεις. Δε θα μας πάρει πολλή ώρα λογικά. Πρέπει να γυρίσουμε πίσω για την κηδεία».

«Εντάξει. Ας τελειώνουμε λοιπόν». Πιθανότατα το παράκανα με τον ανταγωνισμό, αλλά δεν ήθελα να δει πόσο πολύ είχε πονέσει αυτό. Ήξερα ότι δεν ήμουν δίκαιη. Στο κάτω-κάτω είχα προτιμήσει την αιμορουφήχτρα από αυτόν χθες το βράδυ. Τον είχα πληγώσει πρώτη.

Πήρε μια βαθιά ανάσα, και τα τρεμάμενα δάχτυλά του ξαφνικά ακινητοποιήθηκαν. Το πρόσωπό του ηρέμησε κι έγινε μια γαλήνια μάσκα.

«Ένα μέλος της οικογένειας των Κάλεν μένει μαζί σου», δήλωσε.

«Ναι. Η Άλις Κάλεν».

Έγνεψε σκεφτικά. «Για πόσο καιρό θα είναι εδώ;»

«Όσο καιρό θελήσει». Υπήρχε ακόμα εχθρικότητα στον

τόνο μου. «Είναι ανοικτή πρόσκληση».

«Νομίζεις ότι θα μπορούσες... σε παρακαλώ... να της εξηγήσεις για την άλλη –τη Βικτόρια;»

Χλώμιασα. «Της το είπα».

Κούνησε το κεφάλι του. «Πρέπει να ξέρεις ότι όσο βρίσκεται εδώ ένας Κάλεν, εμείς μπορούμε να σε προσέχουμε μόνο στη δική μας γη. Θα είσαι ασφαλής μόνο στο Λα Πους. Εδώ δεν μπορώ να σε προστατέψω πια».

«Εντάξει», είπα με αδύναμη φωνή.

Τότε γύρισε αλλού το βλέμμα, έξω από τα πίσω παράθυρα. Δε συνέχισε.

«Αυτό είναι όλο;»

Τα μάτια του συνέχισαν να κοιτάζουν στο τζάμι, καθώς απάντησε. «Και κάτι ακόμα».

Περίμενα, αλλά δε συνέχισε. «Ναι;» τον παρότρυνα τελικά.

«Θα έρθουν και οι υπόλοιποι τώρα;» ρώτησε με μια ψύχραιμη, ήρεμη φωνή. Μου θύμισε τον πάντα ήρεμο τρόπο του Σαμ. Ο Τζέικομπ γινόταν όλο και πιο πολύ σαν τον Σαμ... Αναρωτήθηκα γιατί με πείραζε αυτό τόσο πολύ.

Τώρα εγώ ήμουν αυτή που δε μίλησε. Κοίταξε πάλι το πρόσωπό μου με μάτια διαπεραστικά.

«Λοιπόν;» ρώτησε. Πάσχιζε να κρύψει την ένταση πίσω από τη γαλήνια έκφρασή του.

«Όχι», είπα τελικά. Με μισή καρδιά. «Δε θα έρθουν».

Η έκφρασή του δεν άλλαξε. «Εντάξει. Αυτά».

Τον κοίταξα θυμωμένη, καθώς ο εκνευρισμός είχε ξαναφουντώσει. «Λοιπόν, τρέχα τώρα. Πήγαινε να πεις στο Σαμ ότι τα τρομακτικά τέρατα δε θα έρθουν να σας βρουν».

«Εντάξει», επανέλαβε, ακόμα ψύχραιμος.

Αυτό φαίνεται ότι ήταν αρκετό. Ο Τζέικομπ έφυγε γρήγορα από την κουζίνα. Περίμενα να ακούσω την πόρτα του σπιτιού να ανοίγει, αλλά δεν άκουσα τίποτα. Άκουγα το ρολόι πάνω από την ηλεκτρική κουζίνα να χτυπάει και θαύμασα ξανά το πόσο αθόρυβος είχε γίνει.

Τι καταστροφή. Πώς τα κατάφερα να τον αποξενώσω τόσο πολύ μέσα σε ένα τόσο μικρό χρονικό διάστημα;

Θα με συγχωρούσε, όταν θα έφευγε η Άλις; Κι αν δε με συγχωρούσε;

Καμπούριασα πάνω στον πάγκο και έχωσα το πρόσωπό μου στα χέρια μου. Πώς τα είχα κάνει όλα έτσι χάλια; Μα τι θα μπορούσα να είχα κάνει αλλιώς; Ακόμα και εκ των υστέρων, δεν μπορούσα να σκεφτώ κανέναν καλύτερο τρόπο, καμία τέλεια τακτική.

«Μπέλλα...;» ρώτησε ο Τζέικομπ με προβληματισμένη φωνή.

Τράβηξα το πρόσωπό μου από τα χέρια μου για να δω τον Τζέικομπ να διστάζει στο κατώφλι της κουζίνας· δεν είχε φύγει, όταν νόμισα ότι έφυγε. Μόνο όταν είδα τις διαφανείς σταγόνες να λαμπυρίζουν στα χέρια μου κατάλαβα ότι έκλαιγα.

Η ήρεμη έκφραση του Τζέικομπ είχε χαθεί· το πρόσωπό του ήταν γεμάτο αγωνία και αβεβαιότητα. Ήρθε γρήγορα πίσω για να σταθεί μπροστά μου, σκύβοντας το κεφάλι του, έτσι ώστε τα μάτια του να είναι πιο κοντά στο ίδιο ύψος με τα δικά μου.

«Το έκανα πάλι, έτσι δεν είναι;»

«Ποιο πράγμα;» ρώτησα, ενώ η φωνή μου ράγισε.

«Δεν κράτησα την υπόσχεσή μου. Συγνώμη».

«Δεν πειράζει», ψέλλισα. «Εγώ το ξεκίνησα αυτή τη φορά».

Το πρόσωπό του συσπάστηκε. «Ήξερα πώς ένιωθες γι' αυτούς. Δεν έπρεπε να με ξαφνιάσει τόσο πολύ».

Έβλεπα την αποστροφή στα μάτια του. Ήθελα να του εξηγήσω πώς ήταν η Άλις στην πραγματικότητα, να την υπερασπιστώ ενάντια στις απόψεις που είχε σχηματίσει γι' αυτήν, αλλά κάτι με προειδοποίησε ότι τώρα δεν ήταν η κατάλληλη στιγμή.

Έτσι είπα απλώς ξανά: «Συγνώμη».

«Ας μην ανησυχούμε γι' αυτό, εντάξει; Απλώς σε επισκέπτεται για λίγο, έτσι; Θα φύγει, και τα πράγματα θα ξαναγίνουν φυσιολογικά».

«Δεν μπορώ να είμαι φίλη και με τους δυο σας ταυτοχρόνως;» ρώτησα, ενώ η φωνή μου δεν έκρυβε ούτε στο ελάχιστο τον πόνο που ένιωθα.

Κούνησε το κεφάλι του αργά. «Όχι, δε νομίζω ότι μπορείς».

Ρούφηξα τη μύτη μου και κοίταξα τα μεγάλα του πόδια. «Αλλά θα περιμένεις, έτσι; Θα είσαι πάλι φίλος μου, ακόμα κι αν αγαπάω και την Άλις;»

Δε σήκωσα το βλέμμα μου, φοβούμενη να δω τι σκεφτόταν γι' αυτό το τελευταίο. Του πήρε ένα λεπτό για να απαντήσει, έτσι μάλλον καλά έκανα και δεν κοίταξα πάνω.

«Ναι, πάντα θα είμαι φίλος σου», είπε με τραχιά φωνή. «Ό,τι κι αν αγαπάς».

«Το υπόσχεσαι;»

«Το υπόσχομαι».

Ένιωσα τα χέρια του γύρω μου κι έγειρα στο στήθος του ακόμα ρουφώντας τη μύτη μου. «Αυτή η κατάσταση είναι απαίσια».

«Ναι». Τότε μύρισε τα μαλλιά μου και είπε: «Μπλιάχ».

«*Τι*!» απαίτησα να μάθω. Σήκωσα το βλέμμα μου για να δω ότι η μύτη του είχε σουφρώσει ξανά. «Γιατί όλοι μου το κάνουν αυτό συνέχεια; Δε μυρίζω!»

Χαμογέλασε λιγάκι. «Κι όμως μυρίζεις –μυρίζεις σαν *εκείνους*. Μπλιάχ. Υπερβολικά γλυκά –γλυκερά σε σημείο αηδίας. Και… παγωμένα. Καίει τη μύτη μου».

«Αλήθεια;» Αυτό ήταν παράξενο. Η Άλις μύριζε απίστευτα υπέροχα. Σε έναν άνθρωπο τουλάχιστον. «Αλλά γιατί και η Άλις νομίζει ότι μυρίζω;»

Αυτό έδιωξε το χαμόγελό του. «Χα. Δεν της μυρίζω ούτε κι εγώ τόσο καλά. Χα».

«Λοιπόν, και οι δυο σας μυρίζετε μια χαρά σε μένα». Ακούμπησα το κεφάλι μου πάνω του πάλι. Θα μου έλειπε τρομερά, όταν θα έβγαινε από την πόρτα μου. Ήταν μια απαίσια αδιέξοδη κατάσταση χωρίς λογική –από τη μια μεριά, ήθελα η Άλις να μείνει για πάντα. Θα πέθαινα –μεταφορικά– όταν θα έφευγε. Αλλά πώς θα γινόταν να ζήσω χωρίς να βλέπω τον Τζέικ για οποιοδήποτε χρονικό διάστημα; Τι *μπέρδεμα*, σκέφτηκα ξανά.

«Θα μου λείψεις», ψιθύρισε ο Τζέικομπ, αντηχώντας τις σκέψεις μου. «Κάθε λεπτό. Ελπίζω να φύγει σύντομα».

«Πραγματικά δε χρειάζεται να γίνει αυτό, Τζέικ».

Αναστέναξε. «Ναι, Μπέλλα, χρειάζεται. Εσύ... την αγαπάς. Γι' αυτό είναι καλύτερα να μην την πλησιάσω. Δεν είμαι σίγουρος ότι είμαι αρκετά ψύχραιμος για να το αντιμετωπίσω αυτό. Ο Σαμ θα γινόταν έξαλλος αν έσπαγα την ανακωχή, και» –η φωνή του έγινε σαρκαστική– «εσένα μάλλον δε θα σου άρεσε και πολύ αν σκότωνα τη φιλενάδα σου».

Τραβήχτηκα μακριά του όταν το είπε αυτό, αλλά εκείνος απλώς με έσφιξε περισσότερο, αρνούμενος να με αφήσει να ξεφύγω. «Δεν έχει νόημα να αποφεύγουμε την αλήθεια. Έτσι έχουν τα πράγματα, Μπελς».

«Δε μου αρέσει όπως έχουν τα πράγματα».

Ο Τζέικομπ ελευθέρωσε το ένα του χέρι, έτσι ώστε να βάλει τη μεγάλη του καφέ παλάμη κάτω από το πιγούνι μου και να με κάνει να τον κοιτάξω. «Ναι. Ήταν πιο εύκολο, όταν ήμασταν κι οι δυο μας άνθρωποι, έτσι δεν είναι;»

Αναστέναξα.

Κοιταχτήκαμε επίμονα για μια παρατεταμένη στιγμή. Το χέρι του σιγόκαιγε το δέρμα μου. Στο πρόσωπό μου ήξερα ότι δεν υπήρχε τίποτα άλλο πέρα από μελαγχολία –δεν ήθελα να αναγκαστώ να πω αντίο τώρα, για όσο μικρό χρονικό διάστημα κι αν ήταν αυτό. Στην αρχή το πρόσωπό του αντανακλούσε το δικό μου, αλλά μετά, ενώ κανένας μας δε γύρισε το βλέμμα αλλού, η έκφρασή του άλλαξε.

Με άφησε, σηκώνοντας το άλλο του χέρι για να χαϊδέψει με τις άκρες των δαχτύλων του ξυστά το μάγουλό μου, τραβώντας τις ως κάτω στο πιγούνι μου. Ένιωθα τα δάχτυλά του να τρέμουν –όχι από θυμό αυτή τη φορά. Πίεσε την παλάμη του στο μάγουλό μου, έτσι ώστε το πρόσωπό μου να βρεθεί παγιδευμένο ανάμεσα στα φλεγόμενα χέρια του.

«Μπέλλα», ψιθύρισε.

Εγώ είχα κοκαλώσει.

Όχι! Δεν είχα πάρει αυτή την απόφαση ακόμα. Δεν ήξερα αν μπορούσα να το κάνω αυτό, και τώρα δεν ήταν η κατάλληλη στιγμή για να σκεφτώ. Αλλά θα ήμουν ανόητη αν πίστευα ότι μια απόρριψη τώρα δε θα είχε καθόλου συνέπειες.

Του ανταπόδωσα το βλέμμα του. Δεν ήταν ο *δικός μου* ο Τζέικομπ, αλλά θα μπορούσε να γίνει. Το πρόσωπό του ήταν οικείο και αγαπημένο. Με τόσους πολλούς πραγματικούς τρόπους, τον αγαπούσα όντως. Ήταν η παρηγοριά μου, το ασφαλές μου λιμάνι. Αυτή τη στιγμή, μπορούσα να επιλέξω να τον έχω δικό μου.

Η Άλις είχε γυρίσει για την ώρα, αλλά αυτό δεν άλλαζε τίποτα. Η αληθινή αγάπη είχε χαθεί για πάντα. Ο πρίγκιπας δε θα ερχόταν ποτέ ξανά για να με ξυπνήσει με ένα φιλί από το μαγικό μου ύπνο. Εξάλλου, δεν ήμουν πριγκίπισσα. Λοιπόν, ποιο ήταν το πρωτόκολλο στα παραμύθια για τα *άλλα* φιλιά; Εκείνα τα κοινότοπα που δε σπάνε τίποτα μάγια;

Μπορεί να ήταν εύκολο –όπως το να κρατάω το χέρι του ή να είμαι στην αγκαλιά του. Μπορεί να ένιωθα όμορφα. Μπορεί να μην το ένιωθα σαν προδοσία. Στο κάτω-κάτω, ποιον πρόδιδα, εν πάση περιπτώσει; Μόνο τον εαυτό μου.

Με τα μάτια του πάνω μου, ο Τζέικομπ άρχισε να σκύβει το πρόσωπό του προς εμένα. Κι εγώ ήμουν ακόμα εντελώς αναποφάσιστη.

Ο οξύς ήχος του τηλεφώνου μας έκανε και τους δυο να πεταχτούμε, αλλά δεν έχασε τη συγκέντρωσή του. Πήρε το χέρι από κάτω από το πιγούνι μου και το άπλωσε για να πιάσει το ακουστικό, αλλά ακόμα κρατούσε το πρόσωπό μου σταθερά με το άλλο του χέρι πάνω στο μάγουλό μου. Τα σκούρα του μάτια δεν ελευθέρωσαν τα δικά μου. Εγώ ήμουν υπερβολικά ζαλισμένη για να αντιδράσω, ακόμα και για να εκμεταλλευτώ αυτή τη διάσπαση της προσοχής του.

«Οικεία Σουάν», είπε ο Τζέικομπ με τη βραχνή φωνή του χαμηλή και γεμάτη ένταση.

Κάποιος απάντησε, κι ο Τζέικομπ άλλαξε μέσα σε μια στιγμή. Ίσιωσε το κορμί του, και το χέρι του έπεσε από το πρόσωπό μου. Τα μάτια του έγιναν ανέκφραστα, το πρόσωπό του άδειο, κι εγώ θα στοιχημάτιζα τα ολίγα χρήματα που είχαν μείνει για το πανεπιστήμιο ότι ήταν η Άλις.

Ξαναβρήκα την αυτοκυριαρχία μου και τέντωσα το χέρι μου για να πάρω το ακουστικό. Ο Τζέικομπ δε μου έδωσε σημασία.

«Δεν είναι εδώ», είπε ο Τζέικομπ, και οι λέξεις ήταν απειλητικές.

Ακολούθησε κάποια πολύ σύντομη απάντηση, μια ερώτηση για περισσότερες πληροφορίες καθώς φαινόταν, επειδή πρόσθεσε απρόθυμα: «Είναι στην κηδεία».

Μετά ο Τζέικομπ έκλεισε το τηλέφωνο. «Βρωμοβδέλλα!» μουρμούρισε μέσα από τα δόντια του. Το πρόσωπο που στράφηκε προς εμένα ήταν ξανά η κυνική μάσκα.

«Σε ποιον έκλεισες μόλις το τηλέφωνο;» ξεφώνισα πνιχτά, έξαλλη από οργή. «Στο *δικό μου* σπίτι, και με το *δικό μου* τηλέφωνο;»

«Ήρεμα! Εκείνος μου το έκλεισε!»

«Εκείνος; Ποιος ήταν;»

Πρόφερε τον τίτλο χλευαστικά. «Ο *δόκτωρ* Κάρλαϊλ Κάλεν».

«Γιατί δε με άφησες να του μιλήσω;!»

«Δε ζήτησε εσένα», είπε ο Τζέικομπ ψυχρά. Το πρόσωπό του ήταν ήρεμο, ανέκφραστο, αλλά τα χέρια του έτρεμαν. «Ρώτησε πού ήταν ο Τσάρλι κι εγώ του είπα. Δε νομίζω ότι αψήφησα τους κανόνες της καλής συμπεριφοράς».

«Για άκουσέ με, Τζέικομπ Μπλακ...»

Αλλά εκείνος προφανώς δεν άκουγε. Κοίταξε γρήγορα πάνω από τον ώμο του, λες και κάποιος τον είχε φωνάξει από το άλλο δωμάτιο. Τα μάτια του άνοιξαν διάπλατα και το κορμί του έγινε άκαμπτο, μετά άρχισε να τρέμει. Έστησα κι εγώ αυτί, αυτόματα, αλλά δεν άκουσα τίποτα.

«Γεια σου, Μπελς», είπε και γύρισε προς την πόρτα του σπιτιού.

Έτρεξα πίσω του. «Τι είναι;»

Και μετά σκόνταψα πάνω του, καθώς εκείνος στηρίχτηκε απότομα πίσω στις φτέρνες του βρίζοντας μέσα από τα δόντια του. Γύρισε απότομα από την άλλη ξανά, ρίχνοντάς με στο πλάι. Παραπάτησα αδέξια κι έπεσα στο πάτωμα, τα πόδια μου μπλεγμένα με τα δικά του.

«Να πάρει, ωχ!» διαμαρτυρήθηκα, καθώς τίναξε τα πόδια του βιαστικά ένα-ένα, για να ελευθερωθεί.

Πάσχισα να σηκωθώ όρθια, καθώς εκείνος όρμησε προς την πίσω πόρτα· ξαφνικά πάγωσε ξανά.

Η Άλις στεκόταν ακίνητη στο κάτω μέρος της σκάλας.

«Μπέλλα», είπε σαν να πνιγόταν.

Σηκώθηκα με κόπο όρθια και πήγα δίπλα της τρεκλίζοντας. Τα μάτια της ήταν παραζαλισμένα και απόμακρα, το πρόσωπό της ήταν τσιτωμένο και πιο άσπρο κι από πανί. Το λεπτό της κορμί έτρεμε από κάποια εσωτερική ταραχή.

«Άλις, τι συμβαίνει;» φώναξα. Έβαλα τα χέρια μου στο πρόσωπό της, προσπαθώντας να την ηρεμήσω.

Τα μάτια της εστίασαν απότομα στα δικά μου, διάπλατα

ανοιχτά από τον πόνο.

«Ο Έντουαρντ», ήταν το μόνο που ψιθύρισε.

Το σώμα μου αντέδρασε πιο γρήγορα απ' όσο προλάβαινε το μυαλό μου να συνειδητοποιήσει ό,τι υπαινισσόταν η απάντησή της. Δεν κατάλαβα στην αρχή γιατί το δωμάτιο γύριζε ή από πού ερχόταν το υπόκωφο βουητό στα αυτιά μου. Το μυαλό μου πάσχιζε, χωρίς να μπορεί να βγάλει νόημα από το δυσοίωνο πρόσωπο της Άλις, και πώς μπορεί να σχετιζόταν με τον Έντουαρντ, ενώ το σώμα μου ήδη ταλαντευόταν, ψάχνοντας την ανακούφιση της αναισθησίας, πριν προλάβω να δεχτώ το πλήγμα της πραγματικότητας.

Η σκάλα είχε πάρει την πιο παράξενη κλίση.

Η οργισμένη φωνή του Τζέικομπ ήταν ξαφνικά στο αυτί μου, ξεστομίζοντας μέσα από τα δόντια του ένα χείμαρρο από βλαστήμιες. Ένιωθα μια αμυδρή αποδοκιμασία. Οι καινούριοι του φίλοι ήταν εμφανώς μια κακή επιρροή.

Ήμουν πάνω στον καναπέ χωρίς να καταλαβαίνω πώς βρέθηκα εκεί, κι ο Τζέικομπ ακόμα έβριζε. Ένιωθα σαν να είχε γίνει σεισμός –ο καναπές έτρεμε από κάτω μου.

«Τι της έκανες;» απαίτησε να μάθει.

Η Άλις τον αγνόησε. «Μπέλλα; Μπέλλα, ξύπνα. Πρέπει να βιαστούμε».

«Μην την πλησιάζεις», την προειδοποίησε ο Τζέικομπ.

«Ηρέμησε, Τζέικομπ Μπλακ», πρόσταξε η Άλις. «Δε θέλεις να το κάνεις αυτό τόσο κοντά της».

«Δε νομίζω ότι θα έχω πρόβλημα να συγκεντρωθώ εκεί που πρέπει», ανταπάντησε εκείνος, αλλά η φωνή του ακούστηκε πιο ψύχραιμη.

«Άλις;» η φωνή μου ήταν αδύνατη. «Τι συνέβη;» ρώτησα, αν και δεν ήθελα να ακούσω.

«Δεν ξέρω», κλαψούρισε ξαφνικά. «Μα τι σκέφτεται;!»

Έβαλα τα δυνατά μου για να σηκωθώ όρθια παρά τη ζαλάδα μου. Συνειδητοποίησα ότι ήταν το χέρι του Τζέικομπ που κρατούσα σφιχτά για να διατηρήσω την ισορροπία μου. Αυτός ήταν που έτρεμε, όχι ο καναπές.

Η Άλις έβγαζε ένα μικρό ασημένιο τηλέφωνο από την τσάντα της, όταν τα μάτια μου την εντόπισαν ξανά. Τα δάχτυλά της πληκτρολόγησαν τους αριθμούς τόσο γρήγορα που φαίνονταν θολά.

«Ρόουζ, πρέπει να μιλήσω στον Κάρλαϊλ *τώρα*». Η φωνή της μαστίγωνε τις λέξεις. «Εντάξει, αμέσως μόλις γυρίσει. Όχι, θα είμαι στο αεροπλάνο. Κοίτα, είχες κανένα νέο από τον Έντουαρντ;»

Η Άλις έκανε μια παύση τώρα, ακούγοντας με μια έκφραση που γινόταν όλο και πιο τρομαγμένη κάθε δευτερόλεπτο. Το στόμα της άνοιξε σχηματίζοντας ένα μικρό Ο από τη φρίκη, και το τηλέφωνο κλυδωνίστηκε στο χέρι της.

«Γιατί;» ξεφώνισε πνιχτά. «*Γιατί* το έκανες αυτό, Ρόζαλι;»

Όποια κι αν ήταν η απάντηση, έκανε το σαγόνι της να σφιχτεί από θυμό. Τα μάτια της άστραψαν και ζάρωσαν.

«Όμως έχεις άδικο και στις δύο περιπτώσεις, Ρόζαλι, οπότε αυτό είναι πρόβλημα, δε νομίζεις;» ρώτησε σαρκαστικά. «Ναι, σωστά. Είναι απολύτως καλά –είχα κάνει λάθος… Είναι μεγάλη ιστορία… Αλλά έχεις άδικο και γι' αυτό, γι' αυτό παίρνω τηλέφωνο… Ναι, ακριβώς αυτό είδα».

Η φωνή της Άλις ήταν πολύ σκληρή και τα χείλη της ήταν τραβηγμένα πίσω από τα δόντια της. «Είναι λίγο αργά γι' αυτό, Ρόουζ. Κράτα τις τύψεις σου για κάποιον που να σε πιστεύει». Η Άλις έκλεισε ξαφνικά το τηλέφωνο με μια απότομη κίνηση των δαχτύλων της.

Τα μάτια της ήταν βασανισμένα όταν γύρισε για να με κοιτάξει κατά πρόσωπο.

«Άλις», ξεστόμισα γρήγορα. Δεν μπορούσα να την αφήσω να μιλήσει ακόμα. Χρειαζόμουν μερικά ακόμα δευτερόλεπτα πριν μιλήσει και τα λόγια της καταστρέψουν ό,τι είχε απομείνει από τη ζωή μου. «Άλις, ο Κάρλαϊλ γύρισε, όμως. Πήρε μόλις πριν λίγο...»

Με κοίταξε με αδειανό βλέμμα. «Πριν πόση ώρα;» ρώτησε με υπόκωφη φωνή.

«Μισό λεπτό πριν φανείς εσύ».

«Τι είπε;» Ήταν πραγματικά συγκεντρωμένη τώρα περιμένοντας την απάντησή μου.

«Δεν του μίλησα εγώ». Τα μάτια μου τρεμόπαιξαν στον Τζέικομπ.

Η Άλις έστρεψε το διαπεραστικό της βλέμμα πάνω του. Εκείνος τραβήχτηκε πίσω, αλλά έμεινε στη θέση του δίπλα μου. Καθόταν αδέξια, σχεδόν σαν να προσπαθούσε να με προστατέψει με το σώμα του.

«Ζήτησε τον Τσάρλι, και του είπα ότι ο Τσάρλι δεν ήταν εδώ», μουρμούρισε ο Τζέικομπ χολωμένα.

«Αυτό είναι το μόνο που του είπες;» απαίτησε να μάθει η Άλις με φωνή σαν πάγο.

«Μετά μου το έκλεισε», απάντησε ο Τζέικομπ άγρια. Ένα τρέμουλο διαπέρασε την πλάτη του, ταρακουνώντας κι εμένα μαζί του.

«Του είπες ότι ο Τσάρλι ήταν στην κηδεία», του υπενθύμισα.

Η Άλις τίναξε το κεφάλι της πίσω προς εμένα. «Ποιες ήταν οι λέξεις του ακριβώς;»

«Είπε: "Δεν είναι εδώ", κι όταν ο Κάρλαϊλ ρώτησε πού ήταν ο Τσάρλι, ο Τζέικομπ είπε: "Στην κηδεία"».

Η Άλις μούγκρισε και έπεσε στα γόνατά της.

«Πες μου Άλις», ψιθύρισα.

«Αυτός δεν ήταν ο Κάρλαϊλ στο τηλέφωνο», είπε απεγνωσμένα.

«Με αποκαλείς ψεύτη;» γρύλισε ο Τζέικομπ από δίπλα μου.

Η Άλις τον αγνόησε, ενώ συγκεντρώθηκε στο απορημένο

μου πρόσωπο.

«Ήταν ο Έντουαρντ». Οι λέξεις ήταν ένας πνιχτός ψίθυρος. «Νομίζει ότι είσαι νεκρή».

Το μυαλό μου άρχισε να δουλεύει ξανά. Οι λέξεις αυτές δεν ήταν αυτές που φοβόμουν και η ανακούφιση καθάρισε το κεφάλι μου.

«Η Ρόζαλι του είπε ότι είχα αυτοκτονήσει, έτσι;» είπα, αναστενάζοντας καθώς χαλάρωσα.

«Ναι», παραδέχτηκε η Άλις, ενώ τα μάτια της άστραψαν σκληρά και πάλι. «Προς υπεράσπισή της, πράγματι το πίστευε. Στηρίζονται υπερβολικά πολύ στην ενόρασή μου για κάτι που δουλεύει με τόσες ατέλειες. Αλλά να βρει πού ήταν και να του το πει αυτό! Δεν κατάλαβε... ή δεν την ένοιαζε...;» Η φωνή της έσβησε μέσα στη φρίκη.

«Κι όταν πήρε ο Έντουαρντ εδώ, νόμισε ότι ο Τζέικομπ εννοούσε τη δικιά μου κηδεία», συνειδητοποίησα. Πονούσε που ήξερα πόσο κοντά ήμουν, μόλις εκατοστά μακριά από το να ακούσω τη φωνή του. Τα νύχια μου χώθηκαν στο μπράτσο του Τζέικομπ, αλλά εκείνος δεν αποτραβήχτηκε.

Η Άλις με κοίταξε περίεργα. «Δεν είσαι ταραγμένη», ψιθύρισε.

«Εντάξει, ήταν απαίσιος συγχρονισμός, αλλά όλα θα ξεκαθαριστούν. Την επόμενη φορά που θα πάρει τηλέφωνο, κάποιος θα του πει... τι... συνέβη πραγματικά...» η φωνή μου αργόσβησε. Το βλέμμα της έπνιξε τις λέξεις στο λαιμό μου.

Γιατί είχε πανικοβληθεί τόσο πολύ; Γιατί το πρόσωπό της είχε τώρα σπασμούς λύπησης και τρόμου; Τι είχε πει στη Ρόζαλι στο τηλέφωνο μόλις πριν λίγο; Κάτι γι' αυτό που είχε δει... και οι τύψεις της Ρόζαλι· η Ρόζαλι δε θα ένιωθε ποτέ τύψεις για κάτι που θα συνέβαινε σε μένα. Αλλά αν είχε κάνει κακό στην οικογένειά της, αν είχε κάνει κακό στον αδερφό της...

«Μπέλλα», ψιθύρισε η Άλις. «Ο Έντουαρντ δε θα πάρει

ξανά. Την πίστεψε».

«Εγώ. Δεν. Καταλαβαίνω». Το στόμα μου πλαισίωσε κάθε λέξη με σιωπή. Δεν μπορούσα να σπρώξω έξω τον αέρα για να προφέρω πραγματικά τις λέξεις που θα την έκαναν να μου εξηγήσει τι σήμαινε αυτό.

«Πηγαίνει στην Ιταλία».

Μου πήρε το χρονικό διάστημα ενός χτύπου της καρδιάς για να καταλάβω.

Όταν η φωνή του Έντουαρντ μου ήρθε πάλι στο μυαλό τώρα, δεν ήταν η τέλεια μίμηση των ψευδαισθήσεών μου. Ήταν η αδύναμη, άτονη φωνή των αναμνήσεών μου. Αλλά και μόνο τα λόγια ήταν αρκετά για να σχίσουν το στήθος μου και να του αφήσουν εκεί μια ανοιχτή πληγή. Λόγια από μια εποχή που θα στοιχημάτιζα όλα όσα είχα στο ότι με αγαπούσε.

Εννοείται πως δε σκόπευα να ζήσω χωρίς εσένα, είχε πει, καθώς παρακολουθούσαμε τον Ρωμαίο και την Ιουλιέτα να πεθαίνουν, εδώ σ' αυτό ακριβώς το δωμάτιο. *Αλλά δεν ήμουν βέβαιος πώς να το κάνω –ήξερα ότι ο Έμετ κι ο Τζάσπερ δε θα με βοηθούσαν ποτέ… έτσι σκεφτόμουν να πάω ίσως στην Ιταλία και να κάνω κάτι για να προκαλέσω τους Βολτούρι… δεν πρέπει να κάνεις κάτι που να θυμώσει τους Βολτούρι, εκτός κι αν θέλεις να πεθάνεις.*

Εκτός κι αν θέλεις να πεθάνεις.

«ΟΧΙ!» Η άρνηση που σχεδόν ούρλιαξα ήταν τόσο δυνατή μετά από τις λέξεις που ειπώθηκαν ψιθυριστά, που μας έκανε όλους να πεταχτούμε. Ένιωσα το αίμα να μου ανεβαίνει στο κεφάλι, καθώς συνειδητοποίησα τι είχε δει. «Όχι! Όχι, όχι, όχι! Δεν μπορεί! Δεν μπορεί να το κάνει αυτό!»

«Πήρε την απόφασή του αμέσως μόλις ο φίλος σου του επιβεβαίωσε ότι ήταν πολύ αργά για να σε σώσει».

«Μα… μα *έφυγε*! Δε με ήθελε πια! Τι σημασία έχει τώρα; Ήξερε ότι κάποια στιγμή θα πέθαινα!»

«Δε νομίζω ότι σκόπευε ποτέ να ζήσει πολύ περισσότερο

από σένα», είπε ήσυχα η Άλις.

«Πώς *τολμάει!*» ούρλιαξα. Ήμουν όρθια τώρα, κι ο Τζέικομπ σηκώθηκε αβέβαια για να μπει ανάμεσα στην Άλις και σ' εμένα πάλι.

«Αχ, φύγε από τη μέση, Τζέικομπ!» Απέφυγα το τρεμάμενο σώμα του κάνοντάς τον στην άκρη με τον αγκώνα μου με απεγνωσμένη ανυπομονησία. «Τι κάνουμε;» ικέτεψα την Άλις. Κάτι έπρεπε να υπάρχει. «Δεν μπορούμε να τον πάρουμε τηλέφωνο; Δεν μπορεί ο Κάρλαϊλ;»

Κουνούσε το κεφάλι της. «Αυτό ήταν το πρώτο πράγμα που δοκίμασα. Άφησε το τηλέφωνό του σε ένα σκουπιδοτενεκέ στο Ρίο –κάποιος το απάντησε...» ψιθύρισε.

«Είπες πριν ότι πρέπει να βιαστούμε. Πώς να βιαστούμε; Ας το κάνουμε, ό,τι κι αν είναι αυτό!»

«Μπέλλα, δεν –δε νομίζω ότι μπορώ να σου ζητήσω να...» Η φωνή της αργόσβησε αναποφάσιστα.

«Ζήτα μου το!» την πρόσταξα.

Έβαλε τα χέρια της στους ώμους μου, κρατώντας με σταθερή, ενώ τα δάχτυλά της τεντώνονταν πού και πού για να δώσουν έμφαση στα λόγια της. «Μπορεί ήδη να έχουμε αργήσει. Τον είδα να πηγαίνει στους Βολτούρι... και να ζητάει να πεθάνει». Και οι δυο μας ζαρώσαμε από το φόβο, και τα μάτια μου ξαφνικά τυφλώθηκαν. Ανοιγόκλεισα με μανία τα μάτια μου για να διώξω τα δάκρυα. «Εξαρτάται αποκλειστικά από το τι θα αποφασίσουν εκείνοι. Δεν μπορώ να το δω αυτό μέχρι να πάρουν μια απόφαση.

»Αλλά αν αρνηθούν, και είναι πιθανό –ο Άρο συμπαθεί πολύ τον Κάρλαϊλ και δε θα ήθελε να τον προσβάλλει– ο Έντουαρντ έχει και εναλλακτικό σχέδιο. Είναι πολύ προστατευτικοί με την πόλη τους. Αν ο Έντουαρντ κάνει κάτι για να διαταράξει την ησυχία, πιστεύει ότι θα κάνουν κάτι για να τον σταματήσουν. Κι έχει δίκιο. Θα κάνουν».

Την κοίταξα με το σαγόνι μου σφιγμένο από την απογοήτευση. Δεν είχα ακούσει τίποτα που να εξηγεί γιατί στεκόμασταν ακόμη εδώ.

«Άρα αν συμφωνήσουν να του κάνουν τη χάρη, έχουμε αργήσει. Αν αρνηθούν, κι εκείνος βρει κάποιο σχέδιο για να τους προσβάλλει αρκετά γρήγορα, έχουμε αργήσει πάλι. Αν υποκύψει στις πιο θεατρικές του τάσεις... μπορεί να προλαβαίνουμε».

«Πάμε!»

«Άκου, Μπέλλα! Είτε φτάσουμε εγκαίρως είτε όχι, θα είμαστε στη καρδιά της πόλης των Βολτούρι. Θα θεωρηθώ συνένοχός του αν πετύχει αυτό που θέλει. Εσύ θα είσαι ένας άνθρωπος που όχι μόνο ξέρει πολλά, αλλά μυρίζει και πολύ ωραία. Υπάρχει μια καλή πιθανότητα να μας εξοντώσουν και τους τρεις –αν και στη δική σου περίπτωση δε θα είναι τόσο πολύ τιμωρία όσο ώρα για δείπνο».

«Αυτό μας κρατάει εδώ;» ρώτησα δύσπιστα. «Θα πάω μόνη μου αν φοβάσαι». Μέσα στο μυαλό μου υπολόγισα πόσα χρήματα είχαν μείνει στο λογαριασμό μου και αναρωτήθηκα αν η Άλις θα μου δάνειζε τα υπόλοιπα.

«Φοβάμαι ότι μπορεί να σκοτωθείς».

«Σχεδόν σκοτώνομαι σε καθημερινή βάση! Πες μου τι πρέπει να κάνω!»

«Γράψε ένα σημείωμα στον Τσάρλι. Θα πάρω τηλέφωνο την αεροπορική εταιρεία».

«Ο Τσάρλι», είπα πνιχτά.

Όχι ότι η παρουσία μου τον προστάτευε, αλλά μπορούσα να τον αφήσω εδώ μόνο του αντιμέτωπο...

«Δε θα αφήσω τίποτα κακό να συμβεί στον Τσάρλι». Η χαμηλή φωνή του Τζέικομπ ήταν τραχιά και θυμωμένη. «Στο διάολο η ανακωχή».

Σήκωσα τα μάτια για να τον κοιτάξω, κι εκείνος κατσούφιασε με την πανικόβλητη έκφρασή μου.

«Βιάσου, Μπέλλα», διέκοψε η Άλις με επείγοντα τόνο.

Έτρεξα στην κουζίνα, τραβώντας με δύναμη τα συρτάρια και αδειάζοντας τα περιεχόμενα σε όλο το πάτωμα, καθώς έψαχνα για στυλό. Ένα απαλό, καφέ χέρι μου έδωσε ένα.

«Ευχαριστώ», ψέλλισα, τραβώντας με τα δόντια μου το καπάκι. Μου έδωσε σιωπηλά το σημειωματάριο που γράφαμε πάνω τηλεφωνικά μηνύματα. Έσκισα το πάνω-πάνω χαρτί και το πέταξα πίσω από τον ώμο μου.

Μπαμπά, έγραψα. Είμαι με την Άλις. Ο Έντουαρντ κινδυνεύει. Μπορώ να τεθώ σε τιμωρία όταν γυρίσω. Ξέρω ότι δεν είναι καθόλου καλή στιγμή. Λυπάμαι πολύ. Σε αγαπάω τόσο πολύ. Μπέλλα.

«Μη φύγεις», ψιθύρισε ο Τζέικομπ. Ο θυμός είχε χαθεί όλος, τώρα που η Άλις είχε φύγει.

Δε σκόπευα να χάσω χρόνο με το να τσακωθώ μαζί του. «Σε παρακαλώ, *σε παρακαλώ*, πρόσεχε τον Τσάρλι», είπα καθώς όρμησα πίσω για να βγω από το καθιστικό. Η Άλις με περίμενε στην πόρτα με μια μεγάλη τσάντα περασμένη πάνω από τον ώμο της.

«Πάρε το πορτοφόλι σου –θα χρειαστείς ταυτότητα. Σε *παρακαλώ* πες μου ότι έχεις διαβατήριο. Δεν έχω χρόνο να σου πλαστογραφήσω».

Έγνεψα καταφατικά και μετά ανέβηκα γρήγορα τις σκάλες με γόνατα αδύναμα από την ευγνωμοσύνη που η μητέρα μου θέλησε να παντρευτεί τον Φιλ σε μια παραλία στο Μεξικό. Φυσικά, όπως και όλα της τα σχέδια, είχε ματαιωθεί. Αλλά όχι πριν κάνω όλες τις πρακτικές ετοιμασίες που μπορούσα για χάρη της.

Μπήκα μέσα στο δωμάτιο σαν σίφουνας. Έβαλα μέσα στο σακίδιό μου το παλιό μου πορτοφόλι, ένα καθαρό φανελάκι, και μια φόρμα και μετά πέταξα και την οδοντόβουρτσά μου από πάνω. Όρμησα πάλι βιαστικά στις σκάλες. Η αίσθηση του ντεζαβού ήταν σχεδόν αποπνικτική ως αυτό το σημείο. Τουλάχιστον, σε αντίθεση με την προηγούμενη φορά –όταν είχα φύγει από το Φορκς για να ξεφύγω από κάποιους διψασμένους βρικόλακες αντί να πάω να τους *βρω*– δε θα χρειαζόταν να αποχαιρετήσω αυτοπροσώπως τον Τσάρλι.

Ο Τζέικομπ κι η Άλις ήταν κοκαλωμένοι σε κάποιου είδους αντιπαράθεση μπροστά από την ανοιχτή πόρτα, ενώ στέκονταν τόσο μακριά ο ένας από τον άλλο που δε θα μπορούσε κανείς να υποθέσει ότι συζητούσαν. Κανένας από τους δύο δε φάνηκε να παρατηρεί τη θορυβώδη εμφάνισή μου.

«Εσύ μπορεί να συγκρατείσαι κατά περίσταση, αλλά αυτές οι βδέλλες που την πηγαίνεις…» την κατηγορούσε έξαλλος ο Τζέικομπ.

«Ναι. Έχεις δίκιο, σκύλε». Η Άλις γρύλιζε κι εκείνη. «Οι Βολτούρι είναι η απόλυτη ενσάρκωση του είδους μας –είναι ο λόγος που σου σηκώνονται οι τρίχες όταν με μυρίζεις. Είναι η ουσία από την οποία φτιάχνονται οι εφιάλτες σου, το δέος που υπάρχει πίσω από τα ένστικτά σου. Το γνωρίζω αυτό».

«Και την πηγαίνεις σ' αυτούς σαν μπουκάλι κρασί για ένα πάρτι!» φώναξε εκείνος.

«Νομίζεις ότι θα είναι καλύτερα αν την άφηνα εδώ πέρα μόνη της, με τη Βικτόρια στα ίχνη της;»

«Μπορούμε να την τακτοποιήσουμε την κοκκινομάλλα».

«Τότε γιατί κυνηγάει ακόμα;»

Ο Τζέικομπ γρύλισε, κι ένα ρίγος διαπέρασε ολόκληρο το κορμί του.

«Σταματήστε!» φώναξα και στους δυο τους, έξαλλη από την ανυπομονησία. «Τσακωθείτε όταν γυρίσουμε, πάμε!»

Η Άλις στράφηκε προς το αμάξι, κι εξαφανίστηκε μέσα στη βιασύνη της. Εγώ την ακολούθησα τρέχοντας πίσω της, σταματώντας αυτόματα για να γυρίσω και να κλειδώσω την πόρτα.

Ο Τζέικομπ με άρπαξε από το μπράτσο με ένα τρεμάμενο χέρι. «Σε παρακαλώ, Μπέλλα. Σε ικετεύω».

Τα σκούρα του μάτια έλαμπαν από τα δάκρυα. Ένας κόμπος

γέμισε το λαιμό μου.

«Τζέικ, πρέπει να–»

«Δεν είναι απαραίτητο, όμως. Πραγματικά δεν είναι απαραίτητο. Θα μπορούσες να μείνεις εδώ μαζί μου. Θα μπορούσες να μείνεις ζωντανή. Για χάρη του Τσάρλι. Για χάρη μου».

Η μηχανή της Μερσεντές του Κάρλαϊλ πήρε μπρος βουίζοντας· ο ρυθμός του υπόκωφου βόμβου έγινε πιο έντονος, καθώς η Άλις ανέβαζε τις στροφές ανυπόμονα.

Κούνησα το κεφάλι μου, ενώ δάκρυα ξεχείλισαν από τα μάτια μου από την έντονη συγκίνηση. Τράβηξα το μπράτσο μου για να ελευθερωθώ, κι εκείνος δε μου αντιστάθηκε.

«Μην πεθάνεις, Μπέλλα», είπε πνιχτά. «Μη φύγεις. Όχι».

Κι αν δεν τον ξανάβλεπα ποτέ;

Η σκέψη με έκανε να ξεπεράσω το στάδιο των σιωπηλών δακρύων· ένας λυγμός βγήκε από το στήθος μου. Όρμησα να τυλίξω τα χέρια μου γύρω από τη μέση του και τον αγκάλιασα για μια υπερβολικά σύντομη στιγμή, χώνοντας το μουσκεμένο από τα δάκρυα πρόσωπό μου στο στήθος του. Εκείνος έβαλε το μεγάλο του χέρι πάνω στο πίσω μέρος των μαλλιών μου, σαν να ήθελε να με κρατήσει εκεί.

«Αντίο, Τζέικ». Τράβηξα το χέρι του από τα μαλλιά μου και φίλησα την παλάμη του. Δεν άντεχα να κοιτάξω το πρόσωπό του. «Λυπάμαι», ψιθύρισα.

Μετά γύρισα γρήγορα και έτρεξα προς το αμάξι. Η πόρτα του συνοδηγού ήταν ανοιχτή και περίμενε. Πέταξα το σακίδιό μου πίσω και γλίστρησα μέσα κλείνοντας την πόρτα πίσω μου με δύναμη.

«Πρόσεχε τον Τσάρλι!» γύρισα για να φωνάξω έξω από το παράθυρο, αλλά ο Τζέικομπ δεν ήταν πουθενά. Καθώς η Άλις πάτησε με δύναμη το γκάζι και –με τα λάστιχα να σκληρίζουν λες και ήταν ανθρώπινα ουρλιαχτά– κάναμε αναστροφή για να έχουμε μπροστά μας το δρόμο, έπεσε το μάτι μου σε κάτι λευκό κοντά στην άκρη των δέντρων. Ένα κομμάτι από παπούτσι.

19. ΑΓΩΝΑΣ ΔΡΟΜΟΥ

Προλάβαμε την πτήση μας για λίγα μόνο δευτερόλεπτα, και μετά άρχισε το αληθινό βασανιστήριο. Το αεροπλάνο καθόταν, με τις μηχανές να δουλεύουν στο ρελαντί στην άσφαλτο του αεροδιαδρόμου, ενώ αεροσυνοδοί πηγαινοέρχονταν καμαρωτοί πέρα δώθε στο διάδρομο –τόσο αδιάφορα– σπρώχνοντας ελαφρά τις τσάντες μέσα στους χώρους για τις αποσκευές που βρίσκονταν πάνω από τα κεφάλια μας, για να βεβαιωθούν ότι όλες χωρούσαν καλά. Οι πιλότοι έσκυβαν έξω από το πιλοτήριο κουβεντιάζοντας μαζί τους, καθώς περνούσαν. Το χέρι της Άλις ήταν σκληρό πάνω στον ώμο μου, κρατώντας με στη θέση μου, ενώ εγώ χοροπηδούσα ανυπόμονα πάνω-κάτω.

«Είναι πιο γρήγορο από το τρέξιμο», μου υπενθύμισε χαμηλόφωνα.

Εγώ απλώς κούναγα το κεφάλι μου σε συγχρονισμό με το χοροπηδητό μου.

Επιτέλους το αεροπλάνο άρχισε να τσουλάει τεμπέλικα και να βγαίνει από την πύλη, ανεβάζοντας ταχύτητα με μια σταδιακή σταθερότητα που με βασάνιζε ακόμα πιο πολύ. Περίμενα κάποιου είδους ανακούφιση όταν αποκτήσαμε ταχύτητα απογείωσης, αλλά η έξαλλη ανυπομονησία μου δε μειώθηκε.

Η Άλις σήκωσε το τηλέφωνο στην πλάτη της μπροστινής της θέσης, πριν σταματήσουμε να ανεβαίνουμε, γυρίζοντας την πλάτη της στην αεροσυνοδό που την κοίταξε αποδοκιμαστικά. Κάτι στην έκφρασή μου εμπόδισε την αεροσυνοδό να μας έρθει για να διαμαρτυρηθεί.

Προσπάθησα να μην ακούσω τι μουρμούριζε η Άλις στον Τζάσπερ· δεν ήθελα να ακούσω τις λέξεις ξανά, αλλά μερικές γλίστρησαν στο πεδίο της ακοής μου.

«Δεν μπορώ να είμαι σίγουρη, συνέχεια τον βλέπω να κάνει διάφορα πράγματα, συνέχεια αλλάζει γνώμη... δολοφονική εξόρμηση στην πόλη, επίθεση σε φρουρό, να σηκώνει ένα αμάξι πάνω από το κεφάλι του στην κεντρική πλατεία... κυρίως πράγματα που θα τους εξέθεταν –ξέρει ότι αυτός είναι ο γρηγορότερος τρόπος να προκαλέσει αντίδραση...

»Όχι, δεν μπορείς». Η φωνή της Άλις χαμήλωσε μέχρι που σχεδόν δεν ακουγόταν καθόλου, αν και καθόμουν μόλις μερικά εκατοστά μακριά της. Αντιθέτως, εγώ έκανα μεγαλύτερη ακόμα προσπάθεια για να ακούσω. «Πες στον Έμετ όχι... Δηλαδή, ακολούθα τη Ρόζαλι και τον Έμετ και φερ' τους πίσω... Σκέψου το, Τζάσπερ. Αν δει κάποιον από μας, τι νομίζεις ότι θα κάνει;»

Εκείνη έγνεψε. «Ακριβώς. Νομίζω ότι η Μπέλλα είναι η μόνη πιθανότητα –αν υπάρχει πιθανότητα... Θα κάνω ό,τι είναι δυνατό, αλλά προετοίμασε τον Κάρλαϊλ· δεν υπάρχουν και πολλές πιθανότητες».

Τότε γέλασε, και υπήρχε κάτι σαν κόμπος στη φωνή της. «Το έχω σκεφτεί αυτό... Ναι, το υπόσχομαι». Η φωνή της έγινε ικετευτική. «Μη με ακολουθήσεις. Το υπόσχομαι, Τζάσπερ. Με τον ένα ή τον άλλο τρόπο, θα βγω έξω... Κι εγώ σ' αγαπώ».

Έκλεισε το τηλέφωνο και ακούμπησε πίσω στη θέση της

με τα μάτια της κλειστά. «Δε μου αρέσει καθόλου να του λέω ψέματα».

«Πες τα μου όλα, Άλις», την ικέτεψα. «Δεν καταλαβαίνω. Γιατί είπες στον Τζάσπερ να σταματήσει τον Έμετ, γιατί δεν μπορούν να έρθουν να μας βοηθήσουν;»

«Για δυο λόγους», ψιθύρισε με τα μάτια της ακόμα κλειστά. «Τον πρώτο τού τον είπα. Θα *μπορούσαμε* να προσπαθήσουμε να σταματήσουμε τον Έντουαρντ μόνοι μας –αν ο Έμετ τον έπιανε στα χέρια του, μπορεί να τα καταφέρναμε να τον σταματήσουμε για αρκετή ώρα, ώστε να τον πείσουμε ότι είσαι ζωντανή. Αλλά δεν μπορούμε να πλησιάσουμε τον Έντουαρντ χωρίς να μας πάρει είδηση. Κι αν μας δει να ερχόμαστε να τον βρούμε, θα ενεργήσει ακόμα πιο γρήγορα. Θα πετάξει καμιά Μπούικ μέσα από κανένα τοίχο ή κάτι τέτοιο, και οι Βολτούρι θα τον καταστρέψουν.

»Υπάρχει κι ένας δεύτερος λόγος φυσικά, ο λόγος που δεν μπορούσα να πω στον Τζάσπερ. Επειδή αν είναι εκεί οι τρεις τους, και οι Βολτούρι σκοτώσουν τον Έντουαρντ, τότε θα τους επιτεθούν. Μπέλλα». Άνοιξε τα μάτια της και με κοίταξε ικετευτικά. «Αν υπήρχε η παραμικρή πιθανότητα να κερδίσουμε... αν υπήρχε κάποιος τρόπος οι τέσσερίς μας να σώσουμε τον αδερφό μου πολεμώντας γι' αυτόν, μπορεί να ήταν αλλιώς. Αλλά δεν μπορούμε, και, Μπέλλα, δεν μπορώ να χάσω έτσι τον Τζάσπερ».

Συνειδητοποίησα γιατί τα μάτια της εκλιπαρούσαν την κατανόησή μου. Προστάτευε τον Τζάσπερ, σε βάρος μας, και ίσως σε βάρος του Έντουαρντ. Καταλάβαινα, και δε μου δημιουργήθηκε αρνητική άποψη γι' αυτήν. Κούνησα το κεφάλι μου.

«Δε θα μπορούσε ο Έντουαρντ να σας ακούσει, όμως;» ρώτησα. «Δε θα ήξερε, αμέσως μόλις άκουγε τις σκέψεις σας, ότι εγώ ήμουν ζωντανή, ότι δεν υπήρχε κανένας λόγος για όλο αυτό;»

Όχι ότι υπήρχε οποιαδήποτε λογική εξήγηση, είτε έτσι είτε αλλιώς. Ακόμα δεν μπορούσα να πιστέψω ότι ήταν ικανός να αντιδράσει έτσι. Δεν ήταν λογικό! Θυμήθηκα με οδυνηρή καθαρότητα τα λόγια του εκείνη τη μέρα στον καναπέ, ενώ παρακολουθούσαμε τον Ρωμαίο και την Ιουλιέτα να αυτοκτονούν, ο ένας μετά τον άλλο. *Δε θα ζούσα χωρίς εσένα*, είχε πει, λες και έπρεπε να είναι τόσο προφανές συμπέρασμα. Αλλά τα λόγια που είχε πει στο δάσος, όταν με άφησε τα είχαν ακυρώσει όλα αυτά –τόσο βίαια.

«Αν άκουγε», εξήγησε εκείνη. «Αλλά είτε το πιστεύεις είτε όχι, είναι δυνατόν να πεις ψέματα με τις σκέψεις σου. Αν είχες πεθάνει, και πάλι θα προσπαθούσα να τον σταματήσω. Και θα σκεφτόμουν: "Είναι ζωντανή, είναι ζωντανή" όσο πιο έντονα μπορούσα. Το ξέρει αυτό».

Έτριξα τα δόντια μου με βουβή απογοήτευση.

«Αν υπήρχε κάποιος τρόπος να το κάνουμε αυτό χωρίς εσένα, Μπέλλα, δε θα σε έβαζα σε τέτοιο κίνδυνο. Είναι πολύ μεγάλο λάθος μου».

«Μην είσαι χαζή. Είμαι το τελευταίο πράγμα για το οποίο πρέπει να ανησυχείς». Κούνησα το κεφάλι μου ανυπόμονα. «Πες μου τι εννοούσες όταν είπες ότι δε σου αρέσει να λες ψέματα στον Τζάσπερ».

Χαμογέλασε με ένα μακάβριο χαμόγελο. «Του υποσχέθηκα ότι θα έβγαινα έξω πριν με σκοτώσουν κι εμένα. Δεν είναι κάτι που μπορώ να εγγυηθώ –ούτε κατά διάνοια». Σήκωσε τα φρύδια της σαν να με προέτρεπε να πάρω πιο σοβαρά τον κίνδυνο.

«Ποιοι είναι αυτοί οι Βολτούρι;» ζήτησα να μάθω ψιθυρίζοντας. «Τι τους κάνει τόσο πολύ πιο επικίνδυνους από τον Έμετ, τον Τζάσπερ, τη Ρόζαλι κι εσένα;» Ήταν δύσκολο να φανταστώ κάτι πιο τρομακτικό από αυτό.

Πήρε μια βαθιά ανάσα, και μετά απότομα έριξε μια σκοτεινή ματιά πάνω από τον ώμο μου. Γύρισα εγκαίρως ώστε να δω τον άντρα που καθόταν στη θέση στο διάδρομο, να γυρίζει από την άλλη μεριά, για να δείξει ότι δε μας άκουγε. Φαινόταν σαν επιχειρηματίας, ντυμένος με ένα σκούρο κοστούμι και μια συντηρητική γραβάτα με ένα φορητό υπολογιστή στα γόνατά του. Ενώ εγώ τον κοίταζα εκνευρισμένη, εκείνος άνοιξε τον υπολογιστή του και έβαλε ακουστικά πολύ επιδεικτικά.

Έσκυψα πιο κοντά στην Άλις. Τα χείλη της ήταν στ' αυτιά μου, καθώς μου διηγείτο την ιστορία ψιθυριστά.

«Με εξέπληξε το ότι αναγνώρισες το όνομα», είπε. «Που κατάλαβες τόσο γρήγορα τι σημαίνει –όταν είπα ότι θα πήγαινε στην Ιταλία. Νόμιζα ότι θα έπρεπε να σου εξηγήσω. Πόσα σου είπε ο Έντουαρντ;»

«Απλώς είπε ότι είναι μια παλιά οικογένεια με πολλή δύναμη –κάτι σαν βασιλιάδες. Ότι δεν ερχόσαστε σε αντιπαράθεση μαζί τους εκτός αν θέλετε να... πεθάνετε», ψιθύρισα. Ήταν πολύ δύσκολο να μην πω την τελευταία λέξη σαν να πνίγομαι.

«Πρέπει να καταλάβεις», είπε εκείνη, με φωνή πιο αργή, πιο μετρημένη τώρα. «Εμείς οι Κάλεν είμαστε μοναδικοί με περισσότερους τρόπους απ' ό,τι ξέρεις. Είναι... *αφύσικο* να ζούμε τόσοι πολλοί από μας μαζί ειρηνικά. Το ίδιο ισχύει και για την οικογένεια της Τάνια στο βορρά, κι ο Κάρλαϊλ υποθέτει ότι το γεγονός ότι απέχουμε μας διευκολύνει να είμαστε πολιτισμένοι, να δημιουργούμε δεσμούς που βασίζονται στην αγάπη παρά στην επιβίωση ή αυτό που μας βολεύει. Ακόμα και η μικρή ομάδα του Τζέιμς με τα τρία μέλη ήταν ασυνήθιστα μεγάλη –και είδες πόσο εύκολα τους άφησε ο Λόρεντ. Τα πλάσματα του είδους μας ταξιδεύουν μόνα τους ή δυο-δυο, κατά κανόνα. Η οικογένεια του Κάρλαϊλ είναι η μοναδική εν ζωή, απ' όσο γνωρίζω, με μια εξαίρεση. Τους Βολτούρι».

«Αρχικά, ήταν τρεις, ο Άρο, ο Κάιος και ο Μάρκος».

«Τους έχω δει», μουρμούρισα. «Στον πίνακα στο γραφείο του Κάρλαϊλ».

Η Άλις κούνησε το κεφάλι. «Με τον καιρό δύο ακόμα θηλυκά έγιναν μέλη της ομάδας τους, και οι πέντε αποτελούν την οικογένεια. Δεν είμαι σίγουρη, αλλά υποψιάζομαι ότι η ηλικία τους είναι αυτό που τους δίνει τη δυνατότητα να ζουν ειρηνικά μαζί. Είναι όλοι τους πάνω από τριών χιλιάδων ετών. Ή ίσως είναι τα χαρίσματά τους που τους δίνουν επιπλέον ανοχή. Όπως κι ο Έντουαρντ κι εγώ, ο Άρο και ο Μάρκος είναι... ταλαντούχοι».

Συνέχισε πριν της το ζητήσω. «Ή ίσως είναι απλώς η αγάπη τους για εξουσία που τους δένει μαζί. Η περιγραφή τους ως μέλη βασιλικής οικογένειας είναι εύστοχη».

«Μα αν είναι μόνο πέντε–»

«Πέντε που αποτελούν την οικογένεια», διόρθωσε. «Υπάρχει και η φρουρά τους».

Πήρα μια βαθιά ανάσα. «Αυτό ακούγεται... σοβαρό».

«Ω, μα είναι», με διαβεβαίωσε. «Υπήρχαν εννέα μέλη της φρουράς που ήταν μόνιμα, την τελευταία φορά που άκουσα. Τα υπόλοιπα είναι πιο... περιστασιακά. Αλλάζουν. Και πολλά απ' αυτά είναι επίσης χαρισματικά –με ανυπέρβλητα χαρίσματα, χαρίσματα που κάνουν το δικό μου να φαίνεται σαν τρικ για πάρτι. Οι Βολτούρι τα επέλεξαν για τις ικανότητές τους, σωματικές ή άλλου είδους».

Άνοιξα το στόμα μου και μετά το έκλεισα. Δεν ήθελα να ξέρω πόσο ελάχιστες πιθανότητες είχαμε.

Κούνησε το κεφάλι της, σαν να καταλάβαινε ακριβώς τι σκεφτόμουν. «Δεν μπλέκονται σε πολλές διενέξεις. Κανείς δεν είναι αρκετά ανόητος ώστε να μπλέξει μαζί τους. Μένουν στην πόλη τους, φεύγουν μόνο όταν το επιβάλλει το καθήκον».

«Το καθήκον;» αναρωτήθηκα.

«Δε σου είπε ο Έντουαρντ τι κάνουν;»

«Όχι», είπα νιώθοντας την κενή έκφραση στο πρόσωπό μου.

Η Άλις κοίταξε πάλι πάνω από το κεφάλι μου, προς τον επιχειρηματία και έβαλε τα παγερά της χείλη στο αυτί μου ξανά.

«Υπάρχει λόγος που τους αποκαλούμε βασιλική οικογένεια... άρχουσα τάξη. Ανά τις χιλιετίες, έχουν αναλάβει το ρόλο να επιβάλλουν τους κανόνες μας –πράγμα που στην πράξη μεταφράζεται στην τιμωρία των παραβατών. Εκπληρώνουν αυτό το καθήκον αποφασιστικά».

Τα μάτια μου άνοιξαν διάπλατα από την έκπληξη. «Υπάρχουν *κανόνες;*» ρώτησα με φωνή υπερβολικά δυνατή.

«Σσσσς!»

«Δεν έπρεπε κάποιος να μου το έχει αναφέρει αυτό νωρίτερα;» ψιθύρισα θυμωμένα. «Θέλω να πω, ήθελα να γίνω... ήθελα να γίνω μία από σας! Δεν έπρεπε κάποιος να μου έχει εξηγήσει τους κανόνες;»

Η Άλις γέλασε πνιχτά μια φορά με την αντίδρασή μου. «Δεν είναι τόσο πολύπλοκο, Μπέλλα. Υπάρχει ένας μόνο περιορισμός –κι αν το σκεφτείς, πιθανότατα θα το βρεις μόνη σου».

Το σκέφτηκα. «Όχι, δεν έχω ιδέα».

Κούνησε το κεφάλι της απογοητευμένη. «Ίσως είναι υπερβολικά προφανές. Απλά πρέπει να κρατάμε μυστική την ύπαρξή μας».

«Α», μουρμούρισα. Ήταν *όντως* προφανές.

«Είναι λογικό, και οι περισσότεροι από μας δε χρειάζονται αστυνόμευση», συνέχισε. «Αλλά μετά από μερικούς αιώνες, κάποιοι από μας μπορεί να βαριούνται. Ή να τρελαίνονται. Δεν ξέρω. Και τότε οι Βολτούρι επεμβαίνουν πριν κάποιος θέσει σε κίνδυνο την ύπαρξή τους ή των υπολοίπων από μας».

«Τότε ο Έντουαρντ...»

«Σκοπεύει να παραβεί αυτό τον κανόνα μέσα στην ίδια τους την πόλη –την πόλη της οποίας είναι κύριοι, κρυφά εδώ και τρεις χιλιάδες χρόνια, από την εποχή των Ετρούσκων. Είναι τόσο προστατευτικοί με την πόλη τους που δεν επιτρέπουν το κυνήγι μέσα στα τείχη της. Η Βολτέρα είναι πιθανότατα η πιο ασφαλής πόλη σε ολόκληρο τον κόσμο –τουλάχιστον από επιθέσεις βρικολάκων».

«Μα εσύ είπες ότι δε φεύγουν. Πώς τρέφονται;»

«Δε φεύγουν. Φέρνουν το φαγητό τους από έξω, από πολύ μακριά μερικές φορές. Έτσι η φρουρά τους έχει κάτι να κάνει, όταν δεν βγαίνει για να εξολοθρεύσει επαναστάτες βρικόλακες. Ή να προστατεύσει τη Βολτέρα από το να εκτεθεί... »

«Από καταστάσεις σαν αυτή εδώ, σαν τον Έντουαρντ», τελείωσα την πρότασή της. Ήταν απίστευτα εύκολο να λέω το όνομά του τώρα πια. Δεν ήμουν σίγουρη τι άλλαξε τα πράγματα. Ίσως επειδή δε σκόπευα να ζήσω πολύ καιρό ακόμα χωρίς να τον ξαναδώ. Ή ίσως και καθόλου, αν φτάναμε πολύ αργά. Ήταν παρηγορητικό να ξέρω ότι είχα μια εύκολη λύση.

«Αμφιβάλλω αν έχουν αντιμετωπίσει ξανά μια τέτοια κατάσταση», μουρμούρισε με αηδία. «Δεν υπάρχουν και πολλοί βρικόλακες με τάσεις αυτοκτονίας».

Ο ήχος που ξέφυγε από το στόμα μου ήταν πολύ χαμηλός, αλλά η Άλις φάνηκε να καταλαβαίνει ότι ήταν κραυγή πόνου. Τύλιξε το λεπτό, δυνατό μπράτσο της γύρω από τους ώμους μου.

«Θα κάνουμε ό,τι μπορούμε, Μπέλλα. Δεν έχει τελειώσει ακόμα τίποτα».

«Όχι ακόμα». Την άφησα να με παρηγορήσει, αν και ήξερα ότι πίστευε πως οι πιθανότητές μας ήταν ελάχιστες. «Και οι Βολτούρι θα μας πιάσουν αν τα κάνουμε θάλασσα».

Η Άλις έγινε άκαμπτη. «Το λες αυτό σαν να είναι κάτι καλό».

Σήκωσα τους ώμους μου.

«Κόφ' το, Μπέλλα, αλλιώς θα σταματήσουμε στη Νέα Υόρκη και θα γυρίσουμε πίσω στο Φορκς».

«Τι;»

«Ξέρεις τι. Αν φτάσουμε πολύ αργά για τον Έντουαρντ,

θα κάνω ό,τι μπορώ για να σε φέρω πίσω στον Τσάρλι, και δε θέλω να με δυσκολέψεις. Το καταλαβαίνεις αυτό;»

«Βέβαια, Άλις».

Τραβήχτηκε πίσω ελαφρώς, ώστε να μπορεί να με αγριοκοιτάξει. «Δε θα με δυσκολέψεις».

«Στην προσκοπική μου τιμή», μουρμούρισα.

Στριφογύρισε ειρωνικά τα μάτια της.

«Άσε με να συγκεντρωθώ τώρα. Προσπαθώ να δω τι σχεδιάζει».

Το μπράτσο της παρέμεινε γύρω μου, αλλά άφησε το χέρι της να πέσει στο κάθισμα κι έκλεισε τα μάτια. Πίεσε το ελεύθερο χέρι της στο πλάι του προσώπου της, τρίβοντας τις άκρες των δαχτύλων της στον κρόταφό της.

Την παρακολούθησα έκθαμβη για πολύ ώρα. Τελικά, έμεινε τελείως ακίνητη, το πρόσωπό της σαν ένα πέτρινο γλυπτό. Τα λεπτά κυλούσαν, κι αν δεν ήξερα, θα νόμιζα ότι είχε αποκοιμηθεί. Δεν τόλμησα να τη διακόψω για να ρωτήσω τι συνέβαινε.

Μακάρι να υπήρχε κάτι ασφαλές που να μπορούσα να σκεφτώ. Δεν μπορούσα να επιτρέψω στον εαυτό μου να αναλογιστεί τα φρικτά πράγματα προς τα οποία κατευθυνόμασταν ή ακόμα χειρότερα, την πιθανότητα να αποτύχουμε –όχι αν δεν ήθελα να ουρλιάξω.

Ούτε και μπορούσα να προεξοφλήσω τίποτα. Ίσως, αν ήμουν πολύ, πολύ, *πολύ* τυχερή, θα κατάφερνα με κάποιο τρόπο να σώσω τον Έντουαρντ. Αλλά δεν ήμουν τόσο ανόητη, ώστε να πιστεύω ότι το να τον σώσω θα σήμαινε ότι θα μπορούσα να μείνω και μαζί του. Δεν ήμουν σε τίποτα διαφορετική, δεν είχα τίποτα το ξεχωριστό σε σχέση με πριν. Δε θα υπήρχε κανένας καινούριος λόγος για να με θέλει τώρα. Το να τον δω και να τον χάσω ξανά...

Πάλεψα ενάντια στον πόνο. Αυτό ήταν το τίμημα που έπρεπε να πληρώσω για να σώσω τη ζωή του. Θα το πλήρωνα.

Έδειχναν μια ταινία, και ο διπλανός μου πήρε ακουστικά. Μερικές φορές παρακολουθούσα τις μορφές που κουνιούνταν στη μικρή οθόνη, αλλά δεν μπορούσα καν να ξεχωρίσω αν η ταινία υποτίθεται ότι ήταν ρομαντική ή τρόμου.

Μετά από μια αιωνιότητα, το αεροπλάνο άρχισε να κατεβαίνει προς τη Νέα Υόρκη. Η Άλις παρέμενε ακόμα σε κατάσταση ύπνωσης. Εγώ αμφιταλαντευόμουν, απλώνοντας το χέρι για να την αγγίξω, μόνο και μόνο για να το τραβήξω πίσω ξανά. Αυτό συνέβη καμιά δωδεκαριά φορές πριν προσγειωθεί το αεροπλάνο με μια πρόσκρουση που μας ταρακούνησε.

«Άλις», είπα τελικά. «Άλις, πρέπει να φύγουμε».

Άγγιξα το μπράτσο της.

Τα μάτια της άνοιξαν αργά. Κούνησε το κεφάλι της από τη μια μεριά ως την άλλη για μια στιγμή.

«Τίποτα καινούριο;» ρώτησα χαμηλόφωνα, έχοντας συναίσθηση του άντρα που άκουγε από την άλλη μου μεριά.

«Όχι ακριβώς», ψιθύρισε με μια φωνή που μετά βίας άκουγα. «Πλησιάζει όλο και πιο πολύ. Αποφασίζει τώρα πώς θα τους το ζητήσει».

Έπρεπε να τρέξουμε για να προλάβουμε την ανταπόκρισή μας, αλλά αυτό ήταν καλό –καλύτερο από το να πρέπει να περιμένουμε. Αμέσως μόλις το αεροπλάνο βρέθηκε στον αέρα, η Άλις έκλεισε τα μάτια της και βυθίστηκε πάλι στον ίδιο λήθαργο, όπως και πριν. Εγώ περίμενα όσο πιο υπομονετικά μπορούσα. Όταν σκοτείνιασε πάλι, άνοιξα το παράθυρο για να κοιτάξω έξω στο απόλυτο σκοτάδι που δεν ήταν καλύτερο από την κουρτίνα.

Ένιωθα ευγνωμοσύνη που είχα εξασκηθεί τόσους μήνες στο να ελέγχω τις σκέψεις μου. Αντί να σκέφτομαι τα πιο τρομακτικά σενάρια που, ό,τι κι αν έλεγε η Άλις, δε είχα σκοπό να ζήσω για να τα βιώσω, επικεντρώθηκα σε μικρότερης σημασίας προβλήματα. Για παράδειγμα, αν επέστρεφα, τι θα έλεγα στον Τσάρλι; Αυτό ήταν ένα αρκετά ακανθώδες πρόβλημα που θα με κρατούσε απασχολημένη για αρκετές ώρες. Κι ο Τζέικομπ; Είχε υποσχεθεί να με περιμένει, αλλά ίσχυε ακόμα αυτή η υπόσχεση; Θα κατέληγα μόνη στο σπίτι στο Φορκς, χωρίς κανέναν απολύτως; Ίσως *δεν ήθελα* να επιζήσω, ό,τι κι αν συνέβαινε.

Ένιωσα σαν να είχαν περάσει μόλις δευτερόλεπτα, όταν η Άλις κούνησε τον ώμο μου –δεν είχα συνειδητοποιήσει ότι είχα αποκοιμηθεί.

«Μπέλλα», είπε μέσα από τα δόντια της, με φωνή κάπως υπερβολικά δυνατή μέσα στη σκοτεινή καμπίνα γεμάτη από κοιμισμένους επιβάτες.

Δεν ήμουν εντελώς χαμένη –δεν είχα κοιμηθεί αρκετή ώρα για να γίνει κάτι τέτοιο.

«Τι συμβαίνει;»

Τα μάτια της Άλις έλαμψαν μέσα στο αχνό φως μιας λάμπας διαβάσματος στη σειρά από πίσω μας.

«Δε συνέβη κάτι κακό». Χαμογέλασε θριαμβευτικά. «Συνέβη κάτι καλό. Διαβουλεύονται, αλλά αποφάσισαν να του αρνηθούν».

«Οι Βολτούρι;» μουρμούρισα ζαβλακωμένη.

«Φυσικά, Μπέλλα, ξύπνα. Βλέπω τι θα του πουν».

«Πες μου».

Ένας αεροσυνοδός διέσχισε το διάδρομο για να έρθει σ' εμάς στις μύτες των ποδιών του. «Να φέρω στις δεσποινίδες κανένα μαξιλάρι;» Ο πνιχτός του ψίθυρος ήταν μια επίπληξη για τη δικιά μας συγκριτικά δυνατή συζήτηση.

«Όχι, ευχαριστούμε». Η Άλις του χαμογέλασε, με ένα απίστευτα υπέροχο χαμόγελο. Η έκφραση του αεροσυνοδού ήταν ζαλισμένη, όταν γύρισε και έφυγε τρεκλίζοντας.

«Πες μου», ψιθύρισα σχεδόν αθόρυβα.

Εκείνη ψιθύρισε μέσα στο αυτί μου. «Έχει προκαλέσει το ενδιαφέρον τους –νομίζουν ότι το ταλέντο του θα μπορούσε να τους φανεί χρήσιμο. Θα του προτείνουν να μείνει μαζί τους».

«Εκείνος τι θα πει;»

«Αυτό δεν μπορώ να το δω ακόμα, αλλά είμαι σίγουρη ότι θα είναι διανθισμένο με πολλές φιοριτούρες». Χαμογέλασε ξανά. «Αυτό είναι το πρώτο καλό νέο –η πρώτη θετική εξέλιξη για μας. Τους έχει κινήσει το ενδιαφέρον· πραγματικά δε θέλουν να τον καταστρέψουν –"μεγάλη σπατάλη", αυτές τις λέξεις θα χρησιμοποιήσει ο Άρο– κι αυτό μπορεί να είναι αρκετό για να τον υποχρεώσει να γίνει δημιουργικός. Όσο περισσότερο χρόνο ξοδέψει για να κάνει σχέδια, τόσο το καλύτερο για μας».

Αυτό δεν ήταν αρκετό για να με κάνει να ελπίζω, για να με κάνει να νιώσω την ανακούφιση που προφανώς ένιωθε εκείνη. Υπήρχαν ακόμα τόσοι πολλοί τρόποι για να αργήσουμε. Κι αν δεν περνούσα μέσα από τα τείχη της πόλης των Βολτούρι, δε θα μπορούσα να εμποδίσω την Άλις να με σύρει πίσω στο σπίτι.

«Άλις;»

«Τι;»

«Είμαι μπερδεμένη. Πώς τα βλέπεις αυτά τόσο καθαρά; Και τις άλλες φορές, βλέπεις πράγματα μακριά –πράγματα που δε συμβαίνουν;»

Τα μάτια της ζάρωσαν. Αναρωτήθηκα αν μάντεψε τι σκεφτόμουν.

«Είναι ξεκάθαρο επειδή είναι κάτι άμεσο που πλησιάσει, κι εγώ είμαι πολύ συγκεντρωμένη. Τα μακρινά πράγματα που έρχονται από μόνα τους –εκείνα είναι απλώς φευγαλέες ματιές στο μέλλον, αμυδρές πιθανότητες. Επιπλέον, βλέπω το είδος μου πιο εύκολα από το δικό σου. Ο Έντουαρντ είναι ακόμα πιο εύκολος, επειδή είμαι στο ίδιο μήκος κύματος μαζί του».

«Με βλέπεις κι εμένα μερικές φορές», της υπενθύμισα.

Κούνησε το κεφάλι της. «Όχι τόσο καθαρά».

Αναστέναξα. «Μακάρι να είχες δίκιο για μένα. Στην αρχή,

όταν είδες για πρώτη φορά κάποια πράγματα για μένα, πριν καν γνωριστούμε...»

«Τι εννοείς;»

«Με είδες να γίνομαι μια από σας». Μετά βίας πρόφερα τις λέξεις.

Αναστέναξε. «Ήταν μια πιθανότητα εκείνη τη στιγμή».

«Εκείνη τη στιγμή», επανέλαβα.

«Αλήθεια, Μπέλλα...» Δίστασε και μετά φάνηκε να κάνει μια επιλογή. «Ειλικρινά, νομίζω ότι όλο αυτό έχει περάσει τα όρια του γελοίου. Προσπαθώ να αποφασίσω αν πρέπει απλά να σε μεταμορφώσω εγώ η ίδια».

Την κοίταξα επίμονα, παγωμένη από το σοκ. Για μια στιγμή, το μυαλό μου αντιστάθηκε στα λόγια της. Δε με έπαιρνε να έχω αυτή την ελπίδα, αν άλλαζε γνώμη.

«Σε τρόμαξα;» αναρωτήθηκε. «Νόμιζα ότι αυτό ήθελες».

«Το θέλω!» ξεφώνισα πνιχτά. «Ω, Άλις, κάν' το τώρα! Θα μπορούσα να σε βοηθήσω τόσο πολύ –και δε θα σε καθυστερούσα. Δάγκωσέ με!»

«Σσσς!» μου ψιθύρισε. Ο αεροσυνοδός κοίταζε πάλι προς εμάς. «Προσπάθησε να είσαι λογική», ψιθύρισε. «Δεν έχουμε αρκετό χρόνο. Πρέπει να φτάσουμε στη Βολτέρα αύριο. Θα σφαδάζεις από τον πόνο μέρες ολόκληρες». Έκανε ένα μορφασμό. «Και δε νομίζω ότι οι υπόλοιποι επιβάτες θα αντιδρούσαν καλά».

Δάγκωσα τα χείλη μου. «Αν δεν το κάνεις τώρα, θα αλλάξεις γνώμη».

«Όχι». Κατσούφιασε, με έκφραση δυστυχισμένη. «Δε νομίζω ότι θα γίνει αυτό. Εκείνος θα γίνει έξαλλος, αλλά τι θα μπορέσει να κάνει γι' αυτό;»

Η καρδιά μου άρχισε να χτυπάει πιο γρήγορα. «Τίποτα απολύτως».

Γέλασε ήσυχα και μετά αναστέναξε. «Έχεις υπερβολική

εμπιστοσύνη σ' εμένα, Μπέλλα. Δεν είμαι σίγουρη ότι *μπορώ*. Πιθανότατα θα καταλήξω απλώς να σε σκοτώσω».

«Θα το ρισκάρω».

«Είσαι τόσο παράξενη, ακόμα και για άνθρωπος».

«Ευχαριστώ».

«Α, τελοσπάντων, αυτό είναι εντελώς υποθετικό σ' αυτό το σημείο, έτσι κι αλλιώς. Πρώτα πρέπει να επιζήσουμε αύριο».

«Σωστή παρατήρηση». Αλλά τουλάχιστον είχα κάτι να ελπίζω, αν όντως επιζούσαμε. Αν η Άλις κρατούσε την υπόσχεσή της –κι αν δε με σκότωνε– τότε ο Έντουαρντ θα μπορούσε να τρέχει πίσω από τους πειρασμούς του όσο ήθελε, κι εγώ θα τον ακολουθούσα. Δε θα τον άφηνα να πέσει σε πειρασμό. Ίσως, όταν θα ήμουν όμορφη και δυνατή, δε θα είχε ανάγκη από άλλα πράγματα για να του αποσπούν την προσοχή.

«Ξανακοιμήσου», με ενθάρρυνε. «Θα σε ξυπνήσω όταν υπάρχει κάτι καινούριο».

«Ναι, καλά», γκρίνιαξα, σίγουρη πως ο ύπνος ήταν μια χαμένη υπόθεση τώρα πια. Η Άλις ανέβασε τα πόδια της στο κάθισμα τυλίγοντας τα μπράτσα της γύρω τους και γέρνοντας το μέτωπό της πάνω στα γόνατά της. Κουνιόταν μπρος-πίσω, καθώς συγκεντρωνόταν.

Ακούμπησα το κεφάλι μου στο κάθισμα παρακολουθώντας την, και το επόμενο πράγμα που την είδα να κάνει ήταν να τραβάει απότομα την κουρτίνα για να μας προστατεύσει από το αχνό φως που ξεπρόβαλλε στον ανατολικό ουρανό.

«Τι συμβαίνει;» ψέλλισα.

«Του αρνήθηκαν», είπε ήσυχα. Παρατήρησα αμέσως ότι ο ενθουσιασμός της είχε χαθεί.

Η φωνή μου πνίγηκε στο λαιμό μου από τον πανικό. «Τι θα κάνει εκείνος;»

«Στην αρχή ήταν ένα χάος. Απλώς έβλεπα αναλαμπές, άλλαζε σχέδια τόσο γρήγορα».

«Τι είδους σχέδια;» την πίεσα να μου πει.

«Υπήρξε κάποια κακή στιγμή», ψιθύρισε. «Είχε αποφασίσει να βγει για κυνήγι».

Με κοίταξε, βλέποντας την αδυναμία να καταλάβω μέσα στα μάτια μου.

«Στην πόλη», εξήγησε. «Έφτασε πολύ κοντά. Άλλαξε γνώμη την τελευταία στιγμή».

«Δε θα ήθελε να απογοητεύσει τον Κάρλαϊλ», μουρμούρισα. Όχι στο τέλος.

«Πιθανότατα», συμφώνησε εκείνη.

«Θα μας φτάσει ο χρόνος;» Καθώς μίλησα, υπήρξε μια αλλαγή στην πίεση της καμπίνας. Ένιωθα το αεροπλάνο να παίρνει κλίση προς τα κάτω.

«Το ελπίζω –αν μείνει στην πιο πρόσφατη απόφασή του, ίσως».

«Ποια είναι αυτή;»

«Θα κάνει κάτι απλό. Θα βγει να περπατήσει έξω στον ήλιο».

Απλώς θα περπατούσε έξω στον ήλιο. Αυτό ήταν όλο.

Θα ήταν αρκετό. Η εικόνα του Έντουαρντ στο λιβάδι –που έλαμπε, που τρεμόφεγγε λες και το δέρμα του ήταν φτιαγμένο από εκατομμύρια πλευρές ενός διαμαντιού– ήταν χαραγμένη με φωτιά μέσα στη μνήμη μου. Κανένας άνθρωπος που θα το έβλεπε αυτό δε θα το ξεχνούσε ποτέ. Οι Βολτούρι δεν ήταν δυνατόν να επιτρέψουν κάτι τέτοιο. Όχι αν ήθελαν να παραμείνει η πόλη τους απαρατήρητη.

Κοίταξα το ελαφρύ γκρίζο φεγγοβόλημα που έλαμπε μέσα από τα ανοιγμένα παράθυρα. «Θα αργήσουμε», ψιθύρισα, καθώς ο λαιμός μου έκλεινε από τον πανικό.

Κούνησε το κεφάλι της. «Αυτή τη στιγμή, τείνει προς το μελοδραματισμό. Θέλει όσο το δυνατόν μεγαλύτερο κοινό, έτσι θα διαλέξει την κεντρική πλατεία, κάτω από το ρολόι. Τα τείχη είναι ψηλά εκεί. Θα περιμένει τον ήλιο μέχρι να ανέβει ακριβώς πάνω από τα κεφάλια όλων».

«Άρα έχουμε χρόνο μέχρι το μεσημέρι;»

«Αν είμαστε τυχερές. Αν μείνει σ' αυτή την απόφαση».

Ο πιλότος μίλησε μέσα από την ενδοσυνεννόηση, ανακοινώνοντας, πρώτα στα γαλλικά και μετά στα αγγλικά, την επικείμενη προσγείωσή μας. Τα φώτα για τις ζώνες ασφαλείας κουδούνισαν και άναψαν.

«Πόση ώρα είναι από τη Φλωρεντία ως τη Βολτέρα;»

«Αυτό εξαρτάται από το πόσο γρήγορα οδηγείς... Μπέλλα;»

«Ναι;»

Με κοίταξε κάνοντας υποθέσεις. «Πόσο ένθερμα αντιτίθεσαι στην κλοπή αυτοκινήτων;»

Μια έντονα κίτρινη Πόρσε σταμάτησε στριγκλίζοντας λίγα μέτρα μπροστά από εκεί που περπατούσα, με τη λέξη ΤΟΥΡΜΠΟ γραμμένη με ασημένιους κυρτούς χαρακτήρες στο πίσω μέρος της. Όλοι δίπλα μου στο γεμάτο κόσμο αεροδρόμιο κάρφωσαν εκεί το βλέμμα τους.

«Βιάσου, Μπέλλα!» φώναξε η Άλις ανυπόμονα μέσα από το παράθυρο της πόρτας του συνοδηγού.

Έτρεξα στην πόρτα και όρμησα μέσα, νιώθοντας σαν να φορούσα μια μαύρη κάλτσα στο κεφάλι.

«Χριστέ μου, Άλις», διαμαρτυρήθηκα. «Διάλεξες το πιο επιδεικτικό αυτοκίνητο που μπορούσες για να κλέψεις;»

Το εσωτερικό ήταν μαύρο δέρμα, και τα παράθυρα ήταν φιμέ. Ένιωθα πιο ασφαλής μέσα, σαν να ήταν νύχτα.

Η Άλις περνούσε ήδη πολύ γρήγορα μέσα από την κίνηση του αεροδρομίου –γλιστρώντας μέσα από μικρά κενά ανάμεσα στα αυτοκίνητα, ενώ εγώ ζάρωσα πίσω από το φόβο μου και ψαχούλευα να βρω τη ζώνη ασφαλείας μου.

«Η σημαντική ερώτηση» με διόρθωσε «είναι αν θα μπορούσα να κλέψω πιο γρήγορο αυτοκίνητο, και δε νομίζω. Στάθηκα τυχερή».

«Είμαι σίγουρη ότι αυτό θα είναι πολύ παρηγορητικό στο οδόφραγμα της αστυνομίας».

Έβγαλε ένα γέλιο σαν πουλάκι. «Έχε μου εμπιστοσύνη, Μπέλλα. Αν κάποιος στήσει οδόφραγμα, αυτό θα είναι *πίσω* μας». Τότε πάτησε το γκάζι, λες και ήθελε να αποδείξει τα λόγια της.

Πιθανότατα θα έπρεπε να κοιτάζω έξω από το παράθυρο, καθώς η πόλη της Φλωρεντίας και το τοπίο της Τοσκάνης περνούσαν αστραπιαία δίπλα μας με ταχύτητα που τα έκανε να φαίνονται θολά. Αυτό ήταν το πρώτο μου ταξίδι οπουδήποτε και ίσως και το τελευταίο μου. Αλλά η οδήγηση της Άλις με τρόμαζε, παρά το γεγονός ότι ήξερα ότι μπορούσα να την εμπιστευτώ στο τιμόνι. Και με βασάνιζε υπερβολικά η αγωνία για να βλέπω πραγματικά τους λόφους ή τις πόλεις με τα τείχη, που έμοιαζαν με κάστρα από μακριά.

«Βλέπεις τίποτα περισσότερο;»

«Κάτι συμβαίνει», μουρμούρισε η Άλις. «Κάποιου είδους γιορτή. Οι δρόμοι είναι γεμάτοι ανθρώπους και κόκκινες σημαίες. Τι ημερομηνία έχουμε σήμερα;»

Δεν ήμουν απόλυτα σίγουρη. «Δεκαεννέα, ίσως;»

«Λοιπόν, αυτό είναι ειρωνεία της τύχης. Είναι η μέρα του Αγίου Μάρκου».

«Που σημαίνει;»

Γέλασε πνιχτά με ζοφερό ύφος. «Η πόλη γιορτάζει κάθε χρόνο. Σύμφωνα με το θρύλο, ένα χριστιανός ιεραπόστολος, ένας Πατέρας Μάρκος –ο Μάρκος των Βολτούρι στην πραγματικότητα– έδιωξε όλους τους βρικόλακες από τη Βολτέρα πριν χίλια πεντακόσια χρόνια. Η ιστορία λέει ότι μαρτύρησε στη Ρουμανία, ενώ ακόμα προσπαθούσε να διώξει τη μάστιγα των βρικολάκων. Φυσικά, αυτά είναι όλα ανοησίες –ποτέ δεν έφυγε από την πόλη. Αλλά από κει ξεκίνησαν κάποιες από τις προλήψεις για πράγματα όπως οι σταυροί και το σκόρδο. Ο *Πατέρας* Μάρκος τα χρησιμοποίησε με τόση επιτυχία. Και αφού οι βρικόλακες δεν ενοχλούν τη Βολτέρα, άρα πρέπει να είναι αποτελεσματικά». Το χαμόγελό της ήταν σαρδόνιο. «Έχει γίνει περισσότερο κάτι σαν γιορτή ολόκληρης της πόλης και ευχαριστιών για τις αστυνομικές δυνάμεις –εξάλλου, η Βολτέρα είναι μια απίστευτα ασφαλής πόλη. Η αστυνομία παίρνει τα εύσημα γι' αυτό».

Κατάλαβα τι εννοούσε όταν είπε "ειρωνεία της τύχης". «Δε θα χαρούν ιδιαίτερα αν ο Έντουαρντ τους χαλάσει τη μέρα του Αγίου Μάρκου τους, έτσι δεν είναι;»

Κούνησε το κεφάλι της, με έκφραση δυσοίωνη. «Όχι. Θα αντιδράσουν πολύ γρήγορα».

Γύρισα από την άλλη μεριά, πολεμώντας ενάντια στα δόντια μου που προσπαθούσαν να σκίσουν το δέρμα του κάτω χειλιού μου. Το να αιμορραγήσω δεν ήταν η καλύτερη ιδέα αυτή τη στιγμή.

Ο ήλιος ήταν τρομακτικά ψηλά στο χλομό μπλε ουρανό.

«Ακόμα σκοπεύει να βγει το μεσημέρι;» ρώτησα.

«Ναι. Αποφάσισε να περιμένει. Κι εκείνοι περιμένουν αυτόν».

«Πες μου τι πρέπει να κάνω εγώ».

Τα μάτια της συνέχισαν να είναι καρφωμένα στο γεμάτο στροφές δρόμο –η βελόνα του ταχυμέτρου άγγιζε το πιο δεξί άκρο του μετρητή.

«Δε χρειάζεται να κάνεις τίποτα. Απλώς πρέπει να σε δει πριν μπει μέσα στο φως. Και πρέπει να σε δει πριν δει εμένα».

«Πώς θα το πετύχουμε αυτό;»

Ένα μικρό κόκκινο αμάξι έμοιαζε να πηγαίνει προς τα πίσω, καθώς η Άλις το προσπέρασε με θόρυβο.

«Θα σε φέρω όσο το δυνατόν πιο κοντά του, και μετά θα τρέξεις προς την κατεύθυνση που θα σου δείξω».

Κούνησα το κεφάλι.

«Προσπάθησε να μη σκοντάψεις», πρόσθεσε. «Δεν έχουμε χρόνο για καμιά διάσειση σήμερα».

Μούγκρισα. Αυτό θα ήταν πολύ χαρακτηριστικό για μένα –να τα χαλάσω όλα, να καταστρέψω τον κόσμο ολόκληρο, μέσα σε μια στιγμή αγαρμποσύνης.

Ο ήλιος συνέχιζε να σκαρφαλώνει ψηλά στον ουρανό, ενώ η Άλις έκανε αγώνα δρόμου για να τον προλάβει. Ήταν υπερβολικά λαμπερός, κι αυτό με έκανε να πανικοβληθώ. Ίσως να μην ένιωθε την ανάγκη να περιμένει ως το μεσημέρι τελικά.

«Να!» είπε η Άλις απότομα, δείχνοντας την πόλη-κάστρο πάνω στον πιο κοντινό λόφο.

Κάρφωσα το βλέμμα μου πάνω της, νιώθοντας το πρώτο ίχνος ενός νέου είδους φόβου. Κάθε λεπτό από χθες το πρωί –έμοιαζε σαν να είχε περάσει μια βδομάδα– όταν η Άλις είπε το όνομά του στο κάτω μέρος της σκάλας, υπήρχε μόνο ένας φόβος. Κι όμως, τώρα, καθώς κοίταζα τα αρχαία τείχη φτιαγμένα από το πέτρωμα Σιένα και τους πύργους που στεφάνωναν την κορυφή του απότομου λόφου, ένιωθα ένα άλλο, πιο εγωιστικό είδος φόβου να με διαπερνά.

Υποθέτω ότι η πόλη ήταν πανέμορφη. Με τρομοκρατούσε απόλυτα.

«Βολτέρα», ανακοίνωσε η Άλις με μια άχρωμη, παγερή φωνή.

20. ΒΟΛΤΕΡΑ

Αρχίσαμε να σκαρφαλώνουμε στον απότομο λόφο, κι ο δρόμος είχε όλο και περισσότερα αυτοκίνητα, καθώς προχωρούσαμε. Καθώς ανεβαίναμε πιο ψηλά στο γεμάτο στροφές δρόμο, τα αυτοκίνητα ήταν τόσο κοντά το ένα στο άλλο, που η Άλις δεν μπορούσε να μπαίνει πια ανάμεσά τους σαν τρελή. Επιβραδύναμε σε σημείο που να σερνόμαστε πίσω από ένα μικρό μπεζ Πεζό.

«Άλις», μούγκρισα. Το ρολόι στο ταμπλό έμοιαζε να επιταχύνει.

«Είναι ο μόνος δρόμος για να μπούμε μέσα», προσπάθησε να με καθησυχάσει. Αλλά η φωνή της ήταν υπερβολικά αγχωμένη για να είναι καθησυχαστική.

Τα αυτοκίνητα συνέχιζαν να σπρώχνονται προς τα μπρος, και προχωρούσαν τόση απόσταση όσο το μήκος ενός αμαξιού κάθε φορά. Ο ήλιος έλαμπε δυνατά, μοιάζοντας να είναι ήδη ακριβώς από πάνω μας.

Τα αυτοκίνητα σέρνονταν ένα-ένα προς την πόλη. Καθώς πλησιάζαμε, έβλεπα αυτοκίνητα παρκαρισμένα στην άκρη του δρόμου, με ανθρώπους που έβγαιναν για να περπατήσουν το υπόλοιπο της διαδρομής. Στην αρχή νόμιζα ότι ήταν απλώς ανυπομονησία –κάτι που εύκολα μπορούσα να καταλάβω. Αλλά μετά στρίψαμε σε μια απότομη στροφή, και είδα το γεμάτο πάρκινγκ έξω από τα τείχη της πόλης, τα πλήθη των ανθρώπων που περνούσαν μέσα από τις πύλες. Κανείς δεν επιτρεπόταν να μπει μέσα με αυτοκίνητο.

«Άλις», ψιθύρισα με έναν επείγοντα τόνο.

«Το ξέρω», είπε. Το πρόσωπό της ήταν λαξεμένο στον πάγο.

Τώρα που κοίταζα, και σερνόμασταν αρκετά αργά για να μπορούμε να βλέπουμε το τοπίο, μπορούσα να διακρίνω ότι φύσαγε πολύ. Οι άνθρωποι που ήταν μαζεμένοι κοντά στην πύλη κρατούσαν γερά τα καπέλα τους και έδιωχναν τα μαλλιά από τα πρόσωπά τους. Τα ρούχα τους φούσκωναν γύρω τους. Παρατήρησα επίσης ότι το κόκκινο χρώμα ήταν παντού. Κόκκινες μπλούζες, κόκκινα καπέλα, κόκκινες σημαίες που ήταν κρεμασμένες κάθετα σαν μακριές κορδέλες δίπλα από την πύλη, κυμάτιζαν άγρια στον αέρα –καθώς παρακολουθούσα, το έντονο βυσσινί μαντίλι που είχε δέσει μια γυναίκα γύρω από τα μαλλιά της παρασύρθηκε από ένα ξαφνικό ρεύμα αέρα. Στριφογύρισε ψηλά στον αέρα από πάνω της, χορεύοντας σαν να ήταν ζωντανό. Τέντωσε το χέρι της να το πιάσει, αλλά εκείνο συνέχισε να ανεμίζει πιο ψηλά, ένα κομμάτι ύφασμα στο χρώμα του αίματος πάνω στα μουντά, αρχαία τείχη.

«Μπέλλα». Η Άλις μίλησε γρήγορα με μια άγρια, χαμηλή φωνή. «Δε βλέπω τι θα αποφασίσει τώρα η φρουρά εδώ –αν αυτό δεν πετύχει, θα πρέπει να μπεις μέσα μόνη σου. Θα πρέπει να τρέξεις. Απλώς να ρωτάς συνέχεια για να βρεις το *Παλάτσο ντέι Πριόρι*, και τρέχα προς την κατεύθυνση που θα σου πουν. Μη χαθείς».

«Παλάτσο ντέι Πριόρι, Παλάτσο ντέι Πριόρι», επανέλαβα το όνομα ξανά και ξανά προσπαθώντας να μου εντυπωθεί.

«Ή αλλιώς, τον πύργο του ρολογιού, αν μιλάνε αγγλικά. Εγώ θα κάνω το γύρο και θα προσπαθήσω να βρω ένα απομονωμένο σημείο πίσω από την πόλη, όπου θα μπορέσω να περάσω πάνω από το τείχος».

Έγνεψα καταφατικά. «Παλάτσο ντέι Πριόρι».

«Ο Έντουαρντ θα είναι κάτω από τον πύργο του ρολογιού στα βόρεια της πλατείας. Υπάρχει ένα στενό δρομάκι στα δεξιά, και θα μπορέσει να σταθεί στη σκιά εκεί πέρα. Πρέπει να τραβήξεις την προσοχή του, πριν προλάβει να κινηθεί και να βγει στον ήλιο».

Κούνησα το κεφάλι μου με μανία.

Η Άλις βρισκόταν κοντά στην αρχή της ουράς. Ένας άντρας με μια στολή σε χρώμα ναυτικό μπλε καθοδηγούσε τη ροή της κίνησης, διώχνοντας τα αμάξια από το γεμάτο πάρκινγκ. Έκαναν αναστροφή και κατευθύνονταν πάλι πίσω για να βρουν κάποιο μέρος να παρκάρουν δίπλα στο δρόμο. Τότε ήρθε η σειρά της Άλις.

Ο ένστολος άντρας έκανε αργές κινήσεις, χωρίς να προσέχει ιδιαίτερα. Η Άλις επιτάχυνε, περνώντας δίπλα του ξυστά, και κατευθύνθηκε προς την πύλη. Εκείνος μας φώναξε κάτι, αλλά έμεινε στη θέση του, κουνώντας υστερικά τα χέρια του για να εμποδίσει το επόμενο αυτοκίνητο να ακολουθήσει το κακό μας παράδειγμα.

Ο άντρας στην πύλη φορούσε μια ίδια στολή. Καθώς τον πλησιάζαμε, η κοσμοσυρροή των τουριστών περνούσε, δημιουργώντας συνωστισμό στα πεζοδρόμια, κοιτάζοντας με περιέργεια τη φανταχτερή Πόρσε που επέμενε να ανοίξει δρόμο μπροστά.

Ο φύλακας μπήκε στη μέση του δρόμου. Η Άλις έστριψε το αμάξι προσεχτικά, ώστε να βρίσκεται σε γωνία, πριν σταματήσει εντελώς. Ο ήλιος έπεφτε στο δικό μου παράθυρο, κι εκείνη βρισκόταν στη σκιά. Γρήγορα άπλωσε το χέρι της πίσω από τη θέση και άρπαξε κάτι από την τσάντα της.

Ο φρουρός έκανε το γύρο του αυτοκινήτου με μια εκνευρισμένη έκφραση και χτύπησε ελαφρά το παράθυρό της με θυμό.

Εκείνη κατέβασε το παράθυρο ως τη μέση, και τον είδα να παίρνει μια καθυστερημένη έκφραση έκπληξης, μόλις είδε το πρόσωπο πίσω από το σκοτεινό τζάμι.

«Λυπάμαι πολύ, μόνο τουριστικά λεωφορεία για ξενάγηση επιτρέπονται σήμερα μέσα στην πόλη, δεσποινίς», είπε στα αγγλικά, με μια βαριά προφορά. Τώρα ήταν απολογητικός, σαν να ευχόταν να είχε καλύτερα νέα για την εντυπωσιακά όμορφη γυναίκα.

«Είναι μια ιδιωτική ξενάγηση», είπε η Άλις, ρίχνοντάς του ένα σαγηνευτικό χαμόγελο. Έβγαλε το χέρι της από το παράθυρο μέσα στο φως του ήλιου. Πάγωσα, μέχρι που κατάλαβα ότι φορούσε ένα γάντι στο χρώμα του δέρματος ως το ύψος του αγκώνα. Έπιασε το χέρι του, ακόμα σηκωμένο ψηλά από τη στιγμή που χτύπησε το παράθυρό της, και το τράβηξε μέσα στο αυτοκίνητο. Έβαλε κάτι στην παλάμη του και δίπλωσε τα δάχτυλά του γύρω του.

Το πρόσωπό του ήταν παραζαλισμένο, καθώς ξαναπήρε το χέρι του και κοίταξε το παχύ μασούρι χρήματα που κρατούσε τώρα. Το έξω χαρτονόμισμα ήταν ένα χαρτονόμισμα των χιλίων δολαρίων.

«Μου κάνετε πλάκα;» ψέλλισε.

Το χαμόγελο της Άλις ήταν εκτυφλωτικό. «Μόνο αν νομίζετε ότι είναι αστείο».

Την κοίταξε με μάτια που είχαν μείνει διάπλατα ανοιχτά. Εγώ έριξα μια γρήγορη ματιά νευρικά στο ρολόι πάνω στο ταμπλό. Αν ο Έντουαρντ επέμενε στο σχέδιό του, μας απομένανε μόνο πέντε λεπτά ακόμα.

«Βιάζομαι λιγάκι», είπε η Άλις υπαινικτικά, ακόμα χαμογελαστή.

Ο φύλακας ανοιγόκλεισε δυο φορές τα μάτια, και μετά έχωσε τα χρήματα μέσα στο γιλέκο του. Έκανε ένα βήμα πίσω από το παράθυρο και μας κούνησε το χέρι. Κανένας από τους περαστικούς δε φάνηκε να παρατήρησε την ήσυχη συναλλαγή. Η Άλις μπήκε μέσα στην πόλη με το αμάξι, και αναστενάξαμε και οι δυο μας με ανακούφιση.

Ο δρόμος ήταν πολύ στενός, στρωμένος με πέτρες του ίδιου χρώματος, όπως και τα ξεθωριασμένα κανελί κτίρια που σκοτείνιαζαν το δρόμο με τον ίσκιο τους. Έδινε την αίσθηση ενός μικρού σοκακιού. Κόκκινες σημαίες διακοσμούσαν τους τοίχους, που απείχαν μεταξύ τους μόλις μερικά μέτρα, και κυμάτιζαν στον άνεμο που σφύριζε μέσα από το στενό δρόμο ανάμεσά τους.

Ήταν γεμάτο κόσμο, και η κίνηση των πεζών επιβράδυνε την πρόοδό μας.

«Λίγο πιο πέρα ακόμα», με ενθάρρυνε η Άλις· εγώ κρατούσα σφιχτά το χερούλι της πόρτας, έτοιμη να πεταχτώ έξω στο δρόμο μόλις μου έλεγε.

Οδηγούσε με γρήγορα ξεσπάσματα προς τα μπρος και ξαφνικά φρεναρίσματα, και οι άνθρωποι στο πλήθος μάς κουνούσαν τις γροθιές τους κι έλεγαν θυμωμένα λόγια που χαιρόμουν που δεν καταλάβαινα. Έστριψε σε ένα μικρό μονοπάτι που δεν ήταν δυνατόν να προοριζόταν για αυτοκίνητα· έκπληκτοι άνθρωποι αναγκάστηκαν να στριμωχτούν στις πόρτες, καθώς περνούσαμε ξυστά. Βρήκαμε έναν άλλο δρόμο στο τέλος. Τα κτίρια ήταν πιο ψηλά εδώ· έγερναν το ένα προς το άλλο πάνω από τα κεφάλια μας, έτσι που καθόλου φως από τον ήλιο δεν έφτανε στο έδαφος –οι κόκκινες σημαίες που ανέμιζαν βίαια η μια απέναντι από την άλλη σχεδόν ακουμπούσαν μεταξύ τους. Το πλήθος ήταν πυκνότερο εδώ από οπουδήποτε αλλού. Η Άλις σταμάτησε το αμάξι. Εγώ είχα ήδη ανοίξει την πόρτα, πριν σταματήσουμε τελείως.

Μου έδειξε το σημείο, όπου ο δρόμος φάρδαινε καταλήγοντας σε ένα φωτεινό άνοιγμα. «Εκεί –είμαστε στο νότιο άκρο της πλατείας. Τρέχα ευθεία απέναντι, στο δεξί πύργο με το ρολόι. Εγώ θα βρω ένα τρόπο να έρθω γύρω-γύρω–»

Η ανάσα της ξαφνικά σταμάτησε, κι όταν μίλησε ξανά, η φωνή της ήταν ένα σύριγμα που έβγαινε μέσα από τα δόντια της. «Είναι *παντού*!»

Κοκάλωσα στο σημείο ακριβώς που ήμουν, αλλά εκείνη με έσπρωξε έξω από το αμάξι. «Ξέχνα τους. Έχεις δύο λεπτά. Φύγε, Μπέλλα, φύγε!» φώναξε βγαίνοντας από το αυτοκίνητο, καθώς μιλούσε.

Δε σταμάτησα για να δω την Άλις να χάνεται μέσα στις σκιές. Δε σταμάτησα για να κλείσω την πόρτα μου πίσω μου. Έσπρωξα μια βαριά γυναίκα στην άκρη κι έτρεξα όσο πιο γρήγορα μπορούσα, με το κεφάλι κάτω, δίνοντας ελάχιστη σημασία σε οτιδήποτε εκτός από τις ανισόπεδες πέτρες κάτω από τα πόδια μου.

Βγαίνοντας έξω από το σκοτεινό σοκάκι, με τύφλωσε το λαμπερό φως του ήλιου που έπεφτε πάνω στην κεντρική πλατεία. Ο αέρας φυσούσε σφυρίζοντας πάνω μου, ρίχνοντας τα μαλλιά μου μέσα στα μάτια μου και τυφλώνοντάς με ακόμα περισσότερο. Δεν ήταν ν' απορεί κανείς που δεν είδα τον ανθρώπινο τοίχο, παρά μόνο όταν έπεσα με δύναμη πάνω του.

Δεν υπήρχε κανένας διάδρομος, καμία χαραμάδα ανάμεσα στα σώματα που ήταν στριμωγμένα το ένα πολύ κοντά στο άλλο. Τα έσπρωξα με μανία, ενώ πάλευα ενάντια στα χέρια που με έσπρωχναν πίσω. Άκουσα επιφωνήματα εκνευρισμού, ακόμα και πόνου, καθώς πολεμούσα να βρω ένα δρόμο να περάσω ανάμεσα, αλλά κανένα από αυτά δεν ήταν σε κάποια γλώσσα που να καταλαβαίνω. Τα πρόσωπα ήταν ένα θολό συνονθύλευμα οργής και έκπληξης, και πάντα με φόντο το μονίμως παρόν κόκκινο. Μια ξανθιά γυναίκα με κοίταξε κατσουφιάζοντας, και το κόκκινο μαντίλι που ήταν τυλιγμένο γύρω από το λαιμό της έμοιαζε με ένα φρικτό τραύμα. Ένα παιδί, σηκωμένο πάνω στους ώμους ενός άντρα για να βλέπει πάνω από το πλήθος, μου χαμογέλασε πλατιά, με μια σειρά πλαστικών δοντιών βρικόλακα.

Η κοσμοσυρροή σπρωχνόταν γύρω μου, γυρίζοντάς με προς τη λάθος κατεύθυνση. Χαιρόμουν που το ρολόι ήταν τόσο ορατό, αλλιώς δε θα έμενα ποτέ ευθεία στην πορεία μου. Αλλά και οι δύο δείκτες του ρολογιού έδειχναν προς τον ανελέητο ήλιο, και, αν και έσπρωχνα με μανία για να βγω μέσα από το πλήθος, ήξερα ότι ήταν πολύ αργά. Δε θα τα κατάφερνα. Δεν ήμουν ούτε καν στη μέση της διαδρομής για να φτάσω απέναντι. Ήμουν ανόητη και αργή και άνθρωπος, και θα πεθαίναμε όλοι εξαιτίας αυτού.

Ήλπιζα η Άλις να ξέφευγε. Ήλπιζα ότι θα με έβλεπε μέσα από κάποια σκοτεινή σκιά και θα ήξερε ότι είχα αποτύχει, έτσι ώστε να γυρίσει σπίτι στον Τζάσπερ.

Άκουγα με προσοχή, πάνω από τα θυμωμένα επιφωνήματα, προσπαθώντας να ακούσω τον ήχο της αποκάλυψης: την πνιχτή κραυγή, ίσως το ουρλιαχτό, καθώς ο Έντουαρντ θα έμπαινε στο οπτικό πεδίο κάποιου.

Αλλά κάπου μέσα στο πλήθος είδα ένα άνοιγμα –είδα ένα στρογγυλό κενό μπροστά μου. Στριμώχτηκα επειγόντως προς αυτό, χωρίς να αντιληφθώ, μέχρι που μαύρισα τα καλάμια μου πάνω στα τούβλα, ότι υπήρχε ένα φαρδύ, τετράγωνο σιντριβάνι στο κέντρο της πλατείας.

Σχεδόν έκλαιγα με ανακούφιση, καθώς τέντωσα με ορμή το πόδι μου πάνω από το χείλος του κι έτρεξα περνώντας μέσα από το νερό που έφτανε στο ύψος του γόνατου. Πιτσίλισα τα πάντα γύρω μου, καθώς πέρασα με απότομες κινήσεις μέσα από τη λιμνούλα. Ακόμα και στον ήλιο, ο άνεμος ήταν παγωμένος, και η υγρασία έκανε το κρύο ακόμα πιο επώδυνο. Αλλά το σιντριβάνι ήταν πολύ φαρδύ· μου επέτρεψε να διασχίσω το κέντρο της πλατείας και κάτι παραπάνω μέσα σε ελάχιστα δευτερόλεπτα. Δε σταμάτησα όταν έφτασα στην άλλη άκρη –χρησιμοποίησα το χαμηλό τοίχο σαν σανίδα ώθησης και πετάχτηκα μέσα στο πλήθος.

Οι άνθρωποι μετακινούνταν με περισσότερη προθυμία για χάρη μου τώρα, αποφεύγοντας το παγωμένο νερό που πιτσίλιζε γύρω-γύρω από τα ρούχα μου, που έσταζαν καθώς έτρεχα. Έριξα μια γρήγορη ματιά στο ρολόι ξανά.

Ένας βαθύς, βροντερός κωδωνισμός αντήχησε στην πλατεία. Προκάλεσε κραδασμό στις πέτρες από κάτω από τα πόδια μου. Παιδιά έκλαιγαν, καλύπτοντας τα αυτιά τους. Κι εγώ άρχισα να ουρλιάζω, καθώς έτρεχα.

«Έντουαρντ!» φώναξα, ξέροντας ότι ήταν μάταιο. Το πλήθος ήταν υπερβολικά θορυβώδες, και η φωνή μου ήταν ξέπνοη από την προσπάθεια. Αλλά δεν μπορούσα να σταματήσω να ουρλιάζω.

Το ρολόι χτύπησε ξανά. Προσπέρασα τρέχοντας ένα παιδί στην αγκαλιά της μητέρας του –τα μαλλιά του ήταν σχεδόν άσπρα στο εκτυφλωτικό φως του ήλιου. Ένας κύκλος από ψηλούς άντρες, όλοι τους ντυμένοι με κόκκινα σπορ σακάκια, με προειδοποίησαν με φωνές, καθώς πέρασα ανάμεσά τους με μεγάλη ταχύτητα. Το ρολόι χτύπησε ξανά.

Από την άλλη πλευρά του κύκλου με τους άντρες με τα σακάκια, υπήρχε μια χαραμάδα στην κοσμοσυρροή, ένα κενό ανάμεσα στους περιηγητές που στριφογύριζαν ασταμάτητα γύρω μου. Τα μάτια μου έψαξαν το σκοτεινό στενό δρομάκι στα δεξιά του οικοδομήματος της φαρδιάς πλατείας, κάτω από τον πύργο. Δεν μπορούσα να δω στο ύψος του δρόμου –υπήρχαν ακόμα πάρα πολλοί άνθρωποι ενδιάμεσα. Το ρολόι χτύπησε ξανά.

Ήταν δύσκολο να δω τώρα. Χωρίς το πλήθος να τον κόβει, ο άνεμος μαστίγωνε το πρόσωπό μου και έκαιγε τα μάτια μου. Δεν μπορούσα να είμαι σίγουρη αν αυτός ήταν ο λόγος για τα δάκρυά μου ή αν έκλαιγα από το γεγονός της ήττας μου, καθώς το ρολόι χτύπησε ξανά.

Μια μικρή οικογένεια τεσσάρων ατόμων στεκόταν πιο κοντά στο άνοιγμα του σοκακιού. Τα δυο κορίτσια φορούσαν βυσσινί φορέματα με ασορτί κορδέλες, που έδεναν πίσω τα σκούρα μαλλιά τους. Ο πατέρας δεν ήταν ψηλός. Μου φαινόταν ότι μπορούσα να δω κάτι λαμπερό μέσα στις σκιές, πάνω ακριβώς από τον ώμο του. Όρμησα προς εκείνους προσπαθώντας να δω πέρα από τα δάκρυα που έτσουζαν. Το ρολόι χτύπησε, και το πιο μικρό κοριτσάκι έσφιξε τα χέρια της πάνω στα αυτιά της.

Το μεγαλύτερο κορίτσι, στο ύψος της μέσης της μητέρας της, αγκάλιασε το πόδι της μητέρας της και κοίταξε μέσα στις σκιές πίσω τους. Καθώς παρακολουθούσα, τράβηξε δυνατά τον αγκώνα της μητέρας της κι έδειξε προς το σκοτάδι. Το ρολόι χτύπησε, κι εγώ ήμουν τόσο κοντά τώρα.

Ήμουν αρκετά κοντά για να ακούσω την τσιριχτή φωνή. Ο πατέρας της με κοίταξε επίμονα, σαστισμένος, καθώς πήγαινα καταπάνω τους, φωνάζοντας ξανά και ξανά το όνομα του Έντουαρντ με βραχνή φωνή.

Το μεγαλύτερο κορίτσι γέλασε νευρικά κι είπε κάτι στη μητέρα της, κάνοντας πάλι μια χειρονομία μέσα στις σκιές ανυπόμονα.

Απέφυγα με έναν ελιγμό τον πατέρα –άρπαξε το μωρό και το πήρε από τη μέση– κι έτρεξα προς το σκοτεινό ρήγμα πίσω τους, ενώ το ρολόι χτυπούσε πάνω από το κεφάλι μου.

«Έντουαρντ, όχι!» ούρλιαξα, αλλά η φωνή μου χάθηκε μέσα στη βοή του κωδωνισμού.

Τώρα μπορούσα να τον δω. Και μπορούσα να δω ότι εκείνος δε με έβλεπε.

Ήταν στ' αλήθεια αυτός, δεν ήταν καμία παραίσθηση αυτή τη φορά. Και συνειδητοποίησα ότι οι ψευδαισθήσεις μου ήταν πιο ατελείς απ' ό,τι νόμιζα· τον είχαν αδικήσει.

Ο Έντουαρντ στεκόταν ακίνητος σαν άγαλμα μόλις λίγα μέτρα από το άνοιγμα του σοκακιού. Τα μάτια του ήταν κλειστά, οι κύκλοι από κάτω τους βαθύ μοβ, τα μπράτσα του χαλαρά στα πλάγια του σώματός του, οι παλάμες του στραμμένες προς τα μπρος. Η έκφρασή του ήταν πολύ γαλήνια, σαν να ονειρευόταν ευχάριστα πράγματα. Το μαρμάρινο δέρμα στο στήθος του ήταν γυμνό –υπήρχε ένας μικρός σωρός λευκού υφάσματος στα πόδια του. Το φως που αντανακλούσε από το πεζοδρόμιο της πλατείας λαμπύριζε αχνά πάνω στο δέρμα του.

Δεν είχα δει ποτέ τίποτα ομορφότερο –ακόμα και την ώρα που έτρεχα, αγκομαχώντας και φωνάζοντας, μπορούσα να το εκτιμήσω αυτό. Και οι τελευταίοι επτά μήνες δεν είχαν καμία σημασία. Και τα λόγια του στο δάσος δεν είχαν καμία σημασία. Και δεν είχε σημασία που δε με ήθελε. Εγώ δε θα ήθελα ποτέ τίποτα άλλο εκτός από αυτόν, όσο καιρό κι αν ζούσα.

Το ρολόι χτύπησε, κι εκείνος έκανε μια μεγάλη δρασκελιά προς το φως.

«Όχι!» τσίριξα. «Έντουαρντ, κοίταξέ με!»

Δεν άκουγε. Χαμογέλασε πολύ ελαφρά. Σήκωσε το πέλμα του για να κάνει το βήμα που θα τον έβαζε κατευθείαν στο μονοπάτι του ήλιου.

Έπεσα πάνω του με τόση πολλή δύναμη που θα είχα πέσει κάτω στο έδαφος, αν δε με είχαν πιάσει τα χέρια του και δε με κρατούσαν όρθια. Αυτό μου έκοψε την ανάσα, και μου τίναξε το κεφάλι μου απότομα πίσω.

Τα σκούρα του μάτια άνοιξαν αργά, καθώς το ρολόι χτύπησε ξανά.

Χαμήλωσε το βλέμμα του για να με κοιτάξει με ήσυχη έκπληξη.

«Εκπληκτικό», είπε. Η εξαίσια φωνή του ήταν γεμάτη απορία, ενώ φαινόταν σαν να το έβρισκε ελαφρώς αστείο. «Ο Κάρλαϊλ είχε δίκιο».

«Έντουαρντ», προσπάθησα να ξεφωνίσω πνιχτά, αλλά η φωνή μου δεν έβγαζε καθόλου ήχο. «Πρέπει να ξανακρυφτείς στη σκιά. Πρέπει να κουνηθείς!»

Έδειχνε σαστισμένος. Το χέρι του χάιδεψε απαλά το μάγουλό μου. Δε φάνηκε να παρατηρεί ότι προσπαθούσα να τον σπρώξω προς τα πίσω. Είτε αυτόν έσπρωχνα είτε τους τοίχους του σοκακιού, την ίδια πρόοδο θα έκανα. Το ρολόι χτύπησε, αλλά εκείνος δεν αντέδρασε.

Ήταν πολύ παράξενο, επειδή ήξερα ότι ήμασταν και οι δυο μας σε θανάσιμο κίνδυνο. Όμως, εκείνη τη στιγμή, ένιωθα καλά. Ολόκληρη. Ένιωθα την καρδιά μου να χτυπάει σαν τρελή στο στήθος μου, το αίμα να πάλλεται καυτό και γρήγορο μέσα στις φλέβες μου ξανά. Τα πνευμόνια μου είχαν γεμίσει ως το πιο βαθύ τους σημείο με το γλυκό άρωμα που ανέδιδε το δέρμα του. Ήταν σαν να μην υπήρξε ποτέ καμία τρύπα στο στήθος μου. Ένιωθα τέλεια –όχι γιατρεμένη, αλλά σαν να μην είχε υπάρξει ποτέ καμία πληγή.

«Δεν μπορώ να το πιστέψω πόσο γρήγορο ήταν. Δεν ένιωσα τίποτα –είναι πολύ καλοί», είπε αναλογιζόμενος, κλείνοντας ξανά τα μάτια του και πιέζοντας τα χείλη του στα μαλλιά μου. Η φωνή του ήταν σαν μέλι και βελούδο. «*Ο θάνατος που ρούφηξε το μέλι της ανάσας σου, καμία εξουσία δεν έχει πάνω στην ομορφιά σου*», μουρμούρισε, και αναγνώρισα τα λόγια που είπε ο Ρωμαίος πάνω στον τάφο. Το ρολόι κουδούνισε για τελευταία φορά βροντερά. «Μυρίζεις το ίδιο όπως πάντα», συνέχισε. «Λοιπόν, ίσως αυτή να *είναι* η κόλαση. Δε με νοιάζει. Θα την αντέξω».

«Δεν είμαι νεκρή», διέκοψα. «Και ούτε κι εσύ! Σε παρακαλώ Έντουαρντ, πρέπει να κουνηθούμε. Εκείνοι δεν πρέπει να είναι πολύ μακριά!»

Πάλεψα μέσα στα χέρια του, και το μέτωπό του γέμισε αυλακιές από τη σύγχυση.

«Πώς είπες;» ρώτησε ευγενικά.

«Δεν είμαστε νεκροί, όχι ακόμα! Αλλά πρέπει να φύγουμε από δω πριν οι Βολτούρι –»

Μια φλόγα κατανόησης τρεμόπαιξε στο πρόσωπό του, καθώς μιλούσα. Πριν προλάβω να τελειώσω, ξαφνικά με τράβηξε βίαια από την άκρη της σκιάς, στριφογυρίζοντάς με χωρίς κόπο, έτσι ώστε η πλάτη μου να ακουμπήσει σφιχτά στον τοίχο πίσω από τη δική του πλάτη, καθώς κοίταζε πέρα μέσα στο σοκάκι. Το χέρι του τεντώθηκε καλά, προστατευτικά μπροστά μου.

Εγώ κρυφοκοίταξα κάτω από το χέρι του για να δω δυο σκοτεινές φιγούρες να ξεπροβάλλουν μέσα από το σκοτάδι.

«Χαίρετε κύριοι». Η φωνή του Έντουαρντ ήταν ψύχραιμη κι ευχάριστη επιφανειακά. «Δε νομίζω ότι θα χρειαστώ τις υπηρεσίες σας σήμερα. Όμως, θα το εκτιμούσα πολύ αν στέλνατε τις ευχαριστίες μου στους κυρίους σας».

«Να μεταφέρουμε αυτήν τη συζήτηση σε ένα πιο κατάλληλο μέρος;» ψιθύρισε μια απαλή φωνή απειλητικά.

«Δε νομίζω ότι αυτό είναι απαραίτητο». Η φωνή του Έντουαρντ ήταν πιο τραχιά τώρα. «Ξέρω τις οδηγίες σου, Φέλιξ. Δεν έχω παραβιάσει κανέναν κανόνα».

«Ο Φέλιξ απλώς ήθελε να επισημάνει την εγγύτητα του ήλιου», είπε η άλλη σκιά με ένα καθησυχαστικό τόνο. Και οι δυο σκιές ήταν κρυμμένες μέσα σε μανδύες σε χρώμα σκούρο γκρι, που έφταναν ως το έδαφος και κυμάτιζαν στον άνεμο. «Ας βρούμε κάποιο καλύτερο καταφύγιο».

«Θα είμαι ακριβώς από πίσω σας», είπε ξερά ο Έντουαρντ. «Μπέλλα, γιατί δεν επιστρέφεις στην πλατεία να απολαύσεις τη γιορτή;»

«Όχι, φέρε και το κορίτσι», είπε η πρώτη σκιά, εισάγοντας με κάποιον τρόπο κι ένα πονηρό βλέμμα στον ψίθυρό του.

«Δε νομίζω». Η προσποίηση της ευγένειας χάθηκε. Η φωνή του Έντουαρντ ήταν άχρωμη και παγερή. Το βάρος του μετατοπίστηκε απειροελάχιστα, κι έβλεπα ότι ετοιμαζόταν να αντισταθεί.

«Όχι», κούνησα το στόμα μου σαν να έλεγα τη λέξη.

«Σσσς», μουρμούρισε μόνο για μένα.

«Φέλιξ», προειδοποίησε η δεύτερη, πιο λογική σκιά. «Όχι εδώ». Γύρισε προς τον Έντουαρντ. «Ο Άρο θα ήθελε απλώς να μιλήσει μαζί σου ξανά, αν έχεις αποφασίσει να μην οπλίσεις το χέρι μας τελικά».

«Βεβαίως», συμφώνησε ο Έντουαρντ. «Αλλά το κορίτσι θα φύγει».

«Φοβάμαι ότι αυτό δεν είναι δυνατόν», είπε η ευγενική σκιά μετά λύπης. «Έχουμε κάποιους κανόνες που πρέπει να υπακούσουμε».

«Τότε κι εγώ φοβάμαι πως δε θα μπορέσω να αποδεχτώ την πρόσκληση του Άρο, Ντιμίτρι».

«Δεν πειράζει», είπε γουργουρίζοντας ο Φέλιξ. Τα μάτια μου προσαρμόζονταν στη βαθιά σκιά, κι έβλεπα ότι ο Φέλιξ ήταν πολύ μεγαλόσωμος, ψηλός και με στιβαρούς ώμους. Το μέγεθός του μου θύμιζε τον Έμετ.

«Ο Άρο θα απογοητευτεί», είπε με έναν αναστεναγμό ο Ντιμίτρι.

«Είμαι σίγουρος ότι θα καταφέρει να το ξεπεράσει», απάντησε ο Έντουαρντ.

Ο Φέλιξ κι ο Ντιμίτρι ήρθαν πιο κοντά στο άνοιγμα του σοκακιού, ενώ ανοίχτηκαν ελαφρώς, έτσι ώστε να μπορέσουν να βρεθούν ο ένας από τη μια κι ο άλλος από την άλλη μεριά του Έντουαρντ. Σκόπευαν να τον αναγκάσουν να χωθεί πιο βαθιά μέσα στο σοκάκι για να αποφύγουν κάποια σκηνή. Η αντανάκλαση του φωτός δεν άγγιξε καθόλου το δικό τους δέρμα· ήταν ασφαλείς μέσα στους μανδύες τους.

Ο Έντουαρντ δεν κουνήθηκε ούτε πόντο. Καταδίκαζε τον εαυτό του προστατεύοντας εμένα.

Απότομα, το κεφάλι του Έντουαρντ γύρισε προς το σκοτάδι του φιδογυριστού σοκακιού, κι ο Ντιμίτρι με τον Φέλιξ έκαναν το ίδιο αντιδρώντας σε κάποιον ήχο ή κάποια κίνηση, και τα δυο υπερβολικά δυσδιάκριτα για τις δικές μου αισθήσεις.

«Ας συγκρατηθούμε, τι λέτε;» πρότεινε μια ευχάριστη

φωνή. «Είναι παρούσες κυρίες».

Η Άλις πήδηξε ανάλαφρα στο πλευρό του Έντουαρντ με στάση χαλαρή. Δεν υπήρχε κανένα ίχνος κάποιας υποβόσκουσας έντασης. Έδειχνε τόσο μικροσκοπική, τόσο εύθραυστη. Τα μικρά της χέρια κρέμονταν σαν ενός παιδιού.

Κι όμως, και ο Ντιμίτρι και ο Φέλιξ ίσιωσαν το κορμί τους, με τους μανδύες τους να ανεμίζουν ελαφρώς, καθώς ένα ρεύμα αέρα πέρασε μέσα από το σοκάκι. Το πρόσωπο του Φέλιξ ξίνισε. Προφανώς, δεν τους άρεσαν οι ζυγοί αριθμοί.

«Δεν είμαστε μόνοι», τους υπενθύμισε.

Ο Ντιμίτρι έριξε μια γρήγορη ματιά πάνω από τον ώμο του. Λίγα μέτρα πιο πέρα στην πλατεία, η μικρή οικογένεια, με τα κορίτσια που φορούσαν κόκκινα φορέματα, μας παρακολουθούσαν. Η μητέρα μιλούσε με επείγοντα τόνο στο σύζυγό της, έχοντας τα μάτια της καρφωμένα πάνω σ' εμάς τους πέντε. Γύρισε από την άλλη, όταν το βλέμμα του Ντιμίτρι διασταυρώθηκε με το δικό της. Ο άντρας περπάτησε λίγα βήματα πιο πέρα μέσα στην πλατεία και χτύπησε ελαφρά στον ώμο έναν από τους άντρες με τα κόκκινα σπορ σακάκια.

Ο Ντιμίτρι κούνησε το κεφάλι του. «Σε παρακαλώ, Έντουαρντ, ας είμαστε λογικοί», είπε.

«Βεβαίως», συμφώνησε ο Έντουαρντ. «Και όλοι μας θα φύγουμε ήρεμα τώρα, χωρίς κανένας να καταλάβει τίποτα».

Ο Ντιμίτρι αναστέναξε απογοητευμένος. «Τουλάχιστον ας το συζητήσουμε κάπου πιο ήσυχα».

Έξι άντρες ντυμένοι στα κόκκινα τώρα πήγαν κοντά στην οικογένεια, καθώς μας παρακολουθούσαν με ανήσυχες εκφράσεις. Ένιωθα πολύ έντονα την προστατευτική στάση του Έντουαρντ μπροστά μου –σίγουρη ότι αυτή ήταν που είχε προκαλέσει την ανησυχία τους. Ήθελα να φωνάξω για να τους πω να τρέξουν.

Τα δόντια του Έντουαρντ έκλεισαν με θόρυβο. «Όχι».

Ο Φέλιξ χαμογέλασε.

«Αρκετά».

Η φωνή ήταν οξεία, διαπεραστική και ερχόταν από πίσω μας.

Κρυφοκοίταξα κάτω από το άλλο χέρι του Έντουαρντ για να δω μια μικρή, σκοτεινή σιλουέτα να έρχεται προς εμάς. Από τις γωνίες που σχημάτιζε, ήξερα ότι θα ήταν ακόμα κάποιος από εκείνους. Ποιος άλλος;

Στην αρχή νόμιζα ότι ήταν ένα νεαρό αγόρι. Η νεοφερμένη ήταν τόσο μικρόσωμη όσο και η Άλις, με ίσια καστανά μαλλιά κομμένα κοντά. Το σώμα κάτω από το μανδύα –που ήταν πιο σκοτεινός, σχεδόν μαύρος– ήταν λεπτό και ανδρόγυνο. Αλλά το πρόσωπο ήταν υπερβολικά όμορφο για να ήταν αγοριού. Το πρόσωπο με τα μεγάλα μάτια και τα σαρκώδη χείλη θα έκανε έναν άγγελο του Μποτιτσέλι να μοιάζει με τέρας. Ακόμα και με δεδομένες τις μουντές βυσσινί ίριδες.

Το μέγεθός της ήταν τόσο ασήμαντο, που η αντίδραση στην εμφάνισή της με μπέρδεψε. Ο Φέλιξ και ο Ντιμίτρι χαλάρωσαν αμέσως, εγκαταλείποντας την επιθετική τους στάση για να συγχωνευτούν ξανά με τις σκιές των τοίχων που δέσποζαν από πάνω μας.

Ο Έντουαρντ έριξε τα χέρια του και χαλάρωσε τη στάση του επίσης –αλλά αναγνωρίζοντας την ήττα του.

«Τζέιν», ψιθύρισε ως ένδειξη αναγνώρισης και παραίτησης.

Η Άλις σταύρωσε τα χέρια της στο στήθος της, με μια απαθή έκφραση.

«Ακολουθήστε με», μίλησε πάλι η Τζέιν, με μονότονη παιδική φωνή. Μας γύρισε την πλάτη και παρασύρθηκε σιωπηλά μέσα στο σκοτάδι.

Ο Φέλιξ μας έκανε νόημα να πάμε πρώτοι, χαμογελώντας αυτάρεσκα.

Η Άλις ακολούθησε αμέσως τη μικρόσωμη Τζέιν. Ο Έντουαρντ τύλιξε το χέρι του γύρω από τη μέση μου και με τράβηξε μαζί του δίπλα της. Το σοκάκι είχε μια ελαφριά κλίση προς τα κάτω, καθώς στένευε. Σήκωσα το βλέμμα μου για να τον κοιτάξω με επείγουσες ερωτήσεις στα μάτια μου, αλλά εκείνος απλώς κούνησε το κεφάλι του. Αν και δεν μπορούσα να ακούσω τους άλλους πίσω μας, ήμουν βέβαιη ότι ήταν εκεί.

«Λοιπόν, Άλις», είπε ο Έντουαρντ, σαν να ήθελε να ανοίξει κουβέντα, καθώς περπατούσαμε. «Υποθέτω ότι δε θα έπρεπε να ξαφνιαστώ που σας είδα εδώ».

«Ήταν δικό μου λάθος», απάντησε η Άλις στον ίδιο τόνο. «Ήταν δική μου δουλειά να το διορθώσω».

«Τι συνέβη;» Η φωνή του ήταν ευγενική, λες και τον ενδιέφερε ελάχιστα το θέμα. Φαντάστηκα ότι αυτό οφειλόταν στα αυτιά που άκουγαν πίσω μας.

«Είναι μεγάλη ιστορία». Τα μάτια της Άλις τρεμόπαιξαν προς εμένα και πάλι μακριά μου. «Εν συντομία, πράγματι πήδηξε από ένα βράχο, αλλά δεν προσπαθούσε να αυτοκτονήσει. Η Μπέλλα το έχει ρίξει στα εξτρίμ σπορ αυτό τον καιρό».

Αναψοκοκκίνισα και γύρισα τα μάτια μου ευθεία μπροστά, προσπαθώντας να βρω τη σκοτεινή σκιά που δεν μπορούσα να δω πια. Μπορούσα να φανταστώ τι άκουγε στις σκέψεις της Άλις τώρα. Παρολίγον πνιγμοί, καταδιώξεις με βρικόλακες , φιλίες με λυκανθρώπους...

«Χμ», είπε κοφτά ο Έντουαρντ, κι ο αδιάφορος τόνος της φωνής του είχε χαθεί.

Υπήρχε μια χαλαρή στροφή στο σοκάκι, που ακόμα είχε κλίση προς τα κάτω, έτσι δεν είδα το τετραγωνισμένο αδιέξοδο στο οποίο πλησιάζαμε, μέχρι που φτάσαμε την επίπεδη, χωρίς παράθυρο πρόσοψη από τούβλο. Η μικροσκοπική κοπέλα που την έλεγαν Τζέιν δε φαινόταν πουθενά.

Η Άλις δε δίστασε, δεν επιβράδυνε το βήμα της, καθώς προχωρούσε με μεγάλες δρασκελιές προς τον τοίχο. Μετά με χάρη γεμάτη άνεση, γλίστρησε προς τα κάτω σε μια ανοιχτή τρύπα στο δρόμο.

Έμοιαζε με αποχετευτικό αγωγό που βυθιζόταν ως το κατώτατο σημείο του πλακόστρωτου. Δεν την είχα προσέξει, μέχρι που η Άλις χάθηκε, αλλά η σχάρα ήταν σπρωγμένη στην άκρη. Η τρύπα ήταν μικρή και μαύρη.

Δίστασα.

«Μην ανησυχείς, Μπέλλα», είπε ο Έντουαρντ χαμηλόφωνα. «Θα σε πιάσει η Άλις».

Εγώ κοίταξα με αμφιβολία την τρύπα. Φαντάζομαι ότι θα κατέβαινε εκείνος πρώτος, αν ο Ντιμίτρι και ο Φέλιξ δεν περίμεναν, αυτάρεσκοι και σιωπηλοί, πίσω μας.

Κάθισα ανακούρκουδα κουνώντας πέρα-δώθε τα πόδια μου μέσα στο στενό άνοιγμα.

«Άλις;» ψιθύρισα με τρεμάμενη φωνή.

«Εδώ είμαι, Μπέλλα», με καθησύχασε εκείνη. Η φωνή της ερχόταν από τόσο πολύ κάτω που δεν μπορούσε να με κάνει να νιώσω καλύτερα.

Ο Έντουαρντ έπιασε τους καρπούς μου –τα χέρια του τα ένιωθα σαν πέτρες μέσα στο χειμώνα– και με κατέβασε μέσα στη μαυρίλα.

«Έτοιμη;» ρώτησε.

«Άφησέ την», φώναξε η Άλις.

Έκλεισα τα μάτια για να μην μπορώ να βλέπω το σκοτάδι, πιέζοντάς τα σφιχτά από τον τρόμο, σφίγγοντας το στόμα μου για να μην ουρλιάξω. Ο Έντουαρντ με άφησε να πέσω.

Η πτώση ήταν σιωπηλή και σύντομη. Ο αέρας σφύριζε γύρω μου για μισό δευτερόλεπτο, και μετά με ένα ξεφύσημα, καθώς εξέπνευσα, τα χέρια της Άλις που με περίμεναν με έπιασαν.

Θα έμεναν μελανιές· τα μπράτσα της ήταν πολύ σκληρά. Με στήριξε για να σταθώ όρθια.

Είχε ελάχιστο φως, αλλά δεν ήταν εντελώς σκοτεινά στον πάτο. Το φως από την τρύπα από πάνω παρείχε μια αχνή λάμψη την οποία αντανακλούσε η υγρασία στις πέτρες στο δάπεδο. Το φως εξαφανίστηκε για ένα δευτερόλεπτο, και μετά ο Έντουαρντ ήταν μια αχνή, λευκή ακτινοβολία δίπλα μου. Με αγκάλιασε με το μπράτσο του, κρατώντας με σφιχτά στο πλευρό του, κι άρχισε να με τραβάει γρήγορα προς τα μπρος. Εγώ τύλιξα και τα δυο μου μπράτσα γύρω από την κρύα μέση του, και σκοντάφτοντας και παραπατώντας διέσχισα την ανώμαλη πέτρινη επιφάνεια. Ο ήχος της βαριάς σχάρας που κύλησε πάνω από την τρύπα του αγωγού πίσω μας ακούστηκε με μεταλλική οριστικότητα.

Το αμυδρό φως από το δρόμο χάθηκε γρήγορα μέσα στο σκοτάδι. Ο ήχος των βημάτων μου που τρέκλιζαν αντηχούσε σε ολόκληρο τον άδειο χώρο· από τον ήχο φαινόταν να είναι πολύ πλατύς, αλλά δεν μπορούσα να είμαι σίγουρη. Δεν υπήρχαν άλλοι ήχοι εκτός από τον έξαλλο χτύπο της καρδιάς μου και των ποδιών μου πάνω στις υγρές πέτρες –εκτός από μία φορά, όταν ένας ανυπόμονος αναστεναγμός ακούστηκε ψιθυριστά από πίσω μου.

Ο Έντουαρντ με κρατούσε σφιχτά. Άπλωσε το ελεύθερο χέρι του για να κρατήσει και το πρόσωπό μου, ενώ ο απαλός του αντίχειρας άγγιζε τα χείλη μου. Πού και πού ένιωθα το πρόσωπό του να πιέζεται πάνω στα μαλλιά μου. Συνειδητοποίησα ότι αυτή ήταν η μοναδική επανασύνδεση που θα είχαμε ποτέ, κι έτσι κρατήθηκα πιο κοντά του.

Για την ώρα, ένιωθα ότι με ήθελε, κι αυτό ήταν αρκετό για να αντισταθμίσει τον τρόμο της υπόγειας σήραγγας και των αρπακτικών βρικολάκων πίσω μας. Πιθανότατα δεν ήταν τίποτα παραπάνω από ενοχές –οι ίδιες ενοχές που τον ανάγκασαν να έρθει εδώ για να πεθάνει, όταν πίστευε ότι ήταν δικό του φταίξιμο που είχα αυτοκτονήσει. Αλλά ένιωθα τα χείλη του να πιέζουν σιωπηλά το μέτωπό μου, και δε με ένοιαζε ποιο ήταν το κίνητρό του. Τουλάχιστον θα μπορούσα να είμαι μαζί του πριν πεθάνω. Αυτό ήταν καλύτερο από μια μακροχρόνια ζωή.

Ευχόμουν να μπορούσα να τον ρωτήσω τι θα συνέβαινε τώρα. Ήθελα να μάθω απεγνωσμένα πώς θα πεθαίναμε –λες και αυτό με κάποιο τρόπο θα βελτίωνε την κατάσταση, το να γνωρίζω εκ των προτέρων. Αλλά δεν μπορούσα να μιλήσω, ούτε καν ψιθυριστά, έτσι όπως ήμασταν περικυκλωμένοι. Οι άλλοι θα μπορούσαν να ακούσουν τα πάντα –κάθε μου ανάσα, κάθε χτύπο της καρδιάς μου.

Το μονοπάτι κάτω από τα πόδια μας συνέχιζε να έχει κλίση προς τα κάτω, οδηγώντας μας πιο βαθιά μέσα στο έδαφος, κι αυτό μου προκαλούσε κλειστοφοβία. Μόνο το χέρι του Έντουαρντ, ανακουφιστικό στο πρόσωπό μου, με εμπόδιζε να ουρλιάξω δυνατά.

Δεν μπορούσα να διακρίνω από πού ερχόταν το φως, αλλά σιγά-σιγά το μέρος γινόταν σκούρο γκρίζο αντί για μαύρο. Ήμασταν σε μια χαμηλή σήραγγα με αψίδες. Μακριές γραμμές εβένινης υγρασίας έσταζαν μέσα από τις μαύρες πέτρες, σαν να αιμορραγούσε ο τοίχος μελάνι.

Έτρεμα και νόμιζα ότι ήταν από το φόβο. Μόνο όταν τα δόντια μου άρχισαν να τρίζουν, συνειδητοποίησα ότι κρύωνα. Τα ρούχα μου ήταν ακόμα βρεγμένα, και η θερμοκρασία κάτω από την πόλη ήταν χειμωνιάτικη. Όπως και το δέρμα του Έντουαρντ.

Εκείνος το κατάλαβε αυτό ταυτόχρονα μ' εμένα και με άφησε, κρατώντας μόνο το χέρι μου.

«Ο-ο-όχι», είπα κροταλίζοντας τα δόντια μου και αγκαλιάζοντάς τον ορμητικά. Δε με ένοιαζε αν ξεπάγιαζα. Ποιος ήξερε πόση ώρα μας είχε απομείνει;

Το κρύο του χέρι άρχισε να τρίβει το μπράτσο μου προσπαθώντας να με ζεστάνει με την τριβή.

Διασχίσαμε βιαστικά τη σήραγγα ή τουλάχιστον έτσι μου φάνηκε εμένα. Η αργή μου πρόοδος εκνεύριζε κάποιον –υπέθεσα τον Φέλιξ– και τον άκουγα να αναστενάζει πού και πού.

Στο τέλος της σήραγγας υπήρχε μια σχάρα –τα σίδερα ήταν

σκουριασμένα, αλλά χοντρά σαν το μπράτσο μου. Μια μικρή πόρτα, φτιαγμένη από πιο λεπτά σίδερα που διαπλέκονταν, μας περίμενε ανοιχτή. Ο Έντουαρντ έσκυψε για να περάσει και μπήκε βιαστικά σε μια μεγαλύτερη, πιο φωτεινή αίθουσα. Η σχάρα έκλεισε με δύναμη με ένα *κλανκγ*, που το ακολούθησε ο ξερός κρότος μιας κλειδαριάς που ασφάλιζε. Φοβόμουν υπερβολικά για να κοιτάξω πίσω.

Στην άλλη πλευρά της μακριάς αίθουσας υπήρχε μια χαμηλή, βαριά ξύλινη πόρτα. Ήταν πολύ παχιά –όπως μπορούσα να δω, γιατί κι εκείνη ήταν ανοιχτή.

Μπήκαμε μέσα, κι εγώ έριξα μια γρήγορη ματιά γύρω-γύρω γεμάτη έκπληξη, χαλαρώνοντας αυτόματα. Δίπλα μου, ο Έντουαρντ τσιτώθηκε, ενώ έσφιξε το σαγόνι του.

21. ΕΤΥΜΗΓΟΡΙΑ

Ήμασταν σε ένα φωτεινό, χωρίς τίποτα το ιδιαίτερο διάδρομο. Οι τοίχοι είχαν μια ελαφρώς κρεμ απόχρωση, το πάτωμα είχε μια γκρίζα μοκέτα. Συνηθισμένες ορθογώνιες λάμπες φθορισμού ήταν τοποθετημένες σε ίση απόσταση η μια από την άλλη στο ταβάνι. Αυτός ο διάδρομος έμοιαζε πολύ ήπιος μετά το σκοτάδι των φρικτών πέτρινων υπονόμων.

Ο Έντουαρντ δε φαινόταν να συμφωνεί με την εκτίμησή μου. Κοίταζε άγρια με σκοτεινό βλέμμα πέρα ως κάτω στο διάδρομο, προς τη λεπτοκαμωμένη, τυλιγμένη στα μαύρα σιλουέτα στο τέλος του, που στεκόταν δίπλα σ' έναν ανελκυστήρα.

Με τράβηξε μαζί του, και η Άλις περπατούσε στο άλλο μου πλευρό. Η βαριά πόρτα έκλεισε τρίζοντας πίσω μας, και μετά ακούστηκε ο βρόντος ενός σύρτη που μανταλώθηκε ξανά.

Η Τζέιν περίμενε δίπλα στον ανελκυστήρα, κρατώντας με το ένα χέρι τις πόρτες ανοιχτές για μας. Η έκφρασή της ήταν απαθής.

Μόλις βρεθήκαμε μέσα στον ανελκυστήρα, οι τρεις βρικόλακες που ανήκαν στους Βολτούρι χαλάρωσαν ακόμα περισσότερο. Έριξαν πίσω τους μανδύες τους, αφήνοντας τις κουκούλες να πέσουν πάνω στους ώμους τους. Το χρώμα της επιδερμίδας του Φέλιξ και του Ντιμίτρι είχε μια λαδί απόχρωση –έμοιαζε περίεργος συνδυασμός με τη σαν κιμωλία ωχρότητα τους. Τα μαύρα μαλλιά του Φέλιξ ήταν πολύ κοντά κομμένα, αλλά του Ντιμίτρι κυμάτιζαν ως τους ώμους του. Οι ίριδές τους ήταν ένα βαθύ βυσσινί γύρω από τις άκρες, σκουραίνοντας μέχρι που γίνονταν μαύρες γύρω από την κόρη. Κάτω από τα προστατευτικά τους πέπλα, τα ρούχα τους ήταν μοντέρνα, σε χρώματα όχι έντονα, και χωρίς κάτι το ιδιαίτερο. Ζάρωσα στη γωνία από το φόβο ακουμπώντας πάνω στον Έντουαρντ. Το χέρι του ακόμα έτριβε το μπράτσο μου. Δεν έπαιρνε καθόλου τα μάτια του από την Τζέιν.

Η διαδρομή με τον ανελκυστήρα ήταν σύντομη· βγήκαμε έξω και μπήκαμε σε ένα δωμάτιο που έμοιαζε με υποδοχή ενός πολυτελούς γραφείου. Οι τοίχοι ήταν καλυμμένοι με ξύλο, τα πατώματα είχαν παχιά, πράσινα χαλιά. Δεν υπήρχαν καθόλου παράθυρα, αλλά μεγάλοι, φωτεινοί πίνακες που απεικόνιζαν το εξοχικό τοπίο της Τοσκάνης κρεμασμένοι παντού ως υποκατάστατα. Δερμάτινοι καναπέδες σε απαλά χρώματα ήταν τοποθετημένοι μαζί, δημιουργώντας άνετες επιπλοσυνθέσεις, και τα γυαλιστερά τραπέζια είχαν πάνω τους κρυστάλλινα βάζα γεμάτα μπουκέτα με έντονα χρώματα. Η μυρωδιά των λουλουδιών μου θύμιζε γραφείο κηδειών.

Στη μέση του δωματίου υπήρχε ένας ψηλός, γυαλιστερός πάγκος από μαόνι. Έμεινα σαστισμένη με το στόμα ανοιχτό, βλέποντας τη γυναίκα πίσω του.

Ήταν ψηλή, με σκούρα επιδερμίδα και πράσινα μάτια. Θα ήταν πολύ όμορφη σε κάποια άλλη συντροφιά –αλλά όχι εδώ. Επειδή ήταν από πάνω ως κάτω άνθρωπος, όπως ακριβώς κι εγώ. Δεν καταλάβαινα τι γύρευε εδώ αυτή η γυναίκα που ήταν άνθρωπος, εντελώς άνετη, περιτριγυρισμένη από βρικόλακες.

Χαμογέλασε ευγενικά για να μας υποδεχτεί. «Καλησπέρα, Τζέιν», είπε. Δεν υπήρχε καμία έκπληξη στο πρόσωπό της, καθώς έριξε μια γρήγορη ματιά στη συνοδεία της Τζέιν. Ούτε στη θέα του Έντουαρντ, με το γυμνό του στήθος να αστράφτει αμυδρά στο λευκό φως, ούτε καν στη δική μου, έτσι όπως ήμουν διαλυμένη και αποκρουστική σε σχέση με όλους τους υπόλοιπους.

Η Τζέιν έγνεψε. «Τζιάνα». Συνέχισε να προχωράει προς ένα ζευγάρι διπλές πόρτες στο πίσω μέρος του δωματίου, ενώ εμείς ακολουθούσαμε.

Καθώς ο Φέλιξ πέρασε δίπλα από το γραφείο, έκλεισε το μάτι στην Τζιάνα, κι εκείνη χαζογέλασε.

Από την άλλη μεριά των ξύλινων πορτών υπήρχε ένα διαφορετικό είδος υποδοχής. Το χλομό αγόρι που φορούσε το ανοιχτό γκρι κοστούμι θα μπορούσε να είναι ο δίδυμος αδερφός της Τζέιν. Τα μαλλιά του ήταν πιο σκούρα, και τα χείλη του πιο λεπτά, αλλά ήταν εξίσου πανέμορφος. Ήρθε μπροστά για να μας συναντήσει. Χαμογέλασε, απλώνοντας το χέρι προς εκείνην. «Τζέιν».

«Άλεκ», απάντησε αγκαλιάζοντας τον. Φιλήθηκαν στα μάγουλα. Μετά εκείνος μας κοίταξε.

«Σε στέλνουν να βρεις έναν κι εσύ γυρίζεις πίσω με δύο... και μισό», παρατήρησε, κοιτάζοντας εμένα. «Καλή δουλειά».

Εκείνη γέλασε –ο ήχος σπινθηροβολούσε από χαρά σαν τα γελάκια ενός μωρού.

«Καλωσήρθες πάλι, Έντουαρντ», τον χαιρέτησε ο Άλεκ. «Φαίνεσαι να έχεις καλύτερη διάθεση».

«Ελάχιστα», συμφώνησε ο Έντουαρντ με άτονη φωνή. Κοίταξα φευγαλέα το σκληρό πρόσωπο του Έντουαρντ και αναρωτήθηκα πώς θα ήταν δυνατόν η διάθεσή του να ήταν ακόμα χειρότερη πριν.

Ο Άλεκ γέλασε πνιχτά και με περιεργάστηκε, καθώς ήμουν

κολλημένη στο πλάι του Έντουαρντ. «Κι αυτή είναι η αιτία ολόκληρης της φασαρίας;» ρώτησε με δυσπιστία.

Ο Έντουαρντ μόνο χαμογέλασε, με έκφραση περιφρονητική. Τότε πάγωσε.

«Την πρόλαβα· δική μου», φώναξε ο Φέλιξ από πίσω αδιάφορα.

Ο Έντουαρντ γύρισε, με ένα χαμηλόφωνο γρύλισμα να θεριεύει βαθιά μέσα στο στήθος του. Ο Φέλιξ χαμογέλασε –το χέρι του ήταν σηκωμένο, με την παλάμη γυρισμένη επάνω· κούνησε τα δάχτυλά του γνέφοντας δυο φορές, προσκαλώντας τον Έντουαρντ προς τα μπρος.

Η Άλις άγγιξε το μπράτσο του Έντουαρντ. «Υπομονή», του επέστησε την προσοχή.

Ανταλλάξανε ένα παρατεταμένο βλέμμα, κι ευχήθηκα να μπορούσα να ακούσω τι του έλεγε. Υπέθεσα ότι θα ήταν κάτι που είχε σχέση με το να μην επιτεθεί στον Φέλιξ, επειδή ο Έντουαρντ πήρε μια βαθιά ανάσα και γύρισε πάλι προς τον Άλεκ.

«Ο Άρο θα χαρεί πολύ που θα σε ξαναδεί», είπε ο Άλεκ, σαν να μην είχε συμβεί τίποτα.

«Ας μην τον αφήσουμε να περιμένει», πρότεινε η Τζέιν.

Ο Έντουαρντ έγνεψε μια φορά.

Ο Άλεκ και η Τζέιν κρατώντας χέρια, μας οδήγησαν κατά μήκος ενός ακόμα φαρδιού περίτεχνου διαδρόμου –θα φτάναμε ποτέ στο τέρμα;

Αγνόησαν τις πόρτες στο τέρμα του διαδρόμου –πόρτες επενδυμένες ολόκληρες με χρυσάφι– και σταμάτησαν στη μέση της διαδρομής για να κάνουν στην άκρη ένα κομμάτι της επένδυσης, για να αποκαλύψουν μια συνηθισμένη ξύλινη πόρτα. Δεν ήταν κλειδωμένη. Ο Άλεκ την κράτησε ανοιχτή για την Τζέιν.

Ήθελα να βογκήξω, όταν ο Έντουαρντ με τράβηξε μέσα στην άλλη μεριά. Ήταν η ίδια αρχαία πέτρα, όπως και η πλατεία, το σοκάκι, και οι υπόνομοι. Και ήταν σκοτεινά κι έκανε κρύο ξανά.

Ο πέτρινος προθάλαμος δεν ήταν μεγάλος. Φάρδαινε γρήγορα, για να μπούμε σε ένα πιο φωτεινό, σπηλαιώδες δωμάτιο, εντελώς στρογγυλό σαν ένα τεράστιο πυργίσκο ενός κάστρου… πράγμα που πιθανότατα ήταν ακριβώς αυτό που ήταν. Σε ύψος δυο ορόφων πιο πάνω, μεγάλες χαραμάδες, όπου υπήρχαν παράθυρα, έριχναν λεπτά ορθογώνια λαμπερού ηλιακού φωτός στο πέτρινο πάτωμα από κάτω. Τα μόνα έπιπλα μέσα στο δωμάτιο ήταν αρκετές ογκώδεις, ξύλινες καρέκλες, σαν θρόνοι, τοποθετημένες τυχαία, απέναντι από τους καμπυλοειδείς πέτρινους τοίχους. Στο κέντρο ακριβώς του κύκλου, σε μια ελαφριά υποχώρηση, υπήρχε άλλος ένας αποχετευτικός αγωγός. Αναρωτήθηκα αν τον χρησιμοποιούσαν σαν έξοδο, όπως την τρύπα στο δρόμο.

Το δωμάτιο δεν ήταν άδειο. Μερικά άτομα συνεδρίαζαν συζητώντας φαινομενικά χαλαρά. Το ψιθύρισμα των χαμηλών, ήρεμων φωνών ήταν ένα απαλό μουρμουρητό στον αέρα. Καθώς κοίταζα, δυο γυναίκες που φορούσαν καλοκαιρινά φορέματα, σταμάτησαν σε ένα σημείο όπου έπεφτε φως και, σαν να ήταν πρίσμα, το δέρμα τους αντανάκλασε το φως πάνω στους Σιένα τοίχους, λαμπυρίζοντας σαν το ουράνιο τόξο.

Τα εξαίσια πρόσωπα όλα γύρισαν προς την ομάδα μας, καθώς μπήκαμε στην αίθουσα. Οι περισσότεροι από τους αθανάτους ήταν ντυμένοι με παντελόνια και μπλούζες που περνούσαν απαρατήρητα –ρούχα που δε θα ξεχώριζαν καθόλου στους δρόμους από κάτω μας. Αλλά ο άντρας που μίλησε πρώτος φορούσε μια από τις μακριές τηβέννους. Ήταν τελείως μαύρη και ακουμπούσε το πάτωμα. Προς στιγμή, νόμισα ότι τα μακριά, κατάμαυρα μαλλιά του ήταν η κουκούλα του μανδύα του.

«Τζέιν, αγαπητή μου, επέστρεψες!» φώναξε με προφανή χαρά. Η φωνή του ήταν ένας απαλός ψίθυρος.

Προχώρησε μπροστά, και η κίνηση έγινε με τέτοια σουρεαλιστική χάρη, που εγώ έμεινα να κοιτάζω με ανοιχτό το στόμα. Ακόμα και η Άλις, που κάθε της κίνηση έμοιαζε με χορό, δε θα μπορούσε να συγκριθεί.

Σάστισα ακόμα περισσότερο, καθώς αιωρήθηκε πιο κοντά μας και μπόρεσα να δω το πρόσωπό του. Δεν ήταν σαν τα αφύσικα ελκυστικά πρόσωπα που τον περιέβαλαν (γιατί δε μας πλησίασε μόνος· ολόκληρη η ομάδα μαζεύτηκε γύρω του, μερικοί ακολουθώντας τον και κάποιοι άλλοι προχωρώντας μπροστά του, όπως ακριβώς βρίσκονται σε επιφυλακή οι σωματοφύλακες). Δεν μπορούσα να καταλήξω αν το πρόσωπό του ήταν όμορφο ή όχι. Υποθέτω ότι τα χαρακτηριστικά ήταν τέλεια. Αλλά ήταν τόσο διαφορετικός από τους άλλους βρικόλακες δίπλα του, όσο διαφορετικοί ήταν εκείνοι από μένα. Η επιδερμίδα του ήταν ένα ημιδιαφανές λευκό χρώμα, σαν φλούδα κρεμμυδιού, κι έμοιαζε εξίσου εύθραυστη –έκανε εκπληκτική αντίθεση με τα μακριά μαύρα μαλλιά που περιέβαλαν το πρόσωπό του. Ένιωσα μια παράξενη, φρικτή ανάγκη να αγγίξω το μάγουλό του, να δω αν ήταν πιο απαλό από του Έντουαρντ ή της Άλις ή αν ήταν σαν κιμωλία. Τα μάτια του ήταν κόκκινα, το ίδιο όπως και των άλλων γύρω του, αλλά το χρώμα ήταν θολό, γαλακτερό· αναρωτήθηκα αν η όρασή του είχε επηρεαστεί από την αχλή.

Γλίστρησε αθόρυβα προς την Τζέιν, πήρε το πρόσωπό της στα λεία χέρια του, τη φίλησε ελαφρά στα σαρκώδη της χείλη και μετά αιωρήθηκε πάλι ένα βήμα πίσω.

«Ναι, Κύριε». Η Τζέιν χαμογέλασε· η έκφραση την έκανε να μοιάζει με ένα αγγελικό παιδί. «Τον έφερα πίσω ζωντανό, όπως το επιθυμούσατε».

«Α, Τζέιν». Χαμογέλασε κι εκείνος. «Είσαι τέτοια παρηγοριά για μένα».

Έστρεψε τα ομιχλώδη του μάτια προς εμάς, και το χαμόγελο φωτίστηκε –έγινε εκστατικό.

«Και την Άλις και την Μπέλλα, επίσης!» είπε με χαρά, χειροκροτώντας. «Αυτό *είναι* πράγματι μια ευχάριστη έκπληξη! Θεσπέσια!»

Είχα μείνει με το βλέμμα καρφωμένο, έκπληκτη, όταν είπε τα ονόματά μας ανεπίσημα, σαν να ήμασταν παλιοί φίλοι που είχαν περάσει για να κάνουν επίσκεψη απροσδόκητα.

Στράφηκε προς το σωματώδη μας συνοδό. «Φέλιξ, κάνε μου τη χάρη και πες στους αδερφούς μου για την παρέα μας. Είμαι σίγουρος ότι δε θα ήθελαν να το χάσουν αυτό».

«Ναι, Κύριε». Ο Φέλιξ έγνεψε κι εξαφανίστηκε από τον ίδιο δρόμο απ' όπου είχαμε έρθει.

«Βλέπεις, Έντουαρντ;» Ο παράξενος βρικόλακας γύρισε και χαμογέλασε στον Έντουαρντ, σαν ένας τρυφερός παππούς που μαλώνει το εγγόνι του. «Τι σου έλεγα; Δε χαίρεσαι που δε σου έδωσα αυτό που ήθελες χθες;»

«Ναι, Άρο, χαίρομαι», συμφώνησε εκείνος σφίγγοντας το χέρι του γύρω από τη μέση μου.

«Μου αρέσουν πολύ οι ευχάριστες καταλήξεις». Ο Άρο αναστέναξε. «Είναι τόσο σπάνιες. Αλλά θέλω ολόκληρη την ιστορία. Πώς συνέβη αυτό; Άλις;» Έστρεψε το βλέμμα του στην Άλις με ομιχλώδη μάτια γεμάτα περιέργεια. «Ο αδερφός σου φαινόταν να πιστεύει ότι είσαι αλάνθαστη, αλλά προφανώς κάποιο λάθος έγινε».

«Ω, είμαι κάθε άλλο παρά αλάνθαστη». Έριξε ένα εκθαμβωτικό χαμόγελο. Έδειχνε να νιώθει απόλυτα άνετα, εκτός από το γεγονός ότι τα χέρια της είχαν σχηματίσει μικρές σφιχτές γροθιές. «Όπως βλέπεις σήμερα, προκαλώ προβλήματα τόσο συχνά όσο τα θεραπεύω».

«Είσαι υπερβολικά μετριόφρων», την επιτίμησε ο Άρο. «Έχω δει μερικά από τα πιο εκπληκτικά σου κατορθώματα και πρέπει να παραδεχτώ ότι ποτέ δεν έχω δει κάτι παρόμοιο με το ταλέντο σου. Υπέροχο!»

Η Άλις έριξε φευγαλέα ένα βλέμμα στον Έντουαρντ. Του

Άρο δεν του διέφυγε.

«Λυπάμαι, δε συστηθήκαμε, όπως έπρεπε, έτσι δεν είναι; Απλώς νιώθω σαν να σε ξέρω ήδη και έχω την τάση να προτρέχω. Ο αδερφός σου μας σύστησε χθες, με έναν παράξενο τρόπο. Βλέπεις, με τον αδερφό σου έχουμε ένα κοινό ταλέντο, μόνο που εγώ το δικό μου είναι περιορισμένο κατά έναν τρόπο που το δικό του δεν είναι». Ο Άρο κούνησε το κεφάλι του· ο τόνος του ήταν ζηλόφθων.

«Κι επίσης εκθετικά πιο δυνατό», πρόσθεσε ο Έντουαρντ ξερά. Κοίταξε την Άλις, καθώς εξηγούσε γρήγορα. «Ο Άρο χρειάζεται σωματική επαφή για να ακούσει τις σκέψεις σου, αλλά ακούει πολύ περισσότερα απ' ό,τι εγώ. Ξέρεις ότι μπορώ να ακούσω μόνο αυτό που περνάει από το μυαλό σου τη δεδομένη στιγμή. Ο Άρο ακούει κάθε σκέψη που πέρασε ποτέ από το μυαλό σου».

Η Άλις σήκωσε τα λεπτά της φρύδια, κι ο Έντουαρντ έγειρε το κεφάλι του.

Του Άρο δεν του ξέφυγε ούτε αυτό.

«Αλλά το να μπορεί κανείς να ακούει από μακριά...» είπε αναστενάζοντας ο Άρο, δείχνοντας προς τους δυο τους, και την ανταλλαγή που μόλις είχε γίνει. «Αυτό θα ήταν τόσο *βολικό*».

Ο Άρο κοίταξε πάνω από τους ώμους μας. Όλα τα άλλα κεφάλια γύρισαν στην ίδια κατεύθυνση, συμπεριλαμβανομένων και της Τζέιν, του Άλεκ και του Ντιμίτρι, που στέκονταν σιωπηλοί δίπλα μας.

Εγώ γύρισα πιο αργά απ' όλους. Ο Φέλιξ είχε επιστρέψει, και πίσω του αιωρούνταν δύο ακόμα άντρες με μαύρες τηβέννους. Και οι δυο έμοιαζαν πολύ στον Άρο, ο ένας μάλιστα είχε και τα ίδια κυματιστά μαύρα μαλλιά. Ο άλλος είχε μαλλιά άσπρα σαν το χιόνι, πράγμα που με ξάφνιασε –ήταν στην ίδια απόχρωση με το πρόσωπό του– που άγγιζαν τους ώμους του ξυστά. Τα πρόσωπά τους είχαν ίδια επιδερμίδα, λεπτή σαν χαρτί.

Η τριάδα από τον πίνακα του Κάρλαϊλ είχε ολοκληρωθεί, χωρίς να έχει αλλάξει από το πέρασμα των τελευταίων τριών αιώνων από τότε που την είχαν ζωγραφίσει.

«Μάρκο, Κάιε, κοιτάξτε!» μουρμούρισε τραγουδιστά ο Άρο. «Η Μπέλλα ζει τελικά, και η Άλις είναι εδώ μαζί μας! Δεν είναι υπέροχο;»

Κανένας από τους δυο δεν έδειχνε ότι θα χρησιμοποιούσε ως πρώτη επιλογή του τη λέξη *υπέροχο*. Ο μελαχρινός άντρας έμοιαζε εντελώς βαριεστημένος, σαν να είχε δει υπερβολικά πολλές χιλιετίες ενθουσιασμού από τον Άρο. Το πρόσωπο του άλλου ήταν ξινισμένο κάτω από τα χιονάτα μαλλιά του.

Η έλλειψη ενδιαφέροντος από μέρους τους δεν έκαμψε τη χαρά του Άρο.

«Ας ακούσουμε την ιστορία τους», είπε σχεδόν τραγουδώντας ο Άρο, με την πουπουλένια φωνή του.

Ο ασπρομάλλης αρχαίος βρικόλακας απομακρύνθηκε, γλιστρώντας αθόρυβα προς έναν από τους ξύλινους θρόνους. Ο άλλος σταμάτησε δίπλα στον Άρο, κι άπλωσε το χέρι του, στην αρχή νόμισα για να πιάσει το χέρι του. Αλλά εκείνος απλώς άγγιξε την παλάμη του Άρο για λίγο και μετά έριξε το χέρι του στο πλάι. Ο Άρο σήκωσε το ένα του μαύρο φρύδι. Αναρωτήθηκα πώς δε ζάρωνε το λεπτό σαν χαρτί δέρμα του στην προσπάθεια αυτή.

Ο Έντουαρντ ρουθούνισε πολύ ήσυχα, και η Άλις τον κοίταξε, γεμάτη περιέργεια.

«Σ' ευχαριστώ, Μάρκο», είπε ο Άρο. «Αυτό είναι αρκετά ενδιαφέρον».

Συνειδητοποίησα, μετά από ένα δευτερόλεπτο, ότι ο Μάρκος άφηνε τον Άρο να δει τις σκέψεις του.

Ο Μάρκος δε *φαινόταν* να βρίσκει κάτι ενδιαφέρον. Απομακρύνθηκε αθόρυβα από τον Άρο για να πάει δίπλα σε εκείνον που πρέπει να ήταν ο Κάιος και ήταν καθισμένος με την πλάτη στον τοίχο. Δύο από τους παρευρισκόμενους βρικόλακες ακολούθησαν σιωπηλά πίσω τους –σωματοφύλακες, όπως είχα φανταστεί και νωρίτερα. Έβλεπα ότι οι δυο γυναίκες με τα καλοκαιρινά ανοιχτά φορέματα είχαν πάει να σταθούν δίπλα στον Κάιο με τον ίδιο τρόπο. Η ιδέα ότι οποιοσδήποτε βρικόλακας χρειαζόταν κάποιο φύλακα μου φαινόταν αμυδρά γελοία, αλλά ίσως οι αρχαίοι να ήταν τόσο εύθραυστοι όσο υπονοούσε το δέρμα τους.

Ο Άρο κουνούσε το κεφάλι του. «Εκπληκτικό», είπε. «Απολύτως εκπληκτικό».

Η έκφραση της Άλις ήταν γεμάτη απογοήτευση. Ο Έντουαρντ στράφηκε προς το μέρος της και εξήγησε πάλι με γρήγορη, χαμηλή φωνή. «Ο Μάρκος βλέπει σχέσεις. Τον ξαφνιάζει το πόσο δυνατή είναι η δική μας».

Ο Άρο χαμογέλασε. «Τόσο βολικό», επανέλαβε στον εαυτό του. Μετά μίλησε σ' εμάς. «Χρειάζεται αρκετή προσπάθεια για να ξαφνιαστεί ο Μάρκος, σας διαβεβαιώ».

Κοίταξα το άψυχο πρόσωπο του Μάρκου και το πίστεψα.

«Απλώς είναι τόσο δύσκολο να καταλάβουμε, ακόμα και τώρα», αναλογίστηκε ο Άρο, κοιτάζοντας επίμονα το τυλιγμένο γύρω μου χέρι του Έντουαρντ. Ήταν δύσκολο να ακολουθήσω το χαοτικό ειρμό της σκέψης του Άρο. Πάσχιζα να συμβαδίσω με το ρυθμό του. «Πώς αντέχεις να είσαι τόσο κοντά της;»

«Όχι χωρίς κόπο», απάντησε ο Έντουαρντ ψύχραιμα.

«Αλλά και πάλι –*la tua cantante*! Τι σπατάλη!»

Ο Έντουαρντ γέλασε πνιχτά μία φορά χωρίς διάθεση. «Εγώ το βλέπω πιο πολύ σαν δώρο».

Ο Άρο ήταν γεμάτος δυσπιστία. «Με πολύ ψηλό τίμημα».

«Οι ευκαιρίες κοστίζουν».

Ο Άρο γέλασε. «Αν δεν την είχα μυρίσει μέσα από τις αναμνήσεις σου, δε θα πίστευα ότι η έλξη του αίματος οποιουδήποτε ανθρώπου θα μπορούσε να είναι τόσο δυνατή. Δεν έχω νιώσει τίποτα τέτοιο ο ίδιος. Οι περισσότεροι από εμάς θα αντάλλασσαν πολλά για ένα τέτοιο δώρο, κι όμως εσύ...»

«Το χαραμίζω», τελείωσε ο Έντουαρντ, με φωνή σαρκαστική τώρα.

Ο Άρο γέλασε ξανά. «Α, πώς μου λείπει ο φίλος μου ο Κάρλαϊλ! Μου τον θυμίζεις –μόνο που εκείνος δεν ήταν τόσο οργισμένος».

«Ο Κάρλαϊλ με επισκιάζει με πολλούς άλλους τρόπους».

«Σίγουρα ποτέ δεν πίστευα ότι θα δω κάποιον να ξεπερνάει τον Κάρλαϊλ στον αυτοέλεγχο τουλάχιστον, αν όχι σε κάτι άλλο, αλλά εσύ τον έχεις ξεπεράσει κατά πολύ».

«Δε θα το έλεγα», ο Έντουαρντ ακούστηκε ανυπόμονος. Σαν να είχε κουραστεί απ' όλα αυτά τα προκαταρκτικά. Με έκανε να φοβάμαι περισσότερο· δεν μπορούσα παρά να προσπαθήσω να φανταστώ τι περίμενε ότι θα ακολουθούσε.

«Χαίρομαι πάρα πολύ για την επιτυχία του», συλλογίστηκε ο Άρο. «Οι αναμνήσεις που έχεις από αυτόν είναι ένα δώρο για μένα, αν και με ξαφνιάζουν υπερβολικά. Με εκπλήσσει το πόσο με... *ικανοποιεί* η επιτυχία του σ' αυτό τον ανορθόδοξο δρόμο που έχει διαλέξει. Περίμενα ότι με τον καιρό θα έφθινε, θα έχανε τις δυνάμεις του. Είχα χλευάσει το σχέδιό του να βρει και άλλους που θα μοιράζονταν το ιδιόρρυθμο όραμά του. Παρ' όλα αυτά, κατά κάποιο τρόπο, χαίρομαι που είχα άδικο».

Ο Έντουαρντ δεν απάντησε.

«Αλλά η *δική σου* αυτοσυγκράτηση!» αναστέναξε ο Άρο. «Δεν ήξερα ότι ήταν δυνατόν να έχει κανείς τέτοια δύναμη. Το να συνηθίσεις να αντιστέκεσαι σε ένα τέτοιο κάλεσμα μιας σειρήνας, όχι μόνο μια φορά αλλά συνέχεια –αν δεν το είχα νιώσει ο ίδιος, δε θα το πίστευα».

Ο Έντουαρντ κοίταξε την έκφραση θαυμασμού του Άρο, ο ίδιος ανέκφραστος. Ήξερα το πρόσωπό του αρκετά καλά –ο χρόνος δεν το είχε αλλάξει– ώστε να μπορώ να μαντέψω κάτι που ανάβραζε κάτω από την επιφάνεια. Πάσχισα να κρατήσω την αναπνοή μου σε ένα σταθερό ρυθμό.

«Και μόνο η ανάμνηση της γοητείας που ασκεί επάνω σου...» είπε γελώντας πνιχτά ο Άρο. «Με κάνει να διψάω».

Ο Έντουαρντ τσιτώθηκε.

«Μην αναστατώνεσαι», τον καθησύχασε ο Άρο. «Δε θέλω να της κάνω κακό. Αλλά είμαι *τόσο* περίεργος για ένα πράγμα συγκεκριμένα». Με κοίταξε με ζωηρό ενδιαφέρον. «Μου επιτρέπεις;» ρώτησε με ενθουσιασμό, σηκώνοντας το ένα χέρι.

«Ρώτα *αυτήν*», πρότεινε ο Έντουαρντ με φωνή άτονη.

«Φυσικά, πόσο αγενές εκ μέρους μου!» αναφώνησε ο Άρο. «Μπέλλα», απευθύνθηκε σ' εμένα απευθείας τώρα. «Με γοητεύει το γεγονός ότι είσαι η μοναδική εξαίρεση στο εντυπωσιακό ταλέντο του Έντουαρντ –είναι τόσο ενδιαφέρον που συμβαίνει κάτι τέτοιο! Και αναρωτιόμουν, μιας και τα ταλέντα μας είναι παρόμοια με τόσους πολλούς τρόπους, αν θα μου έκανες τη χάρη να μου επιτρέψεις να δοκιμάσω –να δω αν αποτελείς εξαίρεση και για *μένα*;»

Τα μάτια μου στράφηκαν αστραπιαία προς το πρόσωπο του Έντουαρντ έντρομα. Παρά την κατάφωρη ευγένεια του Άρο, δεν πίστευα ότι είχα στ' αλήθεια επιλογή. Ένιωθα φρίκη στη σκέψη να του επιτρέψω να με αγγίξει, κι όμως ταυτόχρονα μου είχε εξάψει την περιέργεια με έναν παράλογο τρόπο η ευκαιρία να νιώσω το άγγιγμα της παράξενης επιδερμίδας του.

Ο Έντουαρντ μου έγνεψε ενθαρρυντικά –είτε επειδή ήταν σίγουρος ότι ο Άρο δε θα μου έκανε κακό, είτε επειδή δεν υπήρχε άλλη επιλογή, δεν μπορούσα να πω ποιο από τα δύο.

Γύρισα πάλι προς τον Άρο και σήκωσα το χέρι μου αργά μπροστά μου. Έτρεμε.

Εκείνος γλίστρησε αθόρυβα πιο κοντά μου, και νομίζω ότι ήθελε η έκφρασή του να είναι καθησυχαστική. Αλλά τα λεπτά σαν χαρτί χαρακτηριστικά του ήταν υπερβολικά παράξενα, υπερβολικά ξένα και τρομακτικά, για να μπορέσουν να με καθησυχάσουν. Η έκφραση στο πρόσωπό του έδειχνε περισσότερη αυτοπεποίθηση απ' ό,τι τα λόγια του.

Ο Άρο άπλωσε το χέρι του, σαν να ήθελε να κάνουμε χειραψία, και πίεσε το δέρμα του, που έμοιαζε με άυλο, πάνω στο δικό μου. Ήταν σκληρό, αλλά έμοιαζε εύθρυπτο –σαν άργιλος αντί για γρανίτης– και ακόμα πιο κρύο απ' ό,τι περίμενα.

Τα ημιδιαφανή μάτια του μού χαμογέλασαν, και ήταν αδύνατο να κοιτάξω αλλού. Με υπνώτιζαν με έναν παράξενο, δυσάρεστο τρόπο.

Το πρόσωπο του Άρο άλλαζε, καθώς τον παρατηρούσα. Η αυτοπεποίθηση κλονίστηκε κι έγινε πρώτα αμφιβολία, ύστερα δυσπιστία, πριν χαλαρώσει και μετατραπεί σε ένα φιλικό προσωπείο.

«Πολύ ενδιαφέρον», είπε καθώς απελευθέρωσε το χέρι μου κι έκανε πίσω.

Τα μάτια μου τρεμόπαιξαν πίσω στον Έντουαρντ και, αν και το πρόσωπό του ήταν ψύχραιμο, μου φάνηκε κάπως σαν αυτάρεσκο.

Ο Άρο συνέχισε να απομακρύνεται με μια σκεφτική έκφραση. Ήταν σιωπηλός για μια στιγμή, τα μάτια του πηγαινοέρχονταν ανάμεσα στους τρεις μας. Μετά, απότομα, κούνησε το κεφάλι του.

«Η πρώτη», είπε στον εαυτό του. «Αναρωτιέμαι αν έχει ανοσία και στα υπόλοιπα ταλέντα μας... Τζέιν, γλυκιά μου;»

«Όχι!» Ο Έντουαρντ είπε τη λέξη γρυλίζοντας. Η Άλις άρπαξε το μπράτσο του με το χέρι της, που προσπαθούσε να τον συγκρατήσει. Εκείνος το τίναξε μακριά του.

Η μικρόσωμη Τζέιν χαμογέλασε χαρούμενα στον Άρο. «Ναι, Κύριε;»

Ο Έντουαρντ γρύλιζε πραγματικά τώρα, με τον ήχο να βγαίνει βίαια από μέσα του σαν ορυμαγδός, ενώ ταυτόχρονα αγριοκοίταζε τον Άρο με εχθρικά μάτια. Στο δωμάτιο υπήρχε απόλυτη ησυχία, καθώς όλοι τον παρακολουθούσαν έκπληκτοι και δύσπιστοι, σαν να έκανε κάποιο εξευτελιστικό ατόπημα όσον αφορά την κοινωνική συμπεριφορά. Είδα τον Φέλιξ να χαμογελάει γεμάτος ελπίδα και να πηγαίνει ένα βήμα μπροστά. Ο Άρο του έριξε μια γρήγορη ματιά, κι εκείνος κοκάλωσε εκεί ακριβώς που ήταν, ενώ το χαμόγελό του έγινε μια χολωμένη έκφραση.

Μετά μίλησε στην Τζέιν. «Αναρωτιόμουν, αγαπητή μου, αν η Μπέλλα έχει ανοσία και σ' *εσένα*».

Μετά βίας άκουγα τον Άρο πάνω από τα έξαλλα από οργή γρυλίσματα του Έντουαρντ. Με άφησε για να μετακινηθεί μπροστά μου και να με κρύβει από το οπτικό τους πεδίο. Ο Κάιος κινήθηκε σαν φάντασμα προς την κατεύθυνσή μας μαζί με τη συνοδεία του για να παρακολουθήσει.

Η Τζέιν στράφηκε προς εμάς με ένα μακάριο χαμόγελο.

«Όχι!» φώναξε η Άλις, καθώς ο Έντουαρντ όρμησε στο μικρόσωμο κορίτσι.

Πριν προλάβω να αντιδράσω, πριν οι σωματοφύλακες του Άρο προλάβουν να τσιτωθούν, ο Έντουαρντ ήταν στο πάτωμα.

Κανένας δεν τον είχε ακουμπήσει, όμως ήταν πεσμένος στο πέτρινο πάτωμα σφαδάζοντας από το φανερό μαρτύριο, ενώ εγώ κοίταζα έντρομη.

Η Τζέιν χαμογελούσε μόνο σ' εκείνον τώρα, και τότε συμπληρώθηκαν όλα τα κομμάτια του παζλ. Αυτό που είχε πει η Άλις για τα *ανυπέρβλητα χαρίσματα*, γιατί όλοι συμπεριφέρονταν στην Τζέιν με τέτοιο σεβασμό, και γιατί ο Έντουαρντ είχε ορμήσει μπροστά της, πριν αυτή προλάβει να το κάνει σ' εμένα αυτό.

«Σταμάτα!» τσίριξα, με τη φωνή μου να αντηχεί μέσα στη σιωπή, πηδώντας μπροστά για να μπω ανάμεσά τους. Αλλά η Άλις όρμησε να με πιάσει κρατώντας με σφιχτά σε μια αγκαλιά, απ' όπου δεν μπορούσα να δραπετεύσω, και αγνόησε τις προσπάθειές μου. Κανένας ήχος δεν ξέφυγε από τα χείλη του

Έντουαρντ, καθώς ήταν κουλουριασμένος πάνω στις πέτρες. Ένιωθα το κεφάλι μου έτοιμο να εκραγεί στον πόνο αυτού του θεάματος.

«Τζέιν», την επανέφερε ο Άρο στην τάξη με μια ήρεμη φωνή. Εκείνη σήκωσε γρήγορα το βλέμμα της επάνω, ακόμα χαμογελώντας ευχάριστα, με μάτια ερωτηματικά. Αμέσως μόλις η Τζέιν κοίταξε αλλού, ο Έντουαρντ έμεινε ακίνητος.

Ο Άρο έγειρε το κεφάλι του προς εμένα.

Η Τζέιν έστρεψε το χαμόγελό της στη δική μου κατεύθυνση.

Το βλέμμα μου δε διασταυρώθηκε καν με το δικό της. Κοίταζα τον Έντουαρντ από τη φυλακή της αγκαλιάς της Άλις, ακόμα πασχίζοντας μάταια.

«Είναι καλά», ψιθύρισε η Άλις με σφιγμένη φωνή. Καθώς μιλούσε, εκείνος ανασηκώθηκε καθιστός και μετά σηκώθηκε όρθιος μ' ένα ελαφρύ αναπήδημα. Τα μάτια του συνάντησαν τα δικά μου και ήταν γεμάτα φρίκη. Στην αρχή, νόμιζα ότι η φρίκη ήταν γι' αυτό που μόλις είχε περάσει. Αλλά μετά κοίταξε γρήγορα την Τζέιν, και πάλι εμένα –και το πρόσωπό του χαλάρωσε ανακουφισμένο.

Κοίταξα κι εγώ την Τζέιν, και δε χαμογελούσε πια. Με κοίταζε βλοσυρά, με το σαγόνι της σφιγμένο από την ένταση της εστίασής της. Μαζεύτηκα πίσω περιμένοντας τον πόνο.

Τίποτα δεν έγινε.

Ο Έντουαρντ βρέθηκε πλάι μου ξανά. Άγγιξε το μπράτσο της Άλις κι εκείνη με παρέδωσε σ' αυτόν.

Ο Άρο άρχισε να γελά. «Χα, χα, χα», γέλασε πνιχτά. «Αυτό είναι εξαίσιο!»

Η Τζέιν έβγαλε ένα σύριγμα απογοητευμένη, γέρνοντας προς τα μπρος σαν να ετοιμαζόταν να πηδήξει.

«Μη στενοχωριέσαι, αγαπητή μου», είπε ο Άρο με παρηγορητικό τόνο, ακουμπώντας ένα πανάλαφρο σαν σκόνη χέρι πάνω στον ώμο της. «Μας αποστομώνει όλους».

Το πάνω χείλος της Τζέιν κύρτωσε προς τα πίσω πάνω από τα δόντια της, καθώς συνέχιζε να με αγριοκοιτάζει.

«Χα, χα, χα», κάγχασε ξανά ο Άρο. «Είσαι πολύ γενναίος, Έντουαρντ, που υπέφερες σιωπηλά. Ζήτησα από την Τζέιν να μου το κάνει αυτό κι εμένα κάποτε –από περιέργεια». Κούνησε το κεφάλι του με θαυμασμό.

Ο Έντουαρντ τον κοίταξε βλοσυρά με αηδία.

«Λοιπόν, τι θα κάνουμε μ' εσάς τώρα;» είπε αναστενάζοντας ο Άρο.

Ο Έντουαρντ κι η Άλις έγιναν άκαμπτοι. Αυτό ήταν που περίμεναν. Άρχισα να τρέμω.

«Δε φαντάζομαι ότι υπάρχει καμία περίπτωση να άλλαξες γνώμη;» ρώτησε ο Άρο τον Έντουαρντ γεμάτος ελπίδες. «Το ταλέντο σου θα ήταν ένα εξαιρετικό ατού για τη μικρή μας συντροφιά».

Ο Έντουαρντ δίστασε. Από την άκρη του ματιού μου, είδα και τον Φέλιξ και την Τζέιν να κάνουν ένα μορφασμό.

Ο Έντουαρντ φάνηκε να ζυγίζει κάθε λέξη πριν την ξεστομίσει. «Θα... προτιμούσα... όχι».

«Άλις;» ρώτησε ο Άρο, ακόμα ελπίζοντας. «Θα ενδιαφερόσουν ίσως εσύ να μείνεις μαζί μας;»

«Όχι, ευχαριστώ», είπε η Άλις.

«Κι εσύ, Μπέλλα;» ο Άρο σήκωσε τα φρύδια του.

Ο Έντουαρντ σύριξε χαμηλόφωνα μέσα στα αυτιά μου. Εγώ κοίταξα τον Άρο ανέκφραστη. Έκανε πλάκα; Ή με ρωτούσε στ' αλήθεια αν ήθελα να μείνω για βραδινό;

Αυτός που έσπασε τη σιωπή ήταν ο ασπρομάλλης Κάιος.

«Τι;» απαίτησε να μάθει, και η φωνή του αν και δεν ήταν τίποτα περισσότερο από ένας ψίθυρος ήταν ανέκφραστη.

«Κάιε, σίγουρα βλέπεις τις προοπτικές», τον επιτίμησε τρυφερά ο Άρο. «Δεν έχω δει επίδοξο ταλέντο τόσο πολλά υποσχόμενο από τότε που βρήκαμε την Τζέιν και τον Άλεκ. Μπορείς να φανταστείς τις δυνατότητες, όταν θα γίνει μια από μας;»

Ο Κάιος κοίταξε από την άλλη μεριά με μια σαρκαστική έκφραση. Τα μάτια της Τζέιν έλαμψαν από θυμό για τη σύγκριση.

Ο Έντουαρντ άφριζε δίπλα μου. Άκουγα ένα βροντερό ήχο μέσα στο στήθος του να φουντώνει, για να βγει ένα γρύλισμα. Δεν μπορούσα να αφήσω το οξύθυμο πνεύμα του να του κάνει κακό.

«Όχι, ευχαριστώ», είπα με φωνή που μετά βίας ήταν λίγο πιο δυνατή από έναν ψίθυρο, ενώ έσπασε από τον τρόμο.

Ο Άρο αναστέναξε. «Πολύ κρίμα. Τέτοια σπατάλη».

Ο Έντουαρντ σύριξε. «Μείνε μαζί μας ή αλλιώς θα πεθάνεις, έτσι; Το υποπτευόμουν αυτό, όταν μας έφεραν σ' *αυτό* το δωμάτιο. Κρίμα τους νόμους σας!»

Ο τόνος της φωνής του με εξέπληξε. Ακουγόταν εξοργισμένος, αλλά υπήρχε κάτι σκόπιμο στην εκφορά του λόγου του –σαν να είχε διαλέξει τις λέξεις του με μεγάλη φροντίδα.

«Φυσικά και όχι». Ο Άρο ανοιγόκλεισε τα μάτια, σαστισμένος. «Είχαμε ήδη συγκεντρωθεί εδώ, Έντουαρντ, περιμένοντας την επιστροφή της Χάιντι. Όχι για σένα».

«Άρο», είπε ο Κάιος μέσα από τα δόντια του. «Ο νόμος έχει δικαίωμα πάνω τους».

Ο Έντουαρντ κοίταξε βλοσυρά τον Κάιο. «Γιατί;» απαίτησε να μάθει. Πρέπει να ήξερε τι σκεφτόταν ο Κάιος, αλλά φαινόταν αποφασισμένος να τον κάνει να μιλήσει δυνατά.

Ο Κάιος έδειξε με ένα σκελετώδες δάχτυλο προς εμένα. «Ξέρει πάρα πολλά. Έχεις εκθέσει τα μυστικά μας». Η φωνή του ήταν λεπτή σαν χαρτί, όπως και το δέρμα του.

«Υπάρχουν και εδώ πέρα μερικοί άνθρωποι που συμμετέχουν στην κωμωδία σας», του υπενθύμισε ο Έντουαρντ, κι εγώ σκέφτηκα την όμορφη ρεσεψιονίστ κάτω.

Το πρόσωπο του Κάιου συσπάστηκε και πήρε μια καινούρια έκφραση. Υποτίθεται ότι ήταν χαμόγελο;

«Ναι», συμφώνησε. «Αλλά όταν δε μας είναι πια χρήσιμοι, τότε θα τους χρησιμοποιήσουμε για την επιβίωσή μας. Δεν είναι αυτό το σχέδιό σου για τη συγκεκριμένη. Αν προδώσει τα μυστικά μας, είσαι προετοιμασμένος να την καταστρέψεις; Νομίζω πως όχι», είπε κοροϊδευτικά.

«Δε θα–», πήγα να πω ακόμα ψιθυρίζοντας. Ο Κάιος με έκανε να σιωπήσω με ένα παγερό βλέμμα.

«Ούτε και σκοπεύεις να την κάνεις μια από μας», συνέχισε ο Κάιος. «Κατά συνέπεια, είναι ένα τρωτό σημείο. Αν και πράγματι, γι' αυτό το λόγο, μόνο *η δική της* ζωή είναι το τίμημα που πρέπει να πληρώσεις ως ποινή. Εσύ μπορείς να φύγεις, αν θέλεις».

Ο Έντουαρντ ξεγύμνωσε τα δόντια του.

«Όπως το φαντάστηκα», είπε ο Κάιος με κάτι που συγγένευε με ευχαρίστηση. Ο Φέλιξ έγειρε προς τα μπρος, γεμάτος ενθουσιασμό.

«Εκτός και αν...» διέκοψε ο Άρο. Δε φαινόταν καθόλου χαρούμενος με την πορεία που είχε πάρει η συζήτηση. «Εκτός και αν σκοπεύεις να της χαρίσεις αθανασία;»

Ο Έντουαρντ σούφρωσε τα χείλη του, διστάζοντας για μια στιγμή πριν απαντήσει. «Κι αν το σκοπεύω;»

Ο Άρο χαμογέλασε, χαρούμενος ξανά. «Ε, τότε θα ήσουν ελεύθερος να γυρίσεις σπίτι και να δώσεις τους χαιρετισμούς μου στο φίλο μου τον Κάρλαϊλ». Η έκφρασή του έγινε πιο διστακτική. «Αλλά φοβάμαι ότι πρέπει να το εννοείς».

Ο Άρο σήκωσε το χέρι του μπροστά του.

Ο Κάιος, που είχε αρχίσει να συνοφρυώνεται οργισμένος, χαλάρωσε.

Τα χείλη του Έντουαρντ έσφιξαν σε μια άγρια γραμμή. Κοίταξε μέσα στα μάτια μου, κι εγώ του ανταπόδωσα το βλέμμα.

«Να το εννοείς», ψιθύρισα. «Σε παρακαλώ».

Ήταν στ' αλήθεια τόσο αποκρουστική ιδέα; Θα προτιμούσε να πεθάνει παρά να με μεταμορφώσει; Ένιωθα σαν να είχα φάει κλοτσιά στο στομάχι.

Ο Έντουαρντ με κοίταζε με μια βασανισμένη έκφραση.

Και τότε η Άλις απομακρύνθηκε από μας πηγαίνοντας μπροστά προς τον Άρο. Το χέρι της ήταν σηκωμένο, όπως και το δικό του.

Δεν είπε τίποτα, κι ο Άρο έκανε μια χειρονομία προς την ανήσυχη φρουρά του για να απομακρυνθεί, καθώς ήρθε για να εμποδίσει την Άλις να πλησιάσει. Ο Άρο τη συνάντησε στη μέση και έπιασε το χέρι της με μια ενθουσιώδη, κτητική λάμψη στο βλέμμα του.

Έσκυψε το κεφάλι του πάνω από τα χέρια τους που αγγίζονταν, κλείνοντας τα μάτια του καθώς συγκεντρωνόταν. Η Άλις ήταν ακίνητη, το πρόσωπό της ανέκφραστο. Άκουσα τα δόντια του Έντουαρντ να κλείνουν απότομα.

Κανείς δεν κουνιόταν. Ο Άρο έμοιαζε παγωμένος πάνω από το χέρι της Άλις. Τα δευτερόλεπτα περνούσαν, κι εγώ είχα όλο και περισσότερο άγχος, καθώς αναρωτιόμουν πόση ώρα θα περνούσε, ώσπου να θεωρηθεί ότι είχε περάσει *πάρα* πολλή ώρα. Ώσπου να σημαίνει ότι κάτι δεν πήγαινε καλά –ακόμα χειρότερα απ' ό,τι ήταν ήδη τα πράγματα.

Άλλη μια στιγμή γεμάτη άγχος πέρασε, και μετά η φωνή του Άρο έσπασε τη σιωπή.

«Χα, χα, χα», γέλασε, με το κεφάλι του σκυμμένο ακόμα μπροστά. Σήκωσε αργά το βλέμμα του, με μάτια που έλαμπαν από τον ενθουσιασμό. «Αυτό ήταν *συναρπαστικό!*»

Η Άλις χαμογέλασε ξερά. «Χαίρομαι που το απόλαυσες!»

«Το να βλέπω πράγματα που έχεις δει –ειδικά όσα δεν έχουν συμβεί ακόμα!» Κούνησε το κεφάλι του με θαυμασμό.

«Αυτό όμως θα συμβεί», του υπενθύμισε εκείνη, με φωνή ψύχραιμη.

«Ναι, ναι, είναι προαποφασισμένο. Φυσικά δεν υπάρχει κανένα πρόβλημα».

Ο Κάιος έμοιαζε πικρά απογοητευμένος –ένα συναίσθημα

που φαινόταν να μοιράζεται με τον Φέλιξ και την Τζέιν.

«Άρο», διαμαρτυρήθηκε ο Κάιος.

«Αγαπητέ μου Κάιε», χαμογέλασε ο Άρο. «Μην ανησυχείς. Σκέψου τις δυνατότητες! Δεν έρχονται μαζί μας σήμερα, αλλά πάντα μπορούμε να ελπίζουμε ότι θα γίνει στο μέλλον. Φαντάσου τη χαρά που και μόνο η νεαρή Άλις θα έφερνε στο μικρό μας σπιτικό… Εξάλλου, είμαι τόσο τρομερά περίεργος να δω πώς θα εξελιχθεί η Μπέλλα!»

Ο Άρο έμοιαζε να έχει πειστεί. Δεν καταλάβαινε πόσο υποκειμενικά ήταν τα οράματα της Άλις; Ότι μπορούσε να αποφασίσει να με μεταμορφώσει σήμερα και αύριο να αλλάξει γνώμη; Ένα εκατομμύριο μικρές αποφάσεις, οι δικές της αποφάσεις και τόσων πολλών άλλων, επίσης –του Έντουαρντ– θα μπορούσαν να αλλάξουν το δρόμο της και, μαζί με αυτόν, το μέλλον.

Και θα είχε στ' αλήθεια σημασία ότι η Άλις ήταν πρόθυμη, θα έπαιζε ρόλο αν *πράγματι* γινόμουν βρικόλακας, όταν η ιδέα ήταν τόσο αποκρουστική στον Έντουαρντ; Αν ο θάνατος ήταν γι' αυτόν μια καλύτερη εναλλακτική λύση από το να με έχει κοντά του για πάντα, μια αθάνατη ενόχληση; Όσο τρομοκρατημένη κι αν ήμουν, ένιωσα τον εαυτό μου να βουλιάζει στην κατάθλιψη, να πνίγεται μέσα της…

«Τότε είμαστε ελεύθεροι να φύγουμε τώρα;» ρώτησε ο Έντουαρντ με σταθερή φωνή.

«Ναι, ναι», είπε ευχάριστα ο Άρο. «Αλλά σας παρακαλώ να μας επισκεφθείτε ξανά. Είναι εντελώς μαγευτικό!»

«Και θα σας επισκεφτούμε κι εμείς», υποσχέθηκε ο Κάιος, με μάτια ξαφνικά μισόκλειστα σαν τα βαριά βλέφαρα μιας σαύρας. «Για να βεβαιωθούμε ότι θα τηρήσετε τη συμφωνία μας από την πλευρά σας. Αν ήμουν στη θέση σας, δε θα καθυστερούσα πολύ. Δε δίνουμε δεύτερες ευκαιρίες».

Το σαγόνι του Έντουαρντ σφίχτηκε, αλλά έγνεψε μια φορά.

Ο Κάιος χαμογέλασε αυτάρεσκα και γύρισε πίσω εκεί όπου καθόταν ακόμα ο Μάρκος, χωρίς να κουνιέται και χωρίς να δείχνει το παραμικρό ενδιαφέρον.

Ο Φέλιξ έβγαλε ένα βογκητό.

«Α, Φέλιξ». Ο Άρο χαμογέλασε, βρίσκοντάς το διασκεδαστικό. «Η Χάιντι θα είναι εδώ από στιγμή σε στιγμή. Υπομονή».

«Χμμμ». Η φωνή του Έντουαρντ είχε μια καινούρια νευρικότητα. «Σ' αυτή την περίπτωση, ίσως είναι καλύτερα να φύγουμε τώρα παρά αργότερα».

«Ναι», συμφώνησε ο Άρο. «Καλή ιδέα. *Συμβαίνουν* και ατυχήματα. Ωστόσο, θα σας παρακαλούσα να περιμένετε κάτω μέχρι να σκοτεινιάσει, αν δε σας πειράζει».

«Φυσικά», συμφώνησε ο Έντουαρντ, ενώ εγώ ζάρωσα από το φόβο στη σκέψη του να περιμένω μέχρι να τελειώσει η μέρα, πριν μπορέσουμε να ξεφύγουμε.

«Και ορίστε», πρόσθεσε ο Άρο, κάνοντας μια χειρονομία στον Φέλιξ με το ένα δάχτυλο. Ο Φέλιξ ήρθε μπροστά αμέσως, κι ο Άρο έλυσε το γκρίζο μανδύα που φορούσε ο τεράστιος βρικόλακας, τραβώντας τον από τους ώμους του. Τον πέταξε στον Έντουαρντ. «Πάρε αυτό. Τραβάς λιγάκι την προσοχή».

Ο Έντουαρντ φόρεσε το μανδύα αφήνοντας κάτω την κουκούλα.

Ο Άρο αναστέναξε. «Σου πάει».

Ο Έντουαρντ γέλασε πνιχτά, αλλά σταμάτησε ξαφνικά, κοιτάζοντας πάνω από τον ώμο του. «Σ' ευχαριστώ, Άρο. Θα περιμένουμε κάτω».

«Αντίο, νεαροί μου φίλοι», είπε ο Άρο, με μάτια λαμπερά, καθώς κοίταξε προς την ίδια κατεύθυνση.

«Πάμε», είπε ο Έντουαρντ με επείγοντα τόνο τώρα.

Ο Ντιμίτρι έκανε μια χειρονομία που έδειχνε ότι έπρεπε να ακολουθήσουμε και μετά ξεκίνησε προς την ίδια κατεύθυνση απ' όπου είχαμε έρθει, προς τη μοναδική έξοδο όπως φαινόταν.

Ο Έντουαρντ με τράβηξε γρήγορα μαζί του. Η Άλις ήταν κοντά μου από την άλλη μεριά, με πρόσωπο σκληρό.

«Όχι αρκετά γρήγορα», μουρμούρισε.

Σήκωσα το βλέμμα μου για να την κοιτάξω φοβισμένη, αλλά εκείνη έμοιαζε απλώς στενοχωρημένη. Τότε ήταν που άκουσα πρώτη φορά την ακατάληπτη ομιλία των φωνών –δυνατών, τραχιών φωνών– που έρχονταν από τον προθάλαμο.

«Λοιπόν, αυτό είναι ασυνήθιστο», είπε η τραχιά φωνή ενός άντρα με βροντερό ήχο.

«Τόσο μεσαιωνικό», ανταποκρίθηκε σαν χείμαρρος μια δυσάρεστα οξεία γυναικεία φωνή.

Ένα μεγάλο πλήθος έμπαινε από τη μικρή πόρτα, γεμίζοντας το μικρότερο πέτρινο θάλαμο. Ο Ντιμίτρι μας έκανε νόημα να κάνουμε άκρη. Στριμωχτήκαμε πάνω στον κρύο τοίχο για να τους αφήσουμε να περάσουν.

Το ζευγάρι μπροστά, ακούγονταν σαν Αμερικάνοι, κοίταζαν γύρω-γύρω με βλέμμα που εκτιμούσε την αξία του χώρου.

«Καλώς ήρθατε αγαπητοί επισκέπτες! Καλώς ήρθατε στη Βολτέρα!» άκουσα τον Άρο να τραγουδά από το μεγάλο δωμάτιο του πυργίσκου.

Οι υπόλοιποι, μπορεί σαράντα ή και περισσότεροι, μπήκαν μέσα μετά το ζευγάρι. Μερικοί περιεργάζονταν το χώρο σαν τουρίστες. Μερικοί έβγαζαν ακόμα και φωτογραφίες. Άλλοι έμοιαζαν να είναι μπερδεμένοι, λες και το παραμύθι που τους είχε οδηγήσει σ' αυτό το δωμάτιο δεν είχε λογική πια. Παρατήρησα μια μικρόσωμη, μελαχρινή γυναίκα συγκεκριμένα. Γύρω από το λαιμό της κρεμόταν ένα κομποσκοίνι, και κρατούσε σφιχτά το σταυρό στο ένα της χέρι. Περπατούσε πιο αργά από τους άλλους, πού και πού αγγίζοντας κάποιον και ρωτώντας κάτι σε μια άγνωστη γλώσσα. Κανένας δε φαινόταν να την καταλαβαίνει, και η φωνή της γινόταν όλο και πιο πανικόβλητη.

Ο Έντουαρντ τράβηξε το πρόσωπό μου στο στήθος του, αλλά ήταν πολύ αργά. Ήδη είχα καταλάβει.

Μόλις εμφανίστηκε το μικρότερο κενό, ο Έντουαρντ με έσπρωξε γρήγορα προς την πόρτα. Ένιωθα την έκφραση φρίκης στο πρόσωπό μου και τα δάκρυα που άρχιζαν να μαζεύονται στα μάτια μου.

Ο περίτεχνος χρυσός διάδρομος ήταν ήσυχος, άδειος εκτός από μια μοναδική υπέροχη γυναίκα σαν άγαλμα. Μας κοίταξε με περιέργεια, ειδικά εμένα.

«Καλωσήρθες, Χάιντι», τη χαιρέτησε ο Ντιμίτρι από πίσω μας.

Η Χάιντι χαμογέλασε αφηρημένα. Μου θύμιζε τη Ρόζαλι, αν και δεν έμοιαζαν καθόλου –απλώς και η δική της ομορφιά ήταν εξαιρετική, αξέχαστη. Ήμουν σαν να μην μπορούσα να πάρω τα μάτια μου από πάνω της.

Ήταν ντυμένη έτσι που να τονίζεται η ομορφιά της. Τα απίστευτα μακριά της πόδια, που αναδείκνυε ένα σκούρο καλσόν, ήταν εκτεθειμένα καθώς φορούσε μια παρά πολύ κοντή μίνι φούστα. Το μπλουζάκι της ήταν μακρυμάνικο και με ψηλό γιακά, αλλά ήταν πολύ κολλητό και ήταν από κόκκινο βινύλιο. Τα μακριά μαονένια μαλλιά της ήταν γυαλιστερά, και τα μάτια της είχαν την πιο παράξενη απόχρωση του βιολετί –ένα χρώμα που μπορεί να είχε δημιουργηθεί από μπλε φακούς επαφής πάνω σε κόκκινες ίριδες.

«Ντιμίτρι», απάντησε με μια μεταξένια φωνή, καθώς τα μάτια της τρεμόπαιξαν ανάμεσα στο δικό μου πρόσωπο και τον γκρίζο μανδύα του Έντουαρντ.

«Ωραία ψαριά», την επαίνεσε ο Ντιμίτρι, κι εγώ ξαφνικά κατάλαβα τη σημασία του συγκεκριμένου ντυσίματος που τραβούσε τόσο την προσοχή... δεν ήταν μόνο ο ψαράς, αλλά ταυτόχρονα και το δόλωμα.

«Ευχαριστώ». Έριξε ένα εντυπωσιακό χαμόγελο. «Δε θα

έρθεις;»

«Σε ένα λεπτό. Κρατήστε μερικούς και για μένα».

Η Χάιντι έγνεψε και έσκυψε για να περάσει την πόρτα με ένα τελευταίο βλέμμα γεμάτο περιέργεια προς εμένα.

Ο Έντουαρντ έθεσε ένα ρυθμό που εγώ έπρεπε να τρέχω, για να συμβαδίσω μαζί του. Αλλά και πάλι, δεν μπορέσαμε να περάσουμε την περίτεχνη πόρτα στο τέλος του διαδρόμου, πριν ξεκινήσουν τα ουρλιαχτά.

22. ΦΥΓΗ

Ο Ντιμίτρι μας άφησε στην ευχάριστα πολυτελή υποδοχή, όπου η γυναίκα που την έλεγαν Τζιάνα ήταν ακόμα στη θέση της, πίσω από το γυαλιστερό πάγκο. Χαρούμενη, αθώα μουσική αντηχούσε από κρυμμένα μεγάφωνα.

«Μη φύγετε πριν σκοτεινιάσει», μας προειδοποίησε εκείνος.

Ο Έντουαρντ έγνεψε καταφατικά, κι ο Ντιμίτρι έφυγε βιαστικά.

Η Τζιάνα δε φάνηκε να εκπλήσσεται καθόλου από την ανταλλαγή αυτή, αν και κοίταξε το δανεικό μανδύα του Έντουαρντ κάνοντας υποθέσεις.

«Είσαι καλά;» με ρώτησε ο Έντουαρντ μέσα από τα δόντια του, τόσο χαμηλόφωνα που δε θα μπορούσε να ακούσει η γυναίκα που ήταν απλά άνθρωπος. Η φωνή του ήταν τραχιά – αν είναι δυνατόν το βελούδο να είναι τραχύ– από την αγωνία. Ακόμα ήταν αγχωμένος με την κατάστασή μας, φαντάστηκα.

«Καλύτερα να τη βάλεις να κάτσει πριν πέσει», είπε η Άλις. «Θα καταρρεύσει».

Μόνο τότε συνειδητοποίησα ότι έτρεμα, ταρακουνιόμουν βίαια, ολόκληρος ο σκελετός μου δονείτο, μέχρι που τα δόντια μου έτριζαν, και το δωμάτιο γύρω μου έμοιαζε να κλυδωνίζεται και να θολώνει στα μάτια μου. Για ένα τρελό δευτερόλεπτο, αναρωτήθηκα αν έτσι ένιωθε ο Τζέικομπ πριν εκραγεί και μεταμορφωθεί σε λύκο.

Άκουγα έναν ήχο που δεν έβγαζε νόημα, έναν παράξενο βίαιο ήχο που ακουγόταν παράλληλα με τον κατά τα άλλα πρόσχαρο ήχο της μουσικής στο βάθος. Αποπροσανατολισμένη από το τρέμουλο, δεν μπορούσα να καταλάβω από πού ερχόταν.

«Σσς, Μπέλλα, σσς», είπε ο Έντουαρντ, καθώς με τράβηξε στον καναπέ μακριά από τη γεμάτη περιέργεια γυναίκα στο γραφείο.

«Νομίζω ότι παθαίνει κρίση υστερίας. Ίσως πρέπει να τη χαστουκίσεις», πρότεινε η Άλις.

Ο Έντουαρντ της έριξε ένα έξαλλο βλέμμα.

Τότε κατάλαβα. Ω. Ο θόρυβος ήταν από μένα. Ο βίαιος ήχος ήταν οι λυγμοί που έβγαιναν από το στήθος μου. Αυτό με ταρακουνούσε.

«Όλα είναι εντάξει, είσαι ασφαλής, όλα είναι εντάξει», μου έλεγε τραγουδιστά ξανά και ξανά. Με τράβηξε στην αγκαλιά του και τύλιξε το χοντρό μάλλινο μανδύα του γύρω μου, προστατεύοντάς με από το κρύο του δέρμα.

Ήξερα ότι ήταν ανόητο που αντιδρούσα έτσι. Ποιος ξέρει πόσο καιρό είχα ακόμα στη διάθεσή μου για να κοιτάζω το πρόσωπό του; Είχε σωθεί, και είχα σωθεί κι εγώ, και θα μπορούσε να με αφήσει αμέσως μόλις θα ήμασταν ελεύθεροι. Το να έχω τα μάτια μου τόσο πολύ γεμάτα με δάκρυα, ώστε να μην μπορώ να δω τα χαρακτηριστικά του ήταν σπατάλη –ήταν τρέλα.

Αλλά, πίσω από τα μάτια μου, όπου τα δάκρυα δεν μπορούσαν να ξεπλύνουν την εικόνα, έβλεπα ακόμα το πανικόβλητο πρόσωπο της μικροσκοπικής γυναίκας με το κομποσκοίνι.

«Όλοι εκείνοι οι άνθρωποι», είπα με λυγμούς.

«Το ξέρω», ψιθύρισε εκείνος.

«Είναι φρικτό».

«Ναι, πράγματι. Μακάρι να μη χρειαζόταν να το δεις αυτό».

Ακούμπησα το κεφάλι μου πάνω στο ψυχρό του στήθος, χρησιμοποιώντας το χοντρό μανδύα για να σκουπίσω τα μάτια μου. Πήρα μερικές βαθιές ανάσες προσπαθώντας να ηρεμήσω.

«Υπάρχει κάτι που να μπορώ να σας φέρω;» ρώτησε μια φωνή ευγενικά. Ήταν η Τζιάνα που έσκυβε πάνω από τον ώμο του Έντουαρντ, με ένα βλέμμα που ήταν και ανήσυχο κι όμως ταυτόχρονα ακόμα επαγγελματικό και απόμακρο. Δε φαινόταν να την ενοχλεί που το πρόσωπό της ήταν μόλις μερικούς πόντους μακριά από έναν εχθρικό βρικόλακα. Ήταν είτε τελείως ανυποψίαστη, είτε πολύ καλή στη δουλειά της.

«Όχι», απάντησε ο Έντουαρντ ψυχρά.

Εκείνη έγνεψε, μου χαμογέλασε και μετά εξαφανίστηκε.

Περίμενα ώσπου να βρεθεί σε αρκετή απόσταση για να μην ακούει. «Ξέρει τι συμβαίνει εδώ πέρα;» απαίτησα να μάθω με φωνή χαμηλή και βραχνή. Είχα αρχίσει να αποκτώ ξανά τον έλεγχο του εαυτού μου, ενώ η ανάσα μου έβγαινε πιο ρυθμική.

«Ναι. Ξέρει τα πάντα», μου είπε ο Έντουαρντ.

«Ξέρει ότι κάποια μέρα πρόκειται να τη σκοτώσουν;»

«Ξέρει ότι είναι μια πιθανότητα», είπε.

Αυτό με ξάφνιασε.

Το πρόσωπο του Έντουαρντ ήταν δύσκολο να διαβαστεί. «Ελπίζει ότι θα αποφασίσουν να την κρατήσουν».

Ένιωσα το αίμα να φεύγει από το κεφάλι μου. «Θέλει να γίνει μια απ' αυτούς;»

Κούνησε μία φορά το κεφάλι του, ενώ τα μάτια του κοίταζαν διαπεραστικά το πρόσωπό μου, για να δουν την αντίδρασή μου.

Με διαπέρασε ένα ρίγος. «Πώς μπορεί να το θέλει αυτό;» ψιθύρισα περισσότερο στον εαυτό μου παρά ψάχνοντας μια απάντηση στ' αλήθεια. «Πώς μπορεί να βλέπει όλους εκείνους τους ανθρώπους να μπαίνουν με τη σειρά μέσα σ' εκείνο το απαίσιο δωμάτιο και να θέλει να συμμετέχει σε κάτι *τέτοιο;*»

Ο Έντουαρντ δεν απάντησε. Η έκφρασή του συσπάστηκε από κάτι που είπα.

Καθώς κοίταζα το πανέμορφο πρόσωπό του, προσπαθώντας να καταλάβω την αλλαγή, ξαφνικά σκέφτηκα ότι ήμουν πράγματι εδώ, στην αγκαλιά του Έντουαρντ, όσο παροδικό κι αν ήταν αυτό, και ότι δεν ήμασταν –εκείνη ακριβώς τη στιγμή– στα πρόθυρα του να μας σκοτώσουν.

«Ω, Έντουαρντ», φώναξα, κι έκλαιγα πάλι με λυγμούς. Ήταν μια τόσο ανόητη αντίδραση. Τα δάκρυα ήταν πολύ χοντρά, ώστε να μπορώ να δω πάλι το πρόσωπό του, κι αυτό ήταν αδικαιολόγητο. Μου έμενε χρόνος μόνο μέχρι το ηλιοβασίλεμα χωρίς αμφιβολία. Σαν παραμύθι ξανά με χρονικά όρια που θα έδιναν το τέλος στη μαγεία.

«Τι συμβαίνει;» ρώτησε εκείνος ακόμα αγχωμένος, τρίβοντας την πλάτη μου με απαλά χτυπηματάκια.

Τύλιξα τα χέρια μου γύρω από το λαιμό του –ποιο ήταν το χειρότερο που θα μπορούσε να κάνει; Απλώς να με διώξει μακριά– και σφίχτηκα πιο κοντά του. «Είναι στ' αλήθεια αρρωστημένο που είμαι ευτυχισμένη αυτή τη στιγμή;» ρώτησα. Η φωνή μου έσπασε δυο φορές.

Δε με έδιωξε μακριά. Με τράβηξε σφιχτά πάνω στο σκληρό σαν πάγος στήθος του, τόσο σφιχτά που ήταν δύσκολο να ανασάνω, ακόμα και με τα πνευμόνια μου ανέπαφα, χωρίς κίνδυνο. «Ξέρω ακριβώς τι εννοείς», ψιθύρισε. «Αλλά έχουμε πολλούς λόγους να είμαστε ευτυχισμένοι. Κατά πρώτον, είμαστε ζωντανοί».

«Ναι», συμφώνησα. «Αυτός είναι ένας καλός λόγος».

«Και μαζί», ψιθύρισε αναστενάζοντας. Η ανάσα του ήταν τόσο γλυκιά που με ζάλισε.

Εγώ απλώς κούνησα το κεφάλι μου, βέβαιη ότι για κείνον αυτή η σκέψη δεν είχε το ίδιο βάρος όσο για μένα.

«Και, με λίγη τύχη, θα είμαστε ακόμα ζωντανοί αύριο».

«Ας ελπίσουμε», είπα άβολα.

«Η προοπτική είναι αρκετά καλή», με διαβεβαίωσε η Άλις. Είχε μείνει τόσο σιωπηλή, που σχεδόν είχα ξεχάσει την παρουσία της. «Θα δω τον Τζάσπερ σε λιγότερο από είκοσι τέσσερις ώρες», πρόσθεσε με ικανοποίηση.

Τυχερή Άλις. Μπορούσε να έχει εμπιστοσύνη στο μέλλον της.

Δεν μπορούσα να πάρω τα μάτια μου από το πρόσωπο του Έντουαρντ για πολλή ώρα. Είχα καρφώσει το βλέμμα μου πάνω του, ενώ ευχόμουν περισσότερο από οτιδήποτε άλλο ότι το μέλλον δε θα συνέβαινε ποτέ. Ότι αυτή η στιγμή θα κρατούσε για πάντα, ή, αν δε γινόταν αυτό, ότι θα σταματούσα να υπάρχω, όταν θα τελείωνε.

Ο Έντουαρντ με κοίταζε κι αυτός με τα σκούρα του μάτια απαλά, και ήταν εύκολο να προσποιηθώ ότι ένιωθε κι εκείνος όπως κι εγώ. Αυτό έκανα, λοιπόν. Προσποιήθηκα για να κάνω τη στιγμή πιο γλυκιά.

Οι άκρες των δαχτύλων του άγγιξαν τους κύκλους κάτω από τα μάτια μου. «Φαίνεσαι τόσο κουρασμένη».

«Κι εσύ φαίνεσαι διψασμένος», του ψιθύρισα παρατηρώντας τους μοβ μώλωπες κάτω από τις μαύρες του ίριδες.

Σήκωσε τους ώμους του. «Δεν είναι τίποτα».

«Είσαι σίγουρος; Μπορώ να κάτσω δίπλα στην Άλις», προσφέρθηκα απρόθυμα· θα προτιμούσα να με σκότωνε τώρα αντί να μετακινηθώ έστω κι ένα εκατοστό από εκεί που ήμουν.

«Μην είσαι ανόητη». Αναστέναξε· η γλυκιά του ανάσα ήταν ένα χάδι στο πρόσωπό μου. «Ποτέ δεν έχω ελέγξει καλύτερα αυτή την πλευρά της φύσης μου απ' ό,τι αυτή τη στιγμή».

Είχα ένα εκατομμύριο ερωτήσεις να του κάνω. Μια από αυτές έβραζε στα χείλη μου τώρα, αλλά κρατήθηκα. Δεν ήθελα να χαλάσω τη στιγμή, όσο κι αν δεν ήταν τέλεια, εδώ σ' αυτό το δωμάτιο που με αηδίαζε, κάτω από το βλέμμα του μελλοντικού τέρατος.

Εδώ μέσα στην αγκαλιά του ήταν τόσο εύκολο να φαντασιώνομαι ότι με ήθελε. Δεν ήθελα να σκεφτώ τα κίνητρά του τώρα –αν συμπεριφερόταν έτσι για να με κρατήσει ήρεμη όσο κινδυνεύαμε ακόμα ή αν ένιωθε απλώς ενοχές για το μέρος όπου βρισκόμασταν και ανακούφιση που δεν ήταν υπεύθυνος για το θάνατό μου. Ίσως ο χρόνος που είχαμε περάσει χώρια ήταν αρκετός για να μην τον κάνω να βαριέται προς το παρόν. Αλλά δεν είχε σημασία. Ήμουν πολύ πιο ευτυχισμένη προσποιούμενη.

Παρέμενα ήσυχη μέσα στην αγκαλιά του απομνημονεύοντας ξανά το πρόσωπό του, προσποιούμενη...

Εκείνος κοίταζε επίμονα το πρόσωπό μου σαν να έκανε το ίδιο, όση ώρα συζητούσε με την Άλις πώς θα γυρίζαμε σπίτι. Οι φωνές τους ήταν τόσο γρήγορες και χαμηλές που ήξερα ότι η Τζιάνα δε θα μπορούσε να καταλάβει. Ακόμα κι εμένα μου διέφευγαν τα μισά. Φαινόταν, όμως, ότι η επιστροφή μας θα συμπεριλάμβανε κάτι παραπάνω από κλοπή. Αναρωτήθηκα τεμπέλικα αν η κίτρινη Πόρσε είχε ξαναβρεθεί από τον ιδιοκτήτη της.

«Τι ήταν όλα αυτά που έλεγε ο Άρο για τους *τραγουδιστές;*» ρώτησε η Άλις σε κάποιο σημείο.

«*La tua cantante*», είπε ο Έντουαρντ. Η φωνή του έκανε τις λέξεις να ακούγονται σαν μουσική.

«Ναι, αυτό», είπε η Άλις, κι εγώ συγκεντρώθηκα για μια

στιγμή. Είχα αναρωτηθεί κι εγώ γι' αυτό εκείνη την ώρα.

Ένιωσα τον Έντουαρντ να σηκώνει τους ώμους του. «Έχουν όνομα για αυτόν που μυρίζει όπως μυρίζει σ' εμένα η Μπέλλα. Την αποκαλούν *αοιδό* μου –επειδή το αίμα της μου τραγουδάει».

Η Άλις γέλασε.

Ήμουν αρκετά κουρασμένη ώστε να κοιμηθώ, αλλά πάλεψα ενάντια στην εξάντληση. Δε σκόπευα να χάσω ούτε ένα δευτερόλεπτο από το χρόνο που είχα μαζί του. Πού και πού, καθώς μιλούσε στην Άλις, έσκυβε κάτω ξαφνικά και με φιλούσε –τα λεία σαν γυαλί χείλη του άγγιζαν ελαφρά τα μαλλιά μου, το μέτωπό μου, την άκρη της μύτης μου. Κάθε φορά ήταν σαν ένα ηλεκτροσόκ για την εδώ και καιρό κοιμισμένη μου καρδιά. Ο χτύπος της έμοιαζε να γεμίζει ολόκληρο το δωμάτιο.

Ήταν ο παράδεισος –ακριβώς στη μέση της κόλασης.

Έχασα την αίσθηση του χρόνου τελείως. Έτσι, όταν τα χέρια του Έντουαρντ έσφιξαν γύρω μου, και αυτός και η Άλις γύρισαν και οι δυο στο πίσω μέρος του δωματίου με ανήσυχα βλέμματα, εγώ πανικοβλήθηκα. Ζάρωσα από φόβο στο στήθος του Έντουαρντ, καθώς ο Άλεκ –τα μάτια του ήταν τώρα ένα έντονο ρουμπινί, αλλά ήταν ακόμα άψογος με το απαλό γκρι κοστούμι του παρά το απογευματινό γεύμα– μπήκε μέσα περνώντας τη διπλή πόρτα.

Ήταν καλά νέα.

«Είστε ελεύθεροι να φύγετε τώρα», μας είπε ο Άλεκ, με τόνο τόσο ζεστό που θα νόμιζε κανείς ότι ήμασταν όλοι φίλοι για μια ζωή. «Σας ζητούμε να μην παραμείνετε στην πόλη».

Ο Έντουαρντ δεν προσποιήθηκε καθόλου το ίδιο· η φωνή του ήταν παγερή. «Αυτό δεν είναι πρόβλημα».

Ο Άλεκ χαμογέλασε, κούνησε το κεφάλι του κι εξαφανίστηκε πάλι.

«Ακολουθήστε το δεξί διάδρομο στη γωνία ως τα πρώτα ασανσέρ», μας είπε η Τζιάνα, καθώς ο Έντουαρντ με βοηθούσε να σηκωθώ όρθια. «Η αίθουσα υποδοχής είναι δύο ορόφους κάτω και βγάζει στο δρόμο. Αντίο σας τώρα», είπε ευχάριστα. Αναρωτήθηκα αν η επαγγελματική της επάρκεια θα αρκούσε για να τη σώσει.

Η Άλις της έριξε ένα σκοτεινό βλέμμα.

Ένιωσα ανακούφιση που υπήρχε και άλλος τρόπος να βγούμε έξω· δεν ήμουν σίγουρη αν θα τα κατάφερνα να αντέξω κι άλλη μια διαδρομή κάτω από τη γη.

Φύγαμε περνώντας μέσα από μια πολυτελή αίθουσα υποδοχής με γούστο. Ήμουν η μόνη που έριξα μια ματιά πίσω στο μεσαιωνικό κάστρο που φιλοξενούσε το περίτεχνο προσωπείο της επιχείρησης. Δεν μπορούσα να δω τον πυργίσκο από εδώ, πράγμα για το οποίο ένιωθα ευγνωμοσύνη.

Η γιορτή ήταν ακόμα στο φόρτε της έξω στους δρόμους. Οι λάμπες του δρόμου μόλις άναβαν την ώρα που διασχίζαμε γρήγορα τα στενά, πλακόστρωτα σοκάκια. Ο ουρανός ήταν ένα μουντό γκρίζο που ξεθώριαζε από πάνω μας, αλλά τα τόσο πυκνά κτίρια σε όλους τους δρόμους τα έκαναν όλα να φαίνονται πιο σκοτεινά.

Η γιορτή ήταν κι αυτή πιο σκοτεινή. Ο μακρύς μανδύας του Έντουαρντ που σερνόταν στο δάπεδο δεν ξεχώριζε, έτσι όπως μπορεί να ξεχώριζε ένα συνηθισμένο βράδυ στη Βολτέρα. Υπήρχαν κι άλλοι με μαύρους σατέν μανδύες τώρα, και τα πλαστικά δόντια που είχα δει στο παιδάκι στην πλατεία σήμερα φαίνονταν να είναι πολύ δημοφιλή και στους ενήλικες.

«Γελοιότητες», μουρμούρισε αμέσως ο Έντουαρντ.

Δεν το πρόσεξα, όταν η Άλις εξαφανίστηκε από δίπλα μου. Γύρισα για να την κοιτάξω και να της κάνω μια ερώτηση, αλλά εκείνη είχε χαθεί.

«Πού πήγε η Άλις;» ψιθύρισα πανικόβλητη.

«Πήγε να φέρει τις τσάντες σας από εκεί που τις έκρυψε σήμερα το πρωί».

Είχα ξεχάσει ότι είχα πρόσβαση σε οδοντόβουρτσα. Αυτό

έκανε την αντιμετώπισή μου αρκετά πιο αισιόδοξη.

«Θα κλέψει κι ένα αμάξι, έτσι;» μάντεψα.

Εκείνος χαμογέλασε πλατιά. «Όχι πριν βγούμε έξω».

Έμοιαζε να είναι πολύς μακρύς ο δρόμος μέχρι την έξοδο. Ο Έντουαρντ έβλεπε ότι είχα εξαντληθεί· τύλιξε το χέρι του γύρω από τη μέση μου και με στήριξε, με το μεγαλύτερο μέρος του βάρους μου να πέφτει πάνω του, καθώς περπατούσαμε.

Έτρεμα, καθώς με τράβηξε για να περάσουμε μέσα από τη σκοτεινή πέτρινη στοά. Η τεράστια αρχαία δικτυωτή πόρτα του κάστρου από πάνω μας ήταν σαν πόρτα ενός κλουβιού, που απειλούσε να πέσει πάνω μας, να μας παγιδεύσει.

Με οδήγησε σε ένα σκούρο αυτοκίνητο που περίμενε με τη μηχανή αναμμένη σε μια σκοτεινή κυκλική περιοχή, προς τα δεξιά της πύλης. Προς μεγάλη μου έκπληξη, μπήκε μέσα στο πίσω κάθισμα μαζί μου, αντί να επιμείνει να οδηγήσει.

Η Άλις ήταν απολογητική. «Συγνώμη». Έκανε μια χειρονομία αόριστα προς το ταμπλό. «Δεν υπήρχαν και πολλά για να διαλέξω».

«Είναι μια χαρά, Άλις». Χαμογέλασε πλατιά. «Δεν μπορούν όλα να είναι Πόρσε 911 Τούρμπο».

Εκείνη αναστέναξε. «Μπορεί να χρειαστεί να αποκτήσω μια τέτοια νόμιμα. Ήταν υπέροχη».

«Θα σου πάρω μία τα Χριστούγεννα», υποσχέθηκε ο Έντουαρντ.

Η Άλις γύρισε για να του χαμογελάσει πλατιά, πράγμα που με ανησύχησε, καθώς επιτάχυνε ήδη κατεβαίνοντας ταυτοχρόνως τη σκοτεινή και γεμάτη στροφές λοφοπλαγιά.

«Κίτρινη», του είπε.

Ο Έντουαρντ με κρατούσε σφιχτά στην αγκαλιά του. Μέσα στο γκρίζο μανδύα του, ένιωθα ζεστά και άνετα. Περισσότερο από άνετα.

«Μπορείς να κοιμηθείς τώρα, Μπέλλα», μουρμούρισε. «Τελείωσε».

Ήξερα ότι εννοούσε τον κίνδυνο, τον εφιάλτη στην αρχαία πόλη, αλλά και πάλι κατάπια με δυσκολία πριν μπορέσω να απαντήσω.

«Δε θέλω να κοιμηθώ. Δεν είμαι κουρασμένη». Μόνο το δεύτερο μέρος ήταν ψέμα. Δε σκόπευα να κλείσω τα μάτια μου. Το αυτοκίνητο φωτιζόταν αμυδρά από τα όργανα στο ταμπλό, αλλά ήταν επαρκές για να μπορώ να βλέπω το πρόσωπό του.

Πίεσε τα χείλη του στην κοιλότητα κάτω από το αυτί μου. «Προσπάθησε», με προέτρεψε.

Κούνησα το κεφάλι αρνητικά.

Αναστέναξε. «Είσαι ακόμα το ίδιο πεισματάρα».

Ήμουν όντως πεισματάρα· πάλεψα με τα βαριά μου βλέφαρα και κέρδισα.

Ο σκοτεινός δρόμος ήταν το πιο δύσκολο κομμάτι· το έντονο φως στο αεροδρόμιο της Φλωρεντίας το έκανε πιο εύκολο, όπως και η ευκαιρία να βουρτσίσω τα δόντια μου και να φορέσω καθαρά ρούχα· η Άλις αγόρασε καινούρια ρούχα και για τον Έντουαρντ, κι εκείνος άφησε το σκούρο μανδύα σε ένα σωρό σκουπιδιών σε ένα δρομάκι. Το αεροπορικό ταξίδι ως τη Ρώμη ήταν τόσο σύντομο που δεν υπήρξε στ' αλήθεια καμία ευκαιρία να με καταβάλει η κόπωση. Ήξερα ότι η πτήση από τη Ρώμη για την Ατλάντα θα ήταν μια τελείως διαφορετική ιστορία, έτσι ζήτησα από τον αεροσυνοδό να μου φέρει μια κόκα-κόλα.

«Μπέλλα», είπε ο Έντουαρντ αποδοκιμαστικά. Ήξερε τη χαμηλή ανοχή που είχα στην καφεΐνη.

Η Άλις ήταν πίσω μας. Την άκουγα να μουρμουρίζει στον Τζάσπερ στο τηλέφωνο.

«Δε θέλω να κοιμηθώ», του υπενθύμισα. Του έδωσα μια δικαιολογία που ήταν πιστευτή αλλά και αληθινή. «Αν κλείσω τα μάτια μου τώρα, θα δω πράγματα που δε θέλω να δω. Θα έχω εφιάλτες».

Δε διαφώνησε μαζί μου μετά απ' αυτό.

Θα ήταν μια πολύ καλή στιγμή για να μιλήσουμε, να πάρω τις απαντήσεις που ήθελα –που χρειαζόμουν, αλλά δεν ήθελα πραγματικά· ήδη με είχε πιάσει απόγνωση στη σκέψη τού τι μπορεί να άκουγα. Είχαμε ένα μεγάλο χρονικό διάστημα χωρίς διακοπές μπροστά μας, και δεν μπορούσε να μου ξεφύγει μέσα σε ένα αεροπλάνο –δηλαδή, όχι εύκολα, τουλάχιστον. Κανείς δε θα μας άκουγε εκτός από την Άλις· ήταν αργά, και οι περισσότεροι από τους επιβάτες έσβηναν τα φώτα και ζητούσαν μαξιλάρια. Η συζήτηση θα με βοηθούσε να πολεμήσω την εξάντληση.

Αλλά, με ένα παράλογο πείσμα, δάγκωσα τη γλώσσα μου για να εμποδίσω την πλημμύρα των ερωτήσεων. Η λογική μου, κατά πάσα πιθανότητα, δε λειτουργούσε σωστά από την εξάντληση, αλλά ήλπιζα ότι αναβάλλοντας τη συζήτηση, θα μπορούσα να κερδίσω μερικές ακόμα ώρες μαζί του αργότερα –να το παρατείνω αυτό για άλλη μια νύχτα, αλά Σεχραζάντ.

Έτσι συνέχισα να πίνω αναψυκτικά και να αντιστέκομαι στην έντονη επιθυμία να τρεμοπαίξω τα βλέφαρά μου. Ο Έντουαρντ φαινόταν απολύτως ικανοποιημένος που με κρατούσε στην αγκαλιά του, ενώ τα δάχτυλά του ιχνηλατούσαν το πρόσωπό μου ξανά και ξανά. Κι εγώ άγγιζα το πρόσωπό του. Δεν μπορούσα να συγκρατηθώ, αν και φοβόμουν ότι αυτό θα με πονούσε αργότερα, όταν θα έμενα πάλι μόνη. Εκείνος συνέχισε να φιλάει τα μαλλιά μου, το μέτωπό μου, τους καρπούς μου... αλλά ποτέ τα χείλη μου, κι αυτό ήταν καλό. Εξάλλου, με πόσους τρόπους μπορεί να κατακρεουργηθεί μια καρδιά και μετά να συνεχίσει να χτυπάει; Είχα υποφέρει πολλά που έπρεπε να με είχαν αποτελειώσει τις τελευταίες μέρες, αλλά αυτό δε με έκανε να νιώθω δυνατή. Αντίθετα, ένιωθα φρικτά εύθραυστη, λες και μια λέξη μόνο θα με έκανε κομμάτια.

Ο Έντουαρντ δε μιλούσε. Ίσως ήλπιζε ότι θα κοιμόμουν. Ίσως δεν είχε τίποτα να πει.

Κέρδισα τη μάχη ενάντια στα βαριά μου βλέφαρα. Ήμουν ξύπνια, όταν φτάσαμε στο αεροδρόμιο της Ατλάντα, και μάλιστα πρόλαβα να δω τον ήλιο να αρχίζει να ανατέλλει πάνω από τη συννεφένια κουβέρτα του Σιάτλ, πριν ο Έντουαρντ κλείσει την κουρτίνα του παραθύρου. Ήμουν περήφανη για τον εαυτό μου. Δεν είχα χάσει ούτε ένα λεπτό.

Ούτε η Άλις ούτε ο Έντουαρντ ξαφνιάστηκαν από την υποδοχή που μας περίμενε στο αεροδρόμιο Σι-Τακ, αλλά εγώ βρέθηκα προ εκπλήξεως. Ο Τζάσπερ ήταν ο πρώτος που είδα – εκείνος δε φάνηκε να με είδε καθόλου. Είχε μάτια μόνο για την Άλις. Εκείνη πήγε γρήγορα δίπλα του· δεν αγκαλιάστηκαν, όπως έκαναν άλλα ζευγάρια που συναντιόντουσαν εκεί. Μόνο κοίταξαν ο ένας στο πρόσωπο του άλλου, κι όμως, με κάποιο τρόπο, η στιγμή ήταν τόσο ιδιωτική, που και πάλι ένιωθα την ανάγκη να γυρίσω το βλέμμα μου αλλού.

Ο Κάρλαϊλ και η Έσμι περίμεναν σε μια ήσυχη γωνιά, μακριά από την ουρά για τους ανιχνευτές μετάλλων, στη σκιά μιας πλατιάς κολώνας. Η Έσμι άπλωσε το χέρι της προς εμένα, αγκαλιάζοντάς με δυνατά, αλλά με δυσκολία, επειδή ο Έντουαρντ είχε κι αυτός το χέρι του γύρω μου.

«Σ' ευχαριστώ τόσο πολύ», είπε στο αυτί μου.

Μετά όρμησε να αγκαλιάσει τον Έντουαρντ και φάνηκε σαν να ήθελε να κλάψει, αν αυτό ήταν δυνατόν.

«Δε θα με αναγκάσεις *ποτέ* ξανά να περάσω κάτι τέτοιο», είπε σχεδόν γρυλίζοντας.

Ο Έντουαρντ χαμογέλασε πλατιά, μετανιωμένος. «Συγνώμη, μαμά».

«Σ' ευχαριστώ, Μπέλλα», είπε ο Κάρλαϊλ. «Σου το χρωστάμε».

«Δε θα το έλεγα», ψέλλισα. Η άγρυπνη νύχτα ξαφνικά είχε αρχίσει να με καταβάλλει. Ένιωθα το κεφάλι μου σαν να μη συνδεόταν με το σώμα μου.

«Είναι ένα όρθιο πτώμα», μάλωσε τον Έντουαρντ η Έσμι.

«Ας την πάμε σπίτι».

Χωρίς να είμαι σίγουρη, αν το σπίτι ήταν αυτό που ήθελα σ' αυτό το σημείο, βγήκα τρεκλίζοντας μισότυφλη από το αεροδρόμιο, με τον Έντουαρντ να με σέρνει από τη μια μεριά και την Έσμι από την άλλη. Δεν ήξερα αν η Άλις κι ο Τζάσπερ ήταν πίσω μας ή όχι, κι ήμουν υπερβολικά εξουθενωμένη για να κοιτάξω.

Νομίζω ότι κατά βάση κοιμόμουν, αν και περπατούσα ακόμα, όταν φτάσαμε στο αμάξι τους. Η έκπληξη που ένιωσα βλέποντας τον Έμετ και τη Ρόζαλι ακουμπισμένους στο μαύρο σεντάν, κάτω από τα αμυδρά φώτα του γκαράζ, με ξύπνησε κάπως. Ο Έντουαρντ έγινε άκαμπτος.

«Μην το κάνεις», ψιθύρισε η Έσμι. «Νιώθει απαίσια».

«Καλά κάνει», είπε ο Έντουαρντ χωρίς να κάνει καμία προσπάθεια να χαμηλώσει τη φωνή του.

«Δε φταίει αυτή», είπα, ενώ τα λόγια μου τα αλλοίωνε η εξάντληση.

«Άφησέ τη να επανορθώσει», τον παρακάλεσε η Έσμι. «Εμείς θα πάμε με την Άλις και τον Τζάσπερ».

Ο Έντουαρντ κοίταξε άγρια τον πανέμορφο, ξανθό, θηλυκό βρικόλακα που μας περίμενε.

«Σε παρακαλώ, Έντουαρντ», είπα. Δεν ήθελα να πάω με τη Ρόζαλι στο ίδιο αμάξι περισσότερο απ' ό,τι φαινόταν να θέλει εκείνος, αλλά είχα ήδη προκαλέσει περισσότερη από αρκετή διχόνοια στην οικογένειά του.

Αναστέναξε και με έσυρε προς το αυτοκίνητο.

Ο Έμετ κι η Ρόζαλι κάθισαν μπροστά χωρίς να μιλήσουν, ενώ ο Έντουαρντ με τράβηξε στο πίσω κάθισμα πάλι. Ήξερα ότι δε θα κατάφερνα να αντισταθώ στα βλέφαρά μου άλλο, κι ακούμπησα το κεφάλι μου πάνω στο στήθος του, ηττημένη, αφήνοντάς τα να κλείσουν. Ένιωσα το αμάξι να παίρνει μπρος με ένα βόμβο.

«Έντουαρντ», άρχισε η Ρόζαλι.

«Ξέρω», ο κοφτός τόνος του Έντουαρντ δεν ήταν γενναιόδωρος.

«Μπέλλα;» ρώτησε απαλά η Ρόζαλι.

Τα βλέφαρά μου πετάρισαν και άνοιξαν έκπληκτα. Ήταν η πρώτη φορά που μου είχε μιλήσει απευθυνόμενη κατευθείαν σ' εμένα.

«Ναι, Ρόζαλι;» είπα διστακτικά.

«Λυπάμαι τόσο πολύ, Μπέλλα. Νιώθω χάλια για όλα, και τόσο ευγνώμων που ήσουν αρκετά θαρραλέα να πας να σώσεις τον αδερφό μου, μετά απ' αυτό που έκανα. Σε παρακαλώ, πες μου ότι θα με συγχωρέσεις».

Οι λέξεις ήταν αμήχανες, αφύσικες λόγω της ντροπής της, αλλά έμοιαζαν ειλικρινείς.

«Φυσικά, Ρόζαλι», μουρμούρισα, αρπάζοντας την παραμικρή ευκαιρία να την κάνω να με μισήσει κάπως λιγότερο. «Δε φταις εσύ καθόλου. Εγώ είμαι αυτή που πήδηξα από τον καταραμένο το βράχο. Φυσικά και σε συγχωρώ».

Οι λέξεις ακούστηκαν σαχλές.

«Δε μετράει μέχρι να έχει πλήρη συνείδηση, Ρόουζ», γέλασε πνιχτά ο Έμετ.

«Έχω πλήρη συνείδηση», είπα· ακούστηκε σαν ένας αλλοιωμένος αναστεναγμός.

«Αφήστε τη να κοιμηθεί», επέμεινε ο Έντουαρντ, αλλά η φωνή του ήταν λίγο πιο ζεστή.

Μετά επικράτησε ησυχία, εκτός από τον απαλό υπόκωφο βόμβο της μηχανής. Πρέπει να αποκοιμήθηκα, επειδή μου φάνηκε σαν να είχαν περάσει δευτερόλεπτα, όταν άνοιξε η πόρτα, κι ο Έντουαρντ με κουβαλούσε από το αυτοκίνητο. Τα μάτια μου δεν έλεγαν να ανοίξουν. Στην αρχή νόμισα ότι ήμασταν ακόμα στο αεροδρόμιο.

Και τότε άκουσα τον Τσάρλι.

«Μπέλλα!» φώναξε από μακριά.

«Τσάρλι», ψέλλισα προσπαθώντας να αποτινάξω τη νάρκη.

«Σσσς», ψιθύρισε ο Έντουαρντ. «Δεν πειράζει· είσαι σπίτι και είσαι ασφαλής. Απλώς κοιμήσου».

«Δεν το πιστεύω ότι έχεις το θράσος να εμφανίζεσαι εδώ», φώναξε ο Τσάρλι στον Έντουαρντ, ενώ η φωνή του ακουγόταν πολύ πιο κοντά τώρα.

«Σταμάτα, μπαμπά», είπα αναστενάζοντας. Δε με άκουσε.

«Τι έπαθε;» απαίτησε να μάθει ο Τσάρλι.

«Απλώς είναι πολύ κουρασμένη, Τσάρλι», τον διαβεβαίωσε ο Έντουαρντ ήρεμα. «Σε παρακαλώ, άφησέ τη να ξεκουραστεί».

«Μη μου λες τι να κάνω!» ούρλιαξε ο Τσάρλι. «Δωσ' τη σ' εμένα. Πάρε τα χέρια σου από πάνω της».

Ο Έντουαρντ προσπάθησε να με δώσει στον Τσάρλι, αλλά εγώ κόλλησα πάνω του με πεισματικά δάχτυλα που δεν έλεγαν να κουνηθούν. Ένιωθα τον μπαμπά μου να μου τραβάει βίαια το μπράτσο.

«Κόφ' το, μπαμπά», είπα πιο δυνατά. Κατάφερα να ανοίξω με κόπο πάλι τα βλέφαρά μου, για να κοιτάξω τον Τσάρλι με θολά μάτια. «Να είσαι νευριασμένος μ' εμένα».

Ήμασταν μπροστά στο σπίτι μου. Η κεντρική πόρτα ήταν ανοιχτή. Η συννεφένια κουβέρτα από πάνω μας ήταν πολύ παχιά για να μαντέψω τι ώρα της ημέρας ήταν.

«Μην ανησυχείς καθόλου γι' αυτό», υποσχέθηκε ο Τσάρλι. «Μπες μέσα».

«'Ντάξει. Άσε με κάτω», είπα αναστενάζοντας.

Ο Έντουαρντ με άφησε στα πόδια μου. Έβλεπα ότι στεκόμουν όρθια, αλλά δεν ένιωθα τα πόδια μου. Προχώρησα προς τα μπρος παραπατώντας, όπως και να 'χε, μέχρι που το πεζοδρόμιο άρχισε να στροβιλίζεται προς το πρόσωπό μου. Τα μπράτσα του Έντουαρντ με έπιασαν, πριν χτυπήσω στο τσιμέντο.

«Άφησέ με μόνο να την πάω επάνω», είπε ο Έντουαρντ.

«Μετά θα φύγω».

«Όχι», φώναξα πανικόβλητη. Δεν είχα πάρει ακόμα τις απαντήσεις μου. Έπρεπε να μείνει τουλάχιστον για τόσο λίγο, έτσι δεν είναι;

«Δε θα είμαι μακριά», υποσχέθηκε ο Έντουαρντ, ψιθυρίζοντας τόσο χαμηλόφωνα στο αυτί μου, που ο Τσάρλι δεν είχε την παραμικρή ελπίδα ν' ακούσει.

Δεν άκουσα τον Τσάρλι να απαντάει, αλλά ο Έντουαρντ κατευθύνθηκε μέσα στο σπίτι. Τα ανοιχτά μου μάτια τα κατάφεραν μέχρι τη σκάλα. Το τελευταίο πράγμα που ένιωσα ήταν τα δροσερά χέρια του Έντουαρντ να ξεσφηνώνουν τα δάχτυλά μου από την μπλούζα του.

23. Η ΑΛΗΘΕΙΑ

Είχα την αίσθηση ότι κοιμόμουν πάρα πολλή ώρα –το σώμα μου ήταν πιασμένο, σαν να μην είχα κουνηθεί ούτε μια φορά όλο αυτό το χρονικό διάστημα. Το μυαλό μου ήταν ζαλισμένο και αργό· παράξενα, πολύχρωμα όνειρα –όνειρα κι εφιάλτες– στροβιλίζονταν μέσα στο κεφάλι μου, προκαλώντας μου ζαλάδα. Ήταν τόσο ζωντανά. Το φρικτό και το αγγελικό, όλα ήταν μπερδεμένα μαζί σε ένα παράδοξο συνονθύλευμα. Υπήρχε έντονη ανυπομονησία και φόβος, και τα δύο κομμάτια εκείνου του τρομακτικού ονείρου, όπου τα πόδια σου δεν μπορούν να κουνηθούν αρκετά γρήγορα... Και υπήρχαν και πολλά τέρατα, δαίμονες με κόκκινα μάτια, που ήταν ακόμα περισσότερο αποτρόπαιοι λόγω της ευγενούς συμπεριφοράς τους. Το όνειρο ήταν ακόμα ζωντανό –θυμόμουν ακόμα και τα ονόματα. Αλλά το πιο ζωντανό, το πιο ξεκάθαρο κομμάτι του ονείρου δεν ήταν η φρίκη. Ο άγγελος ήταν αυτός που ήταν ο πιο ξεκάθαρος.

Ήταν δύσκολο να τον αφήσω και να ξυπνήσω. Αυτό το όνειρο δεν ήθελε να χωθεί μέσα στο θησαυροφυλάκιο με τα όνειρα, που αρνιόμουν να ξαναεπισκεφτώ. Πάλεψα μαζί του, καθώς το μυαλό μου σιγά-σιγά ξυπνούσε κι επικεντρωνόταν στην πραγματικότητα. Δεν μπορούσα να θυμηθώ τι μέρα της εβδομάδας ήταν, αλλά ήμουν σίγουρη ότι ο Τζέικομπ ή το σχολείο ή η δουλειά ή κάτι τέτοιο με περίμεναν. Πήρα μια βαθιά ανάσα, αναρωτώμενη πώς να αντιμετωπίσω άλλη μια μέρα.

Κάτι κρύο άγγιξε το μέτωπό μου με την πιο απαλή πίεση.

Έκλεισα τα μάτια μου πιο σφιχτά. Ονειρευόμουν ακόμα, φαίνεται, και ένιωθα σαν να ήταν αφύσικα αληθινό. Ήμουν τόσο κοντά στο να ξυπνήσω… από δευτερόλεπτο σε δευτερόλεπτο, και θα χανόταν.

Αλλά συνειδητοποίησα ότι το ένιωθα υπερβολικά αληθινό, υπερβολικά αληθινό για να είναι καλό για μένα. Τα πέτρινα χέρια που φανταζόμουν ότι τυλίγονταν γύρω μου ήταν υπερβολικά απτά. Αν το άφηνα αυτό να συνεχιστεί, θα μετάνιωνα αργότερα. Με ένα μοιρολατρικό αναστεναγμό, άνοιξα πάλι βίαια τα μάτια μου για να διαλύσω την ψευδαίσθηση.

«Ω!» ξεφώνισα πνιχτά κι έριξα τις γροθιές μου πάνω στα μάτια μου.

Λοιπόν, προφανέστατα το είχα παρατραβήξει· πρέπει να ήταν λάθος που άφησα τη φαντασία μου να ξεφύγει από τον έλεγχο. Εντάξει, η λέξη "άφησα" ήταν λάθος. Είχα *αναγκάσει* τη φαντασία μου να ξεφύγει από τον έλεγχο –είχαν σχεδόν κυνηγήσει τις παραισθήσεις μου– και τώρα το μυαλό μου είχε καταρρεύσει.

Μου πήρε λιγότερο από μισό δευτερόλεπτο για να συνειδητοποιήσω ότι, εφόσον ήμουν πραγματικά τρελή τώρα πια, θα μπορούσα να απολαύσω τις παραισθήσεις για όσο καιρό ήταν ευχάριστες.

Άνοιξα πάλι τα μάτια μου –κι ο Έντουαρντ ήταν ακόμα εκεί, με το τέλειο πρόσωπό του μόλις μερικά εκατοστά μακριά από το δικό μου.

«Σε τρόμαξα;» Η χαμηλή φωνή του ήταν ανήσυχη.

Αυτό ήταν πολύ καλό, όσο συνέχιζαν οι παραισθήσεις. Το πρόσωπο, η φωνή, το άρωμα, τα πάντα –ήταν πολύ καλύτερο από το να πνίγεσαι. Το πανέμορφο αποκύημα της φαντασίας μου παρακολουθούσε τις αλλαγές στην έκφρασή μου με ανησυχία. Οι ίριδές του ήταν κατάμαυρες με σκιές σαν μώλωπες από κάτω. Αυτό με ξάφνιασε· οι Έντουαρντ των παραισθήσεών μου ήταν συνήθως πιο καλά φαγωμένοι.

Ανοιγόκλεισα τα μάτια δυο φορές, προσπαθώντας απεγνωσμένα να θυμηθώ το τελευταίο πράγμα που ήμουν σίγουρη ότι ήταν αληθινό. Η Άλις ήταν μέρος του ονείρου μου, κι αναρωτήθηκα αν είχε στ' αλήθεια γυρίσει ή αν αυτό ήταν απλώς το προοίμιο. *Νόμισα* ότι είχε γυρίσει τη μέρα που παραλίγο να πνιγώ...

«Ω, να πάρει», είπα βραχνά. Ο λαιμός μου ήταν ακόμα κλειστός από τον ύπνο.

«Τι συμβαίνει, Μπέλλα;»

Κατσούφιασα δυστυχισμένα. Το πρόσωπό του ήταν ακόμα πιο ανήσυχο από πριν.

«Έχω πεθάνει, έτσι;» στέναξα. «*Πράγματι* πνίγηκα. Να πάρει, να πάρει, να πάρει! Αυτό θα τον σκοτώσει τον Τσάρλι!»

Ο Έντουαρντ κατσούφιασε κι αυτός. «Δεν έχεις πεθάνει».

«Τότε γιατί δεν ξυπνάω;» τον προκάλεσα, σηκώνοντας τα φρύδια μου.

«*Ξύπνια* είσαι, Μπέλλα».

Κούνησα το κεφάλι μου. «Ναι, ναι. Αυτό θέλεις να πιστέψω. Και τότε θα είναι χειρότερα όταν ξυπνήσω. *Αν* ξυπνήσω, πράγμα που δε θα γίνει, επειδή έχω πεθάνει. Αυτό είναι απαίσιο. Ο καημένος ο Τσάρλι. Και η Ρενέ κι ο Τζέικ...» η φωνή μου αργόσβησε με φρίκη γι' αυτό που είχα κάνει.

«Μπορώ να καταλάβω γιατί με μπερδεύεις με εφιάλτη». Το χαμόγελό του που κράτησε πολύ λίγο ήταν μακάβριο.

«Αλλά δεν μπορώ να φανταστώ τι μπορεί να έχεις κάνει για να καταλήξεις στην κόλαση. Διέπραξες πολλούς φόνους όσο έλειπα;»

Έκανα ένα μορφασμό. «Προφανώς όχι. Αν ήμουν στην κόλαση, δε θα ήσουν εδώ μαζί μου».

Αναστέναξε.

Το κεφάλι μου άρχιζε να ξεθολώνει. Τα μάτια μου τρεμόπαιξαν μακριά από το πρόσωπό του –απρόθυμα– για ένα δευτερόλεπτο, προς το σκοτεινό, ανοικτό παράθυρο και μετά πάλι σ' εκείνον. Άρχιζα να θυμάμαι λεπτομέρειες... κι ένιωσα ένα αμυδρό, άγνωστο αναψοκοκκίνισμα να ζεσταίνει το δέρμα πάνω από τα ζυγωματικά μου, καθώς συνειδητοποιούσα σιγάσιγά ότι ο Έντουαρντ ήταν πραγματικά, αληθινά εδώ μαζί μου, κι εγώ έχανα χρόνο με το να συμπεριφέρομαι σαν ηλίθια.

«Όλα αυτά συνέβησαν στ' αλήθεια, λοιπόν;» Ήταν σχεδόν αδύνατον να επαναξιολογήσω το όνειρό μου και να το τοποθετήσω μέσα στα όρια του πραγματικού. Δεν μπορούσε το κεφάλι μου να συλλάβει την έννοια.

«Εξαρτάται». Το χαμόγελο του Έντουαρντ ήταν ακόμα σκληρό. «Αν αναφέρεσαι στο γεγονός ότι παραλίγο να μας κατακρεουργήσουν στην Ιταλία, τότε, ναι».

«Τι παράξενο», αναλογίστηκα. «Πράγματι πήγα στην Ιταλία. Το ήξερες ότι δεν είχα πάει ποτέ πιο πέρα από το Αλμπικέρκ;»

Στριφογύρισε τα μάτια του ειρωνικά. «Ίσως είναι καλύτερα να ξανακοιμηθείς. Αυτά που λες δεν έχουν λογικό ειρμό».

«Δεν είμαι κουρασμένη πια». Τώρα όλα ξεκαθάριζαν. «Τι ώρα είναι; Πόση ώρα κοιμάμαι;»

«Είναι λίγο μετά τη μία το πρωί. Άρα, γύρω στις δεκατέσσερις ώρες».

Καθώς αυτός μιλούσε εγώ τεντωνόμουν. Ήμουν τόσο πιασμένη.

«Ο Τσάρλι;» ρώτησα.

Ο Έντουαρντ κατσούφιασε. «Κοιμάται. Ίσως πρέπει να μάθεις ότι αυτή τη στιγμή σπάω τους κανόνες. Δηλαδή, από τεχνικής άποψης όχι, εφόσον είπε ότι δε μου επιτρέπεται να ξαναπεράσω το κατώφλι της πόρτας του ξανά, κι εγώ μπήκα μέσα από το παράθυρο... Αλλά και πάλι, η πρόθεσή του ήταν ξεκάθαρη».

«Ο Τσάρλι σου απαγόρεψε να έρχεσαι στο σπίτι;» ρώτησα, ενώ η δυσπιστία γρήγορα διαλυόταν για να μετατραπεί σε οργή.

Τα μάτια του ήταν θλιμμένα. «Περίμενες κάτι διαφορετικό;»

Τα *δικά μου* μάτια ήταν θυμωμένα. Σκόπευα να πω δυο κουβέντες με τον πατέρα μου –ίσως ήταν καλή στιγμή να του υπενθυμίσω ότι είχα περάσει νομικά την ηλικία της ενηλικίωσης. Δεν είχε και τόση σημασία, φυσικά, εκτός από το γεγονός ότι ήταν θέμα αρχής. Πολύ σύντομα δε θα υπήρχε κανένας λόγος για απαγόρευση. Έστρεψα τις σκέψεις μου προς λιγότερο οδυνηρούς δρόμους.

«Ποιο είναι το παραμύθι;» ρώτησα, ειλικρινά περίεργη, αλλά και προσπαθώντας να κρατήσω ένα χαλαρό επίπεδο συζήτησης, να διατηρήσω τον έλεγχο του εαυτού μου, για να μην τον τρομάξω και τον διώξω με τη μανιώδη λαχτάρα που με κατάτρωγε παράφορα μέσα μου.

«Τι θέλεις να πεις;»

«Τι θα πω στον Τσάρλι; Ποια είναι η δικαιολογία μου που εξαφανίστηκα για... πόσο καιρό έλειψα, εν πάση περιπτώσει;» Προσπάθησα να μετρήσω τις ώρες μέσα στο κεφάλι μου.

«Μόνο τρεις μέρες». Τα μάτια του ζάρωσαν, αλλά χαμογέλασε πιο φυσικά αυτή τη φορά. «Για να πω την αλήθεια, ήλπιζα εσύ να έχεις κάποια καλή εξήγηση. Εγώ δεν έχω σκεφτεί τίποτα».

Στέναξα. «Λαμπρά».

«Εντάξει, μπορεί να σκεφτεί κάτι η Άλις», είπε προσπαθώντας να με παρηγορήσει.

Κι ένιωσα όντως να με παρηγορεί. Ποιον τον ένοιαζε τι έπρεπε να αντιμετωπίσω αργότερα; Κάθε δευτερόλεπτο που ήταν εδώ –τόσο κοντά, με το αψεγάδιαστο πρόσωπό του να λάμπει στο αμυδρό φως από τα νούμερα στο ξυπνητήρι μου– ήταν πολύτιμο και δεν έπρεπε να πηγαίνει χαμένο.

«Λοιπόν», άρχισα, διαλέγοντας τη λιγότερο σημαντική –αν και ζωτικού ενδιαφέροντος– ερώτηση για να ξεκινήσω. Με είχε φέρει με ασφάλεια στο σπίτι και μπορεί να αποφάσιζε να φύγει οποιαδήποτε στιγμή. Εξάλλου, αυτός ο προσωρινός παράδεισος δεν ήταν απόλυτα ολοκληρωμένος χωρίς τον ήχο της φωνής του. «Τι έκανες μέχρι και πριν τρεις μέρες;»

Το πρόσωπό του γέμισε ανησυχία μέσα σε μια στιγμή. «Τίποτα εξαιρετικά συναρπαστικό».

«Φυσικά και όχι», ψέλλισα.

«Γιατί παίρνεις αυτή την έκφραση;»

«Να...» είπα και σούφρωσα τα χείλη μου, συλλογιζόμενη. «Αν ήσουν, τελικά, απλώς ένα όνειρο, αυτό ακριβώς θα μου έλεγες. Η φαντασία μου πρέπει να έχει φτάσει στα όριά της».

Αναστέναξε. «Αν σου πω, θα πιστέψεις ότι δε βλέπεις εφιάλτη;»

«Εφιάλτη!» επανέλαβα περιφρονητικά. Περίμενε την απάντησή μου. «Μπορεί», είπα μετά από ένα δευτερόλεπτο σκέψης. «Αν μου πεις».

«... Κυνηγούσα».

«Αυτό είναι το καλύτερο που βρήκες να πεις;» τον επέκρινα. «Αυτό σίγουρα δεν αποδεικνύει ότι είμαι ξύπνια».

Δίστασε και μετά μίλησε αργά, διαλέγοντας τις λέξεις του προσεχτικά. «Δεν κυνηγούσα για τροφή... στην πραγματικότητα δοκίμαζα τις ικανότητές μου σαν... ανιχνευτής. Δεν είμαι και πολύ καλός».

«Τι προσπαθούσες να ανιχνεύσεις;» ρώτησα, καθώς μου

είχε κινήσει την περιέργεια.

«Τίποτα σημαντικό». Τα λόγια του δεν ταίριαζαν με την έκφρασή του· έδειχνε αναστατωμένος, αμήχανος.

«Δεν καταλαβαίνω».

Δίστασε· το πρόσωπό του, λάμποντας με μια περίεργη πράσινη απόχρωση από το φως του ρολογιού, ήταν διχασμένο.

«Εγώ –» Πήρε μια βαθιά ανάσα. «Σου χρωστάω μια συγνώμη. Όχι, φυσικά σου χρωστάω πολύ, πολύ περισσότερα από αυτό. Αλλά πρέπει να ξέρεις» –οι λέξεις άρχισαν να ρέουν τόσο γρήγορα, όπως θυμόμουν ότι μιλούσε μερικές φορές όταν ήταν ταραγμένος, που έπρεπε να συγκεντρωθώ πολύ για να τις πιάσω όλες– «ότι δεν είχα ιδέα. Δεν κατάλαβα τι χάος άφηνα πίσω μου. Νόμιζα ότι ήσουν ασφαλής εδώ. Τόσο ασφαλής. Δεν είχα ιδέα ότι η Βικτόρια» –τα χείλη του κύρτωσαν προς τα πίσω, όταν είπε εκείνο το όνομα– «θα γύριζε πίσω. Πρέπει να παραδεχτώ ότι όταν την είδα εκείνη τη μοναδική φορά, έδωσα περισσότερη σημασία στις σκέψεις του Τζέιμς. Αλλά απλώς δεν είδα ότι θα μπορούσε να αντιδράσει έτσι. Ούτε καν ότι είχε τέτοιο δεσμό μαζί του. Νομίζω ότι καταλαβαίνω τώρα –ήταν τόσο σίγουρη για εκείνον, η σκέψη ότι θα μπορούσε να αποτύχει δεν της πέρασε ποτέ από το νου. Ήταν η υπερβολική της πίστη που θόλωνε τα συναισθήματά της για κείνον –που με εμπόδισε να δω το βάθος τους, το δέσιμο που υπήρχε μεταξύ τους.

»Όχι ότι υπάρχει δικαιολογία για αυτό που σε άφησα να αντιμετωπίσεις. Όταν άκουσα αυτά που είπες στην Άλις –αυτά που είδε η ίδια– όταν συνειδητοποίησα ότι αναγκάστηκες να εναποθέσεις τη ζωή σου στα χέρια *λυκανθρώπων*, ανώριμων, άστατων, των χειρότερων πλασμάτων που υπάρχουν εκεί έξω εκτός από την ίδια τη Βικτόρια» –τον διαπέρασε ένα ρίγος, κι ο χείμαρρος των λέξεων σταμάτησε για μια στιγμή. «Σε παρακαλώ, πρέπει να ξέρεις ότι δεν είχα την παραμικρή ιδέα για όλα αυτά. Νιώθω αηδία, αηδία ως τα βάθη της ύπαρξής μου, ακόμα και τώρα που μπορώ να σε βλέπω και να σε νιώθω ασφαλή μέσα στην αγκαλιά μου. Είμαι η πιο άθλια δικαιολογία για –»

«Σταμάτα», τον διέκοψα. Με κοίταξε με μάτια γεμάτα οδύνη, κι εγώ προσπάθησα να βρω τις σωστές λέξεις –τις λέξεις που θα τον ελευθέρωναν από τη φανταστική του υποχρέωση, που του προκαλούσε τόσο πολύ πόνο. Ήταν πολύ σκληρές λέξεις για να τις πω. Δεν ήξερα αν θα κατάφερνα να τις ξεστομίσω χωρίς να καταρρεύσω. Αλλά έπρεπε να *προσπαθήσω* να το κάνω σωστά. Δεν ήθελα να είμαι πηγή τύψεων και οδύνης στη ζωή του. Έπρεπε να είναι ευτυχισμένος, ό,τι κι αν μου κόστιζε αυτό.

Ήλπιζα πραγματικά ότι θα μπορούσα να αναβάλω αυτό το κομμάτι της τελευταίας μας συζήτησης. Αυτό θα έφερνε το τέλος πολύ γρήγορα.

Αντλώντας εμπειρία από όλους τους μήνες της εξάσκησης που προσπαθούσα να είμαι φυσιολογική με τον Τσάρλι, διατήρησα το πρόσωπό μου ήρεμο.

«Έντουαρντ», είπα. Το όνομά του έκαιγε το λαιμό μου λιγάκι, καθώς έβγαινε. Ένιωθα το φάντασμα της τρύπας να περιμένει για να ανοίξει και πάλι διάπλατα, αμέσως μόλις θα εξαφανιζόταν εκείνος. Δεν έβλεπα πώς θα κατάφερνα να επιζήσω αυτή τη φορά. «Αυτό πρέπει να σταματήσει τώρα. Δεν μπορείς να σκέφτεσαι έτσι. Δεν μπορείς να αφήσεις αυτήν... αυτή την *ενοχή*... να κυριεύσει τη ζωή σου. Δεν μπορείς να αναλάβεις την ευθύνη για όλα όσα μου συμβαίνουν. Τίποτα απ' όλα αυτά δεν είναι δικό σου φταίξιμο, είναι απλώς μέρος του πώς *είναι* η ζωή για μένα. Άρα, αν σκοντάψω και πέσω μπροστά σε κάποιο λεωφορείο ή πάθω κάτι τέτοιο την άλλη φορά, πρέπει να καταλάβεις ότι δεν είναι δική σου δουλειά να αναλάβεις την ευθύνη. Δεν μπορείς να τρέχεις στην Ιταλία, επειδή νιώθεις άσχημα που δε με έσωσες. Ακόμα κι αν είχα πηδήξει από το βράχο για να πεθάνω, θα ήταν δική μου επιλογή, όχι *δικό σου λάθος*. Ξέρω ότι είναι… η φύση σου να αναλαμβάνεις την ευθύνη για τα πάντα, αλλά πραγματικά δεν μπορείς να το αφήσεις αυτό να σε κάνει να φτάνεις σε τέτοια άκρα! Είναι πολύ ανεύθυνο –σκέψου την Έσμι και τον Κάρλαϊλ και –»

Ήμουν έτοιμη να χάσω την ψυχραιμία μου. Σταμάτησα για να πάρω μια βαθιά ανάσα, ελπίζοντας να ηρεμήσω. Έπρεπε να τον αποδεσμεύσω. Έπρεπε να βεβαιωθώ ότι αυτό δε θα συνέβαινε ξανά.

«Ιζαμπέλλα Μαρί Σουάν», ψιθύρισε, με την πιο παράξενη έκφραση να περνάει από το πρόσωπό του. Σχεδόν έδειχνε έξαλλος. «Πιστεύεις ότι ζήτησα από τους Βολτούρι να με σκοτώσουν *επειδή ένιωθα ενοχές;*»

Ένιωθα την κενή έκφραση στο πρόσωπό μου που φανέρωνε την αδυναμία μου να καταλάβω. «Δεν ένιωθες;»

«Ενοχές; Φοβερά. Περισσότερο απ' όσο μπορείς να καταλάβεις».

«Τότε… τι θες να πεις; Δεν καταλαβαίνω».

«Μπέλλα, πήγα στους Βολτούρι, επειδή νόμιζα ότι ήσουν νεκρή», είπε με απαλή φωνή, αλλά μάτια γεμάτα ένταση. «Ακόμα κι αν δεν είχα κανένα μέρος ευθύνης για το θάνατό σου» –τον διαπέρασε ένα ρίγος, καθώς είπε τις τελευταίες λέξεις ψιθυριστά– «ακόμα κι αν *δεν* έφταιγα εγώ, θα είχα πάει στην Ιταλία. Προφανώς, έπρεπε να είμαι πιο προσεχτικός –έπρεπε να είχα μιλήσει απευθείας με την Άλις αντί να δεχτώ αυτό που μου είπε η Ρόζαλι. Αλλά, στ' αλήθεια, τι έπρεπε να πιστέψω, όταν το αγόρι είπε ότι ο Τσάρλι ήταν στην κηδεία; Ποιες είναι οι πιθανότητες;»

«Οι πιθανότητες…» μουρμούρισε τότε αποπροσανατολισμένος. Η φωνή του ήταν τόσο χαμηλή, που δεν ήμουν σίγουρη ότι την άκουσα σωστά. «Οι πιθανότητες είναι πάντα εναντίον μας. Το ένα λάθος μετά το άλλο. Δε θα κατακρίνω ποτέ ξανά τον Ρωμαίο».

«Μα ακόμα δεν καταλαβαίνω», είπα εγώ. «Αυτό είναι το όλο θέμα. Και λοιπόν;»

«Συγνώμη;»

«Και λοιπόν, τι πειράζει αν *ήμουν* νεκρή;»

Με κοίταξε αβέβαια για λίγο, πριν απαντήσει. «Δε θυμάσαι τίποτα απ' όσα σου έχω πει;»

«Θυμάμαι *τα πάντα* όσα μου είπες». Συμπεριλαμβανομένων και αυτών που είχαν αναιρέσει όλα τα υπόλοιπα.

Ακούμπησε την άκρη του δροσερού του δάχτυλου ξυστά στο κάτω χείλος μου. «Μπέλλα, φαίνεται ότι έχει γίνει κάποια παρεξήγηση». Έκλεισε τα μάτια του, κουνώντας το κεφάλι του μπρος-πίσω, με ένα μισό χαμόγελο στο πανέμορφό του πρόσωπο. Δεν ήταν χαμόγελο χαράς. «Νόμιζα ότι το είχα εξηγήσει ξεκάθαρα. Μπέλλα, δεν μπορώ να ζήσω σε ένα κόσμο, όπου δεν υπάρχεις εσύ».

«Είμαι…» Άρχισα να ζαλίζομαι, καθώς έψαχνα την κατάλληλη λέξη. «Μπερδεμένη». Αυτή ήταν η σωστή λέξη. Δεν μπορούσα να βγάλω νόημα από όσα έλεγε.

Με κοίταξε βαθιά μέσα στα μάτια με το ειλικρινές, σοβαρό του βλέμμα. «Είμαι καλός ψεύτης, Μπέλλα, αναγκάζομαι να είμαι».

Κοκάλωσα, καθώς οι μύες μου ακινητοποιήθηκαν, λες και ήμουν έτοιμη να συγκρουστώ με κάτι. Η ουλή στο στήθος μου συσπάστηκε˙ ο πόνος μου έκοψε την ανάσα.

Εκείνος κούνησε τον ώμο μου, προσπαθώντας να με κάνει να χαλαρώσω από την άκαμπτη στάση που είχα πάρει. «Άσε με να τελειώσω! Είμαι καλός ψεύτης, αλλά και πάλι, να με πιστέψεις τόσο γρήγορα!» Έκανε ένα μορφασμό. «Αυτό ήταν… οδυνηρό».

Περίμενα, ακόμα κοκαλωμένη.

«Όταν ήμασταν στο δάσος, όταν σου έλεγα αντίο–»

Δεν άφησα τον εαυτό μου να θυμηθεί. Πάλεψα για να κρατηθώ μόνο στην παρούσα στιγμή.

«Δεν είχες πρόθεση να κάνεις πίσω», ψιθύρισε. «Το έβλεπα. Δεν ήθελα να το κάνω –ένιωθα ότι θα με σκότωνε αν το έκανα– αλλά ήξερα ότι αν δεν μπορούσα να σε πείσω ότι δε σε αγαπούσα πια, θα σου έπαιρνε περισσότερο χρόνο για να συνεχίσεις τη ζωή σου. Ήλπιζα ότι αν νόμιζες ότι είχα προχωρήσει εγώ, το ίδιο θα έκανες κι εσύ».

«Έπρεπε να κόψεις μια κι έξω», ψιθύρισα με ακίνητα χείλη.

«Ακριβώς. Αλλά δε φαντάστηκα ποτέ ότι θα ήταν τόσο εύκολο! Πίστευα ότι θα ήταν σχεδόν αδύνατον –ότι θα ήσουν τόσο σίγουρη για την αλήθεια, που θα έπρεπε να λέω ψέματα ξανά και ξανά ώρες ολόκληρες, για να φυτέψω έστω και το σπόρο της αμφιβολίας μέσα στο κεφάλι σου. Είπα ψέματα, και λυπάμαι τόσο πολύ –λυπάμαι γιατί σε πλήγωσα, λυπάμαι γιατί ήταν μια άχρηστη προσπάθεια. Λυπάμαι που δεν μπόρεσα να σε προστατέψω από αυτό που είμαι. Είπα ψέματα για να σε σώσω, και δεν είχε αποτέλεσμα. Λυπάμαι.

»Αλλά κι εσύ πώς μπόρεσες να με πιστέψεις; Μετά από τις χιλιάδες φορές που σου είπα ότι σ' αγαπάω, πώς μπόρεσες να αφήσεις μια λέξη να σε κάνει να χάσεις την πίστη σου σε μένα;»

Δεν απάντησα. Ήμουν υπερβολικά σοκαρισμένη για να διατυπώσω μια λογική απάντηση.

«Το έβλεπα μέσα στα μάτια σου ότι ειλικρινά *πίστευες* ότι δε σε ήθελα πια. Η πιο παράλογη, η πιο γελοία ιδέα –λες και υπήρχε κανένας τρόπος να υπάρχω *εγώ* χωρίς να έχω ανάγκη *εσένα*!»

Ήμουν ακόμα κοκαλωμένη. Τα λόγια του ήταν ακατάληπτα, επειδή ήταν αδιανόητα.

Κούνησε πάλι τον ώμο μου, όχι βίαια, αλλά αρκετά για να τρίξουν λιγάκι τα δόντια μου.

«Μπέλλα», είπε αναστενάζοντας. «Στ' αλήθεια, πώς σου πέρασε αυτό από το μυαλό;»

Κι έτσι άρχισα να κλαίω. Τα δάκρυα ανάβλυσαν και μετά άρχισαν να κυλάνε αξιοθρήνητα πάνω στα μάγουλά μου.

«Το ήξερα», είπα με λυγμούς. «Το *ήξερα* ότι ονειρευόμουν».

«Είσαι ανυπόφορη», είπε και γέλασε μια φορά –ένα σκληρό γέλιο, απογοητευμένο. «Πώς να το θέσω, ώστε να με πιστέψεις; Δεν κοιμάσαι και δεν έχεις πεθάνει. Είμαι εδώ και σ' αγαπάω. Πάντα σε *αγαπούσα* και πάντα *θα σε αγαπάω*. Σε σκεφτόμουν, έβλεπα το πρόσωπό σου μέσα στο μυαλό μου κάθε δευτερόλεπτο που ήμουν μακριά σου. Όταν σου είπα ότι δε σε ήθελα, ήταν η πιο σκοτεινή βλασφημία».

Κούνησα το κεφάλι μου, ενώ τα δάκρυα συνέχιζαν να ρέουν σαν χείμαρρος από τις άκρες των ματιών μου.

«Δε με πιστεύεις, έτσι δεν είναι;» ψιθύρισε με πρόσωπο πιο χλομό απ' ό,τι συνήθως –το έβλεπα ακόμα και στο αχνό φως. «Γιατί μπορείς να πιστέψεις το ψέμα, αλλά όχι την αλήθεια;»

«Δεν ήταν ποτέ λογικό το να με αγαπάς», εξήγησα, ενώ η φωνή μου έσπασε δυο φορές. «Πάντα το ήξερα αυτό».

Τα μάτια του ζάρωσαν, το σαγόνι του σφίχτηκε.

«Θα σου αποδείξω ότι είσαι ξύπνια», μου υποσχέθηκε.

Πήρε το πρόσωπό μου σταθερά στα σιδερένια του χέρια, αγνοώντας τις προσπάθειές μου, όταν δοκίμασα να γυρίσω το κεφάλι μου αλλού.

«Σε παρακαλώ, μην το κάνεις», ψιθύρισα.

Σταμάτησε με τα χείλη του μόλις έναν πόντο μακριά από τα δικά μου.

«Γιατί όχι;» απαίτησε να μάθει. Η ανάσα του φύσηξε πάνω στο πρόσωπό μου, κάνοντας το κεφάλι μου να στροβιλιστεί.

«Όταν ξυπνήσω» –άνοιξε το στόμα του για να διαμαρτυρηθεί, έτσι άλλαξα τις λέξεις– «εντάξει, ξέχνα το αυτό –όταν φύγεις ξανά, θα είναι αρκετά δύσκολο ακόμα και χωρίς να το κάνεις αυτό».

Τραβήχτηκε πίσω ένα πόντο για να κοιτάξει το πρόσωπό

μου.

«Χθες, κάθε φορά που σε άγγιζα, ήσουν τόσο... διστακτική, τόσο επιφυλακτική, κι όμως πάλι η ίδια. Πρέπει να ξέρω το γιατί. Επειδή ήρθα πολύ αργά; Επειδή σε πλήγωσα πάρα πολύ; Επειδή *όντως* προχώρησες, όπως ήθελα να κάνεις; Αυτό θα ήταν... αρκετά δίκαιο. Δε θα αμφισβητήσω την απόφασή σου. Γι' αυτό σε παρακαλώ μην προσπαθήσεις να με λυπηθείς –απλώς πες μου τώρα αν μπορείς ακόμα να με αγαπάς μετά από όσα σου έχω κάνει. Μπορείς;» ψιθύρισε.

«Τι είδους ανόητη ερώτηση είναι αυτή;»

«Απλώς, απάντησέ την. Σε παρακαλώ».

Τον κοίταξα ζοφερά για μια στιγμή. «Τα συναισθήματά μου για σένα δε θα αλλάξουν ποτέ. Φυσικά και σε αγαπάω –και δεν υπάρχει τίποτα που να μπορείς να κάνεις γι' αυτό!»

«Αυτό είναι το μόνο που χρειαζόμουν να ακούσω».

Το στόμα του βρέθηκε πάνω στο δικό μου τότε, και δεν μπορούσα να αντισταθώ. Όχι επειδή ήταν τόσες χιλιάδες φορές πιο δυνατός από μένα, αλλά επειδή η θέλησή μου κατέρρευσε κι έγινε σκόνη, το δευτερόλεπτο που ενώθηκαν τα χείλη μας. Αυτό το φιλί δεν ήταν τόσο προσεχτικό όσο άλλα που θυμόμουν, πράγμα που με βόλευε μια χαρά. Αν επρόκειτο να κοπώ σε ακόμα περισσότερα κομμάτια, τότε γιατί να μην πάρω σε αντάλλαγμα και όσο το δυνατόν περισσότερο μπορούσα;

Έτσι ανταπόδωσα το φιλί, καθώς η καρδιά μου χτυπούσε με έναν ακανόνιστο, παράλογο ρυθμό, ενώ ταυτόχρονα η ανάσα μου έγινε αγκομαχητό, και τα χέρια μου κινήθηκαν άπληστα προς το πρόσωπό του. Ένιωθα το μαρμάρινο σώμα του να ακουμπάει κάθε γραμμή του δικού μου, και χαιρόμουν τόσο πολύ που δε με είχε ακούσει –δεν υπήρχε κανένας πόνος στον κόσμο που θα δικαιολογούσε το να χάσω κάτι τέτοιο. Τα χέρια του απομνημόνευαν το πρόσωπό μου ακριβώς με τον ίδιο τρόπο που τα δικά μου ακολουθούσαν τις γραμμές του δικού του, και στα σύντομα δευτερόλεπτα που τα χείλη του ήταν ελεύθερα, ψιθύριζε το όνομά μου.

Όταν άρχισα να ζαλίζομαι, τραβήχτηκε μακριά, μόνο για να ακουμπήσει το αυτί του στην καρδιά μου.

Έμεινα εκεί, παραζαλισμένη, περιμένοντας την ανάσα μου να αποκτήσει πιο αργό ρυθμό και να ηρεμήσει.

«Παρεμπιπτόντως», είπε εκείνος χαλαρά. «Δε θα σε αφήσω».

Δεν είπα τίποτα, κι εκείνος φάνηκε να ακούει κάποιο ίχνος σκεπτικισμού στη σιωπή μου.

Σήκωσε το πρόσωπό του για να κλειδώσει το βλέμμα μου μέσα στο δικό του. «Δε θα πάω πουθενά. Όχι χωρίς εσένα», πρόσθεσε πιο σοβαρά. «Σε άφησα καταρχάς, μόνο επειδή ήθελα να έχεις μια ευκαιρία να ζήσεις μια φυσιολογική, χαρούμενη, ανθρώπινη ζωή. Έβλεπα τι σου έκανα –σε είχα διαρκώς στην κόψη του κινδύνου, σε έπαιρνα μακριά από τον κόσμο όπου ανήκες, ρίσκαρα τη ζωή σου κάθε στιγμή που ήμουν μαζί σου. Έτσι, έπρεπε να προσπαθήσω. Έπρεπε να κάνω *κάτι*, και φαινόταν ότι το να φύγω ήταν ο μόνος τρόπος. Αν δεν πίστευα ότι θα ήσουν καλύτερα, δε θα μπορούσα ποτέ να κάνω τον εαυτό μου να φύγει. Είμαι υπερβολικά εγωιστής. Μόνο *εσύ* θα μπορούσες να είσαι πιο σημαντική από αυτό που ήθελα… από αυτό που είχα ανάγκη. Αυτό που θέλω κι έχω ανάγκη είναι να είμαι μαζί σου και ξέρω ότι ποτέ δε θα είμαι αρκετά δυνατός για να φύγω ξανά. Έχω υπερβολικά πολλές δικαιολογίες για να μείνω –δόξα το Θεό! Φαίνεται ότι δεν μπορείς να είσαι ασφαλής, όσα χιλιόμετρα κι αν βάλω ανάμεσά μας».

«Μη μου υπόσχεσαι τίποτα», ψιθύρισα. Αν άφηνα τον εαυτό μου να ελπίζει, και δεν κατέληγε πουθενά… αυτό θα με σκότωνε. Εκεί που όλοι εκείνοι οι αμείλικτοι βρικόλακες δεν μπόρεσαν να με αποτελειώσουν, η ελπίδα θα τα κατάφερνε.

Θυμός έλαμψε σαν μέταλλο στα μαύρα του μάτια. «Νομίζεις ότι σου λέω ψέματα τώρα;»

«Όχι –όχι ότι μου λες ψέματα». Κούνησα το κεφάλι μου,

προσπαθώντας να το σκεφτώ με κάποια λογική συνοχή. Να εξετάσω την υπόθεση ότι με αγαπούσε *αλήθεια*, ενώ παράλληλα να παραμείνω και αντικειμενική, κλινικά, ώστε να μην πέσω στην παγίδα της ελπίδας. «Θα μπορούσες να το εννοείς... τώρα. Αλλά αύριο, όταν θα σκεφτείς όλους τους λόγους που σε έκαναν να φύγεις την πρώτη φορά; Ή τον επόμενο μήνα, όταν ο Τζάσπερ μου ορμήσει;»

Ζάρωσε πίσω από το φόβο.

Σκέφτηκα τις τελευταίες εκείνες μέρες της ζωής μου πριν με αφήσει, προσπάθησα να τις δω μέσα από το φίλτρο αυτών που μου έλεγε τώρα. Από αυτή την οπτική γωνία, αν φανταζόμουν ότι με είχε αφήσει ενώ με αγαπούσε, ότι είχε φύγει *για χάρη* μου, οι μελαγχολικές του σκέψεις και οι ψυχρές σιωπές του έπαιρναν ένα διαφορετικό νόημα. «Δεν είναι ότι δε σκέφτηκες, όμως, πριν πάρεις την πρώτη απόφαση, έτσι δεν είναι;» μάντεψα. «Θα καταλήξεις πάλι να κάνεις αυτό που νομίζεις ότι είναι σωστό».

«Δεν είμαι τόσο δυνατός όσο μου πιστώνεις», είπε. «Το σωστό και το λάθος έχουν σταματήσει να σημαίνουν κάτι ιδιαίτερο για μένα˙ θα γύριζα, έτσι κι αλλιώς. Πριν μου πει η Ρόζαλι τα νέα, είχα ήδη περάσει το στάδιο που προσπαθούσα να επιβιώσω άλλη μια βδομάδα κάθε φορά ή ακόμα και μια μέρα. Πάσχιζα να τα καταφέρω, έστω και για μια ώρα. Ήταν μόνο θέμα χρόνου –και δε θα περνούσε πολύς– να εμφανιστώ στο παράθυρό σου και να σε ικετέψω να με δεχτείς πίσω. Θα χαιρόμουν να ικετέψω και τώρα, αν το θέλεις».

Έκανα ένα μορφασμό. «Σε παρακαλώ, σοβαρέψου».

«Ω, μα σοβαρολογώ», επέμεινε εκείνος, αγριοκοιτάζοντάς με τώρα. «Θα προσπαθήσεις, σε παρακαλώ, να ακούσεις αυτό που σου λέω; Θα με αφήσεις να προσπαθήσω να σου εξηγήσω τι σημαίνεις για μένα;»

Περίμενε, μελετώντας το πρόσωπό μου, καθώς μιλούσε, για να βεβαιωθεί ότι άκουγα πραγματικά.

«Πριν από σένα, Μπέλλα, η ζωή μου ήταν μια νύχτα χωρίς σελήνη. Πολύ σκοτεινή, αλλά υπήρχαν αστέρια –σημεία φωτός και λογικής… Και μετά ήρθες εσύ σαν μετεωρίτης στον ουρανό μου. Ξαφνικά όλα άρχισαν να φλέγονται˙ ήταν όλα λαμπερά, ήταν πανέμορφα. Όταν χάθηκες, όταν ο μετεωρίτης είχε χαθεί στον ορίζοντα, όλα σκοτείνιασαν. Τίποτα δεν είχε αλλάξει, αλλά τα μάτια μου είχαν τυφλωθεί από το φως. Δεν μπορούσα να δω πια τ' αστέρια. Και δεν υπήρχε κανένας λόγος για τίποτα πια».

Ήθελα να τον πιστέψω. Αλλά αυτό που περιέγραφε ήταν η *δική μου* ζωή χωρίς *εκείνον*, όχι το αντίστροφο.

«Τα μάτια σου θα προσαρμοστούν», μουρμούρισα.

«Αυτό είναι ακριβώς το πρόβλημα –δεν μπορούν».

«Και αυτά που σου αποσπούν την προσοχή;»

Γέλασε χωρίς ίχνος χιούμορ. «Απλώς μέρος του ψέματος, αγάπη μου. Δεν υπήρχε τίποτα που να μπορούσε να μου αποσπάσει την προσοχή από… το *μαρτύριο*. Η καρδιά μου δεν έχει χτυπήσει εδώ και ενενήντα χρόνια περίπου, αλλά αυτό ήταν αλλιώς. Ήταν σαν να είχε εξαφανιστεί η καρδιά μου –σαν να ήμουν κούφιος. Σαν να είχα αφήσει όλα όσα υπήρχαν μέσα μου εδώ μαζί σου».

«Αυτό είναι αστείο», μουρμούρισα.

Κύρτωσε το ένα του τέλειο φρύδι. «Αστείο;»

«Θέλω να πω παράξενο –νόμιζα ότι ήμουν μόνο εγώ. Πολλά δικά μου κομμάτια εξαφανίστηκαν, επίσης. Δεν μπορούσα να αναπνεύσω κανονικά εδώ και πολύ καιρό». Γέμισα τα πνευμόνια μου, απολαμβάνοντας την αίσθηση. «Και η καρδιά μου. Αυτή είχε σίγουρα χαθεί».

Έκλεισε τα μάτια του και ακούμπησε το αυτί του πάνω στην καρδιά μου πάλι. Άφησα τα μάγουλά μου να ακουμπήσουν στα μαλλιά του, ένιωσα την υφή τους στο δέρμα μου, μύρισα το υπέροχο άρωμά του.

«Η ιχνηλασία δεν ήταν κάτι που σε έκανε να ξεχαστείς

τότε;» ρώτησα, περίεργη, και επίσης έχοντας την ανάγκη να ξεχαστώ η ίδια. Κινδύνευα πάρα πολύ να αρχίσω να ελπίζω. Δε θα μπορούσα να εμποδίσω τον εαυτό μου για πολλή ώρα. Η καρδιά μου φτερούγισε, τραγουδώντας μέσα στο στήθος μου.

«Η ιχνηλασία δεν ήταν ποτέ ψυχαγωγία για να ξεχαστώ. Ήταν μια υποχρέωση».

«Τι σημαίνει αυτό;»

«Σημαίνει ότι, αν και δεν περίμενα ποτέ κανέναν κίνδυνο από τη Βικτόρια, δε θα την άφηνα να ξεφύγει έτσι ατιμώρητη για... Λοιπόν, όπως είπα ήμουν φρικτός στην ιχνηλασία. Ακολούθησα τα ίχνη της μέχρι το Τέξας, αλλά μετά ακολούθησα κάποιο παραπλανητικό στοιχείο ως τη Βραζιλία –και στην πραγματικότητα, εκείνη ήρθε εδώ». Μούγκρισε. «Δεν ήμουν καν στη σωστή ήπειρο! Και εντωμεταξύ, χειρότερα κι από τους χειρότερούς μου φόβους –»

«Κυνηγούσες τη *Βικτόρια;*» Σχεδόν τσίριξα, μόλις βρήκα τη φωνή μου, ανεβαίνοντας δυο οκτάβες ψηλά.

Τα μακρινά ροχαλητά του Τσάρλι τραύλισαν και μετά απέκτησαν ξανά έναν ομαλό ρυθμό.

«Όχι με επιτυχία», απάντησε ο Έντουαρντ, μελετώντας την έξαλλη έκφρασή μου με ένα μπερδεμένο βλέμμα. «Αλλά θα τα καταφέρω καλύτερα αυτή τη φορά. Δε θα συνεχίσει να μολύνει άλλο καθαρό αέρα, εισπνέοντας και εκπνέοντας για πολύ καιρό ακόμα».

«Αυτό... αποκλείεται», κατάφερα να πω πνιχτά. Ακόμα κι αν ο Έμετ ή ο Τζάσπερ τον βοηθούσαν. Ακόμα κι αν τον βοηθούσαν και ο Έμετ *και* ο Τζάσπερ. Ήταν χειρότερο κι από το άλλο που είχα φανταστεί: τον Τζέικομπ Μπλακ να στέκεται απέναντι από την άγρια, γατίσια μορφή της Βικτόρια, με μια μικρή απόσταση να τους χωρίζει. Δεν άντεχα να φανταστώ τον Έντουαρντ στη θέση αυτή, παρόλο που ήταν πολύ πιο ανθεκτικός από το μισοανθρώπινο καλύτερο φίλο μου.

«Είναι πολύ αργά για 'κείνη. Μπορεί να άφησα την άλλη φορά να μου ξεφύγει, αλλά όχι τώρα, όχι μετά–»

Τον διέκοψα ξανά, προσπαθώντας να ακουστώ ψύχραιμη. «Δεν υποσχέθηκες μόλις τώρα ότι δε θα φύγεις;» ρώτησα, πολεμώντας τις λέξεις, μόλις τις είπα, χωρίς να τις αφήνω να ριζώσουν στην καρδιά μου. «Αυτό δεν είναι ακριβώς συμβατό με μια μακροχρόνια αποστολή σε αναζήτηση ιχνών, έτσι δεν είναι;»

Κατσούφιασε. Ένας γρυλισμός άρχισε να φουντώνει χαμηλά μέσα στο στήθος του. «Θα κρατήσω την υπόσχεσή μου, Μπέλλα. Αλλά η Βικτόρια» –ο γρυλισμός έγινε πιο έντονος– «θα πεθάνει. Σύντομα».

«Ας μη βιαστούμε», είπα προσπαθώντας να κρύψω τον πανικό μου. «Μπορεί να μη γυρίσει. Η αγέλη του Τζέικ πιθανότατα την τρόμαξε και την έδιωξε. Δεν υπάρχει κανένας λόγος στην πραγματικότητα να πας να την ψάξεις. Εξάλλου, έχω μεγαλύτερα προβλήματα από τη Βικτόρια».

Τα μάτια του Έντουαρντ ζάρωσαν, αλλά έγνεψε καταφατικά. «Είναι αλήθεια. Οι λυκάνθρωποι είναι ένα πρόβλημα».

Εγώ ρουθούνισα. «Δεν αναφερόμουν στον *Τζέικομπ*. Τα προβλήματά μου είναι πολύ χειρότερα από μια χούφτα εφήβους λυκάνθρωπους που μπλέκουν σε μπελάδες».

Ο Έντουαρντ έδειχνε σαν να ήταν έτοιμος να πει κάτι και μετά το σκέφτηκε καλύτερα. Τα δόντια του σφίχτηκαν, και μίλησε μέσα απ' αυτά. «Αλήθεια;» ρώτησε. «Τότε ποιο είναι το μεγαλύτερό σου πρόβλημα; Που θα έκανε την επιστροφή της Βικτόρια να φαίνεται τόσο ασήμαντο ζήτημα για σένα συγκριτικά;»

«Ας πούμε το δεύτερο μεγαλύτερο;» είπα υπεκφεύγοντας.

«Εντάξει», συμφώνησε εκείνος καχύποπτος.

Έκανα μια παύση. Δεν ήμουν σίγουρη ότι μπορούσα να πω το όνομα. «Υπάρχουν άλλοι που θα έρθουν να με βρουν», του υπενθύμισα με ένα χαμηλό ψίθυρο.

Αναστέναξε, αλλά η αντίδραση δεν ήταν τόσο έντονη, όπως θα φανταζόμουν μετά από το πώς αντέδρασε στο θέμα της Βικτόρια.

«Οι Βολτούρι είναι μόνο το *δεύτερο* πιο μεγάλο σου πρόβλημα;»

«Δε φαίνεσαι και πολύ αναστατωμένος γι' αυτό», παρατήρησα.

«Κοίτα, έχουμε πολύ χρόνο να το σκεφτούμε. Ο χρόνος έχει πολύ διαφορετική σημασία γι' αυτούς απ' ό,τι για σένα ή ακόμα και για μένα. Μετράνε τα χρόνια όπως εσύ μετράς τις μέρες. Δε θα με εξέπληττε αν ήσουν τριάντα, πριν περάσεις ξανά από το μυαλό τους», πρόσθεσε ανάλαφρα.

Με κατέκλυσε τρόμος.

Τριάντα.

Άρα οι υποσχέσεις του δε σήμαιναν τίποτα, τελικά. Αν ήταν να γίνω τριάντα κάποια μέρα, τότε δεν ήταν δυνατόν να σκοπεύει να μείνει για πολύ καιρό. Ο οξύς πόνος της επίγνωσης αυτού του γεγονότος με έκανε να συνειδητοποιήσω ότι ήδη είχα αρχίσει να ελπίζω, χωρίς να έχω δώσει στον εαυτό μου την άδεια να το κάνει.

«Δε χρειάζεται να φοβάσαι», είπε ανήσυχος, καθώς έβλεπε τα δάκρυα να υγραίνουν τις άκρες των ματιών μου. «Δε θα τους αφήσω να σου κάνουν κακό».

«Όσο είσαι εδώ». Όχι ότι με ένοιαζε τι θα μου συνέβαινε όταν θα έφευγε.

Πήρε το πρόσωπό μου στα δυο πέτρινα χέρια του, κρατώντας το σφιχτά, ενώ τα μάτια του, σκοτεινά σαν τα μεσάνυχτα, κοίταξαν άγρια μέσα στα δικά μου με την ελκτική δύναμη μιας μαύρης τρύπας. «Δε θα σε αφήσω ποτέ ξανά».

«Μα είπες *τριάντα*», ψιθύρισα. Τα δάκρυα ξεχείλισαν κι άρχισαν να στάζουν από τις άκρες των ματιών μου. «Τι; Θα μείνεις, αλλά θα με αφήσεις να γεράσω, έτσι κι αλλιώς; Σωστά».

Τα μάτια του μαλάκωσαν, ενώ το στόμα του σκλήρυνε. «Αυτό ακριβώς θα κάνω. Τι επιλογή έχω; Δεν μπορώ χωρίς εσένα, αλλά δε θα καταστρέψω και την ψυχή σου».

«Αυτός είναι πραγματικά...» προσπάθησα να διατηρήσω τη φωνή μου σταθερή, αλλά αυτή η ερώτηση ήταν πολύ δύσκολη. Θυμήθηκα το πρόσωπό του, όταν ο Άρο σχεδόν τον ικέτεψε να σκεφτεί να με κάνει αθάνατη. Την αηδία που υπήρχε εκεί. Αυτή η εμμονή να μείνω άνθρωπος ήταν πραγματικά λόγω της ψυχής μου ή επειδή δεν ήταν σίγουρος ότι θα με ήθελε κοντά του για τόσο πολύ καιρό;

«Ναι;» ρώτησε περιμένοντας την ερώτησή μου.

Έκανα μια ελαφρώς διαφορετική. Σχεδόν – αλλά όχι ακριβώς– εξίσου δύσκολη.

«Κι όταν γεράσω τόσο πολύ που οι άνθρωποι θα νομίζουν ότι είμαι μητέρα σου; *Γιαγιά* σου;» Η φωνή μου ήταν αδύναμη από την αποστροφή –έβλεπα το πρόσωπο της γιαγιάς μου ξανά στον καθρέφτη του ονείρου μου.

Όλο του το πρόσωπο μαλάκωσε τώρα. Έδιωξε τα δάκρυα από το μάγουλό μου με τα χείλη του. «Αυτό δεν έχει καμία σημασία για μένα», είπε ψιθυρίζοντας κοντά στο δέρμα μου. «Πάντα θα είσαι το πιο όμορφο πλάσμα στον κόσμο μου. Φυσικά...» Δίστασε και τραβήχτηκε πίσω ελαφρώς. «Αν εσύ ένιωθες ότι *εγώ* είμαι πολύ μικρός για σένα –αν ήθελες κάτι περισσότερο– θα το καταλάβαινα, Μπέλλα. Σου υπόσχομαι ότι δε θα σου στεκόμουν εμπόδιο, αν ήθελες να με αφήσεις».

Τα μάτια του είχαν πάρει την απόχρωση ενός υγρού όνυχα και ήταν απολύτως ειλικρινή. Μιλούσε σαν να είχε σκεφτεί ατελείωτα αυτό το πεισματάρικο σχέδιο.

«Συνειδητοποιείς ότι τελικά θα πεθάνω, έτσι;» απαίτησα να μάθω.

Το είχε σκεφτεί και αυτό. «Θα σε ακολουθήσω όσο πιο γρήγορα μπορώ».

«Αυτό είναι σοβαρά...» έψαξα για τη σωστή λέξη. «Αρρωστημένο».

«Μπέλλα, είναι ο μόνος σωστός τρόπος που απέμεινε –»

«Για κάτσε μια στιγμή», είπα˙ το γεγονός ότι ένιωθα θυμό το έκανε πολύ πιο εύκολο να είμαι ξεκάθαρη, αποφασιστική. «Θυμάσαι τους Βολτούρι, έτσι; Δεν μπορώ να παραμείνω άνθρωπος για πάντα. Θα με σκοτώσουν. Ακόμα κι αν δε με σκεφτούν μέχρι να γίνω *τριάντα*» –είπα τη λέξη μέσα από τα δόντια μου– «πραγματικά πιστεύεις ότι θα με ξεχάσουν;»

«Όχι», απάντησε αργά, κουνώντας το κεφάλι του. «Δε θα ξεχάσουν. Αλλά...»

«Αλλά;»

Χαμογέλασε πλατιά, ενώ εγώ τον κοίταζα καχύποπτα. Ίσως δεν ήμουν εγώ η μόνη παλαβή.

«Έχω μερικά σχέδια».

«Κι αυτά τα σχέδια», είπα, ενώ η φωνή μου γινόταν όλο και πιο σαρκαστική λέξη τη λέξη. «Αυτά τα σχέδια όλα επικεντρώνονται στο πώς θα παραμείνω *άνθρωπος*».

Η στάση μου σκλήρυνε την έκφρασή του. «Φυσικά». Ο τόνος του ήταν κοφτός, το θεϊκό του πρόσωπο υπεροπτικό.

Αγριοκοιταχτήκαμε.

Μετά πήρα μια βαθιά ανάσα, τέντωσα τους ώμους μου κι έσπρωξα πέρα τα χέρια του, για να καθίσω όρθια.

«Θέλεις να φύγω;» ρώτησε, και το γεγονός ότι είδα πως η ιδέα αυτή τον πλήγωσε, αν και προσπάθησε να μην το δείξει, έκανε την καρδιά μου να φτερουγίσει.

«Όχι», του είπα. «*Εγώ* φεύγω».

Με παρατήρησε καχύποπτα, καθώς κατέβηκα από το κρεβάτι και ψαχούλεψα μέσα στο σκοτεινό δωμάτιο για να βρω τα παπούτσια μου.

«Επιτρέπεται να ρωτήσω πού πας;» ρώτησε.

«Πάω σπίτι σου», του είπα, ακόμα ψαχουλεύοντας γύρωγύρω στα τυφλά.

Σηκώθηκε και ήρθε δίπλα μου. «Ορίστε τα παπούτσια σου. Πώς σκόπευες να πας εκεί;»

«Με το φορτηγό μου».

«Αυτό πιθανότατα θα ξυπνήσει τον Τσάρλι», αντέτεινε για να με αποτρέψει.

Αναστέναξα. «Το ξέρω. Αλλά ειλικρινά, θα είμαι μέσα τιμωρημένη για μια βδομάδα, έτσι όπως έχουν τα πράγματα. Σε πόσο μεγαλύτερους μπελάδες μπορώ να μπλέξω αλήθεια;»

«Σε κανένα. Θα κατηγορήσει εμένα, όχι εσένα».

«Αν έχεις καμιά καλύτερη ιδέα, είμαι όλη αυτιά».

«Να μείνεις εδώ», πρότεινε, αλλά η έκφρασή του δεν έκρυβε πολλές ελπίδες.

«Δεν υπάρχει περίπτωση. Αλλά εσύ μείνε και νιώσε άνετα, σαν στο σπίτι σου», τον ενθάρρυνα, έκπληκτη με το πόσο φυσικό ακούστηκε το πείραγμά μου, και κατευθύνθηκα προς την πόρτα.

Εκείνος ήταν εκεί πριν από μένα, εμποδίζοντάς με.

Κατσούφιασα και στράφηκα προς το παράθυρο. Δεν ήταν και τόσο μεγάλη απόσταση ως το έδαφος, και κυρίως είχε χορτάρι από κάτω…

«Εντάξει», είπε αναστενάζοντας. «Θα σε πάω εγώ».

Σήκωσα τους ώμους μου. «Όπως θες. Αλλά ίσως θα *έπρεπε* να είσαι κι εσύ εκεί».

«Και γιατί αυτό;»

«Επειδή είσαι εξαιρετικά ισχυρογνώμων, και είμαι σίγουρη ότι θα θέλεις μια ευκαιρία για να εκφράσεις τις απόψεις σου».

«Τις απόψεις μου πάνω σε ποιο θέμα;» ρώτησε μέσα από τα δόντια του.

«Αυτό δεν αφορά μόνο εσένα πια. Δεν είσαι το κέντρο του σύμπαντος, ξέρεις». Το δικό μου προσωπικό σύμπαν ήταν, βέβαια, μια άλλη ιστορία. «Αν σκοπεύεις να φέρεις τους Βολτούρι εδώ για κάτι τόσο ανόητο, όπως το ότι θέλεις να παραμείνω άνθρωπος, τότε η οικογένειά σου πρέπει να έχει λόγο».

«Λόγο σε τι πράγμα;» ρώτησε προφέροντας κάθε λέξη ξεχωριστά.

«Τη θνητότητά μου. Θα τη θέσω σε ψηφοφορία».

24. ΨΗΦΟΦΟΡΙΑ

Δε χάρηκε, αυτό τουλάχιστον ήταν εύκολα φανερό στο πρόσωπό του. Αλλά, χωρίς να διαφωνήσει, με πήρε στα χέρια του και πήδηξε με χάρη από το παράθυρό μου, ενώ προσγειώθηκε χωρίς το παραμικρό τράνταγμα, σαν γάτα. Ήταν λιγάκι πιο μακρινή απόσταση ως κάτω απ' ό,τι είχα φανταστεί.

«Εντάξει, λοιπόν», είπε, με φωνή που έβραζε από αποδοκιμασία. «Ανέβα πάνω».

Με βοήθησε να ανέβω στην πλάτη του και άρχισε να τρέχει. Ακόμα και μετά από όλον αυτό τον καιρό, ένιωθα σαν να ήταν μια ρουτίνα. Εύκολο. Προφανώς αυτό ήταν κάτι που δεν ξεχνιόταν ποτέ, όπως το ποδήλατο.

Είχε τόσο απόλυτη ησυχία και σκοτάδι, καθώς έτρεχε μέσα από το δάσος, αναπνέοντας αργά και ομαλά –είχε αρκετό σκοτάδι, ώστε τα δέντρα που περνούσαν δίπλα μας πετώντας να είναι σχεδόν αόρατα, και μόνο το φύσημα του αέρα πάνω στο πρόσωπό μου πραγματικά πρόδιδε την ταχύτητά μας. Ο αέρας ήταν υγρός˙ δεν έκαιγε τα μάτια μου, όπως έκανε ο άνεμος στη μεγάλη πλατεία, κι αυτό ήταν παρηγορητικό. Όπως και η νύχτα μετά από εκείνη την τρομακτική λάμψη. Σαν το παχύ πάπλωμα κάτω από το οποίο έπαιζα όταν ήμουν παιδί, το σκοτάδι έμοιαζε οικείο και προστατευτικό.

Θυμήθηκα ότι παλιά με φόβιζε το να τρέχουμε μέσα από το δάσος έτσι, ότι συνήθως αναγκαζόμουν να κλείνω τα μάτια. Μου φαινόταν τώρα πια γελοία αντίδραση. Κράτησα τα μάτια μου διάπλατα ανοιχτά, με το πιγούνι μου να ακουμπά στον ώμο του, το μάγουλό μου πάνω στο λαιμό του. Η ταχύτητα ήταν απολαυστική. Εκατό φορές καλύτερα από τη μοτοσικλέτα.

Γύρισα το πρόσωπό μου προς εκείνον και πίεσα τα χείλη μου πάνω στο κρύο σαν πέτρα δέρμα του σβέρκου του.

«Σ' ευχαριστώ», είπε, καθώς οι ασαφείς, μαύρες φιγούρες των δέντρων μας προσπερνούσαν τρέχοντας. «Αυτό σημαίνει ότι αποφάσισες πως είσαι ξύπνια;»

Γέλασα. Ο ήχος ήταν εύκολος, φυσικός, αβίαστος. Ακουγόταν *σωστός*. «Δε θα το έλεγα. Μάλλον ότι, είτε έτσι είτε αλλιώς, δεν προσπαθώ να ξυπνήσω. Όχι απόψε».

«Θα ξανακερδίσω την εμπιστοσύνη σου με κάποιο τρόπο», μουρμούρισε, κυρίως στον εαυτό του. «Ακόμα κι αν είναι το τελευταίο πράγμα που θα κάνω».

«*Εσένα* σε εμπιστεύομαι», τον διαβεβαίωσα. «Εμένα δεν εμπιστεύομαι».

«Εξήγησέ το μου αυτό, σε παρακαλώ».

Είχε επιβραδύνει σε σημείο που να περπατάει –το κατάλαβα μόνο επειδή ο άνεμος είχε σταματήσει– και μάντεψα ότι δεν απείχαμε πολύ από το σπίτι. Μάλιστα, νόμιζα ότι μπορούσα να διακρίνω τον ήχο του ποταμού που κυλούσε ορμητικά εκεί κοντά, μέσα στο σκοτάδι.

«Λοιπόν –» πάσχισα να βρω το σωστό τρόπο για να το διατυπώσω. «Δεν εμπιστεύομαι τον εαυτό μου, γιατί νομίζω ότι δεν είμαι... αρκετή. Για να σε αξίζω. Δεν υπάρχει τίποτα σ' εμένα που θα μπορούσε να σε *κρατήσει*».

Σταμάτησε κι άπλωσε το χέρι του για να με τραβήξει από την πλάτη του. Τα απαλά του χέρια δε με ελευθέρωσαν˙ αφού με ακούμπησε στο έδαφος για να σταθώ στα πόδια μου, τύλιξε τα μπράτσα του σφιχτά γύρω μου, αγκαλιάζοντάς με μέσα στο στήθος του.

«Με κρατάς μόνιμα και δεν υπάρχει τρόπος να σπάσω αυτό το δεσμό», ψιθύρισε. «Να μην αμφιβάλλεις ποτέ γι' αυτό».

Μα πώς μπορούσα να μην αμφιβάλλω;

«Δε μου είπες ποτέ...» μουρμούρισε.

«Τι;»

«Ποιο είναι το μεγαλύτερό σου πρόβλημα;»

«Θα σε αφήσω να μαντέψεις μια φορά». Αναστέναξα και τεντώθηκα ψηλά για να αγγίξω την άκρη της μύτης του με το δείκτη μου.

Κούνησε το κεφάλι του. «*Εγώ* είμαι χειρότερος από τους Βολτούρι», είπε μελαγχολικά. «Μάλλον μου άξιζε αυτό».

Στριφογύρισα τα μάτια μου ειρωνικά. «Το χειρότερο που μπορούν να κάνουν οι Βολτούρι είναι να με σκοτώσουν».

Περίμενε με μάτια γεμάτα ένταση.

«Εσύ μπορείς να με αφήσεις», εξήγησα. «Οι Βολτούρι, η Βικτόρια... δεν είναι τίποτα σε σύγκριση με αυτό».

Ακόμα και μέσα στο σκοτάδι, έβλεπα την αγωνία να κάνει το πρόσωπό του να συσπάται –μου θύμισε την έκφρασή του υπό το βασανιστικό βλέμμα της Τζέιν˙ ένιωσα αηδία και μετάνιωσα που είπα την αλήθεια.

«Όχι», ψιθύρισα, αγγίζοντας το πρόσωπό του. «Μην είσαι λυπημένος».

Σήκωσε τη μια άκρη του στόματός του με μισή καρδιά, αλλά η έκφραση δεν άγγιξε τα μάτια του. «Αν υπήρχε μόνο κάποιος τρόπος να σε κάνω να καταλάβεις ότι *δεν μπορώ* να σε αφήσω», ψιθύρισε. «Ο χρόνος, υποθέτω, θα είναι ο μόνος τρόπος να πειστείς».

Μου άρεσε η ιδέα του χρόνου. «Εντάξει», συμφώνησα.

Το πρόσωπό του υπέφερε ακόμα. Προσπάθησα να του αποσπάσω την προσοχή με ασήμαντες λεπτομέρειες.

«Λοιπόν –εφόσον θα μείνεις. Μπορώ να πάρω πίσω τα πράγματά μου;» ρώτησα, κάνοντας τον τόνο μου όσο πιο ανάλαφρο μπορούσα.

Η προσπάθειά μου είχε αποτέλεσμα ως ένα βαθμό: γέλασε. Αλλά τα μάτια του διατήρησαν τη θλίψη. «Τα πράγματά σου δεν έφυγαν ποτέ», μου είπε. «Ήξερα ότι ήταν λάθος, εφόσον σου υποσχέθηκα ηρεμία χωρίς ενθύμια. Ήταν ανόητο και παιδιάστικο, αλλά ήθελα να αφήσω κάτι δικό μου κοντά σου. Το CD, οι φωτογραφίες, τα εισιτήρια –είναι όλα κάτω από τις σανίδες του πατώματός σου».

«*Αλήθεια;*»

Εκείνος έγνεψε, δείχνοντας να έχει ελαφρώς καλύτερη διάθεση εξαιτίας της φανερής μου ικανοποίησης από αυτό το ασήμαντο γεγονός. Δεν ήταν αρκετό για να γιατρέψει τον πόνο στο πρόσωπό του τελείως.

«Νομίζω», είπα αργά, «δεν είμαι σίγουρη, αλλά αναρωτιέμαι... νομίζω ότι μπορεί και να το ήξερα όλο αυτό τον καιρό».

«Τι ήξερες;»

Ήθελα μόνο να διώξω την οδύνη από τα μάτια του, αλλά καθώς πρόφερα τις λέξεις, ακούστηκαν πιο αληθινές απ' ό,τι περίμενα.

«Ένα μέρος μου, ίσως το υποσυνείδητό μου, ποτέ δε σταμάτησε να πιστεύει ότι νοιαζόσουν ακόμα αν ζούσα ή πέθαινα. Γι' αυτό ίσως άκουγα τις φωνές».

Ακολούθησε μια πολύ βαθιά σιωπή για μια στιγμή. «Φωνές;» ρώτησε εκείνος άτονα.

«Δηλαδή, μια φωνή μόνο. Η δική σου. Είναι μεγάλη ιστορία». Η ανήσυχη έκφραση στο πρόσωπό του με έκανε να ευχηθώ να μην το είχα αναφέρει αυτό. Θα νόμιζε ότι ήμουν τρελή, όπως όλοι οι άλλοι; Είχαν όλοι οι άλλο δίκιο για το θέμα αυτό; Αλλά τουλάχιστον εκείνη η έκφραση –που τον έκανε να φαίνεται σαν να τον έκαιγε κάτι– έσβησε.

«Έχω χρόνο». Η φωνή του ήταν αφύσικα σταθερή.

«Είναι αξιοθρήνητο».

Εκείνος περίμενε.

Δεν ήμουν σίγουρη πώς να του εξηγήσω. «Θυμάσαι αυτό που είπε η Άλις για τα εξτρίμ σπορ;»

Πρόφερε τις λέξεις χωρίς καμία διακύμανση της φωνής του και χωρίς έμφαση. «Πήδηξες από ένα βράχο για ψυχαγωγία».

«Εε, ναι. Και πριν απ' αυτό, με το μηχανάκι –»

«Το μηχανάκι;» ρώτησε. Ήξερα τη φωνή του αρκετά καλά για να ακούσω κάτι που υπέβοσκε πίσω από την ηρεμία.

«Μάλλον δεν το είπα αυτό στην Άλις».

«Όχι».

«Λοιπόν, σχετικά με αυτό... Κοίτα, ανακάλυψα ότι... όταν έκανα κάτι επικίνδυνο ή ανόητο... σε θυμόμουν πιο καθαρά», ομολόγησα, νιώθοντας εντελώς παλαβή. «Μπορούσα να θυμηθώ πώς ακουγόταν η φωνή σου όταν ήσουν θυμωμένος. Την άκουγα σαν να στεκόσουν ακριβώς δίπλα μου. Ως επί το πλείστον, προσπαθούσα να μη σε σκέφτομαι, αλλά αυτό δεν πονούσε τόσο πολύ –ήταν σαν να με προστάτευες ξανά. Σαν να μην ήθελες να πάθω κακό.

»Και, να, αναρωτιέμαι αν ο λόγος που σε άκουγα τόσο καθαρά ήταν επειδή, στο βάθος, πάντα ήξερα ότι δεν είχες σταματήσει να μ' αγαπάς».

Ξανά, καθώς μιλούσα, οι λέξεις έφεραν μαζί τους μια αίσθηση πίστης. Μια αίσθηση ότι ήταν αλήθεια. Κάποιο βαθύ κομμάτι μέσα μου αναγνώριζε την πραγματικότητα.

Τα δικά του λόγια βγήκαν σχεδόν πνιχτά. «Έβαζες... τη ζωή σου... σε κίνδυνο... για να ακούς–»

«Σσσς», τον διέκοψα. «Περίμενε ένα δευτερόλεπτο. Νομίζω ότι μου έρχεται μια επιφοίτηση εδώ πέρα».

Σκέφτηκα τη νύχτα εκείνη στο Πορτ-Άντζελες, όταν είχα την πρώτη μου ψευδαίσθηση. Είχα σκεφτεί δυο εναλλακτικές. Την τρέλα ή τους ευσεβείς πόθους. Δεν είχα δει καμία τρίτη εναλλακτική.

Αλλά αν...

Αν πίστευες ειλικρινά ότι κάτι ήταν αληθινό, όμως είχες απόλυτο άδικο; Αν ήσουν τόσο πεισματικά σίγουρος ότι είχες δίκιο που δε μπορούσες καν να δεις την αλήθεια; Θα ήταν δυνατόν η αλήθεια να φιμωθεί; Δε θα προσπαθούσε να βγει στην επιφάνεια;

Εναλλακτική νούμερο τρία: ο Έντουαρντ με αγαπούσε. Ο δεσμός που είχε σφυρηλατηθεί μεταξύ μας δεν ήταν τέτοιος που να μπορούσε να σπάσει από την απουσία, την απόσταση ή το χρόνο. Και όσο πιο ιδιαίτερος ή ιδιοφυής ή τέλειος κι αν ήταν εκείνος από μένα, είχε αλλάξει με τρόπο μη αναστρέψιμο, όπως κι εγώ. Όπως εγώ πάντα θα ανήκα σ' εκείνον, έτσι κι εκείνος πάντα θα ήταν δικός μου.

Αυτό ήταν που προσπαθούσα να πω στον εαυτό μου;

«Ω!»

«Μπέλλα;»

«Ω. Εντάξει. Καταλαβαίνω».

«Η επιφοίτησή σου;» ρώτησε, με φωνή ασταθή και γεμάτη ένταση.

«Με αγαπάς», είπα με θαυμασμό. Η πεποίθηση ότι αυτό ήταν σωστό με διαπέρασε ξανά.

Αν και τα μάτια του ήταν ακόμα ανήσυχα, το στραβό χαμόγελο που αγαπούσα περισσότερο απ' όλα άστραψε στο πρόσωπό του. «Αλήθεια σ' αγαπώ».

Η καρδιά μου φούσκωσε λες και ήταν έτοιμη να πεταχτεί έξω από τα πλευρά μου. Γέμισε το στήθος μου και μπλόκαρε το λαιμό μου, έτσι που δεν μπορούσα να μιλήσω.

Πραγματικά με ήθελε όπως τον ήθελα κι εγώ –για πάντα. Ήταν όντως μόνο ο φόβος για την ψυχή μου, για τα ανθρώπινα πράγματα από τα οποία δεν ήθελε να με αποσπάσει, που τον έκαναν να θέλει τόσο απεγνωσμένα να μείνω θνητή. Σε σύγκριση με το φόβο ότι δε με ήθελε, αυτό το εμπόδιο –η ψυχή μου– έμοιαζε σχεδόν ασήμαντο.

Κράτησε το πρόσωπό μου σφιχτά ανάμεσα στα δροσερά του χέρια και με φίλησε, μέχρι που ζαλίστηκα τόσο πολύ που το δάσος άρχισε να στροβιλίζεται. Μετά ακούμπησε το μέτωπό του πάνω στο δικό μου, και δεν ήμουν εγώ η μόνη που δυσκολευόταν να αναπνεύσει περισσότερο απ' ό,τι συνήθως.

«Εσύ ήσουν καλύτερη από μένα σ' αυτό, ξέρεις», μου είπε.

«Καλύτερη σε τι πράγμα;»

«Στο να επιβιώσεις. Εσύ, τουλάχιστον, έκανες μια προσπάθεια. Σηκωνόσουν το πρωί, προσπαθούσες να είσαι φυσιολογική για χάρη του Τσάρλι, ακολουθούσες το πρόγραμμα της ζωής σου. Όταν εγώ δεν ακολουθούσα ίχνη, ήμουν... εντελώς άχρηστος. Δεν μπορούσα να βρίσκομαι κοντά στην οικογένειά μου –δεν μπορούσα να βρίσκομαι κοντά σε κανέναν. Ντρέπομαι που παραδέχομαι ότι λίγο-πολύ κουλουριαζόμουν σε μια μπάλα κι άφηνα τη δυστυχία να με κυριεύει». Χαμογέλασε συνεσταλμένα. «Ήταν πολύ πιο αξιοθρήνητο από το να ακούει κανείς φωνές. Και, φυσικά, το ξέρεις ότι κι εγώ ακούω φωνές».

Ένιωθα βαθιά ανακούφιση που πραγματικά φαινόταν να καταλαβαίνει –ένιωθα παρηγοριά που όλο αυτό του φαινόταν λογικό. Πάντως, δε με κοίταζε σαν να ήμουν τρελή. Με κοίταζε σαν... να με αγαπούσε.

«Μόνο μια φωνή άκουγα», τον διόρθωσα.

Εκείνος γέλασε και μετά με τράβηξε σφιχτά πάνω στη δεξιά μεριά του κι άρχισε να με σέρνει μπροστά.

«Ξέρεις όλη αυτή η υπόθεση...» Έκανε μια πλατιά χειρονομία δείχνοντας προς το σκοτάδι μπροστά μας, καθώς περπατούσαμε. Υπήρχε κάτι χλομό και τεράστιο εκεί –το σπίτι, συνειδητοποίησα. «Απλά δε θέλω να σου χαλάσω χατίρι απόψε. Δεν έχει καμία απολύτως σημασία τι θα πουν εκείνοι».

«Αυτό τους επηρεάζει κι εκείνους, τώρα».

Σήκωσε τους ώμους του αδιάφορα.

Με οδήγησε μέσα από την ανοιχτή κεντρική πόρτα στο σκοτεινό σπίτι κι άναψε τα φώτα. Το δωμάτιο ήταν όπως ακριβώς το θυμόμουν –το πιάνο και οι λευκοί καναπέδες και η ωχρή, ογκώδης σκάλα. Καθόλου σκόνη, καθόλου λευκά σεντόνια.

Ο Έντουαρντ φώναξε τα ονόματα χωρίς περισσότερη ένταση απ' ό,τι χρησιμοποιούσα εγώ στη συνηθισμένη συζήτηση. «Κάρλαϊλ; Έσμι; Ρόζαλι; Έμετ; Τζάσπερ; Άλις;» Θα άκουγαν.

Ο Κάρλαϊλ ξαφνικά στεκόταν δίπλα μου, λες και ήταν εκεί όλη την ώρα. «Καλωσήρθες πάλι, Μπέλλα». Χαμογέλασε. «Τι μπορούμε να κάνουμε για σένα σήμερα το πρωί; Φαντάζομαι, εξαιτίας της ώρας, ότι αυτή δεν είναι μια καθαρά κοινωνική επίσκεψη;»

Έγνεψα καταφατικά. «Θα ήθελα να μιλήσω σε όλους μαζί, αν δε σας πειράζει. Για κάτι σημαντικό».

Δεν μπορούσα να μη ρίξω μια βιαστική ματιά στο πρόσωπο του Έντουαρντ, ενώ μιλούσα. Η έκφρασή του ήταν επικριτική, αλλά μοιρολατρική. Όταν ξαναγύρισα να κοιτάξω τον Κάρλαϊλ, κι εκείνος κοίταζε τον Έντουαρντ.

«Φυσικά», είπε ο Κάρλαϊλ. «Γιατί δεν πάμε να μιλήσουμε στο άλλο δωμάτιο;»

Ο Κάρλαϊλ πήγε μπροστά περνώντας μέσα από το φωτεινό σαλόνι, στρίβοντας στη γωνία για την τραπεζαρία, ανάβοντας τα φώτα, καθώς προχωρούσε. Οι τοίχοι ήταν λευκοί, το ταβάνι ψηλό, όπως και στο σαλόνι. Στο κέντρο του δωματίου, κάτω από τον πολυέλαιο που κρεμόταν χαμηλά, υπήρχε ένα μεγάλο, γυαλισμένο οβάλ τραπέζι περιτριγυρισμένο από οκτώ καρέκλες. Ο Κάρλαϊλ τράβηξε μια καρέκλα για μένα στην κορυφή του τραπεζιού.

Δεν είχα δει ποτέ τους Κάλεν να χρησιμοποιούν το τραπέζι της τραπεζαρίας –ήταν απλώς ένα διακοσμητικό αντικείμενο. Δεν έτρωγαν στο σπίτι. Αμέσως μόλις γύρισα για να κάτσω στην καρέκλα, είδα ότι δεν ήμασταν μόνοι. Η Έσμι είχε ακολουθήσει τον Έντουαρντ, και πίσω της ερχόταν και η υπόλοιπη οικογένεια, μπαίνοντας ένας-ένας στη σειρά.

Ο Κάρλαϊλ κάθισε στα δεξιά μου, κι ο Έντουαρντ στ' αριστερά μου. Όλοι οι υπόλοιποι κάθισαν στις θέσεις τους σιωπηλά. Η Άλις μου χαμογελούσε πλατιά, ήδη μέσα στο κόλπο. Ο Έμετ κι ο Τζάσπερ έδειχναν γεμάτοι περιέργεια, και η Ρόζαλι μου χαμογελούσε διστακτικά. Το χαμόγελο που της ανταπόδωσα ήταν εξίσου δειλό. Αυτό θα χρειαζόταν να το συνηθίσουμε.

Ο Κάρλαϊλ έγνεψε προς εμένα. «Το βήμα είναι δικό σου».

Ξεροκατάπια. Τα μάτια τους που με κοιτούσαν επίμονα με έκαναν να αισθάνομαι νευρική. Ο Έντουαρντ μου έπιασε το χέρι κάτω από το τραπέζι. Του έριξα μια κλεφτή ματιά, αλλά κοίταζε τους άλλους, με πρόσωπο ξαφνικά αγριωπό.

«Λοιπόν», έκανα μια παύση. «Ελπίζω η Άλις να σας έχει ήδη πει όλα όσα συνέβησαν στη Βολτέρα».

«Τα πάντα», με διαβεβαίωσε η Άλις.

Της έριξα ένα βλέμμα γεμάτο νόημα. «Και καθώς πηγαίναμε εκεί;»

«Κι αυτά», έγνεψε εκείνη.

«Ωραία», αναστέναξα με ανακούφιση. «Τότε είμαστε όλοι στο ίδιο μήκος κύματος».

Περίμεναν υπομονετικά, ενώ εγώ προσπαθούσα να βάλω σε τάξη τις σκέψεις μου.

«Λοιπόν, έχω ένα πρόβλημα», ξεκίνησα. «Η Άλις υποσχέθηκε στους Βολτούρι ότι θα γινόμουν μια από σας. Θα στείλουν κάποιον να βεβαιωθεί γι' αυτό, και είμαι σίγουρη ότι αυτό είναι κακό –κάτι που πρέπει να αποφύγουμε.

»Κι έτσι, τώρα αυτό σας αφορά όλους. Λυπάμαι γι' αυτό».

Κοίταξα μέσα στα υπέροχα μάτια καθενός απ' αυτούς, αφήνοντας τα πιο όμορφα για το τέλος. Το στόμα του Έντουαρντ είχε κυρτώσει κάνοντας ένα μορφασμό. «Αλλά, αν δε με θέλετε, τότε δεν πρόκειται να σας φορτωθώ, είτε η Άλις είναι πρόθυμη είτε όχι».

Η Έσμι άνοιξε το στόμα της για να μιλήσει, αλλά εγώ σήκωσα το ένα μου δάχτυλο για να τη σταματήσω.

«Σε παρακαλώ, άσε με να τελειώσω. Όλοι σας ξέρετε τι θέλω εγώ. Και είμαι σίγουρη ότι ξέρετε και τι πιστεύει ο Έντουαρντ. Νομίζω ότι ο μόνος δίκαιος τρόπος είναι να ψηφίσουν όλοι. Αν αποφασίσετε ότι δε με θέλετε, τότε... υποθέτω ότι θα πάω μόνη μου στην Ιταλία. Δεν μπορώ να τους αφήσω να έρθουν *εκείνοι εδώ*». Το μέτωπό μου ρυτίδωσε, καθώς το αναλογίστηκα αυτό.

Ακούστηκε ο αμυδρός βροντερός ήχος ενός γρυλίσματος μέσα στο στήθος του Έντουαρντ. Δεν του έδωσα σημασία.

«Λαμβάνοντας υπόψη, λοιπόν, ότι δε θα βάλω κανέναν από σας σε κίνδυνο με κανέναν τρόπο, θέλω να ψηφίσετε με ένα ναι ή ένα όχι σχετικά με το θέμα αν πρέπει να γίνω βρικόλακας».

Μισοχαμογέλασα στην τελευταία λέξη, κι έκανα μια χειρονομία προς τον Κάρλαϊλ να ξεκινήσει.

«Ένα λεπτό», διέκοψε ο Έντουαρντ.

Τον αγριοκοίταξα με ζαρωμένα μάτια. Μου σήκωσε τα φρύδια του, πιέζοντας το χέρι μου.

«Έχω να προσθέσω κάτι πριν ψηφίσουμε».

Αναστέναξα.

«Σχετικά με τον κίνδυνο στον οποίο αναφέρεται η Μπέλλα», συνέχισε εκείνος. «Δε νομίζω ότι πρέπει να έχουμε υπερβολικό άγχος».

Η έκφρασή του έγινε πιο ζωηρή. Έβαλε το ελεύθερο χέρι του πάνω στο γυαλιστερό τραπέζι και έγειρε μπροστά.

«Βλέπετε» εξήγησε, κοιτάζοντας γύρω-γύρω στο τραπέζι,

ενώ μιλούσε, «υπήρχαν πάνω από ένας λόγοι που δεν ήθελα να δώσω το χέρι μου στον Άρο στο τέλος. Υπάρχει κάτι που δεν το σκέφτηκαν, και δεν ήθελα να τους το επισημάνω». Χαμογέλασε πλατιά.

«Δηλαδή;» τον τσίγκλησε η Άλις. Ήμουν σίγουρη ότι η έκφρασή μου ήταν το ίδιο δύσπιστη με τη δική της.

«Οι Βολτούρι έχουν υπερβολική αυτοπεποίθηση, και δικαιολογημένα. Όταν αποφασίζουν να βρουν κάποιον, δεν είναι πρόβλημα γι' αυτούς. Θυμάσαι τον Ντιμίτρι;» Χαμήλωσε το βλέμμα του για να κοιτάξει εμένα.

Ένα ρίγος με διαπέρασε. Το θεώρησε αυτό σαν ναι.

«Βρίσκει ανθρώπους –αυτό είναι το ταλέντο του, γι' αυτό τον κρατάνε.

»Λοιπόν, όλο τον καιρό που ήμασταν μαζί με κάποιον απ' αυτούς, άκουγα τις σκέψεις τους για να βρω οτιδήποτε που θα μπορούσε να μας σώσει, έπαιρνα όσο το δυνατό περισσότερες πληροφορίες. Έτσι είδα πώς λειτουργεί το ταλέντο του Ντιμίτρι. Είναι ανιχνευτής –ένας ανιχνευτής χίλιες φορές πιο χαρισματικός από τον Τζέιμς. Η ικανότητά του έχει κάποια χαλαρή σχέση με αυτό που κάνω εγώ ή αυτό που κάνει ο Άρο. Πιάνει τη, πώς να το πω... τη γενική αίσθηση; Δεν ξέρω πώς να το περιγράψω... τη γενική ιδέα... από το μυαλό κάποιου, και μετά το ακολουθεί αυτό. Δουλεύει από τεράστιες αποστάσεις.

»Αλλά μετά τα πειράματα του Άρο, να...» Ο Έντουαρντ σήκωσε τους ώμους του.

«Πιστεύεις ότι δε θα μπορέσει να μας βρει», είπα άτονα.

Εκείνος ήταν αυτάρεσκος. «Είμαι βέβαιος γι' αυτό. Βασίζεται αποκλειστικά σ' αυτή την άλλη αίσθηση. Όταν δεν έχει αποτέλεσμα με σένα, τότε όλοι τους θα είναι τυφλοί».

«Και πώς αυτό αποτελεί λύση για οτιδήποτε;»

«Μα είναι προφανές, η Άλις θα μπορέσει να μας πει πότε σχεδιάζουν να μας επισκεφτούν, κι εγώ θα σε κρύψω. Δε θα έχουν καμία τύχη», είπε με ασυγκράτητη χαρά. «Θα είναι σαν να ψάχνουν ψύλλο στ' άχυρα!»

Εκείνος κι ο Έμετ αντάλλαξαν ένα γρήγορο βλέμμα κι ένα υπεροπτικό χαμόγελο.

Αυτό δεν ήταν λογικό. «Μα μπορούν να βρουν εσένα», του υπενθύμισα.

«Κι εγώ μπορώ να φροντίσω τον εαυτό μου».

Ο Έμετ γέλασε κι άπλωσε το χέρι του πάνω από το τραπέζι προς τον αδερφό του, προτείνοντας τη γροθιά του.

«Εξαιρετικό σχέδιο, αδερφέ μου», είπε με ενθουσιασμό.

Ο Έντουαρντ τέντωσε το χέρι του για να χτυπήσει τη γροθιά του Έμετ με τη δικιά του.

«Όχι», είπε η Ρόζαλι μέσα από τα δόντια της.

«Αυτό αποκλείεται», συμφώνησα εγώ.

«Καλό», η φωνή του Τζάσπερ ήταν επιδοκιμαστική.

«Ηλίθιοι», μουρμούρισε η Άλις.

Η Έσμι απλώς αγριοκοίταξε τον Έντουαρντ.

Ίσιωσα στην καρέκλα μου, προσπαθώντας να συγκεντρωθώ. Αυτή η σύσκεψη ήταν *δική μου*.

«Εντάξει, λοιπόν. Ο Έντουαρντ πρότεινε μια εναλλακτική για να τη σκεφτείτε», είπα ψυχρά. «Ας ψηφίσουμε».

Κοίταξα προς τον Έντουαρντ αυτή τη φορά˙ θα ήταν καλύτερα να ξεμπέρδευα πρώτα με τη δική του άποψη. «Θέλεις να γίνω μέλος της οικογένειάς σου;»

Τα μάτια του ήταν σκληρά και μαύρα σαν πυρόλιθος. «Όχι με αυτό τον τρόπο. Θα παραμείνεις άνθρωπος».

Κούνησα το κεφάλι μου μια φορά, διατηρώντας την επαγγελματικά ψυχρή έκφραση στο πρόσωπό μου, και μετά προχώρησα στον επόμενο.

«Άλις;»

«Ναι».

«Τζάσπερ;»

«Ναι», είπε με φωνή σοβαρή. Ένιωσα κάποια έκπληξη

–δεν ήμουν καθόλου σίγουρη για την ψήφο του– αλλά κατέπνιξα την αντίδρασή μου και συνέχισα παρακάτω.

«Ρόζαλι;»

Εκείνη δίστασε, δαγκώνοντας το σαρκώδες, τέλειο κάτω χείλος της. «Όχι».

Το πρόσωπό μου παρέμεινε ανέκφραστο, και γύρισα το κεφάλι μου ελαφρώς για να προχωρήσω στον επόμενο, αλλά εκείνη σήκωσε και τα δυο της χέρια, με τις παλάμες προς τα μπρος.

«Άσε με να σου εξηγήσω», παρακάλεσε. «Δεν εννοώ ότι θα μου ήταν απεχθές να γίνεις αδερφή μου. Απλώς... αυτή η ζωή δεν είναι η ζωή που θα διάλεγα για τον εαυτό μου. Μακάρι να είχε μπορέσει κάποιος να ψηφίσει όχι και για μένα».

Έγνεψα αργά και μετά στράφηκα στον Έμετ.

«Να πάρει, ναι!» Χαμογέλασε πλατιά. «Μπορούμε να βρούμε κάποιον άλλο τρόπο για να τσακωθούμε με αυτό τον Ντιμίτρι».

Ακόμα έκανα μια γκριμάτσα στο άκουσμα αυτών των λέξεων, όταν κοίταξα την Έσμι.

«Ναι, φυσικά, Μπέλλα. Ήδη σε θεωρώ μέλος της οικογένειάς μου».

«Σ' ευχαριστώ, Έσμι», μουρμούρισα, ενώ γύριζα προς τον Κάρλαϊλ.

Ξαφνικά ένιωσα αγχωμένη, ευχόμενη να είχα ζητήσει τη δική του ψήφο πρώτα. Ήμουν σίγουρη ότι η δική του ψήφος μετρούσε περισσότερο, η ψήφος που είχε τη μεγαλύτερη βαρύτητα από οποιαδήποτε πλειοψηφία.

Ο Κάρλαϊλ δεν κοίταζε εμένα.

«Έντουαρντ», είπε.

«Όχι», γρύλισε ο Έντουαρντ. Το σαγόνι του σφίχτηκε, τα χείλη του τραβήχτηκαν πάνω από τα δόντια του.

«Αυτός είναι ο μόνος λογικός τρόπος», επέμεινε ο Κάρλαϊλ. «Διάλεξες να μη ζήσεις χωρίς αυτήν, κι αυτό δε μου αφήνει άλλη επιλογή».

Ο Έντουαρντ άφησε το χέρι μου, σπρώχνοντας την καρέκλα του μακριά από το τραπέζι. Βγήκε έξω από το δωμάτιο περήφανα, γρυλίζοντας μέσα από τα δόντια του.

«Μάλλον ξέρεις την ψήφο μου», είπε ο Κάρλαϊλ αναστενάζοντας.

Εγώ κοίταζα ακόμα προς την κατεύθυνση που είχε πάει ο Έντουαρντ. «Ευχαριστώ», μουρμούρισα.

Ένας εκκωφαντικός κρότος αντήχησε από το άλλο δωμάτιο.

Εγώ ζάρωσα πίσω από το φόβο και μίλησα γρήγορα. «Αυτό ήταν που χρειαζόμουν. Σας ευχαριστώ. Που θέλετε να με κρατήσετε. Νιώθω κι εγώ ακριβώς το ίδιο για όλους σας». Η φωνή μου είχε χάσει τη σταθερότητά της από τη συγκίνηση ως το τέλος της πρότασης.

Η Έσμι βρέθηκε στο πλάι μου αστραπιαία, με τα κρύα της χέρια γύρω μου.

«Αγαπημένη μου Μπέλλα», ψιθύρισε.

Της ανταπόδωσα την αγκαλιά. Με την άκρη του ματιού μου, πρόσεξα τη Ρόζαλι να κοιτάζει κάτω στο τραπέζι, και συνειδητοποίησα ότι τα λόγια μου θα μπορούσαν να ερμηνευτούν με δυο τρόπους.

«Λοιπόν, Άλις», είπα όταν η Έσμι με άφησε. «Πού θέλεις να το κάνεις;»

Η Άλις με κοίταξε επίμονα με τα μάτια της γουρλωμένα από τον τρόμο.

«Όχι! *Όχι*! ΟΧΙ!» βρυχήθηκε ο Έντουαρντ ορμώντας μέσα στο δωμάτιο ξανά. Ήταν μπροστά στο πρόσωπό μου, πριν προλάβω να ανοιγοκλείσω τα μάτια, σκύβοντας από πάνω μου, με έκφραση παραμορφωμένη από την οργή. «Είσαι τρελή;» φώναξε. «Έχασες εντελώς το μυαλό σου;»

Τραβήχτηκα πίσω με τα χέρια μου πάνω στα αυτιά μου.

«Εε, Μπέλλα», παρενέβη η Άλις με φωνή γεμάτη άγχος.

«Δε νομίζω ότι είμαι *έτοιμη* γι' αυτό. Θα χρειαστεί να προετοιμαστώ...»

«Υποσχέθηκες», της θύμισα, κοιτάζοντάς την άγρια κάτω από το μπράτσο του Έντουαρντ.

«Το ξέρω, αλλά... Σοβαρά, Μπέλλα! Δεν έχω την παραμικρή ιδέα πώς να *μη* σε σκοτώσω».

«Μπορείς να το κάνεις», την ενθάρρυνα. «Σου έχω εμπιστοσύνη».

Ο Έντουαρντ γρύλισε με μανία.

Η Άλις κούνησε το κεφάλι της γρήγορα, δείχνοντας πανικόβλητη.

«Κάρλαϊλ;» γύρισα για να κοιτάξω εκείνον.

Ο Έντουαρντ άρπαξε το πρόσωπό μου στο χέρι του, αναγκάζοντάς με να τον κοιτάξω. Το άλλο του χέρι ήταν τεντωμένο, με την παλάμη προς τον Κάρλαϊλ.

Ο Κάρλαϊλ το αγνόησε αυτό. «Μπορώ να το κάνω», απάντησε στην ερώτησή μου. Μακάρι να μπορούσα να δω την έκφρασή του. «Δε θα υπήρχε κανένας κίνδυνος να χάσω τον έλεγχο».

«Ωραία». Ήλπιζα να καταλάβαινε˙ ήταν δύσκολο να μιλήσω καθαρά, έτσι όπως κρατούσε το πιγούνι μου ο Έντουαρντ.

«Μισό λεπτό», είπε ο Έντουαρντ μέσα από τα δόντια του. «Δεν είναι ανάγκη να γίνει τώρα».

«Δεν υπάρχει κανένας λόγος να μη γίνει τώρα», είπα, ενώ οι λέξεις έβγαιναν παραμορφωμένες.

«Μπορώ να σκεφτώ μερικούς».

«Φυσικά και μπορείς», είπα ξινισμένα. «Τώρα άφησέ με».

Ελευθέρωσε το πρόσωπό μου και σταύρωσε τα χέρια του στο στήθος του. «Σε δυο ώρες περίπου ο Τσάρλι θα είναι εδώ για να σε βρει. Τον θεωρώ ικανό να αναμείξει και την αστυνομία».

«Και τους τρεις». Αλλά εγώ κατσούφιασα.

Αυτό ήταν πάντα το πιο δύσκολο μέρος. Ο Τσάρλι, η Ρενέ. Τώρα και ο Τζέικομπ. Οι άνθρωποι που θα έχανα, οι άνθρωποι που θα πλήγωνα. Μακάρι να υπήρχε κάποιος τρόπος να μπορούσα να υποφέρω μόνο εγώ, αλλά ήξερα ότι αυτό ήταν αδύνατο.

Ταυτόχρονα, τους πλήγωνα περισσότερο παραμένοντας άνθρωπος. Έβαζα τον Τσάρλι σε διαρκή κίνδυνο με το να είμαι τόσο κοντά του. Έβαζα τον Τζέικ σε ακόμα χειρότερο κίνδυνο, προσελκύοντας τους εχθρούς του στη γη που ένιωθε ότι ήταν υποχρεωμένος να προστατέψει. Και τη Ρενέ –δεν μπορούσα ούτε καν μια επίσκεψη να διακινδυνεύσω στην ίδια μου τη μητέρα, μήπως και κουβαλήσω μαζί μου θανάσιμα προβλήματα!

Ήμουν ένας μαγνήτης του κινδύνου˙ το είχα αποδεχτεί αυτό για τον εαυτό μου.

Έχοντάς το δεχτεί, λοιπόν, ήξερα ότι έπρεπε να μπορώ να φροντίσω τον εαυτό μου και να προστατέψω αυτούς που αγαπούσα, ακόμα κι αν αυτό σήμαινε ότι δε γινόταν να είμαι *μαζί* τους. Έπρεπε να φανώ δυνατή.

«Με στόχο να παραμείνουμε απαρατήρητοι» είπε ο Έντουαρντ, ακόμα μιλώντας μέσα από τα δόντια του που έτριζαν, αλλά κοιτάζοντας τον Κάρλαϊλ τώρα, «προτείνω να αναβάλλουμε αυτή την κουβέντα, τουλάχιστον ώσπου η Μπέλλα να τελειώσει το λύκειο και να φύγει από το σπίτι του Τσάρλι».

«Αυτό είναι μια λογική παράκληση, Μπέλλα», επισήμανε ο Κάρλαϊλ.

Σκέφτηκα την αντίδραση του Τσάρλι, όταν θα ξυπνούσε σήμερα το πρωί, αν –μετά από όλα όσα τον έκανε η ζωή να περάσει την προηγούμενη βδομάδα με την απώλεια του Χάρι, και μετά με όσα τον έκανα εγώ να περάσει με την ανεξήγητη εξαφάνισή μου– έβρισκε το κρεβάτι μου άδειο. Του άξιζε κάτι καλύτερο. Ήταν μόνο λίγος ακόμα καιρός˙ η αποφοίτηση δεν απείχε και πολύ…

Σούφρωσα τα χείλη μου. «Θα τη σκεφτώ».

Ο Έντουαρντ χαλάρωσε. Το σαγόνι του σταμάτησε να είναι σφιγμένο.

«Μάλλον θα ήταν καλό να σε πάω σπίτι», είπε, πιο ψύχραιμα τώρα, αλλά φανερά βιαστικός να με πάρει από κει. «Μήπως και ξυπνήσει ο Τσάρλι νωρίς».

Κοίταξα τον Κάρλαϊλ. «Μετά την αποφοίτηση;»

«Έχεις το λόγο μου».

Πήρα μια βαθιά ανάσα, χαμογέλασα και στράφηκα πάλι προς τον Έντουαρντ. «Εντάξει. Μπορείς να με πας σπίτι».

Ο Έντουαρντ με έβγαλε γρήγορα έξω από το σπίτι, πριν προλάβει ο Κάρλαϊλ να μου δώσει καμία άλλη υπόσχεση. Με έβγαλε έξω από την πίσω μεριά, έτσι δεν κατάφερα να δω τι είχε σπάσει στο σαλόνι.

Ήταν μια σιωπηλή διαδρομή στην επιστροφή για το σπίτι. Ένιωθα θριαμβευτικά και κάπως αυτάρεσκα. Φυσικά φοβόμουν και πάρα πολύ, αλλά προσπάθησα να μη σκέφτομαι αυτό το κομμάτι. Δε με ωφελούσε σε τίποτα να ανησυχώ για τον πόνο –το σωματικό ή το συναισθηματικό– έτσι δε θα ανησυχούσα. Όχι μέχρι να έφτανε η στιγμή που έπρεπε οπωσδήποτε.

Όταν φτάσαμε σπίτι μου, ο Έντουαρντ δε σταμάτησε. Ανέβηκε με φόρα τον τοίχο και μπήκε μέσα από το παράθυρό μου μέσα σε ένα δευτερόλεπτο. Μετά τράβηξε τα χέρια μου, που ήταν γύρω από το λαιμό του, και με έβαλε να καθίσω στο κρεβάτι.

Νόμιζα ότι είχα καταλάβει καλά τι σκεφτόταν, αλλά η έκφρασή του με ξάφνιασε. Αντί να είναι οργισμένη, ήταν σκεφτική, σαν να έκανε υπολογισμούς. Περπατούσε σιωπηλά μπρος-πίσω στο σκοτεινό μου δωμάτιο, ενώ εγώ τον παρατηρούσα με όλο και μεγαλύτερη καχυποψία.

«Ό,τι κι αν είναι αυτό που σχεδιάζεις, δε θα πετύχει», του είπα.

«Σσσς. Σκέφτομαι».

«Ωχού!» μούγκρισα πέφτοντας πίσω στο κρεβάτι και τραβώντας πάνω από το κεφάλι μου το πάπλωμα.

Δεν ακούστηκε κανένας ήχος, αλλά ξαφνικά βρέθηκε εκεί. Τράβηξε από πάνω μου το σκέπασμα για να μπορεί να με βλέπει. Ήταν ξαπλωμένος πλάι μου. Το χέρι του σηκώθηκε ψηλά για να διώξει τα μαλλιά μου από το μάγουλό μου.

«Αν δε σε πειράζει, θα προτιμούσα να μην έκρυβες το πρόσωπό σου. Έζησα χωρίς αυτό όσο καιρό μπορούσα να αντέξω. Τώρα... για πες μου κάτι».

«Τι;» ρώτησα απρόθυμα.

«Αν μπορούσες να έχεις οτιδήποτε στον κόσμο, οτιδήποτε κι αν είναι αυτό, τι θα ήθελες;»

Ένιωθα την αμφιβολία μέσα στα μάτια μου. «Εσένα».

Κούνησε το κεφάλι του ανυπόμονα. «Κάτι που δεν το έχεις ήδη».

Δεν ήμουν σίγουρη πού το πήγαινε, έτσι σκέφτηκα προσεχτικά πριν απαντήσω. Βρήκα κάτι που ήταν και αληθινό, αλλά και ταυτοχρόνως πιθανότατα αδύνατο.

«Θα ήθελα... να μη χρειαζόταν να το κάνει ο Κάρλαϊλ. Θα ήθελα να με μεταμορφώσεις *εσύ*».

Παρακολούθησα με ανησυχία την αντίδρασή του, περιμένοντας κι άλλη οργή από αυτήν που είχα δει στο σπίτι του. Έμεινα έκπληκτη όταν η έκφρασή του δεν άλλαξε. Ήταν ακόμα σκεφτική, συλλογισμένη.

«Τι αντάλλαγμα θα ήσουν πρόθυμη να δώσεις γι' αυτό;»

Δεν πίστευα στ' αυτιά μου. Κοίταζα σαν χαζή το ψύχραιμο πρόσωπό του και ξεφούρνισα απότομα την απάντηση, πριν προλάβω να τη σκεφτώ.

«Οτιδήποτε».

Χαμογέλασε αμυδρά και μετά σούφρωσε τα χείλη. «Πέντε χρόνια;»

Το πρόσωπό μου συσπάστηκε και πήρε μια έκφραση κάπου ανάμεσα στη στενοχώρια και τη φρίκη.

«Είπες οτιδήποτε», μου θύμισε.

«Ναι, αλλά... θα εκμεταλλευτείς το χρόνο για να βρεις τρόπο να ξεφύγεις. Στη βράση κολλάει το σίδερο. Εξάλλου, είναι απλώς πολύ επικίνδυνο να είμαι άνθρωπος –για μένα, τουλάχιστον. Άρα, οτιδήποτε εκτός από *αυτό*».

Κατσούφιασε. «Τρία χρόνια;»

«Όχι!»

«Δεν έχει καμία αξία για σένα;»

Σκέφτηκα πόσο πολύ το ήθελα αυτό. Καλύτερα να μείνω ανέκφραστη, αποφάσισα, και να μη τον αφήσω να καταλάβει πόσο πολύ το ήθελα. Αυτό θα του έδινε κι άλλο πάτημα. «Έξι μήνες;»

Στριφογύρισε τα μάτια του. «Δεν είναι αρκετά καλό».

«Ένα χρόνο, τότε», είπα. «Αυτό είναι το όριό μου».

«Τουλάχιστον δώσε μου δύο».

«Αποκλείεται. Άντε να πάω δεκαεννέα. Αλλά δεν *πλησιάζω* ούτε κατά διάνοια τα είκοσι. Αν είναι να μείνεις για πάντα έφηβος, το ίδιο θα κάνω κι εγώ».

Σκέφτηκε για ένα λεπτό. «Εντάξει. Ξέχνα τα χρονικά περιθώρια. Αν θέλεις να είμαι εγώ αυτός που θα το κάνει –τότε απλώς θα πρέπει να δεχτείς έναν όρο».

«Όρο;» Η φωνή μου έγινε άτονη. «Τι όρο;»

Τα μάτια του ήταν επιφυλακτικά –μίλησε αργά. «Παντρέψου με πρώτα».

Εγώ τον κοίταζα, περιμένοντας... «Εντάξει. Πώς τελειώνει το ανέκδοτο;»

Αναστέναξε. «Πληγώνεις τον εγωισμό μου, Μπέλλα. Μόλις σου έκανα πρόταση γάμου, κι εσύ νομίζεις ότι είναι αστείο».

«Έντουαρντ, σε παρακαλώ, σοβαρέψου».

«Είμαι εκατό τοις εκατό σοβαρός». Με κοίταξε με προσήλωση, χωρίς κανένα ίχνος αστεϊσμού στο πρόσωπό του.

«Ω, έλα τώρα», είπα, με μια δόση υστερίας στη φωνή μου. «Είμαι μόλις δεκαοχτώ».

«Λοιπόν, εγώ είμαι σχεδόν εκατόν δέκα. Είναι ώρα να νοικοκυρευτώ».

Γύρισα από την άλλη, κοιτάζοντας έξω από το σκοτεινό παράθυρο, προσπαθώντας να συγκρατήσω τον πανικό, πριν με προδώσει.

«Κοίτα, ο γάμος δεν είναι και τόσο ψηλά στη λίστα των προτεραιοτήτων μου, ξέρεις. Ήταν κατά κάποιο τρόπο το φιλί του θανάτου για τη Ρενέ και τον Τσάρλι».

«Ενδιαφέρουσα επιλογή λέξεων».

«Ξέρεις τι εννοώ».

Εισέπνευσε βαθιά. «Σε παρακαλώ, μη μου πεις ότι φοβάσαι τη δέσμευση». Η φωνή του ήταν δύσπιστη, και κατάλαβα τι εννοούσε.

«Δεν είναι αυτό ακριβώς», είπα διστακτικά. «Φοβάμαι... τη Ρενέ. Έχει μερικές πολύ απόλυτες απόψεις σχετικά με το γάμο πριν τα τριάντα».

«Επειδή θα προτιμούσε να γίνεις μια από τους αιωνίως καταραμένους παρά να παντρευτείς». Γέλασε ζοφερά.

«Νομίζεις ότι είναι αστείο».

«Μπέλλα, αν συγκρίνεις το επίπεδο της δέσμευσης μεταξύ μιας γαμήλιας ένωσης και του να ανταλλάξεις την ψυχή σου με μια αιωνιότητα ως βρικόλακας...» Κούνησε το κεφάλι του. «Αν δεν είσαι αρκετά θαρραλέα για να με παντρευτείς, τότε–»

«Λοιπόν», τον διέκοψα. «Κι αν σε παντρευόμουν; Αν σου έλεγα να με πας στο Βέγκας τώρα; Θα γινόμουν βρικόλακας μέσα σε τρεις μέρες;»

Χαμογέλασε, με τα δόντια του να αστράφτουν μέσα στο σκοτάδι. «Βέβαια», είπε συνεχίζοντας τη μπλόφα μου. «Πάω να φέρω το αυτοκίνητό μου».

«Να πάρει», μουρμούρισα. «Θα σου δώσω δεκαοχτώ μήνες».

«Ξέχασέ το», είπε χαμογελώντας αυτάρεσκα. «Μου αρέσει *αυτός* ο όρος».

«Εντάξει. Τότε θα μου το κάνει ο Κάρλαϊλ μετά την αποφοίτηση».

«Αν αυτό θέλεις πραγματικά». Σήκωσε τους ώμους του, και το χαμόγελό του έγινε απολύτως αγγελικό.

«Είσαι ανυπόφορος», αναστέναξα. «Ένα τέρας».

Γέλασε κοροϊδευτικά. «Γι' αυτό δε θέλεις να με παντρευτείς;»

Εγώ αναστέναξα ξανά.

Έσκυψε προς το μέρος μου˙ τα σκοτεινά σαν τη νύχτα μάτια του έλιωσαν και σιγοκαίγοντας κατέστρεψαν τη συγκέντρωσή μου. «*Σε παρακαλώ*, Μπέλλα;» ψιθύρισε.

Προς στιγμή ξέχασα πώς αναπνέουν. Όταν ξαναβρήκα τον εαυτό μου, κούνησα γρήγορα το κεφάλι μου, προσπαθώντας να καθαρίσω το συννεφιασμένο μου μυαλό.

«Θα είχε καλύτερη έκβαση αν προλάβαινα να σου πάρω δαχτυλίδι;»

«Όχι! Όχι δαχτυλίδια!» σχεδόν φώναξα.

«Τώρα την έκανες», ψιθύρισε εκείνος.

«Ουπς».

«Ο Τσάρλι σηκώνεται˙ καλύτερα να φύγω», είπε ο Έντουαρντ μοιρολατρικά.

Η καρδιά μου σταμάτησε να χτυπά.

Ζύγισε την έκφρασή μου για ένα δευτερόλεπτο. «Μήπως θα ήταν ανώριμο εκ μέρους μου να κρυφτώ στην ντουλάπα σου;»

«Όχι», ψιθύρισα γεμάτη ενθουσιασμό. «Μείνε. Σε παρακαλώ».

Ο Έντουαρντ χαμογέλασε και εξαφανίστηκε.

Εγώ καθόμουν σε αναμμένα κάρβουνα μέσα στο σκοτάδι, καθώς περίμενα τον Τσάρλι να έρθει να μου ρίξει μια ματιά. Ο Έντουαρντ ήξερε ακριβώς τι έκανε, κι εγώ ήμουν πρόθυμη να στοιχηματίσω ότι η πληγωμένη του έκπληξη ήταν μέρος του τεχνάσματός του. Φυσικά, είχα ακόμα την εναλλακτική επιλογή του Κάρλαϊλ, αλλά τώρα που ήξερα ότι υπήρχε περίπτωση να με μεταμορφώσει ο ίδιος ο Έντουαρντ, το ήθελα πάρα πολύ. Ήταν τόσο ζαβολιάρης.

Η πόρτα μου άνοιξε ελάχιστα.

«Καλημέρα, μπαμπά».

«Α, καλημέρα, Μπέλλα». Ακουγόταν αμήχανος που τον είχα τσακώσει. «Δεν ήξερα ότι είσαι ξύπνια».

«Ναι. Σε περίμενα να ξυπνήσεις κι εσύ για να κάνω ένα ντους». Πήγα να σηκωθώ.

«Για περίμενε λίγο», είπε ο Τσάρλι, ανάβοντας το φως. Ανοιγόκλεισα τα μάτια στην ξαφνική λάμψη, και κράτησα τα μάτια μου προσεχτικά μακριά από την ντουλάπα. «Ας μιλήσουμε για ένα λεπτό πρώτα».

Δεν μπόρεσα να συγκρατήσω το μορφασμό μου. Είχα ξεχάσει να ζητήσω από την Άλις να μου βρει καμιά καλή δικαιολογία.

«Το ξέρεις ότι την έχεις άσχημα».

«Ναι, το ξέρω».

«Παραλίγο να τρελαθώ τις τελευταίες τρεις μέρες. Γυρίζω σπίτι από την *κηδεία* του Χάρι, κι εσύ έχεις φύγει. Το μόνο που μπορούσε να μου πει ο Τζέικομπ ήταν ότι είχες φύγει με την Άλις Κάλεν κι ότι πίστευε ότι είχες μπλεξίματα. Δε μου άφησες κανέναν αριθμό, και δεν πήρες τηλέφωνο. Δεν ήξερα πού ήσουν ή πότε –ή αν– θα γύριζες πίσω. Έχεις την παραμικρή ιδέα πόσο... πόσο...» Δεν μπορούσε να τελειώσει την πρότασή του. Πήρε μια βαθιά ανάσα και συνέχισε παρακάτω. «Μπορείς να μου δώσεις ένα λόγο για τον οποίο δε θα έπρεπε να σε στείλω στο Τζάκσονβιλ αυτό το δευτερόλεπτο;»

Τα μάτια μου ζάρωσαν. Θα είχαμε, λοιπόν, απειλές, έτσι; Αυτό το παιχνίδι μπορούσαν να το παίξουν δύο. Ανακάθισα τραβώντας το πάπλωμα γύρω μου. «Επειδή δε θα πάω».

«Για ένα λεπτό, νεαρή μου–»

«Κοίτα, μπαμπά, αναλαμβάνω απόλυτα την ευθύνη για τις πράξεις μου, κι έχεις το δικαίωμα να μου επιβάλεις τιμωρία για όσο καιρό θέλεις. Θα κάνω επίσης όλες τις δουλειές και θα πλένω τα ρούχα και τα πιάτα, ώσπου να θεωρήσεις ότι πήρα το μάθημά μου. Και υποθέτω ότι είναι μέσα στα δικαιώματά σου να με πετάξεις έξω –αλλά αυτό δε θα με αναγκάσει να πάω στη Φλόριντα».

Το πρόσωπό του έγινε κατακόκκινο. Πήρε μερικές βαθιές ανάσες πριν απαντήσει.

«Θέλεις να εξηγήσεις πού ήσουν;»

Ωχ, να πάρει. «Υπήρχε μια... επείγουσα κατάσταση».

Σήκωσε τα φρύδια του περιμένοντας την ιδιοφυή μου εξήγηση.

Γέμισα τα μάγουλά μου με αέρα και μετά ξεφύσηξα με θόρυβο. «Δεν ξέρω τι να σου πω, μπαμπά. Ήταν, κατά βάση, μια παρεξήγηση. Ο μεν είπε, η δε είπε. Ξέφυγε από τον έλεγχο».

Περίμενε με μια δύσπιστη έκφραση.

«Βλέπεις, η Άλις είπε στη Ρόζαλι ότι πήδηξα από το βράχο...» Πάσχιζα με μανία να το κάνω αυτό να πετύχει, να μείνω όσο γινόταν πιο κοντά στην αλήθεια, ώστε η ανικανότητά μου να πω ψέματα με πειστικό τρόπο να μην υποσκάψει τη δικαιολογία, αλλά πριν προλάβω να συνεχίσω, η έκφραση του Τσάρλι μου θύμισε ότι δεν ήξερε για το βράχο.

Μεγάλη βλακεία. Λες και δεν ήμουν ήδη καταδικασμένη

«Μάλλον δε σου το είπα αυτό», είπα σαν να πνιγόμουν. «Δεν ήταν τίποτα. Απλώς σαχλαμάριζα, κολυμπώντας με τον Τζέικ. Τελοσπάντων, η Ρόζαλι το είπε στον Έντουαρντ, κι εκείνος αναστατώθηκε. Κατά κάποιο τρόπο, κατά λάθος το έκανε να φανεί σαν να προσπαθούσα να αυτοκτονήσω ή κάτι τέτοιο. Εκείνος δεν απαντούσε στο τηλέφωνό του, έτσι η Άλις με έσυρε στο... Λος Άντζελες, για να εξηγήσω αυτοπροσώπως». Σήκωσα τους ώμους, ελπίζοντας απεγνωσμένα ότι δε θα του αποσπούσε την προσοχή τόσο πολύ το ατόπημά μου, ώστε να μην ακούσει την ιδιοφυή εξήγηση που του είχα δώσει.

Το πρόσωπο του Τσάρλι είχε παγώσει. «Προσπαθούσες όντως να αυτοκτονήσεις, Μπέλλα;»

«Όχι, φυσικά και όχι. Απλώς διασκέδαζα με τον Τζέικ. *Κλιφ ντάιβινγκ*, κατάδυση από βράχο. Τα παιδιά στο Λα Πους το κάνουν συνέχεια. Όπως είπα, δεν ήταν τίποτα».

Το πρόσωπο του Τσάρλι ζεστάθηκε –από παγωμένο που ήταν, πήρε φωτιά, έξαλλο από την οργή. «Και τι τον νοιάζει τον Έντουαρντ Κάλεν, έτσι και αλλιώς;» γάβγισε. «Όλον αυτό τον καιρό, σε άφησε να κρέμεσαι χωρίς ούτε καν μια λέξη –»

Τον διέκοψα. «Κι άλλη μια παρεξήγηση».

Το πρόσωπό του αναψοκοκκίνισε ξανά. «Δηλαδή ξαναγύρισε;»

«Δεν είμαι βέβαιη ποιες είναι οι προθέσεις του ακριβώς. Νομίζω ότι *όλοι* τους ξαναγύρισαν».

Κούνησε το κεφάλι του, με τη φλέβα στο μέτωπό του να πάλλεται. «Δε θέλω να τον πλησιάσεις, Μπέλλα. Δεν τον εμπιστεύομαι. Σου κάνει μεγάλο κακό. Δε θα τον αφήσω να σε αναστατώσει ξανά έτσι».

«Εντάξει», είπα κοφτά.

Ο Τσάρλι έπεσε πίσω στις φτέρνες του. «Ω». Πάσχισε να βρει τις λέξεις για ένα δευτερόλεπτο, εκπνέοντας δυνατά γεμάτος έκπληξη. «Νόμιζα ότι θα ήσουν δύστροπη».

«Είμαι». Κάρφωσα το βλέμμα μου κατευθείαν μέσα στα μάτια του. «Εννοούσα: “Εντάξει, θα φύγω από το σπίτι”».

Τα μάτια του γούρλωσαν˙ το πρόσωπό του έγινε κατανοκόκκινο. Η αποφασιστικότητά μου κλονίστηκε, καθώς άρχισα να ανησυχώ για την υγεία του. Δεν ήταν νεότερος από τον Χάρι…

«Μπαμπά, δε θέλω να φύγω από το σπίτι», είπα με πιο μαλακό τόνο. «Σε αγαπάω. Ξέρω ότι ανησυχείς, αλλά πρέπει να μου έχεις εμπιστοσύνη στο θέμα αυτό. Και θα χρειαστεί να χαλαρώσεις σε σχέση με τον Έντουαρντ, αν θέλεις να μείνω. Θέλεις να μείνω εδώ ή όχι;»

«Αυτό δεν είναι δίκαιο, Μπέλλα. Ξέρεις ότι θέλω να μείνεις».

«Τότε να είσαι καλός με τον Έντουαρντ, γιατί θα είναι εκεί όπου είμαι κι εγώ». Το είπα αυτό με αυτοπεποίθηση. Η πίστη στην επιφοίτησή μου ήταν ακόμα δυνατή.

«Όχι κάτω από τη δική μου στέγη», είπε ο Τσάρλι ξεσπώντας.

Έβγαλα ένα βαρύ αναστεναγμό. «Κοίτα, δε θα σου δώσω άλλα τελεσίγραφα απόψε –ή μάλλον σήμερα το πρωί. Απλώς σκέψου το για λίγες μέρες, εντάξει; Αλλά να έχεις στο νου σου ότι ο Έντουαρντ κι εγώ πάμε πακέτο, κατά κάποιο τρόπο».

«Μπέλλα–»

«Σκέψου το», επέμεινα. «Κι όσο το σκέφτεσαι, μπορώ να μείνω λίγο μόνη μου; *Πραγματικά* χρειάζομαι ένα ντους».

Το πρόσωπο του Τσάρλι είχε μια περίεργη απόχρωση του μοβ, αλλά έφυγε κλείνοντας με δύναμη την πόρτα πίσω του. Τον άκουσα να κατεβαίνει έξαλλος με βαριά βήματα τις σκάλες.

Πέταξα πέρα το πάπλωμά μου, κι ο Έντουαρντ ήταν ήδη εκεί, καθισμένος στην κουνιστή πολυθρόνα σαν να ήταν παρών σε όλη τη διάρκεια της συζήτησης.

«Λυπάμαι γι' αυτό», ψιθύρισα.

«Δεν είναι ότι δεν αξίζω και χειρότερα απ' αυτό», μουρμούρισε. «Μην αρχίσεις να τσακώνεσαι με τον Τσάρλι για μένα, σε παρακαλώ».

«Μη σε ανησυχεί αυτό», ψιθύρισα, καθώς συγκέντρωνα τα πράγματά μου για το μπάνιο κι ένα σύνολο καθαρών ρούχων. «Θα αρχίσω να τσακώνομαι, όσο ακριβώς αυτό είναι απαραίτητο, και όχι παραπάνω. Ή μήπως προσπαθείς να μου πεις ότι δεν έχω πουθενά να πάω;» Άνοιξα τα μάτια μου διάπλατα με προσποιητή ανησυχία.

«Θα έμενες σε ένα σπίτι γεμάτο βρικόλακες;»

«Αυτό είναι πιθανότατα το πιο ασφαλές μέρος για κάποια σαν κι εμένα. Εξάλλου...» χαμογέλασα πλατιά. «Αν με διώξει ο Τσάρλι, τότε δε θα υπάρχει κανένας λόγος για καμιά προθεσμία μέχρι την αποφοίτησή μου, έτσι δεν είναι;»

Το σαγόνι του σφίχτηκε. «Τόσο ανυπόμονη να γίνει αιωνίως καταραμένη», μουρμούρισε.

«Το ξέρεις ότι δεν το πιστεύεις στ' αλήθεια αυτό».

«Α, ώστε δεν το πιστεύω;» είπε.

«Όχι. Δεν το πιστεύεις».

Με κοίταξε άγρια και πήγε να μιλήσει, αλλά τον έκοψα.

«Αν στ' αλήθεια πίστευες ότι είχες χάσει την ψυχή σου, τότε όταν σε βρήκα στη Βολτέρα, θα είχες καταλάβει αμέσως τι συνέβαινε, αντί να νομίσεις ότι ήμασταν κι οι δυο νεκροί. Αλλά εσύ δεν το κατάλαβες –είπες: "*Εκπληκτικό. Ο Κάρλαϊλ είχε δίκιο*"», του υπενθύμισα θριαμβευτικά. «Υπάρχει ελπίδα μέσα σου τελικά».

Για πρώτη φορά ο Έντουαρντ είχε μείνει άφωνος.

«Γι' αυτό ας μη χάνουμε και οι δυο τις ελπίδες μας, εντάξει;» πρότεινα. «Όχι ότι έχει σημασία. Αν εσύ μείνεις, δεν έχω ανάγκη τον παράδεισο».

Σηκώθηκε αργά και ήρθε να βάλει τα χέρια του στη μια και την άλλη μεριά του προσώπου μου, καθώς κάρφωσε το βλέμμα του μέσα στα μάτια μου. «Για πάντα», ορκίστηκε, ακόμα λιγάκι σαστισμένος.

«Αυτό είναι το μόνο που ζητάω», είπα και σηκώθηκα ψηλά τεντωμένη στα δάχτυλά μου, για να πιέσω τα χείλη μου πάνω στα δικά του.

ΕΠΙΛΟΓΟΣ: ΣΥΝΘΗΚΗ

Σχεδόν τα πάντα είχαν ξαναγίνει φυσιολογικά –είχαν επιστρέψει στην προ-ζόμπι καλή εποχή– σε λιγότερο χρόνο απ' ό,τι θα πίστευα ότι ήταν δυνατόν. Το νοσοκομείο καλωσόρισε πίσω τον Κάρλαϊλ με ανοιχτές αγκάλες, χωρίς να μπουν στον κόπο να κρύψουν τη χαρά τους, που της Έσμι δεν της άρεσε σχεδόν καθόλου η ζωή στο Λος Άντζελες. Χάρη στις εξετάσεις στα μαθηματικά που εγώ είχα χάσει, αφού έλειπα στο εξωτερικό, η Άλις κι ο Έντουαρντ είχαν περισσότερες πιθανότητες να αποφοιτήσουν απ' ό,τι εγώ. Ξαφνικά, το πανεπιστήμιο έγινε προτεραιότητα (το πανεπιστήμιο ήταν ακόμα το σχέδιο Β, στην περίπτωση που η πρόταση του Έντουαρντ με έκανε να αλλάξω γνώμη και να μην επιλέξω την εναλλακτική του Κάρλαϊλ αμέσως μετά την αποφοίτηση). Είχα χάσει πολλές προθεσμίες, αλλά ο Έντουαρντ είχε έναν καινούριο σωρό με αιτήσεις, που έπρεπε να συμπληρώσω, κάθε μέρα. Εκείνος είχε ήδη υπάρξει φοιτητής στο Χάρβαρντ, έτσι δεν τον ενοχλούσε που, χάρη στη δική μου αναβλητικότητα, μπορεί και οι δυο μας να καταλήγαμε στο Δημόσιο Κολλέγιο της Χερσονήσου την επόμενη χρονιά.

Ο Τσάρλι ούτε μαζί μου ήταν ευχαριστημένος, ούτε στον Έντουαρντ μίλαγε. Αλλά τουλάχιστον του Έντουαρντ του επιτρεπόταν –σε προκαθορισμένες μου ώρες επισκεπτηρίου– να μπαίνει στο σπίτι ξανά. Απλώς εγώ δεν επιτρεπόταν να βγω έξω.

Το σχολείο και η δουλειά ήταν οι μοναδικές εξαιρέσεις, και οι θλιβεροί, μουντοί κίτρινοι τοίχοι των σχολικών μου τάξεων είχαν γίνει παράδοξα δελεαστικοί για μένα τώρα τελευταία. Αυτό είχε μεγάλη σχέση με το άτομο που καθόταν δίπλα μου στο θρανίο.

Ο Έντουαρντ είχε συνεχίσει τα μαθήματα που είχε πάρει από την αρχή της χρονιάς, πράγμα που σήμαινε ότι πάλι ήταν στα περισσότερα από τα δικά μου τμήματα. Η συμπεριφορά μου ήταν τέτοια το περασμένο φθινόπωρο, μετά από την υποτιθέμενη μετακόμιση των Κάλεν στο Λος Άντζελες, που κανείς δεν πήρε ποτέ τη θέση δίπλα μου. Ακόμα κι ο Μάικ, πάντα πρόθυμος να εκμεταλλευτεί οποιαδήποτε κατάσταση, είχε κρατήσει μια απόσταση ασφαλείας. Με τον Έντουαρντ πάλι πίσω, ήταν σχεδόν λες και οι οκτώ τελευταίοι μήνες ήταν απλώς ένας ενοχλητικός εφιάλτης.

Σχεδόν, αλλά όχι τελείως. Πρώτα απ' όλα, υπήρχε το θέμα του κατ' οίκον περιορισμού μου. Και κατά δεύτερον, πριν το φθινόπωρο, δεν ήμουν φίλη με τον Τζέικομπ Μπλακ. Έτσι, φυσικά, τότε δε μου έλειπε.

Δεν επιτρεπόταν να πάω στο Λα Πους, κι ο Τζέικομπ δεν ερχόταν να με δει. Δεν απαντούσε καν στα τηλεφωνήματά μου.

Έκανα αυτά τα τηλεφωνήματα κυρίως το βράδυ, αφού ο Έντουαρντ είχε φύγει κακήν-κακώς –στις εννέα ακριβώς, τον έδιωχνε ένας φριχτά χαιρέκακος Τσάρλι– και πριν ο Έντουαρντ ξαναμπεί κρυφά μέσα από το παράθυρό μου, όταν ο Τσάρλι είχε κοιμηθεί. Διάλεγα αυτή την ώρα για να κάνω τα άκαρπα τηλεφωνήματά μου, επειδή είχα παρατηρήσει ότι ο Έντουαρντ έκανε μια συγκεκριμένη γκριμάτσα, όταν άκουγε το όνομα του Τζέικομπ. Κάπως επικριτική και ανήσυχη... ίσως ακόμα και θυμωμένη. Μάλλον είχε κάποια αμοιβαία προκατάληψη εναντίον των λυκάνθρωπων, αν και δεν ήταν τόσο εκδηλωτικός, όσο ήταν ο Τζέικομπ για τις "αιμορουφήχτρες".

Έτσι, δεν ανέφερα πολύ τον Τζέικομπ.

Με τον Έντουαρντ κοντά μου, ήταν δύσκολο να σκέφτομαι δυσάρεστα πράγματα –ακόμα και τον πρώην καλύτερό μου φίλο, που ήταν πιθανότατα πολύ δυστυχισμένος τώρα, εξαιτίας μου. Όταν σκεφτόμουν τον Τζέικ, πάντα ένιωθα ένοχη που δεν τον σκεφτόμουν περισσότερο.

Το παραμύθι είχε επιστρέψει. Ο πρίγκιπας είχε ξαναγυρίσει, η κατάρα είχε σπάσει. Δεν ήμουν σίγουρη τι ακριβώς έπρεπε να κάνω με τον ήρωα που είχε απομείνει μόνος, που δεν είχε αποφασιστεί ακόμα η τύχη του. Πού ήταν το *δικό του* ζήσανε αυτοί καλά κι εμείς καλύτερα;

Βδομάδες πέρασαν, κι ο Τζέικομπ ακόμα δεν απαντούσε στα τηλεφωνήματά μου. Άρχισε να γίνεται μια συνεχής ανησυχία. Σαν μια βρύση που έσταζε στο πίσω μέρος του μυαλού μου, που δεν μπορούσα να κλείσω ή να αγνοήσω. Πλατς, πλατς, πλατς. Τζέικομπ, Τζέικομπ, Τζέικομπ.

Έτσι, παρόλο που δεν ανέφερα *πολύ* τον Τζέικομπ, μερικές φορές η απογοήτευση και η ανησυχία μου ξεχείλιζαν.

«Είναι εντελώς αγενές!» ξέσπασα ένα Σάββατο απόγευμα, όταν ο Έντουαρντ με πήρε από τη δουλειά. Το να είμαι θυμωμένη για κάποια πράγματα ήταν πιο εύκολο από το να νιώθω ένοχη. «Εντελώς προσβλητικό!»

Είχα αλλάξει τη συνηθισμένη μου ρουτίνα, ελπίζοντας ότι θα υπήρχε μια διαφορετική ανταπόκριση. Είχα πάρει τον Τζέικομπ από τη δουλειά αυτήν τη φορά, μόνο και μόνο για να μιλήσω σε έναν καθόλου εξυπηρετικό Μπίλι. Πάλι.

«Ο Μπίλι είπε ότι δεν *ήθελε* να μου μιλήσει», είπα αφρίζοντας, κοιτάζοντας άγρια τη βροχή που στάλαζε αργά από το παράθυρο της θέσης του συνοδηγού. «Ότι ήταν εκεί και δεν ήθελε να κάνει τρία βήματα για να πάει στο τηλέφωνο! Συνήθως ο Μπίλι λέει ότι είναι απασχολημένος ή ότι κοιμάται ή κάτι τέτοιο. Θέλω να πω, δεν είναι ότι δεν ήξερα πως μου έλεγε ψέματα, αλλά τουλάχιστον ήταν ένας ευγενικός τρόπος να το χειριστεί. Υποθέτω ότι ο Μπίλι με μισεί κι αυτός τώρα. Δεν είναι δίκαιο!»

«Δε φταις εσύ, Μπέλλα», είπε ο Έντουαρντ ήσυχα. «Κανένας δε μισεί εσένα».

«Έτσι νιώθω», μουρμούρισα, σταυρώνοντας τα χέρια μου στο στήθος μου. Δεν ήταν τίποτα περισσότερο από μια πεισματάρικη χειρονομία. Δεν υπήρχε καμία τρύπα πια εκεί –μετά βίας θυμόμουν το άδειο συναίσθημα πια.

«Ο Τζέικομπ το ξέρει ότι έχουμε γυρίσει, και είμαι σίγουρος ότι είναι βέβαιος πως είμαι μαζί σου», είπε ο Έντουαρντ. «Δεν πρόκειται να πλησιάσει καθόλου εκεί που είμαι εγώ. Η εχθρότητα είναι ριζωμένη πολύ βαθιά».

«Αυτό είναι ανόητο. Ξέρει ότι δεν είσαι... σαν τους άλλους βρικόλακες».

«Και πάλι πρέπει να κρατάει μια απόσταση ασφαλείας».

Αγριοκοίταξα τυφλά έξω από το παρμπρίζ βλέποντας μόνο το πρόσωπο του Τζέικομπ, με την έκφραση της αγανακτισμένης μάσκας που μισούσα.

«Μπέλλα, είμαστε αυτό που είμαστε», είπε ο Έντουαρντ χαμηλόφωνα. «Εγώ μπορώ να συγκρατηθώ, αλλά αμφιβάλλω αν μπορεί κι αυτός. Είναι πολύ νέος. Το πιο πιθανό είναι να κατέληγε σε τσακωμό, και δεν ξέρω αν θα μπορούσα να σταματήσω πριν τον σκ–» σταμάτησε απότομα και μετά συνέχισε γρήγορα. «Πριν του κάνω κακό. Εσύ θα ήσουν δυστυχισμένη. Δε θέλω να συμβεί αυτό».

Θυμήθηκα επακριβώς τα λόγια του Τζέικομπ στην κουζίνα με τη βραχνή φωνή του. *Δεν είμαι σίγουρος ότι είμαι αρκετά ψύχραιμος για να το αντιμετωπίσω αυτό… Εσένα μάλλον δε θα σου άρεσε και πολύ αν σκότωνα τη φιλενάδα σου.* Αλλά τα κατάφερε να το αντιμετωπίσει, εκείνη τη στιγμή…

«Έντουαρντ Κάλεν», ψιθύρισα. «Ήσουν έτοιμος να πεις: "Πριν τον *σκοτώσω*"; Έτσι είναι;»

Κοίταξε από την άλλη μεριά, καρφώνοντας το βλέμμα του στη βροχή. Μπροστά μας, το κόκκινο φανάρι που δεν είχα προσέξει έγινε πράσινο, κι εκείνος ξεκίνησε ξανά οδηγώντας πολύ αργά. Όχι όπως οδηγούσε συνήθως.

«Θα προσπαθούσα… πολύ σκληρά… να μην το κάνω αυτό», είπε τελικά ο Έντουαρντ.

Τον κοίταξα επίμονα με το στόμα μου να έχει μείνει ανοιχτό, αλλά εκείνος συνέχισε να κοιτάζει ευθεία μπροστά. Σταματήσαμε στο στοπ της γωνίας.

Απότομα, θυμήθηκα τι είχε συμβεί στον Πάρι, όταν γύρισε ο Ρωμαίος. Οι σκηνικές οδηγίες ήταν απλές: *Μονομαχούν. Ο Πάρις πέφτει.*

Μα αυτό ήταν γελοίο. Αδύνατο.

«Λοιπόν», είπα και πήρα μια βαθιά ανάσα, κουνώντας το κεφάλι μου για να διαλύσω τις λέξεις μέσα στο μυαλό μου. «Τίποτα τέτοιο δεν πρόκειται να συμβεί, άρα δεν υπάρχει κανένας λόγος ανησυχίας. Και ξέρεις ότι ο Τσάρλι κοιτάζει το ρολόι του αυτή τη στιγμή. Καλύτερα να με πας σπίτι πριν έχω κι άλλους μπελάδες, επειδή άργησα».

Έστρεψα το πρόσωπό μου προς εκείνον για να χαμογελάσω με μισή καρδιά.

Κάθε φορά που κοίταζα το πρόσωπό του, εκείνο το απίστευτα τέλειο πρόσωπο, η καρδιά μου χτυπούσε δυνατά και γεμάτη υγεία και ήταν απολύτως *παρούσα* μέσα στο στήθος μου. Αυτή τη φορά, ο χτύπος ήταν πιο γρήγορος από το συνηθισμένο ξετρελαμένο του ρυθμό. Αναγνώρισα την έκφραση στο ήρεμο σαν αγάλματος πρόσωπό του.

«Ήδη έχεις κι άλλους μπελάδες, Μπέλλα», ψιθύρισε μέσα

από τα ακίνητα χείλη του.

Γλίστρησα πιο κοντά του, σφίγγοντας το μπράτσο του, καθώς ακολούθησα το βλέμμα του για να δω αυτό που έβλεπε εκείνος. Δεν ξέρω τι περίμενα –ίσως τη Βικτόρια να στέκεται στη μέση του δρόμου, τα φλογισμένα κόκκινα μαλλιά της να ανεμίζουν στον αέρα ή μια σειρά από ψηλούς μαύρους μανδύες... ή μια αγέλη θυμωμένων λυκάνθρωπων. Αλλά δεν είδα τίποτα απ' όλα αυτά.

«Τι; Τι είναι;»

Πήρε μια βαθιά ανάσα. «Ο Τσάρλι...»

«Ο μπαμπάς μου;» στρίγκλισα.

Χαμήλωσε το βλέμμα του για να με κοιτάξει τότε, και η έκφρασή του ήταν αρκετά ψύχραιμη για να κατευνάσει ένα μέρος του πανικού μου.

«Ο Τσάρλι... πιθανότατα δε θα σε σκοτώσει, αλλά το σκέφτεται», μου είπε. Άρχισε να οδηγεί ξανά, αλλά πέρασε το σπίτι και πάρκαρε κοντά στην άκρη των δέντρων.

«Τι έκανα;» είπα ξέπνοα.

Ο Έντουαρντ έριξε μια γρήγορη ματιά στο σπίτι του Τσάρλι. Ακολούθησα το βλέμμα του και πρόσεξα για πρώτη φορά τι ήταν παρκαρισμένο στο δρόμο, δίπλα στο περιπολικό. Γυαλιστερή και κατακόκκινη, αδύνατο να μην τη δει κανείς. Η μοτοσικλέτα μου μόστραρε επιδεικτικά στο δρομάκι του σπιτιού.

Ο Έντουαρντ είχε πει ότι ο Τσάρλι ήταν έτοιμος να με σκοτώσει, άρα πρέπει να ήξερε ότι –ότι ήταν *δική μου*. Υπήρχε ένα μόνο άτομο που θα μπορούσε να βρίσκεται πίσω από αυτή την προδοσία.

«Όχι!» ξεφώνισα πνιχτά. «*Γιατί;* Γιατί να μου το κάνει αυτό ο Τζέικομπ;» Ο πόνος της προδοσίας με κατέκλυσε. Είχα εμπιστευτεί τυφλά τον Τζέικομπ –του είχα εμπιστευτεί όλα τα μυστικά που είχα. Υποτίθεται ότι ήταν το ασφαλές μου λιμάνι –το άτομο στο οποίο πάντα μπορούσα να βασίζομαι.

Φυσικά τα πράγματα ήταν τεταμένα τώρα, αλλά δεν πίστευα ότι τα θεμέλια που υπήρχαν από κάτω είχαν αλλάξει. Δεν πίστευα ότι αυτό ήταν *δυνατόν να αλλάξει*!

Τι είχα κάνει για να το αξίζω αυτό; Ο Τσάρλι θα γινόταν έξαλλος –και το χειρότερο, θα πληγωνόταν και θα ανησυχούσε. Δεν είχε ήδη αντιμετωπίσει αρκετά; Δε θα μπορούσα ποτέ να φανταστώ ότι ο Τζέικ θα ήταν τόσο μικρόψυχος και τόσο απόλυτα *κακός*. Δάκρυα ξεπήδησαν, τσούζοντας τα μάτια μου, αλλά δεν ήταν δάκρυα λύπης. Είχα προδοθεί. Ξαφνικά ήμουν τόσο θυμωμένη, που το κεφάλι μου παλλόταν, σαν να ήταν έτοιμο να εκραγεί.

«Είναι ακόμα εδώ;» είπα μέσα από τα δόντια μου.

«Ναι. Μας περιμένει εκεί», μου είπε ο Έντουαρντ κουνώντας το κεφάλι του προς το στενό μονοπάτι, που χώριζε τη σκοτεινή παρυφή του δάσους στα δύο.

Πήδηξα έξω από το αυτοκίνητο, ορμώντας προς τα δέντρα με τα χέρια μου ήδη σφιγμένα σε γροθιές για την πρώτη μπουνιά.

Γιατί ήταν ανάγκη ο Έντουαρντ να είναι τόσο πιο γρήγορος από μένα;

Με έπιασε από τη μέση, πριν προλάβω να φτάσω στο μονοπάτι.

«Άσε με! Θα τον δολοφονήσω! Προδότη!» φώναξα το επίθετο προς τα δέντρα.

«Θα σε ακούσει ο Τσάρλι», με προειδοποίησε ο Έντουαρντ. «Και μόλις σε βάλει μέσα στο σπίτι, μπορεί να χτίσει με τούβλα την πόρτα».

Έριξα μια γρήγορη ματιά πίσω στο σπίτι ενστικτωδώς, κι έμοιαζε σαν το μόνο πράγμα που μπορούσα να δω να ήταν η γυαλιστερή κόκκινη μοτοσικλέτα. Έβλεπα κόκκινο. Το κεφάλι μου άρχισε να πάλλεται ξανά.

«Δώσε μου ένα γύρο μόνο με τον Τζέικομπ, και μετά θα ασχοληθώ με τον Τσάρλι». Πάλεψα μάταια να ελευθερωθώ.

«Ο Τζέικομπ Μπλακ θέλει να δει *εμένα*. Γι' αυτό είναι ακόμα εδώ».

Αυτό με έκανε να σταματήσω παγωμένη –μου χάλασε τη διάθεση για τσακωμό. Τα χέρια μου παρέλυσαν. *Μονομαχούν· ο Πάρις πέφτει.*

Ήμουν έξαλλη από θυμό, αλλά όχι *τόσο* έξαλλη.

«Για να μιλήσετε;» ρώτησα.

«Λίγο-πολύ».

«Πόσο είναι το πολύ;» Η φωνή μου έτρεμε.

Ο Έντουαρντ ίσιωσε τα μαλλιά μου διώχνοντάς τα πέρα από το πρόσωπό μου. «Μην ανησυχείς, δεν ήρθε για να τσακωθεί μαζί μου. Έχει έρθει ως... αντιπρόσωπος της φυλής».

«Α».

Ο Έντουαρντ κοίταξε ξανά το σπίτι, μετά έσφιξε το μπράτσο του γύρω από τη μέση του και με τράβηξε προς το δάσος. «Καλύτερα να βιαστούμε. Ο Τσάρλι χάνει την υπομονή του».

Δε χρειαζόταν να πάμε μακριά· ο Τζέικομπ περίμενε λίγο πιο πέρα, στο μονοπάτι. Ήταν ακουμπισμένος τεμπέλικα πάνω σε έναν κορμό δέντρου γεμάτο βρύα, καθώς περίμενε, με πρόσωπο σκληρό και γεμάτο αγανάκτηση, ακριβώς όπως ήξερα ότι θα ήταν. Κοίταξε εμένα και μετά τον Έντουαρντ. Το στόμα του Τζέικομπ χαμογελούσε περιφρονητικά, χωρίς διάθεση, και απομακρύνθηκε από το δέντρο ανασηκώνοντας τους ώμους. Στεκόταν στις φτέρνες των ξυπόλυτων ποδιών του, γέρνοντας ελαφρώς πιο μπροστά, με τα τρεμάμενα χέρια του σφιγμένα σε γροθιές. Έδειχνε πιο μεγαλόσωμος απ' ό,τι την τελευταία φορά που τον είχα δει. Με κάποιο τρόπο, αν κι ήταν αδύνατο, ψήλωνε κι άλλο. Θα ήταν πιο ψηλός από τον Έντουαρντ, αν στέκονταν δίπλα-δίπλα.

Αλλά ο Έντουαρντ σταμάτησε αμέσως μόλις τον είδε, αφήνοντας ένα μεγάλο κενό ανάμεσα σ' εμάς και τον Τζέικομπ. Ο Έντουαρντ γύρισε το σώμα του, αλλάζοντάς μου θέση, έτσι ώστε να βρίσκομαι πίσω του. Εγώ έσκυψα γύρω του για να κοιτάξω τον Τζέικομπ –να τον κατηγορήσω με τα μάτια μου.

Νόμιζα ότι το να δω τη γεμάτη αγανάκτηση και κυνισμό έκφρασή του θα με έκανε να νιώσω μεγαλύτερο θυμό. Αντίθετα, μου θύμισε την τελευταία φορά που τον είχα δει, με δάκρυα στα μάτια του. Το μένος μου εξασθένησε, κάμφθηκε, καθώς κοίταξα τον Τζέικομπ. Είχε περάσει τόσος καιρός από τότε που τον είχα δει –δε μου άρεσε καθόλου που η επανασύνδεσή μας ήταν ανάγκη να γίνει *έτσι*.

«Μπέλλα», είπε ο Τζέικομπ σαν χαιρετισμό, κουνώντας μια φορά το κεφάλι του προς εμένα χωρίς να παίρνει τα μάτια του από τον Έντουαρντ.

«Γιατί;» ψιθύρισα, προσπαθώντας να κρύψω τον ήχο του κόμπου στο λαιμό μου. «Πώς μπόρεσες να μου το κάνεις αυτό, Τζέικομπ;»

Το περιφρονητικό χαμόγελο χάθηκε, αλλά το πρόσωπό του παρέμεινε σκληρό και άκαμπτο. «Είναι για το καλό σου».

«Τι υποτίθεται ότι σημαίνει αυτό; Θέλεις ο Τσάρλι να με *στραγγαλίσει*; Ή ήθελες να πάθει καμιά καρδιακή προσβολή, όπως ο Χάρι; Όσο θυμωμένος κι αν είσαι μαζί μου, πώς μπόρεσες να το κάνεις αυτό σ' *εκείνον*;»

Ο Τζέικομπ έκανε ένα μορφασμό, και τα φρύδια του έσμιξαν, αλλά δεν απάντησε.

«Δεν ήθελε να κάνει κακό σε κανέναν –απλώς ήθελε να σε βάλει τιμωρία ο Τσάρλι, ώστε να μην επιτρέπεται να περνάς χρόνο μαζί μου», μουρμούρισε ο Έντουαρντ, εξηγώντας τις σκέψεις που ο Τζέικομπ δεν έλεγε.

Τα μάτια του Τζέικομπ άστραψαν από το μίσος, καθώς κοίταξε τον Έντουαρντ απειλητικά ξανά.

«Αχ, Τζέικ!» στέναξα εγώ. «*Ήδη* είμαι τιμωρημένη! Γιατί νομίζεις ότι δεν έχω κατέβει στο Λα Πους για να σου τις βρέξω, που αποφεύγεις τα τηλεφωνήματά μου;»

Τα μάτια του Τζέικομπ γύρισαν πάλι αστραπιαία προς εμένα, μπερδεμένα για πρώτη φορά. «Γι' αυτό;» ρώτησε, και μετά το σαγόνι του σφίχτηκε, σαν να μετάνιωσε που είχε μιλήσει.

«Νόμιζε ότι εγώ δε σε άφηνα, όχι ο Τσάρλι», εξήγησε ξανά ο Έντουαρντ.

«Κόφ' το αυτό», είπε ο Τζέικομπ απότομα.

Ο Έντουαρντ δεν απάντησε.

Τον Τζέικομπ τον διαπέρασε ένα ρίγος, και μετά έσφιξε τα δόντια του το ίδιο δυνατά, όπως και τις γροθιές του. «Η Μπέλλα δεν υπερέβαλλε για τις... ικανότητές σου», είπε μέσα από τα δόντια του. «Άρα πρέπει ήδη να ξέρεις γιατί είμαι εδώ».

«Ναι», συμφώνησε ο Έντουαρντ με απαλή φωνή. «Αλλά, πριν αρχίσεις, πρέπει να πω κάτι».

Ο Τζέικομπ περίμενε, σφίγγοντας και ξεσφίγγοντας τα χέρια του, καθώς προσπαθούσε να ελέγξει τα ρίγη που διαπερνούσαν τα μπράτσα του.

«Σ' ευχαριστώ», είπε ο Έντουαρντ, και η φωνή του δονείτο από το βάθος της ειλικρίνειάς του. «Ποτέ δε θα μπορέσω να σου εκφράσω πόσο μεγάλη ευγνωμοσύνη νιώθω. Θα σου το χρωστάω για το υπόλοιπο της... ύπαρξής μου».

Ο Τζέικομπ τον κοίταξε χωρίς να καταλαβαίνει, ενώ τα ρίγη του είχαν σταματήσει από την έκπληξη. Αντάλλαξε ένα γρήγορο βλέμμα μ' εμένα, αλλά και το δικό μου πρόσωπο ήταν εξίσου απορημένο.

«Που κράτησες την Μπέλλα ζωντανή», διευκρίνισε ο Έντουαρντ, με φωνή τραχιά και ένθερμη. «Όταν εγώ... δεν το έκανα».

«Έντουαρντ–», πήγα να πω, αλλά εκείνος σήκωσε το ένα του χέρι ψηλά, με τα μάτια καρφωμένα στον Τζέικομπ.

Κατανόηση πλημμύρισε το πρόσωπο του Τζέικομπ, πριν επιστρέψει η σκληρή μάσκα. «Δεν το έκανα για χάρη δικιά σου».

«Το ξέρω. Αλλά αυτό δε σβήνει την ευγνωμοσύνη που νιώθω. Αν υπάρχει οτιδήποτε που να εξαρτάται από μένα που θα μπορούσα να κάνω για...»

Ο Τζέικομπ σήκωσε το ένα του μαύρο φρύδι.

Ο Έντουαρντ κούνησε το κεφάλι του. «Αυτό δεν εξαρτάται από μένα».

«Τότε από ποιόν;» ρώτησε ο Τζέικομπ μουγκρίζοντας.

Ο Έντουαρντ χαμήλωσε το βλέμμα του προς εμένα. «Από αυτήν. Μαθαίνω γρήγορα, Τζέικομπ Μπλακ, και δεν κάνω το ίδιο λάθος δυο φορές. Θα είμαι εδώ, μέχρι να με προστάξει αυτή να φύγω».

Για μια στιγμή βυθίστηκα μέσα στο χρυσαφένιο του βλέμμα. Δεν ήταν δύσκολο να καταλάβω τι είχα χάσει στη συζήτηση. Το μόνο πράγμα που θα ήθελε ο Τζέικομπ από τον Έντουαρντ ήταν η απουσία του.

«Ποτέ», ψιθύρισα, ακόμα παγιδευμένη μέσα στα μάτια του Έντουαρντ.

Ο Τζέικομπ έκανε έναν ήχο που έμοιαζε σαν να είχε αναγουλιάσει.

Εγώ ελευθερώθηκα απρόθυμα από το βλέμμα του Έντουαρντ για να κατσουφιάσω στον Τζέικομπ. «Ήθελες τίποτα άλλο, Τζέικομπ; Ήθελες να με βάλεις σε μπελάδες –η αποστολή εξετελέσθη. Ο Τσάρλι μπορεί να με στείλει σε στρατιωτική σχολή. Αλλά αυτό δε θα με κρατήσει μακριά από τον Έντουαρντ. Δεν υπάρχει τίποτα που θα το καταφέρει *αυτό*. Τι άλλο θέλεις;»

Ο Τζέικομπ κράτησε τα μάτια του πάνω στον Έντουαρντ. «Απλώς ήθελα να υπενθυμίσω στους φίλους σου, τις αιμορουφήχτρες, μερικά σημεία-κλειδιά στη συνθήκη στην οποία έχουν συμφωνήσει. Τη συνθήκη που είναι το μόνο πράγμα που με εμποδίζει να του ξεσκίσω το λαιμό αυτήν τη στιγμή».

«Δεν τα έχουμε ξεχάσει», είπε ο Έντουαρντ ακριβώς ταυτόχρονα, ενώ εγώ απαιτούσα να μάθω: «Τι σημεία-κλειδιά;»

Ο Τζέικομπ ακόμα αγριοκοίταζε τον Έντουαρντ, αλλά μου

απάντησε. «Η συνθήκη είναι πολύ σαφής. Αν οποιοσδήποτε απ' αυτούς δαγκώσει κάποιον άνθρωπο, πάει η ανακωχή. Αν *δαγκώσει*, όχι αν σκοτώσει», τόνισε. Τελικά, κοίταξε προς εμένα. Τα μάτια του ήταν παγερά.

Μου πήρε μόνο ένα δευτερόλεπτο για να καταλάβω τη διαφορά, και τότε το πρόσωπό μου έγινε το ίδιο παγερό με το δικό του.

«Αυτό δεν είναι δική σου δουλειά».

«Και βέβαια–» ήταν το μόνο πράγμα που κατάφερε να πει σαν να πνιγόταν.

Δεν περίμενα ότι αυτό που βιάστηκα να ξεστομίσω θα προκαλούσε τόσο έντονη αντίδραση. Παρά την προειδοποίηση που είχε έρθει για να δώσει, φαίνεται πως δεν ήξερε. Πρέπει να νόμιζε ότι η προειδοποίηση ήταν για σκοπούς πρόληψης. Δεν είχε συνειδητοποιήσει –ή δεν ήθελε να πιστέψει– ότι είχα ήδη κάνει την επιλογή μου. Ότι πράγματι σκόπευα να γίνω μέλος της οικογένειας των Κάλεν.

Η απάντησή μου έκανε τον Τζέικομπ σχεδόν να σφαδάσει. Πίεσε τις γροθιές του με δύναμη στους κροτάφους του, κλείνοντας τα μάτια του σφιχτά και κουλουριάστηκε ταυτόχρονα, καθώς προσπαθούσε να ελέγξει τους σπασμούς του. Το πρόσωπό του έγινε ωχρό πράσινο κάτω από το καστανοκόκκινο δέρμα του.

«Τζέικ; Είσαι καλά;» ρώτησα με αγωνία.

Έκανα μισό βήμα προς εκείνον, μετά ο Έντουαρντ με έπιασε και με τράβηξε με δύναμη πίσω από το δικό του σώμα. «Πρόσεχε! Δεν έχει τον έλεγχο του εαυτού του», με προειδοποίησε.

Αλλά ο Τζέικομπ ήταν ήδη πάλι ο εαυτός του˙ μόνο τα χέρια του έτρεμαν τώρα πια. Κοίταξε τον Έντουαρντ βλοσυρά με καθαρό μίσος. «Χα! *Εγώ* δε θα της έκανα ποτέ κακό».

Ούτε στον Έντουαρντ, ούτε και σ' εμένα διέφυγε η διακύμανση της φωνής του, ή η κατηγορία που περιλάμβανε. Ένα χαμηλό σύριγμα ξέφυγε από τα χείλη του Έντουαρντ. Ο Τζέικομπ έσφιξε τις γροθιές του αντανακλαστικά.

«ΜΠΕΛΛΑ!» Ο βρυχηθμός του Τσάρλι αντήχησε από την κατεύθυνση του σπιτιού. «ΕΛΑ ΜΕΣΑ ΣΤΟ ΣΠΙΤΙ ΑΥΤΗ ΤΗ ΣΤΙΓΜΗ!»

Όλοι μας κοκαλώσαμε, ακούγοντας τη σιωπή που επακολούθησε.

Εγώ ήμουν η πρώτη που μίλησα˙ η φωνή μου έτρεμε. «Να πάρει».

Η έξαλλη από οργή έκφραση του Τζέικομπ κάμφθηκε. «Αλήθεια λυπάμαι γι' αυτό», μουρμούρισε. «Έπρεπε να κάνω ό,τι μπορούσα –έπρεπε να προσπαθήσω…»

«Να 'σαι καλά». Το τρέμουλο στη φωνή μου κατέστρεψε το σαρκασμό. Σήκωσα το βλέμμα μου για να κοιτάξω στο μονοπάτι, μισοπεριμένοντας τον Τσάρλι να ορμήσει μέσα από τις υγρές φτέρες σαν μαινόμενος ταύρος. Εγώ θα ήμουν το κόκκινο πανί σ' αυτό το σενάριο.

«Ένα μόνο πράγμα ακόμα», μου είπε ο Έντουαρντ, και μετά κοίταξε τον Τζέικομπ. «Δε βρήκαμε καθόλου ίχνη της Βικτόρια στη δικιά μας μεριά –μήπως βρήκατε εσείς;»

Ήξερε την απάντηση, αμέσως μόλις τη σκέφτηκε ο Τζέικομπ, αλλά ο Τζέικομπ την είπε δυνατά, έτσι κι αλλιώς. «Η τελευταία φορά ήταν όταν η Μπέλλα… έλειπε. Την αφήσαμε να νομίσει ότι είχε γλιστρήσει κρυφά διαπερνώντας τον κλοιό μας –τον κάναμε όλο και πιο σφιχτό, ήμασταν έτοιμοι να την παγιδεύσουμε σε ενέδρα…»

Ένα παγωμένο ρεύμα διαπέρασε τη σπονδυλική μου στήλη αστραπιαία.

«Αλλά τότε εξαφανίστηκε σαν νυχτερίδα που δραπέτευσε από την κόλαση. Απ' ό,τι καταλάβαμε, αισθάνθηκε τη μυρωδιά της μικρής θηλυκιάς σας και την κοπάνησε. Από τότε δεν έχει ξαναπλησιάσει τη γη μας».

Ο Έντουαρντ κούνησε το κεφάλι. «Όταν γυρίσει, δεν είναι

δικό σας πρόβλημα πια. Εμείς θα –»

«Σκότωσε στα δικά μας χωράφια», είπε ο Τζέικομπ μέσα από τα δόντια του. «Είναι δική μας!»

«Όχι –», πήγα να διαμαρτυρηθώ και για τις δυο δηλώσεις.

«*ΜΠΕΛΛΑ!* ΒΛΕΠΩ ΤΟ ΑΜΑΞΙ ΤΟΥ ΚΑΙ ΞΕΡΩ ΟΤΙ ΕΙΣΑΙ ΕΚΕΙ! ΑΝ ΔΕΝ ΕΡΘΕΙΣ ΜΕΣΑ ΣΕ ΕΝΑ ΛΕΠΤΟ...!» Ο Τσάρλι δεν μπήκε στον κόπο να ολοκληρώσει την απειλή του.

«Πάμε», είπε ο Έντουαρντ.

Γύρισα πίσω για να κοιτάξω τον Τζέικομπ, διχασμένη. Θα τον έβλεπα ξανά;

«Συγνώμη», ψιθύρισε τόσο χαμηλόφωνα, που έπρεπε να διαβάσω τα χείλη του για να καταλάβω. «Αντίο, Μπελς».

«Υποσχέθηκες», του θύμισα απεγνωσμένα. «Ακόμα φίλοι, έτσι δεν είναι;»

Ο Τζέικομπ κούνησε το κεφάλι του αργά, κι ο κόμπος στο λαιμό μου παραλίγο να με κάνει να πνιγώ.

«Ξέρεις πόσο σκληρά έχω προσπαθήσει να κρατήσω εκείνη την υπόσχεση, αλλά... δε βλέπω πώς μπορώ να συνεχίσω. Όχι τώρα...» Πάσχισε να διατηρήσει τη σκληρή του μάσκα, αλλά εκείνη κάμφθηκε και μετά χάθηκε. «Μου λείπεις», μουρμούρισε. Ένα από τα χέρια του απλώθηκε προς εμένα, με τα δάχτυλα τεντωμένα, σαν να ευχόταν να ήταν αρκετά μακριά για να καλύψουν την απόσταση ανάμεσά μας.

«Κι εμένα», είπα σαν να πνιγόμουν. Το χέρι μου απλώθηκε προς το δικό του στο κενό.

Σαν να ήμασταν συνδεδεμένοι, ο αντίλαλος του πόνου του συσπάστηκε μέσα μου. Ο δικός του πόνος, δικός μου πόνος.

«Τζέικ...» Έκανα ένα βήμα προς εκείνον. Ήθελα να τυλίξω τα χέρια μου γύρω από τη μέση του και να σβήσω την έκφραση της δυστυχίας στο πρόσωπό του.

Ο Έντουαρντ με τράβηξε πίσω, με τα μπράτσα του να με περιορίζουν παρά να με προστατεύουν.

«Δεν υπάρχει κίνδυνος», του υποσχέθηκα, σηκώνοντας το βλέμμα για να δω το πρόσωπό του, με εμπιστοσύνη στα μάτια μου. Θα καταλάβαινε.

Τα μάτια του δεν μπορούσαν να διαβαστούν, το πρόσωπό του ήταν ανέκφραστο. Ψυχρό. «Όχι, υπάρχει».

«Άφησέ την», γρύλισε ο Τζέικομπ, έξαλλος από θυμό πάλι. «Το *θέλει*!» Έκανε δυο μεγάλες δρασκελιές μπροστά. Μια λάμψη προσμονής άστραψε μέσα στα μάτια του. Το στήθος του έμοιαζε να φουσκώνει, καθώς έτρεμε.

Ο Έντουαρντ με έσπρωξε πίσω του, κάνοντας ένα κύκλο για να έρθει αντιμέτωπος με τον Τζέικομπ.

«Όχι! Έντουαρντ…!»

«ΙΖΑΜΠΕΛΛΑ ΣΟΥΑΝ!»

«Έλα! Ο Τσάρλι είναι έξαλλος!» Η φωνή μου ήταν πανικόβλητη, αλλά όχι εξαιτίας του Τσάρλι τώρα. «Γρήγορα!»

Τον τράβηξα, κι εκείνος χαλάρωσε κάπως. Με τράβηξε προς τα πίσω αργά, πάντα με τα μάτια του καρφωμένα πάνω στον Τζέικομπ, καθώς υποχωρούσαμε.

Ο Τζέικομπ μας παρακολουθούσε κάτω από ένα σκοτεινό συνοφρύωμα στο αγανακτισμένο του πρόσωπο. Η προσμονή στράγγισε από τα μάτια του, και τότε, λίγο πριν το δάσος μπει ανάμεσά μας, το πρόσωπό του ξαφνικά τσαλακώθηκε από τον πόνο.

Ήξερα ότι η τελευταία εικόνα του προσώπου του θα με στοίχειωνε, μέχρι να τον δω ξανά να χαμογελά.

Κι επί τόπου ορκίστηκα ότι θα τον *έβλεπα* να χαμογελά ξανά, και γρήγορα. Θα έβρισκα έναν τρόπο να κρατήσω το φίλο μου.

Ο Έντουαρντ κράτησε το μπράτσο του σφιχτά γύρω από τη μέση μου, κρατώντας με κοντά του. Αυτό ήταν το μόνο πράγμα που δεν άφησε τα δάκρυα να κυλήσουν από τα μάτια μου.

Είχα μερικά σοβαρά προβλήματα.

Ο καλύτερός μου φίλος με θεωρούσε εχθρό του.

Η Βικτόρια ήταν ακόμα ελεύθερη, βάζοντας όλους όσους αγαπούσα σε κίνδυνο.

Αν δε γινόμουν σύντομα βρικόλακας, οι Βολτούρι θα με σκότωναν.

Και τώρα φαινόταν ότι *αν γινόμουν*, θα αναλάμβαναν οι λυκάνθρωποι της φυλής των Κουιλαγιούτ να με ξεκάνουν –ενώ παράλληλα θα προσπαθούσαν να σκοτώσουν και τη μελλοντική μου οικογένεια. Στην πραγματικότητα δεν πίστευα ότι είχαν καμία πιθανότητα, αλλά αν ο καλύτερός μου φίλος σκοτωνόταν στην προσπάθεια;

Πολύ σοβαρά προβλήματα. Τότε, γιατί ξαφνικά όλα φάνταζαν άνευ σημασίας, μπροστά στην έκφραση που αντίκρισα στο μελανιασμένο από την οργή πρόσωπο του Τσάρλι, όταν βγήκαμε από τα δέντρα;

Ο Έντουαρντ με πίεσε απαλά. «Εγώ είμαι εδώ».

Πήρα μια βαθιά ανάσα.

Αυτό ήταν αλήθεια. Ο Έντουαρντ ήταν εδώ, με τα χέρια του γύρω μου.

Μπορούσα να αντιμετωπίσω τα πάντα, όσο αυτό ίσχυε.

Ίσιωσα τους ώμους μου και προχώρησα μπροστά για να συναντήσω τη μοίρα μου, με το πεπρωμένο μου στο πλευρό μου.

Η ιστορία συνεχίζεται στην

έκλειψη

Γυρίστε τη σελίδα για μια αποκλειστική

πρώτη γεύση...

1. ΤΕΛΕΣΙΓΡΑΦΟ

Μπέλλα

~~Δεν ξέρω γιατί βάζεις τον Τσάρλι να κουβαλάει σημειώματα στον Μπίλι, σαν να είμαστε στη δευτέρα δημοτικού – αν ήθελα να σου μιλήσω θα απαντούσα στα~~

~~Εσύ έκανες την επιλογή σου, εντάξει; Δεν μπορείς να τα θες όλα δικά σου όταν~~

~~Ποιο σημείο του "θανάσιμοι εχθροί" είναι περίπλοκο για να το~~

~~Κοίτα, ξέρω ότι φέρομαι σαν βλάκας, αλλά δεν υπάρχει κανένας τρόπος να~~

~~Δεν μπορούμε να είμαστε φίλοι, όταν περνάς όλο τον καιρό σου με ένα μάτσο~~

~~Είναι χειρότερο όταν σε σκέφτομαι πάρα πολύ, γι' αυτό μη μου γράφεις πια~~

Ναι, κι εμένα μου λείπεις. Πολύ. Δεν αλλάζει τίποτα. Συγνώμη.

Τζέικομπ

Χάιδεψα τη σελίδα με τα δάχτυλά μου, νιώθοντας τα σημάδια εκεί που είχε πιέσει το στυλό πάνω στο χαρτί με τόση δύναμη, που το είχε σχεδόν τρυπήσει. Τον φανταζόμουν να το γράφει –μουντζουρώνοντας με τα θυμωμένα ορνιθοσκαλίσματά του το χαρτί, με τον τραχύ γραφικό του χαρακτήρα, σβήνοντας τη μια γραμμή μετά την άλλη, όταν οι λέξεις δεν ήταν σωστές, ίσως ακόμα και σπάζοντας το στυλό μέσα στο υπερβολικά μεγάλο χέρι του˙ έτσι εξηγούνταν οι πιτσιλιές από μελάνι. Μπορούσα να φανταστώ τη σύγχυση που θα έκανε τα μαύρα του φρύδια να σμίγουν και θα τσαλάκωνε το μέτωπό του. Αν ήμουν εκεί, μπορεί να γελούσα. *Μην πάθεις κάνα εγκεφαλικό,* Τζέικομπ, θα του έλεγα. *Απλώς βγάλ' τα από μέσα σου, όπως να 'ναι.*

Το να γελάσω ήταν το τελευταίο πράγμα που είχα τη διάθεση να κάνω τώρα, καθώς διάβαζα ξανά τις λέξεις που είχα ήδη απομνημονεύσει. Η απάντησή του στο παρακλητικό σημείωμά μου –που πέρασε από τον Τσάρλι στον Μπίλι και μετά σ' αυτόν, ακριβώς σαν να ήμασταν στη δευτέρα δημοτικού, όπως είχε επισημάνει– δε μου προκάλεσε έκπληξη. Ήξερα τη γενική ιδέα του τι θα έλεγε πριν την ανοίξω.

Αυτό που μου προκάλεσε έκπληξη ήταν το πόσο κάθε σβησμένη γραμμή με πλήγωνε –λες και οι χαρακτήρες είχαν κοφτερές προεξοχές. Και κυρίως, πίσω από κάθε θυμωμένη αρχή κρυβόταν ένα τεράστιο απόθεμα πόνου˙ ο πόνος του Τζέικομπ με έκοβε πιο βαθιά κι από το δικό μου.

Ενώ συλλογιζόμουν αυτά, μύρισα τη χαρακτηριστική μυρωδιά από κάτι που καιγόταν, προερχόμενη από την κουζίνα. Σε κάποιο άλλο σπίτι, το γεγονός ότι μαγείρευε κάποιος άλλος εκτός από μένα μπορεί να μην ήταν λόγος πανικού.

Έχωσα το ζαρωμένο χαρτί στην πίσω τσέπη μου κι έτρεξα, προλαβαίνοντας να φτάσω κάτω ακριβώς παρά τρίχα.

Το βαζάκι με τη σάλτσα για μακαρόνια που είχε βάλει ο Τσάρλι στο φούρνο μικροκυμάτων έκανε μόλις την πρώτη του περιστροφή, όταν τράβηξα απότομα την πόρτα και το έβγαλα έξω.

«Τι έκανα λάθος;» απαίτησε να μάθει ο Τσάρλι.

«Πρέπει πρώτα να βγάλεις το καπάκι, μπαμπά. Το μέταλλο δεν είναι καλό για το φούρνο μικροκυμάτων». Γρήγορα έβγαλα το καπάκι, καθώς μιλούσα, έχυσα τη μισή σάλτσα σε ένα μπολ, και μετά έβαλα το μπολ στο φούρνο και το δοχείο πάλι μέσα στο ψυγείο˙ ρύθμισα το χρόνο και πάτησα το κουμπί για να ξεκινήσει.

Ο Τσάρλι παρακολουθούσε τις προσαρμογές μου με σουφρωμένα χείλη. «Τα μακαρόνια τα πέτυχα;»

Κοίταξα στο κατσαρολάκι στο μάτι της κουζίνας –την πηγή της μυρωδιάς που με είχε κάνει να ανησυχήσω. «Το ανακάτεμα βοηθάει», είπα ήπια. Βρήκα ένα κουτάλι και προσπάθησα να ξεκολλήσω την πολτώδη μάζα που είχε κολλήσει στον πάτο καμένη.

Ο Τσάρλι αναστέναξε.

«Λοιπόν, γιατί τα κάνεις όλα αυτά;» τον ρώτησα.

Σταύρωσε τα χέρια του στο στήθος του και κοίταξε άγρια έξω από τα πίσω παράθυρα, μέσα στο προπέτασμα της βροχής. «Δεν έχω ιδέα για τι πράγμα μιλάς», γκρίνιαξε.

Ήμουν γεμάτη απορία. Ο Τσάρλι μαγείρευε; Και προς τι τα μούτρα; Ο Έντουαρντ δεν είχε έρθει ακόμα˙ συνήθως ο μπαμπάς μου κρατούσε αυτού του είδους τη συμπεριφορά για χάρη του αγοριού μου, κάνοντας ό,τι μπορούσε για να δείξει ξεκάθαρα την έννοια του "ανεπιθύμητου" με κάθε του λέξη και στάση του σώματός του. Οι προσπάθειες του Τσάρλι ήταν περιττές –ο Έντουαρντ ήξερε ακριβώς τι σκεφτόταν ο μπαμπάς μου και χωρίς την παράσταση.

Η λέξη αγόρι με έκανε να μασάω τη μέσα πλευρά του μάγουλού μου με μια οικεία ένταση, ενώ ανακάτευα. Δεν ήταν η σωστή λέξη, καθόλου. Χρειαζόμουν κάτι που να εξέφραζε περισσότερο την αιώνια δέσμευση... Αλλά λέξεις, όπως πεπρωμένο και μοίρα, ακούγονταν σαχλές, όταν χρησιμοποιούνταν σε μια χαλαρή συζήτηση.

Ο Έντουαρντ είχε μια άλλη λέξη υπόψη του, κι αυτή η λέξη ήταν η πηγή της έντασης που ένιωθα. Με έκανε να κάθομαι σε αναμμένα κάρβουνα, όταν τη σκεφτόμουν η ίδια.

Αρραβωνιαστικός. Ωχ! Σταμάτησα να τη σκέφτομαι αναριγώντας.

«Μήπως μου έχει διαφύγει τίποτα; Από πότε αναλαμβάνεις το βραδινό;» ρώτησα τον Τσάρλι. Η άμορφη μάζα των ζυμαρικών χοροπηδούσε μέσα στο νερό που έβραζε, καθώς τη σκάλιζα. «Ή τουλάχιστον προσπαθείς να αναλάβεις το βραδινό, θα έπρεπε να πω».

Ο Τσάρλι ανασήκωσε τους ώμους. «Δεν υπάρχει κανένας νόμος που να λέει ότι απαγορεύεται να μαγειρέψω στο ίδιο μου το σπίτι».

«Εσύ σίγουρα ξέρεις», απάντησα, χαμογελώντας πλατιά, και το μάτι μου έπεσε στο σήμα που ήταν καρφιτσωμένο πάνω στο δερμάτινο μπουφάν του.

«Χα. Καλό». Ανασήκωσε τους ώμους του για να βγάλει το μπουφάν, λες και το βλέμμα μου του θύμισε ότι ακόμα το φορούσε, και το κρέμασε στην κρεμάστρα που την είχαμε αποκλειστικά για τον εξοπλισμό του. Η ζώνη του όπλου του ήταν ήδη κρεμασμένη στη θέση της –δεν είχε νιώσει την ανάγκη να τη φορέσει στο τμήμα εδώ και βδομάδες. Δεν υπήρξαν άλλες ανησυχητικές εξαφανίσεις για να προβληματίσουν τη μικρή πόλη του Φορκς, της πολιτείας της Ουάσινγκτον, ούτε είχε δει κανείς ξανά τους γιγάντιους, μυστηριώδεις λύκους μέσα στα μονίμως βροχερά δάση…

Σκάλιζα τα μακαρόνια σιωπηλά, μαντεύοντας ότι ο Τσάρλι θα έβρισκε με την ησυχία του τον τρόπο να αρχίσει να μιλάει για οτιδήποτε ήταν αυτό που τον απασχολούσε. Ο μπαμπάς μου δεν ήταν από τους άντρες που έλεγαν πολλά λόγια, και από τον κόπο που είχε καταβάλλει, για να οργανώσει ένα δείπνο, όπου θα καθόμασταν μαζί, ήταν φανερό ότι είχε ασυνήθιστα πολλά λόγια στο νου του.

Έριξα μια γρήγορη ματιά στο ρολόι από συνήθεια –κάτι που έκανα κάθε λίγα λεπτά όταν πλησίαζε τέτοια ώρα. Έμενε λιγότερη από μισή ώρα τώρα.

Τα απογεύματα ήταν το πιο δύσκολο μέρος της ημέρας για μένα. Από τότε που ο πρώην καλύτερός μου φίλος (και λυκάνθρωπος), ο Τζέικομπ Μπλακ, με είχε μαρτυρήσει σχετικά με τη μηχανή που καβαλούσα κρυφά –μια προδοσία που είχε σχεδιάσει, ώστε να με τιμωρήσει ο μπαμπάς μου και να μη μου επιτρέπει την έξοδο από το σπίτι, για να μην περνάω χρόνο με το αγόρι μου (και βρικόλακα), τον Έντουαρντ Κάλεν– ο Έντουαρντ επιτρεπόταν να με βλέπει μόνο από τις επτά μέχρι τις εννέα και μισή μ.μ., πάντα μέσα στο σπίτι μου και υπό την επιτήρηση του αδιάλειπτου, στριμμένου, άγριου βλέμματος του μπαμπά μου.

Αυτό ήταν μια κλιμάκωση από την προηγούμενη, ελαφρώς λιγότερο αυστηρή τιμωρία, που μου είχε επιβάλλει για την ανεξήγητη τριήμερη εξαφάνισή μου κι ένα επεισόδιο κλιφ-ντάιβινγκ .

Φυσικά, και πάλι έβλεπα τον Έντουαρντ στο σχολείο, επειδή δεν υπήρχε τίποτα που να μπορεί να κάνει γι' αυτό ο Τσάρλι. Κι ύστερα, ο Έντουαρντ περνούσε σχεδόν κάθε νύχτα στο δωμάτιό μου, αλλά ο Τσάρλι δεν ήταν ακριβώς ενήμερος γι' αυτό. Η ικανότητα του Έντουαρντ να σκαρφαλώνει εύκολα και αθόρυβα μέσα από το παράθυρό μου, στο ύψος του δεύτερου ορόφου, ήταν σχεδόν εξίσου χρήσιμη με την ικανότητά του να διαβάζει το μυαλό του Τσάρλι.

Αν και το απόγευμα ήταν η μόνη στιγμή της ημέρας που περνούσα μακριά από τον Έντουαρντ, ήταν αρκετό για να με κάνει να νιώθω νευρικότητα, και οι ώρες ήδη έμοιαζαν να περνούν πολύ αργά. Και πάλι, υπέφερα την τιμωρία μου, χωρίς να παραπονιέμαι, επειδή –κατά πρώτον– ήξερα ότι την άξιζα, και –κατά δεύτερον– επειδή δεν άντεχα να πληγώσω τον μπαμπά μου φεύγοντας από το σπίτι τώρα, όταν επέκειτο τόσο κοντά στον ορίζοντα ένας πολύ μονιμότερος αποχωρισμός, που ο Τσάρλι δε διέβλεπε.

Ο μπαμπάς μου κάθισε κάτω στο τραπέζι με ένα στεναγμό και ξεδίπλωσε την υγρή εφημερίδα εκεί˙ μέσα σε δευτερόλεπτα χτυπούσε τη γλώσσα του αποδοκιμαστικά.

«Δεν ξέρω γιατί διαβάζεις τα νέα, μπαμπά. Αφού το μόνο που καταφέρνεις είναι να εκνευρίζεσαι».

Δε μου έδωσε σημασία, γκρινιάζοντας στην εφημερίδα που κρατούσε στα χέρια του. «Γι᾽ αυτό όλοι θέλουν να ζήσουν σε μια μικρή πόλη! Γελοίο!»

«Τι κακό έκαναν οι μεγάλες πόλεις τώρα;»

«Το Σιάτλ βάζει υποψηφιότητα για πρωτεύουσα δολοφονιών στη χώρα. Πέντε ανεξιχνίαστες ανθρωποκτονίες μέσα στις δυο τελευταίες βδομάδες. Φαντάζεσαι να ζεις έτσι;»

«Νομίζω ότι το Φοίνιξ έχει περισσότερες ανθρωποκτονίες, μπαμπά. *Έχω* ζήσει έτσι». Και δεν είχα βρεθεί ποτέ κοντά στο να πέσω θύμα δολοφονίας, ούτε κατά διάνοια, μέχρι που μετακόμισα σ᾽ αυτήν την ακίνδυνη μικρή πόλη. Στην πραγματικότητα το όνομά μου, ήταν ακόμα σε πολλές λίστες υποψηφίων θυμάτων... Το κουτάλι άρχισε να κουνιέται στα χέρια μου, κάνοντας το νερό να τρέμει.

«Εμένα, πάντως, όσο και να με πλήρωνες, δε θα ζούσα σε τέτοια πόλη», είπε ο Τσάρλι.

Παράτησα την προσπάθεια να σώσω το βραδινό και συμβιβάστηκα με το να το σερβίρω˙ έπρεπε να χρησιμοποιήσω μαχαίρι για κρέας για να κόψω ένα κομμάτι μακαρόνια για τον Τσάρλι και μετά για τον εαυτό μου, ενώ εκείνος παρακολουθούσε με μια συνεσταλμένη έκφραση. Ο Τσάρλι περιέχυσε με σάλτσα τη μερίδα του και όρμησε. Εγώ μεταμφίεσα τη δική μου άμορφη μάζα όσο καλύτερα μπορούσα και ακολούθησα το παράδειγμά του χωρίς μεγάλο ενθουσιασμό. Τρώγαμε σιωπηλά για μια στιγμή. Ο Τσάρλι ακόμα διάβαζε βιαστικά τα νέα, έτσι εγώ άρχισα πάλι να διαβάζω το πολύ φθαρμένο μου αντίτυπο του *Ανεμοδαρμένα Ύψη*, από εκεί που το είχα αφήσει το πρωί στο πρωινό, και προσπάθησα να χαθώ στην Αγγλία των αρχών του περασμένου αιώνα, ενώ περίμενα να αρχίσει να μιλάει.

Είχα μόλις φτάσει στο σημείο, όπου ο Χίθκλιφ επιστρέφει, όταν ο Τσάρλι καθάρισε το λαιμό του και πέταξε την εφημερίδα στο πάτωμα.

«Έχεις δίκιο», είπε ο Τσάρλι. «Είχα λόγο που το έκανα αυτό». Ανέμισε το πιρούνι του δείχνοντας τον κολλώδη πολτό. «Ήθελα να σου μιλήσω».

Άφησα στην άκρη το βιβλίο˙ το κάλυμμά του ήταν τόσο κατεστραμμένο που σωριάστηκε εντελώς επίπεδο πάνω στο τραπέζι. «Θα μπορούσες απλώς να μου το ζητήσεις».

Κούνησε το κεφάλι του, ενώ τα φρύδια του έσμιξαν. «Ναι. Θα το θυμάμαι την επόμενη φορά. Νόμιζα ότι το να σε απαλλάξω από το βραδινό θα σε μαλάκωνε».

Γέλασα. «Είχε αποτέλεσμα –οι μαγειρικές σου ικανότητες με έχουν μαλακώσει σαν λουκούμι. Τι είναι αυτό που χρειάζεσαι, μπαμπά;»

«Να, σχετικά με τον Τζέικομπ».

Ένιωσα το πρόσωπό μου να σκληραίνει. «Τι έγινε με τον Τζέικομπ;» ρώτησα.

«Ήρεμα, Μπελς. Ξέρω ότι είσαι ακόμα θυμωμένη που σε μαρτύρησε, αλλά ήταν το σωστό. Φέρθηκε υπεύθυνα».

«Υπεύθυνα», επανέλαβα, στριφογυρίζοντας τα μάτια μου. «Καλά, ναι. Λοιπόν, τι έγινε με τον Τζέικομπ;»

Επανέλαβα την απερίσκεπτη ερώτηση μέσα στο κεφάλι μου. Τι έγινε με τον Τζέικομπ; Τι θα έκανα μ' εκείνον; Τον πρώην καλύτερό μου φίλο που τώρα ήταν… τι; Εχθρός μου. Τραβήχτηκα πίσω.

Το πρόσωπο του Τσάρλι ξαφνικά γέμισε ανησυχία. «Μη μου θυμώσεις, εντάξει;»

«Να σου θυμώσω;»

«Να, αφορά και τον Έντουαρντ».

Τα μάτια μου ζάρωσαν.

Η φωνή του Τσάρλι ήταν πιο τραχιά. «Τον αφήνω να μπαίνει στο σπίτι μου, δεν τον αφήνω;»

«Ναι», παραδέχτηκα. «Για σύντομα χρονικά διαστήματα. Φυσικά, θα μπορούσες να αφήσεις κι εμένα να βγαίνω έξω για σύντομα χρονικά διαστήματα πού και πού», συνέχισα –μόνο αστειευόμενη˙ ήξερα ότι θα ήμουν υπό περιορισμό για το υπόλοιπο της σχολικής χρονιάς. «Ήμουν πολύ φρόνιμη τώρα τελευταία».

«Λοιπόν, εκεί θα κατέληγα, εδώ που τα λέμε…» Και τότε το πρόσωπο του Τσάρλι τεντώθηκε, για να χαμογελάσει απρόσμενα, τόσο πλατιά, που γέλασαν και τα μάτια του˙ για ένα δευτερόλεπτο έδειχνε είκοσι χρόνια νεότερος.

Είδα μια αμυδρή αναλαμπή πιθανότητας στο χαμόγελο εκείνο, αλλά προχώρησα αργά. «Έχω μπερδευτεί, μπαμπά. Μιλάμε για τον Τζέικομπ, για τον Έντουαρντ ή για την τιμωρία μου;»

Το χαμόγελο άστραψε ξανά. «Κατά κάποιο τρόπο και για τα τρία».

«Και πώς συνδέονται;» ρώτησα γεμάτη περιέργεια.

«Εντάξει». Αναστέναξε σηκώνοντας τα χέρια του σαν να παραδινόταν. «Σκέφτομαι, λοιπόν, ότι ίσως σου αξίζει αναστολή λόγω της καλής διαγωγής σου. Για έφηβη, είσαι απίστευτα καθόλου γκρινιάρα».

Η φωνή μου και τα φρύδια μου τινάχτηκαν ψηλά. «Σοβαρά; Είμαι ελεύθερη;»

Τι το είχε προκαλέσει αυτό; Ήμουν σίγουρη ότι θα ήμουν υπό κατ' οίκον περιορισμό μέχρι να έφευγα από το σπίτι, κι ο Έντουαρντ δεν είχε ακούσει καμία αμφιταλάντευση στις σκέψεις του Τσάρλι…

Ο Τσάρλι σήκωσε το ένα του δάχτυλο. «Υπό έναν όρο».

Ο ενθουσιασμός έσβησε. «Φανταστικά», είπα κι έβγαλα ένα στεναγμό.

«Μπέλλα, αυτό είναι περισσότερο παράκληση παρά απαίτηση, εντάξει; Είσαι ελεύθερη. Αλλά ελπίζω ότι θα χρησιμοποιήσεις αυτή την ελευθερία… με σύνεση».

«Τι σημαίνει αυτό;»

Αναστέναξε ξανά. «Ξέρω ότι είσαι ικανοποιημένη περνώντας όλο σου τον καιρό με τον Έντουαρντ –»

«Περνάω χρόνο και με την Άλις», διέκοψα. Η αδερφή του Έντουαρντ δεν είχε ώρες επισκεπτηρίου˙ ερχόταν κι έφευγε κατά το κέφι της. Ο Τσάρλι ήταν σαν πλαστελίνη στα επιδέξια χέρια της.

«Αυτό είναι αλήθεια», είπε. «Αλλά έχεις κι άλλους φίλους εκτός από τους Κάλεν, Μπέλλα. Ή τουλάχιστον είχες παλιά».

Κοιταχτήκαμε για μια παρατεταμένη στιγμή.

«Πότε ήταν η τελευταία φορά που μίλησες με την Άντζελα Ουέμπερ;» με κατηγόρησε.

«Την Παρασκευή στο μεσημεριανό», απάντησα αμέσως.

Πριν την επιστροφή του Έντουαρντ, οι φίλοι μου στο σχολείο είχαν χωριστεί σε δύο ομάδες. Μου άρεσε να θεωρώ εκείνες τις δυο ομάδες σαν τους *καλούς* εναντίον των *κακών*. *Εμείς* εναντίον *εκείνων*, ήταν κι αυτός ένας άλλος τρόπος να το δει κανείς. Οι καλοί ήταν η Άντζελα, το αγόρι της, ο Μπεν Τσένεϊ, κι ο Μάικ Νιούτον˙ οι τρεις αυτοί με είχαν συγχωρήσει πολύ γενναιόδωρα που είχα τρελαθεί, όταν έφυγε ο Έντουαρντ. Η Λόρεν Μάλορι ήταν ο κακός πυρήνας του στρατοπέδου *εκείνων*, και σχεδόν όλοι οι άλλοι, συμπεριλαμβανομένης και της πρώτης μου φίλης στο Φορκς, της Τζέσικα Στάνλεϊ, έμοιαζαν ευχαριστημένοι να ακολουθούν την αντι-Μπέλλα ημερήσια διάταξη.

Με τη επιστροφή του Έντουαρντ στο σχολείο, η διαχωριστική γραμμή είχε γίνει ακόμα πιο εμφανής.

Η επιστροφή του είχε προκαλέσει απώλειες όσον αφορά το θέμα της φιλίας του Μάικ, αλλά η Άντζελα ήταν απαρέγκλιτα πιστή, κι ο Μπεν ακολουθούσε το δικό της παράδειγμα. Παρά τη φυσική αποστροφή που ένιωθαν οι περισσότεροι άνθρωποι απέναντι στους Κάλεν, η Άντζελα καθόταν ευσυνείδητα δίπλα στην Άλις κάθε μέρα στο μεσημεριανό. Μετά από μερικές βδομάδες, η Άντζελα φαινόταν να νιώθει άνετα εκεί. Ήταν δύσκολο να μη σε γοητεύσουν οι Κάλεν –αν τους έδινες την ευκαιρία να είναι γοητευτικοί.

«Εκτός του σχολείου;» ρώτησε ο Τσάρλι, τραβώντας ξανά την προσοχή μου.

«Δεν έχω δει κανέναν εκτός του σχολείου, μπαμπά. Είμαι τιμωρημένη, το θυμάσαι; Κι η Άντζελα έχει αγόρι, επίσης. Είναι πάντα μαζί με τον Μπεν. Αν είμαι στ' αλήθεια ελεύθερη» πρόσθεσα, με έμφαση στην αμφιβολία «ίσως να μπορούσαμε να βγούμε ζευγάρια».

«Εντάξει. Αλλά ύστερα…» Δίστασε. «Εσύ κι ο Τζέικ ήσασταν αυτοκόλλητοι, και τώρα–»

Τον έκοψα. «Μπορείς να φτάσεις στο κυρίως θέμα, μπαμπά; Ποιος είναι ο όρος σου –ακριβώς;»

«Δε νομίζω ότι είναι καλό να παρατήσεις όλους τους άλλους φίλους σου για το αγόρι σου, Μπέλλα», είπε με αυστηρή φωνή. «Δεν είναι ωραίο, και νομίζω ότι η ζωή σου θα ήταν πιο καλά ισορροπημένη, αν κρατούσες και μερικούς ακόμα ανθρώπους μέσα σ' αυτήν. Αυτό που συνέβη τον περασμένο Σεπτέμβρη ... »

Τραβήχτηκα πίσω από το φόβο.

«Λοιπόν», είπε αμυντικά. «Αν είχες περισσότερες δραστηριότητες εκτός από τον Έντουαρντ Κάλεν, μπορεί να μην ήταν έτσι».

«Θα ήταν ακριβώς έτσι», μουρμούρισα.

«Ίσως, ίσως όχι».

«Το κυρίως θέμα;» του υπενθύμισα.

«Χρησιμοποίησε την ελευθερία σου για να βλέπεις και τους άλλους σου φίλους. Κράτα μια ισορροπία».

Κούνησα αργά το κεφάλι. «Η ισορροπία είναι καλή. Έχω συγκεκριμένα χρονικά ποσοστά που πρέπει να καλύψω, παρ' όλα αυτά;»

Έκανε μια γκριμάτσα, αλλά κούνησε το κεφάλι του. «Δε θέλω να το κάνω πολύπλοκο. Απλώς μην ξεχνάς τους φίλους σου ... »

Ήταν ένα δίλημμα με το οποίο πάλευα ακόμα. Οι φίλοι μου. Άνθρωποι που, για τη δική τους ασφάλεια, δε θα μπορούσα να δω ξανά μετά την αποφοίτησή μου.

Ποια ήταν, λοιπόν, η καλύτερη τακτική; Να περνάω χρόνο μαζί τους όσο ακόμα μπορούσα; Ή να αρχίσω τον αποχωρισμό τώρα για να τον κάνω πιο σταδιακό; Τρόμαζα στο ενδεχόμενο της δεύτερης εναλλακτικής.

«... ειδικά τον Τζέικομπ», πρόσθεσε ο Τσάρλι, πριν προλάβω να σκεφτώ περισσότερο.

Ένα μεγαλύτερο δίλημμα από το πρώτο. Μου πήρε μια στιγμή για να βρω τις σωστές λέξεις. «Το θέμα του Τζέικομπ μπορεί να είναι ... δύσκολο».

«Οι Μπλακ είναι σχεδόν σαν οικογένειά μας, Μπέλλα», είπε, αυστηρός και πατρικός ξανά. «Κι ο Τζέικομπ ήταν ένας πολύ, πολύ καλός σου φίλος».

«Το ξέρω».

«Δε σου λείπει καθόλου;» ρώτησε ο Τσάρλι απογοητευμένος.

Ένιωθα ξαφνικά το λαιμό μου πρησμένο· έπρεπε να τον καθαρίσω δυο φορές πριν απαντήσω. «Ναι, μου λείπει», παραδέχτηκα, με το βλέμμα ακόμα χαμηλωμένο. «Μου λείπει πολύ».

«Τότε γιατί είναι δύσκολο;»

Δεν ήταν κάτι που είχα το δικαίωμα να του εξηγήσω. Ήταν ενάντια στους κανόνες για τους φυσιολογικούς ανθρώπους –τους ανθρώπινους ανθρώπους, όπως εμένα και τον Τσάρλι– να γνωρίζουν για το μυστικό κόσμο, γεμάτο μύθους και τέρατα, που υπήρχε κρυφά γύρω μας. Ήξερα τα πάντα για τον κόσμο αυτό –και οι μπελάδες μου δεν ήταν λίγοι, ως αποτέλεσμα. Δε σκόπευα να βάλω τον Τσάρλι στους ίδιους μπελάδες.

«Με τον Τζέικομπ υπάρχει ... μια διαφωνία», είπα αργά. «Μια διαφωνία για το θέμα της φιλίας, θέλω να πω. Η φιλία δε φαίνεται να είναι πάντα αρκετή για τον Τζέικ». Έπλεκα τη δικαιολογία μου γύρω από λεπτομέρειες που ήταν αληθινές, αλλά ασήμαντες, σε καμία περίπτωση ζωτικής σημασίας σε σύγκριση με το γεγονός ότι η αγέλη των λυκανθρώπων του Τζέικομπ μισούσε φριχτά την οικογένεια των βρικολάκων του Έντουαρντ –και κατά συνέπεια, κι εμένα επίσης, καθώς είχα την πρόθεση να γίνω μέλος της οικογένειας αυτής, με όλη τη σημασία. Αυτό απλώς δεν ήταν κάτι που θα μπορούσα να λύσω μαζί του μέσα από ένα σημείωμα, κι εκείνος δεν απαντούσε στα τηλεφωνήματά μου. Αλλά το σχέδιό μου να αντιμετωπίσω το λυκάνθρωπο κατά πρόσωπο οπωσδήποτε δεν το έβλεπαν με καλό μάτι οι βρικόλακες.

«Ο Έντουαρντ δε θέλει λίγο υγιή ανταγωνισμό;» Η φωνή του Τσάρλι ήταν σαρκαστική τώρα.

Του έριξα ένα σκοτεινό βλέμμα. «Δεν υπάρχει ανταγωνισμός».

«Πληγώνεις τα αισθήματα του Τζέικ με το να τον αποφεύγεις έτσι. Θα προτιμούσε να ήσασταν φίλοι παρά τίποτα».

Α, τώρα εγώ απέφευγα εκείνον;

«Είμαι σίγουρη ότι ο Τζέικ δε θέλει να είμαστε καθόλου φίλοι». Οι λέξεις έκαιγαν μέσα στο στόμα μου. «Πώς σου ήρθε αυτή η ιδέα, εν πάση περιπτώσει;»

Ο Τσάρλι έδειχνε αμήχανος τώρα. «Το θέμα μπορεί να ήρθε στην κουβέντα σήμερα, όταν ήμουν με τον Μπίλι ...»

«Εσύ κι ο Μπίλι είστε σαν γριές κουτσομπόλες», παραπονέθηκα, χώνοντας το πιρούνι μου άγρια στα μακαρόνια, που είχαν στερεοποιηθεί μέσα στο πιάτο μου.

«Ο Μπίλι ανησυχεί για τον Τζέικομπ», είπε ο Τσάρλι. «Ο Τζέικ περνάει πολύ δύσκολες ώρες τώρα ... Έχει κατάθλιψη».

Έκανα ένα μορφασμό, αλλά κράτησα τα μάτια μου πάνω στο γρόμπο.

«Κι ύστερα, ήσουν πάντα τόσο χαρούμενη όταν περνούσες τη μέρα μαζί με τον Τζέικ», είπε και αναστέναξε ο Τσάρλι.

«Είμαι χαρούμενη τώρα», είπα άγρια μέσα από τα δόντια μου.

Η αντίθεση ανάμεσα στα λόγια μου και τον τόνο μου μείωσε την ένταση. Ο Τσάρλι έσκασε στα γέλια, κι εγώ αναγκάστηκα να ακολουθήσω το παράδειγμά του.

«Εντάξει, εντάξει», συμφώνησα. «Ισορροπία».

«Και μην ξεχνάς τον Τζέικομπ», επέμεινε.

«Θα προσπαθήσω».

«Ωραία. Βρες αυτήν την ισορροπία, Μπέλλα. Και, α, ναι, έχεις αλληλογραφία», είπε ο Τσάρλι, κλείνοντας το θέμα χωρίς καμία προσπάθεια να είναι διακριτικός. «Είναι δίπλα στην κουζίνα».

Εγώ δεν κουνήθηκα, οι σκέψεις μου περιστρέφονταν γύρω από το όνομα του Τζέικομπ. Το πιθανότερο ήταν η αλληλογραφία να ήταν τίποτα διαφημιστικά· είχα μόλις λάβει ένα δέμα από τη μητέρα μου χθες και δεν περίμενα τίποτα άλλο.

Ο Τσάρλι έσπρωξε την καρέκλα του μακριά από το τραπέζι και τεντώθηκε, καθώς σηκώθηκε όρθιος. Πήγε το πιάτο του στο νεροχύτη, αλλά πριν ανοίξει τη βρύση για να το πλύνει, σταμάτησε για να πετάξει τον παχύ φάκελο σ' εμένα Το γράμμα γλίστρησε πάνω στο τραπέζι και έπεσε πάνω στον αγκώνα μου, χτυπώντας με ένα βαρύ γδούπο.

«Ε, ευχαριστώ», μουρμούρισα, απορημένη με την πιεστικότητά του. Τότε είδα τη διεύθυνση του αποστολέα –το γράμμα ήταν από το Πανεπιστήμιο της

Νοτιοανατολικής Αλάσκα. «Γρήγορα ήρθε. Μάλλον έχασα και αυτή την προθεσμία».

Ο Τσάρλι γέλασε πνιχτά.

Γύρισα το φάκελο από την άλλη μεριά και τον κοίταξα άγρια. «Είναι ανοιχτός».

«Ήμουν περίεργος».

«Με σοκάρεις, Αρχηγέ. Αυτό είναι ομοσπονδιακό αδίκημα».

«Ω, απλώς διάβασέ το».

Έβγαλα έξω το γράμμα κι ένα διπλωμένο πρόγραμμα μαθημάτων.

«Συγχαρητήρια», είπε, πριν προλάβω να διαβάσω τίποτα. «Το πρώτο πανεπιστήμιο που σε δέχεται».

«Σ' ευχαριστώ, μπαμπά».

«Πρέπει να μιλήσουμε για τα δίδακτρα. Έχω μερικά χρήματα στην άκρη–»

«Έι, έι, δε θέλω τίποτα. Δε θα αγγίξω τη σύνταξή σου, μπαμπά. Έχω το λογαριασμό μου για το πανεπιστήμιο». Ό,τι είχε απομείνει από αυτόν –και δεν είχε και πολλά χρήματα εξαρχής.

Ο Τσάρλι κατσούφιασε. «Μερικά απ' αυτά τα μέρη είναι πολύ ακριβά, Μπελς. Θέλω να βοηθήσω. Δε χρειάζεται να ξενιτευτείς στην Αλάσκα, απλώς και μόνο επειδή είναι φθηνότερα».

Δεν ήταν καθόλου φθηνότερα. Αλλά ήταν μακριά, και το Τζουνό είχε κατά μέσο όρο τριακόσιες είκοσι μία μέρες συννεφιά το χρόνο. Το πρώτο ήταν δική μου προϋπόθεση, το δεύτερο ήταν του Έντουαρντ.

«Έχω όσα χρειάζονται. Εξάλλου, υπάρχουν πολλοί τρόποι να λάβει κανείς οικονομική βοήθεια. Είναι εύκολο να πάρω δάνειο». Ήλπιζα ότι η μπλόφα μου δε θα ήταν υπερβολικά προφανής. Δεν είχα κάνει και πολλή έρευνα πάνω στο θέμα, στην πραγματικότητα.

«Λοιπόν...» άρχισε ο Τσάρλι, και μετά σούφρωσε τα χείλη και κοίταξε από την άλλη μεριά.

«Λοιπόν τι;»

«Τίποτα. Απλώς...» Συνοφρυώθηκε. «Απλώς αναρωτιόμουν τι... σχέδια έχει ο Έντουαρντ για την επόμενη χρονιά;»

«Α».

«Λοιπόν;»

Τρία γρήγορα χτυπήματα πάνω στην πόρτα με έσωσαν. Ο Τσάρλι στριφογύρισε τα μάτια του, κι εγώ πετάχτηκα όρθια.

«Έρχομαι!» φώναξα, ενώ ο Τσάρλι μουρμούρισε κάτι που ακούστηκε σαν «Φύγε». Δεν του έδωσα σημασία και πήγα να ανοίξω στον Έντουαρντ.

Τράβηξα απότομα την πόρτα για να φύγει από τη μέση –με γελοίο ενθουσιασμό– και να 'τος, ήταν εκεί το προσωπικό μου θαύμα.

Ο χρόνος δε με είχε κάνει ν' αποκτήσω ανοσία στην τελειότητα του προσώπου του, και ήμουν σίγουρη ότι ποτέ δε θα θεωρούσα δεδομένη καμία πλευρά του. Τα μάτια μου περιπλανήθηκαν στα χλωμά λευκά χαρακτηριστικά του: το σκληρό τετράγωνο πιγούνι του, την πιο μαλακή καμπύλη των γεμάτων χειλιών του –που τώρα ήταν κυρτωμένη προς τα πάνω σχηματίζοντας ένα χαμόγελο, την ίσια γραμμή της μύτης του, την έντονη γωνία των ζυγωματικών του, τη λεία μαρμάρινη έκταση του μετώπου του –που, εν μέρει, επισκιαζόταν από μια μπερδεμένη μάζα χάλκινων μαλλιών, που είχαν σκουρύνει από τη βροχή...

Κράτησα τα μάτια του για το τέλος, γνωρίζοντας ότι όταν κοίταζα μέσα τους, το πιθανότερο ήταν να χάσω τον ειρμό της σκέψης μου. Ήταν μεγάλα, ζεστά, με ένα ρευστό χρυσαφί χρώμα, και πλαισιώνονταν από ένα παχύ περίγραμμα από μαύρες βλεφαρίδες. Το να κοιτάζω μέσα στα μάτια του πάντα με έκανε να νιώθω περίεργα –λες και τα κόκαλά μου γίνονταν σαν σφουγγάρια. Ένιωθα επίσης και λίγο ζαλισμένη, αλλά αυτό μπορεί να οφειλόταν στο ότι ξεχνούσα να αναπνεύσω. Για άλλη μια φορά.

Ήταν ένα πρόσωπο που οποιοδήποτε μοντέλο στον κόσμο θα έδινε και την ψυχή του για να αποκτήσει. Φυσικά, αυτό ακριβώς μπορεί να ήταν το τίμημα που απαιτείτο: μια ψυχή.

Όχι. Δεν το πίστευα αυτό. Ένιωθα ένοχη έστω και που το σκέφτηκα και χαιρόμουν –όπως χαιρόμουν συχνά– που εγώ ήμουν το μοναδικό άτομο, οι σκέψεις του οποίου ήταν ένα μυστήριο για τον Έντουαρντ.

Άπλωσα το χέρι μου για να πιάσω το δικό του και αναστέναξα, όταν τα κρύα του δάχτυλα ακούμπησαν τα δικά μου. Το άγγιγμά του μου προκαλούσε την πιο παράξενη αίσθηση ανακούφισης –λες και πονούσα, κι ο πόνος σταματούσε ξαφνικά.

«Γεια». Χαμογέλασα λιγάκι με το χαιρετισμό μου, που δε φανέρωνε καμία κορύφωση, το αντίθετο.

Σήκωσε τα μπλεγμένα μας δάχτυλα για να χαϊδέψει ξυστά το μάγουλό μου με την ανάστροφη του χεριού του. «Πώς ήταν το απόγευμά σου;»

«Αργό».

«Το ίδιο και το δικό μου».

Τράβηξε τον καρπό μου στο πρόσωπό του, με τα χέρια μας ακόμα μπλεγμένα. Τα μάτια του έκλεισαν, καθώς η μύτη του πέρασε ξυστά από το δέρμα μου στο σημείο εκείνο, και χαμογέλασε απαλά, χωρίς να τα ανοίξει. Απολάμβανε το άρωμα, ενώ αντιστεκόταν στο κρασί, όπως το είχε θέσει κάποτε.

Ήξερα ότι η μυρωδιά του αίματός μου –τόσο πιο γλυκιά για εκείνον απ' ό,τι το αίμα οποιουδήποτε άλλου ανθρώπου, αληθινά σαν κρασί σε σύγκριση με το νερό για έναν αλκοολικό– του προκαλούσε κυριολεκτικό πόνο, εξαιτίας της δίψας που γεννούσε, που τον έκαιγε. Αλλά δε φαινόταν να αποτραβιέται μακριά της, όπως έκανε παλιότερα. Μόνο αμυδρά μπορούσα να φανταστώ την ηράκλεια προσπάθεια που κρυβόταν πίσω από αυτήν την απλή χειρονομία.

Με έθλιβε το γεγονός ότι έπρεπε να προσπαθεί τόσο σκληρά. Παρηγόρησα τον εαυτό μου με τη γνώση ότι δε θα του προκαλούσα τόσο πολύ πόνο για πολύ καιρό ακόμα.

Τότε άκουσα τον Τσάρλι να πλησιάζει, χτυπώντας τα πόδια του με θόρυβο, καθώς ερχόταν, για να εκφράσει τη συνηθισμένη του δυσαρέσκεια με το φιλοξενούμενό μας. Τα μάτια του Έντουαρντ άνοιξαν απότομα κι άφησε τα χέρια μας να πέσουν, κρατώντας τα μπλεγμένα.

«Καλησπέρα, Τσάρλι». Ο Έντουαρντ ήταν πάντα ευγενέστατος χωρίς κανένα ψεγάδι, αν και ο Τσάρλι δεν το άξιζε.

Ο Τσάρλι γρύλισε και μετά στάθηκε εκεί με τα χέρια του σταυρωμένα στο στήθος του. Τώρα τελευταία το είχε παρακάνει με την ιδέα της γονικής επιτήρησης.

«Έφερα άλλη μια παρτίδα αιτήσεις», μου είπε ο Έντουαρντ τότε, σηκώνοντας ψηλά ένα παραφουσκωμένο φάκελο από χοντρό καφέ χαρτί. Φορούσε μια σειρά γραμματόσημα σαν δαχτυλίδι γύρω από το μικρό του δαχτυλάκι.

Μούγκρισα. Πώς ήταν δυνατόν να έχουν απομείνει κι άλλα πανεπιστήμια, στα οποία δε με είχε ήδη αναγκάσει να κάνω αίτηση; Και πώς έβρισκε συνέχεια αυτά τα παραθυράκια; Ήταν τόσο αργά μέσα στη χρονιά.

Χαμογέλασε σαν να μπορούσε να διαβάσει τις σκέψεις μου˙ πρέπει να ήταν ολοφάνερες στο πρόσωπό μου. «Υπάρχουν ακόμα μερικές ανοιχτές προθεσμίες. Και μερικά μέρη που είναι πρόθυμα να κάνουν εξαιρέσεις».

Μπορούσα μόνο να φανταστώ τα κίνητρα που υπήρχαν πίσω από τέτοιες εξαιρέσεις. Και τα χρηματικά ποσά που εμπλέκονταν.

Ο Έντουαρντ γέλασε με την έκφρασή μου.

«Πάμε;» ρώτησε τραβώντας με προς το τραπέζι της κουζίνας.

Ο Τσάρλι ξεφύσηξε κι ακολούθησε από πίσω μας, αν και μετά βίας μπορούσε να παραπονεθεί για τη δραστηριότητα του αποψινού προγράμματος. Με έπρηζε να πάρω μια απόφαση για το θέμα του πανεπιστημίου σε καθημερινή βάση.

Άδειασα το τραπέζι γρήγορα, ενώ ο Έντουαρντ τακτοποιούσε ένα τρομακτικό πάκο με αιτήσεις. Όταν έβαλα το *Ανεμοδαρμένα Ύψη* στον πάγκο, ο Έντουαρντ σήκωσε το ένα του φρύδι. Ήξερα τι σκεφτόταν, αλλά ο Τσάρλι διέκοψε, πριν προλάβει να σχολιάσει.

«Μιας και το έφερε η κουβέντα σχετικά με τις αιτήσεις για τα πανεπιστήμια, Έντουαρντ», είπε ο Τσάρλι, με τόνο ακόμα πιο βαρύθυμο –προσπαθούσε να αποφεύγει να απευθύνεται απευθείας στον Έντουαρντ, κι όταν ήταν αναγκασμένος να το κάνει, η κακή του διάθεση χειροτέρευε. «Η Μπέλλα κι εγώ μόλις μιλούσαμε για την επόμενη χρονιά. Εσύ αποφάσισες σε ποιο πανεπιστήμιο θα πας;»

Ο Έντουαρντ σήκωσε το βλέμμα του για να χαμογελάσει στον Τσάρλι, και η φωνή του ήταν φιλική. «Όχι ακόμα. Έχω πάρει μερικές θετικές απαντήσεις, αλλά ακόμα σκέφτομαι τις εναλλακτικές μου».

«Πού σε έχουν δεχτεί;» πίεσε ο Τσάρλι.

«Στο Σιρακιούζ, το Χάρβαρντ, το Ντάρτμουθ… και μόλις με δέχτηκαν σήμερα και στο Πανεπιστήμιο της Αλάσκα». Ο Έντουαρντ γύρισε το πρόσωπό του ελαφρώς στο πλάι για να μου κλείσει το μάτι. Εγώ κατέπνιξα ένα νευρικό γελάκι.

«Το Χάρβαρντ; Το Ντάρτμουθ;» ψέλλισε ο Τσάρλι. «Αυτό είναι αρκετά… αυτό είναι σπουδαίο. Ναι, αλλά το Πανεπιστήμιο της Αλάσκα… δε θα σκεφτείς την πιθανότητα να πας εκεί, ενώ θα μπορούσες να πας στην ελίτ των πανεπιστημίων. Θέλω να πω, ο πατέρας σου θα ήθελε να… »

«Ο Κάρλαϊλ δεν έχει ποτέ πρόβλημα με ό,τι κι αν αποφασίσω να κάνω», απάντησε ο Έντουαρντ γαλήνια.

«Χμμμ».

«Μάντεψε, Έντουαρντ!» είπα με ζωηρή φωνή μπαίνοντας στο παιχνίδι.

«Τι, Μπέλλα;»

Έδειξα προς το χοντρό φάκελο πάνω στον πάγκο. «Μόλις έλαβα *τη δική μου* θετική απάντηση από το Πανεπιστήμιο της Αλάσκα!»

«Συγχαρητήρια!» Χαμογέλασε πλατιά. «Τι σύμπτωση!»

Τα μάτια του Τσάρλι ζάρωσαν, και κοίταξε άγρια μπρος-πίσω ανάμεσα στους δυο μας. «Καλά», μουρμούρισε μετά από ένα λεπτό. «Πάω να δω το παιχνίδι, Μπέλλα. Εννέα και μισή».

Αυτή ήταν η συνηθισμένη διαταγή με την οποία μας άφηνε.

«Ε, μπαμπά; Θυμάσαι την πολύ πρόσφατη συζήτηση για την ελευθερία μου...;»

Αναστέναξε. «Σωστά. Εντάξει, δέκα και μισή. Είναι βραδιά σχολείου».

«Η Μπέλλα δεν είναι πια τιμωρημένη;» ρώτησε ο Έντουαρντ. Αν και ήξερα ότι δεν ξαφνιαζόταν πραγματικά, δεν μπορούσα να εντοπίσω κανένα ψεύτικο σημάδι στον ξαφνικό ενθουσιασμό στη φωνή του.

«Υπό όρους», τον διόρθωσε ο Τσάρλι μέσα από τα δόντια του. «Εσένα τι σε νοιάζει;»

Κατσούφιασα στον μπαμπά μου, αλλά εκείνος δεν το είδε.

«Απλώς χαίρομαι που το μαθαίνω», είπε ο Έντουαρντ. «Η Άλις ψοφάει για μια φιλενάδα να πάνε μαζί στα μαγαζιά, και είμαι σίγουρος πως της Μπέλλα θα της άρεσε να δει τα φώτα της πόλης». Μου χαμογέλασε.

Αλλά ο Τσάρλι είπε: «Όχι!» και το πρόσωπό του μελάνιασε ξανά.

«Μπαμπά! Τι πρόβλημα υπάρχει;»

Έκανε μια προσπάθεια να ξεσφίξει τα δόντια του. «Δε θέλω να πας στο Σιάτλ αυτή την περίοδο».

«Ε;»

«Σου είπα γι' αυτήν την ιστορία στην εφημερίδα –υπάρχει κάποιου είδους συμμορία στο Σιάτλ που την έχει κυριεύσει δολοφονική μανία, και θέλω να μείνεις μακριά από 'κει, εντάξει;»

Στριφογύρισα τα μάτια μου. «Μπαμπά, υπάρχει μεγαλύτερη πιθανότητα να με χτυπήσει κεραυνός απ' ό,τι τη μία και μοναδική μέρα που θα είμαι εγώ στο Σιάτλ–»

«Όχι, δεν πειράζει, Τσάρλι», είπε ο Έντουαρντ διακόπτοντάς με. «Δεν εννοούσα το Σιάτλ. Για να πω την αλήθεια, σκεφτόμουν το Πόρτλαντ. Δε θα ήθελα ούτε κι εγώ η Μπέλλα να βρεθεί στο Σιάτλ. Φυσικά και όχι».

Τον κοίταξα δύσπιστα, αλλά είχε στα χέρια του την εφημερίδα του Τσάρλι και διάβαζε με προσήλωση την πρώτη σελίδα.

Πρέπει να προσπαθούσε να εξευμενίσει τον πατέρα μου. Η ιδέα ότι θα κινδύνευα έστω κι από τον πιο θανάσιμο άνθρωπο, όσο ήμουν με την Άλις ή τον Έντουαρντ, ήταν εντελώς ξεκαρδιστική.

Είχε αποτέλεσμα. Ο Τσάρλι κοίταξε τον Έντουαρντ για ένα δευτερόλεπτο ακόμα, και μετά ανασήκωσε τους ώμους. «Καλά». Βγήκε καμαρωτός από το δωμάτιο για να πάει στο σαλόνι, κάπως βιαστικά τώρα –μάλλον δεν ήθελε να χάσει την αρχή του παιχνιδιού.

Περίμενα μέχρι να ανάψει την τηλεόραση, έτσι ώστε ο Τσάρλι να μην μπορεί να με ακούει.

«Τι –», πήγα να πω.

«Για περίμενε», είπε ο Έντουαρντ χωρίς να σηκώσει το κεφάλι από την εφημερίδα. Τα μάτια του έμειναν συγκεντρωμένα στη σελίδα, καθώς έσπρωξε την πρώτη αίτηση προς εμένα πάνω στο τραπέζι. «Νομίζω ότι μπορείς να ανακυκλώσεις τις προηγούμενες εκθέσεις γι' αυτήν εδώ. Ίδιες ερωτήσεις».

Ο Τσάρλι πρέπει να άκουγε ακόμα. Αναστέναξα κι άρχισα να συμπληρώνω τις ίδιες πληροφορίες: το όνομα, τη διεύθυνση, τον αριθμό κοινωνικής ασφάλισης... Μετά από μερικά λεπτά σήκωσα το βλέμμα μου, αλλά ο Έντουαρντ κοίταζε συλλογισμένα έξω από το παράθυρο. Καθώς έσκυψα το κεφάλι μου πάλι στη δουλειά, πρόσεξα για πρώτη φορά το όνομα του πανεπιστημίου.

Ρουθούνισα και έσπρωξα πέρα τα χαρτιά.

«Μπέλλα;»

«Σοβαρέψου, Έντουαρντ. Στο *Ντάρτμουθ;*»

Ο Έντουαρντ σήκωσε την αίτηση που είχα πετάξει και την ακούμπησε απαλά ξανά μπροστά μου. «Νομίζω ότι θα σου άρεσε το Νιου Χάμσαϊρ», είπε. «Υπάρχει ένα ολοκληρωμένο πρόγραμμα συμπληρωματικών νυχτερινών μαθημάτων για μένα, και τα δάση είναι σε πολύ βολική απόσταση για το φανατικό πεζοπόρο. Άφθονα άγρια ζώα». Επιστράτευσε το στραβό χαμόγελο, στο οποίο ήξερε ότι δεν μπορούσα να αντισταθώ.

Πήρα μια βαθιά ανάσα από τη μύτη.

«Θα σε αφήσω να μου επιστρέψεις τα χρήματα, αν αυτό σ' ευχαριστεί», υποσχέθηκε. «Αν θέλεις, μπορώ να σου χρεώσω και μπόλικο τόκο».

«Λες και μπορώ να μπω χωρίς κάποια τεράστια δωροδοκία. Ή μήπως ήταν κι αυτό μέρος του δανείου; Η καινούρια πτέρυγα της Βιβλιοθήκης Κάλεν; Ω! Γιατί ξανακάνουμε αυτήν την κουβέντα;»

«Θα συμπληρώσεις απλώς την αίτηση, σε παρακαλώ, Μπέλλα; Δεν κάνει κακό να κάνεις αίτηση».

Το σαγόνι μου σφίχτηκε. «Ξέρεις κάτι; Δε νομίζω ότι θα κάνω».

Άπλωσα το χέρι μου να πιάσω τα χαρτιά, σκοπεύοντας να τα τσαλακώσω και να φτιάξω ένα κατάλληλο σχήμα, για να ρίξω ψηλοκρεμαστή μπαλιά μέσα στον κάλαθο των αχρήστων, αλλά είχαν ήδη χαθεί. Κοίταξα το άδειο τραπέζι για μια στιγμή, και μετά τον Έντουαρντ. Δε φαινόταν να έχει κουνηθεί, αλλά η αίτηση ήταν προφανώς ήδη χωμένη μέσα στο μπουφάν του.

«Τι κάνεις;» απαίτησα να μάθω.

«Βάζω την υπογραφή σου καλύτερα απ' ό,τι εσύ η ίδια. Τις εκθέσεις τις έχεις ήδη γράψει».

«Το παρακάνεις με το θέμα αυτό, ξέρεις». Ψιθύρισα μήπως και ο Τσάρλι δεν ήταν εντελώς χαμένος στο παιχνίδι του. «Πραγματικά δε χρειάζεται να κάνω αίτηση πουθενά αλλού. Με δέχτηκαν στην Αλάσκα. Σχεδόν έχω αρκετά χρήματα για το πρώτο εξάμηνο. Είναι εξίσου καλό άλλοθι με οποιοδήποτε άλλο. Δεν υπάρχει κανένας λόγος να πετάξουμε ένα σωρό χρήματα, όποιου κι αν είναι».

Μια έκφραση πόνου έκανε το πρόσωπό του να σφιχτεί. «Μπέλλα–»

«Μην αρχίζεις. Συμφωνώ ότι πρέπει να κάνω όλες τις απαραίτητες διαδικασίες για τα μάτια του Τσάρλι, αλλά ξέρουμε κι οι δυο μας ότι δε θα είμαι σε κατάσταση για να πάω σε καμία σχολή το ερχόμενο φθινόπωρο. Ούτε για να είμαι κοντά σε ανθρώπους».

Η γνώση μου για τα πρώτα εκείνα χρόνια σαν καινούριος βρικόλακας ήταν αποσπασματική. Ο Έντουαρντ δεν είχε μπει ποτέ σε λεπτομέρειες –δεν ήταν το αγαπημένο του θέμα– αλλά ήξερα ότι δεν ήταν ωραία. Η αυτοσυγκράτηση ήταν προφανώς μια δεξιότητα που έπαιρνε χρόνια να αποκτηθεί. Οτιδήποτε περισσότερο από κάποιο πρόγραμμα εξ' αποστάσεως αποκλειόταν.

«Νόμιζα ότι δεν είχαμε αποφασίσει ακόμα για το πότε θα συμβεί αυτό», μου υπενθύμισε ο Έντουαρντ απαλά. «Θα μπορούσες να απολαύσεις ένα-δυο εξάμηνα στο πανεπιστήμιο. Υπάρχουν πολλές ανθρώπινες εμπειρίες που δεν έζησες ποτέ».

«Θα τις ζήσω μετά».

«Δε θα είναι ανθρώπινες εμπειρίες μετά. Δε σου δίνεται δεύτερη ευκαιρία στην ανθρώπινη ύπαρξη, Μπέλλα».

Αναστέναξα. «Πρέπει να είσαι λογικός σχετικά με το πότε. Απλώς είναι πολύ επικίνδυνο θέμα για να παίζουμε μ' αυτό».

«Δεν υπάρχει κανένας κίνδυνος ακόμα», επέμεινε.

Τον αγριοκοίταξα. Κανένας κίνδυνος; Ναι, καλά. Υπήρχε μόνο ένας θηλυκός σαδιστής βρικόλακας, που προσπαθούσε να εκδικηθεί για το θάνατο του συντρόφου της με το δικό μου, κατά προτίμηση με κάποια αργή και βασανιστική μέθοδο. Ποιος ανησυχούσε για τη Βικτόρια; Και, α ναι, οι Βολτούρι –η βασιλική οικογένεια βρικολάκων με το μικρό στρατό τους από βρικόλακες πολεμιστές– που επέμεναν ότι η καρδιά μου έπρεπε να σταματήσει να χτυπάει, είτε με τον έναν τρόπο είτε με τον άλλο, στο κοντινό μέλλον, γιατί δεν επιτρεπόταν να γνωρίζουν για την ύπαρξή τους άνθρωποι. Σωστά. Κανένας λόγος πανικού.

Ακόμα και με την Άλις που συνεχώς ήταν σε επιφυλακή –ο Έντουαρντ βασιζόταν στα αλλόκοτα, ακριβή της μελλοντικά οράματα για να μας δώσουν μια έγκαιρη προειδοποίηση– ήταν τρελό να το ρισκάρουμε.

Εξάλλου, είχα ήδη κερδίσει σ' αυτήν τη διαφωνία. Η ημερομηνία για τη μεταμόρφωσή μου είχε οριστεί, χωρίς να είναι απολύτως οριστικό, για λίγο μετά την αποφοίτησή μου από το λύκειο, μερικές βδομάδες μόνο από τώρα.

Μια απότομη σύσπαση δυσφορίας διαπέρασε το στομάχι μου, καθώς συνειδητοποίησα πόσο λίγος χρόνος είχε απομείνει στην πραγματικότητα. Φυσικά η αλλαγή αυτή ήταν απαραίτητη –και το κλειδί γι' αυτό που ήθελα περισσότερο απ' όλα τα άλλα πράγματα στον κόσμο, αν τα έβαζες μαζί– αλλά σκεφτόμουν έντονα τον Τσάρλι, που καθόταν στο διπλανό δωμάτιο απολαμβάνοντας το παιχνίδι, όπως και κάθε νύχτα. Και τη μητέρα μου, τη Ρενέ, μακριά στην ηλιόλουστη Φλόριντα , που ακόμα με παρακαλούσε να περάσω το καλοκαίρι στην παραλία μαζί μ' εκείνη και τον καινούριο της σύζυγο. Και τον Τζέικομπ, ο οποίος, σε αντίθεση με τους γονείς μου, θα ήξερε ακριβώς τι συνέβαινε, όταν θα εξαφανιζόμουν σε κάποιο μακρινό πανεπιστήμιο. Ακόμα κι αν οι γονείς μου δεν υποψιάζονταν τίποτα για πολύ καιρό, ακόμα κι αν κατάφερνα να αναβάλλω επισκέψεις με δικαιολογίες για τα έξοδα του ταξιδιού ή τα δάνεια για τις σπουδές μου ή αρρώστιες, ο Τζέικομπ θα ήξερε την αλήθεια.

Για μια στιγμή, η ιδέα της αποστροφής που θα ένιωθε ο Τζέικομπ επισκίασε κάθε άλλο πόνο.

«Μπέλλα», μουρμούρισε ο Έντουαρντ, καθώς το πρόσωπό του συσπάστηκε, όταν διάβασε τη θλίψη στο δικό μου. «Δεν υπάρχει καμία βιασύνη. Δε θα αφήσω κανέναν να σου κάνει κακό. Μπορείς να κάνεις όσο καιρό θέλεις».

«Θέλω να βιαστώ», ψιθύρισα, χαμογελώντας αδύναμα, προσπαθώντας να αστειευτώ. «Θέλω να γίνω κι εγώ τέρας».

Τα δόντια του σφίχτηκαν˙ μίλησε μέσα από αυτά. «Δεν έχεις την παραμικρή ιδέα τι λες». Απότομα, πέταξε την υγρή εφημερίδα στο τραπέζι ανάμεσά μας. Το δάχτυλό του λόγχισε τον τίτλο στην πρώτη σελίδα:

ΑΥΞΑΝΟΝΤΑΙ ΤΑ ΘΥΜΑΤΑ ΔΟΛΟΦΟΝΙΩΝ,
Η ΑΣΤΥΝΟΜΙΑ ΦΟΒΑΤΑΙ ΓΙΑ ΔΡΑΣΗ ΣΥΜΜΟΡΙΑΣ

«Τι σχέση έχει αυτό με οτιδήποτε;»

«Τα τέρατα δεν είναι αστείο πράγμα, Μπέλλα».

Κοίταξα επίμονα τον τίτλο ξανά και μετά σήκωσα τα μάτια για να δω τη σκληρή του έκφραση. «Ένας... ένας βρικόλακας το κάνει αυτό;» ψιθύρισα.

Χαμογέλασε χωρίς διάθεση. Η φωνή του ήταν χαμηλή και παγερή. «Θα ξαφνιαζόσουν, Μπέλλα, με το πόσο συχνά το είδος μου είναι η αιτία πίσω από τα φριχτά πράγματα στα ανθρώπινα νέα σας. Είναι εύκολο να το αναγνωρίσεις, αν ξέρεις τι να ψάξεις. Οι πληροφορίες εδώ υποδηλώνουν ότι κάποιος νεογέννητος βρικόλακας έχει αμοληθεί στο Σιάτλ. Διψασμένος για αίμα, βίαιος, ανεξέλεγκτος. Όπως ήμασταν όλοι κάποτε».

Άφησα το βλέμμα μου να πέσει πάνω στην εφημερίδα ξανά, αποφεύγοντας τα μάτια του.

«Παρακολουθούμε την κατάσταση εδώ και μερικές βδομάδες. Υπάρχουν όλες οι ενδείξεις –οι απίθανες εξαφανίσεις, πάντα στη διάρκεια της νύχτας, τα πτώματα που τα έχει ξεφορτωθεί όπως-όπως, η έλλειψη άλλων στοιχείων... Ναι, κάποιος εντελώς νέος. Και κανείς δε φαίνεται να αναλαμβάνει την ευθύνη για το νεοφώτιστο...» Πήρε μια βαθιά ανάσα. «Εντάξει, δεν είναι δικό μας πρόβλημα. Δε θα δίναμε καν σημασία στην κατάσταση, αν δεν ήταν τόσο κοντά στο σπίτι μας. Όπως είπα, αυτά συμβαίνουν όλη την ώρα. Η ύπαρξη τεράτων έχει τερατώδεις συνέπειες».

Προσπάθησα να μη δω τα ονόματα στη σελίδα, αλλά εκείνα πετάχτηκαν ξεχωρίζοντας από το υπόλοιπο κείμενο σαν να ήταν γραμμένα με έντονα γράμματα. Οι πέντε άνθρωποι που οι ζωές τους είχαν τελειώσει, των οποίων οι οικογένειες θρηνούσαν τώρα. Ήταν διαφορετικά από το να σκεφτώ το φόνο αφηρημένα, καθώς διάβαζα εκείνα τα ονόματα. Μορίν Γκάρντινερ, Τζέφρι Κάμπελ, Γκρέις Ράτσι, Μισέλ Ο' Κόνελ, Ρόναλντ Άλμπρουκ. Άνθρωποι που είχαν γονείς και φίλους και κατοικίδια και δουλειές και ελπίδες και σχέδια και αναμνήσεις και μέλλον...

«Δε θα είναι το ίδιο για μένα», ψιθύρισα, σχεδόν στον εαυτό μου. «Δε θα με αφήσεις να γίνω έτσι. Θα ζήσουμε στην Ανταρκτική».

Ο Έντουαρντ ρουθούνισε ελαφρύνοντας την ένταση. «Πιγκουίνοι. Υπέροχα».

Γέλασα με ένα τρεμάμενο γέλιο και έσπρωξα την εφημερίδα από το τραπέζι, για να μη βλέπω τα ονόματα εκείνα˙ έπεσε με ένα γδούπο πάνω στο μουσαμά. Φυσικά ο Έντουαρντ θα αναλογιζόταν τις δυνατότητες για κυνήγι. Εκείνος και η "χορτοφάγος" οικογένειά του –όλοι τους αφοσιωμένοι στην προστασία της ανθρώπινης ζωής– προτιμούσαν τη γεύση μεγάλων θηρευτών για να ικανοποιούν τις διατροφικές τους ανάγκες. «Στην Αλάσκα, λοιπόν, όπως το είχαμε σχεδιάσει. Μόνο κάπου πολύ πιο απομακρυσμένα απ' ό,τι το Τζουνό –κάπου που να υπάρχουν άφθονες αρκούδες γκρίζλι».

«Καλύτερα», παραδέχτηκε. «Υπάρχουν και πολικές αρκούδες. Πολύ άγριες. Και οι λύκοι γίνονται αρκετά μεγάλοι εκεί».

Το στόμα μου έμεινε ανοιχτό, και η ανάσα μου βγήκε σφυρίζοντας με ένα απότομα φύσημα.

«Τι συμβαίνει;» ρώτησε εκείνος. Πριν προλάβω να ξαναβρώ τον εαυτό μου, η σύγχυση εξαφανίστηκε και όλο του το σώμα φάνηκε να τσιτώνεται. «Α. Ξέχνα τους λύκους, τότε, αν η ιδέα είναι προσβλητική για σένα». Η φωνή του ήταν ψυχρή, επίσημη, οι ώμοι του άκαμπτοι.

«Ήταν ο καλύτερός μου φίλος, Έντουαρντ», μουρμούρισα. Ένιωθα ένα τσίμπημα χρησιμοποιώντας τον αόριστο. «Φυσικά και η ιδέα με προσβάλλει».

«Σε παρακαλώ να συγχωρέσεις την απερισκεψία μου», είπε, ακόμα πολύ επίσημα. «Κακώς το πρότεινα αυτό».

«Μην ανησυχείς». Κοίταξα τα χέρια μου σφιγμένα σε μια διπλή γροθιά πάνω στο τραπέζι.

Μείναμε και οι δυο σιωπηλοί για μια στιγμή, και μετά το δροσερό του δάχτυλο βρέθηκε κάτω από το πιγούνι μου, καλοπιάνοντας το πρόσωπό μου για να σηκωθεί. Η έκφρασή του ήταν πολύ πιο μαλακή τώρα.

«Συγνώμη. Αλήθεια».

«Το ξέρω. Το ξέρω ότι δεν είναι το ίδιο πράγμα. Δεν έπρεπε να αντιδράσω έτσι. Απλώς είναι που... να, ήδη σκεφτόμουν τον Τζέικομπ πριν έρθεις». Δίστασα. Τα μελί μάτια του έμοιαζαν να γίνονται λίγο πιο σκούρα κάθε φορά που έλεγα το όνομα του Τζέικομπ. Η φωνή μου έγινε παρακλητική ως αντίδραση. «Ο Τσάρλι λέει ότι ο Τζέικομπ περνάει πολύ δύσκολη περίοδο. Πονάει αυτή τη στιγμή, και... φταίω εγώ».

«Δεν έκανες τίποτα κακό, Μπέλλα».

Πήρα μια βαθιά ανάσα. «Πρέπει να κάνω κάτι για να γίνει καλύτερα, Έντουαρντ. Του το χρωστάω. Κι εξάλλου, είναι ένας από τους όρους του Τσάρλι –»

Το πρόσωπό του άλλαξε, ενώ μιλούσα, έγινε σκληρό και πάλι, σαν αγάλματος.

«Ξέρεις ότι δεν είναι δυνατό να βρίσκεσαι κοντά σε λυκάνθρωπο απροστάτευτη, Μπέλλα. Και ότι θα έσπαγε η συνθήκη, αν οποιοσδήποτε από μας πατήσει στη γη τους. Θέλεις να αρχίσουμε πόλεμο;»

«Φυσικά και όχι!»

«Τότε δεν έχει κανένα νόημα να συζητάμε το θέμα περαιτέρω». Άφησε το χέρι του να πέσει και γύρισε το κεφάλι του από την άλλη μεριά, ψάχνοντας για αλλαγή θέματος. Τα μάτια του σταμάτησαν πάνω σε κάτι πίσω μου, και χαμογέλασε, αν και τα μάτια του παρέμειναν ανήσυχα.

«Χαίρομαι που ο Τσάρλι αποφάσισε να σε αφήσει να βγεις –έχεις ανάγκη, σε αξιοθρήνητο βαθμό, μιας επίσκεψης σε βιβλιοπωλείο. Δεν μπορώ να το πιστέψω ότι διαβάζεις ξανά το *Ανεμοδαρμένα Ύψη*. Δεν το έχεις μάθει απ' έξω ακόμα;»

«Δεν έχουμε όλη φωτογραφική μνήμη», είπα.

«Είτε έχεις φωτογραφική μνήμη είτε όχι, δεν καταλαβαίνω γιατί σου αρέσει. Οι χαρακτήρες είναι φριχτοί άνθρωποι που καταστρέφουν ο ένας τη ζωή του άλλου. Δεν ξέρω γιατί ο Χίθκλιφ και η Κάθι κατέληξαν να συγκρίνονται με ζευγάρια, όπως ο Ρωμαίος κι η Ιουλιέτα ή η Ελίζαμπεθ Μπένετ κι ο κύριος Ντάρσι. Δεν είναι ιστορία αγάπης, είναι ιστορία μίσους».

«Έχεις σοβαρό πρόβλημα με τους κλασικούς», είπα απότομα.

«Ίσως επειδή δε με εντυπωσιάζει η αρχαιότητα». Χαμογέλασε, ολοφάνερα ικανοποιημένος που μου είχε αποσπάσει την προσοχή. «Ειλικρινά, παρ' όλα αυτά, γιατί το διαβάζεις ξανά και ξανά;» Τα μάτια του ήταν ζωηρά, με πραγματικό ενδιαφέρον τώρα, προσπαθώντας –για άλλη μια φορά– να ξεδιαλύνουν τις περίπλοκες διεργασίες του μυαλού μου. Άπλωσε το χέρι του πάνω από το τραπέζι για να κλείσει το πρόσωπό μου στο χέρι του. «Τι είναι αυτό που σε γοητεύει;»

Η ειλικρινής του περιέργεια με αφόπλισε. «Δεν είμαι βέβαιη», είπα, παλεύοντας να διατηρήσω τη συνοχή των σκέψεών μου, καθώς το βλέμμα του αθέλητα τις σκόρπιζε. «Νομίζω ότι έχει να κάνει με το αναπόφευκτο της μοίρας τους. Ο τρόπος με τον οποίο τίποτα δεν μπορεί να τους κρατήσει μακριά τον έναν από τον άλλο –ούτε ο εγωισμός της, ούτε η κακία του, ούτε καν ο θάνατος, στο τέλος...»

Το πρόσωπό του ήταν σκεπτικό, καθώς συλλογιζόταν τα λόγια μου. Μετά από μια στιγμή χαμογέλασε με ένα πειραχτικό χαμόγελο. «Και πάλι πιστεύω ότι θα ήταν καλύτερη ιστορία, αν έστω ένας από τους δύο είχε έστω ένα χαρακτηριστικό που να τον εξιλεώνει».

«Νομίζω ότι αυτό ακριβώς μπορεί να είναι το θέμα», διαφώνησα. «Η αγάπη τους *είναι* το μόνο χαρακτηριστικό τους που τους εξιλεώνει».

«Ελπίζω εσύ να φανείς πιο λογική –να ερωτευτείς κάποιον που να μην είναι τόσο... κακόβουλος».

«Είναι κάπως αργά για να ανησυχείς για το ποιον θα ερωτευτώ», επισήμανα. «Αλλά και χωρίς την προειδοποίηση, φαίνεται ότι δεν τα έχω καταφέρει κι άσχημα».

Γέλασε ήσυχα. «Χαίρομαι που εσύ το πιστεύεις αυτό».

«Λοιπόν, ελπίζω εσύ να είσαι αρκετά έξυπνος, ώστε να μείνεις μακριά από κάποια τόσο εγωίστρια. Η Κάθριν είναι, στην πραγματικότητα, η πηγή όλων των κακών, όχι ο Χίθκλιφ».

«Θα έχω το νου μου», υποσχέθηκε.

Αναστέναξα. Ήταν καλός στο να μου αποσπά την προσοχή.

Έβαλα το χέρι μου πάνω από το δικό του για να το κρατήσω στο πρόσωπό μου. «Πρέπει να δω τον Τζέικομπ».

Τα μάτια του έκλεισαν. «Όχι».

«Στ' αλήθεια δεν είναι καθόλου επικίνδυνο», είπα, ξανά παρακλητικά. «Παλιά περνούσα ολόκληρη τη μέρα στο Λα Πους με όλη την παρέα, και τίποτα δε συνέβη ποτέ».

Αλλά έκανα ένα σφάλμα˙ η φωνή μου κόμπιασε στο τέλος, επειδή συνειδητοποίησα, καθώς έλεγα τα λόγια αυτά, ότι ήταν ένα ψέμα. Δεν ήταν αλήθεια ότι τίποτα δεν είχε συμβεί. Μια σύντομη αναλαμπή μιας ανάμνησης –ενός τεράστιου γκρίζου λύκου που είχε συσπειρωθεί έτοιμος να μου ορμήσει, δείχνοντας μου τα γυμνά του δόντια που έμοιαζαν με στιλέτα– έκανε τις παλάμες μου να ιδρώσουν, με έναν αντίλαλο από τον πανικό που θυμήθηκα.

Ο Έντουαρντ άκουσε την καρδιά μου να χτυπάει πιο γρήγορα και κούνησε το κεφάλι, σαν να είχα παραδεχτεί δυνατά το ψέμα. «Οι λυκάνθρωποι είναι ασταθείς. Μερικές φορές, οι άνθρωποι που είναι κοντά τους τραυματίζονται. Μερικές φορές, σκοτώνονται».

Ήθελα να το αρνηθώ, αλλά μια άλλη εικόνα επιβράδυνε την απάντηση που ετοίμαζα για να τον αντικρούσω. Είδα μέσα στο κεφάλι μου το κάποτε όμορφο πρόσωπο της Έμιλι Γιανγκ, που τώρα είχε ασχημύνει εξαιτίας τριών σκούρων ουλών, που τραβούσαν προς τα κάτω την άκρη του δεξιού ματιού της και είχαν αφήσει το στόμα της παραμορφωμένο, να σχηματίζει για πάντα μια στραβή γκριμάτσα.

Εκείνος περίμενε, σκοτεινά θριαμβευτικός, να ξαναβρώ τη φωνή μου.

«Δεν τους ξέρεις», ψιθύρισα.

«Τους ξέρω καλύτερα απ' ό,τι νομίζεις, Μπέλλα. Ήμουν εδώ την προηγούμενη φορά».

«Την προηγούμενη φορά;»

«Οι δρόμοι μας άρχισαν να διασταυρώνονται με τους λύκους περίπου πριν εβδομήντα χρόνια... Μόλις είχαμε εγκατασταθεί στο Χόκουιαμ. Αυτό έγινε πριν η Άλις κι ο Τζάσπερ μας βρουν. Ήμασταν περισσότεροι αριθμητικά από 'κείνους, αλλά αυτό δε θα εμπόδιζε να γίνει μάχη, αν δεν ήταν ο Κάρλαϊλ. Κατάφερε να πείσει τον Έφρεμ Μπλακ ότι ήταν δυνατή η συνύπαρξη, και τελικά κάναμε την ανακωχή».

Το όνομα του προπάππου του Τζέικομπ με αιφνιδίασε.

«Νομίζαμε ότι η γενιά είχε πεθάνει μαζί με τον Έφρεμ Μπλακ», μουρμούρισε ο Έντουαρντ˙ ακουγόταν σαν να μιλούσε με τον εαυτό του τώρα. «Ότι η γενετική ανωμαλία που επέτρεπε τη μετάλλαξη είχε χαθεί...» Σταμάτησε απότομα και με κοίταξε σαν να με κατηγορούσε. «Η κακή σου τύχη φαίνεται ότι γίνεται όλο και πιο δυνατή κάθε μέρα. Συνειδητοποιείς ότι η ακόρεστη έλξη που ασκείς σε όλα τα θανάσιμα πράγματα ήταν αρκετά δυνατή, για να επαναφέρει μια αγέλη μεταλλαγμένων σκυλιών που είχαν εξαφανιστεί; Αν μπορούσαμε να κλείσουμε την τύχη σου σε ένα μπουκάλι, θα είχαμε στα χέρια μας ένα όπλο μαζικής καταστροφής».

Αγνόησα το σχόλιο, καθώς την προσοχή μου προσέλκυσε το συμπέρασμά του –σοβαρολογούσε; «Μα δεν τους έφερα εγώ πίσω. Δεν το ξέρεις;»

«Να ξέρω τι πράγμα;»

«Η κακή μου τύχη δεν είχε καμία σχέση. Οι λυκάνθρωποι γύρισαν επειδή γύρισαν και οι βρικόλακες».

Ο Έντουαρντ με κοίταξε έντονα, με σώμα εντελώς ακίνητο από την έκπληξη.

«Ο Τζέικομπ μου είπε ότι το γεγονός ότι η οικογένειά σου γύρισε εδώ ενεργοποίησε την κατάσταση. Νόμιζα ότι το ήξερες ήδη…»

Τα μάτια του ζάρωσαν. «Αυτό πιστεύουν;»

«Έντουαρντ, δες τα γεγονότα. Πριν εβδομήντα χρόνια, ήρθατε εδώ, και εμφανίστηκαν οι λυκάνθρωποι. Τώρα ξανάρχεστε, και οι λυκάνθρωποι εμφανίζονται πάλι. Νομίζεις ότι αυτό είναι σύμπτωση;»

Ανοιγόκλεισε τα μάτια, και το βλέμμα του χαλάρωσε. «Ο Κάρλαϊλ θα τη βρει πολύ ενδιαφέρουσα αυτή τη θεωρία».

«Θεωρία», είπα κοροϊδευτικά.

Έμεινε σιωπηλός για ένα λεπτό, κοιτάζοντας έξω από το παράθυρο, μέσα στη βροχή· φανταζόμουν ότι αναλογιζόταν το γεγονός ότι η παρουσία της οικογένειάς του μετέτρεπε τους ντόπιους σε γιγάντιους σκύλους.

«Ενδιαφέρουσα, αλλά όχι ακριβώς σχετική», μουρμούρισε μετά από ένα λεπτό. «Η κατάσταση παραμένει η ίδια».

Αυτό μπορούσα να το μεταφράσω αρκετά εύκολα: όχι φιλίες με τους λυκάνθρωπους.

Ήξερα ότι έπρεπε να είμαι υπομονετική με τον Έντουαρντ. Δεν ήταν ότι ήταν παράλογος, απλώς ήταν ότι δεν καταλάβαινε. Δεν είχε ιδέα πόσα χρωστούσα στον Τζέικομπ Μπλακ τη ζωή μου πολλές φορές και πιθανότατα και τη λογική μου, επίσης.

Δε μου άρεσε να μιλάω για εκείνον τον άγονο καιρό με κανέναν, και ειδικά όχι με τον Έντουαρντ. Προσπαθούσε μόνο να με σώσει, όταν έφυγε, προσπαθούσε να σώσει την ψυχή μου. Δεν τον θεωρούσα υπεύθυνο για όλα τα ανόητα πράγματα που είχα κάνει στη διάρκεια της απουσίας του, ούτε για τον πόνο που είχα υποφέρει.

Εκείνος, όμως, θεωρούσε τον εαυτό του υπεύθυνο.

Έτσι έπρεπε να διατυπώσω την εξήγησή μου πολύ προσεχτικά.

Σηκώθηκα όρθια και περπάτησα γύρω από το τραπέζι. Εκείνος άνοιξε τα χέρια του για μένα, και κάθισα στα γόνατά του, φωλιάζοντας στη δροσερή πέτρινη αγκαλιά του. Κοίταζα τα χέρια του, καθώς μιλούσα.

«Σε παρακαλώ, άκουσέ με για ένα λεπτό. Αυτό είναι πολύ πιο σημαντικό από κάποιο καπρίτσιο να επισκεφτώ έναν παλιό φίλο. Ο Τζέικομπ πονάει». Η φωνή μου παραμορφώθηκε, όταν είπα τη λέξη. «Δεν μπορώ να μην προσπαθήσω να τον βοηθήσω –δεν μπορώ να τον αφήσω μόνο του τώρα, όταν με χρειάζεται. Απλώς επειδή δεν είναι άνθρωπος συνέχεια… Ήταν εκεί για μένα, όταν δεν ήμουν κι εγώ… πολύ ανθρώπινη. Δεν ξέρεις πώς ήταν…» Δίστασα. Τα μπράτσα του Έντουαρντ ήταν άκαμπτα γύρω μου· τα χέρια του είχαν γίνει γροθιές τώρα, οι τένοντες είχαν πεταχτεί έξω. «Αν δε με είχε βοηθήσει ο Τζέικομπ... δεν είμαι σίγουρη σε τι θα είχες γυρίσει πίσω. Του χρωστάω κάτι καλύτερο απ' αυτό, Έντουαρντ».

Σήκωσα τα μάτια για να δω το πρόσωπό του ανήσυχη. Τα μάτια του ήταν κλειστά και το σαγόνι του σφιγμένο.

«Δε θα συγχωρήσω ποτέ τον εαυτό μου που σε άφησα», ψιθύρισε. «Ακόμα κι αν ζήσω εκατό χιλιάδες χρόνια».

Ακούμπησα το χέρι μου στο ψυχρό του πρόσωπο και περίμενα, μέχρι που αναστέναξε κι άνοιξε τα μάτια.

«Απλώς προσπαθούσες να κάνεις το σωστό. Και είμαι σίγουρη ότι θα είχε αποτέλεσμα με κάποιο άτομο λιγότερο ανισόρροπο από μένα. Εξάλλου, είσαι εδώ τώρα. Αυτό είναι που μετράει».

«Αν δε σε είχα αφήσει ποτέ, δε θα ένιωθες την ανάγκη να πας να διακινδυνεύσεις τη ζωή σου για να παρηγορήσεις ένα σκυλί».

Ζάρωσα προς τα πίσω. Είχα συνηθίσει τον Τζέικομπ και όλες εκείνες τις υποτιμητικές λέξεις που πέταγε –βδέλλα, αιμορουφήχτρες, παράσιτα... Κατά κάποιο τρόπο ακουγόταν πιο σκληρό, όταν προερχόταν από τη βελούδινη φωνή του Έντουαρντ.

«Δεν ξέρω πώς να το διατυπώσω σωστά», είπε ο Έντουαρντ, κι τόνος του ήταν ψυχρός. «Θα ακουστεί σκληρό, υποθέτω. Αλλά έχω φτάσει πολύ κοντά στο να σε χάσω στο παρελθόν. Ξέρω πώς είναι να νιώθω ότι σε έχω χάσει. Δε θα ανεχτώ τίποτα επικίνδυνο».

«Πρέπει να μου έχεις εμπιστοσύνη όσον αφορά αυτό το θέμα. Θα είμαι μια χαρά».

Το πρόσωπό του ήταν γεμάτο πόνο ξανά. «Σε παρακαλώ, Μπέλλα», ψιθύρισε.

Κοίταξα μέσα στα ξαφνικά φλεγόμενα χρυσαφί του μάτια. «Με παρακαλείς τι πράγμα;»

«Σε παρακαλώ, για χάρη μου. Σε παρακαλώ, κάνε μια συνειδητή προσπάθεια να κρατήσεις τον εαυτό του ασφαλή. Εγώ θα κάνω ό,τι μπορώ, αλλά θα το εκτιμούσα αν είχα και λίγη βοήθεια».

«Θα προσπαθήσω», μουρμούρισα.

«Έχεις την παραμικρή ιδέα πόσο σημαντική είσαι για μένα; Έχεις αντιληφθεί καθόλου πόσο πολύ σε αγαπάω;» Με τράβηξε πιο σφιχτά στο σκληρό του στήθος, χώνοντας το κεφάλι μου κάτω από το πιγούνι του.

Πίεσα τα χείλη μου πάνω στον κρύο σαν πέτρα λαιμό του. «Ξέρω πόσο πολύ εγώ αγαπάω εσένα», απάντησα.

«Συγκρίνεις ένα μικρό δέντρο με ένα ολόκληρο δάσος».

Στριφογύρισα τα μάτια μου, αλλά εκείνος δεν μπορούσε να το δει. «Αδύνατον».

Φίλησε την κορυφή του κεφαλιού μου κι αναστέναξε.

«Όχι λυκάνθρωποι».

«Δε θα συμφωνήσω μ' αυτό. Πρέπει να δω τον Τζέικομπ».

«Τότε κι εγώ θα πρέπει να σε σταματήσω».

Ακούστηκε απόλυτα βέβαιος ότι αυτό δε θα αποτελούσε πρόβλημα.

Ήμουν σίγουρη πως είχε δίκιο.

«Αυτό θα το δούμε», μπλόφαρα, έτσι κι αλλιώς. «Είναι ακόμα φίλος μου».

Ένιωθα το σημείωμα του Τζέικομπ στην τσέπη μου, σαν να ζύγιζε ξαφνικά πέντε κιλά. Άκουγα τις λέξεις με τη δική του φωνή, κι έμοιαζε να συμφωνεί με τον Έντουαρντ –κάτι που δε θα συνέβαινε ποτέ στην πραγματικότητα.

Δεν αλλάζει τίποτα. Συγνώμη.

Όλα ξεκίνησαν με το *Λυκόφως*.

Το βιβλίο που προκάλεσε τη φαντασία...

Όλα ξεκίνησαν με το *Λυκόφως*. Το βιβλίο που προκάλεσε τη φαντασία...

Η *Νέα Σελήνη* έκανε τους αναγνώστες να διψάνε για περισσότερο...

Έκλειψη.
Το βιβλίο που
μετέτρεψε
τη σειρά σε
παγκόσμιο
φαινόμενο...

Η _Χαραυγή_,
το τελευταίο
βιβλίο του
Έπους, μας
έκοψε την
ανάσα.

λυκόφως

ημερολόγια

ΤΕΣΣΕΡΑ ΑΝΑΜΝΗΣΤΙΚΑ

ΗΜΕΡΟΛΟΓΙΑ ΣΕ

ΣΥΛΛΕΚΤΙΚΟ ΚΟΥΤΙ

ΒΑΣΙΣΜΕΝΑ ΣΤΑ #1 ΜΠΕΣΤ ΣΕΛΕΡ ΜΥΘΙΣΤΟΡΗΜΑΤΑ ΤΗΣ

STEPHENIE MEYER

ΠΑΓΚΟΣΜΙΑ ΚΥΚΛΟΦΟΡΙΑ

ΟΚΤΩΒΡΙΟΣ 2009

ΛΥΚΟΦΩΣ: Ο ΠΛΗΡΗΣ ΚΙΝΗΜΑΤΟΓΡΑΦΙΚΟΣ ΟΔΗΓΟΣ
του **MARK COTTA VAZ**

ΚΥΚΛΟΦΟΡΕΙ

ΝΕΑ ΣΕΛΗΝΗ: Ο ΕΠΙΣΗΜΟΣ ΚΙΝΗΜΑΤΟΓΡΑΦΙΚΟΣ ΟΔΗΓΟΣ
του **MARK COTTA VAZ**

ΕΡΧΕΤΑΙ
ΝΟΕΜΒΡΙΟ 2009

Ενημέρωση

www.platypus.gr

stepheniemeyer-gr.blogspot.gr

twilight.platypus.gr

hungergames.platypus.gr

facebook

twitter

Επικοινωνία

info@platypus.gr